SNORRE·S
KONGES...R.

Snorre Sturluson. Tegning av Christian Krohg.

REDAKTØRER:
Finn Hødnebø og Hallvard Magerøy

OVERSETTERE:
Anne Holtsmark og Didrik Arup Seip

ETTERORD:
Finn Hødnebø

MED TEGNINGER AV:
Halfdan Egedius, Christian Krohg,
Gerhard Munthe, Eilif Peterssen,
Erik Werenskiold, Wilhelm Wetlesen

OMSLAGSMOTIVET
er hentet fra Rennebubenken som
befinner seg på Historisk Museum
i Bergen

Omslagsdesign av Else Munthe Kaas
Treskjæring av Oscar Sveen

Snorre Sturluson:

Norges konge sagaer

Den norske Bokklubben

© Gyldendal Norsk Forlag A/S 1979
Verket omfatter bind 1-2,
Snorre Sturluson – Kongesagaer,
av Gyldendals jubileumsutgave
Oversatt av Anne Holtsmark og Didrik Arup Seip
Fotografisk opptrykk: Østfold Trykkeri A/S
Denne utgaven er identisk med 1. opplag, 1981
Printed in Norway 1990

7. opplag

ISBN 82-525-0641-0

Innhold

Konge=Sagaer er skrevne her:

Snorre Sturlusons fortale

 DENNE BOKA lot jeg skrive gamle frasagn om de høvdinger som har hatt rike i Norderlanda, og som har talt dansk tungemål*, slik som jeg har hørt kyndige menn fortelle; likeså noe om ættene deres, etter det jeg har lært om dem. Noe av det fins i ættetalene, som konger og andre storættede folk rekner ætta si etter; noe er også skrevet etter gamle kveder eller historiske dikt, som folk bruker å more seg med; for om vi ikke kan vite sikkert at de er sanne, så vet vi likevel om at gamle frode menn har holdt slikt for å være sant.

Tjodolv den frode* fra Kvine* var skald hos Harald Hårfagre; han diktet også et kvede som heter Ynglingatal om kong Ragnvald Heidumhære*. Ragnvald var sønn til Olav Geirstadalv, bror til Halvdan Svarte. I det kvedet er det reknet opp tretti av forfedrene hans, og fortalt hvordan hver av dem døde, og hvor de ligger gravlagt. Fjolne het han som var sønn til den Yngve-Frøy som svearne blotet* til lenge etterpå, etter hans navn er ynglingene oppkalt. Øyvind Skaldespille* har også reknet opp forfedrene til Håkon jarl den mektige i et kvede som heter Håløygjatal, og som han diktet om Håkon. Der er Sæming kalt sønn til Yngve-Frøy, og der er også fortalt om hvordan hver av dem døde, og hvor de er hauglagt. Vi har nå først skrevet om ynglingenes liv etter Tjodolvs utsagn og så lagt noe til etter frode menns fortellinger.

Den første alderen blir kalt brennalderen, da var det skikk å brenne alle døde og reise bautasteiner etter dem. Men etter at Frøy hadde blitt hauglagt ved Uppsala, brukte mange høvdinger å gjøre hauger til minne om frendene sine like ofte som bautasteiner; og etter at Dan den storlåtne, danekongen, lot gjøre en haug for seg og bød at de skulle bære ham dit når han var død, i kongeskrud og rustning og med ham hesten hans fullt oppsalt og mye annet gods, så gjorde mange av hans ættmenn også slik siden. Da tok haug-

---

Dansk tunge(mål) er den gamle betegnelsen på de nordiske språk.
Frod betyr kunnskapsrik, særlig i historie og ættekunnskap.
Kvine, fjorden og distriktet omkring Kvinesfjorden, nå Fedafjorden i Kvinesdal, Vest-Agder.
Tilnavnet *Heiðumhæri* betyr høyt hedret.
Blote, dvs. ofre til de hedenske gudene.
Skaldespille blir vanligvis tolket som den som ødelegger for skaldene. Det man særlig tenker på, er at Øyvind brukte eldre forbilder for sin egen dikting.

alderen til i Danmark, men brennalderen holdt seg hos svear og nordmenn lenge etterpå.

Da Harald Hårfagre var konge i Norge, ble Island bygd. Hos Harald var det skalder, og folk kan ennå kvedene deres, og kveder om alle konger som har vært i Norge siden. Og vi hentet mest kunnskap fra det som er fortalt i de kvedene som ble kvedet for høvdingene sjøl eller sønnene deres. Alt det som fins i disse kvedene om deres ferder og kamper, tok vi for sant. Det er nok skaldevis å prise den mest som de nettopp står framfor, men ingen ville likevel våge å fortelle en mann sjøl om verk han skulle ha gjort, når alle som hørte på visste at det var bare løgn og skryt, og han sjøl også. Det ville være hån og ikke ros.

Are prest den frode*, sønn til Torgils Gellesson, var den første mann her i landet som skreiv på norrønt mål* kunnskaper om gammel og ny tid. I boka si skreiv han først om hvordan Island ble bygd, og om da lovene ble satt, så om lovsigemennene*, hvor lenge hver av dem hadde sagt loven, og det brukte han til å telle år etter, helt til kristendommen kom til Island og videre helt til sine dager. Der tok han med mange andre ting, både kongenes liv i Norge og Danmark og likeså i England, og dessuten andre store hendinger her i landet, og jeg synes alle hans utsagn er vel verdt å legge merke til; han visste svært mye, og han var så gammel at han ble født året etter at Harald Sigurdsson* falt. Han skreiv som han sjøl sier, om livet til de norske kongene etter det Odd, sønn til Koll Hallsson på Sida* fortalte; Odd hadde lært av Torgeir Avrådskoll*, en mann som var svært vis, og så gammel at han hadde bodd på Nidarnes* den gang Håkon jarl den mektige* ble drept. På samme stedet lot Olav Tryggvason legge grunnen til en kaupang, der som den er nå.

Sju år gammel kom Are prest til Hall Torarinsson i Haukadal*; og var der i fjorten år. Hall var en mann med stor visdom og hadde godt minne. Han mintes at Tangbrand prest døpte ham da han var tre år gammel; det var året før kristendommen* ble lovfestet på Island. Are var tolv år gammel da biskop Isleiv døde. Hall fór i kjøpmannsferd mellom landene, han hadde handelssamlag med kong Olav den

---

Are (den) frode (1068-1148). Den boka som Snorre her sikter til, er den første versjonen av *Íslendingabók*, skrevet en gang i 1120-åra. Denne boka er tapt, men ei yngre utgave som Are sjøl laget, fins fremdeles.

Norrønt mål er det språket som inntil utgangen av høymiddelalderen ble talt i Norge og i de land som hadde fått språket sitt fra Norge.

Lovsigemann ble den kalt som i løpet av tre somrer skulle si fram hele loven på Alltinget på Island.

Harald Sigurdsson, dvs. Harald Hardråde (død 1066).

Sida (isl. *Síða*) er navnet på bygdelaget sør for *Vatnajökull* i *Vestur-Skaftafellssýsla*.

Avrådskoll, usikker betydning.

Nidarnes, et nes i Nidaros ved Nidelva.

Håkon jarl ble etter vanlig tidsrekning drept i 995.

Haukadal (isl. *Haukadalur*) ligger like nord for det gamle bispesetet *Skálholt* på Sør-Island.

Kristendommen ble, etter vanlig tidsrekning, lovfestet på Island år 1000.

hellige og kom seg svært opp på det; derfor hadde han kjennskap til Olavs styre. Da biskop Isleiv døde, hadde det gått nesten åtti år siden kong Olav Tryggvasons fall. Hall døde ni år etter biskop Isleiv; da var Hall 94 år gammel. Han hadde slått seg ned i Haukadal da han var tretti år, og bodde der i 64 år; så skreiv Are. Teit, sønn til biskop Isleiv var hos Hall i Haukadal til oppfostring og bodde der siden. Han var lærer for Are prest og gav ham kunnskap om mange ting, som Are skreiv siden. Are lærte også mye av Turid, datter til Snorre gode*; hun var klok, og hun husket Snorre, far sin, og han var bortimot 35 år da kristendommen kom til Island, og han døde ett år etter at kong Olav den hellige* falt. Det var ikke underlig at Are hadde god kunnskap om gamle hendinger både her og utenlands, når han hadde lært av så gamle og vise menn, og sjøl var han lærelysten og hadde godt minne. Men kvedene tror jeg det er minst mistak i, om de blir rett kvedet og skjønnsomt tolket.

Snorre gode var en kjent høvding på Vest-Island.
Olav den hellige falt i 1030.

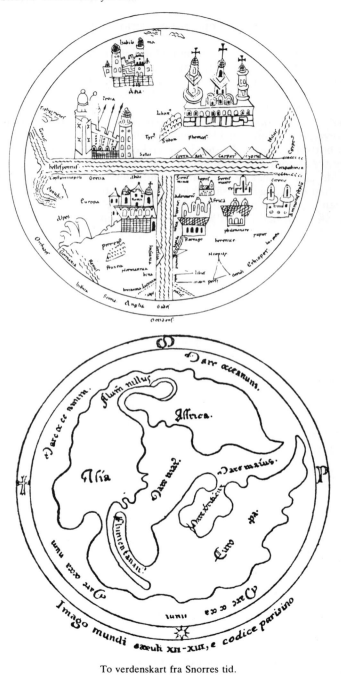

To verdenskart fra Snorres tid.

Ynglinge-saga

RINGLA HEIMSINS – den runde jordskiva –, som menneskene bor på, er mye innskåret av havet, store bukter går fra uthavet inn i landet. Vi vet at det går et hav fra Norvasund* helt ut til Jorsalaland*; fra dette havet går det en lang havsbotn mot nordøst, den heter Svartehavet. Det skiller mellom de tre verdensdelene, østafor heter det *Asia,* og landene vestafor kaller noen *Europa* og noen *Enea*.

På nordsida av Svartehavet ligger Store Svitjod* eller Det kalde Svitjod. Det er de som mener at Store Svitjod ikke er mindre enn Store Serkland*, noen sier det er like stort som Store Blåland*; den nordlige delen av Svitjod ligger ubygd for frost og kulde, likesom søndre delen av Blåland er øde av den brennende sol. I Svitjod er det mange storbygder, der er det også mange slags folk og mange tungemål, der er riser og der er dverger, der er blåmenn og der er mange slags underlige folkeslag; det er også dyr og draker der, styggelig store. Fra fjella som ligger i nord utenfor all bygd, faller ei elv omkring Svitjod; den heter med rett navn Tanais*, fordum ble den kalt Tanakvisl* eller Vanakvisl, den faller i sjøen inne i Svartehavet. Landet omkring Vanakvisl ble da kalt Vanaland eller Vanaheim. Denne elva skiller mellom verdensdelene; østafor heter det Asia, og vestafor Europa. *(Se kart side 12.)*

2. Landet øst for Tanakvisl i Asia ble kalt Åsaland eller Åsaheim, og hovedborgen i landet kalte de Åsgard*. En som het Odin, var

---

Norvasund, dvs. det trange sundet, er det gamle norrøne navnet på Gibraltar.
Jorsalaland er landet omkring Jerusalem.
Enea, navn på Europa, avl. av Aeneas, kongssønnen fra Troja, iflg. tradisjonen stamfar for bl.a. romerne.
Store Svitjod. Snorre mener sannsynligvis Scythia magna som i oldtida lå i Sørøst-Russland. Pga. lydlikheten har en i middelalderen assosiert disse to navn med hverandre.
Store Serkland betyr vel her landene i Det nære østen. Det kan også brukes om Nord-Afrika (Saracenerlandet).
Store Blåland, dvs. det store negerlandet, er Etiopia eller Nordvest-Afrika. Negrer het i det gamle språket blåmenn (norr. *blåmenn*).
Tanais, det klassiske navnet på Don.
Kvisl betyr grein, munning.
Asia – Åsgard. Pga. at de gamle gudene het *æsir,* i entall *åss,* knytter Snorre *Asia* sammen med *åss.*

Odin øver seid.

høvding i borgen, der var det et stort blotsted. Det var skikk der at tolv hovgoder* skulle være de øverste, de skulle rå for blotene og dømme mellom folk; de kalles diar* eller drotner*; dem skulle hele folket tjene og vise lydighet.

Odin var en stor hærmann, han fór vidt omkring og vant seg mange riker; han var så seiersæl at han hadde lykke i alle slag, og det ble til det at hans menn trodde han kunne få seier i hvert slag om han ville. Han hadde den skikken at når han sendte sine menn til kamp eller i andre sendeferder, så la han først hendene på hodet deres og signet dem, da trodde de at det ville gå dem godt. Hans menn hadde det også slik at når de ble stedd i nød, om det var på sjø eller land, da kalte de på hans navn, og syntes alltid at det hjalp; de trøstet seg helt til ham. Han fór ofte så langt bort at han var ute i flere år om gangen.

3. Odin hadde to brødre; den ene het Ve, den andre Vilje. Disse brødrene styrte riket når han var borte. Det var en gang Odin hadde fart så langt bort og vært så lenge hjemmefra, at æsene ikke trodde han skulle komme hjem igjen. Da tok brødrene og delte arven etter ham; hans kone, Frigg, tok de begge to til ekte. Men litt etter kom Odin hjem, og da tok han kona si tilbake.

4. Odin fór med hær mot vanene*, men de stod seg godt mot ham og verget landet sitt; det skiftet med seier for dem, de herjet landet for hverandre og gjorde skade. Da begge parter ble lei dette, stevnte de hverandre til forlik, sluttet fred og gav hverandre gisler. Vanene gav sine gjæveste menn, det var Njord den rike og sønnen hans, Frøy; æsene gav derimot en mann som het Høne, og sa at han var vel skikket til å være høvding, han var stor og en meget vakker mann; med ham sendte æsene en som het Mime, en merkelig klok mann, og vanene gav derimot den viseste mannen i sin flokk, han het Kvase.

Da Høne kom til Vanaheim, ble han straks gjort til høvding; Mime gav ham råd i alt. Om Høne var på ting eller stevner og Mime ikke var med ham, og det så kom opp vanskelige saker, svarte han alltid det samme: «De andre får rå,» sa han. Da gikk det opp for vanene at æsene nok hadde sveket dem i mannebyttet. Så tok de Mime og hogg hodet av ham og sendte det til æsene.

Hovgoder. Hov var navnet på det hedenske gudshuset; en gode gjorde bl.a. tjeneste som prest.
Diar betyr guder.
Drotner, fra norr. *dróttinn,* er de som står i spissen for en hird (norr. *drótt*).
Vaner. Det var to gudeætter i norrøn mytologi: æser og vaner. Andre vaner enn de som er nevnt her, Njord, Frøy og Frøya, hører vi ikke om.

Odin tok hodet og smurte det med urter slik at det ikke kunne råtne, kvad så galdrer* over det og gav det slik kraft at det talte med ham og sa ham mange skjulte ting. Odin satte Njord og Frøy til blotgoder, og nå var de diar hos æsene. Njords datter var Frøya, hun var blotgydje*, hun var den første som lærte æsene seid*, slik som vanene brukte. Da Njord var hos vanene, hadde han vært gift med sin søster, for det var lovlig der; deres barn var Frøy og Frøya. Hos æsene var det forbudt å gifte seg med så nære frender.

5. Det går en stor fjellrygg fra nordøst til sørvest; den skiller Store Svitjod fra andre riker. Sør for fjellet er det ikke langt til Tyrkland, der hadde Odin store eiendommer. På den tid fór romerhøvdingene vidt om i verden og la under seg alle folk, mange høvdinger flyktet fra eiendommene sine for denne ufreden. Men Odin var framsynt og trollkyndig, derfor visste han at hans avkom skulle bygge og bo på den nordligste halvdel av verden; derfor satte han brødrene sine, Ve og Vilje, over Åsgard, og fór sjøl bort og alle diane med ham, og mange andre mennesker.

Først fór han vest i Gardarike* og så sør i Saksland*. Han hadde mange sønner. Han vant et stort rike i Saksland, og der satte han sønnene til å styre landet; så fór han nord til havet og tok seg bosted på ei øy, der heter det nå Odinsøy*, på Fyn. Så sendte han Gevjun nord over sundet for å finne mer land, hun kom til kong Gylve, og han gav henne ett plogsland. Da drog hun til Jotunheimene* og fikk fire sønner med en jotun der, dem gjorde hun om til okser og spente dem for plogen, og så drog hun landet ut i havet og vestover mot Odinsøy, det landet heter Sjælland, og der bodde hun siden. Skjold, Odins sønn, fikk henne til ekte, de bodde i Lejre*. Der hun pløyde, ble det et vann eller en sjø, den heter Mälaren, og fjordene i Mälaren ligger slik som nesene på Sjælland. Så kvad Brage den gamle*:

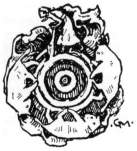

Gevjun drog fra Gylve
gladelig Danmarks økning.
Fra de sterke plogdyr
svetten røk i lufta.
Oksene bar åtte
øyne og fire hoder,
der de gikk foran den rante,
grasrike, vide engøy.

Galdrer, dvs. trolldomssanger.
Blotgydje, offerprestinne.
Seid betyr også trolldom.
Gardarike, som ble grunnlagt av svenske vikinger, er det nåværende Russland. Hovedstaden var Holmgard, som nå heter Novgorod.
Saksland, dvs. landet til sakserne, Nord-Tyskland.
Odinsøy, nå Odense.
Jotunheimene. Snorre tenkte seg heimen til jotnene et sted nord og øst for Sverige. I norrøn tid ble navnet brukt i flertall.
Lejre nær Roskilde på Sjælland. →

Da nå Odin fikk vite at det var godt land øst hos Gylve, drog han dit, og han og Gylve gjorde forlik, for Gylve mente han ikke hadde kraft til noen motstand mot æsene. Odin og Gylve målte ofte krefter med list og synkvervinger, men æsene var alltid de sterkeste.

Odin tok seg bosted ved Mälaren, der det nå heter Gamle Sigtuna*; han fikk i stand et stort hov og blot der, som skikk var hos æsene. Han la under seg alt det land som han gav navnet Sigtuna. Han gav bosteder til hovgodene, Njord bodde i Noatun, og Frøy i Uppsala, Heimdal på Himmelberga, Tor på Trudvang og Balder på Breidablik; gode garder gav han dem alle sammen.

6. Det blir sagt, og det skal være sant, at da Åsa-Odin og med ham diane kom til Norderlanda, tok de opp og lærte fra seg idretter som folk har drevet med lenge etterpå. Odin var den gjæveste av dem alle, og av ham lærte de alle idrettene, for han kunne dem først alle sammen, iallfall de fleste.

Når en skal si hva grunnen var til at han var så høyt æret, så var det dette: han var så vakker og verdig å se til når han satt mellom sine venner at alle måtte bli glade til sinns, men når han var ute i hærferd, så han stygg og farlig ut for sine uvenner; det kom av det at han kunne slike kunster at han skiftet farge og utseende på alle måter, etter som han ville. En annen grunn var dette at han talte så godt og så glatt at alle som hørte på, syntes det var det eneste sanne.

Han sa alt på vers, liksom en nå sier fram det som heter skaldskap; han og hovgodene hans heter versesmeder, for det var med dem den kunsten kom opp i Norderlanda. Odin kunne gjøre det slik i et slag at uvennene hans ble blinde eller døve eller fulle av redsel, og våpnene beit ikke mer enn kjepper, men hans egne menn gikk brynjeløse og var gale som hunder og varger, de beit i skjoldene, var sterke som bjørner eller stuter; de drepte alle mennesker, og verken ild eller jern beit på dem; det heter berserkgang*.

7. Odin skiftet ofte ham; da lå kroppen som død eller sovende, men sjøl var han fugl eller dyr, fisk eller orm, og fór på et øyeblikk til fjerne land, i ærend for seg sjøl eller for andre. Han kunne også gjøre andre ting: med bare ord kunne han slokke ild, stille sjøen og vende vinden dit han ville; óg han hadde et skip som het Skidbladne, som han fór over store hav på, men en kunne også tulle det sammen som en duk.

Odin hadde hos seg hodet til Mime, det sa ham tidender fra andre verdener; stundom vekte han opp døde av jorda eller satte seg under

---

Brage den gamle Boddason (9. årh.) er den første nevnte norske skalden som en mener det er bevart skaldedikt av.
Gamle Sigtuna lå der som det nå heter Signhildsberg vestafor Sigtuna.
Berserkgang. Det fins ulike tolkinger av ordet berserk. Det kan bety en som slåss i bare serken (norr. *berserkr*), dvs. uten brynje. Man har gjettet på at berserkene spiste giftstoff, kanskje fluesopp. I den tilstanden kjente de ikke smerte og kunne derfor kjempe uten brynje. En annen teori vil ha det til at navnet kommer av et gammelt ord for bjørn (jfr. norr. *bera* «binne»). Ordet skulle da bety en som er kledd i bjørneskinnsserk, som går i bjørneham.

Odin skifter ham.

hengt mann, derfor ble han kalt drauge-
kongen eller hengtes herre. Han hadde to
ravner, som han hadde lært å tale, de fløy
vidt ut over landene og sa ham mange
tidender. Av alt dette ble han storlig vis.

Alle disse kunstene lærte han fra seg i
runer og en slags sanger som heter galdrer,
derfor kalles æsene for galdresmeder. Odin
kunne den idrett som det følger den største
makt med, og han øvde den sjøl, det er
seid; derfor kunne han vite folks lagnad, og
ting som ikke hadde hendt ennå, han kunne
gi folk død eller ulykke eller vanhelse, han
kunne ta vett eller kraft fra folk, og han
kunne gi det til andre. Men denne trollska-
pen følger det så mye umandig med, at
mannfolk ikke kan drive med den uten
skam, og derfor lærte de gydjene denne
kunsten.

Odin visste også om alt jordgravd gods,
og hvor det var gjemt; og han kunne sanger
som fikk alt til å lukke seg opp for ham:
jord og berg og stein og hauger, og han
bandt med bare ord dem som bodde der
inne, og gikk inn og tok det han ville. Av
disse trollkunstene ble han navngjeten,
uvennene hans var redde for ham, men
vennene satte lit til ham og trodde på hans
trollmakt og på ham sjøl. De fleste av kun-
stene sine lærte han til blotgodene, de var
nest etter ham i all visdom og trollskap.

Mange andre lærte likevel mye av det, og
fra dem har trollkyndighet bredt seg vidt og
holdt seg lenge. Men folk blotet til Odin og
de tolv høvdingene og kalte dem for guder og trodde på dem lenge.
Etter Odins navn laget de navnet Audun*, og det kalte folk sønnene
sine; av Tors navn er Tore eller Torarin laget, eller andre navn er
satt sammen med det, som Steintor eller Havtor, eller det er endret
på flere måter.

8. Odin gav lover i landet, de samme som før gjaldt hos æsene,
han gjorde det blant annet til lov at alle døde skulle bli brent, og det
de eide, båret på bålet med dem. Han sa at hver mann skulle komme
til Valhall med slik rikdom som han hadde hatt med seg på bålet; det

---

Audun er et eksempel på middelalderlig etymologisering. Audun henger ikke sammen
med Odin, som Snorre trodde, men med norr. *auðr*, «rikdom» og *vinr* «venn», altså:
venn av rikdom.

han hadde gravd ned i jorda sjøl, skulle han også eie. Aska skulle bæres ut på sjøen eller graves ned i jorda. Til minne om stormenn skulle folk gjøre en haug, og etter alle slike menn som det hadde vært manns mot i, skulle de reise bautasteiner; denne skikken holdt seg i lange tider. Mot vinteren skulle det blotes for godt år, midtvinters for grøde, det tredje blotet skulle være om sommeren, det var seiersblot. I hele Svitjod gav de Odin skatt, en penning for hver nese, og han skulle verge landet for dem mot ufred og blote for dem til godt år.

Njord fikk ei kone som het Skade, hun ville ikke ha noe samliv med ham og giftet seg så med Odin; de hadde mange sønner, en av dem het Sæming, om ham laget Øyvind Skaldespille dette:

Med jernskogsmøy*　　*og Skade, bygde*
æsers ættfar,　　　　*i Manneheimen;*
skaldguden,　　　　　*og mange andre*
en skattjarl avlet,　　*sønner fødte*
da disse to,　　　　　*skigudinnen*
stridsmenns venn　　*fra fjellet Odin.*

Håkon jarl den mektige reknet sin ætt tilbake til Sæming. Dette Svitjod kalte de Manneheim, og Store Svitjod kalte de Gudeheim; fra Gudeheim hadde de mange ting å fortelle.

9. Odin døde sottedød i Svitjod, men da døden var nær, lot han seg merke med spydodd, og sa at alle våpendøde menn skulle høre ham til; han sa han ville fare til Gudeheim og ta imot vennene sine der. Nå trodde svearne at han var kommet til det gamle Åsgard og ville leve der til evige tider. Da tok de til igjen med tro og bønn til Odin. Ofte trodde svearne han viste seg for dem før store slag, noen gav han seier, andre bød han hjem til seg, det syntes de var gode vilkår, både det ene og det andre. Odin ble brent da han var død, brenningen var stor og staselig. Det var en tro de hadde at dess høyere røyken steig opp i lufta, dess høyre plass fikk han i himmelen, han som ble brent, og han ble så mye rikere om det brant mye med ham.

Njord fra Noatun ble nå herre over svearne, og holdt ved med blotene; ham kalte svearne så drotten, og han fikk skattegaver av dem. I hans dager var freden god, og det var godt år for alt, så godt at svearne trodde Njord rådde for åring og velstand blant folk. I hans dager døde de fleste av diane, alle ble de brent, og siden dyrket folk dem med blot. Njord døde sottedød, han også lot seg merke til Odin før han døde, svearne brente ham og gråt mye ved grava.

Jernskogsmøy, dvs. møya som bor i den mørke skogen.

10. Frøy tok så riket etter Njord; han fikk navnet drotten over svear og tok imot skattegaver av dem. Han var vennesæl og årsæl, liksom faren. Frøy bygde et stort hov i Uppsala* og hadde sitt hovedsete der, til hovet la han alt han eide, land og løsøre. Slik ble Uppsala-rikdommen* til, og den har alltid holdt seg siden. I hans dager ble det Frode-fred*, da var det godt år i alle land og svearne gav Frøy æren for det, derfor ble han dyrket mye mer enn andre guder, så mye mer som folk i landet var rikere i hans dager enn de var før, fordi det var fred og gode åringer. Gerd Gymesdotter het hans kone, deres sønn het Fjolne.

Frøy hadde et annet navn, Yngve; navnet Yngve ble lenge brukt som hedersnavn i hans ætt, og hans ætlinger ble kalt ynglinger. Frøy ble sjuk, og da sotten ble verre, tenkte mennene hans ut et råd, og lot få folk komme og se ham; så bygde de en stor haug med dør og tre glugger i. Og da Frøy var død, bar de ham til haugen så ingen visste det, og sa til svearne at han levde, de gjemte ham der i tre år, og all skatten helte de inn i haugen, gullet i én glugge, sølvet i den andre, og i den tredje kopperpengene. Da holdt år og fred seg.

Frøya holdt da blotene, for hun var nå den eneste som levde igjen av gudene, hun ble da så æret at etter hennes navn skulle en kalle alle kvinner av høy ætt, de som nå heter fruer; likeså het enhver frøya over sin eiendom, og husfrøya hun som eier gard. Frøya var ustadig og mangesinnet. Hennes husbond het Od, døtrene het Hnoss* og Gerseme*; de var meget vakre, etter deres navn er de dyreste kostbarhetene oppkalt. Alle svear fikk nå vite at Frøy var død, men da år og fred holdt seg likevel, trodde de at slik kom det til å bli så lenge Frøy var i Svitjod, og så ville de ikke brenne ham; de kalte ham verdensgud og blotet til ham mest av alle for godt år og fred til alle tider siden.

11. Fjolne, sønn til Yngve-Frøy, rådde så over svear og Uppsala-rikdommen, han var mektig, årsæl og fredsæl. Da bodde Fred-Frode i Lejre; de bad hverandre hjem til seg og var venner. Engang Fjolne kom til Frode på Sjælland, var det stelt til stort gjestebud der, det var budt folk dit fra mange land. Frode hadde store hus på garden, det var bygd et svært kar der, mange alen høyt og stivet av med store tømmerstokker, det stod nedenunder i ei stue og ovenpå var det et loft med åpning i golvet, så de kunne helle drikken ned der og få

Uppsala er overalt i kongesagaene det samme som Gamle Uppsala nordafor der Uppsala ligger nå.
Uppsala-rikdommen (Uppsala-öd) var krongodset rundt omkring i landet som tilhørte de svenske kongene.
Frode-fred. Om denne freden forteller Snorre i avsnittet Skaldskaparmål i Den yngre Edda: – «sønnen til Frilleiv het Frode. Han tok kongemakten etter sin far på den tida da keiser Augustus la grunnen til fred over hele verden. Da ble Kristus født. Men fordi Frode var den aller mektigste kongen i Norderlanda, så ble freden oppkalt etter ham alle steder der de talte dansk tungemål, og nordmennene kaller denne freden Frode-freden.»
Hnoss betyr klenodie.
Gerseme betyr kostbar gjenstand.

Fjolne faller i mjødkaret.

blandet karet fullt med mjød. Det var en kraftig sterk drikk. Om kvelden fulgte de Fjolne til et soverom i loftet ved siden av, og følget hans også.

Utpå natta gikk han ut i svalgangen for å finne et visst sted, han gikk i søvnørske og var døddrukken. Da han skulle tilbake til soverommet, gikk han frametter svala og til den gale loftdøra og inn der, han mistet fotfestet og falt i mjødkaret og druknet. Så sier Tjodolv den kvinværske:

> Sanne fikk den vindløse
> i Frodes gard våg* i hornet
> Fjolne det ord skulle ende
> at han var feig*: sjøkongens liv.

Feig betyr «som snart skal dø».
Våg er et ord for væske, vann, sjø.

Sveigde tok riket etter faren. Han gjorde et løfte at han ville leite etter Gudeheim og Odin den gamle. Han fór sjøl tolvte vidt om i verden, han kom helt til Tyrkland og Store Svitjod og møtte mange av sine frender der. Han var borte i fem år på denne ferda, så kom han tilbake til Svitjod og ble hjemme ei tid igjen. Han hadde fått ei kone som het Vana ute i Vanaheim, deres sønn var Vanlande.

12. Sveigde gikk ut på nytt og lette etter Gudeheim. I østre Svitjod ligger en stor gard som heter Stein, der er det en stein så stor som et svært hus. Om kvelden etter solefall, da Sveigde gikk fra drikke-bordet til sovehuset, så han bort mot steinen, og fikk se det satt en dverg innmed den. Sveigde og hans menn var svært drukne og løp bort til steinen. Dvergen stod i døra og ropte på Sveigde, bad ham gå inn der om han ville finne Odin. Sveigde sprang inn i steinen, og steinen lukket seg straks etter ham, og Sveigde kom aldri igjen. Så sier Tjodolv den kvinværske:

Og Durnes*
ætts dørvakt,
en lyssky dverg,
narret Sveigde
den gang modig
inn i steinen.
Dusles* ætling
fulgte dvergen,
og Søkkmimes*
blanke sal
av jotner bygd
gapte over kongen.

13. Vanlande het Sveigdes sønn som fikk riket etter ham og rådde over Uppsala-rikdommen. Han var en stor hærmann og fór vidt om i landene. Han gav seg til en vinter i Finland hos Snø den gamle, og der fikk han Driva, hans datter. Men om våren drog han bort, og Driva ble igjen; han lovte å komme tilbake før tre år var gått, men han kom ikke på ti år. Da sendte Driva bud etter Huld seidkone, men Visbur, sønnen hun hadde med Vanlande, sendte hun til Svitjod. Driva kjøpte av Huld seidkone at hun skulle seide Vanlande til Finland eller også drepe ham.

Mens seiden stod på, var Vanlande i Uppsala; han tok til å stunde etter å fare til Finland, men vennene og rådgiverne nektet ham å fare, og sa at hans lengsel skyldtes trolldom av finnene*; da ble han

---

Durne, dvs. dørvokter, navn på en dverg.
Dusle, en ukjent sagnperson.
Søkkmime, navn på en jotun; *Søkkmimes sal* er en omskrivning for stein eller berg.
Finnene. Det var vanlig oppfatning i middelalderen at finner og samer var svært troll-kyndige.

Volva Huld seider mot Visbur.

søvntung og la seg til å sove, men han hadde ikke sovet lenge før han ropte opp og sa at mara* tråkket ham; folk kom til og ville hjelpe, men når de tok i ham oppe ved hodet, tråkket hun ham på leggene så de nesten brakk, så tok de ham i føttene, da kvalte hun hodet, så der døde han. Svearne tok liket, og han ble brent ved ei elv som heter Skuta*, der satte de bautasteiner etter ham. Så sier Tjodolv:

> *Med sin seid*　　*heksekvinne*
> *sendte heksa*　　*på hærmenns fiende;*
> *Vanlande*　　　 *på Skutas*
> *til Viljes bror,*　*bredd ble brent*
> *da hun tråkket,*　*gulløderen,*
> *trollekyndig*　　*som mara kvalte.*

14. Visbur tok arv etter sin far Vanlande. Han fikk datter til Aude den rike, og gav henne tre storgarder i brudegave, og dertil en

---

Mare var en skapning som plaget folk i søvne ved å ri på dem (jfr. mare-ritt).
Skuta, et elvenavn som nå ikke fins i Sverige.

halsring av gull; de fikk to sønner, Gisl* og Ondur*. Visbur lot henne bli alene, og tok seg ei anna kone, og hun drog til far sin med sønnene. Visbur fikk en sønn som het Domalde, og Domaldes stemor lot seide ulykke over ham.

Da nå Visburs sønner var tolv og tretten år gamle, kom de til faren og ville kreve sin mors brudegave, men han ville ikke ut med den. Da sa de at gullhalsringen skulle bli til bane for den beste mann i hans ætt, og så fór de bort og hjem. Så tok de til med seid igjen, og nå seidet de for å få drept far sin. Da sa Huld volve* til dem at hun kunne nok seide så det ble slik de ville; men det fulgte med at det heretter alltid skulle bli ættedrap i Ynglingætta. Det gikk de med på. Deretter samlet de folk og kom over Visbur uventet om natta og brente ham inne. Så sier Tjodolv:

Og ilden,
sjøens bror,
slukte Visburs
lystne kropp,
da kongsstolens
rette verger

hisset skogtjuven*
på sin far,
og glohunden*
gjøende beit
storkongen
ved eget ildsted.

15. Domalde tok arv etter sin far Visbur og rådde over landene. I hans dager ble det sult og nød i Svitjod. Da fikk svearne i stand store blot i Uppsala. Første høst blotet de med okser, men åringen ble ikke bedre likevel, neste høst tok de til med manneblot, men åringen ble den samme eller verre. Men tredje høsten kom svearne mannsterke til Uppsala da blotene skulle være; da holdt høvdingene råd, og de ble enige om det at uåret måtte komme av Domalde, kongen deres, og om at de skulle drepe ham og blote med for å få godt år, gå på ham og drepe ham og rødfarge offerbenkene med blodet hans; og det gjorde de. Så sier Tjodolv:

Det hendte før
at sverdbærerne
farget jord
med fyrstens blod,

og landets hær
bar blodig våpen
fra den døde
Domalde,

da sveafolket
for årings skyld
grisk ofret
juters fiende.

16. Domar het Domaldes sønn, han rådde så over riket. Han styrte landene lenge, og det var godt år og fred i alle hans dager. Om ham er ikke annet sagt enn at han døde sottedød i Uppsala, og ble

Gisl betyr skistav.
Ondur betyr ski. Det er de nordlandske eller finske ski som blir kalt ondrer, ei lang og ei kort; den korte var skinnkledd under.
Volve, trollkyndig kone, spåkone.
Skogtjuven, dvs. ilden.
Glohunden, dvs. ilden.

Domalde blotes.

ført til Fyrisvollene* og brent der på elvebakken, og der står bauta-
steinene over ham. Så sier Tjodolv:

Ofte før	*om hvor Domar*	*nå jeg vet det:*
jeg hørte etter	*de bar på bål,*	*brant verkbiten*
hos gamle menn	*til høyt tordnende*	*Fjolnes ætling*
om fyrstens gravferd;	*Halvs bane*;*	*ved Fyrisån.*

17. Dyggve het sønn hans, som deretter styrte landene, og om
ham er det ikke sagt annet enn at han døde sottedød. Så sier
Tjodolv:

Jeg sa ei løgn,   *kåre seg*
men Dyggves lik   *til mann en konge,*
har nå Hel   *og Lokes datter**
helst til gammen,   *lekte da*
Ulvs og Narves**   *med Yngve-folkets*
søster fikk   *eneherre.*

Fyrisvollene er slettene ved elva Fyri, nå Fyrisån, mellom Gamle Uppsala og det
nåværende Uppsala der elva den gang munnet ut.
Halvs bane er ilden, kong Halv ble brent inne.
Ulv er Fenrisulven. Loke, som var av jotunætt, fikk Fenrisulven og Hel med ei gyger
i Jotunheimene.
Narve er sønn til Loke.
Lokes datter er Hel.
Det har vært fortalt om *Rig, Dan* og *Danp* i den tapte delen, som Snorre kjente, av
det gamle diktet *Rigspula*.

Dyggves mor var'Drott, datter til kong Danp, sønn til Rig*, som var den første som het konge på dansk tungemål. Hans ættmenn brukte alltid siden kongenavnet på den øverste i landet. Dyggve var den første i sin ætt som ble kalt konge, før het de drotner og deres koner drotninger; hirden het drott. Og Yngve eller Yngunne kalte de hver enkelt mann av ætta til alle tider, og alle sammen var de ynglinger. Dronning Drott var søster til kong Dan den storlåtne, som Danmark har fått navn etter.

18. Dag het sønn til kong Dyggve, som fikk kongedømmet etter ham; han var så vis at han skjønte fuglemål. Han hadde en spurv, som fortalte ham det som hendte, den fløy rundt til mange land.

Det var engang spurven fløy til Reidgotaland* til en gard som het Vorve; den fløy i åkeren til bonden og fikk seg mat; bonden kom til og tok opp en stein og slo i hjel spurven. Kong Dag ble ille ved fordi spurven ikke kom hjem; han ofret en galt for å spørre, og fikk det svar at spurven hans var drept på Vorve. Da bød han ut en stor hær og seilte til Gotland, og da han kom til Vorve, gikk han opp der med hæren og herjet; folket flydde unna lange veger. Kong Dag vendte tilbake til skipene med hæren da det kveldet, han hadde drept mange og tatt mange til fange. Men da de skulle over ei elv der hvor det heter Skjotansvad eller Våpnavad, så kom det løpende fram av skogen på elvebakken en arbeidstrell, han kastet en høygaffel inn i flokken, og den kom i hodet på kongen; han falt straks av hesten og døde. Den gang kalte de en høvding som var ute og herjet, for gram, og hærmennene var gramer. Så sier Tjodolv:

Dag, jeg hørte,
døden hentet,
– på sin ferd
han ære søkte –
da den vise
til Vorve kom,
spydslynger
på spurvehevn.

Og det ord
i austerveg*
kongens menn
fra kampen bar,
at høyforken der
drepte gramen,
en slik som sprer
Sleipnes nattverd.

Reidgotaland er et sagnland som sannsynligvis lå omkring Øst-Preussen og Polen. Men ved en feiltolking ble det også brukt som navn på Jylland; her synes det ment Gotland. *Austerveg*, vegen mot øst, ble brukt om Østersjøen og landene omkring den.

19. Agne het Dags sønn, som var konge etter ham, en mektig og navngjeten mann, stor hærmann og en dugelig mann på alle måter. Det var en sommer kong Agne fór med hæren til Finland, der gikk han opp og herjet. Finnene samlet en stor hær og gikk til strid, Froste het høvdingen for dem. Det ble et stort slag, og kong Agne seiret, der falt Froste og mange med ham. Kong Agne fór med hærskjold over Finland og la det under seg og fikk dyktig med hærfang, han tok Skjålv, Frostes datter, og hadde henne med seg hjem, og likeså Loge hennes bror.

Da han kom hjem, la han til i Stokksund*, han satte opp teltene sør på enga; den gang var det skog der. Kong Agne hadde den gullringen som Visbur hadde eid. Kong Agne tok Skjålv til ekte, hun bad kongen gjøre arveøl etter hennes far; han bød da til seg mange mektige menn og holdt et stort gjestebud, han var blitt helt navngjeten av denne ferden. Det ble holdt store drikkelag der, og da kong Agne ble drukken, bad Skjålv ham at han skulle passe på ringen som han hadde om halsen, og han tok da og bandt ringen godt fast om halsen på seg før han gikk for å sove. Teltet stod ved skogen og under et høyt tre, som skulle skygge mot solheten. Men da kong Agne hadde sovnet, tok Skjålv et digert snøre og bandt fast i ringen, hennes menn slo ned teltstengene, kastet enden av snøret opp i greinene på treet og drog til, så kongen hang helt oppe i greinene, og det ble hans bane.

Skjålv og hennes menn løp om bord i skipene og rodde bort. Kong Agne ble brent der, og siden heter det Agnafit* på østsida av Taur* vest for Stokksund. Så sier Tjodolv:

Underlig var det
om Agnes hær
likte Skjålvs
listige råd,
da i lufta
Loges dis
heiste kongen
ved halsringen;
han ved Taur
temme måtte
Hagbards hest,*
henge i galgen.

Stokksund, nå Norrström.
Agnafit er de flate strekningene på sørsida av «Staden», den eldste delen av Stockholm.
Taur, gammelsvensk *Tör,* er halvøya mellom Mörköfjärden, Mälaren og Østersjøen (nå Södertörn). De angitte himmelretninger stemmer dårlig, riktigere ville vært «Agnafit på nordsida av Taur, sør for Stokksund». – Det er også tvilsomt om «Staden» hørte med til Taur.
Hagbard, som Saxo nevner, ble hengt. *Hagbards hest* betyr galge.

20. Alrek og Eirik het sønnene til Agne, de ble konger etter ham. De var mektige menn og store hærmenn og kunne mange idretter. De brukte å ri inn hester og temme dem, både til gang og trav, det kunne de bedre enn noen andre; de hadde ofte kappleik om hvem av dem som rei best eller hadde beste hesten. Så var det en gang de to brødrene rei ut på de beste hestene sine og bort fra de andre, de rei ut over vollene og kom ikke tilbake, og da folk så lette etter dem, fant de dem døde begge to, begge hodene var knust, men de hadde ikke noe våpen, uten hestebeksla, og folk tror de må ha drept hverandre med dem. Så sier Tjodolv:

Alrek falt,
der også Eirik
bane fikk,
for brors våpen,
og Dags frender
drepte hinannen

med ridehestens
seletøy.
Aldri før
bar Frøys avkom
hestegreier
i strid som våpen.

21. Yngve og Alv var Alreks sønner, de fikk deretter kongedømmet i Svitjod. Yngve var en stor hærmann og alltid seiersæl, vakker, kunne mange idretter, sterk og kvass i strid, gavmild på gods og alltid glad; for alt dette ble han vidspurt og vennesæl. Kong Alv, hans bror, satt hjemme i landet og var ikke på hærtog; de kalte ham Elvse*, han var fåmælt, maktsyk og uvennlig. Hans mor het Dageid, datter til kong Dag den mektige, som daglingene er ættet fra. Kong Alv hadde ei kone som het Bera, hun var vakrere enn andre kvinner, storslått og gladlynt.

Så var det en høst at Yngve Alreksson kom til Uppsala fra viking igjen, og det ble gjort stor stas på ham. Han satt gjerne lenge og drakk om kvelden, kong Alv gikk oftest tidlig til sengs. Dronning Bera satt ofte oppe om kvelden, og hun og Yngve satt og fjaset med hverandre. Alv snakket mange ganger til henne om dette, og bad hun skulle gå og legge seg før, han ville ikke ligge våken og vente på henne, sa han. Hun svarte ham og sa at den kvinne kunne være glad som fikk Yngve til mann og ikke Alv; han ble svært sint, for hun sa dette flere ganger.

En kveld kom Alv inn i hallen mens Yngve og Bera satt i høgsetet og talte med hverandre. Yngve hadde sverdet liggende over knærne. Folk var svært drukne og la ikke merke til at kongen kom inn. Kong Alv gikk til høgsetet, drog sverdet fram av kappa og stakk det gjennom Yngve, broren. Yngve sprang opp, drog sverdet og hogg Alv banehogg, og de falt begge to døde på golvet. Alv og Yngve ble hauglagt på Fyrisvollene. Så sier Tjodolv:

Elvse betyr vesle Alv.

DRONNING BERA

Han som drepte
offergoden,
Alv, lå sjøl
død på stedet,
da fyrsten
farget sverdet
avindsyk
i Yngves blod.

Det var skam
at Bera skulle
egge kampens
menn til drap,
så brødre to
ble hinannens
død av åbrye
i utrengsmål.

22. Hugleik het Alvs sønn, som ble konge over svearne etter de to brødrene, for Yngves sønner var barn ennå. Kong Hugleik var ingen hærmann, han satt i ro hjemme i landet. Han var svært rik og glad i penger; i hirden hadde han ofte allslags spillemenn, folk som spilte på harpe og gige og fele; han hadde også seidmenn hos seg og alskens trollkyndig folk.

Hake og Hagbard het to brødre, det var dugelige menn; de var sjøkonger og hadde stor hær, stundom seilte de ut sammen og stundom hver for seg. Hver av dem hadde mange kjemper med seg.

Kong Hake fór med hæren sin til Svitjod mot kong Hugleik, men kong Hugleik samlet hær imot. Da kom det to brødre for å hjelpe ham, Svipdag og Geigad, framifrå menn begge to og store kjemper. Kong Hake hadde med seg tolv kjemper, Starkad Gamle var også der med ham den gang; kong Hake var sjøl ei stor kjempe.

De møttes på Fyrisvollene, der ble det et stort slag; Hugleiks folk tok snart til å falle; da gikk kjempene Svipdag og Geigad fram, men

Hakes kjemper gikk seks mot hver av dem, og de ble fanget; så gikk
kong Hake inn i skjoldborgen til kong Hugleik og drepte ham der,
både ham og de to sønnene hans. Etter dette flyktet svearne. Men
Hake la landet under seg og ble konge over svearne. Han satt nå
hjemme i landet i tre år, og mens han satt i ro, drog kjempene hans
fra ham i viking og fikk seg gods på den måten.

23. Jørund og Eirik var sønnene til Yngve Alreksson, de lå ute på
hærskip hele denne tida og var store hærmenn. En sommer herjet de
i Danmark, da møtte de Gudlaug håløygkonge og kom i strid med
ham, og det endte med at Gudlaugs skip ble ryddet og han sjøl
fanget; de satte ham i land på Straumøynes*, og der hengte de ham.
Hans menn kastet haug etter ham der. Så sier Øyvind Skaldespille:

Men Gudlaug	Og liksvingeren
galgen rei,	på neset luter,
Sigars øyk*;	et vindblåst tre*,
østkongene	hvor vika deles;
var for sterke,	der på vidspurt
Yngves sønner	Straumøynes
svinge lot	står steinmerket
den smykkedeler.	på kongens grav.

De to brødrene Eirik og Jørund vant stor ære av dette, og de
mente nå de var mye større menn enn før. De fikk høre at kong
Hake i Svitjod hadde sendt fra seg kjempene sine. Da tok de vegen
til Svitjod og samlet seg en hær. Men da svearne fikk vite at ynglingene
var kommet, drog store flokker av folk over til dem. Deretter seilte
de inn i Mälaren og styrte opp til Uppsala mot kong Hake, han gikk
mot dem på Fyrisvollene, men hadde mye mindre folk. Der ble det
et stort slag, kongen gikk fram så hardt at han felte alle dem som
kom nær ham, til slutt felte han også kong Eirik og hogg ned merket
for begge brødrene; da flyktet kong Jørund og hele hans hær.

Kong Hake fikk så store sår at han skjønte han ikke hadde lenge
igjen å leve. Da lot han laste et hærskip han hadde, med døde menn
og våpen, han lot det seile ut til havet, lot styret legge i lag og seilene
dra opp, han lot slå ild i tyrived og tenne bål på skipet; været stod
fra land. Hake var døden nær eller død da han ble lagt på bålet; så
seilte skipet brennende ut i havet. Dette ble det talt meget om i lang
tid.

24. Jørund, kong Yngves sønn, ble konge i Uppsala, han styrte
landet og var ofte i viking om sommeren. En sommer tok han til
Danmark med hæren; han herjet i Jylland og om høsten gikk han inn
i Limfjorden og herjet der; han lå med sine menn i Oddesund*. Da
kom Gylaug håløygkonge dit med en stor hær. Han var sønn til den

---

Straumøynes, ukjent stedsnavn.
Sigars øyk og *et vindblåst tre* er omskrivninger for galge.
Oddesund ved Limfjorden.

Gudlaug som er nevnt før. Han la straks til kamp med Jørund, men da folk i land fikk se det, så dreiv de til fra alle kanter med både store og små skip; da måtte Jørund gi seg for overmakten og skipet hans ble ryddet; han løp på sjøen, men ble fanget og ført opp på land; kong Gylaug lot så reise en galge, leide Jørund bort til den og lot ham henge. Slik endte hans dager. Så sier Tjodolv:

*Jørund fordum
døden fant,
ham liv ble nektet
i Limfjorden,
da høybrystet
hest* med reiptømmer*

*bære skulle
Gudlaugs bane,
og Hagbards
harde død
også hersers
herre strypte.*

25. Aun eller Åne het Jørunds sønn, han ble konge over svearne etter far sin; han var en klok mann og stor blotmann; hærmann var han ikke, han satt hjemme i landet.

På samme tid som disse kongene det nå er fortalt om, levde i Uppsala, var først Dan den storlåtne konge over Danmark, han ble eldgammel; så kom hans sønn Frode den storlåtne eller den fredsomme og så hans sønner Halvdan og Fridleiv; de var store hærmenn. Halvdan var eldst og fremst av dem i alt; han fór med hæren til Svitjod mot kong Aun, de hadde noen kamper med hverandre og Halvdan seiret alltid. Til slutt flyktet kong Aun til Västergötland. Da hadde han vært konge i Uppsala i tjue år; han var nå tjue år i Götaland også, mens kong Halvdan var i Uppsala.

Kong Halvdan døde sottedød i Uppsala, og der er han hauglagt. Deretter kom kong Aun tilbake til Uppsala igjen, da var han seksti år; da fikk han i stand et stort blot, og blotet til langt liv for seg, han gav sin sønn til Odin og blotet ham. Kong Aun fikk svar av Odin, han skulle få leve seksti år til. Så var Aun konge i Uppsala tjue år igjen. Da kom Åle den frøkne med sin hær til Svitjod mot kong Aun, det var Fridleivs sønn, de kjempet med hverandre og Åle fikk alltid seier; så flyktet kong Aun fra riket for annen gang og til Västergötland. Åle var konge i Uppsala i tjue år, til Starkad Gamle drepte ham.

Etter Åles fall kom kong Aun tilbake til Uppsala og rådde for riket ennå i tjue år. Da gjorde han stort blot og tok den andre sønnen sin og blotet ham, og da sa Odin til ham at han skulle leve videre så lenge som han gav Odin en sønn hvert tiende år, og dessuten skulle gi et herred i landet navn etter tallet på de sønnene han ofret til Odin. Men da han hadde ofret den sjuende sønnen, levde han i ti år og var slik at han ikke kunne gå, han ble båret på en stol;

Høybrystet hest betyr galge.

Kong Aun vil blote sin siste sønn.

så blotet han den åttende sønnen og levde ennå ti år, men da lå han til sengs; så blotet han den niende sønnen og levde ti år til; da drakk han av horn som et spedbarn. Da hadde Aun bare én sønn igjen og ville ta ham også til blot; så ville han gi Odin Uppsala og de herredene som ligger under det og kalle det Tiundaland*; svearne forbød ham det, og det ble ikke noe av blotet. Så døde kong Aun og han er hauglagt i Uppsala. Siden heter det Ånesott når en mann dør av elde uten sjukdom. Så sier Tjodolv:

Aun, en gang,
i Uppsala
Ånesott
tåle kunne,
seiglivet
sugde han
spedbarnsmat
for annen gang.
Smalenden
av stutens horn,

kvass, mot hans
munn var vendt;
av plogdyrets
spisse verge
ættmenns øder
liggende drakk,
grånet konge
mer ei maktet
sjøl å heve
oksehornet.

26. Egil het Aun den gamles sønn, han ble konge i Svitjod etter sin far; han var ingen hærmann og satt i ro hjemme i landet. Tunne het en trell han hadde, som hadde vært hos Aun den gamle og vært

Tiundaland, landskap med ti herreder i Uppland.

fehirden* hans. Da nå Aun var død, tok Tunne en mengde løsøre og grov det ned i jorda. Men da Egil ble konge, satte han Tunne sammen med de andre trellene; dette likte han slett ikke, så løp han bort og mange andre treller med ham; de grov opp det løsøret han hadde gjemt, det gav han til mennene sine, og så tok de ham til høvding; siden kom det drivende alskens stygt pakk til ham, de lå ute på skogen, og stundom kom de ned i bygdene og rante eller drepte folk.

Kong Egil fikk høre om dette, og så tok han ut med hæren og lette etter dem. Men en kveld da han hadde slått seg ned for natta, kom Tunne med sitt folk uventet over dem og drepte mange av kongens menn. Da kong Egil merket det var ufred, satte han seg til motverge og satte opp merket sitt, men det var mange av hans menn som flyktet fra ham. Tunne og hans folk gikk modig på, og kong Egil så da ingen annen utveg enn å flykte; Tunne og hans menn jagde dem like til skogs, og siden vendte de tilbake dit folk bodde og rante og herjet, og nå fikk de ingen motstand lenger. Alt det Tunne tok i herredet, gav han til de menn som fulgte ham, derfor ble han vennesæl og mannsterk. Kong Egil samlet hær og gikk til kamp mot Tunne, de sloss og Tunne vant, og Egil flyktet og mistet mye folk.

Kong Egil og Tunne kjempet med hverandre åtte ganger, og Tunne seiret alltid. Da flyktet Egil til Danmark, til Frode den frøkne på Sjælland. Han lovte kong Frode skatt av svearne om han ville hjelpe; Frode gav ham en hær og kjempene sine. Så fór Egil til Svitjod, og da Tunne fikk vite det, gikk han mot ham med sin hær, det ble et stort slag, og der falt Tunne. Kong Egil tok igjen riket sitt, og danene vendte hjem. Kong Egil sendte store og gode gaver til kong Frode hvert halvår, men betalte ingen skatt til danene, og likevel holdt vennskapet mellom ham og Frode.

Etter at Tunne var falt, styrte Egil riket i tre år. Da hendte det engang i Svitjod at en graokse som var eslet til blot, var blitt så gammel og så kraftig gjødd at den var blitt mannvond, og da de så ville ta den, rente den til skogs og ble vill og holdt til lenge i skogen og var til stort ugagn for folk. Kong Egil var svær til å veide, han rei ofte om dagen ut i skogen og veidet dyr. Så var det en gang han hadde ridd ut på veiding med mennene sine; kongen hadde drevet et dyr lenge og rei i fullt løp etter det inn i skogen og bort fra alle de andre. Da fikk han se graoksen og rei til og ville drepe den; oksen kom mot ham, og kongen stakk til den, men spydet skar ut; graoksen stakk hornene i sida på hesten, så den falt flat ned og kongen likeså; kongen sprang opp og ville dra sverdet, da kjørte oksen hornene i brystet på ham så de stod langt inn; så kom kongens menn til og drepte graoksen. Kongen levde bare en kort stund, og han er hauglagt i Uppsala. Så sier Tjodolv:

Fehirde, den embetsmannen som steller med finansene.
Ty er her et annet navn på Odin.

Og lovsæl
av landet rømte
Tys* ætling
for Tunnes ovmakt –
men oksen
i Egils bryst
farget rødt
sitt pannevåpen.

Han jo før
i øst hadde
lenge hodet
båret høyt –
men nå stutens
skjedeløse
sverd kongen
til hjertet stod.

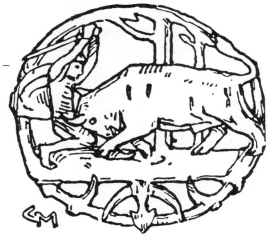

27. Ottar het Egils sønn, han fikk riket og kongedømmet etter ham. Han holdt ikke vennskap med Frode, og da sendte Frode menn til Ottar for å hente den skatten Egil hadde lovt ham. Ottar svarte at svearne aldri hadde betalt skatt til danene, han sa at han ville heller ikke gjøre det; sendemennene vendte hjem. Frode var en stor hærmann. En sommer seilte Frode til Svitjod med hæren, han gjorde landgang der og herjet, drepte mange og hærtok andre; han tok svære mengder i bytte, brente gardene mange steder og gjorde stort hærverk.

Sommeren etter fór kong Frode og herjet i austerveg, dette fikk Ottar høre, og at kong Frode ikke var hjemme i landet; da går han om bord i hærskip, seiler til Danmark og herjer der og får ingen motstand. Han får nå høre om stor hærsamling på Sjælland, så stevner han vest gjennom Øresund, seiler sør til Jylland og legger inn i Limfjorden og herjer i Vendsyssel; han brenner og legger landet helt øde mange steder.

Vott og Faste het Frodes jarler; dem hadde Frode satt til landvern i Danmark mens han var utenlands. Da nå jarlene hørte at sveakongen herjet i Danmark, så samlet de hær, sprang om bord på skipene og seilte sør i Limfjorden, der kom de helt uventet over kong Ottar, og la straks til kamp; svearne tok godt igjen, og det falt folk på begge sider, men etter hvert som det falt folk av danene, kom det bare mer fra bygdene omkring, og så la de til med alle de skip som fantes i nærheten; slaget endte med at Ottar falt der og det meste av hæren hans. Danene tok liket hans og flyttet det i land, der la de det opp på en haug og lot dyr og fugler rive i åtslet. De lagde ei trekråke og sendte til Svitjod og sa at mer var han ikke verd, Ottar, kongen deres. Siden kalte de ham for Ottar Vendelkråke. Så sier Tjodolv:

Ottar falt
under ørneklør,
dugelig,
for danske våpen;
hærfuglen
med blodig fot
sparket i ham
sør ved Vendel*.

Dette verk
av Vott og Faste
ble til sagn
hos svenske folket,
at Frodes jarler
fra øylandet
hadde drept
den djerve kjempe.

28. Adils het kong Ottars sønn, som fikk kongedømmet etter ham; han var konge lenge og ble svært rik. Han var også i viking noen ganger om sommeren. Kong Adils kom med hæren til Saksland*, der rådde en konge som het Geirtjov, hans kone het Ålov den mektige, det er ikke sagt noe om at de hadde barn. Kongen var ikke i landet. Kong Adils og hans menn sprang opp til kongsgården og rante der, noen tok buskapen og jagde den ned til strandhogg; det hadde vært ufrie folk, menn og kvinner, til å gjete buskapen, og dem tok de med seg alle sammen. Blant dem var det ei jente, som var så vidunderlig vakker, hun kalte seg Yrsa.

Så seilte Adils hjem med byttet. Yrsa var ikke sammen med trellkvinnene; det var lett å merke at hun var klok, talte vel for seg og hadde gode kunnskaper om allting; folk likte henne godt og kongen aller best, og så ble det til at Adils holdt bryllup med henne. Så ble Yrsa dronning i Svitjod, og folk syntes hun var ei storslått kvinne i alle deler.

29. Kong Helge Halvdansson rådde den gang for Lejre, han kom til Svitjod med så stor hær at kong Adils ikke så seg annen råd enn å flykte unna. Kong Helge gikk i land med hæren og herjet og tok svært bytte; han tok dronning Yrsa til fange og hadde henne med seg til Lejre og tok henne til kone; deres sønn var Rolv Krake.

Da Rolv var tre år gammel, kom dronning Ålov til Danmark, hun fortalte Yrsa at hennes mann, kong Helge, var far hennes og Ålov hennes mor. Da vendte Yrsa tilbake til Svitjod til Adils og var dronning der så lenge hun levde. Kong Helge falt i hærferd. Rolv Krake var åtte år gammel da, og han ble tatt til konge i Lejre.

Kong Adils lå i stadig ufred med en konge som het Åle den opplandske, han var fra Norge. De kjempet på isen på Vänern, der falt Åle, og Adils seiret; dette slaget er det fortalt mye om i Skjoldungesaga*, også om hvordan Rolv Krake kom til Uppsala til Adils. Den gang var det Rolv Krake sådde gullet på Fyrisvollene.

Kong Adils var så glad i gode hester, han hadde de beste hester som fantes på den tid; en av hestene hans het Sløngve, en annen

---

Vendel, Vendsyssel, landet nordafor den vestre delen av Limfjorden.
Saksland, her sannsynligvis kysten av Holstein ved Østersjøen.
Skjoldungesaga har handlet om de danske kongene i førhistorisk tid. Denne sagaen er gått tapt i den form Snorre kjente den.

Dronning Ålov forteller Yrsa om hennes herkomst.

Ravn, den hadde han tatt fra Åle da han var død, og under den ble avlet en annen hest som også het Ravn; den sendte han til kong Godgjest på Hålogaland. Godgjest rei den, men han kunne ikke få den til å stanse; så falt han av hesten og døde, det var i Omd* på Hålogaland.

Kong Adils var til et diseblot* og rei hesten omkring disesalen, hesten snublet under ham, og kongen falt framover, hodet slo mot en stein så hausen sprakk, og hjernen fløt ut på steinen, det ble hans bane; han døde i Uppsala og ble hauglagt der, svearne reknet ham for en mektig konge. Så sier Tjodolv:

Omd synes å være det gamle navnet på Andøya.
Diseblot, offerfest for å hedre disene, gudinnene.

Jeg har hørt
at Adils' liv
var det troll
som tok engang;
ærelysten
av øykens bak
Frøys ætling
falle måtte.

Og med grus
grundig blandet
ble kongssønns
kloke hjerne;
dø måtte
den dådrike,
Åles skrekk,
i Uppsala.

30. Øystein het Adils' sønn, som deretter rådde over Sveavelde. I hans dager falt Rolv Krake i Lejre. Den tida var det mange konger som herjet i Sveavelde, både daner og nordmenn. Mange av dem var sjøkonger, de hadde stor hær og ikke noe land. Bare den kunne med rette kalle seg sjøkonge som

aldri sov
under sotet tak

og aldri drakk
i årekroken.

31. Solve het en sjøkonge som var sønn til Hogne på Nærøy*, han herjet i austerveg da og hadde rike i Jylland. Han seilte til Svitjod med hæren. Kong Øystein var da på veitsle i ei bygd som heter Lovund*, dit kom kong Solve uventet ei natt, han kringsatte huset kongen var i, og brente ham inne sammen med hele hirden. Så seilte Solve til Sigtuna og krevde å bli mottatt som konge og få kongsnavn, men svearne samlet hær og ville verge landet, det ble et slag så stort at det er sagt at det ikke endte på elleve dager; kong Solve seiret, og så var han konge over Sveavelde i lang tid, helt til svearne sveik ham, og han ble drept. Så sier Tjodolv:

For Øystein, vet jeg
en lagnad hadde
livets ende
i Lovund gjemt,
jydske menn
i svears hjem
brente kongen
inne, sa man.

Og skogens
bitende sott*
over kongen
ved åren kom,
da tømmerhuset
– tomtas hærskip –
fullt av mannskap
om fyrsten brant.

32. Yngvar het kong Øysteins sønn; han ble så konge over Svea-velde. Han var en stor hærmann og lå mye ute på hærskip, for Svearike var den gang svært utsatt for herjinger både av daner og av folk i austerveg. Kong Yngvar sluttet fred med danene og tok så til å herje i austerveg.

Nærøy utenfor Namdalen.
Lovund er sannsynligvis et sted i Fjadrundaland, nå Landsberga.
Skogens bitende sott, dvs. ilden.

En sommer hadde han en hær ute og seilte til Estland og herjet der om sommeren; der heter det Stein. Da kom esterne innenfra landet med en stor hær, og det ble slag; landhæren var så svær at svearne ikke kunne stå imot; da falt kong Yngvar, og folket hans flyktet; han ble hauglagt der like ved sjøen, det er i Adalsysla*, på fastlandet. Svearne seilte hjem etter denne useier. Så sier Tjodolv:

Opp det kom
at de Yngvar
hadde ofret,
Syslas menn;
estisk hær
den lyse hærmann
slo.i hjel
på Stein ved sjøen,
og østhavet
synger nå
Gymes havsang
for svenskekongen.

33. Anund het Yngvars sønn, som deretter fikk kongedømmet i Svitjod; i hans dager var det god fred i Svitjod, og han ble svært rik på gull og annet løsøre. Kong Anund seilte med hæren til Estland for å hevne sin far; han gikk i land der med hæren og herjet rundt omkring i landet og tok stort hærfang, om høsten seilte han tilbake til Svitjod. I hans dager var det gode åringer i Svitjod, Anund var en konge så vennesæl som få.

Svitjod har mange og store skoger, det er ødemarker der så store at det er mange dagsreiser over dem. Kong Anund la stort arbeid og kostet mye på å rydde skogene og bygge langs rydningene; han lot også legge veger over ødemarkene, og da fant de mange steder i skogene bart land; der ble det store bygder; på denne måten ble landet bygd, for det var nok av folk i landet som ville bygge. Kong Anund lot bryte veger over hele Svitjod gjennom både skog og myr, og fjellveger; derfor ble han kalt Braut-Anund*. Kong Anund hadde hus og gard i hver storbygd i Svitjod, og fór på veitsle over hele landet.

34. Braut-Anund hadde en sønn som het Ingjald. Da var det en konge i Fjadrundaland* som het Yngvar, han hadde to sønner med sin kone, den ene het Alv, den andre Agnar; de og Ingjald var mest jevnaldrende. Det var bygdekonger mangesteds omkring i Svitjod

---

Adalsysla. Ösel het på norr. *Eysýsla;* fastlandet rett overfor ble kalt *Aðsýsla.*
Braut betyr veg.
Fjadrundaland er det vestligste «folkland» i Uppland. Et folkland er et landområde der det bor ei folkeætt, f.eks. trøndere, egder. Omtrent det samme som fylke.

Ingjald, Gautvid og Svipdag Blinde.

den gang. Braut-Anund rådde i Tiundaland, der er Uppsala, og der er alle-svears-ting. Der var det store blot, og dit kom mange konger, især midtvinters.

En vinter da det var kommet fullt av folk til Uppsala, var kong Yngvar og sønnene hans der også, de var seks år gamle. Alv, kong Yngvars sønn, og Ingjald, sønn til kong Anund, fikk i stand en gutteleik, hver skulle rå for sin flokk; men da de leikte, var Ingjald mindre sterk enn Alv, og det syntes han var så ille at han storgråt; da kom Gautvid, fosterbror hans, til, og leidde ham bort til Svipdag Blinde, som var hans fosterfar, og sa til ham at det hadde gått så ille, og at Ingjald var ikke så sterk og så kraftig i leiken han som Alv, sønn til kong Yngvar; Svipdag svarte da at det var da stor skam. Men neste dag lot Svipdag ta hjertet ut av en varg og steike det på spidd, og så gav han Ingjald kongssønn det å ete, og fra den stund av fikk han vondere og verre sinn enn noen andre.

Da nå Ingjald ble voksen, bad Anund om kone for ham, det var Gauthild, datter til kong Algaut; han var sønn til kong Gautrek den milde, sønn til Gaut, som Gautland* har fått navn etter. Kong Algaut var viss på at dattera måtte bli vel gift, når hun fikk sønn til

Gautland, nå Götaland.

kong Anund, om han hadde slikt lynne som faren; og så ble hun sendt til Svitjod, og Ingjald holdt bryllup med henne.

35. Kong Anund var på veg mellom gardene sine en høst med hirden, og kom til et sted som heter Himmelhei*, det er noen trange fjelldaler med høye fjell på begge sider. Det regnet fælt, snøen hadde alt lagt seg på fjellene, og så gikk det et svært skred med stein og leire. Det kom over kong Anund og følget hans, og der fikk kongen bane og mange med ham. Så sier Tjodolv:

Anund ble
steinet ned
som Jonakers sønner,*
ved Himmelfjell;*
og lausungens
*lumske nag**

falt tungt
på esters fiende;
han som sjøl
bygde røyser,
borte ble
i steinskredet.

36. Ingjald, kong Anunds sønn, ble konge i Uppsala. Uppsala-kongene var de fremste av kongene i Svitjod den gang det var mange bygdekonger; det var fra den tid Odin hadde vært høvding i Svitjod. De som satt i Uppsala, var høvdinger alene over hele Sveavelde helt til Agne døde; men da ble riket først delt mellom brødrene, slik som før er skrevet, og siden ble riket og kongedømmet spredt i ætta, ettersom den greinte seg ut; noen konger ryddet store skoger og bygde der og fikk større rike på den måten. Så da Ingjald fikk riket og kongedømmet, var det mange bygdekonger, som før skrevet.

Kong Ingjald lot stelle til stort gjestebud i Uppsala og ville holde arveøl etter sin far kong Anund; han lot bygge en sal som var like stor og like gildt utstyrt som Uppsal, den kalte han Sjukongesalen, det var satt opp sju høgseter i den. Kong Ingjald sendte menn over hele Svitjod og bød til seg konger og jarler og andre stormenn; til dette arveølet kom kong Algaut, Ingjalds måg*, og kong Yngvar fra Fjadrundaland og de to sønnene hans, Agnar og Alv, kong Spor-snjall fra Närike* og kong Sigverk fra Åttundaland; men kong Gran-mar fra Södermanland kom ikke. De seks kongene fikk sete i den nye salen, ett høgsete stod tomt av dem som kong Ingjald hadde latt sette opp. Alt folk som var kommet, fikk sete i den nye salen. Kong Ingjald hadde gitt sin hird og alt sitt eget folk sete i Uppsal.

Det var skikk den gang at når en skulle holde arveøl etter konger og jarler, så skulle den som holdt det, og som skulle ta imot arven, sitte på trinnet foran høgsetet helt til ei skål ble båret inn som de

---

Himmelhei og *Himmelfjell,* ukjente stedsnavn i Sverige.
Jonakers sønner er Sorle og Hamde som ble steinet i hjel.
Lausungens lumske nag, dvs. stein, steinskred.
Måg betyr en som er i svogerskap, nærmere eller fjernere.
Närike, nå Närke.

Svipdags sønner og mennene deres går til Sjukongesalen.

kalte Brageskåla*; da skulle han stå opp og ta imot Brageskåla og gjøre et løfte, og så drikke ut skåla; så skulle de leie ham til høgsetet som hans far hadde hatt, da var han kommet til full arv etter faren.

Slik ble det gjort her òg; da Brageskåla kom inn, stod kong Ingjald opp og tok imot et svært dyrehorn; så gjorde han det løfte at han skulle øke riket så det ble én gang til så stort mot alle himmelhjørner eller også dø; så drakk han ut hornet. Og da folk var blitt drukne om kvelden, sa kong Ingjald til Folkvid og Hulvid, Svipdags sønner, at de og deres menn skulle væpne seg om kvelden slik de hadde tenkt. De gikk ut og til den nye salen, de satte ild på den, og så tok salen til å flamme opp, og der brant det inne seks konger og alle deres menn, og de som prøvde å komme ut, ble straks drept. Etter dette la kong Ingjald under seg alle de rikene som kongene hadde hatt, og fikk skatter av dem.

37. Kong Granmar fikk høre om dette, og han mente han kunne vite at samme lagnad var eslet ham også, om han ikke var på vakt. Samme sommer kom kong Hjorvard, han som de kalte Ylving, til Svitjod med hæren sin, han la til i en fjord som heter Myrkvafjord*. Da nå kong Granmar hørte det, sendte han menn til ham og bad ham til gjestebud med hele hæren; han tok imot dette, for han hadde ikke herjet i kong Granmars rike. Da han kom til gjestebud, ble det stor glede.

Om kvelden, når de skulle drikke skåler, var det skikk hos konger

---

Brageskåla. Ei «helteskål», skål for den gjæveste. Ved denne skåla var det skikk å avgi løfter om storverk.
Myrkvafjorden, nå Mörköfjärden, som går inn mot nord til Södertälje i Södermanland.

som satt hjemme i eget land og i gjestebud som de lot holde, at de skulle drikke tvimenning* om kveldene, en mann og ei kvinne sammen så langt det rakk, de som ble til overs, skulle drikke hver for seg. Men det var vikinglov å drikke alle i én flokk, om det så var i gjestebud. Kong Hjorvards høgsete var satt rett imot høgsetet til kong Granmar, alle hans menn satt på samme benken. Da sa kong Granmar til Hildegunn, dattera si, at hun skulle bu seg og bære øl til vikingene, hun var den vakreste kvinne en kunne se. Hun tok en sølvkalk og fylte den, så gikk hun fram til kong Hjorvard og sa: «Alt godt for ylvinger, ved Rolv Krakes minne!» drakk kalken halvt ut og gav den til kong Hjorvard. Han tok kalken og handa hennes med, og sa hun skulle komme og sitte hos ham; hun svarte at det var ikke vikingskikk å drikke tvimenning med kvinner. Hjorvard sa da at det var ikke umulig at han kom til å skifte skikk, gi opp vikingloven og heller drikke tvimenning med henne. Da satte Hildegunn seg hos ham, og de to drakk sammen og talte om mange ting om kvelden.

Dagen etter, da kongene Granmar og Hjorvard møttes, fridde Hjorvard og bad om Hildegunn. Kong Granmar talte saken for sin kone Hild, og for de andre stormennene, og sa at de ville få god hjelp av kong Hjorvard, og nå ble det høye rop, og alle mente dette var et godt råd, og det endte med at Hildegunn ble festet til kong Hjorvard, og han holdt bryllup med henne; kong Hjorvard skulle så bli hos kong Granmar, for han hadde ingen sønn til å ta vare på riket sammen med seg.

38. Samme høst samlet kong Ingjald en hær og ville gå mot kong Granmar og Hjorvard, mågen hans; han hadde hær ute fra alle de rikene han hadde lagt under seg før. Og da de to mågene hørte om dette, samlet de folk i sitt rike, og til hjelp kom kong Hogne og Hilde, sønn hans, de rådde for Östergötland. Hogne var far til Hild, som kong Granmar var gift med. Kong Ingjald gikk i land med hele sin hær og hadde mange flere folk, hærene støtte sammen og kampen ble hard, men da de hadde kjempet en liten stund, flyktet de høvdingene som rådde i Fjadrundaland og for vestgøtene, og de fra Närke og Åttundaland og hele den hæren som kom fra disse landene, og de løp til skipene. Nå var kong Ingjald kommet i stor nød etter dette og fikk mange sår og kom seg så vidt på flukt til skipene; men Svipdag Blinde falt der, fosterfaren hans, og begge Svipdags sønner, Gautvid og Hulvid. Kong Ingjald vendte tilbake til Uppsala og var lite glad for denne ferden; han syntes han skjønte nå at en hær han fikk fra den delen av riket som var tatt med hærferd, ville være utro mot ham.

Deretter var det stor ufred mellom kong Ingjald og kong Granmar.

Da det nå var gått lange tider på denne måten, fikk deres venner dem til å forlike seg, og kongene satte stevne med hverandre og møttes og sluttet fred, det var kong Ingjald og kong Granmar og

Drikke tvimenning, drikke sammen to og to av samme kar.

Kong Hogne og hans menn rir opp i Sverige.

hans måg kong Hjorvard; den freden skulle vare så lenge alle tre kongene levde; det ble bundet med ed og trygdemål.

Våren etter tok Granmar til Uppsala og blotet for fred om sommeren, som skikk var; da falt spådommen for ham slik at det så ut som om han ikke skulle leve lenge. Han vendte da hjem i riket sitt.

39. Høsten etter fór kong Granmar og mågen hans, kong Hjorvard, til ei øy som heter Sela* og tok veitsle der på gardene sine, og mens de var der på veitsle, kom kong Ingjald dit ei natt med hæren, kringsatte huset og brente dem inne med hele følget. Deretter la han under seg hele det riket som kongene hadde hatt, og satte høvdinger over det. Kong Hogne og Hilde, sønn hans, rei ofte opp i Sveavelde og drepte kong Ingjalds menn, som han hadde satt over det riket kong Granmar, mågen deres, hadde hatt. Den varte i lange tider denne ufreden mellom kong Ingjald og kong Hogne, men kong Hogne greidde da likevel å holde riket sitt for kong Ingjald så lenge han levde.

Kong Ingjald hadde to barn med kona si, den eldste het Åsa, den andre Olav Tretelgja; Gauthild, kong Ingjalds kone, sendte gutten av sted til Bove i Västergötland, som var hennes fosterfar. Der vokste han opp sammen med Sakse, Boves sønn, som de kalte Flette.

Folk sier at kong Ingjald drepte tolv konger, og alle sveik han med løfte om fred; de kalte ham Ingjald Illråde, han var konge over størstedelen av Svitjod. Åsa, sin datter, giftet han med kong Gudrød

Sela, Selaön i Mälaren.

i Skåne, hun liknet sin far i sinn; det var Åsa som fikk Gudrød til å drepe sin bror Halvdan; Halvdan var far til Ivar Vidfamne. Åsa fikk også drept Gudrød, sin husbond.

40. Ivar Vidfamne kom til Skåne etter at farbroren Gudrød var falt, han drog straks sammen en stor hær og fór like opp i Svitjod. Åsa Illråde var kommet dit til sin far i forvegen. Kong Ingjald var nettopp på veitsle på Räning* da han fikk vite at kong Ivars hær var kommet der like ved; kong Ingjald skjønte han ikke hadde noen styrke til å slåss med Ivar, han så også grant at om han la på flukt, ville fiendene hans komme drivende til fra alle kanter. Da valgte han og Åsa en utveg som det går sagn om, de drakk alle folkene dødddrukne, og så lot de tenne ild på hallen, og der brant hallen og alt folk som inne var, og kong Ingjald med. Så sier Tjodolv:

*Og røyk veltet
på Räning,
da ild kvalte
Ingjald levende,
og hustjuven
steig igjennom
guders ætling
på gloheit lest.*

*Slik lagnad
sjelden var
blant svearne,
– det alle syntes –
at han sjøl,
en djerv konge,
skulle ende
sitt eget liv.*

41. Ivar Vidfamne la under seg Sveavelde, han tok også hele Danevelde og en stor del av Saksland og hele Østrike* og femtedelen av England. Av hans ætt er de siden kommet de av danekongene og sveakongene som har vært enekonger. Etter Ingjald Illråde gikk Uppsalavelde ut av ynglingætta i rett linje, den som en kunne rekne fra far til sønn.

42. Da nå Olav, sønn til kong Ingjald, fikk høre at faren var død, reiste han sin veg og tok med seg alt det folk som ville følge ham, for hele sveamugen reiste seg som én mann for å jage ut kong Ingjalds ætt og alle hans venner. Olav fór først opp i Närke, men da svearne fikk spurlag på ham, kunne han ikke være der lenger. Så reiste han vestover gjennom skogene til ei elv som faller nordfra ut

Räning, en gard på Tosterön i Mälaren.
Østrike er landene ved Østersjøen, særlig Russland.

i Vänern og heter Elv*. Der slo de seg ned, de tok til å rydde i skogen, brente og bygde siden, det ble snart store bygder der, og det kalte de Värmland; det var stort og godt land. Men da det spurtes i Svitjod at Olav ryddet skoger, kalte de ham Tretelgja, de syntes det var skam for ham.

Olav giftet seg med ei kvinne som het Solveig eller Solva, datter til Halvdan Gulltann vest fra Solør. Halvdan var sønn til Solve som var sønn til Solvar, sønn til Solve den gamle, han var den første som ryddet i Solør. Mor til Olav Tretelgja het Gauthild, og hennes mor het Ålov, datter til Olav den klarsynte, konge i Närke. Olav og Solva hadde to sønner, Ingjald og Halvdan. Halvdan vokste opp i Solør hos morbroren Solve, og ble kalt Halvdan Kvitbein.

43. Det var en mengde mennesker som fór fredløse fra Svitjod for kong Ivar. De hørte at Olav Tretelgja hadde mye godt land i Värmland, og så kom de drivende til ham i slike flokker at landet ikke kunne tåle det, og det ble fælt uår og sult. Det gav de kongen sin skylden for, ettersom svearne alltid pleier å gi kongen skylden for både gode og dårlige år. Kong Olav var ikke noen stor blotmann, og det likte ikke svearne, de trodde det var det uåret kom av. Så samlet svearne hær og gikk imot kong Olav, de kringsatte huset hans og brente ham inne og gav ham til Odin og blotet ham for å få godt år. Det var ved Vänern. Så sier Tjodolv:

Elv var navnet på Göta älv (og Klarälven).

Og ved vågen	Fornjots sønn*,	Fra Uppsala
lik hylende varg	den glofagre,	den ætling
ilden åt opp	plukket pynten	av rikets herrer
Olavs lik;	av sveakongen.	da lengst var reist.

De av svearne som hadde mer vett, skjønte nå at uåret kom av at det var flere mennesker der enn landet orket å bære, og at kongen ikke kunne noe for det. Så fant de på å gå med hele hæren vest over Eidskogen*, de kom fram helt uventet i Solør; der drepte de kong Solve og fanget Halvdan Kvitbein, ham tok de til høvding over seg og gav ham kongsnavn. Han la under seg Solør, og siden gikk han inn på Romerike med hæren og herjet der og tok det fylket med hærferd.

44. Halvdan Kvitbein var en mektig konge; han var gift med Åsa, datter til opplandskongen Øystein Hardråde, som rådde på Hedmark. Halvdan og Åsa hadde to sønner, Øystein og Gudrød. Halvdan tok mye av Hedmark og Toten og Hadeland, og mye av Vestfold. Han ble en gammel mann og han døde sottedød på Toten, etterpå ble han flyttet ut i Vestfold og hauglagt der det het Skæreid i Skiringssal*. Så sier Tjodolv:

Hvermann vet	tjodkongen
at Halvdan	på Toten tok,
saknet ble	og Skæreid
av stridsmeklere;	i Skiringssal
for Hel sjøl	står bøyd over
til steinrøysa	brynjekongen.

45. Ingjald, kong Halvdans bror, var konge i Värmland, men etter hans død la kong Halvdan Värmland under seg og fikk skatter der og satte jarler over det så lenge han levde.

46. Øystein, sønn til Halvdan Kvitbein, ble konge etter ham på Romerike og i Vestfold; han var gift med Hild, datter til Eirik Agnarsson, som var konge i Vestfold. Agnar, Eiriks far, var sønn til kong Sigtrygg i Vendsyssel. Kong Eirik hadde ingen sønn, han døde mens kong Halvdan Kvitbein ennå levde. Halvdan og sønnen Øystein fikk da hele Vestfold under seg, og Øystein rådde i Vestfold så lenge han levde.

Den gang var det en konge på Varna* som het Skjold; han kunne allslags trolldom. Kong Øystein seilte med noen hærskip over til Varna og herjet; han tok det han fant, klær og annet som var verdt å ha, redskapen til bøndene, og så hogg de strandhogg, etterpå seilte de bort. Kong Skjold kom ned til stranda med hæren sin, da var

---

Fornjots sønn er *Logi*, dvs. ilden.
Eidskogen, grenseskogen mellom Värmland og Solør.
Skiringssal er det nåværende Tjølling sokn; stedsnavnet Skæreid er ikke kjent.
Varna (Værne), en gard i Rygge.

kong Øystein borte og kommet helt over fjorden, og Skjold så seilene deres; så tok han kappa si og sveivde og blåste med den. Da de seilte inn forbi Jersøy*, satt kong Øystein ved roret, et annet skip seilte like opp mot dem, det var litt sjøgang, og så slo bommen på skipet kongen over bord; det ble hans bane. Mennene hans fikk tak i liket, de flyttet det inn i Borre, og der kastet de haug på raet ute ved sjøen ved Vadla*. Så sier Tjodolv:

Og Øystein	*rik høvding*
slått av bommen	*på raets kant,*
fór til Hel,	*der hvor iskald*
Lokes datter,	*Vadla-elva*
og nå ligger	*går i vågen*
under steinrøys	*hos gøtske konge.*

47. Halvdan het kong Øysteins sønn, som fikk kongedømmet etter ham; han ble kalt Halvdan den gavmilde og matille. De sier at han gav mennene sine i lønn like mange gullpenger som andre konger gav sølvpenger, men han sultet dem på mat. Han var en stor hærmann og var lange tider i viking og hentet seg rikdom. Han var gift med Liv, datter til kong Dag fra Vestmar*. Holtan i Vestfold var hovedgarden hans, der døde han sottedød, og han er hauglagt i Borre. Så sier Tjodolv:

Og til møte	*hadde nytt*
Lokes møy	*det norner bød.*
*tredje kongen**	*Og seierens menn*
fra livet kalte,	*siden gjemte*
da Halvdan,	*budlungen**
Holtanbonden,	*der i Borre.*

48. Gudrød het Halvdans sønn som fikk kongedømmet etter ham. Han ble kalt Gudrød den stormodige, og noen kalte ham Veidekonge. Han hadde ei kone som het Alvhild, datter til kong Alvarin fra Alvheim, og med henne fikk han halve Vingulmark*. Deres sønn var Olav, som siden ble kalt Geirstadalv. Alvheim kalte de den gang landet mellom Raumelv* og Göta älv.

Jersøy ved innløpet til Tønsberg.

Snorre mente at Vadla var navn på ei elv i Borre, men det går ikke noen elv ut i Oslofjorden der.

Vestmar kan ha vært navn på kystlandet omkring Langesundsfjorden til Agder.

Tredje kongen, dvs. den tredje fra Halvdan Kvitbein.

Budlung, poetisk ord for konge.

Vingulmark var landet omkring Oslofjorden, den gamle Oslosysla.

Raumelv, nedre del av Glåma.

Da Alvhild var død, sendte Gudrød menn vest til Agder til den kongen som rådde der, han het Harald Granraude*; de skulle fri til Åsa, dattera hans, for kongen; men Harald sa nei. Sendemennene kom tilbake og sa kongen hvordan det var gått.

Men en stund etter satte kong Gudrød skip på vannet, og så seilte han med en stor flåte vest til Agder, han kom helt uventet på dem, gjorde landgang og kom til Haralds gard om natta; da Harald merket at en hær var kommet over ham, gikk han ut med alt det folk han hadde, det ble kamp, men overmakten var stor. Der falt Harald og Gyrd, sønn hans. Kong Gudrød tok stort hærfang, han tok Åsa, datter til kong Harald, med seg hjem og holdt bryllup med henne. De hadde en sønn som het Halvdan.

Den høsten da Halvdan var årsgammel, fór kong Gudrød på veitsler; han lå med skipene sine i Stivlesund*. Det var mye å drikke der, kongen ble svært drukken, og om kvelden da det var mørkt, ville kongen i land; men da han kom på landgangen, løp det en mann mot ham og stakk spydet igjennom ham, det ble hans bane. Mannen ble drept straks, og om morgenen, da det ble lyst, kjente de ham igjen, det var dronning Åsas skosvein. Hun la heller ikke skjul på at det var henne som hadde stått bak. Så sier Tjodolv:

Gudrød ble,
den gjæve konge,
felt med svik
for lenge siden;
mot høvdingen
hevnsjukt hode
dødsråd la,
da han var drukken.

Og Åsas
ærendsvein
snikmyrdet
hjelmkledd konge.
Budlungen
ble på bredden
av Stivlesund
stukket ned.

49. Olav tok kongedømme etter sin far. Han var en mektig mann og en stor hærmann. Han var vakrere og større av vekst enn folk flest. Han fikk bare Vestfold; for kong Alvgeir tok under seg hele Vingulmark, han satte Gandalv, sønnen sin, over det. Så gikk

Granraude, dvs. han med rødt skjegg.
Stivlesund, ukjent sted.

Gandalv og faren hardt fram på Romerike og tok størstedelen av dette rike og fylke.

Hogne het sønn til Øystein den mektige, opplandskongen; han la nå under seg hele Hedmark og Toten og Hadeland. Da gled også Värmland bort fra Gudrødssønnene, folk der vendte seg til sveakongen med skattegaver. Olav var i tjueårs-alderen da Gudrød døde, og da hans bror Halvdan skulle ha riket sammen med ham, delte de det mellom seg, slik at Olav fikk vestre delen og Halvdan søndre. Kong Olav bodde på Geirstad*, han fikk verk i foten og døde av det, og han er hauglagt på Geirstad. Så sier Tjodolv:

> Og i Norge
> trivdes nå
> ei grein av Odins
> sterke ætt;
> Olav fordum
> med ovmod rådde
> det vide land
> i Vestmar,
>
> til fotverk
> ved Foldens strand*
> kortet livet
> for kjempers venn.
> På Geirstad
> gravd i haug
> ligger kampglad
> hærkonge.

50. Ragnvald het kong Olavs sønn, han var konge i Vestfold etter sin far. Han ble kalt Heidumhære, om ham diktet Tjodolv den kvinværske Ynglingatal. Der sier han så:

> Av kjennenavn
> som konger har,
> vet jeg det beste
> under himmelen blå:
>
> Ragnvald
> vognstyreren,
> heidumhår
> heter han.

Geirstad, enten Gjerstad i Tjølling eller Gjekstad i Sandar.
Foldens strand. Folden (norr. Foldin) er det gamle navnet på Oslofjorden.

Halvdan Svartes saga

ALVDAN var årsgammel da faren falt. Åsa*, mor hans, reiste straks vest til Agder med ham, slo seg ned der og tok det rike som hennes far hadde hatt. Der vokste Halvdan opp, han ble snart stor og sterk, han var svart i håret, og ble kalt Halvdan Svarte. Da han var atten år gammel, fikk han kongedømme på Agder, like etter reiste han til Vestfold og delte riket der med broren Olav. Samme høst drog han med en hær til Vingulmark mot kong Gandalv, de hadde mang en strid og det var seier på begge sider, men til slutt ble de forlikt; Halvdan skulle ha halve Vingulmark, slik som Gudrød, far hans hadde hatt før.

Etterpå tok kong Halvdan opp på Romerike og la det under seg. Dette fikk kong Sigtrygg greie på, sønn til Øystein; han holdt til på Hedmark og hadde lagt Romerike under seg. Så gikk kong Sigtrygg med en hær mot kong Halvdan, det ble et stort slag, og Halvdan vant; men da flukten begynte, traff ei pil kong Sigtrygg under venstre armen, og så falt han der. Nå la Halvdan hele Romerike under seg.

En annen sønn til kong Øystein het Øystein, han var kong Sigtryggs bror og konge på Hedmark. Og da Halvdan hadde reist ut til Vestfold igjen, kom kong Øystein med hæren sin ut på Romerike, og la store deler av landet der under seg.

2. Halvdan Svarte fikk vite at det var ufred på Romerike; han samlet da en hær og drog mot kong Øystein; det kom til strid, og Halvdan seiret; Øystein flyktet opp til Hedmark. Kong Halvdan fulgte etter ham med sin hær opp til Hedmark, der hadde de enda en strid, og Halvdan seiret; Øystein flyktet nord i Gudbrandsdalen til Gudbrand herse*, og samlet seg en hær igjen der oppe. Lenger utpå vinteren kom han ned til Hedmark. Han møtte Halvdan Svarte på den store øya som ligger i Mjøsa*, der ble det slag, det falt mange på begge sider, men Halvdan seiret. Guttorm falt, sønn til Gudbrand herse, han var den beste unge mann de hadde på Opplanda. Øystein flyktet nord i Gudbrandsdalen igjen. Nå sendte han en frende, Hall-

---

Åsa. Det har vært gjettet på at det var dronning Åsa som lå hauglagt i Osebergskipet.
Herse. Det er usikkert hva denne høvdingtittelen betydde politisk. Den er ikke nevnt i lovene og gikk etter hvert av bruk fra Olav Haraldssons tid.
Den store øya i Mjøsa, dvs. Helgøya.

vard Skalk, til kong Halvdan for å be om forlik, og for frendskaps skyld gav Halvdan fra seg halve Hedmark til kong Øystein. Halvdan la under seg Toten og det som heter Land; så tok han Hadeland også, og nå var han en mektig konge.

3. Halvdan Svarte fikk ei kone som het Ragnhild, hun var datter til Harald Gullskjegg, som var konge i Sogn. De fikk en sønn, og kong Harald gav ham sitt eget navn; denne gutten vokste opp i Sogn hos morfaren kong Harald. Harald var blitt gammel og skral og dertil sønneløs, og så gav han riket til dattersønnen Harald og lot ham ta til konge.

Litt seinere døde Harald Gullskjegg. Samme vinter døde datter hans, Ragnhild også. Våren etter ble kong Harald den unge sjuk og døde i Sogn; han var da ti år gammel. Straks Halvdan Svarte fikk vite om sønnens død, tok han av sted med stort følge og reiste nord til Sogn, der tok de godt imot ham. Han krevde rike og arv etter sin sønn, og det var ingen motstand; han la under seg riket der. Da kom Atle jarl den mjove fra Gaular* til ham; han var venn til kong Halvdan. Kongen satte Atle jarl over Sygnafylke til å dømme der etter landslov og kreve inn skatter. Kong Halvdan vendte tilbake til Opplanda igjen.

4. Om høsten tok kong Halvdan ned til Vingulmark. Så var det ei natt, Halvdan var på veitsle, og midt på natta kom den mannen som hadde hatt hestevakt, til ham og sa at en hær var kommet og var like ved garden; kongen stod opp med én gang, bad mennene væpne seg, og går så straks ut og fylker. I det samme kom Gandalvssønnene Hysing og Helsing med stor hær. Det ble et stort slag, men kong Halvdan måtte gi seg for overmakten, og derfor flyktet han til skogs, men mistet mange av sine menn; Olve den spake*, kong Halvdans fosterfar, falt der.

Etterpå samlet det seg folk om kong Halvdan igjen, og han fulgte etter Gandalvssønnene og nådde dem på Eid* ved Øyeren, der kjempet de; Hysing og Helsing falt, og broren Hake kom unna ved flukt. Siden la kong Halvdan under seg hele Vingulmark, og Hake flyktet til Alvheim.

5. Sigurd Hjort het en konge på Ringerike, han var større og sterkere enn noen annen mann, vakrere var han også enn alle andre. Far hans var Helge den kvasse, og mor hans var Åslaug, datter til Sigurd Orm-i-auga, Ragnar Lodbroks sønn. De sier at da han var tolv år gammel, drepte han i enekamp Hildebrand berserk og elleve mann av samme slag, han gjorde mange andre karsstykker, og det er en lang saga om ham. Han hadde to barn; Ragnhild het dattera, ei ualminnelig gjæv og vakker kvinne, hun var i tjueårsalderen den gang, og broren hennes Guttorm, var halvvoksen.

Om hvordan Sigurd døde, er det fortalt slik: Han rei alene ut i

Gaular, bygd i Sunnfjord omkring elva Gaula.
Olve den spake, dvs. den kloke.
Eid, nå Askim og noe av Trøgstad.

Halvdan Svarte væpner seg til strid.

ville skogen som han brukte, han jagde store og farlige dyr, det hadde han lagt seg etter og gjorde det ofte. Da han hadde ridd langt av sted, kom han fram til en rydning et sted bort imot Hadeland, der kom Hake berserk mot ham med tretti mann, de sloss og der falt Sigurd Hjort og tolv av Hakes menn, og han sjøl mistet en arm og fikk tre andre sår.

Etterpå rei Hake til Sigurds gard og tok Ragnhild, datter hans, og Guttorm, hennes bror; han førte dem bort med seg og tok mye gull og sølv og mange dyre saker og hadde med seg hjem til Hadeland, der hadde han store garder. Så lot han stelle til gjestebud og tenkte å holde bryllup med Ragnhild, men det drog ut, for sårene hans ble verre. Hake Hadelendingsberserk lå til sengs av sårene hele høsten og første del av vinteren.

Ved juletider kom kong Halvdan til Hedmark, han hadde hørt om alt dette. Tidlig en morgen da kongen hadde kledd på seg, kalte han til seg Hårek Gand, og sa han skulle ta over til Hadeland og hente Ragnhild til ham, datter til Sigurd Hjort. Hårek gjorde seg i stand og tok med seg hundre mann; han stelte det så han kom over fjorden i grålysningen og fram til Hakes gard; der satte han vakt ved alle dørene på gjestehuset, hvor alle folkene sov, og så gikk de til buret der Hake lå, og brøt det opp, de tok med seg Ragnhild og Guttorm broren hennes, og alt som fantes der av gull og sølv; gjestehuset brente de, og alle som var inne i det. Så tok de ei stor og gild vogn, slo et tjeld over den og satte Ragnhild og Guttorm oppi, så drog de ned mot isen. Hake stod opp og gikk etter dem en stund, men da han kom til isen på fjorden, vendte han sverdhjaltet ned og la seg på odden så sverdet stod igjennom ham; der fikk han bane og ble hauglagt på stranda.

Kong Halvdan så at de kom over fjorden på isen, han var så skarpsynt; og da han så ei vogn med tjeld, skjønte han det hadde gått som han ville med utsendingene. Da lot han sette fram bord og sendte bud rundt om i bygda og bad mange mennesker til seg, og den dagen ble det stort gjestebud og i det gjestebudet fikk Halvdan Ragnhild, og siden ble hun ei mektig dronning.

Mor til Ragnhild var Tyrne, datter til kong Klakk-Harald i Jylland; hun var søster til Tyre Danmarksbot, som var gift med Gorm den gamle som rådde for Danevelde den gang.

6. Dronning Ragnhild drømte store drømmer. Hun var ei klok kvinne. Engang drømte hun at hun syntes hun stod ute i hagen sin og tok en torn ut av serken. Og mens hun stod og holdt på den tornen, vokste den slik at den ble en lang tein, og den ene enden nådde jorda og ble straks rotfast, og like etter var den andre enden av treet høyt oppe i lufta; så syntes hun treet var så stort at hun nesten ikke kunne se toppen på det, og det var et under så tjukt som det var; nederste delen av treet var rød som blod, og treleggen oppover var fager og grønn, men oppe i greinene var det snøhvitt; det var mange store greiner på treet, noen langt oppe og noen langt nede, og greinene var så store at hun syntes de bredde seg over hele Norge og enda lenger.

7. Kong Halvdan drømte aldri. Han syntes det var merkelig, og gikk til en mann som het Torleiv Spake og fortalte det og bad om råd, spurte om han kunne gjøre noe ved det. Torleiv sa hva han sjøl brukte gjøre når det var noe han gjerne ville vite; han la seg til å sove i et grisehus, og da slo det aldri feil at han drømte.

Kongen gjorde dette, og så hadde han denne drømmen: han syntes han hadde fått langt hår, og hele håret hang i lokker, noen lokker var så lange at de rakk til jorda, andre til midt på leggen, noen til knes, noen til hoftene, noen til midt på livet, noen til halsen og noen var ikke mer enn så vidt kommet opp av hausen, likesom små horn. Lokkene hadde alle farger, men én lokk vant over alle de andre, så fager og lys og stor var den.

Han fortalte Torleiv denne drømmen, og han tydet den slik: ei stor ætt skulle komme av ham, og den skulle rå land og rike med stor heder, men ikke alle av ætta med like stor. Og én skulle komme av hans ætt, som skulle bli større og gjævere enn alle de andre, og det tror folk for visst at den lokken betydde Olav den hellige.

Kong Halvdan var en klok mann, sannferdig og rettvis, han satte lover og holdt dem sjøl, og han lot andre holde dem, slik at ingen kunne velte lov med makt; han satte også faste bøter for hver sak, og rettet bøtene etter hver manns byrd og stilling.

Dronning Ragnhild fikk en sønn, de øste vann over ham og kalte ham Harald. Han ble fort stor og svært vakker; han vokste opp der og lærte snart mange idretter; han hadde godt vett. Hans mor var svært glad i ham, men hans far mindre.

Dronning Ragnhilds drøm.

8. Kong Halvdan var i julegjestebud på Hadeland. Det hendte noe så underlig der julaften; da folk hadde gått til bords, og det var en mengde mennesker der, så ble all maten borte fra bordene og alt ølet også; kongen satt sørgmodig igjen og alle andre gikk hver til sitt.

Men kongen ville ha greie på hva alt dette kom av, og så lot han fange en finn som hadde kjennskap til litt av hvert, og ville tvinge

Halvdan Svarte drukner i Røykenvik.

ham til å si det, og pinte ham, men fikk ikke noe ut av ham likevel. Finnen vendte seg til Harald, kongens sønn, og bad ham innstendig om hjelp, og Harald bad om nåde for ham, men det nyttet ikke; og så hjalp Harald ham å løpe bort mot kongens vilje og fulgte sjøl med. De drog av sted og kom til et sted hvor en høvding holdt et stort gjestebud, og der var de nok velkomne, så det ut for.

Da de hadde vært der til utpå våren, var det en dag høvdingen sa til Harald: «Det var svært så faren din tok seg nær av at jeg tok litt mat fra ham her i vinter; men deg skal jeg lønne med et gledelig budskap. Far din er nå død, og nå skal du reise hjem, da skal du få hele riket han har hatt, og dessuten skal du vinne hele Norge.»

9. Halvdan Svarte kjørte fra veitsle på Hadeland, og vegen hans falt slik at han kjørte over Randsfjorden; det var om våren; det var varmt av sola og det tinte godt. Og så kjørte de over Røykenvik, der hadde de brukt å vanne buskapen om vinteren, og der det var kommet møkk på isen, hadde det gravd seg hull av solvarmen. Da nå kongen kjørte over der, brast isen under ham, og der druknet kong Halvdan og en mengde mennesker. Da var han førti år gammel.

Han hadde vært så årsæl en konge. Folk sørget så over ham, at da det ble kjent at han var død, og at liket var ført til Ringerike og skulle gravlegges der, kom det stormenn fra Romerike og Vestfold og Hedmark, og alle krevde de å få liket med seg og hauglegge det i sitt fylke; alle trodde at de skulle få godt år om de fikk det. De ble forlikt på den måten at de delte liket i fire deler; hodet ble lagt i haug på Stein på Ringerike, og hver av de andre tok sin del med seg hjem og haugla den der, og alle disse haugene heter Halvdanshauger.

Harald Hårfagres saga

 ARALD fikk kongedømme etter faren da han
var ti år gammel. Han var stor og sterk og
vakker som få, klok og kraftig i handlinger.
Hans morbror Guttorm ble fører for hirden og
stod for hele landsstyringen; han var hertug*
for hæren. Da Halvdan Svarte var død, var det
mange høvdinger som gjorde innfall i det riket
han etterlot seg. Først var det kong Gandalv, og
så brødrene Hogne og Frode, sønner til kong
Øystein på Hedmark.
Hogne Kåruson gikk over store deler av Ringerike. Og nå la Hake
Gandalvsson i veg inn i Vestfold med tre hundre mann, han tok den
øvre vegen gjennom noen daler og tenkte å komme uventet over
kong Harald; kong Gandalv satt i Londe* og derfra tenkte han å
sette over fjorden til Vestfold. Men Guttorm hertug fikk greie på
dette, og han samlet hær og gikk med kong Harald; de vendte seg
først opp i landet mot Hake, ham møtte de i en dal, og der ble det
strid, kong Harald vant; der falt kong Hake og en stor del av hans
menn. Siden heter det Hakadal der.

Etter dette vendte kong Harald og Guttorm hertug tilbake; men
da var kong Gandalv kommet over til Vestfold, og nå gikk begge
parter mot hverandre. Da de møttes, ble det hard strid, kong Gandalv flyktet, men mistet størsteparten av hæren, og slik kom han seg
da inn i sitt eget rike. Da sønnene til kong Øystein på Hedmark fikk
høre om dette, ventet de snart å få en hær imot seg de også. De
sendte bud til Hogne Kåruson og Gudbrand herse, og satte dem
stevne i Ringsaker på Hedmark.

2. Etter disse kampene drog kong Harald og Guttorm hertug og
alt det folk de kunne få, av sted; de ville til Opplanda, og tok vegen
mest gjennom skogene. De fikk spurt hvor opplandskongene hadde
satt hverandre stevne, og kom dit ved midnatt; vaktmennene merket
ingen ting før hæren var kommet utenfor det huset Hogne Kåruson
var i, og like ens utenfor der Gudbrand sov; de satte ild på begge
husene, men Øysteinssønnene kom seg ut med sine menn, og det ble
en kort strid hvor de falt begge to, både Hogne og Frode.

Hertug. Bruken av hertugtittelen er visst en anakronisme her. I Håkon Håkonssons
saga blir det fortalt at Skule Bårdsson var den første som bar hertugtittelen i Norge –
fra 1237.
Londe, visstnok Vesterøya på Hvaler.

Gyda sender bud til kong Harald.

Etter at disse fire høvdingene hadde falt, tok kong Harald under seg med hjelp av sin frende Guttorm og med hans kraft og pågåenhet Ringerike og Hedmark, Gudbrandsdalen og Hadeland, Toten og Romerike og hele den nordre delen av Vingulmark. Etterpå hadde kong Harald og Guttorm hertug ufred og strid med kong Gandalv, og det endte med at kong Gandalv falt i den siste kampen, og kong Harald tok hele riket sør til Raumelv under seg.

3. Kong Harald sendte sine menn etter ei jente som het Gyda, datter til kong Eirik fra Hordaland, hun var i Valdres hos en mektig bonde til oppfostring. Harald ville ha henne til frille, for hun var vakker, men nokså stor på det. Da sendemennene kom dit hun var, kom de fram med sitt ærend for henne; hun svarte som så at hun ville ikke kaste bort sin møydom på å ta til mann en konge som ikke hadde større rike å styre over enn noen få fylker; «og jeg synes det er underlig,» sier hun, «at det ikke fins noen konge som vil vinne hele Norge og bli enekonge over det, slik som kong Gorm i Danmark eller Eirik i Uppsala.» Sendemennene syntes hun svarte fælt overmodig, de spør henne hva hun kunne mene med å svare slik, og sier at Harald er en så mektig konge at han var fullt ut god nok for henne. Men da hun svarte dem på en helt annen måte enn de hadde

tenkt, så de seg ingen utveg denne gang til å få henne med bort, når hun ikke sjøl ville det, og så gjorde de seg ferdige til å reise igjen. Da de skulle dra av sted, ble de fulgt ut. Da talte Gyda med sendemennene, bad dem ta de ord med til kong Harald at bare på ett vilkår ville hun samtykke i å bli hans kone; hvis han ville gjøre så mye for hennes skyld at han la under seg hele Norge og rådde for det riket like fritt som kong Eirik for Sveavelde eller kong Gorm for Danmark, «først da,» sa hun, «mener jeg han med rette kan kalles en folkekonge.»

4. Sendemennene kom nå tilbake til kong Harald og sa ham hva jenta hadde svart; de sa hun var både frekk og uvettig, så det var til pass om kongen sendte en stor hær etter henne og tok henne så hun fikk skam av det. Da svarte kong Harald at Gyda hadde ikke sagt noe galt eller gjort noe som burde hevnes, han sa hun skulle ha takk for de ord hun sendte, «hun har mint meg om noe,» sier han, «som jeg nå synes det er underlig jeg ikke har tenkt på før.» Og så sa han: «Jeg gjør det løfte, og jeg tar Gud til vitne, han som skapte meg og rår for alt, at aldri skal jeg skjære håret eller kjemme det før jeg har vunnet hele Norge med skatter og skylder og fullt styre, eller også dø.» For disse ordene takket Guttorm hertug ham, og sa det var kongelig verk å holde sitt ord.

5. Nå samlet de to frendene en stor hær og drog av sted, først til Opplanda og så nordover gjennom Gudbrandsdalen, og videre nord over Dovrefjell. Da han kom ned i bygda* der, lot han alle menn drepe og bygda brenne, og da folk fikk vite dette, flyktet alle som kunne, noen ned i Orkdalen, noen i Gauldalen og noen til skogs; noen bad om fred, og det fikk alle som kom til kongen og ble hans menn. De møtte ingen motstand før de kom til Orkdalen, der hadde folk samlet seg mot dem, og der hadde de sin første strid, med en konge som het Gryting. Kong Harald vant, og Gryting ble fanget og en stor del av hæren hans drept; han sjøl gikk i kong Haralds tjeneste og svor troskapsed. Etterpå gikk hele folket i Orkdølafylke under kong Harald og ble hans menn.

6. Kong Harald innførte den rett overalt hvor han vant rike under seg, at han tok all odel under seg som sin eiendom og lot alle bønder både store og små betale landskyld. I hvert fylke satte han en jarl, som skulle dømme etter lov og landsrett og kreve inn bøter og landskyld; jarlen skulle ha en tredjedel av skatter og skylder til sitt hushold og andre utgifter. Hver jarl skulle ha under seg fire herser eller flere, og hver av dem skulle ha tjue marks veitsle; hver jarl skulle stille seksti hærmenn i kongens hær, og hver herse tjue mann. Slik hadde kong Harald økt skatter og landskyld at jarlene hans hadde mer makt enn kongene hadde hatt før, og da dette ble kjent omkring i Trondheimen, kom mange stormenn til kong Harald og ble hans menn.

7. Det blir fortalt at Håkon jarl Grjotgardsson kom til kong

Bygda, dvs. Oppdal.

Den fangne kong Gryting føres fram for kong Harald.

Harald ute fra Ørlandet og hadde med mange folk til hjelp for kong Harald. Deretter drog kong Harald inn i Gauldalen og kjempet der og felte to konger og tok rikene deres, det var Gauldølafylke og Strindafylke. Han gav Håkon jarl herredømme over Strindafylke. Så gikk kong Harald inn i Stjørdalen, og der hadde han den tredje kamp og seiret og tok det fylket.

Så samlet inntrønderne seg, der kom det sammen fire konger med hver sin hær, den ene rådde for Verdalen, den andre for Skogn, den tredje for Sparbyggjafylke, den fjerde for Inderøy – han hadde Øynafylke. Disse fire kongene gikk med hær mot kong Harald, han holdt slag med dem og vant, og noen av disse kongene falt, og andre flyktet. Kong Harald hadde til sammen åtte slag eller flere i Trondheimen, og da han hadde felt åtte konger, tok han hele Trondheimen under seg.

8. Nord i Namdalen var det to brødre som var konger, Herlaug og Rollaug. De hadde holdt på i tre somrer å gjøre en stor haug, denne

haugen var murt opp av stein og bygd med kalk og treverk. Da haugen var ferdig, fikk brødrene høre at kong Harald kom med en hær mot dem. Da lot kong Herlaug en mengde mat og drikke kjøre inn i haugen, så gikk han inn der sjøl tolvte. Siden lot han haugen kaste igjen.

Kong Rollaug gikk opp på en haug der kongene brukte å sitte, der lot han kongshøgsetet gjøre i stand og satte seg i det, så lot han legge dyner på fotpallen, der jarlene brukte å sitte, og så veltet kongen seg ut av høgsetet og ned i jarlssetet og gav seg sjøl jarls navn. Etterpå gikk Rollaug og møtte kong Harald, gav ham hele sitt rike og bød seg til å bli hans mann og fortalte alt han hadde gjort. Da tok Harald et sverd og festet det i beltet hans, han hengte også et skjold om halsen på ham og gjorde ham til sin jarl og leidde ham til høgsetet. Han gav ham så Namdølafylke og satte ham til jarl over det.

9. Kong Harald reiste nå tilbake til Trondheimen og ble der vinteren over, der reknet han siden at han hadde heimen sin. Han bygde den største hovedgarden sin der, den heter Lade. Den vinteren giftet han seg med Åsa, datter til Håkon jarl Grjotgardsson, kongen satte nå Håkon svært høyt.

Om våren lot kong Harald skip gjøre i stand. Han hadde latt bygge en stor drake* om vinteren, staselig utstyrt, der satte han hirden og berserkene. Han var mest nøye i valg av stavnbuer, for de hadde kongens merke. Fra stavnen og bakover til øserommet het det rausn, der var berserkene. Ingen andre fikk være i kong Haralds hird enn slike som var bedre enn andre i kraft og mot og all sin ferd, bare de fikk være på hans skip; men så hadde han også godt utvalg, og kunne velge seg hirdmenn fra alle fylkene. Han hadde en stor hær og mange store skip, og mange stormenn fulgte ham.

Hornklove sier i Glymdråpa at kong Harald hadde kjempet med orkdølene på Oppdalsskogen før han hadde denne leidangen ute:

Hjelmkledd høvding tordne
lot på heia kampgny,
ram han alltid raste
imot ransmenn frekke,
før til dyst han jaget
de duvende Gripnes hester*,
høyt i masta skjoldsol
skinte, stortenkt var han.

Gudesterk i strid han
på helveg tjuver sendte,
– vargen raust de mettet,
fyrstens djerve skarer –
før til havs han førte
framfus orm og snekker,
stein fløy da mot skjolda,
og menn til skade ble han.

10. Kong Harald seilte flåten ut av Trondheimen og vendte sørover mot Møre. Den kongen som rådde for Mørefylke, het Huntjov, sønnen hans het Solve Klove, de var store hærmenn. Kongen som rådde for Romsdal, het Nokkve, han var Solves morfar. Disse høv-

Drake, stort hærskip med drakehode i stavnen.
Gripnes hester, dvs. skip.

dingene drog sammen en stor hær da de fikk høre om Harald, og kom imot ham; de møttes ved Solskjel*, der ble det stort slag og kong Harald vant. Så sier Hornklove*:

Nordfra dreiv nå skipet,
så at skjoldkledd kjempe
dermed kom til striden
mot de konger tvenne;
høvdingene hilstes
hissig uten tale;
susende pil i lufta,
sangen av skjold var hilsen.

Begge kongene falt, men Solve kom seg unna ved flukt. Nå la kong Harald under seg disse to fylkene og ble der lenge om sommeren og satte lov og rett for folk, men om høsten brøt han opp og reiste nord til Trondheimen igjen.

Ragnvald Mørejarl, sønn til Øystein Glumra, var blitt kong Haralds mann da om sommeren. Kong Harald satte ham til høvding over disse to fylkene, Nordmøre og Romsdal, og gav ham rett til hjelp både av stormenn og bønder, likeså skip nok til å verge landet for ufred. Han ble kalt Ragnvald jarl den mektige eller den rådsnare, og de sier at begge navnene var sanne. Kong Harald var i Trondheimen vinteren som fulgte.

11. Våren etter rustet kong Harald en stor hær fra Trondheimen, og sa at med den ville han seile til Sunnmøre. Solve Klove hadde ligget ute på hærskip om vinteren og herjet omkring på Nordmøre, drept mange av kong Haralds menn, og ranet noen; ei tid på vinteren hadde han vært hos sin frende kong Arnvid på Sunnmøre også. Da de fikk høre at kong Harald kom, samlet de folk og fikk mange med seg, for det var mange som syntes de hadde noe å hevne på kong Harald.

Solve Klove reiste sør i Fjordane til kong Audbjørn, som rådde der, og bad ham om hjelp, bad at han skulle komme med hæren sin og hjelpe ham og kong Arnvid; han sier: «Det er lett å se at vi nå alle bare har ett valg; vi kan reise oss mot kong Harald alle sammen, da har vi stor nok styrke, og skjebnen får rå for seieren, ellers må vi bli Haralds treller, og det er ikke et vilkår for menn som ikke har ringere navn enn Harald sjøl. Min far syntes det var bedre å falle i kamp i sitt kongedømme, enn å bli kong Haralds undermann.» Solve ordla seg slik at Audbjørn lovte å komme; han drog sammen en hær og seilte nord til kong Arnvid, og nå hadde de en svær hær.

Da fikk de vite at kong Harald var kommet nordfra. De møttes innenfor Solskjel. Det var skikk når man kjempet om bord at man

Solskjel, ei lita øy innenfor Smøla og Edøy.
Hornklove, skalden Torbjørn Hornklove. Tilnavnet er et ord for ravn (egl. «den som kløyver horn»).

Slaget ved Solskjel.

skulle binde sammen skipene og kjempe om stavnene; slik ble det gjort her også. Kong Harald la sitt skip mot skipet til kong Arnvid, der ble kampen kvassest, og folk falt tett på begge sider, men til slutt ble kong Harald så vill og vred at han gikk fram i rausnen på skipet sitt, og sloss der så hardt at alle frambyggene på Arnvids skip veik bakover helt til masta, og noen falt. Kong Harald gikk over på skipet, og kong Arnvids menn tok flukten, Arnvid sjøl falt på skipet sitt. Kong Audbjørn falt også, men Solve flyktet. Så sier Hornklove:

Gramen* vakte spydvær,
vilt pilene hvinte,
Skogul* larmet; blodet
suste rødt i sårene;
da for fyrsten segnet
livløse menn i stavnen,
sverd raste mot skjoldet,
og sverdfargeren seiret.

Av kong Haralds menn falt Asgaut og Asbjørn, hans jarler, og mågene hans, Grjotgard og Herlaug, sønner til Håkon Ladejarl. Solve var i viking i lang tid etterpå og gjorde ofte stor skade i kong Haralds rike.

12. Kong Harald la under seg Sunnmøre. Vemund, kong Aud-

Gram, poetisk ord for konge.
Skogul, navn på en valkyrje.

bjørns bror, hadde ennå styret i Firdafylke. Dette var langt utpå høsten, og kong Harald og hans menn ble enige om at han ikke skulle seile sør om Stad seinhøstes. Så satte kong Harald Ragnvald jarl over Nordmøre og Sunnmøre og Romsdal, han hadde da mye folk omkring seg. Kong Harald vendte tilbake til Trondheimen.

Samme vinter tok Ragnvald jarl den indre vegen over Eid* og derfra sør i Fjordane, han hadde speidere ute etter kong Vemund, og kom så om natta til et sted som heter Naustdal, der var kong Vemund på veitsle. Ragnvald jarl kringsatte huset og brente kongen inne med nitti mann. Etterpå kom Berle-Kåre til Ragnvald jarl med et langskip med fullt mannskap, de seilte begge to nord til Møre. Ragnvald jarl tok de skipene som kong Vemund hadde eid, og alt det løsøre han fikk tak på. Berle-Kåre reiste nordover til kong Harald og ble hans mann. Han var en stor berserk.

Våren etter seilte Harald sørover langs kysten og la under seg Firdafylke. Siden seilte han østover langs land og kom fram øst i Viken; han satte Håkon jarl Grjotgardsson etter seg og gav ham styret i Firdafylke. Da sendte Håkon jarl bud til Atle jarl den mjove, at han skulle dra bort fra Sogn og være jarl på Gaular som han før hadde vært, sa at kong Harald hadde gitt ham Sygnafylke. Atle jarl sendte det til svar at han ville beholde både Sygnafylke og Gaular til han fikk talt med kong Harald. Jarlene trettet om dette, til de begge samlet hær, de møttes på Fjaler i Stavnesvåg*, og der hadde de en stor strid. Der falt Håkon jarl, og Atle jarl ble såret dødelig; de seilte inn til Atløy* med ham, og der døde han. Så sier Øyvind Skalde-spille:

På hærmannen
Håkon ble
våpen båret
i væpnet kamp,
Frøys ætling
gav på Fjaler
livet hen
i larm av sverd.

Og der falt
en flokk av venner
om Grjotgards sønn
ved Stavenes,
og vågen
i Odins gny
blandet ble
med manneblod.

Eid, trolig Mannseidet på Stadlandet.
Stavnesvåg, vel d.s.s. Stongfjorden.
Atløy i Fjaler i Sogn og Fjordane.

13. Kong Harald kom med hæren øst i Viken og la til i Tønsberg, der var det kjøpstad. Da hadde han vært fire år i Trondheimen, og i den tid hadde han ikke kommet til Viken. Nå fikk han høre at sveakongen Eirik Emundsson hadde lagt under seg Värmland og tok skatter av alle skogbygdene der; han reknet det også for Västergötland helt nord til Svinesund, og likeså hele landet i vest langs med havet der, alt dette reknet sveakongen for sitt rike og tok skatter av det. Han hadde satt en jarl som het Rane Gautske over det; hans rike gikk fra Svinesund til Göta älv, det var en mektig jarl.

Kong Harald fikk høre at sveakongen hadde sagt, han skulle ikke gi seg før han hadde like stort rike i Viken som Sigurd Ring eller Ragnar Lodbrok, sønnen hans, hadde hatt før, og det var Romerike og Vestfold helt vest til Grenmar*, og likeså Vingulmark og alt sønnafor der. I alle disse fylkene hadde folk så gått over til å lystre sveakongen. Dette likte Harald slett ikke; han stevnte straks ting med bøndene der i Folden og reiste sak mot dem for landssvik mot seg. Noen av bøndene fikk bevist sin uskyld, andre måtte ut med bøter, og noen fikk straff. Slik fór han over det fylket om sommeren. Om høsten reiste han opp på Romerike, og der gikk alt på samme måte. Da det ble vinter, fikk han vite at Eirik sveakonge rei omkring på veitsle i Värmland med hirden sin.

14. Kong Harald tok av sted øst gjennom Eidskogen og kom fram til Värmland; der lot han folk gjøre veitsler for seg.

Det var en mann som het Åke, han var den mektigste bonden i Värmland, steinrik, men gammel dengang. Han sendte bud til kong Harald og bad ham til gjestebud, kongen lovte å komme til avtalt tid. Åke bad også kong Eirik til gjestebudet, og satte samme stevnedag for ham. Åke hadde ei stor gjestestue, men den var gammel; nå lot han bygge ei anna ny stue, som ikke var mindre, og la stor omhu i byggingen; hele denne stua lot han kle med nye åklær, men den gamle stua fikk gamle åklær.

Da nå kongene kom til gjestebudet, fikk Eirik og hans folk plass i den gamle stua, men Harald og hans folk i den nye. Hele bordbunaden var også delt slik at Eiriks menn hadde gamle kar og horn, men de var da forgylt og fint utstyrt; kong Haralds menn derimot fikk bare nye kar og horn og alle var gullbeslått. Men alt var pusset og blankt, og drikken var like god begge steder. Åke hadde før vært Halvdan Svartes mann.

Da nå dagen kom da gjestebudet var slutt, skulle kongene av sted, og hestene ble tatt fram. Da gikk Åke fram til Harald og leidde med seg sin sønn, som var tolv år gammel og het Obbe. Åke sa: «Herre, om De synes den er vennskap verdt, den gode vilje jeg har vist Dem her i gjestebudet, så lønn min sønn for dette; jeg gir Dem ham til tjenestemann.» Kongen takket ham med mange vakre ord for gjestfriheten og lovte til gjengjeld sitt fulle vennskap. Deretter kom Åke fram med store gaver som han gav kongen.

Grenmar, nå Langesundsfjorden.

Så gikk Åke til sveakongen; da var kong Eirik kledd og reiseferdig, han var ikke videre blid. Åke kom nå fram med gode kostbare ting og gav ham. Kongen svarte ikke stort og steig til hest. Åke fulgte ham på veg og talte med ham, det var en skog ikke langt borte, og vegen gikk gjennom den. Da Åke kom til skogen, spurte kongen ham: «Hvorfor gjorde du forskjell på den gjestfriheten du viste kong Harald og meg, slik at han skulle ha det beste av alle ting; du vet jo du er min mann.» «Jeg trodde ikke, konge,» sier Åke, «at det skortet på gjestfrihet mot Dem og Deres menn her i dette gjestebudet; men når det var gammelt utstyr der hvor De drakk, så var det for det at De er blitt gammel nå; men kong Harald står i livets blomst, og derfor gav jeg ham nytt utstyr. Men siden du minte meg om at jeg skulle være din mann, så vet jeg ikke mer om det enn at du like mye er min mann.» Da drog kongen sverdet, hogg ham i hjel og rei så bort.

Da kong Harald var ferdig til å stige til hest, bad han folk kalle på Åke bonde. De lette etter ham, og noen løp dit hvor kong Eirik hadde ridd, der fant de Åke død. De kom tilbake og sa det til kongen. Da han fikk høre det, ropte han til sine menn at de skulle hevne Åke bonde; kong Harald rei etter samme veg som Eirik hadde ridd, til de fikk øye på hverandre; da rei begge så hardt de kunne til kong Eirik kom til den skogen som skiller mellom Götaland og Värmland. Da vendte kong Harald tilbake til Värmland, la det landet under seg og drepte kong Eiriks menn hvor han kom over dem. Om vinteren tok kong Harald tilbake til Romerike.

15. Kong Harald drog ut til Tønsberg til skipene sine om vinteren; han gjorde dem klare, seilte øst over fjorden, og la så hele Vingulmark under seg. Han var ute på hærskip hele vinteren og herjet i Ranrike* Så sier Torbjørn Hornklove:

Jul drikker han ute
om han ene får rå,
den framlynte fyrste
og leiker Frøys leik*;
ild ble han ung lei av,
inneliv og gryter,
varm kvinnestue,
eller dunbløte votter.

Gøtene hadde samlet seg over hele landet til forsvar.

16. Om våren i isløsningen stengte gøtene Göta älv med staker, så kong Harald ikke skulle kunne komme opp i landet med skipene. Kong Harald seilte opp i elva med skipene og la til ved stakene, han herjet landet på begge elvesider og brente bygda. Så sier Hornklove:

Ranrike, nå Bohuslän.
Frøys leik, dvs. kamp.

*Sør ved hav i striden
stridsmåkens venn seiret,
hard i hug la kongen
hand over folk og jorder;
skrekkens hjelm bar fyrsten,
skip og master vogget
ved land, bundet til staken
som olme hjorter i tjoret.*

Deretter rei gøtene ned med en stor hær og kjempet mot kong Harald; det ble stort mannefall, men kong Harald fikk seier. Så sier Hornklove:

*Sverd beit svarte og blanke,
sterk tjodkonge kjempet,
spydene sang og suste,
klang gjorde svungne økser.*

*Høyt mot hugfylte kjempers
halser spydene gjallet,
gøters skytende uvenn
sist fikk hele seieren.*

17. Kong Harald fór med hærskjold over store deler av Götaland, han hadde kamp mange ganger der på begge elvesider, og som oftest vant han. I en av disse kampene falt Rane Gautske. Da la kong Harald under seg hele landet nord for Elv og vest for Vänern, og dessuten hele Värmland. Da han nå vendte tilbake derfra, satte han Guttorm hertug igjen der til landevern, og satte mye folk hos ham. Sjøl drog han til Opplanda og bodde der en stund. Derfra gikk han nord over Dovrefjell til Trondheimen, og der var han en lang stund igjen. Nå tok han til å få barn; han og Åsa hadde disse sønnene: Guttorm, som var eldst, Halvdan Svarte og Halvdan Kvite – de var tvillinger, den fjerde het Sigfred. De vokste alle sammen opp i Trondheimen med heder og ære.

18. Det kom rykter sørfra om at horder og ryger, egder og teler samlet seg og gjorde reisning, de hadde både skip og våpen og mange folk; opphavsmennene var Eirik Hordalandskonge, Sulke konge på Rogaland og Sote jarl, bror hans, Kjøtve den rike, konge på Agder, og Tore Haklang, sønn hans; fra Telemark kom to brødre, Roald Rygg og Hadd den harde.

Da Harald fikk høre om dette, drog han sammen en hær, satte skip på sjøen og rustet seg og hæren, seilte så søretter langs land og fikk mange mann med seg fra hvert fylke. Da han kom sør for Stad, fikk kong Eirik høre om det. Da hadde han også fått sammen den hær han kunne vente å få, han seilte nå sørover for å møte den hæren som han visste skulle komme østfra og hjelpe ham. Hele hæren møttes nord for Jæren, og seilte inn i Hafrsfjord.

Der lå alt kong Harald med sin hær; det ble straks et stort slag; kampen var både hard og lang, men enden ble at kong Harald vant seier, og kong Eirik og kong Sulke og Sote jarl, bror hans, falt. Tore Haklang hadde lagt sitt skip mot kong Haralds, og Tore var en stor

berserk; der ble det en skarp og hard strid før Tore Haklang falt; da
var hele skipet hans ryddet. Da flyktet kong Kjøtve også, opp på en
holme, der det var lett å verge seg. Siden flyktet hele hæren deres,
noen om bord i skipene, men noen løp opp på land og tok lande-
vegen sør over Jæren. Så sier Hornklove:

Hørte du i Hafrsfjord
hvor hardt de sloss der,
storættet konge
og Kjøtve den rike.
Knarrer kom østfra,
lystne på kappleik,
med gapende kjefter
og krot på stavnen.

På baken lot de blinke
det blanke skjoldtak,
de tenksomme segger*,
da steinene slo dem;
austkylvene* aste
av sted over Jæren,
heim fra Hafrsfjord –
husket på mjøddrikken.

De var lastet med hærmenn
og hvite skjold,
med vestrøne spyd*
og velske sverd*.
Berserker remjet
der striden raste,
ulvhedner* ulte
og jernvåpen skalv.

De fristet den framdjerve,
han lærte dem flykte,
østmenns* storkonge
som bor på Utstein.
Da strid var i vente
snudde han havhestene;
på skjold det hamret
før Haklang falt.

Lei av å verge
landet for Luva
den halsdigre kongen
tok holmen til skjold;
de drog seg under setene,
de som var såret,
satte stjerten til værs,
stakk hodet i kjølen.

Vestrøne spyd, dvs. fra Irland eller De britiske øyer.
Velske sverd, dvs. fra Valland (Nord-Frankrike).
Ulvhedner var berserker kledd i ulveskinnstrøyer.
Østmenn betyr nordmenn.
Segger, poetisk ord for menn.
Austkylver, menn østfra i landet.

Harald og hans motstandere møtes i Hafrsfjord.

19. Etter dette slaget* fikk kong Harald ingen motstand i Norge; da var alle de verste fiendene hans falt. Men noen flyktet fra landet, og det var en svær mengde mennesker, og da ble store øde land bygd. Da ble Jemtland og Helsingland bygd, begge disse landene var for resten noe bygd av nordmenn før også.

I den ufreden som var da kong Harald la landet under seg i Norge, ble de funnet og bygd landene ute i havet, Færøyene og Island; da var det også stor utferd til Hjaltland*. Mange stormenn i Norge flyktet fredløse for kong Harald og fór i vesterviking, de var på Orknøyene eller Suderøyene* om vinteren, men om sommeren herjet de i Norge og gjorde stor skade på landet. Men det var mange av stormennene som gikk i kong Haralds tjeneste også, og ble hans menn og bygde landet med ham.

20. Kong Harald var nå blitt enekonge over hele Norge. Da mintes han hva hun hadde sagt til ham, den storlåtne møya. Han sendte menn etter henne og lot henne føre til seg, og giftet seg med henne. De fikk disse barna: Ålov var eldst, så kom Rørek, så Sigtrygg, Frode og Torgils.

21. Kong Harald hadde mange koner og mange barn. Han fikk ei kone som het Ragnhild, datter til kong Eirik i Jylland; hun ble kalt Ragnhild den mektige, og deres sønn var Eirik Blodøks. Han var dessuten gift med Svanhild, datter til Øystein jarl; deres barn var

---

Slaget i Hafrsfjord stod etter tradisjonen i 872, men nyere forskning har vist at dette slaget sannsynligvis har stått nærmere år 900.
Hjaltland, nå Shetland.
Suderøyene, nå Hebridene.

Kong Haralds menn kommer for annen gang til Gyda.

Olav Geirstadalv, Bjørn og Ragnar Rykkel. Kong Harald var dessuten gift med Åshild, datter til kong Ring Dagsson ovenfra Ringerike; deres barn var Dag og Ring, Gudrød Skirja og Ingegjerd.

Folk sier at da kong Harald fikk Ragnhild den mektige, gav han slipp på ni av konene sine; det nevner Hornklove:

Han vrakte holmryger
og hordemøyer,
alle fra Hedmark
og av håløygætt;
kongen den ættstore
tok kone fra Danmark.

Kong Haralds barn ble hvert av dem född opp der mora kom fra. Guttorm hertug hadde øst vann over den eldste sønnen til kong Harald og gitt ham sitt navn; han knesatte denne gutten og var hans fosterfar, og tok ham med seg øst til Viken, der vokste gutten opp hos Guttorm hertug. Guttorm hertug hadde hele landsstyringen der i Viken og på Opplanda, når kongen ikke var der.

22. Kong Harald fikk høre at vikinger herjet over hele Vestlandet, de holdt til vest for havet om vinteren. Han hadde leidang ute hver

sommer, og så vel etter på øyer og utskjær, men bare vikingene fikk øye på flåten hans, flyktet de alle sammen og de fleste rett til havs. Men kongen ble lei av det, og så var det en sommer at kong Harald seilte med hæren vest over havet. Han kom først til Hjaltland og drepte alle vikingene der, de som ikke rømte unna. Så seilte han sør til Orknøyene og rensket helt for vikinger der. Etterpå seilte han helt til Suderøyene og herjet; han drepte mange vikinger, som før hadde hær å rå over; han hadde mangen strid og oftest seier. Så herjet han i Skottland og hadde kamper der; men da han kom vest til Man, så hadde folk alt hørt der hvordan han hadde herjet rundt om, og så flyktet alle sammen inn til Skottland, og det var helt tomt for folk; alt de kunne flytte av gods var også tatt med, og da kong Harald og hans menn gikk i land, fikk de ikke noe hærfang. Så sier Hornklove:

Mange skjold i byen
ved sjøen bar den ødsle,
seier han vant på sanden,
seileren glupsk fra Nidelv,
til det hendte at hele
skottenes hær vettskremt
flyktet ifra landet
for den modige konge.

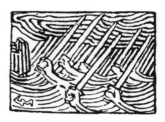

Den gang falt Ivar, sønn til Ragnvald Mørejarl, og i vederlag gav kong Harald Ragnvald jarl Orknøyene og Hjaltland da han seilte østover igjen. Ragnvald gav begge landene til sin bror Sigurd, og han ble igjen der vest, da kongen seilte østover. Kongen gav først Sigurd jarledømme. Da kom Torstein Raud, sønn til Olav Kvite* og Aud den djuptenkte, til Sigurd og slo seg i lag med ham. De herjet i Skottland og tok Katanes* under seg, og Suderland*, helt til Ekkjalsbakke*. Sigurd jarl drepte Melbrigde Tann, en skotsk jarl; han bandt hodet hans ved salreima, og tanna som stakk ut av hodet, slo imot tjukkleggen på ham; det kom verk i såret og han døde av det; han er hauglagt på Ekkjalsbakke. Nå rådde Guttorm, sønn hans, for øyene ett år, men så døde han barnløs. Siden slo vikinger seg ned på øyene, dansker og nordmenn.

23. Kong Harald var i gjestebud på Møre hos Ragnvald jarl; da hadde han lagt hele landet under seg. Da gikk kongen i bad der. Og nå lot kong Harald håret sitt greie, og Ragnvald jarl skar håret hans; da hadde det ikke vært skåret eller kjemmet på ti år. Før kalte de ham Harald Luva, men nå gav Ragnvald jarl ham nytt navn, og kalte

Olav Kvite var norsk konge i Dublin fra 853 til 871. I irske kilder het sønnen hans Øystein.
Katanes, Caithness nordøst i Skottland.
Suderland, Sutherland.
Ekkjalsbakke, dvs. elvebreddene ved elva Ekkjal, nå Oykell, som danner grensa i sørøst mellom Sutherland og Ross.

ham Harald Hårfagre. Alle som så ham, sa at det var virkelig et sant navn, for han hadde et hår som var både stort og vakkert.

24. Ragnvald Mørejarl var den kjæreste venn kong Harald hadde, og kongen satte ham høyt. Ragnvald jarl var gift med Hild, datter til Rolv Nevja; deres sønner var Rolv og Tore. Ragnvald jarl hadde noen frillesønner også; en het Hallad; en annen Einar og en tredje Rollaug; de var voksne da de ektefødte brødrene deres var barn ennå. Rolv var en stor viking; han var så svær av vekst at ingen hest kunne bære ham, derfor gikk han til fots overalt. Han ble kalt Gange-Rolv. Han herjet ofte i austerveg.

En sommer han kom østfra til Viken fra vikingtog, hogg han strandhogg der. Kong Harald var i Viken; han ble alvorlig sint, da han fikk høre om dette, for han hadde strengt forbudt å rane innenlands. Kongen lyste på tinget at han gjorde Rolv fredløs i Norge. Da Hild, Rolvs mor, fikk vite dette, drog hun til kongen og bad om fred for Rolv, men kongen var så sint at det nyttet henne ikke å be. Da kvad Hild dette:

Du vraker Nevjas navne,
driver som varg av landet
bønders kjekke helbror;
hvorfor så bister, herre?
farlig å vise ulvhug
mot slik en ulv, høvding;
han blir ikke god mot fyrstens
flokk om til skogs han renner.

Gange-Rolv seilte siden vest over havet til Suderøyene; derfra seilte han vest til Valland* og herjet der, og vant seg et stort jarlerike, som han bygde for en stor del med nordmenn, og det heter Normandi siden. Jarlene i Normandi er kommet av Rolvs ætt. Sønn til Gange-Rolv var Vilhjalm, far til Rikard, far til Rikard den andre, far til Robert Langspade*, far til Vilhjalm Bastard, Englands konge. Fra ham er alle Englands-kongene ættet siden.

Dronning Ragnhild levde i tre år etter at hun kom til Norge; etter hennes død kom Eirik, hennes og kong Haralds sønn til oppfostring hos Tore Roaldsson herse i Fjordane, og der vokste han opp.

25. En vinter var kong Harald og tok veitsler på Opplanda, da lot han gjøre julegjestebud for seg på Tofte. Julaften kom Svåse på døra mens kongen satt til bords, og sendte bud inn til kongen at han skulle komme ut til ham. Kongen ble sint for denne budsendingen, og samme mann som hadde båret budet inn, bar kongens vrede ut. Men Svåse bad ham likevel gå inn en gang til i samme ærend, og si at han var den finnen som kongen hadde gitt lov til å sette gammen sin på den andre sida av bakken der. Kongen gikk ut, og det ble til at han

Valland, Frankrike, særlig den nordvestre delen.
Langspade betyr langsverd. Det var egentlig Vilhjalm som hadde dette tilnavnet.

Hild ber for sin sønn Gange-Rolv.

lovte å bli med finnen hjem; og så gikk han over bakken, enda noen av hans menn rådde til og andre ifra.

Da han kom dit, stod Snøfrid opp, datter til Svåse, den fagreste kvinne en kunne se; hun bød kongen en bolle full av mjød, han tok det alt sammen og handa hennes med, og straks var det som het ild kom i kroppen på ham, og han ville ligge med henne med én gang, samme natta. Men Svåse sa at det skulle det ikke bli noe av med hans gode vilje, uten kongen festet henne og giftet seg med henne på lovlig måte.

Kongen festet Snøfrid og giftet seg med henne, og elsket henne så bort i ørske at han gikk ifra allting, riket og alt det han burde se etter der. De fikk fire sønner, den ene var Sigurd Rise, så Halvdan Hålegg, Gudrød Ljome og Ragnvald Rettilbeine. Så døde Snøfrid. Men hun skiftet ikke på noen måte farge, hun var like rød som da hun levde. Kongen satt alltid over henne, og trodde hun skulle komme til å livne opp igjen. Slik gikk det tre år; han sørget over at hun var død, og alle folk i landet sørget over at han var gal.

For å lege denne galskapen kom Torleiv Spake dit som lege, han var så klok at han leget galskapen med å snakke kongen etter munnen først, på denne måten: «Det er ikke så underlig, konge, at du minnes så vakker ei kvinne og så ættstor som hun var, og holder henne i ære på puter og skarlagen, slik hun bad deg om, men du ærer både henne og deg sjøl mindre enn det sømmer seg med dette at hun ligger så altfor lenge i de samme klærne, det var mye riktigere at hun ble flyttet, og klærne skiftet under henne.»

Men straks de flyttet henne ut av senga, slo stank og vondlukt og alle slags fæle dunster opp fra kroppen; da fikk de gjort opp bål i en fart, og hun ble brent, men først ble hele kroppen blå, og ormer og øgler, frosker og padder veltet ut av den, alskens ekkelt kryp. Slik sank hun i aske, men kongen steig fra dårskap til vett og forstand, og styrte siden riket og ble sterk som før, hadde glede av sine menn og de av ham og riket av begge.

26. Etter at kong Harald hadde fått visshet for at finnejenta hadde brukt svik, ble han så sint at han jagde fra seg sønnene han hadde med henne og ville ikke se dem mer. Men Gudrød Ljome drog til Tjodolv den kvinværske, som var fosterfar hans, og bad ham følge med seg til kongen, for Tjodolv var en kjær venn av kongen. Kongen var da på Opplanda. De drog av sted og kom til kongen seint på aftenen, satte seg ned ytterst ved døra, og lot ingen se hvem de var. Kongen gikk framme på golvet og så på benkene, han hadde et slags gjestebud, og mjøden var blandet. Da mumlet han dette fram for seg:

Meget mjødglade er de,
mine gamle kjemper,
sitter her hvite i håret;
hvorfor alltid så mange?

Da svarte Tjodolv:

Hogg vi fikk i hodet
hin gang i sverdleiken
for kloke gulldeler;
da var vi ei for mange.

Tjodolv slo ned hetta, og da kjente kongen ham og bød ham velkommen. Da bad Tjodolv at kongen ikke skulle slå vrak på sønnene sine; «de ville nok gjerne hatt bedre morsætt om du hadde gitt dem det». Kongen lovte ham dette og bad ham ta Gudrød med seg hjem igjen, der han hadde vært før; Sigurd og Halvdan sendte han til Ringerike, og Ragnvald til Hadeland. De gjorde som kongen bød, og ble sterke og modige karer alle sammen, vel opplært og kyndige i idretter. Kong Harald satt nå i ro hjemme i landet, og det var fred og gode år.

27. Ragnvald jarl på Møre fikk vite at hans bror Sigurd var falt, og at det nå satt vikinger der i landet. Da sendte han sønnen Hallad vestover; han fikk jarlsnavn og hadde med seg en stor hær vestover, og da han kom til Orknøyene, slo han seg ned på øyene, men både høst og vinter og vår dreiv vikinger rundt der, rante på nesene og hogg strandhogg. Da ble Hallad lei av å sitte der på øyene, han veltet seg ut av jarledømmet og tok odelsbonderett; siden seilte han hjem til Norge.

Da Ragnvald jarl hørte dette, brukte han seg fælt for det Hallad hadde gjort, sa at hans sønner liknet nok ikke på foreldrene. Da svarte Einar: «Du synes ikke jeg er videre verdt, og jeg har lite kjærlighet å skilles fra. Jeg kan dra vestover til øyene, om du vil gi meg litt hjelp. Jeg skal love deg én ting som du sikkert blir svært glad for, jeg skal aldri komme til Norge mer.» Ragnvald jarl sa at han likte godt det at han aldri ville komme igjen, «for jeg har ikke større håp om at dine frender får ære av deg, for alle i morsætta di er trellebårne.» Ragnvald jarl gav Einar et langskip og fant mannskap til det for ham. Så seilte Einar vest over havet.

Da han kom til Orknøyene, lå det to skip med vikinger der, det var Tore Treskjegg og Kalv Skurva; Einar la straks til strid med dem og seiret; de falt begge to. Da ble dette sagt:

Da gav han trolla Treskjegg,
Torv-Einar drepte Skurva.

Han ble kalt Torv-Einar, fordi han lot skjære torv og brukte den til ved, for det var ingen skog på Orknøyene. Siden ble Einar jarl på øyene, og han var en mektig mann; han var stygg og enøyd; men han så likevel skarpere enn mange andre.

28. Guttorm hertug satt oftest i Tønsberg og hadde styringen over hele Viken, når kongen ikke var til stede; han stod for landvernet der. Det var svært utsatt for vikinger, og det var ufred oppe i Götaland hele tida så lenge kong Eirik Emundsson levde. Han døde da kong Harald Hårfagre hadde vært konge i Norge i ti år.

29. Etter Eirik var Bjørn, sønn hans, konge i Svitjod i femti år; han var far til Eirik den seiersæle og Olav, far til Styrbjørn. Guttorm hertug døde sottedød i Tønsberg; da gav kong Harald styringen over hele dette riket til sin sønn Guttorm, og satte ham til høvding der.

30. Da kong Harald var førti år gammel, var mange av sønnene hans voksne karer, de var tidlig modne alle sammen. Da gikk det etter hvert slik at de ble misnøyde med at kongen ikke gav dem noe rike, men satte en jarl i hvert fylke; de mente jarlene var av lavere ætt enn de sjøl var. En vår la de av sted, Halvdan Hålegg og Gudrød Ljome, med en stor flokk og kom uventet over Ragnvald Mørejarl, kringsatte huset hans og brente ham inne med seksti mann. Så tok Halvdan tre langskip, fant mannskap til dem og seilte vest over havet.

Gudrød satte seg fast i de landene som Ragnvald jarl hadde hatt før. Men da kong Harald hørte dette, drog han straks mot Gudrød med en stor hær, og Gudrød så ingen annen utveg enn å gi seg over til kong Harald, og kongen sendte ham øst til Agder. Kong Harald satte Tore, sønn til Ragnvald jarl, over Møre, og giftet ham med Ålov, dattera si, hun som ble kalt Årbot. Tore jarl Teiande fikk da samme riket som hans far Ragnvald hadde hatt.

31. Halvdan Hålegg kom helt uventet vest til Orknøyene, og Einar jarl flyktet straks fra øyene; han kom tilbake samme høst og kom da uventet på Halvdan. De møttes, det ble en kort kamp og Halvdan flyktet, da var det nesten natt. Einar og hans folk lå uten telt den natta, og om morgenen, da det tok til å lysne, lette de etter flyktninger rundt på øyene og drepte alle, der de fikk tak på dem. Da sa Einar: «Neimen om jeg vet hva det er jeg ser der ute på Rinansøy*, om det er fugl eller mann, snart reiser det seg opp, og snart legger det seg ned.» Så drog de dit bort, og der fant de Halvdan Hålegg og tok ham til fange. Einar jarl kvad denne strofen om aftenen, før han gikk til kamp:

Jeg ser ei fra Rolvs hender,
eller fra Rollaugs, spydet
fly i fiendeflokken;
far vår bør vi hevne;
i kveld, mens vi kjemper,
over kruset og drikken
sitter tyst på Møre
Tore jarl og tier.

Da gikk Einar bort til Halvdan; han ristet ørn på ryggen hans på denne måten: han stakk sverdet inn i brysthulen ved ryggraden og skar alle ribbeina over ned til lendene, og drog lungene ut der; det var Halvdans bane. Da kvad Einar:

Ragnvalds død jeg hevnet,
rett har norner skiftet;
falt er folkets støtte,
dette er min fjerding.

Kast nå, snare sveiner,
– seieren rår vi for –
stein over Håleggen!
hard skatt jeg ham sender.

Etterpå satte Einar jarl seg fast igjen på Orknøyene, som han før hadde hatt. Da nå dette ble kjent i Norge, gremmet de seg, brødrene til Halvdan, og mente det var noe som burde hevnes, og mange andre sa at det var sant nok. Men da Einar jarl hørte det, så kvad han:

På mitt liv er mange	*men før de har felt meg,*
lystne, av gode grunner,	*får de ikke vite*
menn av ymse ætter,	*hvem av oss som ender*
ikke småbårne heller;	*under ørnekloa.*

32. Kong Harald bød ut mannskap og drog sammen en stor hær og seilte siden vest til Orknøyene. Men da Einar jarl fikk høre at kongen var kommet østfra, tok han over til Katanes. Da kvad han en strofe:

Mang en fager skjegging	*folk sier han er farlig*
blir fredløs for noen sauer,	*for meg, tapre kongen;*
jeg, for jeg her på øya	*skar jeg hogg i Haralds*
drepte unge kongssønn;	*skjold; jeg frykter ikke.*

Så gikk det menn og sendebud mellom kongen og jarlen, det kom da så langt at de satte hverandre stevne og møttes sjøl, og jarlen la alt under kongens dom. Kong Harald dømte Einar jarl og alle orknøyingene til å betale seksti mark i gull; bøndene syntes det var altfor stor bot, så tilbød jarlen dem at han skulle betale alt sammen alene, men så skulle all odel på øyene bli hans eiendom; dette gikk de med på, mest av den grunn at de fattige hadde ikke stort jord, og de rike tenkte de kunne vel løse odelen sin igjen så snart de ville. Jarlen greidde ut hele bota til kongen, og kongen drog hjem igjen om høsten. Lenge etterpå var det slik på Orknøyene at jarlene eide all odel, helt til Sigurd Lodvesson gav odelen tilbake.

33. Guttorm, kong Haralds sønn, hadde landvern ute i Viken, han seilte med hærskip ytre leia. Da han lå i Elvkvislene*, kom Solve Klove dit og la til strid med ham, der falt Guttorm. Halvdan Svarte og Halvdan Kvite lå i viking og herjet rundt i austerveg. De hadde en stor strid i Estland, der falt Halvdan Kvite.

Eirik var til oppfostring hos hersen Tore Roaldsson i Fjordane; det var han Harald var mest glad i av sønnene sine, og ham satte han høyest. Da Eirik var tolv år gammel, gav kong Harald ham fem langskip, og så drog han på hærferd, først i austerveg og så sørover omkring i Danmark og Frisland og i Saksland, han var borte i tre år. Etterpå seilte han vest over havet og herjet omkring i Skottland og Bretland*, Irland og Valland og var borte fire år til. Etterpå drog

Rinansøy, nå North-Ronaldsay, den nordøstligste av Orknøyene.
Elvkvislene, munningen av Göta älv.
Bretland, Wales og Vest-England.

han nord til Finnmark og helt til Bjarmeland*, der hadde han en stor strid og vant seier. Da han kom tilbake til Finnmark, fant hans menn i en gamme ei kvinne så vakker at de aldri hadde sett noe liknende; hun sa til dem at hun het Gunnhild, og at far hennes bodde på Hålogaland og het Ossur Tote, «jeg har vært her,» sa hun, «for å lære trolldom av to finner, de viseste som er her i Finnmark; nå er de ute på veiding, men de vil ha meg begge to, og begge er de så kloke at de kan følge spor som hunder både på tø og skare, og de er så gode på ski at ikke noe kan komme unna dem, verken dyr eller mennesker, og alt de skyter på, det treffer de. Slik har de gjort det av med alle som er kommet her i nærheten. Og om de blir sinte, så snur jorda seg opp ned når de ser på den, og om de setter øynene på noe levende, så faller det dødt ned. Nå må dere for all del ikke komme i vegen for dem, men jeg skal gjemme dere her i gammen, så får vi friste om vi skulle få drept dem.» De gikk med på dette, og hun gjemte dem. Hun tok en linsekk, som de syntes det var aske i; hun stakk handa nedi den og sådde med dette rundt gammen, både utenfor og inni.

Litt etter kom finnene hjem. De spør hva det er som er kommet dit, hun sier, det er ikke kommet noe; det syntes finnene var underlig, for de hadde fulgt spor helt til gammen, men så fant de ikke noe lenger. Så gjorde de opp ild og laget seg mat, og da de var mette, reidde Gunnhild opp senga si; men de tre siste nettene hadde det gått slik for seg at Gunnhild hadde sovet, og de to hadde våkt over hverandre av skinnsyke. Da sa hun: «Kom nå hit og ligg én på hver side av meg.» Det ville de gjerne, og gjorde så, hun holdt en arm om halsen på hver av dem.

De sovnet straks, men hun vekte dem, de sovnet fort igjen, og nå så fast at hun knapt fikk vekt dem; enda en gang sovnet de, og nå fikk hun slett ikke på noen måte vekt dem. Hun satte dem opp, og de sov videre. Da tok hun to selbelger og trakk over hodene på dem og bandt hardt og sterkt til nedenfor hendene. Nå gjorde hun tegn til kongsmennene; de sprang fram og brukte våpen på finnene og fikk drept dem og drog dem ut av gammen. Resten av natta ble det slikt tordenvær at de kunne ikke gå noe sted, men om morgenen drog de til skipet, de tok Gunnhild med seg og førte henne til Eirik. Nå seilte Eirik og hans menn sør til Hålogaland. Han stevnte Ossur Tote til seg; Eirik sa han ville ha datter hans til kone, det sa Ossur ja til. Eirik fikk så Gunnhild og tok henne med seg sør i landet.

34. Kong Harald var nå femti år gammel, og mange av sønnene hans var voksne og noen døde. Mange av dem var fælt ustyrlige å ha innenlands, og de var uforlikte seg imellom; de dreiv kongens jarler fra eiendommene deres, og drepte noen av dem. Kong Harald lyste da til stort ting øst i landet og stevnte opplendingene dit. Da gav han sønnene sine kongsnavn og gjorde det til lov at hans ættmenn skulle få kongedømme hver etter sin far, og jarledømme skulle den ha som

---

Bjarmeland, landområdene omkring Kvitsjøen.

Gunnhild lar finnene drepe.

var kommet av hans ætt på morssida. Han delte landet mellom dem, lot dem få Vingulmark, Romerike, Vestfold og Telemark; dette gav han til Olav, Bjørn, Sigtrygg, Frode og Torgils; Hedmark og Gudbrandsdalen gav han til Dag og Ring og Ragnar; til Snøfridssønnene gav han Ringerike, Hadeland og Toten og det som hører til der; Guttorm hadde han gitt styringen over Ranrike fra Göta älv til Svinesund; han hadde satt ham til landevern der øst ved landegrensa, som vi skreiv før. Kong Harald sjøl var oftest på Vestlandet, Rørek og Gudrød var mest i hirden hos kongen og hadde store veitsler i Hordaland og Sogn.

Eirik var hos kong Harald, far sin; det var ham han var mest glad i av sønnene, og han satte ham høyest; til ham gav han Hålogaland og Nordmøre og Romsdal.·Nord i Trondheimen gav han styringen til Halvdan Svarte og Halvdan Kvite og Sigrød. Han gav sønnene sine det halve med seg i inntektene fra hvert av disse fylkene, dessuten skulle de sitte i et høgsete som var ett trinn høyere enn jarlenes og ett trinn lavere enn hans eget. Men det sete eslet hver eneste av sønnene seg etter hans dager; han sjøl eslet Eirik det, og trønderne eslet Halvdan Svarte det, og vikværingene og opplendingene unte dem det best som var hos dem i deres landsdel.

Av dette ble det ny ufred mellom brødrene igjen. Og ettersom de syntes de hadde for lite rike, så drog de på hærtog; slik er det alt sagt at Guttorm falt i Elvkvislene for Solve Klove. Siden fikk Olav det riket han hadde hatt. Halvdan Kvite falt i Estland, Halvdan Hålegg falt på Orknøyene. Til Torgils og Frode gav kong Harald hærskip, de drog i vesterviking og herjet omkring i Skottland og Bretland og Irland. De var de første nordmenn som tok Dublin. Det sies at noen gav Frode gift så han døde, men Torgils* var konge i Dublin lenge, til han ble sveket av irerne og falt der.

35. Eirik Blodøks tenkte å bli overkonge over alle brødrene sine, og slik ville kong Harald også at det skulle bli; far og sønn var mye sammen. Ragnvald Rettilbeine hadde Hadeland, han lærte trolldom og ble seidmann. Kong Harald kunne ikke like seidmenn. I Hordaland var det en seidmann som het Vitgeir, kongen sendte bud til ham og bad ham slutte å seide. Han svarte, og kvad:

Det er lite vondt i
at vi seider,
kallers barn
og kjerringers,
når Ragnvald seider,
Rettilbeine,
Haralds sønn
på Hadeland.

Men da kong Harald hørte dette sagt, drog Eirik Blodøks på hans bud til Opplanda og kom til Hadeland. Han brente inne sin bror Ragnvald med åtti seidmenn. Den gjerningen fikk han stor ros for. Gudrød Ljome var gjest i Kvine for å hilse på sin fosterfar Tjodolv en vinter; han hadde ei skute med fullt mannskap og ville seile nordover til Rogaland. Da satte det inn med sterk storm, men Gudrød hadde hastverk og brukte seg for han måtte vente. Da kvad Tjodolv:

Far ikke snekkers flatvoll
herfra før den bedres;
ikke på storsjøen, Gudrød!
havet velter jo steiner;
her skal du vente, herre
til verste vind er over;
bli hos oss til det stilner!
Det bryter nå utfor Jæren.

Gudrød drog likevel, hva så Tjodolv sa; men da de kom ut for Jæren, gikk skipet under med dem, og de druknet alle sammen.

36. Bjørn, kong Haralds sønn, rådde da i Vestfold, han satt for det meste i Tønsberg, og var lite på hærferd. Til Tønsberg kom det

---

Torgils var ikke – som Snorre sier – sønn til Harald Hårfagre, men en norsk konge som omkring 832 gjorde seg til herre over en stor del av Irland (og Dublin).

Farmannshaugen.

mange kjøpmannsskip både der fra Viken og lenger nordfra i landet, og sør fra Danmark og fra Saksland. Kong Bjørn hadde også kjøp- skip ute i fart på andre land og skaffet seg på den måten kostbare saker og andre varer som han syntes han trengte. Brødrene hans kalte ham farmann eller kjøpmann. Bjørn var en klok mann, rolig og sindig, og så ut til å bli en god høvding, han fikk seg et godt og høvelig gifte, og han fikk en sønn som het Gudrød.

Eirik Blodøks kom fra austerveg med hærskip og stort følge. Han krevde at broren Bjørn skulle gi til ham de skatter og skylder som kong Harald eide der i Vestfold; men før hadde det vært skikk at Bjørn sjøl førte skatten til kongen eller sendte menn med den. Slik ville han det skulle være nå også og ville ikke gi den fra seg. Men Eirik trengte mat og telter og drikk. Brødrene trettet om dette med strie ord, men Eirik fikk ingenting likevel og drog ut av byen. Bjørn drog også ut av byen om kvelden og opp til Sem*. Eirik vendte tilbake, drog etter Bjørn opp til Sem om natta, og kom dit mens de satt over drikken; Eirik kringsatte huset, men Bjørn og hans menn gikk ut og kjempet; der falt Bjørn og mange menn med ham. Eirik tok stort hærfang, og drog nord i landet. Denne gjerningen var vikværingene fælt misnøyde med, og Eirik ble ille likt der; det gikk ord om at kong Olav nok ville hevne Bjørn, om han kunne komme til.

Kong Bjørn ligger i Farmannshaugen i Sem.

37. Kong Eirik drog vinteren etter nord til Møre og tok veitsle på Selva innenfor Agdenes; men da Halvdan Svarte hørte om det, kom han dit med en hær og kringsatte huset. Eirik sov i et hus for seg, og

Sem, nå Jarlsberg.

kom seg ut og til skogs sjøl femte, men Halvdan og hans menn brente opp garden og alt folk som var inne. Med disse tidender kom Eirik til kong Harald. Kongen ble styggelig sint for dette, han samlet en hær og drog mot trønderne, men da Halvdan Svarte fikk høre det, bød han ut folk og skip og fikk en stor hær og seilte ut til Stadsbygd innen for Torshaug. Kong Harald lå da med sin hær ute ved Reinsletta. Nå sendte de menn til hverandre. Det var en gjæv mann som het Guttorm Sindre, han var nå i følge med Halvdan Svarte, men før hadde han vært hos kong Harald, og han var en kjær venn for begge to.

Guttorm var en stor skald, han hadde laget et kvede om hver av kongene, både far og sønn; de hadde bydd ham lønn for det, han hadde ikke villet ha noen, men hadde bedt om at de skulle oppfylle en bønn for ham, og det hadde de lovt. Han gikk nå til kong Harald og talte om forlik mellom dem, han rettet en bønn til hver av dem, og det var at de skulle forlike seg, og så høyt satte kongene ham at på hans bønn ble de forlikt. Mange andre gjæve menn støttet ham i denne saken. Forliket gikk ut på at Halvdan skulle få hele det rike han før hadde hatt, men han skulle også la sin bror Eirik være i fred. Om det som er sagt her, har Jorunn Skaldmøy laget et vers i Sendebit:

Harald Hårfagre, vet jeg,   *og sverdets herre syntes*
spurte Halvdans voldsverk,   *han var litt svart den fyrsten.*

38. Håkon Grjotgardsson Ladejarl hadde styringen over hele Trondheimen, når kong Harald var annensteds i landet, og Håkon var den mann kongen satte høyest i Trøndelag. Etter Håkons fall fikk hans sønn Sigurd riket og ble jarl i Trondheimen, han bodde på Lade. To av Haralds sønner, Halvdan Svarte og Sigrød, vokste opp hos ham, de hadde før vært hos Håkon, hans far. De var på lag jevnaldrende, Sigurd og Haraldssønnene. Sigurd jarl ble gift med Bergljot, datter av Tore jarl Teiande, hennes mor var Ålov Årbot, datter til Harald Hårfagre. Sigurd jarl var en usedvanlig klok mann.

Da kong Harald tok til å bli gammel, slo han seg ofte ned på en av de storgardene han hadde, Ålrekstad* i Hordaland, eller på Seim* eller Fitjar*, eller Utstein*, eller på Avaldsnes på Karmøy.

Da kong Harald var nesten sytti år gammel, fikk han en sønn med ei kvinne som het Tora og ble kalt Mosterstong; hennes ætt var fra Moster, og hun hadde gode frender, hun var skyld til Horda-Kåre. Hun var ei staut kvinne og svært vakker; hun ble reknet som kongens tjenestejente. Det var mange den gang som gjorde tjeneste hos kongen, enda de var av god ætt, både menn og kvinner. Når det

---

Ålrekstad, nå Årstad, innenfor Store Lungegårdsvannet i Bergen.
Seim i Alversund, Nordhordland.
Fitjar på Stord.
Utstein, nå Utstein kloster på øya Utstein.

gjaldt storfolks barn, var det skikk å være svært nøye med hvem som skulle øse vann over dem og gi dem navn. Da det nå lei mot den tid Tora ventet hun skulle føde barn, ville hun reise til kong Harald, han var da nord på Seim, og hun var på Moster. Hun seilte så nordover på Sigurd jarls skip. De lå ved land om natta, og der fødte Tora barnet oppe på hella ved landgangen; det var en gutt. Sigurd jarl øste vann over gutten og kalte ham opp etter sin egen far Håkon Ladejarl; gutten ble snart vakker og stor av vekst og liknet svært på sin far. Harald lot gutten følge mora, og de to var på kongsgarden mens gutten var liten.

39. Kongen i England den gang het Adalstein*, han hadde nettopp overtatt kongedømmet da; han ble kalt den seiersæle og den troende. Han sendte menn til Norge, de skulle gå til kong Harald med en sending som denne: sendemannen gikk fram for kongen; så rakte han kongen et sverd, det var prydet med gull på hjalt* og handtak, og hele slira var også prydet med gull og sølv og innlagt med kostelige edelsteiner. Sendemannen holdt sverdhjaltet fram mot kongen og sa: «Her er et sverd, som kong Adalstein bad deg ta imot.» Kongen tok om handtaket, og straks sa sendemannen: «Nå tok du slik som kongen vår ville, og nå skal du være hans undermann, siden du tok i sverdet hans.»

Kong Harald skjønte nå at dette var gjort til spott og spe, og han ville ikke være noen annen manns undermann, men han sanset likevel å gå fram på sin vanlige måte; hver gang sinnet skjøt opp i ham, eller han ble vred, styrte han seg først og lot sinnet renne av seg, og siden så han på saken uten å være sint. Det gjorde han nå også, og talte med sine venner om det, og alle var de enige om at det første som var å gjøre, var å la sendemennene reise hjem uskadde.

40. Neste sommer sendte kong Harald et skip vest til England og satte Hauk Håbrok til styresmann. Han var ei stor kjempe og kongens kjære venn; han gav ham sønnen Håkon med seg. Hauk drog da vest til England til kong Adalstein og kom til ham i London; der var det gjestebud og stor stas. Da de kom til hallen, sa Hauk til sine menn hvordan de skulle bære seg at når de gikk inn. Han sa at den som gikk først inn, skulle gå sist ut, og alle skulle stå i ei rekke foran bordet, og hver skulle ha et sverd på venstre side og feste kappa slik at en ikke kunne se sverdet. Så gikk de inn i hallen, det var tretti mann. Hauk gikk fram til kongen og hilste ham. Kongen bød ham velkommen. Da tok Hauk gutten og satte ham på kneet hos kong Adalstein. Kongen så på gutten, og spurte Hauk hvorfor han gjorde dette. Hauk svarte: «Kong Harald bad om du ville ta et tjenestejentebarn til oppfostring for ham.» Kongen ble fælt sint og greip sverdet han hadde på seg og drog det, som han ville drepe gutten. «Du har nå iallfall knesatt ham,» sa Hauk, «og nå kan du myrde ham om du har lyst, men du rydder ikke alle Haralds sønner

Adalstein var konge i England fra 924 til 940.
Hjalt, tverrstykket mellom klingen og handtaket på sverdet.

Hauk Håbrok hos kong Adalstein.

av vegen med det.» Så gikk Hauk ut, og alle hans menn fulgte, de tok vegen til skipet og satte til havs, så snart de kunne, og kom tilbake til Norge og til kong Harald. Og nå var han vel nøyd, for folk bruker å si at den som har en annens barn til oppfostring, står under ham i verdighet. I slike sammenstøt mellom kongene kunne en merke det at hver av dem gjerne ville være større enn den andre, men ingen av dem mistet noe av sin verdighet for den saks skyld, og hver var overkonge i sitt rike til sin dødsdag.

41. Kong Adalstein lot Håkon døpe, og lærte ham rett tro og gode seder og allslags høvisk opptreden. Kong Adalstein var meget glad i ham, mer enn i noen av sine frender, og likedan ble de glade i ham alle andre han kjente. Han ble siden kalt Adalsteinsfostre. Han kunne mye og var svær i idretter; han var større og sterkere og vakrere enn noen annen mann, klok og veltalende og en god kristen. Kong Adalstein gav Håkon et sverd, hjaltene var av gull på det, og likeså handtaket, men klingen var likevel bedre; med den hogg Håkon en kvernstein igjennom helt inn til øyet; siden det ble sverdet kalt Kvernbit. Det er det beste sverd som noen gang er kommet til Norge, det hadde Håkon til sin dødsdag.

42. Kong Harald var nå åtti år gammel, han ble så tungfør at han ikke syntes han orket å reise rundt i landet mer eller styre med kongens saker. Da leidde han Eirik, sønn sin, til høgsetet og gav ham makten over hele landet. Men da de andre sønnene til Harald fikk høre det, så satte Halvdan Svarte seg i kongshøgsetet; han tok styringen over hele Trondheimen, og i det hadde han alle trønderne med seg. Etter Bjørn kjøpmanns fall hadde hans bror Olav fått riket

i Vestfold, og han hadde hos seg Gudrød, sønn til Bjørn. Olavs sønn het Tryggve, Gudrød og han var fosterbrødre og nokså jevnaldrende, begge hadde gode evner og var fulle av framferd. Tryggve var større og sterkere enn noen annen.

Da nå vikværingene hørte at hordene hadde tatt Eirik til overkonge, tok de Olav til overkonge der i Viken, og han tok makten der. Dette likte slett ikke Eirik. To år seinere døde Halvdan Svarte plutselig i et gjestebud, inne i Trondheimen, og folk sa at Gunnhild kongemor hadde kjøpt ei trollkyndig kone til å gi ham gift i drikken. Etter dette tok trønderne Sigrød til konge.

43. Kong Harald levde i tre år etter at han hadde gitt Eirik enevelde over riket; da var han i Rogaland eller Hordaland, på de storgardene han hadde der. Eirik og Gunnhild hadde en sønn som kong Harald øste vann over og gav sitt navn, han sa at den gutten skulle være konge etter Eirik, sin far. Kong Harald giftet de fleste av døtrene sine med jarler innenlands, og fra dem er det kommet store ætter.

Kong Harald døde sottedød i Rogaland, han er hauglagt på Haug ved Karmsund. I Haugesund står en kirke, og like ved kirkegården i nordvest er kong Harald Hårfagres haug; vest for kirken ligger gravsteinen til kong Harald, den som lå over grava inne i haugen, og steinen er tretten og en halv fot lang og nesten to alen brei. Midt i haugen var kong Haralds grav; der stod det en stein ved hodet og en ved føttene og hella var lagt oppå dem, og så var det bygd en mur av stein på begge sider under. De steinene som var i haugen den gang, og som vi talte om her, de står nå på kirkegården der.

Lærde menn sier at Harald Hårfagre har vært en uvanlig vakker mann å se til, sterk og stor og gavmild på gull som få, vennesæl og godt likt av sine menn. Han var en stor stridsmann den første del av sitt liv, og man tyder det nå slik at det var dette som var meningen med det store treet hans mor drømte om før han ble født, og som var rødt som blod nede ved rota; når treleggen oppover var fager og grønn, så var det tegn på blomstringen i hans rike, men øverst var treet hvitt, og derav kunne en se at han skulle bli gammel og hvithåret; kvistene og greinene på treet varslet om hans avkom, som skulle bre seg over hele landet, og av hans ætt har alltid kongene i Norge vært siden.

44. Året etter kong Haralds død tok kong Eirik alle de inntektene kongen hadde på Vestlandet, og Olav tok alt øst i Viken, og Sigrød bror deres hadde alt i Trøndelag. Dette var Eirik svært misnøyd med, og det gikk ord om at han ville bruke makt mot brødrene sine for å få eneherredømme over hele landet, slik som faren hadde gitt ham. Men da Olav og Sigrød hørte det, gikk det sendemenn mellom dem; dernest satte de hverandre stevne, og Sigrød kom om våren øst til Viken, og han og Olav møttes i Tønsberg og ble der en stund. Samme vår bød Eirik ut en stor hær med mange skip og styrte øst til Viken. Kong Eirik fikk så god bør at han seilte dag og natt, og ingen fikk vite noe om ham. Da han kom til Tønsberg, gikk Olav og

Sigrød med sin hær ut øst for byen og fylkte der på bakken. Eirik hadde mye større hær, og han seiret. Olav og Sigrød falt begge to. Det er én haug over hver av dem der på bakken* hvor de lå, da de var falt.

Eirik drog omkring i Viken og la den under seg og ble der lenge om sommeren. Tryggve og Gudrød flyktet til Opplanda.

Eirik var en stor mann, vakker, sterk og svært modig, en stor hærmann, og seiersæl; han hadde et ustyrlig sinn, var grusom, uvennlig og fåmælt. Kona hans, Gunnhild, var ei framifrå vakker kvinne, klok og trollkyndig, blid i sin tale, men full av baktanker og grusom. Barna til Eirik og Gunnhild var disse: Gamle, som var eldst, så Guttorm, Harald, Ragnfrød, Ragnhild, Erling, Gudrød og Sigurd Sleva. Alle Eiriks barn var vakre og lovte godt.

Bakken, trolig Møllebakken, der det nå er to gravhauger.

Håkon den godes saga

ÅKON ADALSTEINSFOSTRE var i England da han fikk høre at hans far, kong Harald, var død. Han gjorde seg straks ferdig til å reise. Kong Adalstein gav ham folk og gode skip og rustet ham staselig ut for ferden. Han kom til Norge om høsten. Der hørte han om brødrenes fall, og at kong Eirik var i Viken, og da seilte Håkon nord til Trondheimen og til Sigurd Ladejarl, som var den klokeste mann i Norge, og der fikk han god mottakelse; de sluttet forbund, Håkon lovte ham stor makt om han ble konge. Så lot de stevne til stort ting, og på tinget talte Sigurd jarl på Håkons vegne og bad bøndene ta ham til konge. Etterpå stod Håkon sjøl opp og talte.

Da talte folk seg imellom, og den ene sa til den andre at det måtte være Harald Hårfagre som var kommet og var blitt ung igjen for annen gang. Håkon åpnet talen sin med å be bøndene gi ham kongsnavn, og bad dem også om å følge ham og gi ham makt til å holde kongedømmet; han bød dem til gjengjeld å gjøre alle bønder til odelsbårne og gi odel til dem som bygslet. Etter denne talen ble det slikt bifall at hele bondemugen ropte og skreik at de ville ta ham til konge, og så ble gjort; trønderne tok Håkon til konge over hele landet. Da var han femten år gammel, han fikk seg hird og drog omkring i landet.

Nå spurtes dette på Opplanda, at trønderne hadde tatt seg en konge som var aldeles slik som Harald Hårfagre; det var bare ett som skilte, det, at Harald hadde trellbundet og kuet alle folk i landet, men denne Håkon ville hver mann vel, og bød seg til å gi bøndene odelen tilbake, den som kong Harald hadde tatt fra dem. Slike tidender ble alle glade for, og den ene sa det til den andre, og det fór som ild i tørt gras helt øst til landegrensa. Mange bønder kom fra Opplanda for å møte kong Håkon, noen sendte menn og noen sendte bud og tegn, alt sammen fordi de ville bli hans menn. Kongen tok imot med takk.

2. Da det lei mot vinteren, reiste kong Håkon til Opplanda; der lyste han til ting, og alt det folk som kunne, samlet seg da om ham. Han ble tatt til konge på alle ting der, og så reiste han øst i Viken. Der kom brorsønnene hans, Tryggve og Gudrød, til ham og mange andre, og de reknet opp all den ulykke som hadde kommet over dem fra Eirik, bror hans. Hatet mot Eirik vokste alt etter som alle mennesker ble mer glad i Håkon og fikk mer mot til å si det de tenkte.

Håkon taler på tinget til trønderne.

Kong Håkon gav Tryggve og Gudrød kongsnavn, og samme makt som kong Harald hadde gitt fedrene deres; han gav Ranrike og Vingulmark til Tryggve, og Vestfold til Gudrød. Men de var unge, bare barna ennå, derfor satte han gjæve og kloke menn til å styre landet med dem. Han gav dem landet med samme avtale som hadde vært før, de skulle ha halvdelen med ham av skylder og skatter. Da våren kom, drog kong Håkon nordover til Trondheimen, han tok landvegen gjennom Opplanda.

3. Da det ble vår, samlet kong Håkon en stor hær i Trondheimen og skaffet seg skip. Vikværingene hadde også en stor hær ute, og tenkte å møte Håkon. Eirik også bød ut hær, på Vestlandet, men han fikk dårlig med folk, for mange av stormennene sviktet ham og drog til Håkon. Og da han ikke så seg noen utveg til å gjøre motstand mot Håkons hær, seilte han vest over havet med så mye folk som ville følge ham; først kom han til Orknøyene og derfra fikk han med seg et stort følge; så seilte han sør til England og herjet rundt i Skottland, overalt hvor han kom i land; han herjet hele Nord-England også.

Den engelske konge Adalstein sendte bud og bød Eirik å få et rike av ham i England; han sa at kong Harald, far hans, hadde vært en god venn til kong Adalstein, så nå ville han lønne sønnen for det. Det gikk bud mellom kongene, og de ble forlikt og gjorde en avtale. Kong Eirik fikk Nordimbraland* i len av kong Adalstein og skulle verge landet der mot daner og andre vikinger. Eirik skulle la seg døpe, og like ens hans kone og barn, og alle de folkene som fulgte ham dit. Dette gikk Eirik inn på; han ble døpt og fikk den rette tro.

Nordimbraland, Northumberland.

Dronning Gunnhild blir døpt av en engelsk biskop.

Nordimbraland blir reknet som en femtedel av England. Han hadde fast bosted i Jorvik*, der som de sier Lodbroksønnene hadde sittet før. Nordimbraland var for det meste bygd av nordmenn siden den gang Lodbroksønnene hadde landet. Daner og nordmenn herjet ofte der nå, etterat de hadde mistet makten i landet. Mange steder der har fått navn på norrønt mål, Grimsby og Hauksfljot* og mange andre.

4. Kong Eirik holdt mye folk omkring seg, han hadde hos seg storparten av de nordmenn som var kommet østfra med ham, og dessuten kom det siden mange av hans venner fra Norge. Han hadde lite land. Så drog han støtt på hærferd om sommeren, herjet i Skottland og på Suderøyene, i Irland og Bretland og vant seg rikdom på den måten.

Kong Adalstein ble sjuk og døde, han hadde vært konge fjorten år, åtte uker og tre dager. Etter ham ble hans bror Edmund konge i England, han likte ikke nordmenn. Kong Eirik stod seg ikke godt

Jorvik, York.
Hauksfljot. Dette stedsnavnet har en ikke funnet igjen.

med ham, og det gikk til slutt ord om at kong Edmund visst ville sette en annen til høvding over Nordimbraland.

Men da kong Eirik hørte det, drog han i vesterviking, han tok med seg Arnkjell og Erlend, Torv-Einars sønner, fra Orknøyene. Etterpå drog han til Suderøyene, der var det mange vikinger og hærkonger, de slo seg nå sammen med kong Eirik. Med denne hæren styrte han først til Irland, og derfra tok han også med seg alt det folk han kunne få, så drog han til Bretland og herjet. Så seilte han sørover langs England og herjet der som andre steder, og alle rømte unna der han kom. Og ettersom Eirik var svært vågal og dessuten hadde stor hær, stolte han så trygt på folkene sine at han gikk langt inn i landet og herjet og forfulgte folk.

Den kongen Edmund hadde satt til landvern der, het Olav; han fikk sammen en rent uovervinnelig hær og gikk mot kong Eirik. Det ble et stort slag; det falt mange av de engelske, men når én falt, kom det tre isteden innefra landet, og mot slutten av dagen snudde det seg og mannefallet ble størst hos nordmennene; det falt en mengde folk, og den dagen endte med at kong Eirik falt og fem konger med ham; disse her blir nevnt: Guttorm og hans to sønner, Ivar og Hårek; der falt Sigurd og Ragnvald også, og der falt Arnkjell og

Gunnhild får bud
om Eiriks død.

Erlend, Torv-Einars sønner. Det ble svært til mannefall hos nord-
mennene, men noen kom unna, og de drog til Nordimbraland og
fortalte det som hadde hendt, til Gunnhild og hennes sønner.

5. Da Gunnhild og sønnene fikk greie på at kong Eirik var falt, og
at han først hadde herjet Englands-kongens land, mente de at de
kunne være viss på det ikke ble videre fredelig for dem der; de
skyndte seg da straks bort fra Nordimbraland og tok med seg alle de
skip kong Eirik hadde eid, de tok også med alt det folk som ville
følge dem, og en mengde gull og annet løsøre, som var blitt dradd
sammen der i skatter fra England; en del var tatt på hærferd også.
De styrte med flåten nord til Orknøyene, der slo de seg ned for ei
tid. Da var Torfinn Hausakljuv, sønn til Torv-Einar, jarl der. Eiriks-
sønnene la Orknøyene og Hjaltland under seg og tok skatter. De var
der om vinteren, og om sommeren drog de i vesterviking, herjet
rundt i Skottland og Irland. Dette taler Glum Geirason om:

Derfra fór den unge	*Helters venn gav Irlands*
frode havhestrytter	*hær til fryd for ravner,*
ferd så god til Skånes	*valkyrjens fugler*;*
tunglastede ferje;	*hele folket flyktet,*
luende sverd svingte	*landets konge farget*
han rådsnar i Skottland,	*klingen i manneblodet,*
sendte mange sveiner	*med sitt sverd han felte*
bitt av sverd til Odin.	*folk, og hans var seieren.*

6. Kong Håkon Adalsteinsfostre la under seg hele Norge da Eirik,
bror hans, hadde flyktet sin veg. Den første vinteren reiste kong
Håkon vest i landet, deretter nord i Trondheimen og ble der. Men
da han ikke kunne være viss på fred, om kong Eirik skulle komme
vestfra over havet med sin hær, så holdt han seg av den grunn med
hæren omkring på Vestlandet, i Firdafylke og Sogn, i Hordaland og
Rogaland. Håkon satte Sigurd Ladejarl over hele Trøndelag, det
hadde hans far, Håkon, også hatt av kong Harald Hårfagre før i tida.

Da kong Håkon hørte at broren kong Eirik hadde falt, og at kong
Eiriks sønner ikke hadde noen støtte i England, mente han det ikke
stod videre skrekk av dem lenger, og så seilte han en sommer med
hæren øst i Viken. Den gang herjet danene mye i Viken og gjorde
ofte stor skade; men da de hørte at kong Håkon var kommet dit med
en stor hær, flyktet de unna alle sammen, noen sør til Halland, men
de som var nærmest kong Håkon, satte rett til havs og sørover til
Jylland. Da kong Håkon fikk greie på dette, seilte han etter dem
med hele hæren; men da han kom til Jylland, og folk fikk se ham,
samlet de sammen en stor hær, de ville verge landet sitt og rustet seg
til strid med kong Håkon. Det ble en stor strid, kong Håkon kjempet
så djervt at han stod framme foran merket og hadde verken hjelm

Valkyrjens fugler, en omskrivning for ravner.

eller brynje. Kong Håkon vant seier og fulgte etter flyktningene langt opp i landet. Så sa Guttorm Sindre i Håkonsdråpa:

På havhest skodd med årer
over blåmyra steig kongen,
stablet jyder i hauger
mens stridens uvær raste,

flyktninger siden fulgte,
født Odins fjærkre,
blodet fløt i strømmer
ble til svir for ravnen.

7. Etterpå styrte kong Håkon med hæren sørfra til Sjælland på jakt etter vikinger; han rodde fram i Øresund med to snekker, og der møtte han elleve vikingsnekker, og la straks til strid; det endte med at han seiret og ryddet alle vikingskipene. Så sier Guttorm Sindre:

Kongens sverd skjøt lynild,
på to snekker bare
med gravne trynesmykker
gjestet han grønne Sjælland,

ryddet fikk han alle
elleve danske skuter
vill og gal med våpen,
vidspurt ble han siden.

8. Etterpå herjet kong Håkon mye omkring på Sjælland og rante de som bodde der, noen drepte han, og noen tok han til fange, av noen tok han store løsepenger. Han møtte ingen motstand. Så sier Guttorm Sindre:

Sjælland tok han siden,
Skånes vide kyster,

Venders tilflukt kongen
veldig underla seg.

Siden seilte kong Håkon østover fram langs Skånesida og herjet overalt, tok løsepenger og skatter av landet og drepte alle vikinger hvor han fant dem, både daner og vendere. Han drog helt øst langs Götaland og herjet der og fikk store penger av landet der. Så sier Guttorm Sindre:

Seilskutenes skipper
skatter tok av gøter,

gavmild gulløder
rei spydstorm av på ferden.

Kong Håkon vendte hjem om høsten med hæren og hadde vunnet seg bunnløse rikdommer. Han ble sittende i Viken vinteren over, om daner eller gøter skulle gjøre innfall der.

9. Den høsten kom kong Tryggve Olavsson fra vesterviking, da hadde han vært og herjet omkring i Irland og Skottland. Om våren drog kong Håkon nord i landet og satte sin brorsønn kong Tryggve over Viken, han skulle verge mot ufred der og få inn skattene fra de landene i Danmark som kong Håkon hadde gjort skattskyldige sommeren før. Så sier Guttorm Sindre:

Over eikegrodde
marker øst i landet
satte hjelmkledd konge
en stolt og kraftig herre,

han som over dypet
dådrik kom fra Irland,
kom med skjoldet løftet
seilende med hæren.

10. Kong Harald Gormsson rådde i Danmark dengang. Han likte slett ikke at kong Håkon hadde herjet landet hans, og det gikk ord om at danekongen tenkte på å hevne seg, men det ble likevel ikke til noe så brått. Da nå Gunnhild og sønnene fikk høre dette at det var ufred mellom Norge og Danmark, så tok de av sted østover. De giftet Eiriks datter Ragnhild med Arnfinn, sønn til Torfinn Hausakljuv; Torfinn jarl satte seg fast på Orknøyene igjen, og Eirikssønnene drog bort. Den eldste, Gamle Eiriksson, var noe eldre enn de andre, men heller ikke han var voksen.

Da Gunnhild kom til Danmark med sønnene sine, søkte hun opp kong Harald, og der ble hun godt mottatt; kong Harald gav dem veitsler i riket sitt, så store at de kunne underholde seg og sine menn godt. Han tok Harald Eiriksson til fostersønn og knesatte ham, og han vokste opp der i hirden hos danekongen. Noen av Eirikssønnene drog på hærferd så snart de ble gamle nok til det, og vant seg rikdom, de herjet rundt i austerveg; de ble snart vakre menn; når en rekner etter styrke og dugelighet, var de voksne før en skulle vente det etter alderen deres. Dette taler Glum Geirason om i Gråfelldråpa:

Kongen i sin allmakt　　　*Sverdene sang i leiken*
herjet land i østen,　　　*med skarpe sliretunger.*
han som sverd har skjenket　　*Svermer han sendte i land,*
mang en skald, fikk seier.　　*slenger om seg med gullet.*

Eirikssønnene vendte seg nå også nordover mot Viken og herjet der, men kong Tryggve hadde hæren ute og gikk mot dem, de kjempet mange ganger og det var seier på begge sider. Eirikssønnene herjet stundom i Viken, og Tryggve stundom rundt i Halland og på Sjælland.

11. Da Håkon var konge i Norge, var det god fred for bønder og kjøpmenn, ingen mann skadde en annen verken på liv eller eiendom; det var gode år både på sjø og på land. Kong Håkon var en usedvanlig blid mann, veltalende og omgjengelig, han var svært klok og tok seg mye av lovgivningen. Han satte Gulatingsloven i samråd med Torleiv Spake, og han satte Frostatingsloven i samråd med Sigurd jarl og andre av de klokeste blant trønderne. Heidsævisloven* hadde alt Halvdan Svarte satt, som før skrevet.

Kong Håkon var i julegjestebud i Trondheimen, Sigurd jarl hadde stelt det til for ham på Lade. Første julenatta fødte kona til jarlen, Bergljot, en gutt. Dagen etter øste kong Håkon vann over gutten og gav ham navnet sitt; og den gutten vokste opp og ble siden en gjæv og mektig mann. Sigurd jarl var kong Håkons kjæreste venn.

12. Øystein, konge over opplendingene, som noen kaller den mektige og noen den vonde, herjet i Trondheimen og la under seg Øynafylke og Sparbyggjafylke; han satte sin sønn over dem, men

---

Heidsævisloven har navnet sitt etter et annet gammelt navn på Mjøsa (norr. *Heiðsær*).

trønderne drepte ham. Kong Øystein kom for annen gang på hær-
ferd til Trondheimen og herjet vidt og bredt og la land under seg. Så
spurte han trønderne hvem de helst ville ha til konge, trellen hans,
som het Tore Fakse, eller en hund, som het Saur. De valgte hunden,
for da tenkte de at de fikk rå seg mest sjøl. De lot seide tre manns
vett inn i hunden, og så gjødde han to ord og talte det tredje. Han
fikk halsband og lenke av gull og sølv, og når det var sølete, bar
hirdmennene ham på akslene; de satte opp høgsete for ham, og han
satt på haug som andre konger, han bodde på Inderøya og hadde
gard der det heter Saurshaug*. De sier at han fikk sin død på den
måten at det kom varger i buskapen hans, og hirdmennene ertet ham
opp til å verge feet, han fór ned av haugen og dit vargene var, og de
reiv ham i filler med én gang. Kong Øystein gjorde mange andre
underlige ting også hos trønderne.

Mange høvdinger og andre folk flyktet fra odelen sin for denne
herjingen og ufreden. Kjetil Jemte, sønn til Ånund jarl fra Sparbu,
drog øst over Kjølen, en mengde mennesker fulgte ham, og de
hadde buskap og alt med seg. De ryddet skogene og bygde store
bygder, der heter det Jemtland siden. Sønnesønn til Kjetil var Tore
Helsing; han reiste fra Jemtland for et drap han hadde skyld i, og tok
igjennom de skogene som ligger der i øst. Der bygde han, og en
mengde mennesker flyttet dit med ham, der blir det kalt Helsing-
land, og det går helt ut til sjøen i øst. Den østre delen av Helsingland
langs sjøen var det svear som bygde. Da nå kong Harald Hårfagre
ryddet rike for seg, rømte det en mengde mennesker av landet for
ham også, både trøndere og namdøler, og så ble det nye bygder øst
i Jemtland igjen, og noen drog helt til Helsingland. Helsingene reiste
på kjøpferd til Svitjod og hørte under det på alle måter, men jemtene
var på sett og vis midt imellom, og det var det ingen som la merke til
før Håkon fikk i stand fred og kjøpferder til Jemtland og gjorde seg
venner med stormennene der. Etterpå kom de til ham og lovte ham
lydighet og skatter og ble hans menn, for de hørte bare godt om
ham, og de ville heller gå under hans kongedømme enn under svea-
kongens, de var jo kommet av norsk ætt. Han satte lov og landsrett
for dem. Alle de helsingene som hadde sin ætt nord for Kjølen,
gjorde det samme som jemtene.

13. Kong Håkon var en god kristen da han kom til Norge. Men
hele landet var hedensk, og det var mye bloting og mange stormenn,
og han trengte vel til hjelp og vennskap hos folket, og derfor valgte
han å la det være hemmelig med kristendommen, men holdt da
søndager og fredagsfaste. Han gjorde det til lov at jula skulle ta til
på samme tid som hos kristne folk, hver mann skulle holde øl av ett
mål malt, eller også legge bøter, og helg skulle holdes så lenge ølet
varte. Før hadde juleholdet tatt til hokunatt, det var midtvinters-
natt*, og så holdt de jul i tre netter. Han tenkte seg at når han hadde

---

Saurshaug, nå Sakshaug på Inderøya.
Midtvintersnatt, 12. januar.

Kong Håkon øser vann på jarlssønnen.

fått fast fot i landet og hadde lagt hele landet trygt under seg, så ville han komme fram med budet om kristendom. Han gjorde det først slik at han lokket de menn som var hans beste venner, over til kristendommen, og fordi han var så vennesæl, var det mange som lot seg døpe, og andre holdt opp å blote. Han var ofte lange tider i Trondheimen, for der lå landets største styrke.

Da nå kong Håkon trodde han hadde fått støtte nok av noen stormenn til å få fram kristendommen, sendte han bud til England etter en biskop og noen andre prester, og da de kom til Norge, gjorde kong Håkon det kjent at han ville by kristendom over hele landet. Møringene og romsdølene sa de ville gjøre som trønderne. Kong Håkon lot nå vie noen kirker og satte prester til dem. Da han kom til Trondheimen, stevnte han ting med bøndene og bød dem kristendom. De svarte at de ville skyte saken under Frostating, og ville at det skulle komme folk fra alle de fylker som var i Trøndelag, så skulle de svare på denne vanskelige saken, sa de.

14. Sigurd Ladejarl var svær til å blote, og det var Håkon, far hans, også. Sigurd jarl holdt alle blotgildene på kongens vegne der i Trøndelag. Etter hedensk skikk skulle alle bøndene komme dit hvor hovet var når det skulle være blot, og de skulle ta med seg dit alt det de trengte av mat og drikke så lenge gildet stod på. Alle skulle ha med øl til dette gildet; det ble også slaktet allslags småfe og likeså hester, og alt blodet som kom av dem, ble kalt laut, og det som de hadde blodet i, ble kalt lautboller; med lautteinene – de var gjort akkurat som vievannskoster – skulle de farge stallene* helt røde av

Stall(e), alter til å stille gudefigurene på.

blod, og like ens veggene i hovet både innvendig og utvendig, og de skulle skvette med dem på menneskene; slaktet skulle de koke til mat for gjestene. Det skulle være ildsteder langs midtgolvet i hovet og kjeler over dem. En drikk skulle bæres omkring ilden, og den som holdt gildet og var høvding, skulle signe drikken og all blotmaten, først skulle Odins skål komme – den drakk de til seier og makt for kongen sin – og så kom Njords skål og Frøys skål til godt år og fred. Det var mange som brukte å drikke Brage-skål etterpå; noen drakk også ei skål for sine frender, de som var døde og hauglagte, det ble kalt minne. Sigurd jarl var raus og gavmild; han gjorde engang noe som det går stort ord av, han laget et svært gilde på Lade og bar sjøl alle omkostningene. Dette taler Kormak Ogmundsson om i Sigurdsdråpa:

> *Ask eller eske trenger*
> *ingen med til gildet,*
> *til den ødsle giver.*
> Gudene sveik Tjatse.
> *Hvilken fattig stymper*
> *står seg mot hovets herre,*
> *når gullrik han fester?*
> I kamp tok Gram ringen*.

15. Kong Håkon kom til Frostatinget, og der hadde bøndene flokket seg i store mengder. Da tinget var satt, talte kong Håkon. Han åpnet talen med å si at det var hans bud og bønn til bønder og bumenn, store og små, og hele allmuen, unge og gamle, rik og fattig, kvinner og karer, at alle mennesker skulle la seg døpe og tro på én gud, Kristus, Marias sønn, og vende seg bort fra all bloting og hedenske guder, holde helg hver sjuende dag for all slags arbeid og faste hver sjuende dag.

Men da kongen hadde kommet fram med dette for tingmugen, ble det straks høylytt motstand, bøndene ropte opp om at kongen ville ta arbeidet fra dem, og sa at slik kunne de ikke bygge landet; og arbeidsfolk og treller sa at de kunne ikke arbeide når de ikke skulle få mat, og så sa de at det var jo det lytet de hadde, kong Håkon og far hans og alle de frendene, at de var gjerrige på maten enda de var gavmilde nok på gull.

Asbjørn fra Medalhus* i Gauldalen stod opp og svarte på talen, han sa: «Vi bønder, kong Håkon, trodde det,» sa han, «dengang du hadde holdt ting første gang her i Trondheimen, og vi hadde tatt deg til konge og fått odelen vår av deg, at vi hadde grepet himmelen med hendene. Men nå vet vi ikke lenger hvordan det er, om vi har fått

---

De to linjene med rett skrift synes ikke å høre med til innholdet i verset, men de omtaler guder og sagnhelter.
Medalhus, nå Melhus.

Asbjørn fra Medalhus svarer kongen.

friheten av deg, eller om du nå har tenkt å trellbinde oss om igjen på denne underlige måten, at vi skulle gå fra den tro som fedrene har hatt før oss og alle våre forfedre, først i brennalderen og så nå i haugalderen; de var mye gjævere menn enn vi er, men denne troen har enda hjulpet oss også. Vi har vist deg så stor hengivenhet at vi har latt deg få rå med oss i alt som gjelder lover og landsrett. Det er nå vår vilje å holde de lover som de satte for oss her på Frostating, og som vi var enige i, og bøndene samtykker i dette; vi vil alle følge deg og ha deg til konge så lenge det lever én igjen av de bøndene som er her på tinget nå, hvis du, konge, vil fare fram med måte og ikke kreve mer av oss enn det vi kan gjøre for deg, og som ikke er ugjørlig. Men dersom du setter så mye inn på denne saken at du vil bruke vold og makt mot oss, da er vi bønder blitt enige om at vi vil skille oss fra deg alle sammen og ta en annen høvding, som vil hjelpe oss til å få ha vår tro i fred slik som vi vil. Nå, konge, skal du velge her før tinget et slutt.» Til denne talen ropte bøndene høyt opp og sa at slik skulle det være.

16. Da det ble lyd å få, svarte Sigurd jarl. Han sa: «Det er kong Håkons ønske å komme til enighet med dere bønder, og aldri la seg skille fra deres vennskap.» Bøndene sa de ville at kongen skulle blote til godt år og fred for dem, slik som far hans hadde gjort. Nå stanset misnøyen, og de oppløste tinget. Etterpå snakket Sigurd jarl med kongen og sa at han skulle ikke rent ut nekte å gjøre som bøndene ville, det nyttet ikke annet, sa han. «Som De sjøl kan høre, konge, er dette høvdingenes og dermed hele folkets ønske og faste vilje. Vi får finne på et godt råd her, konge,» og dette ble kongen og jarlen enige om.

17. Om høsten, første vinterdag, var det blotgilde på Lade, dit kom kongen. Før når han hadde vært til stede der det var blot, hadde han alltid brukt å få mat i et lite hus for seg sammen med noen få menn, men bøndene klaget på at kongen ikke satt i høgsetet sitt når det var best mat og størst glede; jarlen sa han burde ikke gjøre det slik nå, og så ble det til at kongen satt i høgsetet.

Da hornet var fylt første gang, talte Sigurd jarl for drikken og signet den i Odins navn, og drakk kongen til av hornet. Kongen tok imot det, men gjorde korsets tegn over. Da sa Kår fra Gryting*: «Hvorfor gjør kongen dette? Vil han ennå ikke blote?» Sigurd jarl svarte: «Kongen gjør som alle andre som tror på egen makt og styrke, han signer hornet i Tors navn. Han gjorde hammertegnet over det før han drakk.»

Så var det rolig den kvelden. Men dagen etter, da folk gikk til bords, maste bøndene på kongen og sa han skulle ete hestekjøtt. Det ville ikke kongen for noen pris. Så bad de ham drikke av suppa. Det ville han ikke. Så bad de ham ete av suppefettet, men det ville han heller ikke, og da hadde de nær gått rett på ham. Sigurd jarl sa han ville forlike dem, og bad dem holde opp å storme slik; så bad han kongen gape over hanka på kjelen der dampen hadde steget opp fra suppa, så hanka var feit. Kongen gikk da borttil og la et linklede over hanka og gapte over den, så gikk han i høgsetet. Men ingen av partene var nøyd med det.

18. Lenger utpå vinteren ble det stelt til jul for kongen inne på Mære*, men da det lei mot jul, satte de hverandre stevne de åtte høvdingene som stod for blotene i hele Trøndelag. Det var fire fra

---

Gryting var det tidligere navnet på den nåværende prestegarden i Orkdalen.
Mære (norr. *Mærin*) i Sparbu sør for Steinkjer. Her var et av de største hovene i Trøndelag.

Sigurd jarl overtaler kongen til å gi etter.

ytre Trondheimen: Kår fra Gryting, Asbjørn fra Medalhus, Torberg fra Værnes, Orm fra Ljoksa*, og av inntrønderne var det Blotolv fra Olveshaug*, Narve fra Stav i Verdalen, Trond Haka fra Egge og Tore Skjegg fra Husabø* på Inderøya. Disse åtte mennene ble enige om at de fire uttrønderne skulle ødelegge kristendommen, og de fire inntrønderne skulle tvinge kongen til å blote.

Uttrønderne seilte med fire skip sør til Møre, og der drepte de tre prester og brente tre kirker, og så seilte de hjem. Og da kong Håkon og Sigurd jarl kom inn til Mære med hæren, var bøndene kommet dit, meget mannsterke. Første dag i gjestebudet gikk bøndene på kongen og bad ham blote, og lovte at ellers skulle det gå ham ille. Sigurd jarl gikk imellom og meklet, det gikk da så langt at kong Håkon åt noen biter hestelever, og han drakk alle de minner som bøndene skjenket i for ham uten å slå kors over dem. Men da gjestebudet var slutt, drog kongen og jarlen like ut til Lade; kongen var svært lite glad og skyndte seg å komme ut av Trondheimen med hele hæren, han sa at en annen gang skulle han komme mannsterkere til Trondheimen, og trønderne skulle få igjen for den fiendskap de hadde vist ham.

Ljoksa, vel Leksa i Agdenes.
Olveshaug, nå Alstadhaug i Skogn.
Husabø, nå Hustad.

4. Snorre

Sigurd jarl bad kongen å ikke reise sak mot trønderne for dette, sa det nyttet ikke for kongen å legge seg ut med folk innenlands eller herje der, og aller minst i Trondheimen hvor landets største styrke lå. Kongen var så sint at det ikke nyttet å snakke til ham; han drog bort fra Trondheimen og sør til Møre, der ble han vinteren og våren over, men da det lei mot sommeren, drog han folk til seg, og det ble sagt at den hæren ville han gå mot trønderne med.

19. Nå var kong Håkon kommet om bord på skipene og hadde en stor hær. Da fikk han høre nytt sør fra landet; Eirikssønnene var kommet sør fra Danmark til Viken, og det ble videre sagt at de hadde drevet kong Tryggve Olavsson av skipene hans øst ved Sotenes*; de hadde så herjet store deler av Viken, og det var mange som hadde gitt seg inn under dem. Da kongen fikk høre dette, skjønte han at han trengte hjelp; så sendte han bud til Sigurd jarl at han skulle komme, og likeså til andre høvdinger som han trodde han kunne få hjelp av. Sigurd jarl kom til Håkon og hadde en svær hær med seg, der var de alle de trønderne som hadde gått hardest på kongen om vinteren for å tvinge ham til å blote, nå gjorde han fred og forlik med dem alle sammen på Sigurd jarls forbønn.

Så drog kong Håkon sørover langs land, men da han kom sør forbi Stad, hørte han at Eirikssønnene var kommet til Nord-Agder, og nå seilte begge hærene mot hverandre. De møttes ved Karmøy. Der gikk begge hærene på land og kjempet ved Avaldsnes, begge var de meget mannsterke og det ble et stort slag; kong Håkon gikk hardt fram, mot ham stod kong Guttorm Eiriksson med sin flokk, og de skiftet hogg med hverandre. Der falt Guttorm, og merket hans ble hogd ned, det var mange som falt omkring ham, og så tok hæren til Eirikssønnene flukten, de flydde til skipene og rodde unna, de hadde mistet en mengde folk. Dette taler Guttorm Sindre om:

Snodde ringers giver
slengte nålekvasse
spyd drønnende over
døde kjempers hoder,

bort gikk han som talte
høytreiste skjolds tale
der fra sverdets kjemper,
de såret lå i blodet.

Kong Håkon gikk om bord og styrte østover etter Gunnhildssønnene, begge seilte så hardt de kunne til de kom til Aust-Agder. Da seilte Eirikssønnene til havs og sør til Jylland. Dette taler Guttorm Sindre om:

Barn av bueskyttens
bror fikk ofte føle
sverdets herres styrke,
slikt jeg vel kan minnes.

Om bord han strid søkte,
styrte til havs snekker,
unna dreiv han alle
Eiriks, sin brors, sønner.

Sotenäs, ei halvøy i Bohuslän, vest for Åbyfjorden.

Så drog kong Håkon nordover tilbake til Norge, og Eirikssønnene holdt seg i Danmark igjen i lang tid.

20. Etter denne striden satte kong Håkon en lov for hele landet langs kysten og så langt inn i landet som det lengste laksen går, han gjorde en ordning her for alt bygd land, delte det i skipreider, og skipreidene delte han i fylker. I hvert fylke var det fastsatt hvor mange skip det skulle være, og hvor store skip de skulle greie ut fra hvert fylke når det var budt opp allmenning*, og allmenning skulle de ha plikt til å greie ut, når det kom utenlandsk hær til landet. Med slikt oppbud fulgte det også at de skulle gjøre veter* på de høye fjella, slik at en kunne se fra det ene til det andre. Og folk sier at på sju netter gikk hærbudet fra sørligste veten til det nordligste tinglaget på Hålogaland.

21. Eirikssønnene var ofte på hærferd i austerveg, og stundom herjet de i Norge også, slik som vi skreiv før. Men kong Håkon rådde for Norge. Det var gode åringer i landet, og freden var god; han var også vennesæl som få.

22. Da Håkon hadde vært konge i Norge i tjue år, kom Eirikssønnene sør fra Danmark og hadde en svær hær. Mye av dette var folk som hadde fulgt dem på hærferd, men det meste var likevel en danehær som Harald Gormsson hadde gitt dem. De fikk strykende bør og seilte ut fra Vendsyssel og kom av hav ved Agder, derfra styrte de nordover langs land og seilte dag og natt; vetene ble ikke tent, av den grunn at det brukte å være slik at vetene ble tent østfra og gikk langs land, men der i øst hadde ingen merket noe til ferden. Men det gjorde også noe at kongen hadde lagt streng straff for den som ble funnet skyldig, om vetene ble tent uten grunn; for det var så at når det fór hærskip og vikinger omkring på utøyene og herjet, så trodde folk i land straks at der kom Eirikssønnene, og så ble vetene tent og det ble hærsamling over hele landet. Men Eirikssønnene drog tilbake til Danmark og hadde ikke hatt med seg noen danehær, men bare sine egne folk, og stundom var det andre slags vikinger også. Dette ble kong Håkon svært sint for, det ble arbeid og omkostninger og ikke noe gagn av det, bøndene gav også vondt fra seg når slikt hendte. Og dette var grunnen til at ingen visste noe om Eirikssønnene før de kom til Ulvesund*. Der lå de i sju dager og da gikk det bud landvegen over Eid* nord til Møre; kong Håkon var da på Sunnmøre på ei øy som heter Frei* på en av gardene sine der; den heter Birkestrand, og han hadde ikke flere folk om seg enn hirden og de bøndene som hadde vært i gjestebud hos ham.

23. Speidere kom til kong Håkon og fortalte ham dette at Eirikssønnene lå med en stor hær sør for Stad; da lot han kalle til seg de klokeste menn som var der, og bad dem om råd, om han skulle ta

Allmenning, utbud av alle våpenføre menn til hærtjeneste.
Vete, vedstabel til å sette ild i som varsel om ufred.
Ulvesund, sundet mellom Vågsøy og fastlandet i Nordfjord.
Eid, trolig Mannseidet på Stadlandet.
Frei ligger på Nordmøre, ikke på Sunnmøre som Snorre forteller.

kampen opp med Eirikssønnene, enda de hadde mye større hær, eller om han skulle holde unna nordover og se å få seg mer folk.

Det var en bonde der som het Egil Ullserk, han var blitt fælt gammel, men han hadde engang vært større og sterkere enn noen annen og en svær stridsmann. Han hadde båret merket for kong Harald Hårfagre i lang tid. Egil svarte på kongens tale: «Jeg var med i mang en strid hos kong Harald, Deres far; han kjempet snart med større hær og snart med mindre, han vant alltid seier. Aldri hørte jeg han søkte råd hos venner for at de skulle lære ham å flykte. Vi vil heller ikke lære deg det rådet, konge, for vi mener vi har en djerv høvding; De skal også få et trofast følge i oss.»

Mange andre støttet ham også i dette. Kongen sa at han også heller ville kjempe med det folk han kunne få. Så lot kongen skjære hærpil og sendte den ut alle veger, lot dra sammen så mye folk han kunne få. Da sa Egil Ullserk: «Jeg var redd en stund, da denne lange freden var, at jeg skulle dø av alderdom inne i sengehalmen, men jeg ville heller falle i strid og følge min høvding. Nå kan det ennå være det går slik.»

24. Eirikssønnene styrte nordover forbi Stad straks de fikk bør. Men da de kom nord for Stad, fikk de greie på hvor kong Håkon var, og styrte mot ham. Kong Håkon hadde ni skip, han la seg nord under Freihaugen i Feøysund*, og Eirikssønnene la til sør for berget. De hadde mer enn tjue skip. Kong Håkon sendte bud til dem og bad dem gå i land, han sa han hadde haslet voll* for dem på Rastarkalv, der er det store, slette voller, og ovenfor går det en bakkeskrent, lang, men nokså lav. Eirikssønnene gikk i land fra skipene og nord over bakkehalsen innenfor Freihaugen og så fram til Rastarkalv.

Da gikk Egil og talte med kong Håkon, bad ham gi seg ti mann og ti merker. Kongen gjorde så, og Egil gikk med sine menn opp under bakken. Kong Håkon gikk opp på vollen med hæren. Han satte opp merket og fylkte og sa som så: «Vi skal lage en lang fylking, så de ikke kan få ringet oss inn, om de så har større hær.» De gjorde dette, det ble et stort slag der, og striden var kvass. Egil lot sette opp de ti merkene han hadde og stilte opp mennene som bar dem slik at de skulle gå så nær de kunne oppunder bakken, og la det være et stykke imellom hver mann. Slik gjorde de, gikk fram like oppunder bakken, som om de ville falle i ryggen på Eirikssønnene.

De som stod bakerst i fylkingen hos Eirikssønnene, så at det gikk fram mange merker som flagret vilt og stakk opp over bakkekanten, og så trodde de at det fulgte en stor hær med som ville komme i ryggen på dem, mellom dem og skipene. Da ble det et stort skrik, de ropte til hverandre hva som var på ferde. Og så tok hæren til å flykte, og da kongene så det, flyktet de også. Kong Håkon gikk hardt fram, fulgte etter flyktningene og felte en mengde folk.

Feøysund, trolig det nåværende Flatsetsundet på sørsida av Frei.
Hasle voll, se merkn. s. 141.

25. Da Gamle Eiriksson kom opp på bakkehalsen ovenfor berget, snudde han seg, og da så han at det var ikke større hær som fulgte etter dem enn den de før hadde hatt å kjempe med, og at dette var bare en strek. Da lot kong Gamle blåse hærblåst og satte opp merket og fikk i stand en fylking; til denne sluttet alle nordmennene seg, men danene flyktet til skipene. Da kong Håkon og hans menn kom, ble det kamp der for annen gang, og den ble enda kvassere. Nå hadde kong Håkon flest folk. Det endte med at Eirikssønnene flyktet; de søkte å komme sørover og ned av bakken; men noen av folkene deres drog seg baklengs sørover berget, og etter dem fulgte kong Håkon. Østfra bakkehalsen og over berget mot vest er det en slett voll, men så ender den i bratte hamrer mot vest. Gamles menn drog seg baklengs unna opp over berget; men kong Håkon gikk på dem med slik kraft, at han drepte noen, og de andre sprang utfor berget i vest, og de ble drept enten de gjorde det ene eller det andre. Kongen gav seg ikke før hver eneste mann var død.

26. Gamle Eiriksson flyktet fra bakkehalsen og ned på sletta sør for berget. Der vendte kong Gamle seg til motstand enda en gang og holdt striden gående, og da kom det folk til ham igjen; alle brødrene hans kom der med store flokker. Da var Egil Ullserk fører for Håkons menn, han gikk hardt på, og han og kong Gamle skiftet hogg. Kong Gamle fikk store sår, og Egil falt og mange andre med ham. Da kom kong Håkon til med de flokkene som hadde fulgt ham, og så ble det ny strid igjen. Kong Håkon gikk nå hardt fram igjen og hogg folk ned til begge sider, felte den ene etter den andre. Så sier Guttorm Sindre:

Redd og larmende hæren　　　　　*Hvor valkyrjene uvær*
rømte for jernets herre;　　　　*vakte, han ly ei søkte,*
han bar flammende våpen　　　　*mere mot han hadde*
dristig foran merket.　　　　　*enn mang en annen konge.*

Eirikssønnene så mennene sine falle alle vegne omkring seg; da rømte de unna og sprang til skipene. Men de som hadde flydd dit før, hadde alt skjøvet skipene ut, men noen var blitt liggende oppe i fjæra, for sjøen hadde falt. Da løp de på sjøen, alle Eirikssønnene og folkene som fulgte dem; Gamle Eiriksson falt der, men de andre brødrene hans kom ut på skipene og seilte bort med alt det folk som var igjen, og siden styrte de sør til Danmark.

27. Kong Håkon tok de skipene Eirikssønnene hadde hatt, og som var blitt liggende i fjæra, og lot dem dra opp på land. Der lot kong Håkon Egil Ullserk legge i et skip, og sammen med ham alle som var falt av hans flokk, så lot han bære jord og stein over. Kong Håkon lot også sette opp flere skip, og lot de som var falt, bære om bord i dem, og en kan ennå se haugene sør for Freihaugen. Denne strofen laget Øyvind Skaldespille, da Glum Geirason skrøt i sin strofe av at kong Håkon var falt:

Bautasteiner ved Egil Ullserks haug.

Før har fluktsky konge
farget sverd i Gamles
blod, mens motet svulmet;
– sverd fikk óg Fenrir føle –

dengang han ufortrøden
alle Eiriks sønner
dreiv på sjøen. Nå sørger
spydfolk over kongen.

Høye bautasteiner står ved Egil Ullserks haug.

28. Da kong Håkon Adalsteinsfostre hadde vært konge i Norge i 26 år etter at broren Eirik hadde fart fra landet, hendte det en gang at kong Håkon var i Hordaland og tok veitsle på Fitjar på Stord. Han hadde hirden sin til gjestebud der, og mange bønder. Da kongen satt ved dugurdsbordet, så vaktmennene som var ute, at det kom en mengde skip seilende sørfra, som ikke hadde langt igjen til øya. Da sa de til hverandre at de måtte visst si fra til kongen at de trodde det kom en hær mot dem, men de syntes ikke noen av dem at det var så greitt å komme til kongen med hærsagn, for han hadde satt så strenge bud mot alle, som gjorde det. Likevel syntes de det var helt umulig at kongen ikke skulle få vite om dette.

Da gikk en av dem inn i hallen og bad Øyvind Finnsson komme ut med én gang, sa at det var helt nødvendig. Da Øyvind kom ut, gikk han like dit hvor en kunne se skipene, da så han med en gang at det var en stor hær som kom, han gikk straks tilbake og fram for kongen og sa: «Liten tid har de farende, lang tid tar det å mates.» Kongen så på ham og sa: «Hva er på ferde?» Øyvind kvad:

Blodøks's hevnere ber om   *Vondt det er, men jeg vil jo*
barskt ting med kvasse   *verge din ære, konge!*
klinger; de oss levner   *Hærsagn har jeg, grip nå*
lita tid til sitting.   *hastig velprøvd våpen!*

Kongen sa: «Du er så kjekk kar, Øyvind, at du ville ikke komme med hærsagn, uten det var sant.»

Kongen lot bordet ta ned, han gikk ut og så etter skipene, og så at det var hærskip; han spurte da sine menn hva det var best å gjøre, om de skulle kjempe med de folkene de hadde, eller de skulle gå til skipene og seile unna nordover. «Det er lett nok å se,» sa kongen, «at vi nå kommer til å kjempe mot en mye større overmakt enn vi noen gang før har gjort, enda vi ofte har ment at vi gikk til ulik kamp når vi skulle ha strid med Gunnhildssønnene.» Folk gav ikke noe svar på dette med en gang. Da sa Øyvind:

Det sømmer seg ei en modig   Nå *er det Harald seiler*
mann å styre lenger   *sørfra sin brede flåte*
nord med skipene, fyrste;   *over sjøkongens veger.*
en frist gjør det bare verre.   *Skjoldet må vi gripe.*

Kongen svarte: «Dette var modig talt, og slik ville jeg sjøl gjøre, men jeg vil nå likevel høre hva flere har å si i denne saken.» Men nå trodde folk de skjønte hvordan kongen ville ha det, og så var det mange som svarte, sa at de heller ville falle som menn enn rømme for danene uten å ha prøvd seg; de sa de ofte hadde vunnet seier når de hadde kjempet med mindre folk enn nå. Kongen takket dem mye for slike ord, og bad dem væpne seg. Det gjorde de da. Kongen kastet på seg ei brynje og spente sverdet Kvernbit om livet, han satte en forgylt hjelm på hodet, tok spyd i handa og skjold ved sida; så stilte han hirden og bøndene i en fylking og satte opp merkene.

29. Harald Eiriksson var høvding over brødrene nå etter at Gamle var falt. Brødrene hadde en stor hær med seg sør fra Danmark. Morbrødrene deres, Øyvind Skrøya og Alv Askmann var der i følge med dem; de var sterke karer, modige, og noen fæle manndrapere. Eirikssønnene seilte skipene sine inn til øya, gikk i land og fylkte. Det blir fortalt at overmakten var så stor at det var minst seks mann mot én, så mange flere folk hadde Eirikssønnene.

30. Nå hadde kong Håkon fylket hæren, og folk sier han kastet brynja før striden kom i gang. Så sier Øyvind Skaldespille i Håkonarmål:

Bjørns bror fant de,
brynjekledd stod han,
den herlige kongen,
kommet under kampfanen;
spydene seg senket,
seiersmerket ristet,
så i gang kom kampen.

Han ropte til håløyger
og til holmryger,
jarlers banemann
gikk til striden,

godt følge av nordmenn
fulgte den gavmilde;
øydaners skrekk
stod under eirhjelm.

Han reiv av seg hærklærne,
heiv brynja i bakken,
hirdmenns herre,
før til hogg han tok;
leikte med mennene,
landet vil han verge,
gladlynte kongen
stod under gullhjelmen.

Kong Håkon valgte menn til hirden sin mye etter den kraft og det mot de hadde, likesom kong Harald, far hans, hadde gjort. Toralv den sterke Skolmsson var der, han gikk ved siden av kongen, han hadde hjelm og skjold, spyd og et sverd som het Fotbrei. Kong Håkon og han gikk for å være jamsterke. Det taler Tord Sjåreksson om i ei dråpa han laget om Toralv:

Mot de som kom fra sjøferd
kampharde og kjempet,
stred en hær med sverdet
glad på Stord ved Fitjar,

gnister stod av sverdet,
skjold han bar i striden,
han torde kjempe nærmest
nordmennenes konge.

Og da fylkingene støtte sammen, ble det en vill og blodig kamp; da de hadde kastet spydene, drog de sverdet; da gikk kong Håkon, og Toralv sammen med ham, fram foran merket og hogg til begge sider. Så sier Øyvind Skaldespille:

Så beit da sverdet
i stridsmanns hand
gjennom Odins krigsklær
som i klart vann,
brodder brakte,
brutt ble skjoldene,
klinger skranglet
mot hærmenns skaller.

Gullringers gud
gikk over skjoldene
og nordmenns hauser
med harde sverdføtter;
det var kamprop på øya,
kongene rødfarget
skinnende skjoldborg
i stridsmenns blod.

Kong Håkon var lett å kjenne, han var større enn andre, og det lyste dessuten av hjelmen som sola skinte på; mange våpen ble rettet mot ham. Da tok Øyvind Finnsson ei hette og drog over hjelmen på kongen.

31. Men nå skreik Øyvind Skrøya høyt: «Gjemmer han seg nå, nordmannakongen, eller har han flyktet, eller hvor er det blitt av gullhjelmen?» Og så gikk Øyvind fram og med ham Alv, bror hans, og de hogg til begge sider og tedde seg som de var ville og gale. Kong

«Hold fram som du stevner!»

Håkon ropte høyt til Øyvind: «Hold fram som du stevner, om du vil møte nordmannakongen!»
Så sier Øyvind Skaldespille:

Valkyrjevær han vakte,
en venn for menn, ei for gullet,
bad så Skrøya aldri
snu seg, men rett fram stevne.

Om du full av kamplyst
nordmenns konge vil finne,
hold da fram mot den høye
høvding, svinger av sverdet!

Det varte nå ikke lenge før Øyvind kom dit, han svingte sverdet og hogg etter kongen. Toralv skjøv skjoldet mot ham, så Øyvind vaklet, og kongen tok sverdet Kvernbit i begge hender og hogg til Øyvind midt i hjelmen og kløyvde hjelmen og hodet helt ned til akslene. Og så drepte Toralv Alv Askmann.
Så sier Øyvind Skaldespille:

Fra begge kongens hender
beit, vet jeg, biske sverdet
ham, som måtelig modig
ved masta bor og bygger.

Uredd kongen kløyvde
med gullhjaltet klinge
hårvokst hode under
hjelmen, drepte danen.

Etter at brødrene hadde falt, gikk kong Håkon så hardt fram at alle folk veik unna for ham. Da kom det redsel over Eirikssønnenes hær, og så tok den flukten; kong Håkon var fremst i sin fylking, han fulgte tett etter flyktningene og hogg både hardt og ofte. Da kom det ei pil flygende, ei slik som kalles flein*, den kom i armen på kong Håkon, i muskelen nedenfor aksla. Det er mange som sier at det var Gunnhilds skosvein, en som het Kisping, som løp fram i trengselen og ropte: «Gi plass for kongens bane!» og så skjøt han pila mot kong Håkon; men andre sier at ingen vet hvem som skjøt; og det kan godt være også, for piler og spyd og allslags kastevåpen fløy så tjukt som snøføyke.

En mengde av Eirikssønnenes menn falt, både på sjølve kampplassen og på vegen til skipene, og nede i fjæra. En mengde løp på sjøen og mange kom seg om bord, blant dem alle Eirikssønnene. De rodde unna, men Håkons menn rodde etter. Så sier Tord Sjåreksson:

Vargdreperen verget
vidt den fremste fylking,
må han eldes som konge,
de ønsket, men fred brøtes.
Gunnhilds arvinger sørfra,
gullskadende, var kommet,
fikk det dog tungt på flukten,
enda falt var kongen.

Trøtt de sårede bønder
satte seg til åra,
en etter annen, så man,
oppgav ånden av det.
En kraftig kjempe, vet jeg,
gikk kongen nest i kampen,
modig kar gav ravnen
rikelig tørstedrikke.

32. Kong Håkon gikk ut på langskipet sitt og lot binde om det såret han hadde fått, men blodet rant slik av det at de ikke kunne få det stanset, og da det lei på dagen, ble kongen svakere; han sa da at han ville seile nordover til garden sin på Ålrekstad. Men da de kom nord til Håkonshella, la de til der, da var kongen nær døden. Nå kalte han på vennene sine, og sa til dem hvordan han ville de skulle ordne med riket. Han hadde ikke andre barn enn ei datter som het Tora, og ingen sønn, og så bad han dem at de skulle sende bud til Eirikssønnene at de skulle være konger i landet, men han bad dem være gode mot hans venner og frender. «Og sjøl om jeg skulle få leve,» sa han, «så vil jeg dra bort fra landet til kristne mennesker og bøte det som jeg har forbrutt mot Gud. Men om jeg dør her i hedensk land, gi meg da slik gravferd her som dere sjøl synes.»

Og litt etter døde kong Håkon der på hella, samme sted som han var født.*

Det var slik sorg over kong Håkon at både venner og uvenner gråt over hans død og sa at det aldri mer ville komme så god konge i Norge. Vennene hans flyttet liket nord til Seim i Nordhordland; der kastet de sammen en stor haug og la kongen i den i fulle våpen og de beste klærne, men uten annet gods. De talte over grava hans slik som hedninger bruker, og viste ham til Valhall. Øyvind Skaldespille laget et kvede om kong Håkons fall og om hvordan han ble tatt imot; det heter Håkonarmål, og det begynner slik:

Flein (norr. *fleinn*), pil med mothaker på.
Kong Håkon døde i år 961.

Gautatyr* sendte
Gondul og Skogul*
for å kåre blant kongene,
hvem av Yngves ætt
skulle gå til Odin
og være i Valhall.

Bjørns bror fant de,
brynjekledd stod han,
den herlige kongen,
kommet under kampfanen;
spydene seg senket,
seiersmerket ristet,
så i gang kom kampen.

Han ropte til håløyger
og til holmryger,
jarlers banemann
gikk til striden;
godt følge av nordmenn
fulgte den gavmilde,
øydaners skrekk
stod under eirhjelm.

Han reiv av seg hærklærne;
heiv brynja i bakken,
hirdmenns herre,
før til hogg han tok;
leikte med mennene,
landet vil han verge,
gladlynte kongen,
stod under gullhjelmen.

Så beit da sverdet
i stridsmanns hand
gjennom Odins krigsklær
som i klart vann;
brodder brakte,
brutt ble skjoldene,
klinger skranglet
mot hærmenns skaller.

Gullringers gud
gikk over skjoldene
og nordmenns hauser
med harde sverdføtter,
det var kamprop på øya,
kongene rødfarget
skinnende skjoldborg
i stridsmenns blod.

Gautatyr, navn på Odin.
Gondul og *Skogul,* navn på to valkyrjer.

Skjoldene blandet seg
som røde skyer,
Skoguls vær* leikte
mot sjølve himmelen,
blodelva stønnet
i Odins stormvær*,
da segnet mange
i sverdstrømmen.

De satt der, heltene,
med dragne sverd,
med skar i skjoldet
og sundskutte brynjer.
Den hær var ikke
i hugen glad,
som til Valhall gikk vegen.

Slik talte Gondul,
støttet til spydskaftet:
Nå vokser guders venneflokk,
for Håkon er
med hær så stor
bedt heim til bindende makter.

Vel hørte kongen
det valkyrjene sa,
de strålende, høyt fra hesten;
sindig de talte,
satt der hjelmkledd
og hadde skjold ved sida.

Sverdflammer brente
i blodige sår,
langspyd lutet
for liv å ta,
blodsjøen bruste
mot sverdneset,
flo av piler falt
i fjæra på Stord.

Håkon kvad:
Hvorfor skifter du slik
striden, Skogul?
Vi var da verdige til seier fra guder.

Skogul kvad:
Vi voldte det
at du vollen fikk holde,
og dine fiender flyktet.

Skoguls vær og Odins stormvær, omskrivninger for kamp.

Vi to må ride,
sa mektige Skogul;
til guders grønne heim,
og si til Odin
at nå vil storkongen
komme og se ham sjøl.

Hermod og Brage,
sa hærguden,
gå og møt gramen*,
for nå en konge
som kjempe må kalles,
kommer hit til hallen.

Kongen talte,
fra kamp var han kommet,
stod der badet i blodet:
illsinnet synes jeg
Odin ser ut,
jeg er redd han er hard i hugen.

Alle einherjers
fred skal du eie,
drikk du av æsers øl;
jarlers uvenn,
her inne har du
åtte brødre, sa Brage.

Klær og våpen,
sa den gode kongen,
vil vi sjøl ha hos oss;

hjelm og brynje
skal du vokte vel,
godt er å ha dem for handa.

Da fikk de vite
at fyrsten hadde
vernet hovene vel
da Håkon ble
hilst velkommen
av alle rådende æser.

I en god stund
den gram ble født
som fikk seg slikt et sinn,
hans alder
alltid vil
minnes med det gode.

Ubunden
mot menneskers heim
vil Fenrisulven fare
før igjen det kommer
en jamgod konge
i hans øde fotspor.

Fe dør,
frender dør,
landet legges øde,
siden Håkon fór
til hedenske guder
er mang en mann blitt kuet.

Gram, poetisk ord for konge.

Eirikssønnenes saga

IRIKSSØNNENE fikk kongedømme i Norge etter at kong Håkon var falt. Harald var den som førte blant dem, og han hadde størst verdighet; han var også den eldste av dem som levde dengang. Mora, Gunnhild, hjalp dem mye med styringen av landet, hun ble kalt kongemor. Disse mennene var høvdinger i landet den gang: Tryggve Olavsson øst i landet og Gudrød Bjørnsson i Vestfold, Sigurd Ladejarl i Trondheimen, og Gunnhildssønnene hadde Vestlandet.

Første vinteren gikk det bud og sendemenn mellom Gunnhildssønnene og Tryggve og Gudrød; da ble de helt forlikt om det at de skulle ha like stor del av riket under Gunnhildssønnene som de hadde hatt under kong Håkon. Det var en mann som het Glum Geirason, han var skald hos kong Harald, en kjekk og modig mann. Han laget denne strofen etter Håkons fall:

Vel har Harald hevnet
Gamle, hærmenn mistet
livet, fram gikk fyrsten
folkedjerv i striden.
Mørke ravner mesker
seg med blod fra Håkon;
våpnene ble farget,
vet jeg, over havet.

Denne strofen likte folk godt. Men da Øyvind Finnsson hørte det, så kvad han den strofen som er skrevet her foran:

Før har fluktsky konge   *dengang han ufortrøden*
farget sverd i Gamles   *alle Eiriks sønner*
blod, mens motet svulmet;   *dreiv på sjøen. Nå sørger*
– sverd fikk óg Fenrir føle –   *spydfolk over kongen.*

Denne strofen ble også ofte kvedet. Da kong Harald hørte det, reiste han sak mot Øyvind for det og ville ha ham straffet med døden, helt til vennene deres fikk i stand forlik. Øyvind skulle bli hans skald, slik som han før hadde vært Håkons. De var nære frender, for Øyvinds mor Gunnhild var datter til Halvdan jarl, og hennes mor var Ingebjørg, datter til kong Harald Hårfagre. Da laget Øyvind denne strofen om kong Harald:

Hordenes landverge,
du lot ei motet synke,
sjøl om hagl av piler
smalt fra spente buer;
bart og blinkende sverdet
beit i dine hender,

enda en gang du stilte
ulvens glupske hunger.

Gunnhildssønnene satt for det meste på Vestlandet, for brødrene kjente seg ikke trygge når de var slik i hendene på trøndere eller vikværinger, som hadde vært kong Håkons beste venner; fullt opp av stormenn var det begge steder også.

Så tok det til å gå bud mellom Gunnhildssønnene og Sigurd jarl om forlik, for før fikk de ikke noen skatter fra Trondheimen. Til slutt ble det da til at de sluttet forlik, kongene og jarlen, og dette bandt de med eder. Sigurd jarl skulle ha det samme riket i Trondheimen under dem som han før hadde hatt under kong Håkon. Og så skulle de liksom være forlikte.

Alle Gunnhildssønnene gikk for å være gjerrige; folk sa de gjemte gull og gravde det ned i jorda. Det diktet Øyvind Skaldespille om:

Gull jeg bar på armen
alle Håkons dager,
– frø fra Fyrisvollen*
skinte for haukens føtter.
Nå har folkets fiende
gravd sitt gull i jorda,
– Frodes mjøl* han gjemte
hos mor til jotners fiende*.

Hele Håkons alder
hadde skalden gullring
på handa som bar skjoldet;
det skinte, Fullas smykke*;

nå er det gjemt i jorda,
gjemt hos Tors moder*,
det strålende elvegullet;
storfolk makter mye.

Da kong Harald fikk riktig greie på disse strofene, sendte han bud til Øyvind at han skulle komme til ham. Øyvind kom, og da la kongen fram søksmål mot ham, og sa at han var hans uvenn. «Det sømmer seg ille for deg,» sa han, «å være utro mot meg, for du er nå engang blitt min mann.» Da kvad Øyvind en strofe:

Frø fra Fyrisvollen, Frodes mjøl og *Fullas smykke* er alle omskrivninger for gull.
Mor til jotners fiende, Tors mor er gudinnen Jord.

Én drotten jeg eide
før deg, dyre herre;
jeg ønsker ingen tredje.
Alderen trykker, konge.
Tro jeg den herlige tjente,
to skjold bar jeg aldri.

Jeg fyller din flokk, konge,
men faller snart av elde.

Kong Harald lot sin egen dom gjelde i denne saken. Øyvind hadde en gullring, den var stor og god og ble kalt Molde; den hadde vært gravd fram av jorda en gang for lenge siden. Den ringen sa kongen han ville ha, og det var ingen annen råd. Da sa Øyvind:

Du som skip kan styre
som ski mellom skjæra,
heretter tør jeg vente
godt vær fra deg, herre.
Nå jeg gir deg, konge
som klokt kan velge ringer,

Fåvnes gylne leie*
som far min lenge eide.

Øyvind drog hjem igjen, og ingen har hørt noe om at han kom til kong Harald mer.

2. Gunnhildssønnene ble kristne i England, som før skrevet. Da de fikk styringen i Norge, kunne de likevel ikke komme noen veg med å få kristnet folk i landet; men de brøt ned hovene der de kunne komme til, og ødela blotstedene. Dette fikk de mange uvenner av. I deres tid satte det inn med uår, og årsveksten ble ødelagt; det var mange av kongene, og hver av dem hadde hird om seg; de trengte mye, for de hadde store utgifter, og dessuten var de styggelig penge-griske. De holdt heller ikke alltid de lovene som kong Håkon hadde satt, uten bare når det falt seg slik. De var usedvanlig vakre menn alle sammen, sterke og store, og svære i idretter. Så sier Glum Geirason i den dråpa han laget om Harald Gunnhildsson:

Tolv idretter kunne
kongen, gullets øder.
Ofte fram han søkte
foran andre fyrster.

Som oftest var brødrene sammen, men stundom var de hver for seg. De var grusomme menn, modige og store stridsmenn og hadde ofte seier.

Fåvnes gylne leie, dvs. gull.

3. Gunnhild kongemor og sønnene hennes talte ofte sammen og holdt møter hvor de rådslo om landsstyringen. En gang spurte Gunnhild sønnene: «Hva har dere tenkt å gjøre med riket i Trondheimen? Dere har kongsnavn som forfedrene deres hadde, men dere har lite land og er mange om det. Tryggve og Gudrød har Viken i øst, og de har også et slags krav på det, siden de er av ætta; men hele Trøndelag har Sigurd jarl, og jeg skjønner ikke hva det er som får dere til å la en jarl ta et så stort rike fra dere. Det er underlig, synes jeg, at dere hver sommer drar på vikingferd til andre land, og så lar en jarl ta farsarven fra dere innenlands. Din farfar, Harald, som du er oppkalt etter, ville ikke synes det var noen sak å la en jarl miste liv og rike, han som vant hele Norge under seg og rådde for det til han ble en gammel mann.»

Harald sa: «Det er ikke det samme å ta livet av Sigurd jarl som å slakte et kje eller en kalv,» sa han. «Sigurd jarl er av stor ætt, og har mange frender, han er vennesæl og klok. Om han får vite for sant at han kan vente seg ufred av oss, så er jeg viss på han får alle trønderne på sin side. Og da kommer det ikke noe annet ut av det for oss enn bare vondt. Jeg tror heller ikke at noen av oss brødrene vil kjenne seg trygg ved å sitte der i hendene på trønderne.» Da sa Gunnhild: «Da får vi gå fram på en annen måte med det vi har fore, og ikke ta så stort i. Harald og Erling skal sitte på Nordmøre i høst; jeg skal også være med dere, og så får vi alle sammen friste hva vi kan få til.» Og så gjorde de det slik.

4. Bror til Sigurd jarl het Grjotgard, han var mye yngre og hadde mindre å si; han hadde heller ikke noe verdighetsnavn, men han holdt da et følge og var på vikingferd om sommeren og skaffet seg rikdom.

Kong Harald sendte noen menn inn i Trondheimen til Sigurd jarl med gaver og vennlige ord, han sa at kong Harald ville gjerne komme i samme vennskap med Sigurd jarl som jarlen før hadde hatt med kong Håkon. Med denne ordsendingen fulgte det også at jarlen skulle komme til kong Harald, og dette vennskapet skulle de da binde fullt og fast. Sigurd jarl tok godt imot sendemennene og kongens vennskap; han sa han kunne ikke komme til kongen for han hadde så mye å gjøre, men han sendte kongen vennegaver og gode, vennlige ord for hans vennskap. Sendemennene drog bort. De kom nå til Grjotgard og hadde samme ærend til ham, kong Haralds vennskap og spørsmål om han vil komme til ham, og gode gaver attpå. Og da sendemennene drog hjem, hadde Grjotgard lovt å komme.

På avtalt dag kommer nå Grjotgard til kong Harald og Gunnhild. Der ble han mottatt med stor glede; han ble opptatt som en kjær venn, de tok Grjotgard til samtaler i enerom, og han fikk vite mange hemmelige saker. Til sist tok de til å tale om Sigurd jarl, og fortalte det de var blitt enige om før. De snakket for Grjotgard om hvordan jarlen hadde gjort ham til en liten mann. Men om han ville være med å hjelpe dem i denne saken, sa kongen at Grjotgard skulle bli hans jarl, og få hele det riket som Sigurd jarl hadde hatt. Dette gjorde de

Gunnhild egger sønnene sine.

så en hemmelig avtale om, Grjotgard skulle holde utkik med når det var best å gå mot Sigurd jarl, og så skulle han sende bud til kong Harald. Etter disse avtalene drog Grjotgard hjem og fikk gode gaver av kongen.

5. Om høsten drog Sigurd jarl inn i Stjørdalen og var på veitsler der. Derfra tok han ut til Oglo* og ville ta veitsler der. Jarlen hadde alltid hatt mange folk om seg, så lenge han var lite trygg på kongene. Men ettersom det nå hadde gått vennskapsord mellom ham og kong Harald, så hadde han ikke noen stor flokk med seg denne gangen.

Grjotgard varslet nå kong Harald, sa at det ville ikke bli lettere å gå mot jarlen en annen gang. Og straks samme natta drog kongene Harald og Erling inn etter Trondheimen, de hadde fire skip og mye folk; de seilte om natta, det var stjernelyst. Så kom Grjotgard og møtte dem. Seint på natta kom de til Oglo, hvor Sigurd jarl var på veitsle. De tente ild på huset og brente jarlen inne med hele hans følge. Tidlig samme morgen drog de bort ut etter fjorden og så sør til Møre, og der ble de en lang stund.

Oglo, nå Skatval i Stjørdalen.

Håkon jarls saga

ÅKON, sønn til Sigurd jarl, var inne i Trondheimen da han fikk høre om det som hadde hendt. Det samlet seg straks en stor hær fra hele Trondheimen, hvert skip som var hærført, ble satt på vannet. Da denne hæren var kommet sammen, tok de Håkon, Sigurd jarls sønn, til jarl og høvding over flåten. Så styrte de ut gjennom Trondheimen med hele flåten. Da Gunnhildssønnene fikk høre dette, tok de av sted sør til Romsdal og Sunnmøre. De to hærene lå nå og holdt utkik etter hverandre.

Sigurd jarl* ble drept to år etter at kong Håkon var falt. Øyvind Skaldespille sier i Håløygjatal:

Og Sigurd	*Gullets øder,*
som skjenket ravnen,	*den uredde,*
Odins svane,	*livet lot*
blodig øl,	*i luende ild,*
mistet livet;	*da landkongene*
landets herre	*brøt sitt løfte,*
ødela ham	*sveik i trygd*
ved Oglo.	*Tys ætling*.*

Med hjelp av frendene sine holdt Håkon jarl Trondheimen i tre år, slik at Gunnhildssønnene ikke fikk noen inntekter i Trondheimen. Han hadde strid noen ganger med Gunnhildssønnene, og de drepte mange menn for hverandre. Dette taler Einar Skålaglam om i Vellekla*, som han laget om Håkon jarl:

Fram gjennom uvær førte	*Neppe noen nekter*
han den breie flåten,	*nok av piler suste.*
det spydvær Gondul reiste.	*I valkyrjenes uvær*
Han spilte ikke tida.	*tørstet ikke ravnen.*
Han bar skjold til striden,	*Når han skaket skjoldet*
heiste Hedins kampseil,	*skvatt det piler fra det,*
kongers lyst til kappleik	*fredløse menns fiende*
kunne slik han stille.	*frelste modig livet.*

Sigurd jarl døde i år 963.
Tys ætling, dvs. Ladejarlen.
Vellekla betyr gullmangel.

Mang en kamp ble kjempet *vant seg land og rike.*
førenn krigeren sørpå *Rådende guder hjalp ham.*

Einar taler også om hvordan Håkon tok hevn for faren:

Her jeg nevner hevnen *kampglad økte jarlen*
høvdingen tok for faren, *kraftig Odins følge.*
larmende drog han sverdet; *Iskald sverdstorm reiste*
denne dåd må prises. *han som sjøhester temte,*
   Odins uvær livet
Våpen dreiv som skurer, *ofte tok av bønder.*
skylte over hæren,

Etterpå gikk begges venner imellom og bad dem forlike seg, for bøndene ble lei av hærferd og ufred innenlands. Stormennene fikk da laget det så at det ble sluttet forlik mellom dem. Håkon jarl skulle ha samme rike i Trondheimen som hans far, Sigurd jarl, hadde hatt, og kongene skulle ha det riket som kong Håkon hadde hatt før dem, og dette ble da trygt bundet med løfter. Nå ble det slik kjærlighet mellom Håkon jarl og Gunnhild; men ofte prøvde de å lure hverandre og se hvem var listigst. Slik gikk det tre år til, og Håkon satt rolig i riket sitt.

Nå ble det slik kjærlighet mellom Håkon og Gunnhild.

2. Kong Harald var mest i Hordaland og Rogaland, og slik var det med flere av brødrene. De var ofte i Hardanger.

Det var en sommer at det kom et havskip fra Island, det var islendinger som eide det. Det var lastet med skinnfeller og de seilte inn i Hardanger med skipet, for de fikk høre at der var det samlet

Håkon
jarl var
vakrere enn
folk flest.

flest folk. Men da folk kom for å handle med dem, var det ingen som
ville kjøpe skinnfellene. Da gikk skipperen til kong Harald, for han
kjente ham og hadde talt med ham før; han fortalte ham om vanske-
lighetene. Kongen sa han skulle komme til dem, og han kom.

Kong Harald var en snill mann og glad i moro. Han kom dit med
et skip med fullt mannskap. Han så på varene deres og sa til skip-
peren: «Vil du gi meg en av gråfellene?» «Ja gjerne,» sa skipperen,
«og flere også om så var.» Så tok kongen en fell og hengte på seg
som kappe, og gikk ned til skipet igjen. Og før de rodde bort, hadde
hver eneste av mennene hans kjøpt en fell. Noen få dager seinere
kom det så mange folk der som ville kjøpe seg fell, at ikke halvpar-
ten av de som ville ha, fikk noen. Siden ble han kalt Harald Gråfell.

3. En vinter reiste Håkon jarl til Opplanda i et gjestebud; der lå
han med ei kvinne; hun var av lav ætt. Men da det var gått ei tid, så
var kvinna med barn, og da barnet ble født, var det en gutt; de øste
vann over ham og kalte ham Eirik. Mora tok gutten med til Håkon
jarl, og sa at han var faren. Jarlen lot gutten vokse opp hos en mann
som het Torleiv Spake; han bodde i Meldal. Det var en mektig og
rik mann, som var jarlens gode venn. Eirik så snart ut til å bli en
kjekk kar, han var riktig vakker å se til, og var tidlig stor og sterk.
Jarlen brydde seg lite om ham. Håkon jarl var også vakrere å se til
enn folk flest, han var ikke høy, men svært sterk og god i idretter,
klok og en stor hærmann.

4. Det var en høst Håkon jarl drog til Opplanda. Da han kom ned på Hedmark, kom kong Tryggve Olavsson og kong Gudrød Bjørnsson og møtte ham. Dale-Gudbrand kom også. De satte stevne med hverandre og satt lenge og talte sammen i enerom, men det kom da ut at de alle sammen skulle være venner. Så skiltes de, hver drog hjem til sitt rike.

Håkon jarls møte med Tryggve, Gudrød og Dale-Gudbrand.

Dette fikk Gunnhild og sønnene hennes greie på, og de fikk mistanke om at det kanskje var tenkt på landssvik mot kongene. De talte ofte om dette med hverandre.

Da våren kom, lyste kong Harald og bror hans, kong Gudrød, at de ville dra på vikingferd om sommeren, slik de var vant til, enten vest over havet eller i austerveg. De samlet folk, satte skipene på sjøen og gjorde seg i stand. Da de nå drakk utferdsølet, var det svært drikkelag, og det ble sagt mye over drikken; til slutt ble det mannjamning, og det var kongene sjøl de talte om.

En mann sa at kong Harald var den fremste av brødrene i alle ting. Dette ble Gudrød svært sint for, han sa at han skulle ikke stå tilbake for Harald i noen ting, og det var han ferdig til å vise. Snart ble de så sinte begge to at de bød hverandre kamp og løp til våpen. Men folk som hadde mer vett og var mindre fulle, stagget dem og gikk imellom, og hver gikk til sine skip. Men det var ikke tale om at de kunne reise i følge alle sammen. Gudrød seilte østover langs kysten, og Harald styrte rett til havs; han sa han ville seile vest over havet, men da han kom utenfor øyene, styrte han østover havleia langs landet.

Kong Gudrød seilte skipsleia øst til Viken og så øst over Folden. Der sendte han bud til kong Tryggve at han skulle komme og møte ham, så skulle de dra i austerveg begge to og herje om sommeren. Kong Tryggve ville gjerne være med på dette. Han hadde hørt at Gudrød hadde få folk, kong Tryggve kom da til ham med bare ei skute. De møttes øst for Sotenes ved Veggir*. Men da de gikk for å tale med hverandre, sprang Gudrøds menn til og drepte kong Tryggve og tolv mann. Han ligger der det nå heter Tryggvarøyr*.

5. Kong Harald seilte mest utaskjærs. Han styrte inn i Viken og kom til Tønsberg om natta. Der fikk han høre at kong Gudrød var på veitsle oppe i landet der like ved. Kong Harald og hans menn drog dit opp, de kom dit om natta og kringsatte husene for dem. Kong Gudrød og hans menn gikk ut, det ble en kort strid til kong Gudrød falt og mange mann med ham. Så drog kong Harald hjem og møtte kong Gudrød, bror sin. Nå la de under seg hele Viken.

6. Kong Gudrød Bjørnsson hadde tatt seg ei bra kone av god ætt slik som høvelig var. De hadde en sønn som het Harald, han ble sendt til oppfostring i Grenland* hos Roe den kvite, en lendmann. Sønn til Roe var Rane den vidfarne; han og Harald var jamgamle på lag, og fosterbrødre. Etter at faren Gudrød var falt, rømte Harald, som ble kalt Grenske, først til Opplanda; fosterbroren Rane og noen få mann ble med ham. Der bodde han en stund hos frendene sine. Eirikssønnene var stadig ute etter de menn som hadde noe utestående med dem, og især etter slike som de kunne tenke seg ville reise seg mot dem. Frendene og vennene til Harald rådde ham derfor til at han skulle reise ut av landet. Derfor drog Harald Grenske øst til Svitjod og så til å komme om bord på et skip og få følge med noen som skulle på hærferd og skaffe seg rikdom. Harald var dugelig som få.

Det var en mann i Svitjod som het Toste, han var en av de mektigste og beste menn der i landet av dem som ikke hadde høvdingnavn. Han var stor hærmann og var på hærferd i lange tider, de kalte ham Skoglar-Toste. Harald Grenske slo seg i lag med ham og ble med Toste på vikingferd om sommeren. Alle syntes godt om Harald. Vinteren etter var Harald hos Toste. Datter til Toste het Sigrid, hun var ung og vakker og ikke lite stor på det. Siden ble hun gift med sveakongen Eirik den seiersæle; deres sønn var Olav Svenske, som ble konge i Svitjod siden. Eirik døde sottedøden i Uppsala ti år etter at Styrbjørn var falt.

7. Gunnhildssønnene bød ut en stor hær i Viken, så seilte de nordover langs kysten og fikk med seg folk og skip fra hvert fylke. De sa rett ut at de ville seile nord til Trondheimen med denne hæren, mot Håkon jarl. Dette fikk jarlen greie på, han samlet sammen en hær og fikk seg skip. Men da han fikk høre hvor stor hær Gunnhildssønnene hadde, så seilte han med hæren sin sør til Møre, han herjet overalt der han kom og drepte en mengde mennesker. Så sendte han trønderhæren og alle bøndene hjem igjen, sjøl gikk han med hærskjold over begge Mørene og Romsdal og holdt speidere etter Gunnhildssønnenes hær helt til sør for Stad.

Veggir, nå Vägga øst for Gravarne kirke på Sotenäs.
Tryggvarøyr, nå Tryggverör, en haug på øya Tryggön utenfor Sotenäs.
Grenland, Nedre Telemark.

Da han hørte de var kommet i Fjordane og lå og ventet på bør for å seile nord forbi Stad, så seilte Håkon jarl sørover forbi Stad så langt ute at de ikke kunne se seilene hans fra land. Nå lot han det gå havleia østover langs landet og kom fram til Danmark, derfra seilte han i austerveg og herjet der om sommeren. Gunnhildssønnene seilte med flåten nord til Trondheimen og ble der nokså lenge; de tok inn alle skatter og skylder. Da det lei på sommeren, slo Sigurd Sleva og Gudrød seg ned der, men Harald og de andre brødrene drog øst i landet og tok med seg den leidangshæren som hadde vært med om sommeren.

8. Om høsten drog Håkon jarl til Helsingland og satte opp skipene sine der. Så tok han landvegen gjennom Helsingland og Jemtland og østfra over Kjølen og kom ned i Trondheimen. Straks gikk folk over til ham, og han fikk seg skip. Da Gunnhildssønnene hørte det, gikk de om bord i skipene sine og seilte ut etter fjorden. Håkon jarl drog ut til Lade og var der om vinteren, men Gunnhildssønnene satt på Møre, og de dreiv og overfalt og drepte folk for hverandre. Håkon jarl holdt fast på riket sitt i Trondheimen og var der som oftest om vinteren, men om sommeren drog han av og til øst i Helsingland, og der tok han skipene sine og seilte i austerveg, og herjet der om sommeren, men stundom ble han i Trondheimen også og hadde hæren ute, og da kunne ikke Gunnhildssønnene greie seg nord for Stad.

9. En sommer drog Harald Gråfell nord til Bjarmeland med hæren og herjet der; han hadde en stor strid med bjarmene på elvebakken ved Dvina. Der vant kong Harald seier og drepte en mengde folk, han herjet rundt omkring i landet der, og tok svære rikdommer. Det taler Glum Geirason om:

I øst farget kongers
overmann sverdet blodrødt;
nord for byen som brente,
bjarmene så jeg renne.

Mennenes forliker
medbør fikk i striden
øst på Dvinas bredder.
Ord står av unge høvding!

Sigurd Sleva kom til Klypp herses gard. Klypp var sønn til Tord, sønn til Horda-Kåre, han var en mektig og ættstor mann. Klypp var ikke hjemme da; men Ålov, kona hans, tok godt imot kongen, det var et godt gjestebud og mye å drikke. Ålov, som var gift med Klypp herse, var datter til Asbjørn og søster til Jernskjegge nord fra Ørlandet. Bror til Asbjørn var Reidar, far til Styrkår, far til Eindride, far til Einar Tambarskjelve. Kongen gikk til Ålovs seng om natta og lå der mot hennes vilje. Etterpå reiste kongen sin veg. Høsten etter drog kong Harald og Sigurd, bror hans, opp til Voss og lyste til ting med bøndene der. Men på tinget gikk bøndene mot dem og ville drepe dem; de kom seg unna, og så drog de bort. Kong Harald reiste til Hardanger og kong Sigurd til Ålrekstad. Da Klypp herse hørte dette, samlet de seg, han og frendene, og gikk mot kongen. Det var Vemund Volubrjot som var høvding for denne ferden. Da de kom

Klypp herse dreper Sigurd Sleva.

til garden, gikk de på kongen, Klypp stakk sverdet igjennom ham, og det ble hans bane; men Erling Gamle drepte Klypp i samme stund.

10. Kong Harald Gråfell og broren, kong Gudrød, fikk sammen en stor hær østfra landet, og med denne hæren styrte de nord til Trondheimen. Men da Håkon jarl fikk høre det, samlet han hær om seg og seilte sør til Møre og herjet. Der var farbroren Grjotgard da, han skulle holde landvern for Gunnhildssønnene. Han bød ut en hær, slik som kongene hadde sendt bud at han skulle. Håkon jarl styrte rett imot ham og la til strid. Der falt Grjotgard og foruten ham to jarler og mange andre menn. Det taler Einar Skålaglam om:

Jarlen slo med hjelmhagl
fiender i hjel. Kvadet
vokser voldsomt for meg,
et vell av Odinsmjøden.

Den gang i våpenskuren
stupte, ramt av sverdlyn,
tre sønner av jarler.
Glans står av folkets hjelper.

Etterpå seilte Håkon jarl ut til havs og så utaskjærs sørover langs landet. Han kom fram sør i Danmark, og drog til Harald Gormsson, danekongen; der ble han godt mottatt, og ble hos ham vinteren over.

Der hos danekongen var det også en mann som het Harald, han var sønn til Knut Gormsson og brorsønn til kong Harald. Han var kommet hjem fra vikingferd, hadde vært ute og herjet lenge og fått seg svære rikdommer; de kalte ham Gull-Harald. Han mente han hadde god rett til å bli konge i Danmark.

Kong Erlings død.

11. Kong Harald og brødrene hans seilte flåten nord til Trond-
heimen, og der møtte de ingen motstand. De tok inn skatter og
skylder og alle kongsinntekter og lot bøndene greie ut store bøter;
for da hadde kongene fått lite penger fra Trondheimen i lange tider,
ettersom Håkon jarl hadde sittet der med en svær mengde folk og
ligget i ufred med kongene.

Om høsten drog kong Harald sørover i landet med det meste av
hæren som hørte til der, og kong Erling ble igjen med sitt følge. Da
kom han fram med enda flere krav til bøndene og brukte hard rett
mot dem. Bøndene knurret svært, de ville ikke finne seg i slike tap.
Utpå vinteren samlet bøndene seg, det ble en stor hær, og så drog
de dit hvor kong Erling var på veitsle og kjempet med ham. Der falt
kong Erling, og en stor flokk falt sammen med ham.

Da Gunnhildssønnene rådde i Norge, var det harde uår, og det ble verre og verre dess lenger de hadde styring over landet. Bøndene gav kongene skylden for det, og sa at de var pengegriske, og at de brukte hard rett mot bøndene. Til slutt var det slik at det skortet på korn og fisk mest alle steder i landet. I Hålogaland var sulten og nøden størst; der vokste det nesten ikke korn, og det lå snø over alle jordene midtsommers, og all buskapen stod inne til midtsommers. Øyvind Skaldespille kvad slik, han kom ut engang i så fælt et snødrev:

Midtsommers skjuler snøen　　*Lik finnlappen må vi fore*
jorda, Odins hustru.　　　　*geita med kvist på fjøset.*

Øyvind hadde laget ei dråpa* om alle islendinger; de lønte ham på den måten at hver bonde gav en skattpenge, den skulle være verd tre penger i veid sølv og være hvit i bruddet*. Da sølvet kom fram på Alltinget, ble de enige om at de skulle få en smed til å rense sølvet, og siden lage ei kappespenne av det. Da smeden hadde fått sin lønn, veide spenna ennå femti mark. Denne sendte de til Øyvind, men Øyvind lot spenna hogge opp og kjøpte seg buskap for den. Om våren kom det engang en sildestim til et utvær der. Øyvind satte huskarene og busitterne sine på ei roferje og rodde dit silda stod. Han kvad:

Nå lar vi sjø-svarten　　　*Får se om mine venner*
sparke nord i værene,　　　*kan finne, vakre jente,*
skodd med lange nøter;　　　*sild, den iskalde sjøblomst*
sild har terna spådd om.　　*havsvinet* roter fra bunnen.*

Og alt det han eide av penger, hadde gått så helt med til å kjøpe inn til garden, at han måtte kjøpe sild for pilene sine. Han kvad:

Spenne fikk jeg til fellen,　　*Og sildene, de slanke,*
fe kjøpte jeg for den.　　　　*som springer fra buestrengen*,*
Ute fra øya sendte　　　　　*byttet jeg bort for silda,*
islendinger den til meg.　　　*den blanke pil fra sjøen.*

Dråpa er et skaldekvad med omkvede. Dikt om konger skulle helst være dråpaer. Det var gjævere enn en *flokk* (uten omkvede).
Hvit i bruddet, dvs. av reint sølv.
Havsvinet, en omskrivning for skip.
«*Og sildene, de slanke. . .*» dvs. pilene.

Snorre dikterer. Tegning av Christian Krohg.

Olav Tryggvasons saga

STRID het den kona kong Tryggve Olavsson hadde vært gift med; hun var datter til Eirik Bjodaskalle, som bodde på Obrestad, det var en mektig mann. Etter at Tryggve var falt, kom Astrid seg unna i all hemmelighet med alt det løsøre hun kunne få med seg. Fosterfar hennes, som het Torolv Luseskjegg, fulgte henne. Han gikk aldri fra henne; men de andre trofaste menn hun hadde, var rundt og speidet og fikk vite nytt om uvennene hennes, og hvor de var. Astrid gikk med barnet til kong Tryggve. Hun lot dem ro seg ut på et vann, og der gjemte hun seg på en holme sammen med noen få folk. Der fødte hun et barn, det var en gutt. Da de øste vann over ham, kalte de ham Olav etter farfaren.

Hun holdt seg gjemt der om sommeren. Men da nettene ble mørke og dagene stuttere og været kaldt, tok Astrid av sted igjen; Torolv og noen få menn fulgte henne. De reiste bare om natta gjennom bygdene, slik at de holdt seg skjult og møtte ingen. En dag mot kveld kom de fram til Eirik på Obrestad, far til Astrid. De gikk varsomt fram, Astrid sendte folk opp til garden som skulle si fra til Eirik, og han lot noen følge dem til ei lita stue og dekke bord for dem med beste slags mat. Da Astrid og folkene hennes hadde vært der en stund, tok følget bort, og hun ble igjen sammen med to tjenestejenter og sønnen Olav, Torolv Luseskjegg og sønn hans, Torgils, som var seks år gammel. De ble der vinteren over.

2. Da de hadde drept Tryggve Olavsson, drog Harald Gråfell og Gudrød, bror hans, til de gardene Tryggve hadde eid; men da var Astrid borte, og de kunne ikke få spurlag på henne. De fikk høre folk ymtet om at hun skulle gå med kong Tryggves barn. Om høsten drog de nord i landet, som før er skrevet. Da de kom til Gunnhild, mor si, fortalte de henne hvordan alt var gått for seg, og hva som hadde hendt dem på ferden. Hun spurte dem nøye ut om alt som hadde med Astrid å gjøre. Da fortalte de henne om det snakket de hadde hørt. Men samme høst fikk Gunnhildssønnene strid med Håkon jarl og likeså vinteren etter, som før skrevet, og av samme grunn ble det ikke satt i gang noen leiting etter Astrid og sønnen hennes den vinteren.

3. Våren etter sendte Gunnhild speidere til Opplanda og over hele Viken, de skulle få greie på hvordan det hadde seg med Astrid. Da sendemennene kom tilbake, kunne de fortelle Gunnhild at Astrid

nok var hos Eirik, far sin, og dessuten at det visst var så at hun fostret opp sin og kong Tryggves sønn der. Da sendte Gunnhild straks menn ut og gav dem godt med våpen og hester; det var tretti mann, og føreren for dem var en mektig mann som het Håkon, en av Gunnhilds venner. Hun bad dem reise til Eirik på Obrestad og få med seg sønn til kong Tryggve derfra, og føre ham til Gunnhild.

Så reiste alle sendemennene av sted. Da de ikke hadde langt igjen til Obrestad, fikk Eiriks venner se dem komme, de gikk og varslet ham om kvelden at sendemennene var på veg. Straks samme natta lot Eirik Astrid dra bort, han gav henne en god fører på vegen og sendte henne øst til Svitjod til Håkon den gamle, en venn og en mektig mann. De tok av sted mens det ennå var langt igjen av natta. Mot kvelden neste dag kom de til ei bygd som heter Skaun*, der så de en stor gard og gikk dit og bad om husvær for natta. De sa ikke hvem de var og hadde dårlige klær. Bonden der het Bjørn Eiterkveise, han var rik, men ingen bra mann, han jagde dem vekk, og de gikk samme kvelden til en annen gard like ved, som heter Vitskar*. Der het bonden Torstein, han gav dem hus og godt stell om natta; de sov i gode senger.

4. Håkon og de andre mennene til Gunnhild kom til Obrestad tidlig på morgenen og spurte etter Astrid og sønnen hennes. Eirik sa hun var ikke der. Håkon og de andre ransakte garden og ble der lenge utover dagen, og så fikk de vite noe om hvor Astrid hadde tatt vegen. Da rei de samme veg og kom seint på kvelden til Bjørn Eiterkveise i Skaun, der tok de inn. Håkon spurte Bjørn om han visste noe å fortelle om Astrid. Han svarte at det hadde kommet noen folk der om dagen som hadde bedt om husvær, «men jeg jagde dem bort. De har vel fått hus et sted her i bygda.»

En av arbeidskarene til Torstein kom fra skogen om kvelden, han kom innom hos Bjørn, for det var på vegen for ham. Han så det var gjester der og hørte hva ærend de kom i, og fortalte det til Torstein bonde. Og mens det ennå var en tredjedel igjen av natta, vekte Torstein gjestene sine, og bad dem se å komme seg vekk, og snakket stygt og hardt til dem. Men da de vel var kommet på veg og ute av garden, sa Torstein til dem at Gunnhilds sendemenn var hos Bjørn og fór og lette etter dem. De bad ham om litt hjelp, han gav dem med en til å vise vegen, og noe mat. Mannen fulgte dem framover i skogen til de kom til et vann, der var det en holme som var overgrodd med siv. De kunne vasse ut til holmen, og der gjemte de seg i sivet.

Tidlig neste dag rei Håkon fra Bjørn og ut i bygda; hvor han kom spurte han etter Astrid. Da han kom til Torstein, spurte han om de var kommet dit. Han svarte at det hadde vært noen folk der, men de drog østover mot skogen ved daggry. Håkon bad Torstein om følge,

---

Skaun, gammelt bygdenavn som fantes fire steder på Østlandet (Sande i Vestfold, Rakkestad i Østfold, Sørum på Romerike og Stange i Hedmark).
Vitskar er nå ukjent.

Gunnhild ber Håkon leite etter kong Tryggves barn.

siden han var kjent både med vegen og gjemmestedene. Torstein fulgte dem, men da han kom til skogen, viste han veg tvert imot der Astrid var. De dreiv og lette hele den dagen, men fant dem ikke. Så reiste de hjem igjen og sa til Gunnhild hvordan det hadde gått. Astrid og følget hennes reiste sin veg videre, de kom fram til Håkon Gamle i Svitjod. Der bodde Astrid og Olav, sønnen hennes, en lang stund og hadde det godt.

5. Gunnhild kongemor fikk høre at Astrid og Olav, sønn hennes, var i Sveavelde. Da sendte hun Håkon ut igjen med godt følge, han skulle øst til Eirik sveakonge med gode gaver og løfter om vennskap. Sendemennene ble godt mottatt der, det ble vist dem all vennlighet. Så kom Håkon fram med ærendet sitt for sveakongen. Han sa at Gunnhild hadde sendt bud og bedt om at kongen skulle støtte ham, så han kunne få med seg Olav Tryggvason til Norge. «Gunnhild vil ta ham til oppfostring,» sa han. Kongen gav ham menn med, og de rei til Håkon Gamle. Håkon bad med mange vennlige ord Olav om å bli med seg. Håkon Gamle svarte pent, men sa at mora fikk rå for om han skulle bli med, og Astrid ville ikke for noen pris at gutten skulle reise. Sendemennene fór sin veg, og sa til kong Eirik hvordan det hadde gått.

Nå gjorde sendemennene seg ferdige til å reise hjem. Men de bad kongen enda en gang om han ville hjelpe dem så de kunne få gutten med, enten Håkon Gamle ville eller ikke. Kongen gav dem en flokk menn igjen. Sendemennene kom til Håkon Gamle og krevde at han skulle la gutten følge med dem. Da han ikke var villig til dette, brukte de grove ord, lovte at han skulle få svi for det og var fælt sinte. Da løp det fram en trell som het Burste og ville slå til Håkon, og det var så vidt de kom seg av sted uten å bli banket av trellen. Så reiste de hjem til Norge og sa til Gunnhild hvordan det hadde gått dem, men at de hadde da sett Olav Tryggvason.

6. Bror til Astrid het Sigurd, han var sønn til Eirik Bjodaskalle. Han hadde vært borte fra landet lenge, hadde vært øst i Gardarike hos kong Valdemar*, der hadde Sigurd mye å si. Astrid ville gjerne reise dit til Sigurd, bror sin. Håkon Gamle gav henne godt følge og godt tilfang av alt; hun reiste sammen med noen kjøpmenn. Da hadde hun vært to år hos Håkon Gamle, og Olav var tre år gammel. Men da de seilte østover havet, kom det vikinger over dem, det var estere. De røvet både folk og gods, noen drepte de, og de andre delte de mellom seg til treller.

Der ble Olav skilt fra mora. En mann som het Klerkon, en ester, fikk både ham og Torolv og Torgils. Klerkon syntes Torolv var for gammel til trell, syntes ikke han gjorde nok nytte for seg og drepte ham. Men guttene tok han med seg og solgte dem til en som het Klerk, han fikk en god bukk for dem. Enda en tredje mann kjøpte Olav, han gav ei god kappe for ham, et slags reiseplagg; han het Reas. Kona hans het Rekon og sønnen Rekone. Der var Olav lenge og hadde det godt, bonden var svært glad i ham. Olav var seks år i Estland i slik utlegd.

7. Sigurd Eiriksson kom til Estland på en sendeferd for kong Valdemar i Holmgard, han skulle ta inn skattene for kongen der i landet. Sigurd kom som en mektig mann med stort følge og mye gods. På torget fikk han se en gutt som var svært vakker, han skjønte at han måtte være utlending og spurte ham om navn og ætt. Han sa han het Olav, at Tryggve Olavsson var far hans, og at mor hans var Astrid, datter til Eirik Bjodaskalle. Da kjentes Sigurd ved gutten, skjønte han var søstersønn hans. Sigurd spurte gutten hvordan han var kommet dit. Olav fortalte ham hvordan alt hadde gått til for ham. Sigurd bad ham følge seg til Reas bonde, og da han kom dit, kjøpte han begge guttene, både Olav og Torgils, og tok dem med seg til Holmgard. Han lot det ikke bli kjent hva ætt Olav var av, men sørget godt for ham.

8. Olav Tryggvason stod en dag på torget, det var en mengde mennesker der. Da fikk han se Klerkon, som hadde drept fosterfar hans, Torolv Luseskjegg. Olav holdt ei lita øks i handa, og den satte han i hodet på Klerkon, så den stod langt inn i hjernen, og så satte han på sprang hjem der han bodde og fortalte det til Sigurd, frenden sin. Sigurd fikk med en gang Olav med inn i huset til dronninga og fortalte henne det som hadde hendt. Hun het Allogia. Sigurd bad henne hjelpe gutten. Hun så på gutten og svarte; hun sa at det gikk

Wladimir den store i Russland (980–1015) var storfyrste i Novgorod (norr. *Holmgarðr*) i 972.

da ikke an å drepe slik en vakker gutt, og bad dem tilkalle folk, fullt væpnet.

I Holmgard var freden så hellig at etter loven der skulle en drepe hver den som drepte en annen uten dom, og som skikken var, og loven bød, skyndte alle mennesker seg å leite etter gutten, hvor det var blitt av ham. Da ble det sagt at han var i garden til dronninga, og at der var det en hær av folk i fulle våpen. Dette ble fortalt til kongen, og så kom han til med sitt følge, han ville ikke det skulle bli strid. Han fikk først i stand grid, og så forlik; kongen dømte bøtene og dronninga greidde dem ut. Siden ble Olav hos dronninga, og hun var god og kjærlig mot ham.

I Gardarike var det den lov at kongebårne menn ikke måtte være der uten at kongen gav samtykke til det. Nå fortalte Sigurd dronninga hva ætt Olav var av, og hvorfor han var kommet dit, og at han ikke kunne være hjemme i sitt eget land for ufred, han bad henne tale med kongen om dette. Hun gjorde det, bad kongen hjelpe denne kongssønnen, så hardt som folk hadde fart med ham, og hun talte så godt for seg at kongen lovte henne dette. Han tok Olav til seg og sørget for ham på stormannsvis, slik som det sømmer seg for en kongssønn å ha det.

Olav var ni år da han kom til Gardarike, og han var hos kong Valdemar de neste ni åra. Olav var den vakreste, største og sterkeste mann en kunne se, og i idretter var han bedre enn noen annen nordmann det går frasagn om.

9. Håkon jarl Sigurdsson var hos Harald Gormsson, danekongen, vinteren etter at han hadde rømt fra Norge for Gunnhildssønnene. Håkon tenkte og grunnet på så mye den vinteren at han gikk til sengs og ble rent søvnløs, han åt og drakk bare så vidt han ikke mistet kreftene.

Så sendte han noen av sine menn nordover til Trondheimen til vennene han hadde der, han påla dem at de skulle drepe kong Erling om de kunne komme til, og sa at han skulle vende hjem igjen til riket sitt når sommeren kom. Om vinteren drepte trønderne Erling som før skrevet.

Det var varmt vennskap mellom Håkon og Gull-Harald, Harald spurte Håkon om råd. Harald sa han ville slå seg ned på landjorda og ikke drive på hærskip lenger, han spurte Håkon hva han tenkte, om kong Harald kanskje ville dele riket med ham, hvis han krevde det. «Jeg skulle tro det,» sa Håkon, «at danekongen ikke vil nekte deg noe du har rett til. Men denne saken får du likevel ikke helt greie på uten du taler med kongen om den. Jeg tror ikke du får riket, om du ikke krever det.»

Like etter denne samtalen talte Gull-Harald med kong Harald, mens det var mange stormenn til stede, venner til begge to. Da krevde Gull-Harald av kong Harald at han skulle skifte riket og gi ham halvparten, slik som han hadde byrd og ætt til der i Danevelde. Kong Harald ble fælt harm for dette kravet; han sa at ingen mann hadde krevd av kong Gorm, far hans, at han skulle bli halvkonge i

Håkon jarl ligger til sengs og grunner.

Danevelde, og heller ikke av far hans, Horda-Knut eller av Sigurd Orm-i-auga eller av Ragnar Lodbrok. Han ble så vill og vred at det ikke var råd å snakke til ham.

10. Nå var Gull-Harald enda mer misnøyd enn før, han hadde ikke mer rike nå enn han hadde hatt, og i tillegg hadde han kongens unåde. Så kom han til vennen Håkon og klagde til ham over hvor vanskelig han hadde det, bad ham komme med et godt råd om det fantes noe, så han kunne få riket; han sa han hadde tenkt mest på å prøve å ta riket med makt og våpen. Håkon sa han måtte ikke snakke om dette til noen slik at det ble kjent, og så sa han: «Det gjelder livet for deg dette. Tenk over for deg sjøl, hvor mye du er i stand til å sette igjennom. I slike store saker trengs det en mann som er djerv og uredd, han må ikke spare verken på godt eller vondt, om det skal gå, det han har satt seg fore. Det går ikke å sette

i gang store ting og så siden gi dem opp med skam.» Gull-Harald svarte: «Dette kravet tenker jeg å ta opp slik at jeg ikke engang skal spare hendene mine for å drepe kongen sjøl, om jeg kan komme til det, for han vil nekte meg det riket som jeg med rette skal ha.» Dermed sluttet samtalen.

Så kom kong Harald til Håkon, og de talte sammen. Kongen fortalte jarlen hvordan Gull-Harald hadde gjort krav på rike hos ham, og hva svar han hadde gitt ham, han sa at han ikke for noen pris ville gjøre riket sitt mindre. «Og hvis Gull-Harald holder fast på dette kravet, så gjør ikke jeg noe av å la ham drepe, for jeg kan ikke stole på ham, om han ikke vil holde opp med slikt.» Jarlen svarte: «Jeg tror nok at når nå Harald har gått så langt med dette kravet, så gir han det ikke opp igjen. Jeg skulle tro han kommer til å ha lett for å få folk om han reiser ufred her i landet, mest fordi far hans var så vennesæl. Og De kommer opp i et fælt uføre om De dreper Deres frende, alle kommer til å si han var sakesløs om De gjør det. Heller ikke vil jeg si jeg rår deg til å gjøre deg til en mindre konge enn far din, Gorm, var; han lot riket sitt vokse og minket det ikke noensteds.» Da sa kongen: «Hva rår du da til, Håkon? Skal jeg verken dele opp riket eller skaffe meg av med dette som volder meg slik uro?» «Vi skal møtes igjen om noen dager,» sier Håkon jarl; «jeg vil tenke over denne vanskelige saken først, og så skal jeg gi deg et svar.» Kongen gikk bort med alle sine menn.

11. Nå tok Håkon jarl til å tenke og grunne på råd igjen, og han lot ikke mange folk få være i huset hos seg.

Få dager seinere kom Harald til jarlen, og de talte sammen. Kongen spurte om han hadde tenkt noe mer over det de hadde talt om forrige dagen. «Nå har jeg våket både dag og natt siden,» sa jarlen, «og jeg er kommet til at det blir best du får ha og styre hele det riket som far din hadde, og som du fikk etter ham; men du må skaffe Harald, din frende, et annet kongerike som kan gjøre ham til en hedret mann.» «Hva for et rike er det,» sa kongen, «som jeg kan ha rett til å gi Harald, og likevel ha Danevelde ubeskåret?» Jarlen sa: «Det er Norge. De kongene som er der, er vonde mot alle folk i landet, hver mann vil dem vondt, som rimelig er.» Kongen sa: «Norge er et stort land med et hardt folk, det er vrangt å ta for en utenlandsk hær. Det fikk vi merke da Håkon verget landet, vi mistet en mengde folk og vant ingen seier. Og Harald Eiriksson er min fostersønn, jeg har knesatt ham.» Da sa jarlen: «Jeg har lenge visst at De ofte har hjulpet Gunnhildssønnene, men de har da aldri takket Dem med annet enn vondt. Vi skal vinne Norge mye lettere enn ved å la hele danehæren slåss for det. Send bud til Harald, fostersønn din, by ham at han skal få land og len, slik som han og brødrene hadde før her i Danmark. Stevn ham hit til deg. Da kan Gull-Harald på en liten stund vinne Norges rike fra kong Harald Gråfell.» Kongen sa at dette kommer folk til å si var dårlig gjort, å svike fostersønn sin. «Danene kommer til å si det,» sa jarlen, «at når en skal velge, så er det bedre å drepe en norrøn viking, enn sin danske brorsønn.» Nå talte de om dette en lang stund, og til slutt ble de enige.

12. Gull-Harald kom for å tale med Håkon igjen. Jarlen sa til ham, at nå hadde han arbeidd så med denne saken for ham at det så ut til at kongeriket i Norge skulle ligge ferdig til ham. «Da skal vi holde sams sak videre,» sa han. «Jeg kan være til stor støtte for deg i Norge da. Du kan ha det riket først. Kong Harald er svært gammel nå, og han har bare én sønn, og ham er han lite glad i, det er en frillesønn.» Jarlen snakket så lenge til Gull-Harald om dette at han sa han var svært nøyd med det. Siden talte de ofte med hverandre alle sammen, kongen, jarlen og Gull-Harald.

Nå sendte danekongen menn nord i Norge til Harald Gråfell. Det var en staselig sendeferd, den ble godt mottatt og kom til kong Harald. Der fortalte de slike tidender som at Håkon jarl var i Danmark og lå dødssjuk og nesten sanseløs; dernest sa de også at Harald danekonge bød Harald Gråfell fostersønn sin til seg, han skulle få de veitsler som han og brødrene hadde hatt før der i Danmark, og kongen bad Harald komme til Jylland og møte ham.

Harald Gråfell la saken fram for Gunnhild og de andre vennene sine. Det var svært delte meninger om den, noen syntes det var utrygt å reise, slike folk som en fikk å gjøre med der. Men det var flere som ville han skulle reise, for det var slik sult i Norge dengang, at kongene knapt fikk mat til følget sitt. Det var dengang den fjorden som kongene oftest satt i, fikk navn, så de kalte den Hardanger*. Årsveksten i Danmark var ikke så verst, og så tenkte folk de skulle kunne få mat derfra, om kong Harald fikk len og styre der. Det ble avgjort før sendemennene drog bort, at kong Harald skulle komme til Danmark til sommeren og møte danekongen og ta imot det kong Harald hadde bydd.

13. Om sommeren drog Harald Gråfell til Danmark, han hadde tre langskip. Det ene styrte Arinbjørn herse fra Fjordane. Kong Harald seilte ut fra Viken og til Limfjorden og la til ved Hals*. Det ble sagt at danekongen snart skulle komme dit. Da Gull-Harald hørte det, seilte han dit med ni skip, han hadde gjort klar den flåten før, som om han ville i viking. Håkon jarl hadde også sin flåte og eslet seg i viking; han hadde tolv skip, store alle sammen.

Da Gull-Harald var borte, sa Håkon jarl til kongen: «Nå spørs det om vi ikke kommer både til å ro leidangen og betale forfallsbøter* attpå. Nå dreper Gull-Harald Harald Gråfell, og siden tar han kongedømme i Norge. Tror du han kommer til å være trofast mot deg om du gir ham slik makt? Han sa til meg i vinter at han ville drepe deg, om han kunne komme til. Nå kan jeg vinne Norge for deg og drepe Gull-Harald, om du vil love meg at det skal bli lett for meg

---

Hardanger, siste ledd *anger* (norr. *angr*), betyr fjord.
Hals, ved innløpet til Limfjorden, på nordsida.
Forfallsbøter. De som ikke møtte fram til leidangen, eller ikke kom til rett sted eller tid, måtte betale leidangsbøter.

Harald Gråfell drog til Danmark om sommeren.

å få forlik med deg etterpå. Så skal jeg bli Deres jarl og sverge ed
på det, jeg skal vinne Norge for Dem og med Deres hjelp, og siden
holde landet i Deres makt og svare Dem skatter. Og da er du større
konge enn far din, for da har du to folkland å rå over.» Dette ble
kongen og jarlen enige om. Håkon drog med sin hær for å møte
Gull-Harald.

14. Gull-Harald kom til Hals ved Limfjorden, han bød straks
Harald Gråfell til kamp, og enda Harald hadde mindre folk, gikk
han straks i land og gjorde seg ferdig til strid, fylkte hæren. Før
fylkingene støtte sammen, egget Harald Gråfell hæren sin hardt, bad
dem dra sverdene; han løp straks fram fremst i fylkingen og hogg til
begge sider. Så sier Glum Geirason i Gråfelldråpa:

Malmsterke klingers herre
kraftige ord talte
til folket, før han vågde
farge vollen i blodet.

Harald, landets hersker,
bad hirden dra sverdet
og drepe. Det drottensordet
duger, mente hæren.

Harald Gråfell falt der. Så sier Glum Geirason:

Kongen fikk evig ligge
ved Limfjords vide strender,
han som hestekjær satte
skjoldgard om sjøhesten.

Gullgivende fyrste
falt ved Hals på sanden;
glatt-tunget venn av konger
voldte dette drapet.

De fleste av kong Haralds menn falt der med ham; det var der Arinbjørn herse falt. Da var det gått femten år etter Håkon Adalsteinsfostres fall, og tretten år etter Sigurd Ladejarls fall. Are prest Torgilsson sier at Håkon jarl hadde sittet i Trondheimen over farsarven sin i tretten år før Harald Gråfell falt, men de siste seks åra Harald Gråfell levde, sier Are at Håkon og Gunnhildssønnene lå i ufred og rømte fra landet skiftevis.

15. Håkon jarl og Gull-Harald møttes litt etter at Harald Gråfell var falt. Da la Håkon jarl til strid mot Gull-Harald. Håkon jarl seiret, og Harald ble fanget, Håkon lot ham henge i en galge. Etterpå drog Håkon jarl til danekongen, og han ble lett forlikt med ham for drapet på Gull-Harald, frenden hans.

Så bød kong Harald ut hær over hele riket, han hadde seks hundre skip. Håkon jarl var med ham der da, og Harald Grenske, sønn til kong Gudrød, og mange andre stormenn som hadde rømt fra odelen sin for Gunnhildssønnene. Danekongen kom sørfra med hæren til Viken, og der gikk hele folket under ham; da han kom til Tønsberg, kom det en mengde folk og gikk over til ham, og hele denne hæren som var kommet til ham i Norge, gav kong Harald over til Håkon jarl og gav ham dessuten styringen i Rogaland og Hordaland, Sogn, Firdafylke, Sunnmøre og Romsdal og Nordmøre. Disse sju fylkene gav kong Harald til Håkon jarl, slik at han skulle rå for dem på de samme vilkår som Harald Hårfagre hadde gitt sønnene sine; det var bare det som skilte at Håkon jarl skulle få alle kongsgårdene og all landskylden både der og i Trondheimen, han skulle også ha så mye han trengte av kongens andre inntekter, om det var hær i landet. Kong Harald gav Harald Grenske Vingulmark, Vestfold og Agder til Lindesnes og dertil kongsnavn; han lot ham i ett og alt ha samme rike der som frendene hans hadde hatt fra gammelt, og som Harald Hårfagre hadde gitt sønnene sine. Da var Harald Grenske atten år gammel, og han ble siden en stor mann. Så drog Harald danekonge hjem med hele danehæren.

16. Håkon jarl drog med flåten nordover langs landet. Da Gunnhild og sønnene hennes fikk høre om dette, samlet de hær, men de fikk dårlig med folk. Så gjorde de det samme som så ofte før, de seilte vest over havet med de menn som ville følge dem, først drog de til Orknøyene, og der ble de en stund. Der var det jarler i forvegen, sønnene til Torfinn Hausakljuv: Lodve og Arnvid, Ljot og Skule.

Håkon jarl la hele landet under seg og ble i Trondheimen den vinteren. Det taler Einar Skålaglam om i Vellekla:

Han som silkebandet   *tok under seg sju fylker.*
bærer om sin panne   *Det var fryd for landet!*

Da Håkon jarl seilte sørfra langs kysten om sommeren, og folk i landet gikk under ham, gav han påbud over hele riket sitt at de skulle holde hovene og blotene ved like, og det ble også gjort. Det er sagt i Vellekla:

Hærens kloke herre
lot de herjede hovsland
som Tor eide, atter
aktes som guders templer.
Sjøl en Tor bak skjoldet,
førte han over sjøen
til jotners vei kampens
ulv. Ham guder styrer.

Og de nyttige æser
atter kommer til bloting,
mektig stridsmann øker
slik sin egen heder.
Nå gror det igjen på jorda.
Atter gavmild herre
lar skjoldbærende hærmenn
få søke guders templer.

Alt nordafor Viken
ligger nå under jarlen.
Vidt går Håkons rike,
vunnet med hærskjoldet.

Første vinteren Håkon rådde over landet, gikk silda inn langs hele kysten, og høsten i forvegen hadde kornet vokst overalt hvor det var sådd. Og om våren skaffet folk seg såkorn, så de fleste bøndene fikk sådd til jordene sine, og det så snart ut til å bli godt år.

17. Kong Ragnfrød, sønn til Gunnhild, og Gudrød, en annen sønn til Gunnhild, disse to var nå de eneste som var i live av Eiriks og Gunnhilds sønner. Glum Geirason sier i Gråfelldråpa:

Halve mitt håp om rikdom
med herrens liv jeg mistet.
Haralds død gir ikke
utsikt for meg til velstand.

Men jeg vet at begge
brødrene hans har gitt meg
gode løfter. Hirdmenn
håper hos dem på lykke.

Ragnfrød drog av sted om våren da han hadde vært en vinter på Orknøyene. Han seilte østover til Norge og hadde en bra hær og store skip. Da han kom til Norge, fikk han høre at Håkon jarl var i Trondheimen. Ragnfrød seilte da nordover forbi Stad og herjet på Sunnmøre, og noen folk der gikk under ham, slik som det ofte går når det drar hærflokker over et land; de som er utsatt for dem, søker hjelp der det mest ser ut til at de kan få den.

Håkon jarl fikk høre om dette at det var ufred sør på Møre. Jarlen fikk straks sammen skip og lot skjære hærpil; han skyndte seg alt han kunne, og seilte ut gjennom fjorden. Han fikk godt med folk. Ragnfrød og Håkon jarl møttes på nordsida av Sunnmøre. Håkon jarl la straks til slag. Han hadde større hær, men mindre skip. Det ble en hard strid, og tyngst for Håkon, for de sloss om stavnene, det var skikken.

Det var strøm i sundet, og alle skipene dreiv sammen inn mot land. Jarlen lot dem skåte innover mot stranda, der han syntes det var best å gå i land. Da skipene tok bunn, gikk jarlen og hele hæren ut av skipene og drog dem opp, så at ikke uvenner skulle kunne dra dem ut igjen. Så fylkte jarlen på vollen og egget Ragnfrød til å komme i land. Ragnfrød la til utenfor, og de skjøt på hverandre en

Gunnhild på Orknøyene etter sine sønners død.

lang stund; men Ragnfrød ville ikke gå i land, og så skiltes de med dette.

Ragnfrød seilte med hæren sin sør om Stad, for han var redd for landhæren om den skulle gå over til Håkon jarl. Men jarlen la ikke til strid flere ganger, for han syntes Ragnfrøds skip var for store sammenliknet med hans.

Om høsten drog han nord til Trondheimen og ble der vinteren over. Kong Ragnfrød hadde da alt landet sør for Stad: Firdafylke, Sogn, Hordaland og Rogaland. Han hadde mye folk om seg om vinteren, og da våren kom, bød han ut leidang og fikk stor hær; så reiste han rundt i alle disse fylkene og skaffet seg folk og skip og forråd av annet han trengte.

18. Da våren kom, bød Håkon jarl ut hær overalt nord i landet. Han fikk mye folk fra Hålogaland og Namdalen, og hele vegen mellom Bøle* og Stad fikk han folk fra alle sjøbygdene; han drog også hær til seg fra hele Trøndelag og fra Romsdal. Det blir sagt at

---

Bøle (norr. *Byrða*). Trolig ved grensa mellom Sør- og Nord-Trøndelag; det har også vært gjettet på Børøya i Roan.

han hadde hær ute fra fire folkland; sju jarler fulgte ham, og til sammen hadde de så mye folk at det ikke var ende på det. Det er sagt i Vellekla:

Mere hendte. Mørers
mektige verge gjorde,
lysten på strid, utferd
nordfra til Sogn med hæren.
Fra fire folkland kom de,
fulgte ham til kampen.
Slik brukte han sverdet,
sloss for hele folket.

Og til møtet suste
sju jarler med fyrsten,
rente på myke vannski
i ravners sultne følge.
Hele Norge gav gjenklang
da heltene støtte sammen
til sverdkrig. Utfor neset
lå nok av lik og rekte.

Med denne hæren seilte Håkon jarl sør om Stad. Der fikk han høre at kong Ragnfrød hadde dradd inn i Sogn med sin hær, så styrte han flåten dit, og der møttes han og Ragnfrød. Jarlen la til land med skipene og haslet voll* for kong Ragnfrød, og stilte opp til kamp. Dette er sagt i Vellekla:

Venders fiende voldte
vidspurt mannefall siden
i den neste striden.
Sjøl han stred som hardest.
Sverdene skreik som hekser,
høvdingen snudde skipet,
ytterst i fylket la han
til land med havhesten.

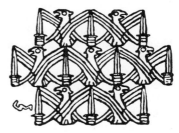

Da ble det en veldig kamp der. Håkon jarl hadde mye større hær, og han vant seier. Dette var på Dingenes*, der hvor Sogn og Hordaland møtes. Kong Ragnfrød flyktet til skipene, men det falt tre hundre mann av hæren hans. Dette er sagt i Vellekla:

Kvass var kampen innen
likgribbene klemte
tre hundre mann i klørne,
dit dreiv dem kraftig kjempe.

Seierrik fyrste kunne
kjempende gå derfra
over sjøfolks hoder.
Slikt har folket gagn av.

Etter denne striden rømte kong Ragnfrød ut av Norge, og Håkon jarl trygget freden i landet. Den svære hæren som hadde fulgt ham om sommeren, lot han dra nordover igjen, men ble sjøl igjen der høsten og vinteren utover.

19. Håkon jarl giftet seg med ei kvinne som het Tora, datter til Skage Skoftesson, en mektig mann. Tora var ei usedvanlig vakker kvinne. Sønnene deres het Svein og Heming, dattera het Bergljot,

Hasle voll, merke opp et område med hasselstenger.
Dingenes i Gulen ved utløpet av Sognefjorden.

hun ble siden gift med Einar Tambarskjelve. Håkon jarl var svært glad i kvinner, og han hadde mange barn. Ei datter het Ragnhild, han giftet henne bort til Skofte Skagesson, bror til Tora. Jarlen var så glad i Tora at han holdt mye mer av Toras frender enn av noen andre; mågen Skofte var enda den han satte høyest av alle frendene hennes. Jarlen gav ham store veitsler på Møre. Hver gang de var ute i leidang, måtte Skofte legge sitt skip nærmest jarlens; det gikk ikke for noen annen å prøve på å legge skipet sitt mellom deres.

20. Det var en sommer Håkon jarl hadde leidang ute. Da styrte Torleiv Spake et skip for ham, og der var Eirik også med, han var ti–elleve år gammel. Når de lå i havn om kveldene, ville Eirik ikke finne seg i annet enn at de skulle ligge i natteleie nærmest skipet til jarlen. Men da de kom sør til Møre, kom jarlens måg, Skofte, til med et langskip og godt mannskap. Og da Skofte kom roende mot flåten, ropte han til Torleiv at han skulle rømme havneplassen for ham og se å komme ut av leiet. Eirik svarte fort, han sa Skofte kunne legge seg et annet sted. Dette hørte Håkon jarl, at Eirik, sønn hans, nå syntes han var så mektig at han ikke ville vike for Skofte; jarlen ropte straks og sa de skulle flytte ut av leiet, sa at ellers skulle det gå dem verre og at de skulle få bank. Da Torleiv hørte dette, ropte han på folkene sine og bad dem løse skipet av fortøyningene, og det ble gjort. Skofte la seg på den plassen han var vant til å ha nærmest skipet til jarlen. Skofte brukte alltid å fortelle jarlen alle nye tidender når de var sammen, og jarlen fortalte Skofte nytt, når det var noe han hadde hørt først. De kalte ham Tidende-Skofte.

Vinteren etter var Eirik hos fosterfaren Torleiv, og tidlig på våren fikk han seg et følge. Torleiv gav ham ei skute, ei femtensesse* med fullt utstyr, telter og kost. Eirik seilte ut gjennom fjorden og derfra sør til Møre. Der var Tidende-Skofte på veg mellom gardene sine med ei femtensesse og fullt mannskap. Eirik seilte mot ham og la til strid, der falt Skofte. Eirik gav grid til dem av mennene som ikke var falt. Dette sier Eyjolv Dådaskald i Bandadråpa:

Seint på kvelden seilte
den unge skipsfører
med like ungt mannskap
gjennom utvær mot hersen;
han svingte sverd som luet
mot skjoldets runde bue,
gledet ulv og ravner:
gav dem Skofte til åte.

Hard og mektig lot han
hersen segne i striden.
En gullrik herre tapte
livet før han trodde.
Han steig, stålsatt, aldri
fra en som slår på skjoldet,
før han var død og stille.
Han seirer ved guders vilje.

Siden seilte Eirik sørover langs land og kom fram i Danmark, der drog han til kong Harald Gormsson, og ble hos ham om vinteren. Våren etter sendte danekongen Eirik nord til Norge og gav ham

---

Femtensesse, skip med femten rorbenker på hver side.

Håkon jarls skip i natteleie.

jarlsnavn og Vingulmark og Romerike å styre, på samme vilkår som skattkongene hadde hatt før. Dette sier Eyjolv Dådaskald:

Få år gammel bare   *før de gullglade fyrster*
ferdes folkets styrer   *gav den unge stridsmann*
sørover på sjøens   *jord, og bad ham hjelmkledd*
slange, drakeskipet,   *eie «Odins hustru».*

Etter dette ble Eirik jarl en stor høvding.

21. Hele denne tida var Olav Tryggvason i Gardarike, kong Valdemar sørget for ham på det beste, og dronninga var svært glad i ham. Kong Valdemar satte ham til høvding over den hæren han sendte ut for å verge landet. Der kom Olav ut i strid noen ganger, og hærstyret var i gode hender. Han holdt en stor flokk hærmenn sjøl også, og lønte dem av det han fikk av kongen. Olav var rundhåndet mot sine menn, og derfor ble han vennesæl.

Men det gikk som det så ofte går når en utlending kommer til makt, eller til så stor ære at han går foran folk i landet; mange ble misunnelige på ham fordi han var så godt likt av kongen og ikke mindre av dronninga. Folk sa til kongen at han skulle vare seg, og ikke la Olav få bli for stor: «For en slik mann kan bli svært farlig for Dem, om han skulle finne på å la seg bruke til skade for Dem eller Deres rike, så godt som han er utstyrt; han er både dugelig og vennesæl. Vi vet ikke hva det er han og dronninga alltid snakker om heller.»

Det var ofte skikk hos mektige konger at dronninga hadde halve hirden og holdt den på sin bekostning; da fikk hun så mye av skatter og skylder som trengtes til dette. Slik var det hos kong Valdemar også, dronninga hadde ikke mindre hird enn kongen, og de kappet med hverandre om hvem som kunne få de dugeligste folkene, begge ville ha dem til seg. Nå gikk det slik at kongen festet tiltro til det snakket folk kom til ham med; han ble litt stutt og tverr mot Olav. Da Olav merket dette, sa han det til dronninga; han la til at han gjerne ville til Norderlanda. Frendene hans hadde hatt rike der før, sa han, og han trodde det var mest likt til at han kunne komme seg opp der. Dronninga bad farvel med ham, og sa at han ville nok folk synes var en gjæv mann, hvor han så kom hen. Så drog Olav av sted; han gikk om bord og seilte ut i Østersjøen. På vegen da han seilte vestover, kom han innom Bornholm, der gjorde han landgang og herjet; folk i landet kom ned og holdt strid med ham, men Olav vant seier og et stort bytte.

22. Mens Olav lå ved Bornholm, fikk han kvast vær og stormsjø, så han kunne ikke holde seg der; så seilte de derfra og sør under Vendland*, og der fikk de god havn. Der gikk alt fredelig for seg, og de ble der en stund. Kongen i Vendland het Burislav*, døtrene hans var Geira, Gunnhild og Astrid. Der hvor Olav kom i land, var det Geira kongsdatter som styrte og hadde makten. Den mann som hadde mest å si hos dronning Geira og hjalp med styringen, het Diksin. Da de fikk høre at det var kommet i land noen ukjente folk, som så ut som stormenn og kom der med fred, kom Diksin ned med bud fra dronning Geira om at hun ville spørre dem som var kommet, om de ville bli der vinteren over, for det var langt på sommeren alt, og været var hardt med svære stormer. Da Diksin kom, skjønte han straks at her rådde en mann som var gjæv både av ætt og åsyn. Diksin sa til dem at dronninga bad dem hjem til seg og bød sitt vennskap. Olav tok imot tilbudet, og drog til dronning Geira om vinteren. De to likte hverandre særs godt, så Olav fridde til dronning Geira, og giftermålet kom i stand, Olav giftet seg med dronning Geira samme vinteren. Så fikk han styringen over dette riket sammen med henne. Hallfred Vandrædaskald nevner dette i den dråpa han laget om kong Olav:

Høvdingen ved Holmen   *øst i Gardar også.*
herdet sverd i blodet,   *Nekt det ikke, bønder!*

23. Håkon jarl rådde over Norge og svarte ingen skatter, for danekongen gav ham alle de skattene kongen skulle ha i Norge for strev og omkostninger som jarlen hadde med å verge landet mot Gunnhildssønnene.

Vendland, dvs. Pommern.
Burislav, dvs. Boleslaw. Her foreligger det visstnok en sammenblanding, det kan ikke være ment Boleslaw I av Polen (992-1025), men hans far Miesco eller Mieczyslaw (964-992).

Olav og hans menn drar til dronning Geira.

24. Dengang var Otto* keiser i Saksland. Han sendte bud til Harald danekonge at han skulle ta imot dåpen og den rette tro, og det skulle folk i landet også; hvis han ikke ville det, sa keiseren at han ville gå med en hær imot ham. Danekongen lot landvernet sette i stand, sa Danevirke skulle holdes vel ved like, og hærskipene skulle være ferdige. Så sendte kongen bud til Norge til Håkon jarl, sa han skulle komme til ham tidlig på våren med hele den hæren han kunne få tak på.

Håkon jarl bød ut hær om våren fra hele riket, han fikk en svær mengde folk, og med den hæren seilte han så til Danmark og møtte danekongen. Kongen tok imot ham med stor heder. Der hos danekongen var det mange andre høvdinger også da, som ville hjelpe ham. Han hadde en stor hær.

25. Olav Tryggvason hadde vært i Vendland om vinteren, som før skrevet. Den vinteren drog han rundt i Vendland til noen bygder der, som før hadde hørt under dronning Geira; men nå hadde de holdt helt opp med å vise lydighet og gi skatter. Der herjet Olav og drepte mange, han brente for noen og tok mye gods og la under seg disse rikene. Siden drog han hjem til borgen sin.

Tidlig på våren fikk Olav i stand skipene og seilte så ut på havet. Han seilte langs Skåne og gjorde landgang der; men folk i landet samlet seg og gikk til kamp. Olav seiret og tok stort bytte. Siden seilte han øst til Gotland, der tok han et kjøpmannsskip som noen jemter eide. De verget seg vel og lenge, men det endte med at Olav

---

Keiser Otto er Otto II (973-983). Hærferden hans mot Danmark foregikk om høsten 974 og ikke så seint (988) som Snorre mener. Grunnen til striden var ikke å kristne Harald, for han hadde blitt kristnet ca. 960, men snarere å legge Danmark under seg.

ryddet skipet, drepte en mengde folk og tok alle varene. Tredje kampen hadde han ved Gotland, der fikk Olav seier og stort bytte. Så sier Hallfred Vandrædaskald:

Flokker av jemter og vender
felte kongen i striden.
Slikt ble snart hans vane,
stridbar mot alt hellig.

Djervt drog hersers herre
drepende sverd mot goter,
delte gull, og sendte
spydvær fra sør mot Skåne.

26. Keiser Otto drog sammen en stor hær, han fikk folk fra Saksland, Frankland* og Frisland, kong Burislav fulgte ham fra Vendland med en stor hær, og i følge med ham var Olav Tryggvason, mågen hans*.

Keiseren hadde en stor hær av riddere og en enda større av fotfolk. Han fikk en stor hær fra Holstein også. Harald danekonge sendte Håkon jarl med den hæren av nordmenn som fulgte ham, sør til Danevirke for å verge landet der. Dette er sagt i Vellekla:

Skipskjølene ilte
under kjempen nordfra,
sør til Danmark rente
øykene, slikt kan hende.

Med redselshjelm på hodet
søkte horders herre,
Dovre-drotten, dengang
danske kongers møte.

Og gavmilde konge
for mørke skogmarker
ville friste jarlen
som kom i frost nordfra;
fyrsten bad den sterke
brynjekledde stridsmann
verge Virket mot de
veldige skjoldkjemper.

Keiser Otto kom med hæren sørfra til Danevirke, og Håkon jarl verget borgmuren med folkene sine. Danevirke er laget slik: det går to fjorder inn i landet, en fra hver side, og mellom disse fjordene hadde danene bygd en stor borgmur av stein og torv og tømmer, gravd et bredt og dypt dike utenfor den og bygd kasteller ved borgportene. Da ble det et stort slag. Det er nevnt i Vellekla:

Så djervt han enn stridde,
spydslyngeren, mot dem,
var det ikke grei framgang
å gå mot hæren deres,

da frankerkongen sørfra
i frisers og venders følge
kom til strid og krevde
kamp av flåtens fører.

Håkon jarl satte fylkinger over alle borgportene, men det var likevel den største del av hæren, den han lot gå hele vegen langs muren og verge der det gikk hardest for seg. Det falt en mengde av keiserens folk, og de greidde ikke å ta borgen. Så snudde keiseren og drog bort og prøvde ikke mer på det. Dette er sagt i Vellekla:

Luende sverd larmet
der Odins leikesveiner
la skjoldene sammen,
ørners venn gikk mot odder.

Sjøhelten fikk drevet
sakserne på flukten,
fyrsten og hans følge
verget Virket mot fienden.

Etter dette slaget drog Håkon jarl tilbake til skipene sine og tenkte å seile nordover til Norge igjen, men han fikk ikke bør. Derfor ble han liggende lenge ute i Limfjorden.

27. Keiser Otto vendte seg nå mot Slien* med hæren, han drog sammen en flåte der og satte hæren over fjorden til Jylland. Da Harald danekonge fikk høre det, gikk han mot ham med sin hær; det ble et stort slag der og til slutt seiret keiseren, men danekongen rømte unna til Limfjorden og der satte han ut på øya Mors. Så gikk det bud mellom kongen og keiseren, det ble satt grid og avtalt et møte. Keiser Otto og danekongen møttes på Mors. Da prekte en hellig biskop som het Poppo, troen for kong Harald, han bar gloende jern i handa og viste kong Harald at handa ikke var brent. Så lot kong Harald seg og hele danehæren døpe.

Kong Harald hadde sendt bud etter Håkon jarl alt før, mens kongen var på Mors, for at jarlen skulle komme og hjelpe ham. Jarlen var så kommet til øya etter at kongen hadde latt seg døpe, og nå sendte kongen bud at jarlen skulle komme til ham. Da de møttes, tvang kongen jarlen til å la seg døpe; og Håkon jarl ble døpt der, og alle de menn som fulgte ham også. Kongen gav ham prester med, og andre lærde menn, og sa at jarlen skulle la hele folket i Norge døpe. Så skiltes de. Håkon jarl seilte ut til havs og lå og ventet på bør der. Da det ble slikt vær at han mente det kunne ta ham ut på havet, så satte han alle de lærde menn opp på land, og sjøl seilte han rett til havs. Vinden var vest-sørvest.

Så seilte jarlen østover gjennom Øresund, der herjet han landet på begge sider, deretter seilte han østover langs Skånesida og herjet der overalt hvor han kom i land. Da han kom øst utenfor Göta-skjæra*, la han i land, der gjorde han et stort blot. Da kom det flygende to ravner; de skreik høyt, og da trodde jarlen han kunne vite at Odin hadde tatt imot blotingen, og at nå var det rette tid for jarlen å kjempe. Da brente jarlen alle skipene sine og gikk opp på land med hele hæren, han gikk med hærskjold der han kom. Ottar jarl kom mot ham, han rådde over Götaland. De hadde en stor strid med hverandre, og Håkon jarl vant; Ottar jarl falt, og en stor del av

---

Slien (ty. *Schlei*, norr. *Slé*), fjorden inn til Schleswig.
Götaskjæra, utenfor Kalmar.

Håkon jarl satte alle de lærde menn opp på land.

hæren hans falt med ham. Håkon jarl drog gjennom både østre og vestre Götaland og hele tiden med hærskjold, helt til han kom til Norge. Der tok han landvegen helt nord til Trondheimen. Dette er det fortalt om i Vellekla:

Han som flyktninger felte
frittet og blotet guder,
fikk vite tid for kampen,
var venn av valkyrjer.
Ramme ravner så han,
da bød han raskt til striden.
Laut-teinene hjalp ham
tyne livet av gøter.

Der hvor aldri hærskjold
herjet før, kom jarlen;
satte ting med sverdet,
det slo flammer av skjoldet.
Så langt har ingen båret
skjoldene opp fra sjøen,
gramen bar dem fra skipet
gjennom hele Götaland.

Hauger av lik stablet
stridsmannen opp på vollen,
æsers ætling seiret,
Odin fikk de falne.
Hvem tviler på guders styre
når han kan tyne konger?
Sterke makter, sier jeg,
styrker Håkons rike.

28. Keiser Otto drog tilbake til riket sitt i Saksland, han og danekongen skiltes i vennskap. Folk sier at keiser Otto var gudfar for Svein, sønn til kong Harald, og at han gav ham navnet sitt, så han ble døpt Otto Svein. Harald danekonge holdt kristendommen godt, helt til han døde. Kong Burislav drog nå til Vendland og Olav,

Olavs sorg over Geiras død.

mågen hans, ble med ham. Denne kampen taler Hallfred Vandræda-
skald om i Olavsdråpa:

Sør for Hedeby skrelte　　　*av krigsfolk i Danmark,*
skipenes herre brynja　　　*som en flår bark av bjørka.*

29. Olav Tryggvason ble tre år i Vendland. Da ble Geira, kona
hans, så sjuk at hun døde. Olav sørget så over å ha mistet henne at
han ikke likte seg i Vendland mer. Så skaffet han seg hærskip igjen,
og drog på hærferd, først til Frisland og så til Saksland og Flandern.
Så sier Hallfred Vandrædaskald:

Kongen, sønn til Tryggve,　　　*vannet hekse-blakken**
titt hogg i hjel sakser;　　　*med brunt blod av friser.*
likene fikk ligge
for leie, stygge ulver.　　　*Mektig hærleder laget*
Vennekjær høvding ofte　　　*lik av valkererne*,*
lot ulvene få drikke,　　　*han lot ravnene hakke*
　　　　　　　　　　　　holdet av menn fra Flandern.

30. Siden seilte Olav Tryggvason til England og herjet mange
steder der i landet; han seilte helt nord til Nordimbraland og herjet,

Hekse-blakken, dvs. Fenrisulven.
Valkererne, folket på øya Walcheren sør i Nederland.

derfra drog han nord til Skottland og herjet mange steder der. Så seilte han til Suderøyene og holdt noen slag. Etterpå drog han sør til Man og kjempet. Han herjet også omkring i Irland, og så styrte han til Bretland og herjet mange steder der i landet, og likeså der det heter Kumraland*. Derfra seilte han vestover til Valland og herjet, og så østover og tenkte seg til England; da kom han til noen øyer som het Syllingene* ute i havet vest for England. Så sier Hallfred Vandrædaskald:

Tungt det falt for angler
å trosse kongen, den unge,
i regn av piler røvet
han raskt nordimbrer livet;
drepte skotter med sverdet,
mettet sultne ulver;
gullets stridsglade giver
leikte på Man sin sverdleik.

Den dristige bueskytter
lot øyfolkets hær drepe,
irernes også, slynget
spydene, lysten på ære.
Kongen hogg ned bønder
som bygger bretske jorder,
slo Kumraland-folket,
ravnens sult ble stillet.

Olav Tryggvason var på hærferd i fire år fra han drog fra Vendland til han kom til Syllingene.

31. Da Olav Tryggvason lå ved Syllingene, fikk han høre at det var en spåmann der på øya som kunne forutsi ting som skulle hende, og mange mente at det gikk ofte som han sa. Olav ble nysgjerrig etter å prøve spådomsgavene til denne mannen. Han tok ut den vakreste og største av mennene sine, kledde ham på det staseligste, sendte ham så av sted og sa han skulle si han var kongen, for Olav var blitt kjent for det i alle land nå, at han var vakrere og gjævere og større enn noen annen mann. Etter at han hadde reist fra Gardarike, brukte han ikke sitt eget navn mer, han kalte seg Åle og sa han var fra Gardarike.

Da sendemannen kom til spåmannen og sa han var kongen, fikk han dette svaret: «Du er ikke konge. Men jeg rår deg til å være trofast mot kongen din.» Og mer sa han ikke til mannen. Sendemannen kom tilbake og fortalte Olav dette. Nå fikk han enda større lyst til å møte denne mannen siden han hørte han hadde svart slik, og han tvilte ikke lenger på at han virkelig var spåmann.

Så gikk Olav til spåmannen og talte med ham, spurte hva han kunne forutsi om Olav, hvordan det skulle gå ham med å få et rike eller annen lykke. Eneboeren svarte med en hellig spådom: «Du skal bli en stor konge og utrette store ting. Du skal omvende mennesker til troen og dåpen, og med dette skal du hjelpe både deg sjøl og mange andre. Og for at du ikke skal tvile på det svaret mitt, så kan du ta dette til merke: Når du kommer til skipene dine, skal du møte svik og flokker mot deg, og det skal bli kamp, og du kommer til å miste noen folk; sjøl skal du bli såret og holde på å dø av

Kumraland, Cumberland.
Syllingene, Scilly Isles.

Olav blir båret på skjold til skipet.

såret, du skal bli båret på skjold om bord i skipet. Men av dette såret skal du bli bra igjen innen sju dager, og like etter skal du la deg døpe.»

Nå gikk Olav ned til skipene igjen, og der møtte han ufredsmenn som ville drepe ham og folkene hans. I striden gikk det slik som eneboeren hadde sagt, Olav ble båret såret om bord i skipet, og han ble også bra igjen på sju dager. Da mente Olav han kunne vite at denne mannen hadde sagt sant til ham, og at han virkelig var spåmann, hvor han nå kunne få spådommene fra. Så gikk Olav for å treffe denne mannen en gang til, han talte lenge med ham, spurte ham nøye ut om hvordan han hadde fått slik visdom at han kunne forutsi ting som skulle hende. Eneboeren sa at det var sjølve kristenfolkets gud som lot ham vite det han gjerne ville vite; han fortalte

Olav om mange av Guds store tegn, og etter disse fortellingene samtykte Olav i å la deg døpe. Slik hendte det at Olav ble døpt der, og hele følget hans også. Han ble der nokså lenge og lærte den rette tro, og fikk med seg prester og andre lærde menn derfra.

32. Om høsten seilte Olav fra Syllingene til England. Han lå i ei havn der, og nå fór han med fred, for England var kristnet og han var også kristen. Der gikk det tingbud over landet, at alle skulle komme til tings. Og da tinget var satt, kom det ei dronning dit som het Gyda*, søster til Olav Kvåran som var konge i Dublin i Irland. Hun hadde vært gift med en mektig jarl i England, nå var han død, og hun hadde riket etter ham. Det var en mann som het Alvine i riket hennes, en svær slåsskjempe som dreiv og bød folk holmgang. Han hadde fridd til henne, men hun svarte at hun ville velge sjøl hvem hun ville ha av de mennene som var i riket hennes. Og nå var da tinget kalt sammen forat Gyda skulle velge seg en mann. Der var Alvine kommet, kledd i de beste klærne sine, og det var mange andre der også i gode klær. Olav kom også, han hadde hverdags-klærne sine og ytterst ei lodden kappe, han stod med følget sitt litt borte fra de andre.

Gyda gikk og så på hver enkelt som hun syntes så ut til å være noe til mann. Da hun kom der Olav stod, så hun opp i ansiktet på ham og spurte hva han var for en kar. Han kalte seg Åle. «Jeg er utlending her,» sa han. Gyda sa: «Jeg vil velge deg om du vil ha meg.» «Jeg sier ikke nei til det,» sa han. Så spurte han hva navn hun hadde denne kvinna, hva ætt hun var av, og hvor hun hørte hjemme. «Jeg er ei kongsdatter fra Irland,» sa hun. «Jeg ble gift med den jarlen som rådde over riket her. Nå siden han døde, har jeg styrt riket. Det har vært menn som har fridd til meg, men ingen som jeg ville gifte meg med. Jeg heter Gyda.» Det var ei ung og vakker kone, de talte med hverandre om saken og ble enige. Olav festet Gyda.

Alvine likte nå slett ikke dette. Det var skikk i England at om det var to som lå i kappestrid om en ting, så skulle det være holmgang. Alvine bød Olav Tryggvason til holmgang om denne saken. De av-talte tid og sted for kampen, og at det skulle være tolv mann på hver side. Da de møttes, sa Olav til sine menn at de skulle gjøre som han. Han hadde ei stor øks. Og da Alvine ville hogge til ham med sverdet, slo han sverdet ut av handa på ham, og i neste hogg slo han Alvine sjøl slik at han falt. Så bandt Olav ham fast. Slik gikk det alle Alvines menn, de ble banket og bundet og så ført hjem til huset der Olav bodde. Nå sa han til Alvine at han skulle dra ut av landet og aldri komme igjen mer, og Olav tok alt det han eide.

Olav giftet seg med Gyda og ble der i England, noen ganger var han i Irland. Engang Olav var i Irland, var han ute på hærferd. De hadde skip; og engang de trengte å hogge strandhogg, gikk noen mann opp på land og dreiv ned en mengde buskap. Da kom det en bonde etter dem og bad Olav gi ham de kuene han eide. Olav sa han

Gyda var egentlig datter av Olav Kvåran.

Dronning Gyda velger seg en mann.

kunne få ta kuene sine om han kunne kjenne dem, «men heft oss ikke bort». Bonden hadde en stor buhund der. Han sendte hunden inn i kuflokken, det var mange hundre kuer som var drevet sammen der. Hunden løp omkring i alle kuflokkene og dreiv ut nettopp så mange kuer som bonden sa han eide, og de var merket på samme måte alle sammen. Da skjønte de at hunden sikkert hadde kjent dem riktig. De syntes dette var en merkelig klok hund, og så spurte Olav om bonden ville gi ham hunden. «Ja gjerne,» sa bonden. Olav gav ham straks en gullring isteden, og lovte ham vennskap. Hunden het Vige, og det var en rent framifrå hund. Olav hadde den lenge.

33. Harald Gormsson danekonge fikk høre at Håkon jarl hadde kastet kristendommen og herjet komkring i danekongens land. Da bød Harald danekonge ut hær og drog til Norge. Og da han kom til det riket Håkon jarl hadde styring over, herjet han der, og ødela hele landet. Han kom med hæren til noen øyer som het Solund*.

Solund utenfor Sognefjorden.

Bare fem garder stod ubrente i Lærdal i Sogn, og alle mennesker rømte opp i fjell og skoger med alt de kunne få med seg. Etterpå tenkte danekongen å seile flåten til Island, og hevne den skam at alle islendinger hadde diktet nid om ham. De hadde slått det fast med lov på Island, at de skulle lage én nidvise om danekongen for hver nese som var i landet; grunnen til dette var at et skip som noen islendinger eide, hadde lidd skibbrudd i Danmark, og danene hadde tatt hele lasta og sagt det var drivgods; det var en av kongens gardsfuter som het Birger, som var skyld i det. Og så laget de nid om begge to; dette er ett av nidversene:

Bløt som voks ble venders *og som merra Birger*
verste fiende ved synet, *maktesløs gikk foran*
da Harald travet sørfra *til landet. Alle så det.*
som hingst, en diger fakse*; *Guder vemmes ved ham.*

Kong Harald fikk en trollkyndig mann til å skifte ham og fare til Island og friste å finne ut hva han kunne. Han fór av sted i hvalham. Da han kom mot land, tok han vestover nord for landet. Han så at alle fjell og hauger var fulle av landvetter, noen store og noen små. Da han kom utfor Våpnafjord*, gikk han inn i fjorden og tenkte å gå i land der. Da kom det ned fra dalen en svær drake og det fulgte en mengde ormer og padder og øgler etter, og de spydde eiter på ham. Han kom seg unna og vestover langs land helt til utenfor Eyjafjord*. Han gikk innetter den fjorden også, men der kom det mot ham en fugl så svær at vingene tok i fjellveggene på begge sider, og dessuten en mengde andre fugler både store og små. Ut fór han, og bort derfra og vestover rundt landet og sør til Breidafjord, og svømte der innover fjorden. Da kom det mot ham en svær graokse, den vasset ut i sjøen og tok til å bure uhyggelig, en mengde landvetter fulgte den. Ut fór han, og bort derfra og sør forbi Reykjanes, og ville gå opp ved Vikarskeid*. Der kom det en bergrise mot ham; han hadde en jernstav i handa og hodet gikk høyere enn fjella, mange andre jutuler fulgte ham. Derfra gikk han nå østover langs land så langt det gikk, «og der,» sa han, «var det ikke annet enn sander og havneløst ulende med svære brenninger utenfor. Og havet mellom landene er så svært,» sa han, «at det går ikke an å seile med langskip dit.» – Da bodde Brodd-Helge i Våpnafjord, Eyjolv Valgerdsson i Eyjafjord, Tord Gelle i Breidafjord og Torodd gode i Olvus.

Etter dette snudde danekongen med flåten sin og seilte sørover langs land og siden til Danmark. Men Håkon jarl lot folk bygge og bo over hele landet og svarte aldri mer noen skatt til danekongen.

34. Svein, sønn til kong Harald, han som siden ble kalt Tjugeskjegg, krevde rike av far sin kong Harald; men det gikk da som før,

Fakse, et ord for hest.
Våpnafjord på Nordøst-Island (isl. *Vopnafjörður*).
Eyjafjord på Nord-Island (isl. *Eyjafjörður*.).
Vikarskeid, Skeið på Sør-Island.

at kong Harald ville ikke dele Danevelde i to, og ville ikke gi ham noe rike. Da fikk Svein seg hærskip og sa at han ville i viking. Men da hele flåten hans var kommet sammen, og dessuten Palna-Toke av jomsvikingene hadde kommet for å hjelpe ham, så seilte Svein til Sjælland og inn i Isefjorden. Der lå kong Harald, far hans, med skipene sine, han skulle ut i leidang. Svein la til strid med ham, det ble et stort slag; folk gikk over til kong Harald, så Svein kom til å kjempe mot overmakt, og så flyktet han. Kong Harald fikk sår der, og døde av dem. Deretter ble Svein tatt til konge i Danmark.

Dengang var Sigvalde jarl over Jomsborg i Vendland, han var sønn av kong Strut-Harald, som hadde rådd for Skåne før. Heming og Torkjell Høge var brødre til Sigvalde. Bue Digre fra Bornholm var også en av høvdingene for jomsvikingene, og bror hans som het Sigurd; Vagn var også med der, sønn til Åke og Torgunna, søstersønn til Bue og Sigurd.

Sigvalde jarl hadde engang tatt kong Svein til fange og tatt ham med til Jomsborg i Vendland og tvunget ham til å slutte fred med Burislav, venderkongen, og til å la Sigvalde sette vilkårene for freden. Sigvalde var gift md Astrid, datter til kong Burislav. Og hvis kong Svein ikke gikk med på dette, sa jarlen, ville han overgi ham til venderne. Kongen visste at da ville de pine ham til døde, og derfor gav han samtykke til at Sigvalde skulle sette vilkårene for forliket. Jarlen dømte at Svein skulle gifte seg med Gunnhild, datter til kong Burislav, og Burislav skulle få Tyre, datter til Harald og søster til kong Svein; begge skulle få ha hvert sitt rike, og det skulle være fred mellom landene. Så drog kong Svein hjem til Danmark med Gunnhild, kona si. Sønnene deres var Harald og Knut den mektige. Den tid truet danene stadig med å dra med hær mot Håkon jarl i Norge.

35. Kong Svein gjorde et svært gjestebud, han bad til seg alle høvdinger som var i riket, for han ville drikke arveøl etter Harald, faren. Like i forvegen var Strut-Harald i Skåne død, og Vesete på Bornholm, far til Bue Digre og Sigurd; og så sendte kongen bud til jomsvikingene at Sigvalde jarl og Bue og brødrene deres skulle komme dit og drikke arveøl etter fedrene i dette gjestebudet som kongen gjorde. Jomsvikingene kom til gjestebudet med alle de modigste menn i hæren, de hadde til sammen førti skip fra Vendland og tjue fra Skåne, det ble en veldig mengde mennesker som kom sammen der.

Første dag i gjestebudet, før kong Svein steig opp i farens høgsete, drakk han minne etter ham, og lovte at før tre år hadde gått, skulle han ha kommet til England med hæren sin og drept kong Adalråd* eller drevet ham ut av landet. Den minneskåla måtte de drikke alle som var i arveølet, og for jomsvikingehøvdingene ble det skjenket de største hornene med den sterkeste drikken som var der. Da dette minnet var drukket, skulle alle drikke Krists minne, og hele tiden

---

Adalråd var konge i England 978-1016.

Sigvalde jarl gjør løfte ved minnedrikken.

bar de den sterkeste drikken for jomsvikingene. Tredje minnet var for Mikael, og den drakk også alle. Og etter den drakk Sigvalde jarl sin fars minne, og han lovte at før tre år hadde gått, skulle han ha kommet til Norge og drept Håkon jarl eller drevet ham ut av landet. Så lovte Torkjell Høge, bror hans, at han skulle følge Sigvalde til Norge og ikke flykte fra noen kamp så lenge Sigvalde kjempet ennå. Da lovte Bue Digre at han skulle dra til Norge sammen med dem og ikke flykte i noe slag for Håkon jarl. Da lovte Sigurd, bror hans, at han skulle være med til Norge og ikke flykte så lenge størstedelen av jomsvikingene sloss ennå. Da lovte Vagn Åkesson at han skulle bli med dem til Norge og ikke komme igjen før han hadde drept Torkjell Leira og gått til sengs med Ingebjørg, datter hans. Mange av de andre høvdingene lovte forskjellige andre ting.

Den dagen drakk de arveøl, men morgenen etter, da jomsvikingene ble edrue igjen, syntes de at de hadde tatt munnen lovlig full, og holdt møter og la råd opp om hva de nå skulle gjøre, hvordan de skulle ta fatt på denne ferden. De ble enige om å gjøre seg i stand så fort de kunne, og så rustet de skip og mannskap. Dette ble allment kjent utover i landene.

36. Eirik Håkonsson jarl fikk høre om dette, han var på Romerike dengang. Han samlet straks folk og drog til Opplanda og videre nord over fjellet til Trondheimen til Håkon jarl, far sin. Dette nevner Tord Kolbeinsson i Eiriksdråpa:

Sørfra kom det sanne
sagn om store hærer,
om kjemper med stålvåpen.
Bønder ble redd for striden.

Danenes lange skeider
i sør var dradd av lunnen
og satt på sjøen. Dette
hørte skipenes herre.

37. Håkon jarl og Eirik jarl lot skjære hærpil over hele Trøndelag; de sendte bud til Nordmøre og Sunnmøre og Romsdal, likeså nord

i Namdalen og til Hålogaland, og stevnte så ut full allmenning av folk og skip. Dette er sagt i Eiriksdråpa:

Skjoldbæreren sendte	*da storkongen med hærskjold*
snekker i brus av brenning,	*og herdede odder herjet*
og mange skeider og knarrer,*	*hans fars land. Da lå det*
– skaldens lovkvad vokser –	*mange skjold rundt landet.*

Håkon jarl seilte straks sør til Møre for å speide og samle folk der, og Eirik jarl drog hæren sammen og førte den sørover.

38. Jomsvikingene styrte flåten til Limfjorden og seilte derfra ut til havs. De hadde seksti skip og kom til land på Agder. Derfra seilte de flåten nord til Rogaland, og der tok de til å herje straks de kom inn i riket til Håkon jarl; slik drog de nordover langs kysten og fór med hærskjold overalt.

Det var en mann som het Geirmund, han tok av sted med ei skute, en skarpseiler, sammen med noen andre. Han kom fram til Møre, og der fant han Håkon jarl, han gikk inn framfor bordet og fortalte jarlen nytt som hadde hendt, det var hær sør i landet, og den var kommet fra Danmark. Jarlen spurte om han var viss på det var sant. Geirmund løftet opp den ene armen, handa var hogd av ved hand-leddet; der var vel merke på at det var hær i landet, sa han. Nå spurte jarlen ham nøye ut om denne hæren. Geirmund sa det var jomsvikinger, de hadde drept mange mennesker og ranet mange steder. «Men de seiler likevel fort og har hastverk,» sa han. «Jeg skulle tro det ikke vil vare lenge før de er her.»

Da rodde jarlen gjennom alle fjordene, inn langs det ene landet og ut langs det andre; han reiste dag og natt og sendte speidere landvegen over Eid* og likeså sør i Fjordane og nordetter, der Eirik var med hæren. Dette er nevnt i Eiriksdråpa:

Da Sigvalde truet, satte	*Da skalv vel mangen åre,*
jarlen de høye stavner	*men ingen fryktet døden*
mot ham; kampklok hisset	*av sårgribbenes venner,*
han havets kjøl-skodde hester.	*som sleit i sjøen med åra.*

Eirik jarl seilte nordfra med hæren så fort som råd var.

39. Sigvalde jarl seilte flåten nord om Stad, og la først til ved Herøy. Folk i land sa aldri sannheten om hva jarlene hadde fore, når vikingene fikk tak i noen å spørre. Vikingene herjet hvor de kom. De la til på utsida av Hod*, der løp de opp og herjet, drog ned til skipene både folk og fe og drepte alle karfolk som kunne bære våpen. Men da de var på veg ned til skipene igjen, kom det en gammel bonde til dem, han kom like opp i flokken til Bue. Bonden

---

Knarr (norr. *knǫrr*), handelsfartøy.
Eid, dvs. Mannseidet på Stadlandet.
Hod, nå Hareidlandet.

Geirmund bringer Håkon jarl bud om jomsvikingene.

sa: «Dere bærer dere ikke at som hærmenn, driver kuer og kalver til stranda; det var større jakt for dere å ta den bjørnen, som nå er kommet like ved bjørnebåsen.» «Hva sier du kall?» sa de, «kan du si oss noe om Håkon jarl?» Bonden svarte: «Han seilte inn i Hjørundfjord i går, jarlen hadde bare ett eller to skip, iallfall ikke flere enn tre, og han visste ikke noe om dere.» Da tok Bue og hans flokk på sprang til skipene og slapp alt byttet. Bue sa: «Nå nytter vi ut det vi har fått greie på, og så blir vi de første i seieren!» Da de kom ned til skipene, rodde de straks ut. Sigvalde jarl ropte på dem og spurte hva som var på ferde, de sa at Håkon jarl var der inne i fjorden. Da løste jarlen flåten, de rodde nordenom øya Hod, og så inn forbi øya.

40. Håkon jarl og Eirik jarl, sønn hans, lå i Hallkjellsvik*, der var hele hæren deres kommet sammen, de hadde halvannet hundre* skip, og de hadde fått greie på at jomsvikingene hadde lagt til på utsida av Hod. Nå rodde jarlene nordover for å finne dem, og da de kom der det heter Hjørungavåg, møttes de.

Så ordnet begge hærene seg til strid. I midten av hæren var merket til Sigvalde jarl, mot det la Håkon jarl seg til kamp. Sigvalde jarl hadde tjue skip og Håkon seksti. Tore Hjort fra Hålogaland og Styrkår fra Gimsan* var høvdinger i hæren hos Håkon jarl. I den ene armen på fylkingen lå Bue Digre og Sigurd, bror hans, med tjue skip. Mot dem la Eirik Håkonsson jarl seksti skip, og hos ham var disse høvdingene: Gudbrand Kvite fra Opplanda og Torkjell Leira, en vikværing. I den andre armen på fylkingen la Vagn Åkesson seg fram med tjue skip, mot ham lå Svein Håkonsson sammen med Skjegge fra Opphaug på Ørlandet og Ragnvald fra Ervik på Stad og seksti skip. Dette er sagt i Eiriksdråpa:

Langveisfra langs landet   *Jarlen ryddet de fleste*
leidangen glei til kampen,   *for rikt, gullsmykt mannskap;*
mens de slanke danske   *med varme lik lastet*
skeider skrei imot den.   *lå skip og dreiv rundt Møre.*

Øyvind sier også dette i Håløygjatal:

Yngve-Frøys   *den morgenstund,*   *og da sørfra*
uvenner   *da mektig jorddrott*   *sverdsvingeren*
liten fryd   *fór med flåten*   *kjørte havhest*
fikk av møtet   *mot øydaner,*   *mot hæren deres.*

Nå la de flåtene sammen, og da ble det en hard og stygg strid, det falt mange på begge sider, men mange flere hos Håkon, for jomsvikingene sloss både djervt og modig og kvast og skjøt tvert igjennom skjoldene. Det var så mange våpen som traff Håkon jarl, at brynja hans ble slitt i filler og var til ingen nytte, og da kastet han den av seg. Dette nevner Tind Hallkjellsson:

Det var ikke som når vakker
viv med myke armer
reier ei seng til jarlen,
– larmen steig med striden –,
dengang Odins-skjorta,
smidd av blanke ringer,
han reiv av seg. Ryddet
ble sjøkongens ridehester.

Der på sanden blåste
serken sund for jarlen,
vevd av sterke ringer.
Av slikt bærer han merke.

Uværet, Hjørungavåg

Gimsan, i Melhus.

Uværet under slaget i Hjørungavåg.

41. Jomsvikingene hadde større og høyere skip, men begge hærene gikk på så djervt de kunne. Vagn Åkesson gikk så hardt fram mot skipet til Svein Håkonsson, at Svein lot folkene skåte med årene, og tok til å flykte. Da la Eirik jarl skipet sitt dit, fram i fylkingen mot Vagn. Nå lot Vagn sige unna, og så lå skipene som de hadde ligget fra først av. Eirik flyttet tilbake til sine egne folk igjen, da hadde hans menn rodd unna, og Bue hadde hogd over fortøyningene og skulle til å følge etter flyktningene. Da la Eirik skipet sitt langskips opp til Bues skip, og nå ble det en hard og kvass nærkamp med hoggvåpen, på Eiriks skip var det to og tre mot én hos Bue. Da kom det et fælt uvær, ei haglbyge så svær at hvert haglkorn veide en øre*. Nå hogg Sigvalde fortøyningene, snudde skipene unna og ville flykte. Vagn Åkesson ropte til ham, at han skulle ikke flykte. Sigvalde jarl brydde seg ikke noe om hva han sa. Da kastet Vagn et spyd etter ham, og det slo ned den mannen som satt ved styret. Sigvalde jarl rodde bort med sytti skip, mens 25 lå igjen.

Nå la Håkon jarl sitt skip opp på den andre sida av Bues skip, da ble det ikke langt mellom hoggene for mennene til Bue. Vigfus Viga-Glumsson tok opp et nebbe-ste* som lå der på tilja, en mann hadde nettopp brukt det til å klinke sammen handgrepet på sverdet sitt. Vigfus var en svært sterk kar, han tok ambolten i begge hender og slo den i hodet på Aslak Holmskalle, slik at nebbet stod langt inn i hjernen. Før hadde ikke våpen bitt på Aslak, og han hadde hogd

En øre, i vekt ca. 27 gram.
Nebbe-ste, liten ambolt med tynn spiss på sida.

til begge sider. Han var stavnbu hos Bue og fostersønn hans. En annen stavnbu var Håvard Hoggande, det var også en svært sterk kar, overmåte modig.

I denne striden gikk Eiriksmennene opp på skipet til Bue og bakover mot løftingen der Bue stod. Da hogg Torstein Midtlang til Bue tvert over nesa så neseryggen gikk sund, det ble et svært sår. Bue hogg til Torstein fra sida, så mannen gikk tvers av på midten. Så tok Bue opp to kister, fulle av gull, og ropte høyt: «Over bord, alle Bues menn!» Dermed stupte Bue over bord med begge kistene, og mange av hans menn sprang også over bord, men noen av dem falt på skipet, for det nyttet ikke stort å be om grid. Så ble Bues skip ryddet fra stavn til stavn, og siden det ene skipet etter det andre. Nå la Eirik jarl seg mot skipet til Vagn, og da ble det et hardt basketak, men til slutt ble skipet ryddet, Vagn ble tatt til fange sammen med tretti andre, og de ble ført opp på land og bundet.

Da gikk Torkjell Leira bort til dem og sa dette: «Du lovte det, du Vagn, at du skulle drepe meg, men nå ser det mer ut til at jeg kommer til å drepe deg.» Vagn og hans menn satt på en tømmerstokk alle sammen. Torkjell hadde ei stor øks, han hogg den som satt ytterst på stokken. Vagn og de andre var bundet på den måten at det var snørt et tau om føttene på dem alle sammen, men hendene var fri. Da var det en som sa: «Jeg har ei nål her i handa, den vil jeg stikke i jorda om jeg skjønner noe når hodet er av meg.» De hogg hodet av ham og nåla falt ut av hendene på ham. Så satt det en mann som var vakker og hadde stort hår; han sveipte håret fram over

Eirik jarl, Torkjell Leira og Sigurd Buesson.

hodet, rakte fram halsen og sa: «Ikke søl blod i håret.» En mann tok håret i handa og holdt det fast. Torkjell løftet øksa og hogg; vikingen nappet til seg hodet så hardt at den som holdt håret gav etter, og øksa falt ned på begge hendene hans og tok dem av, øksa gikk rett ned i bakken. Da kom Eirik jarl til og spurte: «Hvem er denne vakre mannen?» «De kaller meg Sigurd,» sa han, «og jeg går for å være sønn til Bue. Ennå er ikke alle jomsvikinger døde.» Eirik sa: «Du må sannelig være en sann sønn til Bue. Vil du ha grid?» spør jarlen. «Det kommer an på hvem som byr,» sa Sigurd. «Den byr som har makt til det,» sa jarlen, «det er Eirik jarl.» «Ja da vil jeg,» sa han. Så ble han løst av tauet. Men da sa Torkjell Leira: «Jarl, om du så vil gi grid til alle disse mennene, så skal iallfall Vagn Åkesson aldri gå levende herfra,» og så sprang han fram med løftet øks. Vikingen Skarde slengte seg overende i tauet og falt foran føttene på Torkjell. Torkjell falt så lang han var over ham, da grep Vagn øksa og løftet den høyt og hogg Torkjell i hjel. Nå sa jarlen: «Vagn, vil du ha grid?» – «Det vil jeg,» sa han, «om vi kan få det alle sammen.» «Løs dem av tauet,» sa jarlen. Det ble gjort; da var atten drept, og tolv fikk grid.

42. Håkon jarl satt sammen med en del andre menn på en trestokk, da smalt det i en streng på Bues skip, pila traff Gissur fra Valdres, en lendmann, som satt ved siden av jarlen og var svært staselig kledd. Noen folk gikk ut på skipet, og der fant de Håvard Hoggande, han stod på knærne ute ved relinga, for føttene var hogd av ham; han hadde en bue i handa. Da de kom ut på skipet, spurte Håvard: «Hvem var det som falt ned av tømmerstokken?» De sa han het Gissur. «Da var lykken ikke så stor som jeg ønsket,» sa han. «Ulykken var stor nok,» sa de, «og du skal ikke få gjort flere,» og så drepte de ham.

Nå gikk de over valplassen og de falne, og bar sammen hærfanget til deling; 25 av jomsvikingenes skip var ryddet. Så sier Tind:

Dengang bar vender spor av   *Femogtjue lange*
våpen. Sverdet beit dem   *skeider fikk han ryddet;*
som ei bikkje i beinet.   *han sloss med sverdet, farlig*
Han dekker bord for ravnen.   *for sjøfarende kjemper.*

Nå løste de opp hæren. Håkon jarl drog til Trondheimen. Han var fælt misnøyd med at Eirik hadde gitt Vagn Åkesson grid.

Det er noen som sier at i denne kampen hadde Håkon jarl ofret sønnen Erling og blotet ham for å få seier, og etter det hadde haglskuren kommet, og da hadde også mannefallet vendt seg og blitt størst hos jomsvikingene.

Eirik jarl drog nå til Opplanda og derfra øst i riket sitt, Vagn Åkesson fulgte ham. Eirik giftet Vagn med Ingebjørg, datter til Torkjell Leira, og gav ham et godt langskip med fullt utstyr og satte mannskap til det; de skiltes som de kjæreste venner. Vagn drog hjem, sør til Danmark; han ble en stor mann siden, og mange storfolk stammer fra ham.

43. Harald Grenske var konge i Vestfold, som før skrevet. Han ble gift med Åsta, datter til Gudbrand Kula. En sommer da Harald Grenske var på hærferd i austerveg og fikk seg rikdommer, kom han til Svitjod. Der var Olav Svenske konge, han var sønn til kong Eirik den seiersæle og Sigrid, datter til Skoglar-Toste. Sigrid var enke dengang og hadde mange store garder i Svitjod. Og da hun fikk høre at Harald Grenske, fosterbror hennes, var kommet i land der like ved, sendte hun bud til ham og bad ham til gjestebud. Han lot seg ikke be to ganger, men drog av sted med stort følge. Der var alt stelt i stand på det beste for å ta imot dem, kongen og dronninga satt i høgsetet, og de to drakk sammen om kvelden, og det ble skjenket flittig i for alle mennene hans. Da kongen skulle gå og legge seg om kvelden, var senga hans dekket med kostbare tepper og reidd opp med dyrt klede; det var bare noen få andre i samme rommet. Da nå kongen hadde kledd av seg og gått til sengs, kom dronninga til ham; hun skjenket sjøl for ham og fikk ham til å drikke mye og var svært blid og god. Kongen ble helt full, og det ble de begge to, til slutt sovnet han, og da gikk dronninga også til sengs. Sigrid var ei klok kvinne, hun var framsynt om mange ting.

Morgenen etter var gjestebudet like storslått igjen. Nå gikk det som det bruker gå når folk blir svært fulle, neste dag er de varsommere med drikken. Men dronninga var like lystig. Hun og kongen talte med hverandre, og da sa hun at hun satte like stor pris på de eiendommene og det riket hun hadde i Svitjod, som på kongedømmet hans i Norge og de eiendommene han hadde der. Da hun sa dette, ble kongen sturen, han brydde seg ikke om noe mer, og ville reise; han var helt ute av seg. Men dronninga var like lystig og glad, hun fulgte ham ut og gav ham store gaver.

Om høsten drog Harald tilbake til Norge, han var hjemme vinteren over og var nokså uglad. Sommeren etter drog han i austerveg med følget sitt, da seilte han til Svitjod og sendte bud til dronning Sigrid at han gjerne ville møte henne. Hun rei nei til ham, og de talte sammen. Han kom snart til saken, og spurte om Sigrid ville gifte seg med ham. Hun sa det var bare et påfunn av ham, og at han var så vel gift før at det var fullt ut godt nok for ham. Harald sa at Åsta er nok ei god og gild kone, «men hun er ikke av så stor ætt som jeg er.» Sigrid sa: «Det kan vel være at du er av større ætt enn hun. Men jeg skulle likevel tro at den lykke dere begge to eier, er hos henne nå.» De sa ikke stort flere ord til hverandre, og så rei dronninga bort.

Nå var kong Harald nokså tung til sinns; han ville ri opp i landet og tale med dronning Sigrid enda en gang. Mange av hans menn rådde ham fra det, men han tok likevel av sted med et stort følge, og kom til garden som dronninga eide. Samme kveld kom det en annen konge dit; han het Vissavald* og var østfra Gardarike; han kom for å fri til henne. Kongene og hele følget deres fikk plass i ei

Vissavald er det russiske navnet Wsevolod.

Åsta får vite om Harald Grenskes utroskap.

stor og gammel stue, all bunaden i rommet var også deretter. Men det skortet ikke på drikk om kvelden, og den var så sterk at alle ble fulle, og både hovedvakten og vaktene utenfor sovnet. Så lot dronning Sigrid folk gå på dem om natta, både med ild og våpen, huset brant og alle menn som var inne i det, og de som kom seg ut, ble drept. Sigrid sa at slik skulle hun venne småkonger av med å komme fra andre land og fri til henne. Etter dette ble hun kalt Sigrid Storråde.

44. Året før dette var det jomsvikingslaget i Hjørungavåg stod.

Rane hadde blitt igjen ved skipene mens Harald gikk opp i landet, han hadde styringen over den del av hæren som var igjen der. Da de nå fikk høre at Harald var tatt av dage, skyndte de seg av sted så fort de kunne tilbake til Norge og fortalte det som hadde hendt. Rane kom til Åsta og sa henne hvordan alt hadde gått for seg på ferden, og hva ærend Harald hadde hatt hos dronning Sigrid. Åsta reiste til far sin på Opplanda med en gang hun hadde fått høre dette, og faren tok godt imot henne; men begge to var svært harme over det giftermålet som hadde vært påtenkt i Svitjod, og over at Harald hadde ment å gå fra henne. Åsta Gudbrandsdotter fikk en gutt den sommeren; gutten ble kalt Olav da de øste vann over ham. Det var Rane som øste vann over ham. Gutten vokste opp der hos Gudbrand og Åsta, sin mor.

45. Håkon jarl rådde over hele Norge langs kysten i vest, han styrte i seksten fylker. Etter at Harald Hårfagre hadde ordnet det slik at det skulle være én jarl i hvert fylke, holdt dette seg lenge siden. Men Håkon jarl hadde seksten jarler under seg. Dette er sagt i Vellekla:

Hvor i verden ellers
vet man at én jorddrott
har land som seksten jarler?
Slikt hæren lenge minnes.

Derfor rider et rykte
om rask leik med våpen,
leikt av gavmild fyrste,
mot fire verdenshjørner.

Så lenge Håkon jarl rådde i Norge, var det gode år i landet og god fred for bøndene innenlands. Jarlen var vennesæl blant bøndene det meste av den tida han levde, men da det lei på, ble jarlen så lei med det at han ikke var sømmelig i omgang med kvinner. Det gikk så vidt at han lot døtrene til mektige menn ta og føre hjem til seg, og der lå han med dem ei uke eller to, og så sendte han dem hjem igjen. Dette skaffet ham mye uvennskap med kvinnenes frender; bøndene tok til å gi vondt fra seg, slik som trøndere har for skikk når det er noe de ikke liker.

46: Håkon jarl fikk høre noe snakk om at det skulle være en mann vest over havet som kalte seg Åle, og der trodde de han var konge. Noe av det folk sa, gav jarlen en mistanke om at dette kanskje var en som hørte til den norske kongsætta. Han fikk høre at Åle sa han hadde ætta si i Gardarike, og jarlen hadde hørt at Tryggve Olavsson hadde hatt en sønn, som var reist øst til Gardarike og hadde vokst opp der hos kong Valdemar, og han het Olav. Jarlen hadde ofte spurt seg for om denne mannen, og han hadde en mistanke om at det var den samme som nå var kommet dit til Vesterlanda.

Det var en mann som het Tore Klakka, han var Håkon jarls gode venn. Han hadde vært i viking i lange tider, og stundom på kjøpmannsferd, og var kjent mange steder. Håkon jarl sendte denne mannen vest over havet, sa han skulle dra på kjøpmannsferd til Dublin, slik som folk ofte gjorde dengang; der skulle han få greie på hvem denne Åle var. Og når Tore fikk vite om det var sant at det var Olav Tryggvason eller noen annen av den norske kongsætta, så skulle han se om han kunne få i stand et svikråd mot ham.

47. Nå drog Tore vestover til Irland og til Dublin, der fikk han spurt opp Åle, han var der hos kong Olav Kvåran, mågen sin. Så stelte Tore seg så han fikk snakke med Åle, Tore hadde lett for å snakke. Da de hadde talt godt og lenge med hverandre, tok Åle til å spørre nytt fra Norge; først spurte han etter opplandskongene, hvem som var i live av dem og hva rike de hadde. Så spurte han etter Håkon jarl, om hvor vennesæl han var der i landet.

Tore sa: «Jarlen er en så mektig mann, at det ikke er noen som tør si annet enn det han vil; men det kommer bare av at det ikke er noen annen å gå til. Når jeg skal si deg det som sant er, så kjenner jeg sinnelaget hos mange av stormennene og hos allmuen med, og det er ikke noe de heller vil og ønsker enn at det skal komme en konge til riket av kong Harald Hårfagres ætt. Men vi ser ingen utveg til det nå, og grunnen er vel mest den at det har vist seg hvor ille det går den som vil kjempe mot Håkon jarl.» De talte flere ganger om dette med hverandre, og så lot Olav Tore få vite navnet sitt og hva ætt han var av, og spurte ham til råds; han spurte Tore hva han trodde: om Olav kom til Norge, ville bøndene da ta ham til konge? Tore støttet ham av alle krefter og sa han burde reise, han roste ham svært, og sa han var en dugelig mann. Olav fikk mer og mer lyst på å dra dit han hadde ættearven sin.

Så seilte Olav vestfra med fem skip, først til Suderøyene. Tore var sammen med ham. Derfra seilte han til Orknøyene. Da lå Sigurd Lodvesson jarl i Åsmundarvåg* ved Ragnvaldsøy* med et langskip og tenkte seg over til Katanes. Olav seilte med skipene sine vestfra mot øyene og la til havn der, for Petlandsfjorden* var ikke farbar. Da kongen fikk vite at jarlen lå der, lot han jarlen kalle til en samtale.

Jarlen kom og talte med kongen, og de hadde ikke talt lenge, før kongen sa at jarlen og hele folket hans skulle la seg døpe, og ville han ikke det, skulle han dø på flekken; kongen sa han ville gå med ild og brann over øyene og legge hele landet øde, om ikke folket ble kristent. Slik som jarlen da var kommet opp i det, valgte han heller å ta imot dåpen. Så ble han døpt, og alt det folk som var hos jarlen også. Etterpå svor jarlen kongen troskapsed og ble hans mann, han gav ham en av sønnene med som gissel; han het Valp eller Hunde, og Olav tok ham med seg til Norge.

Olav seilte øst over havet, og kom seilende av hav ytterst på Moster, der gikk han først i land i Norge, og der lot han synge messer i teltene på land. Og siden ble det bygd en kirke på samme sted.

Tore Klakka sa til kongen at det eneste han hadde å gjøre, var å ikke la noen vite hvem han var, og ikke la det gå noe ord i forvegen om at han kom, men han skulle dra så fort han bare kunne til jarlen og komme helt uventet over ham. Kong Olav gjorde så, han drog nordover natt og dag etter som han fikk bør, og sa ikke noe til folk i land om hvem som seilte der. Da han kom nord til Agdenes, fikk han høre at Håkon jarl var inne i fjorden, og dessuten at han var uforlikt med bøndene.

Men da Tore hørte dette, da skjønte han det hadde gått helt annerledes enn han hadde tenkt, for etter jomsvikingslaget hadde alle folk i Norge vært i fullkomment vennskap med Håkon jarl etter den seieren han hadde vunnet, og fordi han frelste hele landet for ufred. Men nå var det gått så ille at det var kommet en stor høvding til landet, og nettopp nå var bøndene uforlikt med jarlen.

48. Håkon jarl var i gjestebud på Melhus i Gauldalen, og skipene hans lå ute ved Viggja. Det var en mann som het Orm Lyrgja, en mektig bonde som bodde på Bunes, han hadde ei kone som het Gudrun, datter til Bergtor på Lunde; hun ble kalt Lundesol, og var den vakreste kvinne en kunne se. Jarlen sendte noen av trellene sine til Orm i det ærend å hente Gudrun, Orms kone, til jarlen. Trellene

---

Åsmundarvåg, nå Osmondwall på øya Hoy.
Ragnvaldsøy, nå South Ronaldsay.
Petlandsfjorden, nå Pentland Firth mellom Orknøyene og Caithness.

kom fram med ærendet. Orm bad dem først få seg kveldsverd. Men før trellene var ferdige med maten, hadde det kommet en mengde menn fra bygda til Orm, som hadde sendt bud på dem. Nå sa Orm at det var ikke tale om at Gudrun skulle gå med trellene. Gudrun sa trellene kunne si til jarlen at hun ville ikke komme til ham med mindre han sendte Tora fra Romol etter henne, det var ei mektig husfrue, en av kjærestene til jarlen. Trellene sa de skulle komme igjen en annen gang, og da skulle bonden og husfrua komme til å angre denne skammelige streken; trellene truet fælt, men drog da bort etter dette.

Men Orm sendte hærpil utover bygda til alle fire kanter, og lot bud følge pila at alle skulle gå med våpen mot Håkon jarl og drepe ham. Han sendte også bud til Halldor på Skjerdingstad, og Halldor sendte straks ut hærpil. Like i forvegen hadde jarlen tatt kona fra en mann som het Brynjolv, og dette hadde vakt stor uvilje hos folk; da hadde det vært nære på det hadde samlet seg hær. Og da budstikka kom nå, løp de opp alle som én og drog til Melhus.

Men jarlen fikk nyss om det og tok av sted fra garden med følget sitt inn i en dyp dal; det er den de siden kaller Jarlsdalen. Der gjemte de seg. Dagen etter fikk jarlen greie på alt om bondehæren. Bøndene sperret alle vegene, de tenkte seg helst at jarlen måtte ha dradd til skipene sine. Erlend, sønn hans, en usedvanlig staut ung mann, rådde for skipene da. Da natta kom, sendte jarlen følget sitt fra seg, sa de skulle ta vegen gjennom skogene ut til Orkdalen. «Ingen vil gjøre dere noe når ikke jeg er i nærheten. Send bud til Erlend at han skal seile ut gjennom fjorden, og at vi skal møtes på Møre. Jeg skal nok få gjemt meg for bøndene.»

Så tok jarlen av sted sammen med en trell han hadde, som het Kark. Det var is på Gaula, og der kjørte jarlen hesten sin uti og lot kappa ligge igjen der; de to gikk inn i en heller, som siden blir kalt Jarlshelleren. De sovnet, og da Kark våknet, sa han hva han hadde drømt: en svart og fæl mann kom framom helleren, og han ble redd han skulle gå inn, den mannen sa til ham at Ulle var død. Jarlen sa at Erlend var visst drept. Tormod Kark sovnet igjen for annen gang og skreik stygt i søvne, da han våknet sa han at han hadde drømt han så samme mannen, han kom da tilbake og ned til dem og bad ham si til jarlen at nå var alle sund stengte. Kark fortalte drømmen, og jarlen sa han var redd slikt spådde han ikke hadde lenge igjen å leve.

Så stod han opp, og gikk til garden Romol, der sendte jarlen Kark inn til Tora og bad henne komme ut uten at noen så det. Hun gjorde det, og tok godt imot jarlen. Jarlen bad henne gjemme ham i noen dager til bøndene gikk fra hverandre igjen. «Her på garden min kommer de til å leite etter deg både ute og inne,» sa hun, «for det er mange som vet at jeg gjerne vil hjelpe deg alt jeg kan. Men det er ett eneste sted på garden min, der de ikke vil leite etter en slik mann, det er grisebingen.» De gikk dit, og jarlen sa: «Her får vi slå oss ned, nå må vi først og fremst berge livet.» Så gravde trellen ei stor grav og bar bort jorda og la noe tømmer over. Tora fortalte

Tora fører Håkon jarl til grisebingen.

jarlen hun hadde hørt at Olav Tryggvason hadde kommet inn fjorden og hadde drept Erlend, sønn hans. Så gikk jarlen ned i grava sammen med Kark, og Tora dekket over med tømmeret, sopte møkk og jord utover og dreiv grisene utpå. Grisebingen lå innunder en stor stein.

49. Olav Tryggvason seilte innover fjorden med fem langskip, og der kom Erlend, sønn til Håkon jarl, roende imot ham med tre skip. Da de nærmet seg hverandre, fikk Erlend og folkene hans mistanke om at det nok ble ufred, og så styrte de mot land. Og da Olav så langskipene som kom roende mot ham utetter fjorden, trodde han det var Håkon jarl som kom, og sa de skulle ro etter dem så hardt de kunne. Da Erlend og hans folk var kommet nesten til lands, rodde de på grunn, de løp straks over bord og prøvde å komme i land. Nå kom Olavs skip til i full fart. Olav så en mann legge på svøm, en usedvanlig vakker kar. Olav tok styrvolen og kastet etter denne mannen, hogget kom i hodet på Erlend, sønn til jarlen, så hausen sprakk inn til hjernen. Der mistet Erlend livet. Olav og hans folk drepte mange, noen kom seg unna på flukt, og noen tok de og gav grid, og fikk vite nytt av dem. Da fortalte de Olav at bøndene

hadde drevet bort Håkon jarl, at han hadde vært nødt til å rømme unna for dem, og at hele følget hans var spredt til alle kanter.

Nå kom bøndene til Olav, det ble glede over møtet på begge sider, og de slo seg straks sammen. Bøndene tok ham til konge over seg, og alle ble enige om én ting: å leite etter Håkon jarl. De drog opp i Gauldalen, for de syntes det var rimeligst at jarlen var på Romol, om han var på noen av gardene, Tora var den kjæreste vennen han hadde der i dalen. De kom dit og lette etter jarlen både ute og inne, men fant ham ikke. Så holdt Olav husting ute på garden, han stod oppe på den store steinen som var der like ved grisebingen. Da talte Olav, og i talen sa han at han ville skjenke den mann både gods og heder, som kunne skade Håkon jarl. Denne talen hørte jarlen og Kark. De hadde lys hos seg. Jarlen sa: «Hvorfor er du så bleik, men stundom svart som jord? Det er vel ikke så at du vil svike meg?» «Nei,» sa Kark. «Vi ble født i samme natt,» sa jarlen, «det blir ikke langt mellom vår død heller.»

Kong Olav drog bort da det ble kveld. Om natta holdt jarlen seg våken, Kark sovnet og skreik fælt i søvne. Da vekte jarlen ham og spurte hva han drømte. Han sa: «Jeg var på Lade nå, og Olav Tryggvason la en gullring om halsen på meg.» Jarlen svarte: «Det viser at Olav Tryggvason kommer til å lage en blodrød ring om halsen på deg om du møter ham. Ta deg i vare for det. Av meg skal du få bare godt som alltid før, svik meg nå ikke.» Etter dette våkte de begge to, liksom den ene våkte over den andre.

Men da det lei mot dag, sovnet jarlen, snart tok han til å skrike fælt, og det ble så mye av det at jarlen satte hælene og nakken innunder seg som om han ville reise seg opp, og skreik høyt og uhyggelig. Kark ble redd og fælen, han tok en svær kniv han hadde i beltet og kjørte den gjennom strupen på jarlen og skar den ut igjen. Det ble Håkon jarls død. Etterpå skar Kark hodet av jarlen og løp sin veg; dagen etter kom han inn til Lade og gav jarlens hode til kong Olav. Han fortalte også alt det som hadde hendt mellom ham og Håkon jarl, og som er skrevet her ovenfor. Da lot kong Olav ham føre bort og lot hogge hodet av ham.

50. Nå drog kong Olav sammen med en mengde bønder ut til Nidarholm* og hadde med seg hodene til Håkon jarl og Kark. Denne holmen brukte de å drepe tjuver og røverpakk på, og der stod en galge. Dit lot han bære hodene til Håkon jarl og Kark. Så gikk hele hæren borttil og ropte og skreik og kastet stein på dem, de sa at der fikk den nidingen gå samme vegen som andre nidinger. Etterpå sendte de folk opp i Gauldalen, de tok kroppen og drog den bort og brente den.

Nå ble det slik makt i det fiendskapet trønderne kjente for Håkon jarl at ingen fikk lov å nevne ham uten å kalle ham den vonde jarlen, og det navnet holdt seg lenge etterpå. Men en får si som sant er om Håkon jarl, at det var mange ting ved ham som gjorde ham til en

Nidarholm, nå Munkholmen.

Kark myrder Håkon jarl.

dugelig høvding, først stor ætt, og så vett og kunnskaper til å bruke makten, mot i kampen og lykke til å vinne seier og drepe sine fiender. Så sier Torleiv Raudfellsson:

Håkon! Vi vet ikke
under månens veger
større jarl enn du er.
Ved strid du steig til makten.

Ni edlinger har du
sendt til Odin. Ravnen
eter av lik du gav den,
og du ble landrik herre.

Håkon jarl var gavmild som få, og det var en ren ulykke som førte slik høvding til den død han fikk. Men det som mest gjorde at det gikk som det gikk, det var at nå var tida kommet da blotskap og blotmenn skulle fordømmes, og hellig tro og gode seder skulle komme i stedet.

51. Olav Tryggvason ble tatt til konge over hele landet på et allment folketing i Trondheimen, han skulle ha landet slik som Harald Hårfagre hadde hatt det. Da sprang de opp, hele den store allmuen som én mann, og ville ikke høre tale om annet enn at Olav Tryggvason skulle være konge.

Olav drog omkring i hele landet og la det under seg. Alle folk i Norge gikk over til å vise ham lydighet. Høvdingene på Opplanda og i Viken også, de som før hadde fått landet av danekongen og holdt det for ham, de ble nå Olavs menn og fikk landet av ham. Slik drog han omkring i landet første vinteren og sommeren etter. Eirik Håkonsson jarl og Svein, bror hans, og de andre frendene og vennene deres rømte av landet og drog øst til kong Olav Svenske i Sveavelde, og der ble de godt mottatt. Så sier Tord Kolbeinsson:

Mennenes svik sendte
siden Håkon i døden,
fredløs varg det voldte,
lagnaden vil så meget.
Tryggves sønn var kommet
til det land han modig
vant bak lindeskjoldet
da han seilte vestfra.

Mere stod i Eiriks
sinn mot gullrik konge
enn han sa oss høylytt.
Slikt ventet vi av ham.
Trøndske jarlen søkte
råd hos svenskekongen,
vred på trassige trønder.
Det torde ingen hindre.

52. Det var en mann som het Lodin, han var vikværing, rik og av god ætt. Han var ofte ute på kjøpmannsferd, og imellom på hærferd også. Det var en sommer Lodin drog på kjøpmannsferd i austerveg, han eide skipet alene og hadde mye å selge. Han seilte til Estland, der var det kjøpstevne om sommeren. Så lenge det var marked, ble det ført alle slags varer dit; det kom mange treller som var til salgs. Der så Lodin ei kvinne som hadde vært solgt til trell, og da han så nærmere på henne, kjente han henne igjen, det var Astrid Eiriksdotter, som hadde vært gift med kong Tryggve; men hun var ikke videre lik seg sjøl, slik hun var sist han så henne; nå var hun bleik og mager og dårlig kledd.

Han gikk bort til henne og spurte hvordan hun hadde det. Hun sa: «Det er tungt det jeg har å fortelle. Jeg er blitt solgt til trell, og de har tatt meg med hit for å selge meg igjen.» Nå gav de seg til kjenne for hverandre, og Astrid hadde god greie på hvem han var. Hun bad ham om han ville kjøpe henne og ta henne med seg hjem til frendene hennes. «Jeg skal gjøre det på ett vilkår,» sa han, «jeg skal ta deg med til Norge om du vil gifte deg med meg.» Og etter som nå Astrid var kommet i nød, og hun dessuten visste at Lodin var av stor ætt, og kjekk og rik, så lovte hun ham dette for at han skulle løse henne ut.

Så kjøpte Lodin Astrid og tok henne med hjem til Norge og giftet seg med henne med samtykke av hennes frender. Barna deres var Torkjell Nevja, Ingerid og Ingegjerd. Astrid og kong Tryggve hadde døtrene Ingebjørg og Astrid. Sønnene til Eirik Bjodaskalle var Sigurd, Karlshode, Jostein og Torkjell Dyrdil, de var rike stormenn alle sammen og hadde garder der på Østlandet. Det var to brødre som bodde øst i Viken, den ene het Torgeir og den andre Hyrning; de ble gift med døtrene til Lodin og Astrid.

53. Da Harald Gormsson danekonge hadde gått over til kristendommen, sendte han bud ut over hele riket sitt at alle skulle la seg døpe og omvende seg til den rette tro. Han hadde sjøl tilsyn med at budet ble fulgt, og brukte makt og refset når ikke annet hjalp. Han sendte to jarler til Norge med en stor hær. De skulle innføre kristen-

Lodins møte med Astrid i Estland.

dommen i Norge. Det gikk i Viken, der Harald hadde overmakten; der ble de fleste folk i landet døpt. Men etter Haralds død drog sønn hans, Svein Tjugeskjegg, snart på hærferd både til Saksland og Frisland og til slutt til England. Og de folk i Norge som hadde tatt imot kristendommen, gikk da tilbake til å blote igjen som før, og som folk gjorde nord i landet.

Da nå Olav Tryggvason var blitt konge i Norge, var han lenge i Viken om sommeren; der kom det mange av frendene hans til ham, og noen av mågene og mange som hadde vært gode venner med far hans, og de tok imot ham som en kjær venn. Nå kalte Olav morbrødrene sine til seg til en samtale, og stefaren Lodin og mågene Torgeir og Hyrning, og så la han fram denne saken for dem og la hele sin hug i den: først og fremst skulle de sjøl være med ham, og siden støtte ham av all kraft i det han ville, og det var å komme med påbud om kristendom over hele riket. Han sa at enten skulle han få satt igjennom å kristne hele Norge, eller også dø. «Jeg skal gjøre dere til store og mektige menn alle sammen, for jeg har mest tiltro til dere, etter som vi er frender eller bundet sammen på annen måte.» De gikk alle sammen med på å gjøre som han sa, og følge ham i alt han ville, og det skulle også alle gjøre som ville følge deres råd.

Nå lyste kong Olav med én gang for allmuen at han ville by kristendom til alle mennesker i riket. De som før var gått med på dette, var nå straks de første til å støtte saken, og sa de ville følge dette budet. De var også de mektigste av dem som var der, og alle andre gjorde som de. Så ble alle mennesker døpt øst i Viken.

Nå drog kongen nord i Viken og bød alle mennesker der å ta kristendommen, og de som talte imot, straffet han hardt, noen drepte han, noen lot han lemleste, og noen dreiv han ut av landet. Det endte med at i hele det riket som kong Tryggve, far hans, hadde styrt før, og likeså i det som frenden hans, Harald Grenske, hadde hatt, der gikk alle folk over til kristendommen, slik som Olav bød dem, og den sommeren og vinteren etter ble hele Viken kristnet.

54. Tidlig på våren drog kong Olav utover i Viken og hadde mye folk med. Han drog vest til Agder, og hvor han holdt ting med bøndene, bød han dem å la seg døpe, og de gikk over til kristendommen; for det nyttet ikke for bøndene å reise seg mot kongen. Folket ble døpt hvor han kom.

I Hordaland var det mange gjæve stormenn, som var kommet av Horda-Kåres ætt. Han hadde hatt fire sønner; den ene var Torleiv Spake, den andre Ogmund, far til Torolv Skjalg som var far til Erling på Sola; den tredje var Tord, far til Klypp herse, som drepte Sigurd Sleva Gunnhildsson; den fjerde var Olmod, far til Askjell, far til Aslak Fitjaskalle. Det var den største og gjæveste ætta i Hordaland. Nå fikk disse frendene høre hva for ei lei knipe de var kommet i. Kongen kom østfra langs kysten med en stor hær og brøt ned gammel lov for folk, og alle fikk de straff og harde vilkår om de sa noe imot ham. Da satte frendene hverandre stevne og rådslo om hva de nå skulle gjøre, for de visste kongen snart ville komme dit. De ble enige om å komme så mannsterke de kunne til Gulating, og sette stevne med Olav Tryggvason der.

55. Olav lyste til ting så snart han kom til Rogaland. Da tingbudet kom til bøndene, samlet de seg mannsterke, de kom i fulle våpen. Da de vel var kommet sammen, talte de med hverandre og la opp råd; de ble enige om at de tre menn som var mest veltalende i flokken, skulle svare kong Olav på tinget og tale mot ham. Dessuten ble de forlikt om at de tok ikke imot annet enn lov og rett, om det så var kongen som bød.

Da nå bøndene var kommet til tingstedet, og tinget var satt, stod kong Olav opp og talte til bøndene, først med blide ord. Men det kom likevel tydelig fram i talen, at han ville de skulle ta ved kristendommen. Han bad dem først med gode ord, men til slutt føyde han til at de som talte imot ham og ikke ville gjøre som han sa, de måtte finne seg i hans unåde, og han ville gi dem straff og harde vilkår overalt der han kunne komme til.

Da kongen var ferdig med å tale, stod den bonden opp som var mest veltalende, og som de hadde valgt til å svare kong Olav først. Men da han skulle til å tale, fikk han slik hoste og åndenød at han ikke kunne få fram et ord, og måtte sette seg ned igjen. Så stod den andre bonden opp, han ville ikke la det skorte på svar sjøl om den første ikke hadde vært så heldig med det. Men da han skulle til å tale, var han blitt så stam at han ikke fikk sagt et ord; alle som hørte

Den mest veltalende bonden reiser seg og vil tale.

på, slo opp en latter, og bonden måtte sette seg igjen. Nå stod den tredje opp og ville tale mot kong Olav, men da han tok til orde, var han så hes og krimfull at ingen kunne høre hva han sa, og så satte han seg ned.

Og nå var det ikke flere av bøndene som kom seg til å tale mot kongen. Da nå bøndene ikke fikk svart kongen, ble det ikke noe av at de reiste seg til motstand mot ham. Så ble det til at alle gikk med på det kongen bød. Alle folk på tinget der var døpt før kongen skiltes fra dem.

56. Kong Olav drog til Gulating med hæren, for bøndene hadde sendt bud til ham at de ville svare på saken der. Da begge parter var kommet til tinget, ville kongen først ha en samtale med høvdingene i landet. Da alle var kommet til stede, kom kongen fram med ærendet sitt; han bad dem ta imot dåpen, slik som han hadde bydd dem. Da sa Olmod den gamle: «Vi frender har talt om denne saken med hverandre, og alle vi kommer til å holde sammen om ett råd. Hvis det er så, konge, at du tenker å tvinge oss frender til slikt som å bryte med lovene våre, og om du vil bryte oss under deg med noen slags tvang, da kommer vi til å stå imot deg av all vår makt, og så får den

seire som skjebnen vil. Men om du, konge, ville gjøre oss så vel og gi oss frender noe til gjengjeld, som kunne være til nytte for oss, da vil vi gå over til deg alle sammen, og love deg vår tjeneste fullt og helt.»

Kongen sa: «Hva vil dere kreve av meg for at vi skal bli best forlikt?» Da sa Olmod: «Det var for det første at du ville gifte Astrid, søster di, med Erling Skjalgsson, vår frende. Ham regner vi nå for å være den av alle unge menn i Norge en kan vente seg mest av.» Kong Olav sa han syntes dette var rimelig, og at det visst var et godt gifte; han sa at Erling var av god ætt og så ut til å være en gild kar; men han sa også at Astrid sjøl måtte svare på dette. Kongen talte om dette med søstera. «Nå er det ikke stor nytte jeg har av at jeg er en konges datter og konges søster,» sa hun, «når du vil gifte meg bort med en mann som ikke engang har høvdingnavn. Jeg vil heller vente noen år på et bedre gifte.» Og så sluttet samtalen for den gangen.

57. Kong Olav lot ta en hauk som Astrid eide, og lot alle fjøra plukke av den, og så sendte han den til henne. Da sa Astrid: «Nå er bror min vred.» Så reiste hun seg og gikk til kongen, han bød henne velkommen. Astrid talte nå, hun sa hun ville kongen skulle rå og gifte henne med hvem han ville. «Jeg har tenkt,» sa kongen, «jeg skulle få makt til å gjøre den mann jeg ville til høvding her i landet.» Så lot kongen Olmod og Erling og alle frendene deres kalle til seg til en samtale. Der ble talt om frieriet, og det endte med at Astrid ble festet til Erling.

Nå lot kongen sette ting, han bød bøndene å la seg kristne, da var Olmod og Erling de første til å tale kongens sak i dette, og alle frendene deres gikk med dem. Ingen dristet seg nå til å tale imot, og så ble hele denne tingallmuen døpt og kristnet.

58. Erling Skjalgsson holdt bryllup om sommeren, og dit kom det en svær mengde mennesker. Kong Olav var der også. Da tilbød kongen å gi Erling jarlsnavn. Erling svarte slik: «Herser har frendene mine vært, og jeg vil ikke ha høyere navn enn de. Men jeg vil gjerne få ta imot det av Dem, konge, at De lar meg bli den største i landet med det navnet.» Det lovte kongen ham. Og da de skiltes, gav kong Olav land til Erling, mågen sin, nord fra Sognesjøen og øst til Lindesnes, på samme vilkår som Harald Hårfagre hadde gitt sønnene sine, og som før er skrevet.

59. Samme høsten lyste kong Olav firefylkersting nord på Dragseid på Stad. Dit skulle det komme sogninger, fjordinger, sunnmøringer og romsdøler. Kong Olav kom dit med et svært følge som han hadde med østfra landet, og dessuten den hæren som hadde kommet til ham fra Rogaland og Hordaland.

Da kong Olav kom på tinget, bød han kristendom der som andre steder. Og kongen hadde slik styrke i denne store hæren, så de ble redde for den. Enden på saken ble at kongen bød dem velge ett av to, enten fikk de gå over til kristendommen og la seg døpe, eller også skulle de få holde strid med ham. Og da bøndene ikke så noen utveg til å kjempe med kongen, så valgte de heller det andre, og hele

Olav Haraldssons dåp.

folket ble kristnet. Kong Olav drog videre til Nordmøre med hæren, og kristnet det fylket. Så seilte han inn til Lade og lot hovet rive ned og tok alt gullet og pynten av guden og ut av hovet. Fra døra på hovet tok han en stor gullring, som Håkon jarl hadde latt gjøre. Så lot kong Olav hovet brenne.

Da bøndene fikk vite dette, lot de hærpil gå ut over alle fylkene og stevnte ut hær og ville gå mot kongen. Kong Olav tok flåten og seilte ut gjennom fjorden og ville nord til Hålogaland og kristne der; men da han kom nord til Bjørnør* fikk han høre fra Hålogaland, at der hadde de hæren ute og tenkte å verge landet mot kongen. Høvdingene for denne hæren var Hårek fra Tjøtta, Tore Hjort fra Vågan* og Øyvind Kinnriva. Da Olav hørte dette, snudde han og seilte sørover langs landet. Og da han kom sør for Stad, seilte han makeligere, men kom likevel fram helt øst i Viken først på vinteren.

60. Dronning Sigrid i Svitjod, hun som ble kalt Storråde, holdt seg på gardene sine. Den vinteren gikk det bud mellom kong Olav og dronning Sigrid. Kong Olav fridde til dronning Sigrid, og hun svarte vennlig på det, saken ble avtalt, og alt gikk greit. Så sendte kong Olav den store gullringen til dronning Sigrid, den han hadde tatt av døra på hovet på Lade, og den skulle være et rent praktstykke. De skulle møtes våren etter ved landegrensa ved Elv for å tale nærmere

Bjørnør, i Sør-Trøndelag, kysten mellom Åfjorden og Svefjorden.
Vågan i Lofoten.

om dette giftermålet. Denne ringen som kong Olav hadde sendt til dronning Sigrid, ble rost svært av alle mennesker. Det var to smeder der hos dronninga, to brødre; de tok ringen og løftet på den og veide den med hendene og hvisket noe til hverandre. Da lot dronninga dem kalle til seg og spør hva de hadde å utsette på ringen. De ville ikke ut med det, men hun sa de måtte for all del la henne få vite det om de hadde merket noe. De sa ringen var falsk. Da lot hun dem bryte sund ringen, og så fant de kobber inni. Nå ble dronninga sint; hun sa det kunne hende Olav sveik henne i mer enn i dette.

Samme vinter drog kong Olav opp på Ringerike og kristnet der. Åsta Gudbrandsdotter giftet seg snart igjen etter Harald Grenskes død med en mann som het Sigurd Syr; han var konge på Ringerike. Sigurd var sønn til Halvdan, og han var sønn til Sigurd Rise, sønn til Harald Hårfagre. Olav, sønn til Åsta og Harald Grenske, var der hos henne, han vokste opp i ungdommen hos stefaren Sigurd Syr. Og da kong Olav Tryggvason kom til Ringerike for å by kristendom, lot de seg døpe, Sigurd Syr og kona hans Åsta, og Olav, sønn hennes. Da stod Olav Tryggvason fadder for Olav Haraldsson, som var tre år den gang*. Kong Olav drog vest i Viken igjen og ble der om vinteren. Det var tredje året han var konge i Norge.

61. Tidlig på våren drog kong Olav øst til Konghelle* for å møte dronning Sigrid. Da de møttes, talte de om den saken som hadde vært på tale før om vinteren, at de skulle gifte seg med hverandre, og dette så ut til å skulle gå helt greit. Da sa kong Olav at Sigrid måtte ta dåpen og den rette tro.

Hun svarte slik: «Jeg vil ikke gå fra den tro jeg har før, og som frendene mine har hatt før meg. Men jeg skal heller ikke si noe på det om du tror på den gud du har hug til.» Da ble kong Olav fælt harm og svarte nokså brått: «Tror du jeg vil ha deg slik, hedensk som en hund!» og slo henne i ansiktet med hansken, som han holdt i handa. Så stod han opp og hun også. Da sa Sigrid: «Dette kunne vel bli din bane!» Så skiltes de. Kongen drog nord i Viken, og dronninga øst i Sveavelde.

62. Kong Olav drog til Tønsberg, og der holdt han ting igjen. På dette tinget talte han, og sa at alle som gjorde seg skyldige i å drive med galdrer og trollkunster, eller var seidmenn, de skulle reise ut av landet, alle sammen. Så lot kongen ransake etter slike folk omkring i bygdene der i nærheten, og bød dem komme til seg alle sammen. De kom dit, og da var en av dem en mann som het Øyvind Kelda, han var sønnesønn til Ragnvald Rettilbeine, sønn til Harald Hårfagre. Øyvind var seidmann og kunne fælt mye trolldom.

Kong Olav lot alle disse mennene få plass i ei stue, han lot dem få bra stell, gjorde gjestebud for dem og lot dem få mye sterkt å

Fadder for Olav Haraldsson. Dette er ikke historisk. Olav den hellige ble først døpt som voksen i Normandi.
Konghelle. Den gamle byen lå ca. tre km vest for nåværende Kungälv, ved Nordre älv der Kastellegården nå ligger.

Da sa Sigrid: «Dette kunne vel bli din bane!»

drikke. Og da de var blitt fulle, lot Olav sette ild på stua, og stua brant og alle som var inne i den, uten Øyvind Kelda, han kom seg ut gjennom ljoren og slapp bort. Da han hadde kommet langt bort, møtte han noen folk på vegen, som tenkte seg til kongen. Han bad dem fortelle kongen det, at Øyvind Kelda hadde kommet unna fra brannen, at han aldri mer skulle komme i kong Olavs makt, og at han ville drive på som før med alle kunstene sine. Da disse mennene kom til kong Olav, sa de alt det Øyvind hadde bedt dem om. Kongen sa det var ille at Øyvind ikke var død.

63. Da det ble vår, drog Olav vestover i Viken og gjestet på stor-gardene sine; han sendte bud over hele Viken at han ville ha hær ute om sommeren og dra nord i landet. Siden drog han nord til Agder. Da det lei ut i langfasta*, tok han nord til Rogaland og kom til Avaldsnes på Karmøy påskeaften. Der var det laget påskegjestebud for ham, han hadde nesten tre hundre mann.

Samme natt kom Øyvind Kelda dit til øya, han hadde et langskip

Langfasta er de sju ukene før første påskedag.

med fullt mannskap, det var bare seidmenn og annet trollpakk alt i hop. Øyvind og flokken hans gikk i land fra skipet og tok til å trolle av alle krefter. Øyvind gjorde dem usynlige, og laget slik svart tåke at kongen og hans folk ikke skulle kunne se dem.

Men da de kom like opp til garden på Avaldsnes, ble det lys dag. Da gikk det helt annerledes enn Øyvind hadde tenkt; det mørket, som han hadde fått laget med trolldommen, kom over ham sjøl og kameratene hans, slik at de så ikke mer med øynene enn med nakken, og gikk bare rundt i ring hele tida. Vaktmennene til kongen så dem, de kunne ikke skjønne hva dette var for slags folk. Det ble sagt fra til kongen, og han og følget hans stod opp og kledde på seg. Da kongen fikk se Øyvind og folkene hans gå der, sa han til mennene sine at de skulle ta våpen og gå bort og finne ut hva dette var for folk. Kongsmennene kjente igjen Øyvind, og så tok de ham til fange, ham og alle de andre, og leidde dem til kongen. Så måtte Øyvind fortelle hvordan alt hadde gått for ham. Etterpå lot kongen ta alle sammen og sette dem ut på et skjær som sjøen gikk over i flotid, og lot dem binde der. Slik mistet Øyvind og alle disse folkene livet. Siden heter skjæret Skratteskjær*.

64. Det blir fortalt at engang kong Olav var i gjestebud på Avaldsnes*, kom det en gammel mann til ham en kveld; han talte overmåte klokt for seg, hadde sid hette på og var enøyd. Han visste å fortelle fra alle land. Han fikk tale med kongen; kongen syntes det var moro med fortellingene hans og spurte ham om mange ting, gjesten kunne svare på alt mulig, og kongen ble sittende lenge utover kvelden. Så spurte kongen om han visste hvem den Ogvald hadde vært, som neset og garden var oppkalt etter. Gjesten sa at Ogvald hadde vært konge og en stor hærmann. Mest dyrket han ei ku, og hadde henne med seg overalt hvor han kom; han trodde det var helsebot å drikke mjølka hennes. «Kong Ogvald sloss med en konge som het Varin, i den kampen falt kong Ogvald, og han ble hauglagt like ved garden, der ble det satt bautasteiner, og de står her ennå. Kua ble hauglagt et annet sted ikke langt herfra.»

Dette og mye annet fortalte han om konger og gamle hendinger. Da de hadde sittet til langt på natt, minte biskopen kongen om at nå var det på tide å gå og legge seg, og så gjorde kongen det. Men da han hadde kledd av seg og lagt seg til sengs, satte gjesten seg på fottrinnet og snakket med kongen lenge ennå. Når et ord var sagt, stundet kongen etter neste. Da talte biskopen til kongen og sa at nå var det på tide å sove; kongen gjorde så, og gjesten gikk ut. Litt seinere våknet kongen og spurte etter gjesten, bad folk kalle ham til seg, men gjesten var ikke å finne noen steder.

Morgenen etter lot kongen kalle til seg kokken og han som stelte med drikken, og spurte om det var kommet noen fremmed mann til

---

Skratteskjær betyr trolleskjær; en skratte og en seidmann var omtrent det samme; mul. Flatskjær ved Avaldsnes.
Avaldsnes, norr. *Ogvaldsnes*.

Seidmennene på Skratteskjær.

dem. De sa at da de skulle stelle til maten, kom det en mann og sa at det var fælt så dårlig slakt de kokte til kongens bord, og så gav han dem to digre feite oksesider, som de hadde kokt sammen med det andre kjøttet. Da sa kongen at all denne maten skulle de ødelegge, han sa at dette hadde nok ikke vært noe menneske, det måtte ha vært Odin, som hedenske folk hadde trodd på så lenge; han sa at Odin skulle ikke komme noen veg med å få sveket dem.

65. Kong Olav fikk sammen en svær hær østfra landet om sommeren; med den hæren seilte han nord til Trondheimen og styrte først inn til Nidaros. Så lot han det gå tingbud over hele fjorden og lyste til åttefylkersting på Frosta. Men bøndene gjorde tingbudet om til hærpil og stevnte sammen tegn* og trell fra hele Trondheimen. Og da kongen kom til tinget, var bondemugen alt kommet der fullt væpnet.

Da tinget var satt, talte kongen til folket og bad dem gå over til kristendommen. Men han hadde ikke talt lenge før bøndene ropte opp og sa han skulle tie stille, de sa at ellers ville de gå på ham og jage ham bort. «Det gjorde vi med Håkon Adalsteinsfostre,» sa de, «da han kom og bød oss slikt, og vi vører ikke deg mer enn ham.» Da kong Olav så hvor ville bøndene ble, og at de dessuten hadde så stor hær at han ikke kunne stå seg mot dem, gav han etter i talen og lot som han var enig med bøndene. Han sa: «Jeg vil vi skal være forlikte igjen, slik som vi avtalte med hverandre før. Jeg vil bli med dere dit dere har det største blotstedet, og se på skikkene der. Så kan vi siden rådslå om hva for en skikk og tro vi skal velge å ha, og så kan vi bli enige alle sammen.»

Tegn, fri mann, skyldig til å tjene kongen.

Da nå kongen var så spak og talte mildt til bøndene, ble de mykere til sinns, og siden gikk det greit og fredelig med alle rådslagningene. Til slutt ble det avtalt at det skulle være midtsommersblot inne på Mære, og dit skulle alle høvdinger og mektige bønder komme, slik som skikken var. Der skulle også kong Olav komme.

66. Det var en mektig bonde som het Skjegge, han ble kalt Jernskjegge. Han bodde på Opphaug på Ørlandet. Skjegge var den første på tinget som talte mot kong Olav, og det var han som mest fikk bøndene til å sette seg mot kristendommen. Slik stod saken da de oppløste tinget. Bøndene drog hjem, og kongen til Lade.

67. Kong Olav hadde skipene sine liggende i Nidelva, han hadde tretti skip og mye og godt folk. Kongen sjøl var oftest på Lade med hirden. Da det tok til å li mot den tid blotet skulle være inne på Mære, gjorde kong Olav i stand et stort gjestebud på Lade; han sendte bud inn på Strinda og opp i Gauldalen og bad til seg høvdinger og andre storbønder. Da gjestebudet var ferdig stelt til, og gjestene var kommet, ble det et godt og staselig lag der første kvelden, og det ble skjenket svært så flittig. Folk ble grundig drukne. Etterpå sov de alle sammen i ro der om natta.

Morgenen etter, da kongen var kledd, lot han synge messe for seg, og da messen var slutt, lot kongen blåse til husting. Alle hans menn gikk fra skipene og kom til tinget.

Da tinget var satt, stod kongen opp og talte; han sa: «Vi hadde ting inne på Frosta; jeg bød bøndene at de skulle la seg døpe, de bød meg derimot at jeg skulle omvende meg og blote sammen med dem, slik som kong Håkon Adalsteinsfostre hadde gjort. Vi ble enige om at vi skulle møtes på Mære og stelle til et stort blot der. Men skal jeg omvende meg og blote i lag med dere, da vil jeg la stelle til det største blot som er brukelig, jeg vil ofre mennesker. Og jeg vil ikke velge treller eller uslinger til det. Nei, vi skal velge de største menn som er her, til det, og gi dem til gudene; jeg nevner Orm Lyrgja fra Melhus og Styrkår fra Gimsan, Kår fra Gryting, Asbjørn Torbergsson fra Værnes, Orm fra Ljoksa, Halldor fra Skjerdingstad,» og dessuten nevnte han fem andre av de største der; han sa at dem ville han ofre for godt år og fred, og så lot han straks folk gå mot dem.

Da bøndene så at de ikke hadde stor nok flokk til å stå imot kongen, bad de om fred og gav seg helt over i kongens makt. De ble forlikte om dette at alle bønder som var der, skulle la seg døpe og sverge kongen at de ville holde den rette tro og gi opp all blotskap. Kongen holdt alle disse mennene i gjestebud hos seg helt til de gav sønnene sine eller brødre eller andre nære frender som gisler til kongen.

68. Kong Olav drog inn i Trondheimen med hele hæren. Da han kom inn på Mære, var alle trønderhøvdingene kommet dit, de som stod mest imot kristendommen; de hadde med seg alle de storbøndene som før hadde hatt med blotene der på stedet. Det var en mengde folk der, slik som det hadde vært på Frostatinget forrige gang. Så lot kongen kreve ting, og begge flokkene gikk til tinget i

Kong Olav inne i Tors hov.

fulle våpen. Da tinget var satt, talte kongen og bød folk ta kristendommen.

Jernskjegge svarte for bøndene på kongens tale; han sa at bøndene ville nå som før at kongen ikke skulle bryte lovene for dem. «Vi vil du skal blote, konge,» sa han, «slik har andre konger gjort her før deg.» Bøndene ropte opp og gav ham medhold, de sa at de ville alt skulle være som Skjegge sa. Da sa kongen han ville gå til hovet og se hvordan de bar seg at når de blotet. Dette var bøndene nøyd med, og de gikk til hovet begge flokkene.

69. Nå gikk kong Olav inn i hovet sammen med noen få av sine egne menn og noen få av bøndene. Kongen kom inn der gudene var, der satt Tor og var høvding for alle gudene, prydet med gull og sølv. Kong Olav løftet opp en gullslått piggstav med øks på som han hadde i handa, og slo til Tor så han falt ned av stallen* han stod på,

Stall(e), se merkn. s. 93.

og så løp kongsmennene bort og skubbet alle gudene ned av stallene. Og mens kongen var inne i hovet, ble Jernskjegge drept utenfor hovsdøra, og det gjorde kongsmennene.

Da kongen kom ut til folket, bød han bøndene å velge ett av to, enten skulle de alle sammen gå over til kristendommen, eller også kjempe med ham. Men nå da Jernskjegge var død, var det ingen til å gå foran i bondehæren og reise merke mot kong Olav. Derfor valgte de heller å gå over til kongen og gjøre det han bød dem. Så lot kong Olav alt det folket som var der døpe, og han fikk gisler av bøndene for at de skulle holde ved kristendommen. Etterpå lot kong Olav sine menn reise rundt i alle fylkene i Trondheimen; nå talte ingen imot kristendommen, og så ble hele folket i Trøndelag døpt.

70. Kong Olav drog med hæren ut til Nidaros. Der lot han bygge hus på bakken ved Nidelv, og han ordnet det slik at det skulle være kjøpstad der. Han gav folk tomter til å bygge seg hus på, og så lot han bygge kongsgård oppe ved Skipakrok*. Om høsten lot han føre dit alt det han trengte av kost og annet til vinteren. Han hadde en mengde folk hos seg.

71. Kong Olav satte stevne med frendene til Jernskjegge og bød dem bøter, og der var det mange store og gjæve menn til å svare kongen. Jernskjegge hadde ei datter som het Gudrun, og til slutt ble de forlikt om at kong Olav skulle gifte seg med Gudrun. Bryllupet ble holdt, og de gikk da i éi seng, kong Olav og Gudrun. Men første natta de lå sammen, drog hun fram en kniv straks kongen hadde sovnet, og ville stikke ham. Da kongen merket det, tok han kniven fra henne, stod opp av senga og gikk til sine menn og sa hva som hadde hendt. Gudrun tok også klærne sine, og alle de som hadde fulgt henne dit også; de drog sin veg, og Gudrun kom aldri mer i samme seng som kong Olav.

72. Samme høst lot kong Olav bygge et stort langskip på øra ved Nidelv. Det var ei snekke, han hadde en mengde handverkere der til det. Mot vinteren var skipet fullt ferdig, da hadde det tretti rom, det var høyt i stavnene, men var ikke stort ellers. Kongen kalte dette skipet for Tranen. – Da Jernskjegge var drept, ble liket hans ført ut på Ørlandet; han ligger i Skjeggehaugen ved Austrått.

73. Da kong Olav Tryggvason hadde vært konge i Norge i to år, var det en saksisk prest hos ham som het Tangbrand. Han var en fæl villstyring og slåsskjempe, men ellers vellært klerk og en kjekk kar; men han var så ustyrlig at kongen ville ikke ha ham hos seg, og derfor sendte han ham ut i det ærende at han skulle dra til Island og kristne landet. Han fikk et kjøpskip, og om reisen er det bare å si at han kom til Island i søndre Alptafjord i Austfjordene, og der var han hos Hall på Sida vinteren som fulgte. Tangbrand prekte kristendom på Island, og Hall og hele hans husstand og mange andre høvdinger lot seg døpe på hans ord; men det var mange flere som talte mot ham. Torvald Veile og Vetrlide skald laget nidviser om Tang-

Skipakrok, ved osen av Nidelva.

brand, og han drepte begge to. Tangbrand var to år på Island, og drepte tre menn før han drog bort.

74. Det var en mann som het Sigurd og en som het Hauk; de var håløyger og dreiv mye i kjøpmannsferd. En sommer hadde de vært vest i England. Da de kom tilbake til Norge, seilte de nordover langs land; og på Nordmøre støtte de på kong Olavs folk. Det ble sagt til kongen at det var kommet noen håløyger der, og at de var hedninger; da lot kongen skipperne kalle til seg; han spurte dem om de ville la seg døpe, men det sa de nei til.

Så snakket kongen for dem på mange måter, men det hjalp ikke; da lovte han dem død eller lemlesting, men de gav seg ikke for det. Så lot han dem sette i lenker og hadde dem hos seg ei tid, de ble alltid holdt bundet. Kongen snakket ofte for dem, men det nyttet ikke, og ei natt ble de borte uten at noen hørte noe til dem, eller visste hvordan de var kommet unna. Men om høsten kom de fram nord hos Hårek på Tjøtta; han tok godt imot dem, og de ble der om vinteren hos ham og hadde det godt.

75. En vakker vårdag hendte det at Hårek var hjemme, og det var lite folk på garden; han syntes han hadde det kjedelig. Sigurd spurte ham om han ville de skulle ro ut litt for moro skyld, og det ville Hårek gjerne. Så gikk de ned til stranda og drog fram en seksæring. Sigurd gikk i naustet og tok seil og redskap som de pleide; de hadde ofte seil med når de var ute for moro skyld. Hårek gikk ut i båten og la roret i lag. Sigurd og Hauk var fullt væpnet, slik brukte de alltid å gå hjemme hos bonden; de var riktig sterke karer begge to. Før de gikk om bord, kastet de ut i båten noen smørlauper og ei kasse brød, og så bar de ei stor bøtte øl mellom seg ut i båten. Så rodde de fra land.

De var ikke kommet langt fra øya før brødrene fikk opp seilene. Hårek styrte. Nå gikk det fort ut fra øya. Da gikk de to brødrene akterover dit Hårek satt. Sigurd sa til Hårek bonde: «Nå skal du få noen vilkår her å velge mellom. Det første er at du lar oss brødre få rå for hvor denne ferden skal gå hen; det andre er at du lar oss binde deg, og det tredje at vi dreper deg.» Hårek skjønte hvordan saken stod for ham; om han hadde vært like godt væpnet som de, kunne han likevel ikke ha stått seg mot mer enn én av brødrene; derfor valgte han det han syntes var det likeste, han lot dem rå for hvor de skulle hen. Dette bandt han seg til med eder og gav dem sitt ord på det.

Så gikk Sigurd til roret og styrte sørover langs land. Brødrene så seg vel for at de ikke møtte folk noen steder, og de hadde fin bør. De stanset ikke før de kom sør til Trondheimen og inn til Nidaros, og der gikk de til kong Olav. Nå lot kong Olav Hårek kalle til samtale med seg, og sa han skulle la seg døpe. Hårek sa nei, og dette snakket de om i mange dager, kongen og Hårek, noen ganger så mange hørte på, og noen ganger på tomannshånd; men de ble ikke forlikte.

Men til slutt sa kongen til Hårek: «Nå kan du seile hjem, og jeg

Kong Olav
prøver å
overtale Hårek.

skal ikke gjøre deg noe denne gangen. For det første er vi nære
frender, og for det andre kom du til å si at jeg hadde tatt deg med
svik. Men det kan du være viss på, at i sommer kommer jeg nordover
og ser til dere håløyger. Da skal dere få se at jeg kan straffe dem som
ikke vil ha kristendommen.» Hårek sa han var glad han kom derfra
så snart som mulig. Kong Olav gav Hårek ei god skute, ti–tolv mann
rodde den; han lot skipet utruste på det beste med alt som trengtes.
Kongen gav Hårek tretti mann med, kjekke karer og vel rustet.

76. Hårek fra Tjøtta skyndte seg ut av byen og bort så snart han
kunne, men Hauk og Sigurd ble igjen hos kongen og lot seg døpe
begge to. Hårek seilte av sted til han kom hjem til Tjøtta. Han
sendte bud til sin venn Øyvind Kinnriva, og sa de skulle si fra Hårek
på Tjøtta åt han hadde vært hos kong Olav, men at han ikke hadde
latt seg true til å gå over til kristendommen; dernest skulle de si at
kong Olav tenkte å komme med en hær mot dem til sommeren.
Hårek sa at dette måtte de være på vakt mot, og bad Øyvind komme
til ham så snart han kunne.

Da dette budskapet kom fram til Øyvind, skjønte han at her var det helt nødvendig å finne på råd, så ikke kongen skulle få tak på dem. Øyvind drog av sted på ei lita lett skute så fort han kunne, og hadde ikke mange folk med seg. Da han kom til Tjøtta, tok Hårek godt imot ham, og Hårek og Øyvind gikk med en gang bort på den andre sida av garden for å snakke sammen. Men de hadde ikke snakket lenge før kong Olavs menn kom dit, de som hadde fulgt Hårek nordover. De tok Øyvind til fange og førte ham med seg ned til skipet, og så seilte de bort med Øyvind.

De stanset ikke før de kom til Trondheimen og til kong Olav i Nidaros. Der ble Øyvind ført til en samtale med kong Olav. Kongen bød ham som andre å ta imot dåpen. Øyvind sa nei. Kongen bad ham med milde ord å gå over til kristendommen, og gav ham mange grunner for det, det samme gjorde biskopen. Øyvind brydde seg ikke noe om det. Så bød kongen ham gaver og store veitsler, men Øyvind sa nei til alt sammen. Da truet kongen ham med død eller lemlesting. Øyvind brydde seg ikke om det heller. Nå lot kongen bære inn et vaskefat fullt av glør, og det ble satt på magen til Øyvind. Snart etter sprakk magen sund. Da sa Øyvind: «Ta fatet av meg, jeg vil si noen ord før jeg dør.» Det ble gjort. Da spurte kongen: «Nå Øyvind, vil du nå tro på Krist?» «Nei,» sa han, «jeg kan ikke ta noen dåp, for jeg er en ånd som finnene har gjort levende med trolldom i en menneskekropp; far og mor min hadde ikke kunnet få noen barn før.» Så døde Øyvind, han hadde kunnet mer trolldom enn de fleste.

77. Våren etter lot kong Olav sette i stand skipene og rustet ut hæren sin. Han tok sjøl Tranen. Kongen hadde stor og vakker hær.

Da han var ferdig, seilte han flåten ut etter fjorden, og så nordover forbi Bøle og nord til Hålogaland. Hvor han kom i land, holdt han ting, og der bød han alle mennesker å ta dåpen og den rette tro. Ingen dristet seg til å si ham imot, og slik ble hele landet kristnet der han kom. Kong Olav tok inn hos Hårek på Tjøtta; og da ble Hårek og alle folkene hans døpt. Hårek gav kongen store gaver da de skiltes og ble hans mann, han fikk veitsler av kongen og lendmanns rett.

78. Det var en bonde som het Raud den ramme; han bodde på Godøy i fjorden som heter Saltfjorden. Raud var en steinrik mann og holdt mange huskarer; han var mektig, en svær flokk finner hjalp ham straks når han trengte det. Raud var svær til å blote og kunne mye trolldom. Han var en god venn til en mann som er nevnt før, Tore Hjort; de var store høvdinger begge to.

Da disse to fikk høre at kong Olav var på vei sørfra gjennom Hålogaland med en stor hær, samlet de hær om seg de også; de bød ut skip og fikk mye folk. Raud hadde en stor drake med forgylt hode på; skipet hadde tretti rom og var stort i forhold til romtallet. Tore Hjort hadde også et stort skip. De styrte sørover med flåten mot kong Olav. Da de møttes, la de til kamp mot kong Olav; det ble et stort slag der, og snart ble det mannefall, men mest hos håløygene, skipene deres ble ryddet, og da kom det over dem både skrekk og

redsel. Raud rodde ut til havs med draken sin, og så lot han heise
seil. Raud hadde alltid bør hvor han så ville seile, det kom av troll-
dommen hans.

Det er snart sagt hvordan det gikk Raud, han seilte hjem til
Godøy. Tore Hjort flyktet inn mot land, der sprang de av skipene,
men kong Olav fulgte etter dem og jagde og drepte dem. Kongen var
den fremste igjen, som alltid ellers, når slikt skulle fristes. Han så
Tore Hjort som løp, Tore var snarere til beins enn alle andre. Kon-
gen rente etter ham, og Vige, hunden hans, fulgte. Da ropte kongen:
«Vige, ta hjorten!» Vige løp fram og etter Tore, og hoppet opp på
ham. Tore ble stående. Da kastet kongen et spyd mot Tore, Tore
stakk hunden med sverdet og gav den et stort sår, men i det samme
fløy spydet til kongen inn under armen på Tore, så det kom ut igjen
på den andre sida. Der mistet Tore livet, og Vige ble båret såret om
bord. Kong Olav gav grid til alle som bad om det, og som ville gå
over til kristendommen.

79. Kong Olav styrte flåten nordover langs landet og kristnet alle
mennesker der han kom. Da han kom nord til Saltfjorden, ville han
seile inn fjorden og finne Raud. Men et forrykende uvær og hard
storm stod ut etter fjorden; kongen lå der ei uke, og samme uværet
holdt seg inne i fjorden, men utenfor blåste det fin bør til å seile
nordover langs landet med. Så seilte kongen helt nord til Omd, og
der gikk alle folk over til kristendommen. Etterpå snudde kongen og
drog sørover igjen. Men da han kom utenfor Saltfjorden, stod stor-
men og sjørøyken utetter fjorden igjen. Kongen lå der noen dager,
og det var samme været. Da gikk kongen til biskop Sigurd og spurte
om han kunne gi ham noe råd for dette. Biskopen sa han ville prøve
om Gud ville låne dem noe av sin styrke så de kunne seire over
denne djevelsmakt.

80. Biskop Sigurd tok hele messeskrudet sitt med seg og gikk fram
i stavnen på kongeskipet; han lot tenne lys og svinge røkelse, satte
opp et krusifiks der i stavnen, leste evangeliet og mange andre bøn-
ner, og skvettet vievann utover hele skipet. Så sa han de skulle ta
ned skipsteltene og ro innover fjorden. Kongen lot rope til de andre
skipene at de skulle ro etter ham. Og da de kom i gang med å ro på
Tranen, gikk den inn fjorden, og de som rodde skipet, kjente ingen
vind mot seg; men kjølvannet, der skipet hadde gått, stod som
merke etter det, slik at der var det stille, men sjørøyken stod på
begge sider slik at en kunne ikke se fjella for den. Så rodde det ene
skipet etter det andre innover der i stilla, slik gikk det hele dagen og
natta som fulgte, og litt før dag kom de til Godøy. Da de kom
utenfor garden til Raud, så de den store draken hans som lå og fløt
der ved land.

Kong Olav gikk straks opp til garden med følget, de gikk til det
loftet Raud sov i, brøt det opp og løp inn der. Raud ble tatt til fange
og bundet, og av de andre som var der inne, ble noen drept og noen
tatt til fange. Så gikk kongsmennene til det huset som huskarene til
Raud sov i, der ble noen drept, noen bundet og noen banket. Nå lot

kongen Raud føre fram for seg og bød ham å la seg døpe. «Da skal jeg ikke ta fra deg det du eier,» sa kongen, «men jeg skal være din venn, om du da kan stelle deg slik.» Raud ropte og skreik mot ham, han sa han aldri ville tro på Krist, og spottet Gud fælt. Da ble kongen sint og sa Raud skulle få den verste død som var.

Så lot kongen folk ta og binde ham med ryggen mot en stokk, han lot dem sette en pinne mellom tennene på ham, slik at munnen stod åpen. Så lot kongen ta en lyngorm og sette foran munnen på ham, men ormen ville ikke inn i munnen, den krøkte seg bort, for Raud blåste mot den. Da lot kongen ta en kvannstilk som var som et rør, og sette i munnen på Raud, noen sier forresten at det var luren sin kongen lot sette i munnen på ham. Så slapp han ormen inn der og kjørte ei gloende jernstang inn etter den. Da krøkte ormen seg inn i munnen på Raud, og videre ned gjennom halsen og skar seg ut i sida. Slik mistet Raud livet.

Kong Olav tok svære rikdommer i gull og sølv der og mye annet løsøre, våpen og mange slags kostbarheter. Og alle de mennene som hadde fulgt Raud, dem lot kongen døpe, og når de ikke ville det, lot han dem drepe eller pine. Den draken som Raud hadde eid, tok kong Olav og styrte sjøl, for det var et mye større og finere skip enn Tranen; framme hadde det et drakehode, og akter en krok som så ut som en hale; begge nakkene og hele stavnen var lagt med gull. Dette skipet kalte kongen for Ormen, for når seilene var oppe, kunne de gå for å være vingene på draken, og det var det fineste skipet i hele Norge.

De øyene Raud bodde på, heter Gylling og Hæring, og alle sammen heter de Godøyene, og strømmen i nord mellom dem og fastlandet heter Godøystraumen. Kong Olav kristnet hele fjorden, siden drog han sørover langs med landet, og på den ferden hendte det mye som det går sagn om, troll og vonde vetter eglet seg inn på mennene hans og stundom på ham sjøl òg. Men vi vil heller skrive om hvordan det gikk til da kong Olav kristnet Norge og de andre landene som han førte kristendom til. Samme høsten kom kong Olav til Trondheimen med hæren, og styrte til Nidaros og gjorde seg i stand til å bli der om vinteren.

Det neste jeg nå vil skrive om, handler om islendinger.

81. Samme høsten kom Kjartan Olavsson til Nidaros fra Island; Kjartan var sønn til Olav, sønn til Hoskuld, og han var dattersønn til Egil Skallagrimsson; folk sier han har vært den aller beste unge mann som noen gang er blitt født på Island. Der var Halldor også, sønn til Gudmund på Mödruvellir*, og Kolbein, sønn til Tord Frøysgode og bror til Brenne-Flose*; den fjerde var Sverting, sønn til Runolv gode*. Alle disse var hedninger, og det var mange andre med dem, noen mektige og noen småfolk. Samtidig kom det også

Mödruvellir, i Eyjafjorden på Nord-Island.
Brenne-Flose. Denne Flose brente siden inne Njål og sønnene hans.
Gode, se merkn. s. 14.

noen andre stormenn fra Island, folk som hadde lært kristendom av Tangbrand; det var Gissur Kvite, sønn til Teit Kjetilbjørnsson, mor hans var Ålov, datter til Bodvar herse, Viking-Kåres sønn. Bror til Bodvar var Sigurd, far til Eirik Bjodaskalle som var far til Astrid, mor til kong Olav. En av islendingene het Hjalte Skeggjason, han var gift med Vilborg, datter til Gissur Kvite. Hjalte var også kristen, og kong Olav tok svært godt imot disse mågene Gissur og Hjalte, og de bodde hos ham der.

Men de islendingene som var hedninger, og som styrte skip, de prøvde å seile sin veg, så snart kongen kom til byen, for de hadde hørt at kongen tvang alle mennesker til å bli kristne. Men været var imot dem, og så dreiv de tilbake inn under Nidarholm. De som styrte disse skipene, var Torarin Nevjolvsson, Hallfred Ottarsson skald, Brand den gavmilde og Torleik Brandsson. Det ble sagt fra til kong Olav om dette, at det var noen skip der med islendinger som var hedninger alle sammen, og nå ville de rømme for ikke å møte kongen. Da sendte kongen bud til dem og nektet dem å seile, han sa de skulle styre inn til byen, og det gjorde de, men de bar ikke noe i land fra skipene sine.

82. Nå ble det mikkelsmess*. Den dagen lot kongen feire høytidelig, han lot synge høytidsmesse. Islendingene gikk til messen og hørte på den vakre sangen og lyden av klokkene. Da de kom tilbake til skipene, sa hver av dem hvordan de hadde likt dette som kristenfolket dreiv på med. Kjartan syntes godt om det, men de fleste av de andre hadde bare vondord. Men det er sant som det er sagt, at mange er kongens ører, kongen fikk høre om det, og så sendte han straks samme dagen bud etter Kjartan og bad ham komme til seg.

Kjartan gikk til kongen sammen med noen andre, og kongen tok godt imot ham. Kjartan var en usedvanlig stor og vakker mann, og talte godt for seg. Kongen og han hadde ikke talt mange ordene med hverandre, før kongen bød Kjartan å ta kristendommen. Kjartan sa han ville ikke si nei til det, om han kunne få kongens vennskap for det. Kongen lovte ham sitt fulle vennskap, og så ble han og kongen enige om dette med hverandre. Dagen etter ble Kjartan døpt, og Bolle Torlaksson, frenden hans, og hele følget deres også. Kjartan og Bolle var gjester hos kongen så lenge de var i hvite dåpsklær, og kongen viste dem stor godhet.

83. Det var en dag kong Olav var ute og gikk på stretet, da kom det noen menn gående mot ham, og den som gikk først, hilste på kongen. Kongen spurte mannen hva han het, og han sa han het Hallfred. Da sa kongen: «Er det du som er skald?» Han sa: «Jeg kan da dikte.» Da sa kongen: «Kanskje du vil gå over til kristendommen, og så siden bli min mann?» Han sa: «Jeg setter ett vilkår; jeg skal la meg døpe dersom du, konge, sjøl vil være gudfar for meg; det vil jeg ikke ta imot av noen annen mann.» Kongen sa: «Det skal jeg være.» Så ble Hallfred døpt, og kongen holdt ham under dåpen.

Mikkelsmess, 29. september.

Etterpå spurte kongen Hallfred: «Vil du nå bli min mann?» Hallfred sa: «Jeg har vært hirdmann hos Håkon jarl før. Og nå vil jeg ikke bli handgangen verken hos deg eller noen annen høvding, uten du lover meg at du aldri skal jage meg fra deg, hva det så skulle komme til å hende meg.» «Jeg har ikke hørt annet om deg, Hallfred,» sa kongen, «enn at du nok verken er så vettug eller så vis at jeg ikke må vente annet enn at du kommer til å gjøre ting som jeg ikke for noen pris kan finne meg i.» «Da får du drepe meg,» sa Hallfred. Kongen sa: «Du er en vandrædaskald*. Men du skal være min skald fra nå av.» Hallfred svarte: «Hva gir du meg i navnefeste da, konge, når jeg skal hete Vandrædaskald?» Kongen gav ham et sverd, men det fulgte ingen skjede med. Kongen sa: «Nå kan du lage ei strofe om sverdet, og la ordet sverd komme i hver linje.» Hallfred kvad:

Ett sverdenes sverd var det
som sverdrik meg gjorde.
For sverdsvingere blir det
nå sverdete å leve.

Sverdet ble ikke verre
om utstyr fulgte sverdet,
en vakker farget skjede.
Jeg er verd tre ganger sverdet.

Da gav kongen ham skjede til og sa: «Ordet sverd står ikke i hver linje.» Hallfred svarer: «Det er én linje det er to i.» «Slik er det,» sa kongen.

Fra kvadene til Hallfred har vi fått kunnskap og visshet om det som er fortalt om kong Olav Tryggvason.

84. Samme høsten kom Tangbrand prest fra Island til kong Olav. Han fortalte at det hadde ikke gått så glatt for ham; islendingene hadde laget nid om ham, sa han, og noen av dem ville drepe ham, og han trodde ikke det var noen utsikt til at det landet skulle bli kristent. Kong Olav ble så vill og vred at han lot blåse i luren, og kalte sammen alle de islendingene som var i byen, og så sa han de skulle bli drept alle sammen. Men Kjartan og Gissur og Hjalte og de andre som hadde gått over til kristendommen, gikk til ham og sa: «Konge, du kan ikke ville gå tilbake på dine egne ord, og du sier jo at ingen mann skal ha gjort så mye som kunne gjøre deg vred, at du ikke skulle tilgi ham alt om han lot seg døpe og gav opp hedenskapen. Nå vil alle disse islendingene som er her, la seg døpe, og vi skal nok finne på en list så kristendommen skal få framgang på Island. Det er mange her som er sønner til mektige menn på Island, og fedrene deres vil være til stor hjelp for denne saken. Og Tangbrand fór fram med råskap og manndrap der som her hos deg, og det ville ikke folk finne seg i av ham.» Kongen tok nå til å høre på det de hadde å si. Og så ble de døpt alle de islendingene som var der.

85. Kong Olav var den beste i alle slags idretter av alle de menn det er fortalt om i Norge; han var sterkere og smidigere enn noen annen mann, og det er skrevet mange frasagn om det. Ett av dem

Vandrædaskald betyr en vanskelig, brysom skald.

Gudrøds menn herjer i Viken.

er om at han gikk opp på Smalsarhorn* og festet skjoldet sitt på toppen av fjellet, et annet om hvordan han hjalp en av hirdmennene sine som først hadde klyvd opp der i berget slik at han verken kunne komme opp eller ned; kongen gikk opp til ham og tok ham under armen og bar ham ned på sletta. Kong Olav kunne gå på årene utabords mens mennene hans rodde på Ormen; han lekte med tre sverd slik at det ene alltid var i lufta, og tok dem alltid igjen i handgrepet. Han hogg alltid med begge hender og kastet to spyd på én gang. Kong Olav var glad i moro og likte godt leik, han var blid og liketil; han dreiv hardt med alle ting, og var rent storveies til å gi bort, han var svært nøye på klærne; han var foran alle andre menn når det gjaldt å være djerv i kamp; stygg og grusom som få når han ble sint, og pinte uvennene sine fælt; noen brente han med ild, noen lot han olme hunder rive i filler, og noen lemlestet han, eller lot dem kaste utfor høye fjell. Derfor var vennene hans glade i ham, men uvennene var redd ham, og når han hadde slik framgang, var det fordi noen gjorde det han ville av godhet og vennskap, og noen fordi de var redde.

86. Leiv, sønn til Eirik Raude som først bygde på Grønland, kom til Norge fra Grønland denne sommeren. Han kom til kong Olav og tok imot kristendommen og ble vinteren over hos kong Olav.

87. Gudrød, sønn til Eirik Blodøks og Gunnhild, hadde vært og herjet i Vesterlanda etter at han hadde rømt fra landet for Håkon jarl. Men denne sommeren som det ble fortalt om nå her foran, da kong Olav Tryggvason hadde rådd for Norge i fire år, da kom Gudrød til Norge og hadde med seg mange hærskip. Han hadde seilt ut fra England, og da han kom så langt at han snart skulle se land i Norge, så styrte han sørover langs kysten, dit han tenkte det var minst rimelig å støte på kong Olav.

Smalsarhorn, Hornelen på Bremangerlandet utenfor Nordfjord.

Gudrød seiltę sør til Viken. Og straks han kom i land, tok han til å herje og tvinge folk i landet under seg; han krevde de skulle ta ham til konge. Da de som bodde der, så at det var kommet en stor hær over dem, bad de om fred og forlik, og de tilbød kongen å la det gå tingbud over landet; de bød seg til å ta ham til konge heller enn å få hæren hans over seg. Så ble det satt en frist så lenge tingbudet gikk. Kongen krevde kosthold så lenge ventetiden varte, men bøndene valgte heller å gjøre veitsler for kongen, all den stund han trengte til det, og det tok kongen imot; han drog omkring i landet på veitsler med noen av mennene sine, og de andre så etter skipene.

Da de to brødrene Hyrning og Torgeir, mågene til kong Olav, hørte dette, samlet de folk om seg og fikk seg skip, deretter drog de nord i Viken, og kom ei natt med flokken sin der Gudrød var på veitsle. De gikk mot ham der med ild og våpen. Der falt kong Gudrød og det meste av hæren hans, og av de folkene som hadde blitt igjen ved skipene, ble noen drept og noen kom seg unna og rømte lange veger.

Nå var de døde alle sønnene til Eirik og Gunnhild.

88. Den vinteren etter at kong Olav var kommet fra Hålogaland, lot han bygge et stort skip inne under Ladehammeren; det var mye større enn noen av de andre skipene som fantes i landet dengang, bakkestokkene er der ennå, så en kan se hvor stort det var. En mann som het Torberg Skavhogg bygde stavnene på skipet, men det var mange andre som arbeidde på det, noen til å sette det sammen, noen til å telgje, noen til å slå søm og noen til å kjøre tømmeret. Alt på det ble svært omhyggelig og fint forseggjort. Skipet var både langt og bredt, det var høyt opp til relinga og bygd av svært tømmer.

Men da de skulle legge den øverste bordkledningen, måtte Torberg nødvendigvis et ærend hjem til garden sin, og der ble han nokså lenge. Da han kom tilbake, var bordkledningen lagt. Kongen gikk ut straks om kvelden sammen med Torberg og så på skipet, hvordan det var blitt. Alle sa de aldri hadde sett så stort og så vakkert langskip. Så gikk kongen tilbake til byen.

Tidlig neste morgen gikk kongen og Torberg ut til skipet igjen. Da var handverkerne alt kommet dit, de stod der alle sammen og gjorde ingen ting. Kongen spurte hvorfor de stod slik. De sa at skipet var ødelagt; en mann måtte ha gått fra framstavnen til løftingen* og sneid det ene hogget etter det andre inn i det øverste bordet. Kongen gikk bort og så at det var sant. Da sa han med én gang, og svor på det, at om han, kongen, fikk greie på hvem det var som hadde ødelagt skipet for ham slik av misunnelse, da skulle den mannen få dø. «Men den som kan si meg hvem det er, skal jeg gjøre mye godt for.»

Da sa Torberg: «Jeg skulle nok si Dem hvem som har gjort dette her, konge.» «Det er heller ikke noen annen mann jeg venter det mer av enn av deg,» sa kongen, «at du skulle ha lykke til å finne ut

Løftingen er akterdekket på skip.

Ormèn lange.

dette og fortelle meg det.» «Konge,» sa han, «jeg skal si deg hvem som har gjort det. Jeg har gjort det.» Da sa kongen: «Da skal du bøte det igjen slik at det blir like godt som det var før. Og du setter livet på spill med dette.» Nå gikk Torberg bort og telgde bordet slik at alle sneihoggene ble borte. Da sa kongen og alle de andre at skipet var mye vakrere på den sida som Torberg hadde skåret i. Kongen bad ham gjøre slik på den andre sida også, og sa han skulle ha så mange takk for det.

Nå ble Torberg førstemann i arbeidet på skipet helt til det var ferdig. Det var en drake, bygd slik som Ormen, som kongen hadde hatt med fra Hålogaland; men dette skipet var mye større og mer forseggjort på alle måter. Han kalte det Ormen lange og det andre Ormen stutte. Det var 34 rom på Ormen lange. Hodet og kroken var helt forgylte; og det var like høyt til relinga som et havskip. Det er det beste skip som har vært bygd i Norge og det som har kostet mest.

89. Eirik Håkonsson jarl og brødrene hans og mange andre av de gjæve frendene deres, drog bort og ut av landet etter at Håkon jarl var falt. Eirik jarl drog øst til Svitjod til Olav sveakonge, og der ble han godt mottatt. Kong Olav gav jarlen land og fred der og gav ham store veitsler, så han kunne holde seg og sine menn godt der i landet. Dette taler Tord Kolbeinsson om:

Mennenes svik sendte
siden Håkon i døden,
fredløs varg det voldte,
lagnaden vil så mye.
Tryggves sønn var kommet
til det land han modig
vant bak lindeskjoldet
da han seilte vestfra.

Mere stod i Eiriks
sinn mot gullrik konge
enn han sa oss høylytt.
Slik ventet vi av ham.
Trøndske jarlen søkte
råd hos svenskekongen,
vred på trassige trønder.
Det torde ingen hindre.

Det kom mye folk fra Norge til Eirik jarl, menn som hadde blitt landflyktige for kong Olav Tryggvason. Eirik jarl fant da på å skaffe seg skip og drog på hærferd etter gods til seg og følget sitt. Han seilte først til Gotland, og der lå han lenge om sommeren og kapret kjøpmannsskip som kom seilende dit til landet, eller om det var vikinger. Stundom gikk han opp på land og herjet rundt omkring langs sjøkanten. Dette er sagt i Bandadråpa:

Siden vant jarlen mange   *Skjoldbærende herre*
andre seirer med våpen,   *herjetokter gjorde*
spydværet spørs ennå.   *rundt på Gotlands strender.*
Med spyd vant Eirik landet –   glad i kampens stormvær*.

Etterpå seilte Eirik jarl sør til Vendland, og der utenfor Stauren* møtte han noen vikingskip og la til kamp mot dem. Eirik jarl fikk seier der, og drepte vikingene. Dette er sagt i Bandadråpa:

Med list styrte kongen   *Sårfuglen sleit på øra*
skip til Stauren. Der fikk   *i sverdenes harde møte,*
mannehodene ligge.   *hud av vikingers hoder.*
Kampglad rår nå jarlen –   landet, som guder vokter.

90. Om høsten seilte Eirik jarl tilbake til Svitjod og ble der en vinter til. Men om våren rustet jarlen hæren og seilte i austerveg. Da han kom i kong Valdemars rike, tok han til å herje og drepe folk, brente og ødela landet overalt der han kom. Han kom til Aldeigjuborg*, og kringsatte den og lå der til han vant byen; han drepte mange og brøt ned og brente hele borgen. Etterpå drog han med hærskjold rundt omkring i Gardarike. Dette er sagt i Bandadråpa:

Siden sverdets herre   *Aldeigjuborg brøt du,*
i voksende storm av odder   *hærfolks herre, vi vet det.*
herjet Valdemars rike .   *Hard ble Hild mot bønder*
veldig med sverd som flammer. *da* du *kom øst i Gardar.*

Eirik jarl var ute i alle disse hærferdene i fem somrer til sammen, og da han kom hjem fra Gardarike, fór han med hærskjold over hele Adalsysla* og Øysysla*. Der tok han fire store vikingskip fra danene og drepte alle som var på dem. Dette er sagt i Bandadråpa:

Linjene med rett skrift hører sammen i omkvedet.
Stauren, nå Staber Huk på Fehmarn?
Aldeigjuborg, byen Aldagen eller Ladoga (Staraja Ladoga) ved elva Volkhov, som renner ut i Ladogasjøen.
Adalsysla, fastlandet (Estland) innenfor Øsel.
Øysysla, Øsel.

Jeg har hørt piler suse	*Kraftige rytter av havhest,*
der blodig strid han vakte	*i byen der bønder rente,*
dengang i øy-sundet.	*fikk du kamp med gøter.*
Med spyd vant Eirik landet –	Kampglad rår nå jarlen –
Folkets gavmilde fører	*Som en hærgud fór han*
ryddet fire skeider,	*med hærskjold i alle sysler.*
for danene. Det vet vi.	*Han gikk mot folkefreden.*
glad i kampens stormvær.	landet, som guder vokter.

Da Eirik jarl hadde vært ett år i Sveavelde, drog han til Danmark. Han drog til danekongen Svein Tjugeskjegg og fridde til Gyda, datter hans; giftermålet ble avtalt, og Eirik jarl fikk Gyda. Året etter fikk de en sønn som het Håkon. Om vinteren var Eirik jarl i Danmark og noen ganger i Sveavelde, men om sommeren var han på hærferd.

91. Svein Tjugeskjegg danekonge var gift med Gunnhild, datter til Burislav venderkonge. Men ved den tid det er fortalt om her foran, hendte det at Gunnhild ble sjuk og døde*. Og litt seinere ble kong Svein gift med Sigrid Storråde, datter til Skoglar-Toste og mor til sveakongen Olav Svenske. Med mågskapen kom det stort vennskap mellom kongene og mellom dem og Eirik Håkonsson jarl.

92. Burislav venderkonge klagde for mågen sin, Sigvalde jarl, over at det var brutt det forliket som Sigvalde jarl hadde fått i stand mellom kong Svein og kong Burislav. Kong Burislav skulle ha Tyre Haraldsdotter, søster til kong Svein, til ekte, men dette giftermålet hadde ikke kommet i stand, for Tyre sa tvert nei; hun ville ikke gifte seg med en hedensk mann, som attpå var gammel. Nå sa kong Burislav til jarlen at han ville kreve avtalen holdt, og bad jarlen dra til Danmark og hente dronning Tyre til ham.

Sigvalde jarl lot seg ikke be to ganger, han drog til Svein danekonge og la fram saken for ham; og jarlen fikk overtalt kong Svein slik at han gav søstera Tyre over til jarlen; noen kvinner fulgte henne, dessuten fosterfaren hennes som het Ossur Agesson, en mektig mann, og noen andre. Kongen og jarlen avtalte at de eiendommene som dronning Gunnhild hadde hatt i Vendland, skulle Tyre ha i medgift og særeie, og dessuten andre store eiendommer som hun skulle ha av brudgommen. Tyre gråt sårt og ville svært nødig reise.

Da nå jarlen kom til Vendland med henne, holdt kong Burislav bryllup og giftet seg med dronning Tyre. Men ettersom hun var hos hedenske mennesker, ville hun verken ta imot mat eller drikke av dem, og slik gikk det i sju dager.

Men så ei natt løp dronning Tyre og Ossur bort i mørke om natta og tok til skogs. Det er ikke langt å fortelle om hvordan det gikk dem, de kom fram i Danmark, men der torde ikke Tyre være for

---

Gunnhild ble sjuk og døde. Dette er visst uriktig. Gunnhild ble forskutt og sendt til Vendland, men kom tilbake til Danmark 1014.

Tyre reiste nødig til Vendland.

noen pris, for hun visste at om kong Svein, bror hennes, fikk høre
at hun var der, ville han sende henne tilbake til Vendland snarest.
Så drog de videre, hele tida uten å gi seg til kjenne, helt til de kom
til Norge.

Tyre stanset ikke før de kom til kong Olav; han tok godt imot
dem, og de var der og hadde det godt. Tyre fortalte kongen alt om
den vanskelige stilling hun var kommet i, bad ham om råd og hjelp,
og om fred i hans rike. Tyre talte godt for seg, og kongen likte godt
det hun sa, han så det var ei vakker kvinne, og så falt det ham inn
at dette måtte være et godt gifte. Han vendte samtalen inn på dette,
og spurte om hun ville gifte seg med ham. Og slik som sakene stod
for henne, syntes hun det var vondt å komme ut av det igjen, og
dessuten så hun for et heldig gifte dette var, å få en slik navngjeten
konge til mann, og så sa hun han fikk rå for henne og giftet hennes.
Da de nå hadde talt mer om dette, fikk kong Olav dronning Tyre til
hustru. Dette bryllupet stod den høsten kongen hadde kommet
nordfra fra Hålogaland. Kong Olav og dronning Tyre ble i Nidaros
den vinteren.

Våren etter klagde dronning Tyre stadig for kong Olav og gråt sårt over at hun som hadde så store eiendommer i Vendland, ikke hadde noen rikdom der i landet, som kunne sømme seg for ei dronning. Imellom bad hun kongen så vakkert at han skulle hente det hun eide til henne; hun sa at kong Burislav og kong Olav var så gode venner at Olav ville få alt han krevde, så snart de to møttes. Kong Olavs venner hørte om det hun sa, og de rådde alle sammen kongen fra å reise.

Men så var det en dag tidlig på våren kongen gikk gjennom stretet, og ved torget kom det en mann imot ham med en mengde kvanner, de var merkelig store for den årstida. Kongen tok med seg en stor kvannstilk og gikk hjem i huset til dronning Tyre med den. Tyre satt i stua og gråt da kongen kom inn. Kongen sa: «Se her skal du få en stor kvannstilk!» Hun slo til den med handa, og sa: «Det var større gaver de Harald Gormsson gav, men så kvidde han seg heller ikke så mye for å dra ut av landet og hente sin eiendom, som du gjør nå. Det viste seg, dengang han kom hit til Norge og la størstedelen av landet her øde, og tok alt under seg med skylder og skatter. Men du tør ikke reise gjennom Danevelde for kong Svein, bror min.» Kong Olav fór opp da hun sa dette. Han ropte høyt og svor på det: «Aldri skal vi jeg være redd for bror din, kong Svein. Og om vi to møtes, da skal han vike.»

93. Litt seinere lyste kong Olav til ting i byen. Da gjorde han det kjent for hele folket at han ville ha leidang ut utenfor landet om sommeren. Han ville ha fast utgreiing fra hvert fylke, både av skip og folk, og sa med én gang hvor mange skip han ville ha der fra fjorden. Så sendte han bud både i nord og sør langs kysten både ytre og indre leia, og lot by ut hær.

Kong Olav fikk satt fram Ormen lange og alle de andre skipene sine, både store og små; sjøl styrte han Ormen lange. Da de skulle sette mannskap på skipene, ble det valgt ut så omhyggelig at på Ormen lange fikk ingen mann være som var over seksti år eller under tjue, og de var utvalgte folk når det gjaldt mot og styrke også. Det var først og fremst kong Olavs hirdmenn, for til hirden var det valgt ut alle de som var de sterkeste og djerveste både av innenlandske og utenlandske folk.

94. Ulv Raude het den mannen som bar merket for kong Olav, han var i stavnen på Ormen. De andre der het Kolbjørn stallare, Torstein Oksefot og Vikar fra Tiundaland, bror til Arnljot Gelline. I saksene på rausn* stod disse: Vak Raumesson fra Elv, Berse den sterke, Ån skytte fra Jemtland, Trond Ramme fra Telemark og Utyrme, bror hans; av håløyger var det Trond Skjalge, Ogmund Sande, Lodve Lange fra Saltvik og Hårek Kvasse. Av inntrønderne: Kjetil Høge, Torfinn Eisle, Håvard og brødrene hans fra Orkdalen.

Rausn, rommet mellom framstavnen og øserommet på skipet. Saksene var den del av rausn som lå nærmest stavnen.

Olav rekker Tyre kvannstilken.

I forrommet* stod Bjørn fra Støle*, Torgrim fra Kvine, sønn til
Tjodolv, Asbjørn og Orm, Tord fra Njardarlog*, Torstein Kvite fra
Obrestad, Arnor fra Møre, Hallstein og Hauk fra Fjordane, Øyvind
Snåk, Bergtor Bestil, Hallkjell fra Fjaler, Olav Dreng, Arnfinn fra
Sogn, Sigurd Bild, Einar fra Hordaland og Finn, Kjetil fra Rogaland
og Grjotgard Raske. Disse stod i krapperommet*: Einar Tambar-
skjelve, han syntes de ikke var full kar, for han var bare atten år

Forrommet, rommet framfor masta.
Støle i Sunnhordland.
Njardarlog, nå Tysnesøy.
Krapperommet var ved masta.

gammel, Hallstein Livsson, Torolv, Ivar Smetta, Orm Skogarnev. Det var også mange andre store og vidgjetne menn på Ormen, om vi ikke kan navnene på flere. Det var åtte mann i hvert halvrom på Ormen, og de var valgt ut enkeltvis hver eneste mann; i forrommet var det tretti. Folk brukte si at mannskapet om bord i Ormen stod like mye over alle andre menn som Ormen over andre skip, så vakkert og sterkt og djervt var det.

Torkjell Nevja, bror til kongen, styrte Ormen stutte; Torkjell Dyrdil og Jostein, morbrødrene til kongen, hadde Tranen, og begge disse skipene hadde også godt mannskap. Kong Olav hadde elleve store skip med seg fra Trondheimen, foruten tjuesesser* og mindre skip.

95. Da kong Olav hadde gjort hæren klar i Nidaros, satte han menn i sysler og årmannsembeter over hele Trøndelag. Da sendte han Gissur Kvite og Hjalte Skeggjason til Island for å by kristendom også der, han gav dem en prest med, som het Tormod, og en del andre prestevigde menn; men de fire han syntes var de gjæveste av islendingene, holdt han tilbake som gisler, det var Kjartan Olavsson, Halldor Gudmundsson, Kolbein Tordsson og Sverting Runolvsson. Det er fortalt om Gissur og Hjalte at de kom ut til Island før Alltinget, og drog til ting. Og på det tinget ble kristendommen innført ved lov på Island, og om sommeren ble alle mennesker døpt.

96. Samme vår* sendte kong Olav også Leiv Eiriksson til Grønland for at han skulle by kristendom der, og han seilte til Grønland samme sommer. I havet berget han et skipsmannskap, de var hjelpeløse og lå og dreiv på et vrak. Da fant han Vinland det gode også, og kom til Grønland utpå sommeren. Han hadde med seg prest og lærere dit og drog til faren Eirik i Brattalid og bodde der. Folk kalte ham siden Leiv den hepne*, men Eirik, far hans, sa at de to tingene gikk opp i opp, at Leiv hadde berget et skip fullt av folk, og så at han hadde hatt med hykleren til Grønland – det var presten.

97. Kong Olav drog sørover langs kysten med flåten. Da kom det til ham mange av vennene hans, stormenn som var ferdige til å dra med kongen. Første mann der var Erling Skjalgsson, mågen hans, han hadde den store skeiden, den hadde tretti rom, og det var et skip med bare godt mannskap. Så kom kongens måger, Hyrning og Torgeir, til ham også, de styrte hver sitt store skip. Mange andre stormenn fulgte ham, han hadde seksti langskip da han seilte fra landet. Han seilte sørover forbi Danmark gjennom Øresund, og ferden gikk like til Vendland; der satte kong Olav stevne med kong Burislav. Kongene møttes, de talte sammen om de eiendommene kong Olav gjorde krav på. Alle samtaler gikk glatt mellom kongene, og de kravene kong Olav mente å ha der, fikk han godt og greit ordnet. Kong Olav ble der lenge utover sommeren og søkte opp mange av vennene sine.

Ei tjuesesse hadde rorbenker til førti mann.
Samme vår, år 1000.
hepne; heppen (norr. *heppinn*) betyr heldig, lykkelig.

98. Kong Svein Tjugeskjegg var nå gift med Sigrid Storråde, som før skrevet. Sigrid var kong Olav Tryggvasons verste uvenn, grunnen var at kong Olav hadde brutt avtale med henne og slått henne i ansiktet, som før skrevet. Hun dreiv og egget opp kong Svein til å føre krig mot kong Olav Tryggvason; hun sa han hadde grunn nok til strid med kong Olav, for han hadde ligget med Tyre, søster hans, «uten å spørre deg om lov, og slikt ville ikke foreldrene dine ha funnet seg i.» Slik snakk førte Sigrid støtt i munnen, og til slutt fikk hun det så langt ved overtalelsene sine, at kong Svein ble helt oppsatt på dette.

Tidlig på våren sendte kong Svein bud øst i Svitjod til mågen Olav sveakonge og til Eirik jarl; han lot dem få vite at Olav Norges konge hadde leidang ute og tenkte seg til Vendland om sommeren. Sendebudene skulle videre si at sveakongen og jarlen skulle by ut hær og komme og møte kong Svein. Så skulle de alle sammen legge til kamp mot kong Olav. Sveakongen og Eirik jarl var straks ferdige, de samlet en svær flåte fra Sveavelde, og med denne flåten seilte de sør til Danmark, og kom dit da Olav Tryggvason nettopp hadde seilt østover. Dette taler Halldor Ukristne om i den dråpa han laget om Eirik jarl:

Kongers knusende fiende   *Hver eneste mann av bønder*
bød kamplysten hæren,   *som mesker likfugler,*
den store, ut fra Svitjod.   *fulgte Eirik. På sjøen*
Jarlen drog sør til striden. *ravn i sår seg lesket.*

Sveakongen og Eirik jarl seilte og møtte danekongen, og alle tre til sammen hadde de en hær så stor at det ikke var ende på det.

99. Da kong Svein hadde sendt bud etter hæren, sendte han Sigvalde jarl til Vendland, han skulle holde utkik med kong Olav Tryggvason og lage en felle, slik at kong Svein og kong Olav kunne komme til å møtes. Sigvalde jarl drog av sted og kom fram til Vendland; han kom til Jomsborg og drog derfra til kong Olav Tryggvason. Det var stort vennskap mellom dem fra før, og nå ble jarlen en riktig kjær venn hos kongen. Astrid, datter til kong Burislav, hun som var gift med jarlen, var god venn til kong Olav; det var mye fordi de engang hadde vært skyldfolk, dengang Olav var gift med Geira, søster hennes.

Sigvalde var en klok mann og underfundig, og ettersom han nå var inne i alt kong Olav hadde fore, heftet han ham lenge så han ikke kom til å seile vestover, han fant på mange forskjellige ting. Kong Olavs folk brukte seg fælt for dette, mennene ville endelig hjem, de lå der fullt ferdige, og det så ut på været som det skulle bli god bør.

Sigvalde jarl fikk hemmelig bud fra Danmark om at nå var danekongens hær kommet østfra og Eirik jarl hadde også hæren sin ferdig, og høvdingene skulle komme sammen øst under Vendland; de hadde avtalt at de skulle vente på kong Olav ved den øya som het

Svolder. Og så skulle jarlen stelle det slik at de kom til å møte kong Olav der.

100. Det kom et rykte til Vendland om at Svein danekonge hadde hær ute, og snart tok folk til å mumle om at det visst var kong Olav Svein danekonge ville møte. Men Sigvalde jarl sa til kongen: «Kong Svein kan ikke tenke på å legge til kamp med deg med bare danehæren, så stor hær som du har. Men hvis du har noen mistanke om at det skulle være ufred i vente for deg, så skal jeg følge deg med min flokk, og hittil har det alltid gått for å være styrke i det at jomsvikingene fulgte en høvding. Jeg skal gi deg elleve skip med godt mannskap.» Kongen tok imot tilbudet. Det var liten, men stø og god vind.

Nå lot kongen flåten løse og blåste til bortferd, og så heiste folk seil. Alle småskipene gikk fortere enn de andre, de seilte i forvegen ut til havs. Jarlen seilte inn til kongsskipet, han ropte til det, og sa kongen skulle seile etter ham. «Jeg vet best hvor sunda er dypest mellom øyene,» sa han, «og det kommer du til å trenge, med de store skipene.» Så seilte jarlen først med sine skip, det var elleve av dem, og kongen seilte etter ham med storskipene sine. Han hadde også elleve skip der, hele resten av hæren hadde seilt ut på havet. Da Sigvalde jarl seilte inn mot Svolder, kom det ei skute roende ut til ham. Der sa de til jarlen at hæren til danekongen lå i havna foran dem. Da lot Sigvalde jarl seilene falle og rodde inn under øya. Så sier Halldor Ukristne:

Øyners store konge*	*Jarlen fikk fra Skåne*
seilte skeider sørfra,	*de skuter som han krevde,*
syttien i tallet.	*havdypets raske reiner.*
Sverd ble farget røde.	*Da røk nok folkefreden.*

Her er det sagt at kong Olav og Sigvalde jarl hadde 71 skip da de seilte sørfra.

101. Svein danekonge og Olav sveakonge og Eirik jarl var der med hele hæren sin. Det var fint vær og klart solskinn; alle høvdingene gikk opp på holmen, hver med sitt følge. De så skipene seile til havs, en mengde i følge. Og nå så de at et skip kom seilende, det var stort og staselig, da sa begge kongene: «Det var et svært skip, også så vakkert, det må være Ormen lange.» Eirik jarl svarte; han sa: «Dette er ikke Ormen lange,» og det var som han sa, for det var Eindride fra Gimsan som eide det skipet.

Litt seinere så de et annet skip komme seilende, mye større enn det første. Da sa kong Svein: «Han er redd, Olav Tryggvason, nå; han tør ikke seile med hodet på skipet sitt.» Men Eirik jarl sa: «Dette er ikke kongsskipet. Jeg kjenner skipet og seilet, det har stripete seil. Dette er Erling Skjalgsson, ham lar vi seile. Det er bedre for oss å sakne det skipet i flåten til kong Olav; det blir skår

---

Øyner, folk fra Inderøy og Ytterøy, her brukt om nordmenn allment.

Høvdingene ser fra holmen skipene til Olav seile forbi.

der etter det, slik som det er rustet.» Noe seinere så de skipene til
Sigvalde jarl og kjente dem; de skipene styrte dit inn til holmen. Så
fikk de se at tre skip kom seilende, og det ene var et stort et. Da ropte
kong Svein opp og sa de skulle gå til skipene, han sa at der kom
Ormen lange. Eirik jarl sa: «De har mange andre store og staselige
skip enn Ormen lange, vi venter ennå.» Da var det mange som sa:
«Nå vil ikke Eirik jarl kjempe og hevne far sin. Dette er så stor skam
at det kommer til å spørres utover alle land, her ligger vi med så stor
hær som vi har, og så seiler kong Olav til havs rett for nesa på oss.»

Da de hadde snakket om dette en stund, så de fire skip som kom
seilende, ett av dem var en svær drake med mye gull på. Da reiste
kong Svein seg og sa: «Høyt skal Ormen løfte meg i kveld; ham skal
jeg styre.» Nå var det mange som sa at Ormen var et veldig stort
skip, og så vakkert, og det var en raus kar som hadde latt bygge et
slikt skip. Da sa Eirik jarl, slik at bare noen hørte det: «Om kong
Olav ikke hadde større skip enn dette, så kunne likevel kong Svein
aldri ta det fra ham med bare danehæren.» Nå dreiv folk ned til
skipene og tok til å rive av skipsteltene. Men mens høvdingene stod
og talte med hverandre om dette vi fortalte nå, da fikk de øye på tre
veldige skip og det fjerde kom sist etter de andre, og det var Ormen
lange. De to andre store skipene som hadde seilt før, og som de
hadde trodd var Ormen, det var først Tranen og så Ormen stutte.
Men da de fikk se Ormen lange, da kjente de det alle sammen, og
nå var det ingen som sa imot; der seilte Olav Tryggvason. Nå gikk
de til skipene og gjorde seg ferdige til kamp.

Det var avtale mellom høvdingene at hver av dem, kong Svein og
kong Olav og Eirik jarl, skulle få sin tredjedel av Norge, om de

drepte kong Olav Tryggvason. Og den av høvdingene som gikk først opp på Ormen, skulle ha hele hærfanget de fikk der, og ellers skulle hver ha de skipene han ryddet: Eirik jarl hadde en uhorvelig stor barde*, som han brukte ha i viking; det var jernkam på den øverst på hver av stavnene, og nedover fra den et jernspant så tjukt og så bredt som sjølve kjølen, og det gikk helt ned i sjøen.

102. Da Sigvalde jarl og hæren hans rodde inn under holmen, så Torkjell Dyrdil på Tranen det, og likedan styresmennene på de andre skipene som fulgte dem. De så at jarlen styrte skipene sine inn under holmen, og så lot de også seilene falle og rodde etter ham. De ropte til ham og spurte hvorfor han gjorde dette. Jarlen sa han ville vente på kong Olav. «Det ser nesten ut som det er ufred på ferde her.» Så lot de skipene ligge og drive til Torkjell Nevja kom med Ormen stutte og de tre skipene som fulgte den; de fikk høre samme nyheten, de lot da også seilene falle, og ble liggende og vente på kong Olav. Men da kongen seilte innefra mot holmen, rodde hele hæren ut i sundet foran dem. Da de så det, bad de kongen seile sin veg og ikke legge til kamp mot en så stor hær. Kongen svarte høyt, han stod oppe i løftingen: «Ta ned seilet. Mine menn skal ikke tenke på flukt. Jeg har aldri flyktet i noen kamp. Gud rår for mitt liv, men på flukt kommer jeg aldri.» Så ble det gjort som kongen sa. Så sier Hallfred:

Her skal I høre ordet
som hærkongen talte
djervt til sine drenger
dengang i våpentretten;

hærfreden brøt han,
bad så sine karer
aldri tenke på flukten.
Slike fyndord lever.

103. Kong Olav lot blåse sammen alle skipene sine. De ble lagt slik at kongsskipet var midt i flåten, og på den ene siden av det lå Ormen stutte, på den andre Tranen. Da de tok til å binde sammen stavnene, ville de binde sammen stavnene på Ormen lange og Ormen stutte. Men da kongen så det, ropte han høyt og sa de skulle legge det store skipet bedre fram og ikke la det være det bakerste skipet i hele flåten.

Da svarte Ulv Raude: «Om vi skal legge Ormen så mye lenger fram som den er lengre enn de andre skipene, så blir det tungt arbeid i saksene.» Kongen sa: «Jeg visste ikke at jeg hadde en stavnbu som var både rau og redd.» Ulv sa: «Vis bare ikke baken mer når du verger løftingen du, enn jeg når jeg verger stavnen.» Kongen hadde en bue i handa, nå la han ei pil på strengen og siktet på Ulv. Ulv sa: «Skyt den andre vegen, konge, der det trengs mer. Det jeg gjør, gjør jeg for deg.»

104. Kong Olav stod i løftingen på Ormen, han stod høyt over de andre. Han hadde et forgylt skjold og rød gullhjelm, han var lett å kjenne fra de andre; utenpå brynja hadde han en kort rød kjortel.

Barde, skip med bard (skjegg), et midtstykke i stavnene.

Da kong Olav så flokkene ordne seg, og merkene kom opp foran
høvdingene, spurte han: «Hvem er høvding for den hæren som er
beint imot oss?» De sa ham at der var kong Svein Tjugeskjegg med
danehæren. Kongen svarte: «De blautingene er jeg ikke redd for,
det er ikke noe mot i danene. Men hva er det for en høvding som
følger merket der ute på høyre hand?» De svarte at det var kong
Olav med sveahæren. Kong Olav sa: «Det var bedre for svearne om
de satt hjemme og slikket blotbollene sine, enn at de går her mot
Ormen under våpnene til dere. Men hvem eier de store skipene som
ligger der ute til babord for danene?» «Der,» sa de, «der er Eirik
Håkonsson jarl.» Da svarte kong Olav: «Han synes vel han har god
grunn til å møte oss, og der kan vi vente oss en kvass strid. De er
nordmenn som vi sjøl.»

105. Nå rodde kongene mot dem. Kong Svein la sitt skip mot
Ormen lange, og kong Olav Svenske la til på sida og stakk stavnene
mot det ytterste skipet til kong Olav Tryggvason; på den andre sida
la Eirik jarl seg. Nå ble det en hard kamp. Sigvalde jarl skåtet unna
og la ikke til kamp. Så sier Skule Torsteinsson, han var hos Eirik jarl
dengang:

Ung fulgte jeg frisers   *Den gang sør ved Svolder*
fiende og Sigvalde.   *bar vi sverd så røde*
Der spyd sang, fikk jeg leve.   *mot den mektige kriger,*
Nå synes folk jeg eldes.   *der våpen møttes til tinge.*

Og her sier Hallfred også noe om det samme:

Kongen sårt fikk sakne   *Storkongen stod alene*
støtte av kjekke trønder   *mot to stridbare konger,*
da han gikk til striden.   *jarl var den tredje. Slikt gjør*
Store flokker tok flukten.   *lett skaldenes yrke.*

106. Denne kampen ble mer enn vanlig kvass, og det falt en
mengde menn. Frambyggene på Ormen lange og Ormen stutte og
Tranen slengte anker og entrehaker ned på skipene til kong Svein,
og de kunne bruke våpnene mot dem ovenfrᴊ og ned under føttene
på seg. De ryddet alle de skip de fikk tak på, og kong Svein og de
menn som kom seg unna, rømte over på andre skip, og så la de seg
utenfor skuddhold; den hæren gjorde nettopp slik som Olav Trygg-
vason hadde spådd. Da la Olav sveakonge til der isteden, men straks
de kom nær storskipene, gikk det dem som de andre, de mistet en
mengde folk og noen av skipene sine, og dermed drog de seg unna.

Men Eirik jarl la barden langskips inntil det ytterste av skipene til
kong Olav og ryddet det, så hogg han av fortøyningene og la seg
inntil det neste som kom, og sloss til det var ryddet. Da tok hæren
til å løpe bort fra småskipene over på de større skipene, og jarlen
hogg over fortøyningene etter hvert som skipene ble ryddet. Nå la

danene og svearne seg fra alle kanter inn i skuddhold omkring kong Olavs skip. Men Eirik jarl lå hele tiden langskips med skipene og dreiv nærkamp med hoggvåpen, og etter som folk falt på hans skip, kom det andre opp der isteden, daner og svear. Så sier Halldor:

Det ble kamp med skarpe   *De sier at svenske karer*
sverd rundt Ormen lange,   *og danske stridsmenn fulgte*
drengene sloss lenge,   *med ham der sør, der blanke*
der gylne spyd gjallet.   *leggbitende sverd kjeklet.*

Nå ble striden kvass som aldri før, det falt en mengde folk, og til slutt gikk det slik at alle skipene til kong Olav ble ryddet, uten Ormen lange. Da hadde de kommet opp der alle de av folkene hans som ennå var våpenføre. Da la Eirik jarl barden langskips med Ormen, og nå ble det kamp med hoggvåpen der. Så sier Halldor:

Ormen lange hadde   *Som en spydets Regin*
hard seilas dengang;   *la han stavnhøy barde*
blodige sverd brakte,   *ved Fåvnes-Ormens side.*
skjold fikk skar i stavnen.   *Jarlen seiret ved holmen.*

107. Eirik jarl stod i forrommet på skipet sitt, og det var fylket i skjoldborg. Der ble det kamp både med hogg og med spyd, og de kastet med alt som til var av våpen, og noen skjøt med bue eller kastet med handspyd. Da fløy det så mange våpen mot Ormen at en snaut kunne holde skjold for seg, så tjukt var det av spyd og piler; for nå la de hærskip mot Ormen fra alle kanter. Kong Olavs menn var så ville og gale at de sprang opp på relinga for å nå å drepe folk med sverdene, men det var ikke mange som ville legge seg så tett oppunder Ormen at de kom i nærkamp. Og Olavsmennene gikk rett ut fra relinga mange av dem, og sanset ikke annet enn at de sloss på slette vollen, og så gikk de til bunns med våpnene sine. Så sier Hallfred:

Sårede sank de av Ormen   *Slike drenger vil Ormen*
der pilene skadde skjoldet,   *alltid sakne, om enn*
de brydde seg ikke om noe,   *herlig konge den styrer,*
de brynjekledde kjemper.   *der den skrider med hærmenn.*

108. Einar Tambarskjelve stod bak i krapperommet på Ormen. Han skjøt med bue, og skjøt hardere enn noen annen. Einar skjøt etter Eirik jarl, og pila smalt i nakken på rorknappen rett over hodet på jarlen, og gikk inn like til surrebandene. Jarlen så på den, og spurte om noen visste hvem som skjøt, men i det samme kom det ei ny pil, og det så nær jarlen at den fløy mellom sida og armen på ham, og så inn i hodefjøla* bak ham, slik at brodden stod langt ut på den

---

Hodefjøla, ei fjøl som styresmannen kunne lene hodet mot når han satt og styrte.

«For veik, for veik er kongens bue!»

andre sida. Da sa jarlen til en mann som noen sier het Finn, men andre sier han var av finsk ætt, – det var en stor bueskytter–: «Skyt den store mannen i krapperommet, du.» Finn skjøt, og pila traff Einars bue på midten i det samme. Einar spente buen for tredje gang. Da brast buen i to stykker. Da sa kong Olav: «Hva brast så høyt der?» Einar svarte: «Norge av di hand, konge.» «Det var vel ikke så stor brist,» sa kongen, «ta min bue og skyt med den,» og så kastet han buen sin til ham. Einar tok buen, drog den straks ut forbi odden på pila, og sa: «For veik, for veik er kongens bue!» Så slengte han buen tilbake, og tok skjold og sverd og kjempet med.

109. Kong Olav Tryggvason stod i løftingen på Ormen og skjøt det meste av dagen, snart med bue og snart med små kastespyd, og alltid to på én gang. Han så framover skipet og så mennene svinge sverd og hogge tett, men så også at det beit dårlig for dem. Da ropte han: «Hvorfor svinger dere sverdene så sløvt? Jeg ser de biter ikke for dere.» Det var en som sa: «Sverdene våre er blitt sløve, og mange er brukket.» Da tok kongen ned i forrommet og lukket opp høgsete-kista og tok ut mange kvasse sverd og gav dem. Men da han tok nedi kista med høyre hand, så de at det rant blod ned under brynjeermet. Ingen vet hvor han var såret.

110. De på Ormen som verget seg best og drepte flest, var folk i forrommet og så stavnbuene; der var det mest utvalgte menn og dessuten var skipet høyest der. Da først folk tok til å falle midtskips, og det stod få igjen av mennene omkring masta, prøvde Eirik jarl å gå opp på Ormen, og kom seg også opp med femten mann. Da kom Hyrning, kong Olavs måg, mot ham med en flokk, og det ble en veldig hard strid, det endte med at jarlen drog seg tilbake og ned

igjen på barden, og av de som fulgte ham, falt noen, og noen ble
såret. Dette nevner Tord Kolbeinsson:

Der hvor hæren hjelmkledd
fikk blodig skjold i kampen,
vant Hyrning seg heder,

sin høvding han verget
med blåblankt sverd. Himmelen
styrter før slikt glemmes.

Nå ble det kvass strid igjen, og det falt mange på Ormen. Og da
rekkene av dem som verget Ormen, tok til å tynnes, prøvde Eirik for
annen gang å gå opp på Ormen. Det ble et hardt basketak igjen. Da
stavnbuene på Ormen så dette, gikk de akterover og snudde seg mot
jarlen for å verge skipet, og gjorde kraftig motstand. Men nå hadde
det falt så mange på Ormen at det mange steder var tomt langs
relinga, og så tok jarlsmennene til å gå opp mange steder. Og alt det
folk som ennå stod og kunne verge seg på Ormen, drog seg akter-
over på skipet, dit kongen stod. Halldor Ukristne sier at da egget
Eirik jarl sine menn:

Høyt ropte da jarlen,
hisset sine drenger;
folk skvatt over tofta
akterover til Olav,

da de gullrike herrer
hadde kringsatt kongen
med sine skeider. Venders
fiender fikk våpen mot seg.

111. Kolbjørn stallare gikk opp i løftingen til kongen, de to var
svært like i klær og våpen. Kolbjørn var også en usedvanlig stor og
vakker mann. Så ble det en skarp strid igjen i forrommet. Men nå
var det kommet opp på Ormen så mange av jarlens folk som det var

Eiriks menn går opp på Ormen lange.

plass til der på skipet, og skipene hans la seg mot Ormen fra alle kanter, og på Ormen var det ikke mange folk igjen til å verge seg mot en så stor hær; og enda de var både sterke og djerve menn, så varte det ikke lenge før de falt nesten alle sammen.

Kong Olav sjøl og Kolbjørn sprang over bord begge to på hver si side av skipet. Jarlsmennene hadde lagt seg rundt omkring med småskuter og drepte alle de som sprang på sjøen, og da kongen sjøl hadde sprunget på sjøen, ville de ta ham til fange og føre ham til Eirik jarl. Kong Olav holdt skjoldet over seg da han stupte på sjøen. Men Kolbjørn stallare skjøv skjoldet under seg til vern mot spydene som de kastet mot ham fra skipene nedenfor, og han falt i sjøen slik at skjoldet var under ham; derfor kom han ikke så fort under, og så ble han tatt og dradd opp på ei skute; der trodde de han var kongen. Han ble ført fram for jarlen; men da jarlen så at dette var Kolbjørn og ikke kong Olav, så gav han Kolbjørn grid. Mens dette stod på, sprang de over bord fra Ormen alle de av kong Olavs menn som ennå var i live. Hallfred sier at kongens bror Torkjell Nevja var den siste av alle som sprang over bord:

Armringenes fiende   *før enn Torkjell søkte*
farget spyd røde;   *på svøm bort fra skipet;*
begge Ormer og Tranen   *han vågde kjempe modig*
tomme så han drive,   *i verste stridslarmen.*

112. Det er skrevet her før at Sigvalde jarl kom og fulgte kong Olav fra Vendland; jarlen hadde ti skip, og på det ellevte var Astrid kongsdatters folk, hun var gift med Sigvalde. Og da kong Olav hadde sprunget over bord, ropte hele hæren seiersrop, og da satte de årene i sjøen, jarlen og hans menn, og rodde til kamp. Dette nevner Halldor Ukristne:

Venderskip seig til striden.   *Sverdgny det ble på sjøen;*
Sverd, de tynne udyr   *ørn og ulv stilte sulten,*
fra Odins land, gapte   *mektig jarlen kjempet,*
med jernmunn mot folket.   *mang en mann tok flukten.*

Men den vendersnekka som Astrids menn var om bord på, rodde bort, tilbake til Vendland, og det ble straks alminnelig snakk om at kong Olav skulle ha vrengt av seg brynja under vannet og så svømt under vannet bort fra langskipene og derfra til vendersnekka, og så skulle Astrids menn ha ført ham i land. Og det er noen som har laget frasagn siden om kong Olavs videre liv; men Hallfred sier nå dette:

Jeg vet ei om den jeg priser   *folk sier begge deler*
er død eller i live,   *og sverger på det er sannhet.*
ofte hans blinkende økser   *Såret var han i hvert fall;*
døyvde ørnens hunger;   *vondt er å vite mere.*

Seierherrenes skip vender hjem etter slaget ved Svolder.

Hvordan det nå kan ha seg med dette, så kom Olav Tryggvason iallfall aldri mer til riket sitt i Norge. Likevel sier Hallfred Vandrædaskald dette også:

Menn som kom fra kampen
sa at kongen levde;
de fører dunkel tale
om svikløs sønn til Tryggve.

Olav, sier de, slapp vel
ut av våpenstormen;
folk taler langt fra sannhet,
verre det var enn dette.

Og videre dette:

Hør det kvad jeg kveder.
Dengang kjempene søkte
mot den kraftige konge
kunne lagnaden ikke
slippe ham av striden,
den sølvrike herre,
elsket av mange. Annet
kan jeg ikke tro på.

Enda sier meg somme
menn at såret var han,
at kongen kom seg unna
fra kampen der i østen.
Men nå har jeg sannspurt sørfra,
han falt i storslaget.
Jeg kan ikke med å fylle
folk med løse rykter.

113. Eirik Håkonsson jarl fikk Ormen lange til eie etter seieren, og han fikk mye gods med den; han styrte Ormen lange bort etter slaget. Så sier Halldor:

Til kamp Ormen lange
bar en hjelmkledd konge,
til ting med skarpe ringsverd;
skeiden strålte med hærmenn.

Men sør i larm av våpen
en lystig jarl tok ormen.
Den ættstore bror av Heming
først fikk farge sverdet.

Da hadde Svein, sønn til Håkon jarl, festet Holmfrid, datter til Olav sveakonge. De delte Norgesvelde mellom seg, Svein danekonge og Olav sveakonge og Eirik jarl, så fikk kong Olav fire fylker i Trondheimen, begge Mørene, Romsdal og Ranrike i øst fra Göta älv til Svinesund. Dette riket gav kong Olav til Svein jarl på slike vilkår som skattkonger eller jarler hadde brukt å ha før hos overkonger. Eirik jarl fikk fire fylker i Trondheimen, Hålogaland og Namdalen, Fjordane, Fjaler, Sogn, Hordaland og Rogaland, og Agder sør til Lindesnes. Så sier Tord Kolbeinsson:

Jeg vet at alle herser,
uten Erling, dengang
snart ble jarlens venner.
Den gullrike jeg priser.
Etter striden ligger
landet nord fra Vega*
sør til Agder og lenger
under jarlen. Så er det.

Folket elsket fyrsten,
alle liker slikt styre.
Han ville holde, sa han,
hand over folk i Norge.
Men nå meldes det sørfra
at død er Svein konge.
Øde står hans garder.
Lagnaden sparer ingen.

Svein danekonge fikk igjen Viken, som han hadde hatt før, og han gav Romerike og Hedmark til Eirik jarl. Svein Håkonsson ble jarl under kong Olav Svenske. Svein jarl var den vakreste mann folk noen gang har sett. Eirik og Svein jarl lot seg døpe begge to og tok den rette tro, men så lenge de rådde for Norge, lot de hver mann gjøre som han sjøl ville med å holde kristendommen. Sjøl holdt de godt de gamle lovene og landsens skikk og bruk, og de var vennesæle menn og styrte godt. Det var støtt Eirik jarl som var den første av brødrene i alt som hadde med styringen å gjøre.

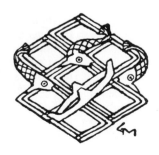

Vega er ei øy sør på Hålogaland.

Olav den helliges saga

LAV, sønn til Harald Grenske, vokste opp hos stefaren Sigurd Syr og mora Åsta. Rane den vidfarne var hos Åsta, han var fosterfar for Olav Haraldsson. Olav ble snart en dugelig kar, han var vakker å se til, middels høy av vekst; han viste også tidlig god forstand og talte godt for seg. Sigurd Syr dreiv svært med gardsbruk og holdt folkene sine i hardt arbeid; han sjøl gikk ofte omkring og så til åker og eng og buskap, og hadde øye med handverkere og annet folk som dreiv og arbeidde med ett eller annet.

2. Det var en gang Sigurd Syr ville ut og ri, og så var det ingen hjemme på garden; da ropte han på Olav, stesønn sin, og bad ham sale hesten for seg. Olav gikk til geitefjøset, og der tok han den største bukken som var der, leidde den fram til huset og la salen til kongen på den. Så gikk han inn og sa fra at nå hadde han gjort i stand ridehesten. Da Sigurd Syr kom ut og fikk se hva Olav hadde gjort, sa han: «Det er lett å skjønne at du vil det skal være slutt på at jeg ber deg om noe; mor di synes vel heller ikke det sømmer seg at jeg ber deg om annet enn det du har lyst på. Og det er lett å se at vi ikke er like av sinn; du er nok langt mer storlynt enn jeg er.» Olav svarte ikke stort, han lo og gikk sin veg.

3. Olav Haraldsson ble ikke noen høy mann da han vokste opp; han var middels høy, men svært tettvokst, hadde store krefter, lysebrunt hår, bredt ansikt, lys hud og rødlett ansikt, han hadde usedvanlig gode øyne, de var vakre, og så kvasse at en kunne bli redd for å se ham i øynene når han ble sint. Olav var svær i idretter og kunne mange ting; han var god til å skyte med bue og siktet godt, han kastet spyd bedre enn de fleste, var hendig og hadde et sikkert øye for all slags handverk, enten det var han sjøl eller andre som gjorde det. Han ble kalt Olav Digre. Han talte djervt og kvikt, var tidlig voksen i alle ting, både i styrke og vett, og alle frender og kjenninger var glade i ham. Han var ærekjær i leik, ville alltid være den første, og slik burde det da også være etter den stilling og byrd han hadde.

4. Olav Haraldsson var tolv år gammel da han gikk om bord i hærskip for første gang. Åsta, mor hans, satte Rane, som de kalte kongsfostre, til å styre flokken og sendte ham med Olav, for Rane hadde ofte vært i viking før. Da Olav fikk flokk og skip, gav folkene ham kongsnavn; det var skikk at hærkonger som var i viking, bar kongsnavn straks, når de var av kongsætt, sjøl om de ikke hadde

land å styre også. Rane satt ved roret; noen sier Olav bare var rorskar, men han var likevel konge over flokken.

De seilte østover langs landet og til Danmark først. Så sier Ottar Svarte, han laget et kvad om kong Olav:

Ung vendte du havets   *Nyttig ble ferden nordfra;*
blakke hest mot Danmark,   *nå er du mektig, konge,*
konge, djerv i kampen!   *av slik vågelig hærferd;*
kraftig dåd er ditt virke.   *jeg hørte hvor du har ferdes.*

5. Da det ble høst, seilte han østover utfor Sveavelde; der tok han til å herje og brenne landet, for han mente han hadde grunn til å lønne svearne, når de hadde vist ham slik arg fiendskap og tatt livet av far hans. Ottar Svarte sier med reine ord at han drog østover fra Danmark:

Med blinkende årer rodde   *Folk ble skremte og fælne*
du skip i østersaltet*.   *der du fór fram, herre.*
Landets vern, du løftet   *Steik fikk ravnen siden,*
fra land skjold på skipet.   *du ryddet nes i Svitjod.*
Du nyttet seil når vinden
vennlig kruste havet;
brårodde årer fikk slite
bølgen under di skute.

6. Den høsten kjempet Olav sin første kamp ved Soteskjær*, det er i Sveaskjæra*. Der sloss han med vikinger; han som rådde for dem het Sote. Olav hadde mye færre folk, men større skip. Han la skipene sine mellom noen båer, så det var vondt for vikingene å komme inntil; så slengte Olavs folk entrehaker over i de skipene som lå nærmest, og drog dem inn til seg og ryddet dem. Vikingene seilte unna, men de hadde mistet mange folk. Sigvat skald taler om denne kampen i et kvede der han rekner opp alle Olavs slag:

Det lange havskipet   *Mangt vet jeg bør minnes*
førte høvdingsønnen   *av menn. Ved Soteskjæret*
ut til sjøs. Da fryktet   *farget han første gangen*
folk vel kongens vrede.   *ulvens fot i blodet.*

7. Kong Olav seilte østover langs Svitjod og styrte inn i Mälaren og herjet landet på begge sider. Han drog helt inn til Sigtuna og la seg ved Gamle Sigtuna. Svearne sier at der fins ennå den steinmuren som Olav lot gjøre under landgangen for skipet sitt.

Da det ble høst, fikk kong Olav vite at Olav sveakonge holdt på

Østersaltet, dvs. Østersjøen.
Soteskjær, vel Sotholmen i nærheten av Näringe i Södertörn i Södermanland.
Sveaskjæra, dvs. skjæra langsmed kysten i Södermanland og Uppland.

Olav og Rane i viking.

å samle en stor hær, og at han hadde sperret Stokksund* med jern-
lenker og satt vakt der. Sveakongen tenkte Olav ville vente der han
var, til det frøs på, og sveakongen mente at hæren til kong Olav var
lite verdt, for han hadde så få folk.

Så drog kong Olav ut til Stokksund, men der kom han ikke ut. Det
var et kastell øst for sundet og en hær på sørsida. Og da de nå hørte
at sveakongen hadde fått skip og var gått om bord, og at han hadde
en svær hær og mange skip, så lot kong Olav grave ei grøft ut til
sjøen gjennom Agnafit. Det regnet svært da. Alt rennende vann fra
hele Svitjod faller ut i Mälaren, men ut av Mälaren til havet er det

Stokksund, nå Norrström.

bare én os, og den er så smal at det er mange elver som er breiere. Når det så regner mye, eller det er i snøløsningen, renner vannet så voldsomt at det går som en foss ut gjennom Stokksund, og Mälaren går så langt opp på land at det blir flom mange steder. Da de hadde kommet helt ut til sjøen med å grave grøft, rant vannet ut i en rivende strøm. Da lot kong Olav folkene løfte roret av på alle skipene og legge det opp og heiste seilene til topps. Det var strykende bør, de styrte med årene, skipene gikk i full fart over grunnene og slapp hele ut i havet alle sammen. Svearne gikk til Olav sveakonge og fortalte ham at Olav Digre hadde sloppet unna ut på havet. Sveakongen brukte seg fælt på de som skulle ha sett etter at Olav ikke kom ut. Det heter Kongssund* der siden, og storskip kan ikke gå der uten når vannstanden er på det høyeste.

Det er de som sier at svearne merket det da Olav og folkene hans hadde fått gravd seg igjennom feten*, og vannet tok til å falle ut, og så at svearne kom til med en hær og ville forby Olav å seile, men vannet gravde seg inn på begge sider og så raste breddene ut, og folkene fulgte med dem, og det ble drept en mengde mennesker der. Men svearne nektet dette, de sier det er bare tøv at noen strøk med der.

Kong Olav seilte til Gotland samme høsten og ville herje der. Men gotlendingene samlet seg og sendte bud til kongen og bød ham skatt av landet; det tok kongen imot og fikk skatten, og ble der vinteren over. Så sier Ottar:

Du som gir sjømenn hyre,	*Mang en mann kan vise*
tok skatt av Gotlands-hæren,	*mindre mot enn Yngve.*
landet vågde ingen	*Ösel-hæren rente,*
verge med skjold mot deg.	*ulvene stagget sin hunger.*

8. Her er det sagt at da det ble vår, seilte kong Olav øst til Ösel og herjet; han gjorde landgang der, og Ösel-mennene kom ned og kjempet mot ham. Kong Olav vant seier, han fulgte etter de som flyktet, herjet og ødela landet. Det blir også fortalt at da Olav kom til Ösel, bød bøndene ham først å greie ut løsepenger, og da de kom ned med pengene, gikk han og møtte dem med fullt væpnet følge. Dette var ikke slik som bøndene hadde tenkt seg det; for de kom jo ikke med penger, men med våpen, og så kjempet de med kongen, slik som vi sa her foran. Så sier Sigvat skald:

Andre gangen var det	*Bøndene fikk takke*
Olav lyste sverdting.	*føttene for livet.*
Ösel la han øde	*Få på sårene bidde,*
da åpenlyst ble sviket.	*fyrste, de rente unna.*

Kongssund, nå Söderström i Stockholm.
Feten, dvs. Agnafit.
Bålagardsida, sørvestkysten av Finland.

Finnenes hær fulgte etter på land, etter hvert som kongen seilte utenfor.

9. Så seilte han tilbake og til Finland; der herjet han og gikk opp i landet, men alt folk rømte til skogs og la bygda tom etter seg for alt som var noe verdt. Kongen gikk langt opp i landet og gjennom noen skoger, da kom de til noen dalbygder, som heter Herdaler. De fant lite gods og ingen mennesker. Det lei på dagen, og så snudde kongen og gikk ned igjen til skipene. Men da de kom inn i skogen, løp det folk mot dem fra alle kanter og skjøt på dem og gikk hardt på, kongen bad folk holde skjold for seg. Før kongen kom ut av skogen, hadde han mistet mange mann, og mange var blitt såret. Lenger utpå kvelden kom han da til skipene.

Om natta brukte finnene trolldomskunster og laget et forrykende uvær og svær sjø. Men kongen lot likevel dra opp ankerne og heiste seil, og de lå og krysset opp mot vinden utfor land hele natta. Dengang som ofte siden var kongens lykke sterkere enn trolldommen til finnene; han greidde å baute seg fram langs Bålagardsida* om natta og derfra ut til havs. Men finnehæren fulgte etter på land etter som kongen seilte utenfor. Så sier Sigvat:

Kongen stridde seg gjennom　　*men øst i sjøen løste*
den tredje storm av våpen,　　*han skipene. Vikingvegen*
en slitsom gang mot finner　　*lå langs Bålagardsidas*
gikk han i Herdaler;　　　　　*rand, i brenning gikk skipet.*

10. Så seilte kong Olav til Danmark, der møtte han Torkjell Høge, bror til Sigvalde jarl. Torkjell gav seg i følge med ham, for han hadde alt ferdig til å dra på hærferd. De seilte sørover langs Jylland til et sted som heter Sudervik*, der vant de over en mengde viking-skip. Slike vikinger som lå ute alltid og rådde over en stor hær, brukte å kalle seg konger, sjøl om de ikke hadde land å rå over. Kong Olav la til strid der, det ble et stort slag, kong Olav vant seier og mye gods. Så sier Sigvat:

Videre sa de kongen   *da freden mellom kongers*
voldte fjerde gangen   *flåter brast der ute*
kamp og valkyrjegalder,   *i Sudervika, den dystre,*
verget seg vel og med ære,   *som danene best kjenner.*

11. Så seilte kong Olav sør til Frisland og ble liggende utenfor Kinnlimasida* i kvast uvær. Da gikk kongen i land med hæren, og folk i landet kom ridende ned mot dem og kjempet med dem. Så sier Sigvat skald:

Tjuvers skrekk! Din femte   *Dengang en hær fra landet*
strid var hard mot hjelmer. *rei mot høvdingens skeider,*
Det ble storm om stavnen   *og alle kongens karer*
ved Kinnlimas høye strender. *gikk til kamp imot dem.*

12. Nå seilte kong Olav vest til England. På den tida var danekon-gen Svein Tjugeskjegg i England med danehæren. Han hadde vært der en stund og hadde tatt landet fra kong Adalråd. Daner hadde spredt seg over hele England, og det var gått så vidt at kong Adalråd hadde rømt fra landet og dradd sør til Valland.

Samme høsten som kong Olav kom til England, hendte det at kong Svein Haraldsson døde brådød i senga ei natt, og engelskmen-nene sier at Edmund den hellige drepte ham på samme måte som den hellige Mercurius drepte Julianus den frafalne*. Da kong Adal-råd hørte dette, vendte han tilbake til England. Og da han kom tilbake til landet, sendte han bud til alle menn som ville ta lønn av ham og hjelpe ham til å vinne landet. Da gikk en mengde folk over til ham. Kong Olav kom også og hjalp ham med et stort følge av nordmenn.

De styrte først opp gjennom Themsen mot London, men danene hadde borgen. På den andre sida av elva er det en stor handelsplass som heter Sudervirke*. Der hadde danene gjort svære arbeider, de hadde gravd et stort dike og satt opp en mur innenfor av tømmer og

---

Sudervik, Søndervig ved Ringkøbing.
Kinnlimasida, vestkysten av Nederland.
Keiser Julianus falt i kamp mot perserne i 363, men etter sagnet ble han drept av den hellige Mercurius med et spyd.
Sudervirke, dvs. Southwark.

Olav bryter London bru.

stein og torv, og der inne hadde de en mengde folk. Kong Adalråd
prøvde å storme brua, men danene verget seg, og kong Adalråd kom
ingen veg. Det gikk bru over elva mellom borgen* og Sudervirke,
den var så brei at to vogner kunne møte hverandre på den. På brua
var det bygd forsvarsverker, både kasteller og et brystvern av plan-
ker på den sida som vendte nedover med strømmen, det var så høyt
at det nådde en mann til ovenfor livet. Under brua var det påler, og
de stod ned i elvegrunnen. Og når noen gikk til angrep, stod hæren
ute langs hele brua og verget den.

   Kong Adalråd var rent ute av seg for hvordan han skulle få vunnet
brua. Han kalte alle høvdingene i hæren sammen til en samtale, og
spurte dem om de visste noen råd med hvordan de skulle få ned
brua. Da sa kong Olav at han ville friste å hjelpe til med sin hær, om
de andre høvdingene ville gå på de også. Det ble avtalt på dette
møtet at de skulle legge hæren sin opp under brua, og nå gjorde hver
mann folk og skip ferdige*.

   13. Kong Olav lot gjøre store flak av trerøtter og myke greiner,
han tok i sønder hus som var flettet av kvister og lot dem bære ut på
skipene slik at de dekket over helt til utenfor skipsbordene, under
der lot han sette stokker som var høye nok til at det var greit å slåss
under dem, og som stod så tett at det ble sterkt nok mot stein som
ble kastet ned ovenfra. Da hæren var ferdig, rodde de oppover elva,
og da de kom i nærheten av brua, ble det kastet ned på dem både
våpen og stein så store at ikke noe stod seg mot dem, verken hjelm
eller skjold, og sjølve skipene tok stor skade. Mange rodde bort
igjen. Men kong Olav og nordmannshæren rodde helt oppunder
brua og slo tau om pålene som holdt brua oppe, og så tok de og

Borgen, dvs. London.
Ferdige, Vikingene omringet London høsten 1009, men de erobret ikke byen.

rodde alle skipene nedover med strømmen så hardt de bare kunne. Pålene ble dradd bortover bunnen til de kom helt løs av brua. Og ettersom det stod tjukt av væpnet hærfolk over hele brua, og de hadde både mye stein og mange våpen, så røk brua ned under dem nå da pålene var brutt unna, og en mengde menn av hæren falt i elva, resten rømte fra brua, noen til borgen og noen til Sudervirke. Etterpå gikk de mot Sudervirke og vant det. Og da folk i borgen så at Themsen var vunnet, og at de ikke kunne stenge skip fra å gå inn i landet, ble de redde for skip og gav opp borgen og tok Adalråd til konge. Så sier Ottar Svarte:

Stridsdjerv brøt du Londons　　　*Skjold som hardt ble båret,*
bru i Odins uvær;　　　　　　　*hadde framgang. Kampen*
gullet, drakelandet,　　　　　　*vokste ved det. Gamle*
vant du dengang, fyrste.　　　　　*våpen sprakk i striden.*

Og videre kvad han slik:

Mektige landverge!　　　　　　　*Hardt kampmøte ble det,*
Du gikk i land og landet　　　　　*du kom til Edmunds ætlings*
Adalråd; den stridsmenns　　　　*fredland. Ættas støtte*
venn i slikt du støttet.　　　　　*før hadde rådd for landet.*

Og videre sier Sigvat om dette:

Sant er at sjette striden　　　　*Velske sverd fikk bite,*
bød den snare konge　　　　　　*vikinger verget diket.*
angler; han Odin egget.　　　　　*Somme hadde buer*
Olav brøt Londonbrua.　　　　　　*på flate Sudervirke.*

14. Kong Olav ble vinteren over hos kong Adalråd. Da hadde de et stort slag på Ringmareheia* i Ulvkjellsland; det var Ulvkjell Snilling som hadde det riket dengang. Kongene fikk seier der. Så sier Sigvat skald:

For sjuende gang lot Olav　　　　*Hele Ringmareheia*
stevne til ting med sverdet,　　　*stod full av Ellas* ættmenn;*
det var i Ulvkjellslandet,　　　　*hærfall ble det, Haralds*
ennå jeg taler om det.　　　　　　*arving hadde skylden.*

Ottar taler også om dette slaget:

Herre, på valen hæren　　　　　*Før sverdgnyet stanset*
kastet lik i hauger,　　　　　　*segnet for deg til jorda*
rødfarget langt fra skipet　　　　*landsfolket, anglerhæren.*
Ringmareheia i blodet.　　　　　*Og enda rømte mange.*

Ringmareheia, et sted i East Anglia (Ulvkjellsland).
Ella, en angelsaksisk konge.

Nå ble store deler av landet lagt under kong Adalråd, men ting-mennene* og danene hadde ennå mange borger, og mange steder hadde de landet også.

15. Kong Olav var høvding for hæren dengang de drog til Kantara-borg* og kjempet der helt til de vant byen. Der drepte de en mengde folk og brente borgen. Så sier Ottar Svarte:

Yngve, du vant den store	*Ild og røyk seg leikte*
strid mot kongers ættmenn.	*i mektig leik rundt byen;*
Gode konge, en morgen	*kongssønn! Du vant seier,*
tok du Kantaraborgen.	*kortet livet for mange.*

Sigvat rekner dette for å være kong Olavs åttende kamp:

Jeg vet at hærkongen,	*Portgrevene* fikk ikke*
venders skrekk, fikk kjempe	*nektet Olav byen*
for åttende gang; hirdens	*Kantaraborg. De stolte*
herre gikk sterk mot virket.	*bymenn fikk mange sorger.*

Kong Olav hadde landvernet i England, og seilte langs landet med mange hærskip, han la inn i Nyjamoda*, der lå det folk av Tingmannalid i forvegen, og det ble strid. Kong Olav vant seier. Så sier Sigvat skald:

Ung fikk kongen farget	*Nå har jeg talt opp kongens*
anglers skaller røde,	*kamper, de ni, østfra.*
på blanke sverd kom blodet	*Dansk hær falt der småspyd*
brunt i Nyjamoda.	*dreiv som mest mot Olav.*

Kong Olav drog omkring i landet og tok skatter av folk, ellers herjet han. Så sier Ottar:

Menn av engelske ætter	*Gull gav folk ei sjelden*
maktet ikke motstand	*til den gode konge,*
mot deg, store høvding	*stundom dreiv til stranda*
du skånte ingen for skatter.	*store tingflokker, vet jeg.*

Kong Olav ble der tre år i trekk.

16. Om våren det tredje året døde kong Adalråd, og så fikk søn-nene hans, Edmund og Edvard, kongedømmet. Da drog kong Olav sørover havet, og så kjempet han i Ringsfjord og vant kastellet på

Tingmennene el. *Tingmannalid* er navnet på den danske hirden til kong Knut. Den ble stiftet i 1018; navnet er her nevnt åtte år for tidlig.
Kantaraborg, Canterbury.
Portgrevene, futer i havnebyene.
Nyjamoda, ukjent sted.

Holar*, der satt det vikinger. Han brøt ned kastellet*. Så sier Sigvat skald:

Tallet på skjold-uvær
ble fulle ti i den fagre
Ringsfjord. Hæren styrte
dit som høvdingen ville.

Det høye bol på Hole
brøt han. Vikinger eide
det før. Slik en skyting
ønsket de aldri siden.

17. Kong Olav seilte med hæren vestover til Grislepoller*, og der kjempet han med noen vikinger utenfor Vilhjalmsby*. Der fikk kong Olav seier. Så sier Sigvat:

Olav stred der konger
falt, den ellevte striden
i Grislepoller. Fra tinget
gikk du, sverdsvinger.

Ved Vilhjalms, den tro jarlens,
by vet jeg du kjempet
en kamp, som snart var avgjort
og, kort sagt, smadret hjelmer.

Dernest kjempet han vest i Fetlafjord*, som Sigvat sier:

Tolvte gang han farget
ulvens tenner røde

i Fetlafjord, glupsk på ære.
Han nektet folk å leve.

Derfra drog kong Olav sørover helt til Seljupoller*, og der hadde han en strid. Der vant han en borg som heter Gunnvaldsborg*, den var stor og gammel, og han tok til fange jarlen som rådde for borgen der, han het Geirfinn. Så hadde kong Olav en samtale med mennene i borgen, og satte 12 tusen gullskillinger i løsepenger på borgen og jarlen. Og de pengene han krevde, ble også betalt til ham fra borgen. Så sier Sigvat:

Trettende kamp kjempet
trønders djerve herre
sør i Seljupoller,
sår fikk de som flyktet.

Like opp til den gamle
Gunnvaldsborg en morgen
gikk kongen og fanget
jarlen som het Geirfinn.

Holar betyr haugene og skal kanskje ikke oppfattes som stedsnavn.
Kastellet. Etter franske kilder ble Olav innkalt av hertug Rikard av Normandi for å hjelpe hertugen mot Eude av Chartres. Olav angrep Bretagne og tok borgen Dol. Dette var om høsten 1013 eller først på nyåret 1014. Dol ligger innerst i vika mellom Cotentin og Bretagne; denne vika er det som kalles Ringsfjorden.
Grislepoller, Castropol på nordsida av Spania?
Vilhjalmsby. Denne *Vilhjalm* er 5. hertug av Aquitania (990–1030). Etter franske kilder kjempet han mot nordiske vikinger på kysten av Poitou. Det har også vært gjettet på at Vilhjalmsby er Villamea i Nord-Spania.
Fetlafjord, en fjord ved Flavium Brigantium, nå Betanzos, sørøst for byen Coruna i Spania?
Seljupoller, Cilenorum aqua, nå Guardia, ved osen til elva Minho i Spania?
Gunnvaldsborg i Spania?

18. Etter dette seilte Kong Olav flåten vest til Karlså* og herjet, der fikk han strid. Mens kong Olav lå i Karlså og ventet på bør og tenkte å seile ut til Norvasund* og derfra videre til Jorsalaheim*, så drømte han en merkelig drøm. Det kom en mann til ham, en slik som en legger merke til, kraftig, men skremmelig også; mannen talte til ham og bad ham gi opp det han hadde fore, å dra videre ut i landene. «Dra tilbake til odelen din, for du skal bli konge over Norge til evige tider.» Denne drømmen la han ut slik at han skulle bli konge over landet, og hans ætt etter ham i lange tider.

19. Etter dette synet vendte han tilbake og la til i Peitaland* og herjet der og brente den byen som heter Varrande*. Dette taler Ottar om:

Ung fikk du lagt Peita
øde, kampglade konge!

Brokete skjold du brukte
i Tuskaland, stridsherre!*

Og videre sier Sigvat dette:

Mørekongen gjorde
malmspyd røde om munnen,
gikk sørfra opp i Leira,*
gamle spyd måtte briste.

I Peitalandets bygder
brente han for folket
Varrande, så het byen,
langt borte fra havet.

20. Kong Olav hadde vært på hærferd vest i Valland to somrer og en vinter. Da hadde det gått tretten år siden kong Olav Tryggvason falt.

Dengang var det to jarler i Valland, Vilhjalm og Robert, far deres var Rikard Rudajarl*, de rådde over Normandi. Søster deres var dronning Emma*, som hadde vært gift med kong Adalråd av England, og deres sønner var Edmund og Edvard den gode, Edvig og Edgeir. Rikard Rudajarl var sønn av Rikard, sønn til Vilhjalm Langspyd, han var sønn til Gange-Rolv jarl som vant Normandi, og han var sønn av Ragnvald den mektige, Mørejarlen, som før skrevet. Fra Gange-Rolv er Rudajarlenes ætt kommet, og de reknet seg som skyldfolk til Norges høvdinger lenge etterpå og tenkte på dem som frender i lange tider, de var alltid beste venner med nordmennene; alle nordmenn som ville, kunne få fredland der hos dem.

Om høsten kom kong Olav til Normandi og ble der i Signa* om vinteren og hadde fredland der.

Karlså, havna i byen Cadiz?
Norvasund, Gibraltar.
Jorsalaheim, Jødeland.
Peitaland, Poitou sønnafor munningen av Loire.
Varrande, Guerande i Bretagne.
Tuskaland, Touraine lenger oppe ved Loire.
Leira, dvs. Loire.
Ruda, Rouen, hovedstaden i Normandi.
Emma var i virkeligheten søster til Rikard Rudajarl.
Signa, dvs. Seine.

21. Etter at Olav Tryggvason var falt, gav Eirik jarl grid til Einar Tambarskjelve, sønn til Eindride Styrkårsson. Einar fulgte jarlen nordover til Norge. Det er sagt at Einar er den sterkeste mann og den beste bueskytter som har vært i Norge; det var ingen annen mann som kunne skyte så hardt som han; han skjøt med ei butt pil så den gikk igjennom ei råblaut oksehud som hang på ei stang. Han var en framifrå skiløper, god i alle idretter og en modig kar, ættstor og rik var han også. Eirik og Svein jarler giftet sin søster, Bergljot Håkonsdotter, med Einar, hun var ei storslått kvinne. Sønn deres het Eindride. Jarlene gav Einar store veitsler i Orkdalen, og han ble den mektigste og gjæveste mann i hele Trøndelag. Han var jarlenes beste støtte og kjæreste venn.

22. Eirik jarl kunne ikke like at Erling Skjalgsson hadde så stor makt, og så tok han under seg alle de kongseiendommene som kong Olav hadde gitt Erling i veitsle. Men Erling tok inn alle landskyldene i Rogaland like godt som før, og så måtte brukerne av landet ofte svare dobbelt landskyld, ellers ødela han jordene for dem. Jarlen fikk ikke stort av sakøren heller, for sysselmennene kunne ikke holde seg der, og jarlen drog ikke på veitsler der uten når han kom mannsterk. Dette nevner Sigvat:

Erling var måg til Olav,   *Si andre søster gav dernest*
den edle sønn til Tryggve,   *bønders snare herre*
han skremte jarleætta   *til Ragnvald, Ulvs fader.*
da skjoldungen ikke kunne.   *Dette gifte gav lykke.*

Eirik jarl hadde ikke lyst til å kjempe mot Erling, for Erling hadde mange og store frender, og var mektig og vennesæl. Han hadde støtt en mengde folk om seg, som om det var en kongshird. Erling var ofte på hærferd om sommeren og skaffet seg midler, for han holdt ved på den gamle måten med raus og storslått levevis, enda han hadde mindre inntekter og de var vanskeligere å få inn enn i kong Olavs dager, mågen hans. Erling var en usedvanlig vakker og stor og sterk mann, han brukte våpen bedre enn noen annen og liknet mest på kong Olav Tryggvason i alle idretter. Det taler Sigvat om:

Ingen annen lendmann   *Om ellers mild, i striden*
om aldri så gavmild   *var han sterk; i mang en*
eller storslått, stridde   *kamp var han* først *inne,*
i flere slag enn Erling.   *gikk* ut *som den siste.*

Det har alltid vært sagt at Erling var den gjæveste av alle de lendmennene* som har vært i Norge. Dette er barna til Erling og Astrid: Aslak, Skjalg, Sigurd, Lodin, Tore og Ragnhild som var gift med Torberg Arnesson. Erling hadde alltid nitti frie menn eller flere

---

Lendmann var en som kongen hadde gitt jordeiendommer eller inntekter (veitsler) på visse betingelser.

Erling satte dagsarbeid for trellene sine.

hos seg, og både vinter og sommer var det slik at drikken ble målt ut til hver mann ved dugurdsbordet, men til kvelds drakk de uten å måle. Når jarlene var i nærheten, hadde han to hundre mann eller flere. Han drog aldri noensteds med mindre folk enn ei tjuesesse med fullt mannskap. Erling hadde et stort hærskip, det hadde 32 rom, og var enda stort i forhold til romtallet. Det brukte han i viking og i stevneleidang*, og det tok minst to hundre mann.

23. Erling hadde alltid tretti treller hjemme hos seg omframt andre tjenestefolk. Han gav trellene sine faste dagsverk og fri etterpå, og gav hver som ville det, lov til å arbeide for seg sjøl i kveldinga og om natta; han gav dem åkerland til å så korn på, og det de høstet, ble deres eiendom. Så satte han verdi på hver av dem og satte løsepenger, og det var mange som løste seg ut alt første eller andre året, og alle de som dugde til noe, løste seg på tre år. For pengene kjøpte Erling seg nye tjenestefolk, og av løysingene sine sendte han noen på sildefiske og noen i andre næringer; noen ryddet skoger og bygde der. Alle hjalp han til framgang på et vis.

24. Da Eirik jarl hadde rådd for Norge i tolv år, kom det bud til ham fra mågen hans, Knut danekonge, at Eirik jarl skulle følge med ham vest til England med hæren sin, for Eirik jarl var blitt kjent vidt og bredt for hærferdene sine, siden han hadde båret seieren hjem fra de to hardeste slagene som har vært i Norderlanda, det ene da Håkon jarl og Eirik kjempet mot jomsvikingene, og det andre da Eirik kjempet mot Olav Tryggvason. Dette nevner Tord Kolbeinsson:

Leidang, samling av folk og skip som bøndene langs kysten hadde plikt til å møte med når kongen krevde det, både til landvern og til angrep på andre land.

Igjen seg lovsang løfter,
lovpriste konger, vet jeg,
sendte bud til jarlen,
den hjelmkledde herre,

at Eirik skyldte å komme
skyndsomt til vennlig møte
med ham. Vel jeg skjønner
hva høvdingen ham ville.

Jarlen ville ikke la seg be to ganger av kongen, han reiste fra landet og satte Håkon jarl, sønn sin, igjen i Norge til å vokte landet; han gav ham over til sin måg, Einar Tambarskjelve, som skulle styre landet for Håkon, for han var ikke mer enn sytten år gammel.

25. Eirik kom til England og møtte kong Knut og var med ham da han vant London. Eirik jarl kjempet vest for London, der drepte han Ulvkjell Snilling. Så sier Tord:

Gullkjenneren knyttet
sammen en kamp ved London,
høypriste flåtefører
fikk seg land i striden.

Ulvkjell, som trosset pilregn,
fikk av Tingmannalidet
skremmelig hogg, der våpen
skalv med blåblanke egger.

Eirik jarl var i England ett år og hadde noen kamper; høsten etter tenkte han seg til Roma, men så døde han av blodtap der i England.

26. Kong Knut hadde mange kamper i England med sønnene til Adalråd Englands-konge, og de vant skiftevis. Han kom til England den sommeren kong Adalråd døde. Så ble kong Knut gift med dronning Emma; barna deres het Harald, Horda-Knut og Gunnhild. Kong Knut gjorde forlik med kong Edmund, slik at de skulle ha halve England hver. I samme måned drepte Henrik Strjona* kong Edmund. Etterpå dreiv kong Knut alle sønnene til kong Adalråd ut av England. Så sier Sigvat:

Knut slo alle
Adalråds sønner,
eller dreiv dem
ut av landet.

27. Den sommeren Olav Haraldsson kom fra viking vestfra, kom kong Adalråds sønner også fra England til Ruda i Valland til morbrødrene sine. De var i Normandi alle sammen den vinteren, og der sluttet de forbund med hverandre og avtalte at kong Olav skulle ha Nordimbraland*, om de fikk tatt England fra danene. Da sendte kong Olav fosterfaren Rane til England om høsten for å samle en hær der; Adalrådssønnene sendte ham til venner og frender som de hadde, med tegn at han kom fra dem, og kong Olav gav ham en mengde penger til å lokke folk over til dem. Rane ble i England vinteren over og fikk løfte om troskap av mange stormenn; folk i

---

Strjona, betyr vel erobrer (gammelengelsk *streóna*).
Nordimbraland, Northumberland.

Eirik jarl tar avskjed med sin sønn Håkon.

landet ville heller ha landsmenn som konger over seg, men danenes makt i England var da blitt så stor at de hadde brutt under seg alt folk i landet og hadde det i sin makt.

28. Om våren seilte de vestfra alle sammen, kong Olav og sønnene til Adalråd, og de kom til England der det heter Jungufurda*. Der gikk de i land med hæren og opp til borgen. Der møtte de mange av

Jungufurda er nå et ukjent navn.

de menn som hadde lovt dem hjelp; de vant borgen og drepte mange menn. Men da kong Knuts folk merket dette, samlet de hær og ble fort mannsterke, så kong Adalråds sønner hadde ikke nok styrke til å stå imot, og så valgte de heller å seile bort og vestover tilbake til Ruda.

Da skilte kong Olav lag med dem, han ville ikke tilbake til Valland. Han seilte nordover langs England helt til Nordimbraland, og la til i ei havn som heter Furuvald*, der kjempet han med bymennene og vant seier og stor rikdom.

29. Der lot kong Olav langskipene bli igjen og rustet ut to knarrer; på dem hadde han 260 mann, utvalgte folk, i brynje og våpen. Han seilte til havs og nordover om høsten; de fikk svær storm i havet, så det så farlig ut, men ettersom de hadde godt mannskap og kongens lykke med seg, så gikk det godt. Så sier Ottar:

På to knarrer tok du
turen vestfra, herre.
Skjoldungers skipsfelle,
du skyr aldri farer.

Strømmen, den strie, kunne
ha slukt kjøpmannsskipet,
og mannskapet over bølgen
stod mindre sterkt innabords.

Og videre dette:

Du fryktet ikke Ægir,
du fór over storhavet;
bedre karer får vel
aldri noen konge.

Haralds ætling! Ofte
øvde du deg i sjøferd,
inntil med brott om baugen
du bautet mot Norges vestland.

Her er det sagt at kong Olav kom inn til Norge midt på Vestlandet. Den øya de kom i land på, het Sæla*, den ligger utfor Stad. Da sa kongen han trodde dette måtte være en lykkedag siden de hadde landet i Norge på Sæla, han sa det måtte være et godt varsel når dette hadde hendt. Så gikk de i land på øya. Der kom kongen til å gli med den ene foten i noe leire som var der, men han stødde seg på kneet. Da sa han: «Nå falt jeg,» sa kongen. Da sa Rane: «Du falt ikke, konge, nå fikk du fast fot i landet.» Kongen lo og sa: «Det kan nok være, om Gud vil.» Så gikk de ned til skipene og seilte sør til Ulvesund. Der fikk de høre om Håkon jarl at han var sør i Sogn, men at de ventet ham nordover så snart det ble bør, og at han hadde bare ett skip.

30. Da kong Olav kom sør forbi Fjaler, styrte han skipene sine inn fra skipsleia og snudde inn i Saudungssund* og la seg der, de to skipene lå på hver si side av sundet og hadde et tjukt tau mellom seg. I samme stund rodde Håkon Eiriksson jarl mot sundet med et lang-

---

Furuvald, noen handskrifter har *foran Valde*. En har ment at det kan være The Wolds, noen åser langsmed kysten i Lincolnshire og Yorkshire.
Sæla betyr lykke; øya het ellers Selja (Selje).
Saudungssund, nå Sauesundet øst for Atløy i Fjaler.

skip og fullt mannskap, han trodde det var to kjøpmannsskip som lå
i sundet, og rodde fram mellom de to skipene. Da drog kong Olav
og hans folk tauet opp midt under kjølen på langskipet og sveivde
det inn med gangspill. Straks tauet fikk feste, gikk akterenden i
været, og stavnen stupte framover så sjøen falt inn i saksene, lang-
skipet ble fullt av vann og hvelvet. Kong Olav fisket opp Håkon der
han lå og svømte, og likeså alle de mennene hans de fikk tak i; noen
drepte de, og noen druknet. Så sier Ottar:

Du forer svarte ravner,   *Du samlet kampens fugler,*
skatter har du nok av;   *søkte alt i din ungdom*
et staselig skip tok du   *hit til dine ættland;*
fra Håkon, ham sjøl attpå.   *for deg måtte jarlen vike.*

Håkon jarl ble ført opp på kongens skip, han var den vakreste
mann noen hadde sett; han hadde svart hår, så fint som silke, om
hodet hadde han bundet et gullband. Han satte seg i forrommet. Da
sa kong Olav: «Det er nok ikke løgn det som er sagt om dere fren-
der, hvor vakre dere er å se på; men nå er det ute med lykken for
dere.»

Da sa Håkon: «Det er ikke noen ulykke, dette som har hendt oss.
Det har vært slik lenge at seieren har skiftet, og med dine og mine
frender har det også gått slik at vi har skiftes til å seire. Jeg er nå bare
så vidt kommet ut av barneåra, og vi hadde ikke godt for å verge oss
heller nå, for vi hadde ingen tanke på at det var ufred. En annen
gang kan det hende det går bedre for oss enn nå.»

Da svarte kong Olav: «Kunne du ikke tenke deg det, jarl, at slik
som det er gått her, kommer du verken til å få seier eller nederlag
heretter?» Jarlen sa: «Det er De som rår denne gangen, konge.» Da
sa kong Olav: «Hva vil du gjøre, jarl, for at jeg skal la deg gå hvor
du vil, hel og uskadd?» Jarlen spurte hva han krevde. Kongen sa:
«Ikke annet enn at du drar ut av landet og gir opp riket og sverger
en ed på at du aldri skal gå til kamp mot meg fra nå av.»

Jarlen svarte at dette skulle han gjøre. Og så svor Håkon jarl kong
Olav en ed på at han aldri mer skulle kjempe mot ham, og ikke verge
Norge med ufred mot kong Olav og heller ikke gå mot ham. Så gav
kong Olav grid til ham og alle hans menn. Jarlen fikk igjen det skipet
han før hadde hatt, og så rodde de bort. Dette nevner Sigvat skald:

Den mektige sa han måtte   *Der traff du harde konge*
møte Håkon dengang   *en jarl, av ætt den beste,*
i Saudungssund, det gamle;   *han ung ble bare nestbest*
han strevde etter framgang.   *der dansk tunge tales.*

31. Etter dette så jarlen til å komme seg ut av landet så fort han
kunne. Han seilte vest til England, og der gikk han til kong Knut,
sin morbror, og fortalte ham alt, hvordan det hadde gått med ham
og kong Olav; kong Knut tok særs godt imot ham, han satte Håkon

i hirden hos seg og gav ham stor makt der i riket. Håkon jarl bodde der hos Knut i lang tid framover.

Da Svein og Håkon hadde rådd for Norge, hadde de gjort forlik med Erling Skjalgsson, forliket var blitt styrket på den måten at Aslak, sønn til Erling, ble gift med Gunnhild*, datter til Svein jarl. De to, Erling og hans sønn Aslak, skulle ha alle de veitslene som Olav Tryggvason hadde gitt Erling. Etter dette ble Erling jarlens sikre venn, og de slo dette fast og svor hverandre eder.

32. Kong Olav Digre vendte seg så østover langs kysten og holdt ting med bøndene mange steder; mange ble hans handgangne menn, men noen talte mot ham; det var de som var venner eller frender til Svein jarl. Derfor drog Olav fort østover til Viken, styrte inn i Viken med hæren og satte opp skipene sine der. Så drog han opp i landet. Da han kom i Vestfold, var det mange som tok imot ham med glede der; det var de som hadde kjent far hans og vært hans venner. Han hadde stor ætt også der omkring Folden.

Om høsten drog han opp i landet til mågen, kong Sigurd, han kom der en dag tidlig på dagen. Da kong Olav kom nær garden, løp tjenesteguttene opp til garden og inn i stua. Åsta, mor til kong Olav, satt der inne sammen med noen andre kvinner. Guttene fortalte henne at kong Olav kom, og at nå kunne de snart vente ham der. Åsta stod opp straks, hun ropte på både karer og kvinnfolk, og sa de skulle stelle i stand alt på best mulig måte. Hun lot fire kvinner ta fram stuebunaden og skynde seg og kle med tepper og legge åklær på benkene; to karer bar halm på golvet, to satte fram skjenkebordet og den store ølbollen, to tok fram bordet, to satte inn maten, to sendte hun ut av garden, to bar inn ølet, og alle de andre, kvinner som karer, gikk ut på tunet.

De to hun sendte ut, gikk til kong Sigurd der han var, og hadde med til ham kongeklærne hans og hesten med forgylt sal og beksel som var innlagt med emalje og helt forgylt. Fire mann sendte hun til fire kanter i bygda og bad til seg alle stormenn, de skulle komme i gjestebud til henne, for hun holdt velkomstøl for sønnen sin. Alle andre som var til stede, lot hun kle seg i de beste klærne sine, og hun lånte klær til dem som ikke hadde sjøl.

33. Kong Sigurd Syr stod ute på åkeren da sendemennene kom til ham og fortalte hva som var på ferde, og om alt det Åsta holdt på med hjemme på garden. Han hadde mange folk der, noen skar kornet, noen bandt og noen kjørte det hjem; noen la det i stakker eller løer. Kongen gikk til og fra sammen med to mann, han var snart på åkeren og snart der de lesste av kornet. Det er fortalt at han var kledd slik: han hadde blå kjortel og blå hoser og sko som var snørt oppover leggen, grå kappe og grå, brei hatt og hodelin omkring ansiktet, han hadde en stav i handa, med forgylt sølvholk og en sølvring i oventil.

De sier ellers om kong Sigurds måte å være på, at han var svær til

---

Gunnhild. Rettere Sigrid, se kap 131.

Åstas sendebud kommer til Sigurd Syr på åkeren.

å arbeide og tok seg mye av stellet med gard og gods; han styrte gardsdrifta sjøl. Han var ikke noen praktlysten mann og var nokså fåmælt; han var den klokeste mann av alle som var i Norge dengang, og den rikeste på løsøre, han var fredsommelig og føyelig. Åsta, hans kone, var raus og storlynt. De hadde disse barna: Guttorm, han var eldst, så Gunnhild, Halvdan, Ingerid og Harald.

Så sa sendemennene: «Åsta bad oss si deg dette, at nå syntes hun det var svært mye om å gjøre at du viste deg som en stormann; hun ber om at du skal prøve å likne mer på ætta til Harald Hårfagre i sinnelag enn på Rane Mjonev* eller på Nereid jarl den gamle, enda de var svært kloke folk.» Kongen sa: «Dette var store tidender, men dere maser nå fælt for det. Åsta har skrytt svært av folk før da hun hadde mindre grunn til det, og jeg skjønner hun har samme sinn ennå. Hun tar svært stort i med dette; bare hun nå får leidd sønnen sin ut av garden like stormannslig som hun nå leier ham inn. Men for meg ser det ut som at den verken må være redd for liv eller gods som vil sette noe inn på at så skal kunne skje. Denne kong Olav kjemper mot en stor overmakt, han har både danekongen og sveakongen til fiender, de er imot ham og det han har fore, om han holder fast ved det.»

34. Da kongen hadde sagt dette, satte han seg ned og lot dem dra av seg skoene; så tok han på seg korduanshoser* og bandt på seg gylne sporer; han tok av seg kappa og kjortelen og tok på seg klær av kostbar silke og utenpå ei skarlagenskappe; han spente et fint utstyr sverd på seg, tok forgylt hjelm på hodet og steig så til hest.

Mjonev betyr smalnese.
Korduanshoser, bukser og sokker i ett, av skinn fra Cordoba i Spania.

Han sendte arbeiderne ut i bygda for å hente tretti mann i fine klær, de rei hjem med ham.

Da de kom ridende opp på garden og fram foran stua, så han kong Olavs merke komme farende fram på den andre sida av garden, og der kom han sjøl med hundre mann, alle godt rustet. Det stod dessuten folk oppstilt mellom alle husene. Kong Sigurd hilste fra hesteryggen på stesønnen kong Olav og følget hans og bad ham inn til drikkelag. Men Åsta gikk bort og kysset sønn sin og bad ham bo der hos henne, og sa han skulle få alt som hun kunne gi ham, land og folk. Kong Olav takket henne pent for det hun sa. Hun tok ham i handa og leidde ham etter seg inn i stua og til høgsetet. Kong Sigurd satte noen til å ta seg av klærne deres og gi hestene korn; så gikk han til høgsetet sitt, og nå ble det gitt et prektig gjestebud.

35. Da kong Olav hadde vært der en liten stund, hendte det en dag at han samlet stefaren kong Sigurd, mora Åsta og fosterfaren Rane til en samtale og holdt et møte med dem. Da tok kong Olav til orde: «Som dere vet,» sa han, «er det slik at jeg nå er kommet hit til landet, og at jeg har vært i utlandet en lang stund. I denne tid har jeg og mine menn ikke hatt annet å livnære oss med, enn det vi har tatt på hærferd, og mange ganger har vi måttet våge både liv og salighet. Det har vært mang en sakesløs mann som har måttet miste sin eiendom for oss, og noen har mistet livet med. Men på de eiendommene som far min eide, og hans far før ham og den ene etter den andre av ætta, og som jeg er odelsbåren til, der sitter det utlendinger. Og de har ikke latt seg nøye med det. De har tatt under seg eiendommene til alle oss frender som rekner ætta si fra kong Harald Hårfagre; noen deler de litt med, men andre får slett ikke noe. Nå skal dere få vite hva jeg alt lenge har gått og tenkt på. Jeg vil ta farsarven min, og jeg vil ikke reise, verken til danekongen eller sveakongen og be dem om den eller om bare aldri så liten del av den, enda de nå en stund har reknet det som sin eiendom det som er arven etter Harald Hårfagre. Tvert imot tenker jeg, for å si som sant er, å hente arven etter frendene mine med odd og egg, og jeg vil søke støtte hos alle mine frender og venner og alle de som vil gå sammen med meg i denne saken. Dette kravet vil jeg reise slik at det får gå som det vil, enten skal jeg ta under mitt styre hele det riket som de tok fra kong Olav Tryggvason, min frende, da de felte ham, eller også skal jeg falle her på arven etter frendene mine. Nå, Sigurd måg, skulle jeg tro om deg og de andre mennene her i landet som er odelsbårne til kongedømmet etter de lovene Harald Hårfagre satte, at det ikke er så langt fra at dere sjøl reiser dere og kaster av dere denne frendeskammen, og at dere vel ville hjelpe til alle sammen for å styrke den mann som vil være fører her og reise opp igjen ætta vår. Og enten dere vil vise litt manns mot i denne saken eller ikke, så kjenner jeg sinnelaget hos allmuen; der ønsker alle å slippe fri for å bli trellbundet av utenlandske høvdinger, bare de hadde noen å støtte seg til. Jeg har ikke talt til noen annen mann før deg om denne saken, fordi jeg vet at du er en klok mann og kan se hva

Sigurd Syr, Åsta, Olav og Rane.

som blir best, om jeg først skal snakke om det i hemmelighet med noen, eller jeg straks skal la mange få vite det så det blir kjent for allmuen. Jeg har nå på en måte alt vist tenner da jeg tok Håkon jarl til fange; han har rømt fra landet nå, og han gav meg under ed den del av riket som han hadde før. Jeg tenker det kommer til å falle lettere for oss nå å ha med bare Svein jarl å gjøre, enn om de hadde vært der begge to til å verge landet.»

Nå svarte kong Sigurd: «Det er ikke små saker du har fore, kong Olav. Så vidt jeg kan skjønne, er det mer ærgjerrighet enn framsyn som driver deg. Men det er jo å vente at det må være langt mellom meg som er så småferdig, og de store tankene du har; for du var ikke mer enn ute av barneåra, før du var full av kappelyst og overmot overalt du kunne komme til. Og nå har du fått prøve deg ofte i kamp og tatt etter skikken hos utenlandske høvdinger. Nå vet jeg at når du har gått så langt med å ta opp denne saken, kan det ikke lenger nytte å stanse deg. Det er heller ikke noe rart at slike ting som at ætta etter Harald Hårfagre og kongedømmet hans går til grunne, at de må være tunge å bære for folk som har noen ærgjerrighet. Men jeg vil ikke binde meg til noe løfte før jeg vet hva de andre kongene på Opplanda tenker, og hva de vil gjøre. Det var likevel riktig gjort av deg å la meg få vite om dine planer før du talte høyt om dem til alle mennesker. Jeg skal love deg å støtte deg hos kongene og de andre høvdingene og hos folket i landet, og dessuten skal det jeg eier, stå til din rådighet, kong Olav, og styrke deg. Men jeg vil bare være med på å ta dette fram for allmuen, så fremt jeg ser at det kan få noen framgang, og at vi får noen hjelp til dette store tiltaket, for du skal huske på at det er ikke lite du har tatt på deg, når du vil kappes med

Olav sveakonge og med Knut, som nå er konge både i England og Danmark; du kommer til å trenge å reise sterke pålverk mot dem om det skal nytte noe. Jeg tror ikke det er usannsynlig at du kommer til å ha lett for å få folk, for allmuen vil alltid gjerne ha noe nytt. Slik gikk det før da kong Olav Tryggvason kom til landet, alle ble så glade for det. Men han fikk ikke ha godt av kongedømmet så lenge likevel.»

Da de var kommet så langt i samtalen, tok Åsta til orde. «Meg er det gått slik, sønn min, at jeg er kommet til å glede meg over deg, og jeg blir mer glad, dess mer framgang du kan få. Jeg vil ikke spare på noen ting som jeg har rådighet over. Men det er ikke stor støtte i de rådene jeg kan gi deg. Likevel, om jeg skulle velge, da ville jeg heller at du skulle bli overkonge over hele Norge, om du så ikke levde lenger som konge enn Olav Tryggvason, enn at du ikke skulle bli større konge enn Sigurd Syr og dø av alderdom.»

Etter disse ordene sluttet de samtalen. Kong Olav ble der en stund med hele sitt følge. Kong Sigurd gav dem annen hver dag fisk og mjølk på bordet, og annen hver dag kjøtt og øl.

36. På denne tida var det mange opplendingkonger; de rådde for fylker, og de fleste av dem hørte til Harald Hårfagres ætt. På Hedmark rådde det to brødre, Rørek og Ring; i Gudbrandsdalen var det Gudrød. På Romerike var det også en konge; han som hadde Toten og Hadeland var konge, og i Valdres var det en konge*.

Sigurd Syr hadde et stevne med fylkeskongene oppe på Hadeland, og på det stevnet kom Olav Haraldsson også. Der tok Sigurd opp saken for de fylkeskongene han hadde satt stevne med, og fortalte om det mågen hans, Olav, hadde fore. Han bad dem om støtte, både med folkehjelp og gode råd og samtykke; han la ut for dem om hvor nødvendig det var å kaste av seg denne undertrykkelsen som daner og svear hadde lagt på dem, og sa at nå var det kommet en mann som ville gå først i denne saken; han reknet opp mange av de storverk kong Olav hadde gjort mens han var ute og fór i hærferd.

Da sa kong Rørek: «Det er sant nok at det er gått svært nedover med kong Harald Hårfagres rike, siden ingen av hans ætt er overkonge i Norge lenger. Nå har folk her i landet prøvd både det ene og det andre. Håkon Adalsteinsfostre var konge, og det likte alle godt. Men da Gunnhildssønnene rådde for landet, ble alle så lei av deres overgrep og urettvise styre, at de heller ville ha utenlandske konger over seg og så rå seg mer sjøl; for utenlandske høvdinger var alltid lenger borte og brydde seg lite om hvordan folk stelte seg, når de bare fikk den skatten de krevde for seg. Så ble de uvenner, Harald danekonge og Håkon jarl, og da herjet jomsvikingene i Norge. Da reiste den seg mot dem, hele den store allmuen som én mann og dreiv denne ufreden fra seg. Nå fikk folk Håkon jarl til å ta landet og verge det mot danekongen med odd og egg. Men da folk

---

Denne *kongen i Valdres* blir ikke nevnt seinere, og i kap. 74 blir det reknet opp bare fem konger på Opplanda.

i landet hadde hjulpet ham så langt at han syntes han hadde all makt i riket, ble han så hard og grisk mot folk at ingen ville finne seg i det, og så drepte trønderne ham sjøl og hevet Olav Tryggvason til makten; han var odelsbåren til kongedømmet og høvde bra til å være høvding på alle måter. Da fór allmuen ivrig opp over hele landet og ville ha ham til konge over seg og gjenreise det riket som Harald Hårfagre hadde tatt. Men da Olav syntes han hadde fått hele makten i landet, så var det ingen som fikk rå seg sjøl lenger. Da gikk han fram med griskhet mot oss småkonger, og krevde inn alle de skatter som Harald Hårfagre hadde tatt her, og mer til, og folk rådde seg så lite sjøl at de ikke engang fikk lov å velge hvilken gud de skulle tro på for ham. Da nå han ble borte fra landet, så har vi holdt oss til venns med danekongen, og av ham har vi hatt stor støtte i alt vi synes vi har krav på, og vi rår oss sjøl og lever i fred innenlands og ingen bruker makt på oss. Når jeg nå skal si som sant er om meg sjøl, så liker jeg dette godt som det er. Jeg er ikke så viss på at jeg, om min frende blir konge over landet, skal få noen bedre vilkår for det. Og gjør jeg ikke det, så vil jeg ikke ha noe å gjøre med dette nye tiltaket.»

Da sa Ring, bror hans: «Jeg skal si hva jeg mener. Jeg synes det er bedre om jeg så bare får ha samme makt og eiendommer som jeg har, at min frende blir konge over Norge og ikke utenlandske høvdinger, og om ætta vår kunne reise seg igjen her i landet. Når det gjelder denne mannen her, Olav, så har jeg den mening at det er skjebnen og hans lykke som kommer til å rå for om han får makt eller ikke. Men om han blir enekonge over hele Norge, da kommer de som har størst krav på vennskapet hans, til å synes de har vunnet mest. Nå har han ikke på noen måte bedre kår enn vi, han er heller så mye dårligere stilt, som vi har land og rike å styre over, og han har ingen ting. Vi er like mye odelsbårne til kongedømmet vi som han. Sett nå at vi slutter oss til ham og hjelper ham så mye at vi gir ham den høyeste verdighet som er her i landet, og det vil vi sette hele vår kraft inn på. Om han da er så mye til mann som jeg tror, og som alle sier, hvorfor skulle han ikke ville lønne oss godt for dette og minnes det lenge? Hvis jeg får rå, så skal vi våge dette, og binde oss til ham med vennskap.»

Etter dette stod de opp og talte den ene etter den andre; det viste seg da at de fleste hadde mest lyst til å slutte seg til kong Olav. Han lovte dem sitt fullkomne vennskap, og dessuten større rettigheter dersom han ble enekonge over Norge. Dette forliket bandt de med eder.

37. Etter dette lyste kongene til ting. Der kom kong Olav fram for allmuen med det han ville, og det krav han hadde på riket; han bad bøndene at de skulle ta ham til konge over landet, lovte dem til gjengjeld gammel lov, og at han skulle verge landet mot utenlandske hærer og høvdinger. Han talte langt og klokt om dette, og talen hans ble svært godt mottatt. Så stod de opp den ene etter den andre av kongene og talte, og alle støttet saken og kongens tale hos folket. Til

Kong Olav rir til Opplandstinget på Eidsvoll.

slutt ble det til at de gav Olav kongsnavn over hele landet, og landet ble tildømt ham etter opplandsk lov.

38. Så drog kong Olav ut på ferden; han lot folk gjøre veitsler for seg der det var kongsgarder. Først reiste han gjennom Hadeland og derfra drog han nord i Gudbrandsdalen. Det gikk som Sigurd Syr hadde sagt, det kom så mye folk til ham at han ikke syntes han trengte halvparten; nå hadde han nesten tre hundre mann. Da strakk de ikke til de veitslene som var avtalt, for det hadde vært skikk at kongene reiste gjennom Opplanda med seksti–sytti mann, og iallfall aldri mer enn hundre. Kongen reiste fort og ble bare ei natt på hvert sted.

Da han kom til fjella i nord, gav han seg i veg og drog til fjells nordover helt til han kom ned av fjellet på nordsida. Kong Olav kom ned i Oppdal, der ble han natta over. Deretter drog han gjennom Oppdalsskogen og kom fram i Meldalen, der krevde han ting og stevnte bøndene til seg. Så talte kongen på tinget og krevde av bøndene at de skulle ta ham til konge; han bød dem til gjengjeld lov og rett som kong Olav Tryggvason hadde budt. Bøndene hadde ikke styrke nok til å holde ufred med kongen, og så endte det med at de tok ham til konge og bandt dette med eder. Men de hadde likevel først sendt bud ned i Orkdalen og i Skaun også, og sagt fra at kong Olav var kommet og alt det de visste om ham.

39. Einar Tambarskjelve bodde på Husby i Skaun. Da budet kom til ham om kong Olav og hans ferd, lot han straks skjære hærpil og sendte den ut i alle fire retninger; han stevnte sammen tegn og trell med fulle våpen, og det fulgte bud med at de skulle verge landet mot kong Olav. Det gikk hærpil til Orkdalen og til Gauldalen også, og overalt samlet det seg hær.

40. Kong Olav kom ned til Orkdalen med hæren sin, han gikk svært varsomt fram og kom med fred. Da han kom ut til Grjotar*, møtte han bondesamlingen, det var mer enn sju hundre mann. Kongen fylkte hæren sin mot dem, for han tenkte bøndene ville kjempe. Da bøndene så det, tok de også til å fylke. Men det gikk ikke nær så glatt for dem, for de hadde ikke avtalt på forhand hvem som skulle være høvding.

Da nå kong Olav så at det gikk så ugreit for bøndene, sendte han Tore Gudbrandsson til dem, og da Tore kom dit, sa han at kong Olav ikke ville kjempe med dem. Han nevnte opp tolv menn, de som var de gjæveste i flokken deres, og bad at de skulle komme og tale med kong Olav. Bøndene tok imot dette, og gikk framover en bakkerygg som var der, til stedet der kongens fylking stod.

Da sa kong Olav: «Det var vel gjort av dere bønder at dere gir meg høve til å tale med dere, for jeg ville si dere noe om hva ærend jeg har her i Trondheimen. Det er nå for det første dette at jeg er sikker på dere alt har hørt at Håkon jarl og jeg møttes i sommer, og at dette møtet vårt endte med at han gav meg hele det riket som han eide her i Trondheimen, og det er som dere vet Orkdølafylke, Gauldølafylke, Strindafylke og Øynafylke. Jeg har vitner på det her, menn som var til stede, og som så mitt og jarlens handtak og hørte ord og eder og hele avtalen som jarlen gjorde med meg. Jeg vil by dere lov og fred, slik som kong Olav Tryggvason gjorde før meg.»

Han talte langt og klokt, og endte med å by bøndene to vilkår, enten å bli hans handgangne menn og vise ham lydighet, eller også kjempe med ham. Så vendte bøndene tilbake til hæren sin og sa hvordan det var gått, og spurte hele folket om råd, hva de nå skulle velge å gjøre. De drøftet dette med hverandre en stund, men til slutt valgte de likevel å bli kongens handgangne menn. Dette bandt da bøndene seg til med eder.

Nå ordnet kongen med ferden videre, og bøndene gjorde veitsler for ham. Kongen drog ut til sjøen, og der fikk han seg skip; han fikk et langskip, ei tjuesesse, fra Gunnar på Gjølme; ei anna tjuesesse fikk han fra Lodin på Viggja, det tredje skipet, tjuesesse det også, fra Hangran på Nes*; den garden hadde Håkon jarl eid, og det var en årmann som het Bård Kvite som styrte den. Kongen hadde en fire–fem skuter; han skyndte seg av sted og styrte innover fjorden.

41. Svein jarl var inne i Trondheimen på Steinkjer dengang, og lot stelle til julegjestebud der. Der var det handelsplass. Einar Tambar-

---

Grjotar, en gard som nå er forsvunnet. Den lå i nærheten av Gryting i Orkdalen.
Nes, dvs. Byneset.

skjelve fikk høre at orkdølene hadde blitt kong Olavs menn. Da sendte han bud til Svein jarl; de drog først til Nidaros, der tok de en robåt som Einar hadde; så drog de innover fjorden og kom en dag seint på kvelden inn til Steinkjer og sa fra til jarlen om dette; de fortalte om alt kong Olav hadde gjort.

Jarlen hadde et langskip som lå og fløt utfor garden med tjeld over; straks om kvelden lot han nå flytte ut på skipet det løsøre han hadde og klærne til folkene og så mye drikke og mat som skipet kunne bære; så rodde de utover straks om natta og kom til Skarnsund i lysningen. Der så de kong Olav kom roende utenfra og inn fjorden med sin flåte. Da dreidde jarlen av inn mot land ved Mosvika, der var det tjukk skog. De la seg så nær innunder berget at lauv og greiner hang utover skipet. De hogg ned store trær og satte dem ned i sjøen på utsida av skipet, så ingen kunne se skipet for lauvet. Det var ikke blitt helt lyst ennå da kongen rodde inn forbi dem. Været var stille. Kongen rodde inn forbi øya, og da de ikke kunne se hverandre lenger, rodde jarlen fram og like ut til Frosta, der la han i land, for det var i hans rike.

42. Svein jarl sendte folk ut i Gauldalen etter Einar, mågen sin. Da Einar kom til jarlen, fortalte jarlen ham alt, hvordan det hadde gått med ham og kong Olav; han sa også at han ville samle hær og gå mot kong Olav og kjempe med ham. Einar svarte: «Vi skal bruke list; vi skal holde utkik med Olav, hva han har fore, og ikke la noen få vite annet om oss enn at vi holder oss i ro. Hører han ikke noe om at vi samler hær, så kan det være han slår seg til på Steinkjer jula over, for der er alt gjort godt i stand. Men om han hører at vi samler folk, da kommer han til å styre ut av fjorden med én gang, og så får vi ikke tak på ham.» Det ble gjort som Einar sa. Jarlen drog på veitsler hos bøndene oppe i Stjørdalen.

Da kong Olav kom til Steinkjer, tok han veitslene der til seg; han lot alt sammen bære om bord i skipene og skaffet dessuten en lastepram, han tok med seg både mat og drikke og skyndte seg bort igjen og styrte helt ut til Nidaros. Der hadde kong Olav Tryggvason latt reise kjøpstad, som før skrevet. Men da Eirik jarl kom til landet, hjalp han fram Lade, for der hadde far hans villet ha hovedgarden sin, og han lot dem forfalle, de husene som Olav hadde latt bygge ved Nidelva, så nå var noen falt helt sammen, andre stod, men var nokså ubrukelige.

Kong Olav styrte skipene sine opp i Nidelva. Han lot straks folk gå i gang med å stelle på de husene som ennå stod, og reise igjen de som hadde falt sammen, og satte en mengde folk til det. Så lot han både mat og drikke føre opp i husene og tenkte å være der jula over. Men da Svein jarl og Einar fikk høre dette, fant de på en annen råd.

43. Det var en islending som het Tord Sigvaldaskald; han hadde vært lenge hos Sigvalde jarl, og siden hos Torkjell Høge, bror til jarlen. Etter at jarlen hadde falt, var Tord kjøpmann. Han møtte kong Olav mens han var i vesterviking, og ble hans mann og fulgte ham siden. Han var hos kong Olav da dette hendte.

Svein jarl og mennene hans dekker til skipet sitt for Olav.

Sønn til Tord het Sigvat, han vokste opp hos Torkjell på Apa-vatn*. Da han var nesten voksen mann, reiste han utenlands med noen kjøpmenn, og det skipet kom til Trondheimen om høsten, og mannskapet fikk seg hus i bygdene. Samme vinter kom kong Olav til Trondheimen, slik som det er skrevet her før. Og da Sigvat fikk høre at Tord, far hans, var hos kongen, drog Sigvat til kongen og møtte Tord, far sin, og ble hos ham en stund. Sigvat var en god skald alt tidlig; han hadde laget et kvede om kong Olav og bad kongen høre på det. Kongen sa han ville ikke la noen få dikte om seg, han kunne ikke med å høre på skaldskap, sa han. Da kvad Sigvat:

Hør på mitt kvad, herre,
som herjer med svarte skuter!
jeg kan dikte, konge,
og én skald kan du eie.

Om du enn nekter alle
andre skalder å kvede,
herre, av meg skal du høre
nok av kvad til din heder.

Kong Olav gav Sigvat en gullring som veide ei halv mark i lønn for kvadet. Sigvat ble kong Olavs hirdmann, og da kvad han:

Ivrig ditt sverd tok jeg,
angrer det aldri siden.
Stridsmann, det var min vilje,
jeg valgte et herlig yrke.

For gull, som Fåvne lå på,
du fikk en trofast hirdmann;
jeg fikk en god husbond,
godt har vi begge stelt oss.

Om høsten hadde Svein jarl latt kreve inn halve landøren* av islandsfarerne, slik som han alltid brukte; for Eirik og Håkon hadde

---

Apavatn, en gard (og innsjø) i *Árnessýsla* på Sør-Island nordvest for *Skálholt*.
Landøre var den skatten som islendingene måtte betale når de kom til Norge. Denne skatten ble opphevet 1262–64 da Island gav seg inn under Norges konge.

den andre halvdelen av den inntekten som av alle andre der i Trondheimen. Da nå kong Olav kom dit, sendte han folk for å kreve inn halve tollen av islandsfarerne. Men de gikk til kongen, og der bad de Sigvat hjelpe seg. Da gikk han framfor kongen og kvad:

Tapre venn av ravner,   *Gullrike konge, tillat*
tigger jeg for ofte?   *at halve landøren*
nå jeg ber om feller*,   *blir slått av for knarren.*
før har jeg fått av gullet.   *Sjøl er jeg den som krevde.*

44. Svein jarl og Einar Tambarskjelve samlet en stor hær og drog over land ut til Gauldalen, så videre ut til Nidaros; de hadde nesten 2400 mann. Kong Olav hadde menn på hestevakt ute på Gaularåsen*, de fikk se hæren da den kom ned fra Gauldalen og fikk sagt fra til kongen, det var ved midnatt. Kong Olav stod opp straks og lot folk vekke hæren; de gikk straks om bord i skipene og bar med seg ut alle klær og våpen og alt de kunne få med; så rodde de ut av elva. Med det samme de var ute, kom jarlshæren til byen; de tok all julekosten og brente alle husene.

Kong Olav seilte ut gjennom fjorden til Orkdalen og gikk i land fra skipene der; så drog han opp gjennom Orkdalen helt til fjells og så østover fjellet til Gudbrandsdalen. Om dette at Svein brente byen i Nidaros er det fortalt i en viseflokk* som er diktet om Kløng Brusason:

Kongens halvbygde huser
brente helt ved Nidelv,
salen ble slokt av ilden,
sot dreiv mot hæren.

45. Nå drog kong Olav sørover gjennom Gudbrandsdalen og derfra ned på Hedmark. Han reiste rundt på veitsler hele tida midtvinters, men da det ble vår, samlet han hær og drog ut i Viken. Han hadde en stor hær, som kongene hadde gitt ham, med seg fra Hedmark; det var mange lendmenn som kom med derfra, og blant dem var Kjetil Kalv fra Ringnes. Kong Olav fikk folk fra Romerike også. Kong Sigurd Syr, mågen hans, kom og hjalp ham med en stor flokk. Så drog de ut til sjøen og fikk seg skip og gjorde seg i stand til å dra ut av Viken. De fikk en stor og vakker hær. Og da de hadde hæren ferdig, seilte de ut til Tønsberg.

46. Svein jarl samlet hær fra hele Trondheimen straks over jul; han krevde ut leidang og gjorde skipene klare.

På denne tida var det en mengde lendmenn i Norge; mange av dem var så mektige og ættstore at de regnet ætta tilbake til konger

---

Skinnfeller var ofte betalingsmiddel for landøren.
Gaularåsen (norr. *Gauláss*), skog- og fjellområdet mellom Trondheim og Byneset-Leinstranda (nå Bymarka og Leinstrandmarka).
Flokk er et skaldekvede uten stev. Det var mindre gjævt enn en *dråpa*.

eller jarler, og det ikke mange ledd borte; de var steinrike også. Konger og jarler som rådde over landet, måtte helt stole på lendmennene, for i hvert fylke var det slik at lendmennene rådde for bondehæren.

Svein jarl stod seg godt med lendmennene, så han hadde lett for å få folk. Mågen hans, Einar Tambarskjelve, gikk med ham, og mange andre lendmenn, og mange av dem som hadde svoret kong Olav troskap før på vinteren, både lendmenn og bønder. De seilte ut av fjorden straks de var ferdige, og styrte sørover langs land og samlet folk til seg fra hvert fylke. Da de kom sørover og utfor Rogaland, kom Erling Skjalgsson til dem, han hadde en stor hær, og det kom mange lendmenn sammen med ham. Hele denne hæren styrte de østover til Viken med. Det lei ut i langfasta* da Svein jarl seilte inn mot Viken. Jarlen styrte flåten inn forbi Grenmar* og la til ved Nesjar*.

47. Kong Olav styrte flåten sin ut gjennom Viken, og nå var det ikke langt imellom dem; de fikk vite om hverandre lørdag før palmesøndag. Kong Olav hadde et skip som het Karlhovde, i framstavnen på det var det skåret ut et kongehode, det hadde han skåret ut sjøl. Det hodet brukte de å ha lenge etterpå i Norge på skip som høvdinger styrte.

48. Søndagsmorgen* da det ble lyst, stod kong Olav opp og kledde på seg; han gikk i land og lot blåse til landgang for hele hæren. Så holdt han en tale til folket. Han sa til alle sammen at han hadde fått vite at nå var det ikke langt mellom dem og Svein jarl. «Nå må vi holde oss klare,» sa han, «for nå blir det ikke lenge før vi møtes. Alle mann skal væpne seg straks, og hver skal ruste seg sjøl og det rom han har fått på skipet, slik at alle er ferdige når jeg lar blåse til oppbrudd. Så skal vi ro tett sammen, ingen må ro av sted før hele flåten ror, og ingen må vente lenge etter at jeg har rodd ut av havna, for vi kan ikke vite om vi kommer til å møte jarlen der han ligger nå, eller om de kommer mot oss. Og om vi møtes, og det blir strid, da skal våre menn ro skipene inntil hverandre og være ferdige til å binde dem sammen. La oss så først bare bruke skjoldet, og passe på våpnene våre så vi ikke slenger dem på sjøen og kaster dem bort til unyttes. Men når så kampen er kommet i gang, og skipene er bundet sammen, da får dere sørge for at striden blir så hard som mulig, og hver må kjempe så mandig han kan.»

49. Kong Olav hadde hundre mann på skipet sitt, og de hadde ringbrynjer og velske hjelmer på alle sammen. De fleste av mennene hans hadde hvite skjold med det hellige kors innlagt i gull, på noen var det malt med rød eller blå farge; han lot også tegne et hvitt kors med kritt i panna på alle hjelmene. Han hadde et hvitt merke, det var en orm. Så lot han lese messe for seg, og etter dette gikk han om

---

Langfasta var de sju ukene med faste før 1. påskedag.
Grenmar, nå Langesundsfjorden.
Nesjar i Brunlanes.
Søndagsmorgen. 25. mars 1016; Snorre mener at slaget stod i 1015.

Kong Olav lot blåse hærblåst.

bord og sa folkene skulle spise og drikke litt. Så lot han blåse hær-
blåst og rodde ut av havna. Da de kom utfor den havna som jarlen
hadde ligget i, var jarlens hær også væpnet og tenkte nettopp å ro ut
av havna, men da de så kongsflåten, tok de til å binde sammen
skipene og satte opp merket og gjorde seg ferdig til kamp. Da kong
Olav så det, rodde han rett på, og kongen la seg mot jarlens skip,
og dermed tok striden til. Så sier Sigvat skald:

Stor ble striden som kongen
reiste da han stevnte
rett mot Svein i havna;
rødt blod rant i sjøen.

Den sterke konge styrte
uten skånsel mot dem.
Han ville slag, og hæren
til Svein bandt skip sammen.

Her er det sagt at det var kong Olav som stevnte til slag, og Svein
lå i havna og ventet. Sigvat skald var med i striden der, han laget

straks samme sommeren en viseflokk som heter Nesjarviser, og der
er det sagt nøye hvordan alt gikk til da dette hendte:

Kjent det er at kongen   *la der øst for Agder*
som kjenner iskaldt pilregn,   *Karlhovde opp mot jarlen.*

Det ble en strid av de kvasseste, og det var lenge en ikke kunne
se hvilken veg det ville gå; det falt mange på begge sider, og en
mengde ble såret. Så sier Sigvat:

Ingen trengte å egge   *begges tro sveiner*
Svein til sverdkampen   *ventet seg tap av lemmer*
og ikke kamplystne Olav   *da til kamp de gikk. Aldri*
til skjoldstorm imot ham;   *kom hær i verre knipe.*

Jarlen hadde større hær, men kongen hadde bare utvalgte folk på
skipet sitt, de hadde fulgt ham på hærferd og var rustet så framifrå,
som vi sa før; hver eneste mann hadde ringbrynje, så de ble ikke
såret. Så sier Sigvat:

På oss i den lysende konges   *og mens pilene suste,*
følge så jeg lystig   *mitt svarte hår jeg gjemte*
svale brynjer henge   *under den velske hjelmen.*
fra herdene; hard var striden,   *Min venn! Slik var vi rustet.*

Men nå tok folk til å falle på skipene til jarlen, og noen ble såret,
og så ble rekkene tynnere langs skipsbordene.

50. Da tok kong Olavs menn til å entre skipene, merket ble båret
om bord på skipet som var nærmest jarlsskipet, og kongen sjøl fulgte
merket fram. Så sier Sigvat:

Den gylne merkestanga   *Da malmvåpen hilstes*
stormet fram foran kongen,   *hist på havets hester,*
og barske brynjehelter   *det var ei som møys hilsen*
gikk om bord under merket.   *når hun bærer mjød til kongsmenn.*

Det ble en kvass strid, og mange av Sveins menn falt, noen løp
over bord også. Så sier Sigvat:

Der høye brak av våpen   *Sårede bønder stupte*
hørtes, fór vi ville   *på sjøen, der de kjempet.*
opp på skeiden; blodig   *Vi tok skip og ladning,*
sverd skjoldene kløyvde.   *lik fløt tjukt rundt øra.*

Og videre dette:

Skjoldene våre farget   *da vi kom var de hvite,*
folk røde i kampen,   *hvermann kunne se det.*

Der gikk den unge konge　　*sverdene ble sløvet,*
opp på skipet, vi fulgte;　　*ravnen svelget blodet.*

Nå tok mannefallet til å bli størst i hæren til jarlen; da stormet kongsmennene jarlens skip, og det var nære på de hadde kommet opp på skipet. Men da jarlen så for en farlig stilling han var kommet i, ropte han til dem som stod fremst på skipet, og bad dem hogge over fortøyningene og løse skipene; de gjorde det. Da slengte kongsmennene entrehaker over i stavnen på langskipene og holdt dem fast. Nå sa jarlen de skulle hogge det øverste stykket av stavnen, og det gjorde de. Så sier Sigvat:

Svein sjøl bad dem hogge　　*da hæren til ravnens glede*
raskt de svarte planker;　　*lot hogge skeidens stavner;*
vi hadde rodd litt nær ham,　　*Odins svarte fugler*
lystne på rikt bytte,　　*ble rikelig født med likmat.*

Einar Tambarskjelve hadde lagt skipet sitt på den ene sida av jarlsskipet; de kastet nå et anker over i framstavnen på jarlsskipet, og slik flyttet de seg alle på én gang ut på fjorden. Etter dette flyktet hele hæren til jarlen og rodde ut på fjorden. Berse Skaldtorvuson stod i forrommet på skipet til jarlen, og da skipet glei fram fra flåten, kjente kong Olav Berse, for han var lett å kjenne, vakrere enn noen annen og så vel rustet både med klær og våpen; da ropte kong Olav høyt: «Far vel, Berse!» Han svarte: «Lev vel, konge!» Så sier Berse i den viseflokken han laget da han kom i kong Olavs makt og satt i lenker:

Du ønsket denne skalden　　*bedre fyrste får jeg*
lykke på reisen, konge,　　*aldri følge i striden*
jeg sendte samme hilsen　　*enn han, den kjære herre,*
tilbake til stridens herre.　　*hva det så vil hende.*
Nødig jeg heftet knarren,
gav heller gullrik herre　　*Sverdsvinger! Jeg kryper*
den edle, det ord tilbake　　*slett ikke for deg. Ei skute,*
som brynjekledd han gav meg.　　*ikke så lita, vi ruster*
　　　　　　　　　　　　　　til deg, vi er tidlig ute.
Svein har jeg sett i nøden　　*Jeg vraker ikke vennen*
den gang vi seilte sammen,　　*jeg vant dengang, konge,*
og sverd sang med kalde　　*er ikke lei ham heller;*
tunger sin skarpe vise;　　*ung jeg kjente din fiende.*

51. Nå flyktet noen av jarlens menn opp på land, noen gav seg og fikk grid. Så rodde Svein jarl og hæren hans ut på fjorden, der la de skipene sammen, og høvdingene talte med hverandre. Jarlen spurte lendmennene om råd. Erling Skjalgsson rådde til at de skulle seile nordover i landet og få mer hjelp og så kjempe om igjen med kong Olav. Men ettersom de hadde mistet mye folk, ville de aller fleste

Skalden Berse i fengsel hos kong Olav.

at jarlen skulle dra ut av landet og til sveakongen, mågen sin, og prøve å få en hær derfra; Einar støttet dette rådet, for han mente det så ikke ut til at de var sterke nok til å kjempe mot kong Olav. Så skiltes flåten. Jarlen seilte sørover Folden, og Einar Tambarskjelve fulgte ham; Erling Skjalgsson og mange andre lendmenn som ikke ville rømme fra odelsgardene sine, drog nordover dit de hørte hjemme. Erling hadde en mengde folk hos seg om sommeren.

52. Kong Olav og hans menn så at jarlen hadde lagt sammen skipene. Da talte kong Sigurd Syr ivrig for at de skulle styre mot jarlen og slåss på kniven med ham. Kong Olav sa han først ville se hva jarlen ville gjøre nå, om han ville holde flokken samlet, eller om hæren kom til å skilles fra ham. Sigurd sa han fikk gjøre som han ville. «Men jeg har det for meg,» sa han, «at slik som du er laget, og så egenrådig som du er, blir det lenge før du blir trygg på de storbukkene, vant som de er til å sette hardt imot hardt med høvdingene.» Det ble heller ikke noe av å gå til kamp; de så snart at flåten til jarlen delte seg. Nå lot kong Olav ransake valplassen. De ble liggende der noen dager og delte hærfanget. Da kvad Sigvat skald disse strofene:

Nå vil jeg mer nevne;
nordfra kom det mange
mordlystne menn til striden,
de mistet hjemkomsten.
Mang en tapper sjømann
sank på bunnen av havet
ned fra skipet. Der ute
møtte vi Svein, det er sikkert.

I år egger oss ikke
inntrøndsk jente til kampen,
jeg får vel tro den er ferdig,
og kongens flokk var den minste.
Om jenta vil håne noen,
da får det helst bli de andre
som gjorde stormløp på nesa.
Sjøen ble rød rundt skjæret.

Og videre dette:

Kongens styrke øker,
for opplendingene ville
styrke denne sjøhelt;
Svein, det fikk du merke.

Hedmarks bønder kunne
mer enn drikke kongsøl,
drepende spyd suste
fra dem, det så vi siden.

Kong Olav gav gaver til mågen sin, kong Sigurd Syr, da de skiltes, og likeså til de andre høvdingene som hadde hjulpet ham. Til Kjetil fra Ringnes gav han ei femtenseters skute, og Kjetil førte skuta opp gjennom Glåma helt opp i Mjøsa.

53. Kong Olav holdt speidere ute for å få vite hvor jarlen drog hen, og da han hørte at jarlen var ute av landet, seilte han vestover i Viken. Da gikk folk over til ham, og han ble tatt til konge på tingene. Slik reiste han helt til Lindesnes. Der fikk han vite at Erling Skjalgsson hadde samlet en stor hær; han ble ikke lenge på Nord-Agder* da, for han fikk strykende bør. Han seilte så fort han kunne nord til Trondheimen, for der mente han hele landets styrke lå, om han kunne få det under seg mens jarlen var ute av landet.

Men da kong Olav kom til Trondheimen, ble det ingen reisning imot ham; han ble tatt til konge der og slo seg ned i Nidaros om høsten, han gjorde seg i stand til å bli der vinteren over, og lot bygge kongsgård og reiste Klemenskirken* der, på det stedet den står ennå. Han merket ut tomter til gårder og gav dem til bønder eller kjøpmenn eller andre som han likte, og som ville bygge. Han satt der mannsterk, for han stolte ikke videre på trøndernes troskap om jarlen skulle komme tilbake til landet. Inntrønderne viste dette tydeligst, og av dem fikk han ingen inntekter.

54. Svein jarl drog først til Svitjod til mågen sin, Olav sveakonge. Han fortalte ham alt som hadde hendt mellom ham sjøl og Olav Digre, og bad sveakongen om råd, hva han nå skulle finne på. Kongen sa jarlen kunne få bli hos ham om han ville, og få et rike å styre der, som han kunne være nøyd med. «Men ellers,» sa han, «skal jeg gi deg en hær som er stor nok til at du kan friste å ta landet fra Olav.»

Jarlen valgte dette, for det rådde de ham til alle mennene hans, det var mange av dem som hadde fulgt med ham, som hadde store

---

Nord-Agder, dvs. den vestlige del av Agder.
Klemenskirken lå ved Strandgata.

eiendommer i Norge. Mens de satt og drøftet dette med hverandre, ble de enige om at neste vinter skulle de våge å dra landvegen gjennom Helsingland og Jemtland og så ned i Trondheimen, for jarlen stolte mest på inntrønderne at de var trofaste og ville hjelpe ham om han kom der. Men først fant de likevel på at de ville dra i austerveg og herje om sommeren og skaffe seg midler.

55. Svein jarl drog med hæren sin øst til Gardarike og herjet der; han ble der om sommeren. Da høsten kom, ville han vende tilbake til Svitjod med hæren. Da fikk han en sjukdom som han døde av. Etter at jarlen var død, drog den hæren som hadde fulgt ham, tilbake til Svitjod; noen tok vegen til Helsingland og derfra til Jemtland og så øst over Kjølen til Trondheimen. Der fortalte de det som hadde hendt på ferden, og slik fikk folk vite sikkert at Svein var død.

56. Einar Tambarskjelve og den flokken som fulgte ham, drog til sveakongen om vinteren og ble der og var velkomne til det; der var det mange andre også av de mennene som hadde fulgt jarlen. Sveakongen var alt annet enn nøyd med at Olav Digre hadde satt seg fast i et av skattlandene hans og jagd bort Svein jarl; kongen lovte på at Olav skulle nok få unngjelde for det på verste måte, bare kongen kunne komme til. Han sa Olav kunne vel ikke være så frekk at han tok under seg det riket jarlen hadde hatt, og det var alle sveakongens menn enige i, at det kunne han ikke.

Men da trønderne fikk visshet for at Svein jarl var død, og at han aldri kom til Norge mer, vendte hele allmuen seg til kong Olav og viste ham lydighet. Det kom mange menn til kong Olav fra det indre Trondheimen og ble hans menn; noen sendte bud og sikkerhet for at de ville tjene ham. Om høsten drog han inn i Trondheimen og holdt ting med bøndene, og da ble han tatt til konge i alle fylkene. Så drog han ut til Nidaros, og dit lot han alle kongsinntektene føre, og samlet forråd for vinteren der.

57. Kong Olav lot bygge kongsgård i Nidaros. Det ble bygd ei stor hirdstue med dør i begge ender; kongens høgsete var midt i stua, og innenfor ham satt Grimkjell, hirdbiskopen hans, og dernest de andre prestene; på den andre sida av ham satt rådgiverne hans. I det andre høgsetet rett imot ham satt Bjørn Digre, som var stallare*, og nærmest ham gjestene* i hirden. Når det kom stormenn til kongen, fikk de god plass. Ild var tent når ølet ble drukket.

Han satte folk i tjenester, slik som det var skikk hos konger. Han hadde seksti hirdmenn og tretti gjester hos seg, og satte fast lønn og en lov for dem; dessuten hadde han tretti huskarer, som skulle gjøre det arbeid som trengtes i gården, og føre varer dit. Han hadde mange treller også. Det var en stor skåle i gården, der sov hirdmennene; dessuten var det ei stor stue som kongen brukte å ha hirdstevner i.

Stallaren var en av de fremste hirdmennene til kongen. Han talte på kongens vegne på tingene.
Gjester (norr. *gestir*) var menn hos kongen med halv hirdmannslønn, mest brukt som et slags politi.

Kongsgården i Nidaros bygges.

58. Kongen hadde for skikk å stå opp tidlig om morgenen, kle seg og vaske hendene; deretter gikk han i kirken og hørte ottesang og morgenmesse, og siden gikk han i møter og forlikte folk eller gjorde andre ting som skulle gjøres. Han stevnte til seg alle de kyndige menn som var, både mektige menn og småfolk. Så lot han dem ofte si fram for seg de lovene Håkon Adalsteinsfostre hadde satt i Trond-heimen. Han gjorde om lovene etter råd av de kyndigste menn, tok ut og la til det han syntes trengtes. Kristenretten satte han med råd og hjelp fra biskop Grimkjell og de andre prestene, og han la all makt på å avskaffe hedenskap og gamle sedvaner, som han mente var imot kristendommen. Til slutt samtykte bøndene i de lovene kongen satte. Så sier Sigvat:

Du som løftingen bygger,   *én som gjelder alle*
landsrett kan du sette,   *mennesker imellom.*

Kong Olav var en god kristen, sindig, fåmælt, gavmild, men glad i penger. Sigvat skald var der hos kongen, som før sagt, og flere andre islendinger også. Kong Olav spurte dem nøye ut om hvordan kristendommen ble holdt på Island. Han syntes det vantet mye på at det var som det skulle være, for de fortalte at de holdt kristendommen slik at det var tillatt etter loven å ete hestekjøtt og sette ut barn, som andre hedninger, og enda flere ting som var imot kristendommen. De fortalte også kongen om mange av de stormennene som var på Island dengang. Skafte Toroddsson* var lovsigemann i landet da.

Kongen spurte menn som hadde best greie på det, om skikk og bruk hos folk rundt om i landene, mest spurte han om kristendommen, hvordan den ble holdt, både på Orknøyene, Hjaltland* og Færøyene, og slik fikk han vite at det skortet mye på at det var som det skulle mange steder. Han talte ofte om slike ting, eller om lov eller om landsrett.

59. Samme vinter kom det sendemenn øst fra Svitjod fra kong Olav Svenske; det var to brødre, Torgaut Skarde og Asgaut årmann, som stod for sendeferden, og de hadde 24 mann. Da de kom over Kjølen østfra ned i Verdalen, stevnte de ting med bøndene og talte med dem, de krevde skylder og skatter der på sveakongens vegne. Bøndene rådslo med hverandre, og de ble enige om at de skulle betale det sveakongen krevde, men da måtte ikke kong Olav kreve landskyld av dem han også; de sa de ville ikke svare landskyld til begge to.

Sendemennene drog bort ut etter dalen, og på hvert ting de holdt, fikk de samme svaret av bøndene, og ikke noen penger. Så drog de ut i Skogn og holdt ting der og krevde skatter igjen, men alt gikk på samme vis som før. Så drog de ut i Stjørdalen og krevde ting der, men der ville ikke bøndene møte opp. Da skjønte sendemennene at de ikke kom noen veg med ærendet sitt, og Torgaut ville østover igjen. «Jeg synes ikke vi har gjort det vi kunne i kongens ærend,» sa Asgaut, «jeg vil gå til kong Olav Digre; det er jo ham bøndene skyter sin sak under.»

Det ble som han ville, de reiste ut til byen og fikk seg herberge der. Dagen etter gikk de til kongen, han satt til bords. De hilste og sa de kom med ærend fra sveakongen. Kongen bad dem komme igjen dagen etter. Neste dag, da kongen hadde hørt messe, gikk han til tinghuset sitt, og lot sveakongens menn kalle dit; så bad han dem komme fram med ærendet. Nå talte Torgaut; han sa først hva ærend de kom i, og hvorfor de var sendt, og siden sa han hvordan inntrønderne hadde svart. Etter dette krevde han at kongen skulle avgjøre hvordan det skulle gå med det ærend de kom i.

Kongen sa: «Så lenge jarlene rådde for landet her, var det ikke urimelig at landets menn skyldte dem lydighet, som var ættbårne til riket her og ikke bøyde seg for utenlandske konger. Men det hadde likevel vært riktigere om jarlene hadde vist lydighet mot de kongene som har rett til riket her og tjent dem heller enn å tjene utenlandske konger og reise seg med ufred mot de rette kongene og drepe dem og ta landet. Og når Olav Svenske kommer her og krever Norge, skjønner jeg ikke hva krav han med rimelighet kan ha på det. Derimot kan vi godt minnes de menn vi har mistet for hans og hans frenders skyld.»

Da sa Asgaut: «Det er ikke noe rart at de kaller deg Olav Digre; for du bruker store ord når du svarer på et bud fra en slik høvding. Du har nok ikke riktig greie på hvor tungt kongens fiendskap blir å bære for deg. Det har folk fått merke som har hatt mer styrke enn du ser ut til å ha nå. Men om du endelig vil holde på riket, så er det best for deg at du reiser til ham og blir hans mann. Da skal vi be for deg at han skal gi deg dette riket i len.»

Da sa kongen og talte stilt og rolig: «Jeg skal gi deg et annet råd, Asgaut. Reis tilbake til kongen deres og si ham det at tidlig på våren skal jeg være ferdig til å dra øst til landegrensa, der skillet har vært fra gammel tid mellom Norges konge og sveakongen. Dit kan han også komme, om han vil at vi skal bli forlikte; og så kan hver av oss ha det riket som han er odelsbåren til.» Da gikk sendemennene bort og tilbake til herberget og gjorde seg ferdige til å reise. Kongen gikk til bords.

Sendemennene kom nå til kongsgården igjen, og da dørvaktene så dem, sa de fra til kongen. Han sa de skulle ikke slippe dem inn. «Jeg vil ikke snakke med dem,» sa han. Så gikk sendemennene sin veg. Nå sa Torgaut at han og hans menn ville vende tilbake, men Asgaut sa han ville utrette kongens ærend. Så skiltes de. Torgaut drog inn på Strinda, og Asgaut drog sjøltolvte opp i Gauldalen; han tenkte seg sør til Møre for å gå sveakongens ærend der. Men da kong Olav fikk vite dette, sendte han gjestene ut etter dem; de fant dem ved Steine ute på neset og tok dem til fange; så leidde de dem inn på Gaularåsen*, der reiste de en galge og hengte dem på et sted hvor en kunne se dem fra skipsleia ute i fjorden.

Torgaut hørte om dette før han hadde reist fra Trondheimen, og så drog han av sted helt til han kom til sveakongen, og der fortalte han om det som hadde hendt på ferden. Kongen ble fælt sint da han hørte det de hadde å fortelle, det skortet ikke på sterke ord.

60. Våren etter dette samlet kong Olav hær fra Trondheimen og gjorde seg ferdig til å dra øst i landet. Da skulle det seile en islandsfarer fra Nidaros. Kong Olav sendte bud og kjenningstegn til Hjalte Skeggjason og stevnte ham til seg, han sendte også bud til Skafte lovsigemann og de andre som hadde mest å gjøre med lovene på Island, at de skulle ta ut av lovene alt det han mente var mest imot kristendommen; dessuten sendte han vennlige hilsener til alle folk i landet.

Kongen drog sørover langs landet, han stanset i hvert fylke og holdt ting med bøndene. På hvert ting lot han lese opp kristenloven og de bud som hørte til den. Han gjorde straks ende på mange uvaner og mye hedenskap hos allmuen, for jarlene hadde holdt godt

---

Gaularåsen, se merkn. til s. 238.

«Sveakongen ble fælt sint.»

gammel lov og landsrett, men kristendommen hadde de latt hver gjøre med som han ville. Så var det blitt til det at i sjøbygdene var folk døpt nesten overalt, men kristenloven var ukjent for de fleste; og i avdaler og fjellbygder var folk helt hedenske mange steder, for når folk fikk rå seg sjøl, festet den tro seg best i minnet hos dem som de hadde lært i barndommen. Når det var noen som ikke ville gå med på kongens bud om å holde kristenskikk, lovte han dem hard straff, enten de var mektige menn eller småfolk.

Olav ble tatt til konge på hvert lagting over hele landet, det var ingen som talte imot ham. Da han lå i Karmsund, gikk det bud mellom ham og Erling Skjalgsson om at de skulle forlikes, og det ble avtalt forliksmøte på Kvitingsøy*. Da de møttes, talte de sjøl med hverandre om forliket. Men da syntes Erling han merket at det lå annet i kongens ord enn det hadde vært sagt ham. Erling krevde å få alle de veitsler som Olav Tryggvason hadde gitt ham, og som han etterpå hadde fått av jarlene Svein og Håkon. «Da skal jeg bli din mann og trofaste venn,» sa han. Kongen sa: «Så vidt jeg skjønner, Erling, kan det ikke være verre for deg å ta imot av meg veitsler som er like store som de du tok imot av Eirik jarl, en mann som hadde drept menn som stod deg så nær. Jeg skal la deg være den gjæveste mann i landet. Men veitslene vil jeg dele ut som jeg sjøl synes, og

Dvs. *Kvitsøy* utenfor Tungenes i Rogaland.

Erlings frender og venner bad ham bøye seg.

ikke late som lendmenn skulle være odelsbårne til ættearven min, og
jeg skulle kjøpe deres tjeneste for mange ganger det den er verdt.»

Erling var ikke til sinns å be kongen om det aller minste her, for
han så at kongen lot seg ikke lett overtale; han så også at her var det
to ting å velge mellom, det ene var å forlike seg med kongen, og så
la det stå til hvordan det kom til å gå, det andre var å la kongen rå
alene. Det valgte han, enda han slett ikke hadde lyst på det. Men
han sa til kongen: «Jeg tjener deg best når jeg gjør det av fri vilje.»
Slik sluttet de samtalen.

Etter dette kom Erlings frender og venner til ham og bad ham
bøye seg og gå fram med vett og ikke med overmot. «Du kommer
alltid til å være den gjæveste lendmann i Norge,» sa de, «for du er
både en dugelig mann og har store frender og svær rikdom.» Erling
skjønte at dette var gode råd, og at de som gav dem, gjorde det av
god vilje. Han gjorde så dette, ble kongens handgangne mann med
den avtale at kongen skulle rå for vilkårene. De skiltes etter dette,
og var liksom forlikte å kalle for. Kong Olav drog videre østover
langs landet.

61. Så snart det ble kjent at kong Olav hadde kommet til Viken,
drog de sin veg de danene som hadde sysler for danekongen der; de

reiste tilbake til Danmark og ville ikke vente på kong Olav. Og kong Olav drog innover i Viken og holdt ting med bøndene; alle folk i landet gikk over til ham, han tok imot alle kongens inntekter og ble i Viken sommeren over.

Fra Tønsberg styrte han øst over Folden helt øst til Svinesund. Der tok sveakongens område til. Han hadde satt sysselmenn der, Eiliv Gautske over den nordlige delen og Roe Skjalge over den østre delen, helt til Elv. Han hadde ætt på begge sider av Elv, og en stor gard på Hisingen; han var en mektig mann og steinrik; Eiliv var også av god ætt. Da kong Olav kom til Ranrike* med hæren sin, stevnte han ting med folket der, og de som bodde på øyene eller like ved sjøen, kom til ham. Da tinget var satt, talte Bjørn stallare og bad bøndene ta kong Olav til konge der, slik som de hadde gjort annensteds i Norge.

Det var en gjæv bonde som het Brynjolv Ulvalde*; han stod opp og sa: «Vi bønder vet hvor rette landegrensa er fra gammel tid mellom Norges konge og sveakongen og danekongen. Göta älv har dannet skille fra Vänern til sjøen, nordafor der Marker* til Eidskogen, derfra Kjølen helt nord til Finnmark. Men vi vet også at de skiftevis har gått på og villet ta land fra hverandre, svearne har lange stunder hatt makt helt til Svinesund. Når jeg skal si som sant er, vet jeg at det er et ønske hos mange menn at de helst vil tjene Norges konge; men de kan ikke makte det. Vi har sveakongens rike både øst og sør for oss; og Norges konge kommer ventelig snart til å reise nordover igjen, der landets største styrke ligger, og da har ikke vi makt til å kjempe mot gøtene. Nå får kongen rå for oss på det beste. Vi vil gjerne bli hans menn.»

Etter tinget var Brynjolv buden til kongen om kvelden, og likeså dagen etter; de snakket mye med hverandre i enerom. Så drog kongen østover i Viken.

Da Eiliv fikk vite at kongen var der, holdt han utkik med ham hvor han drog hen. Eiliv hadde tretti mann som var følget hans, han var oppe i den øvre bygda ved Marker, og der hadde han en bondesamling. Mange bønder kom til kong Olav, og noen sendte bud til ham med tilsagn om vennskap. Så gikk folk mellom kong Olav og Eiliv; bøndene bad begge to lenge om at de skulle avtale møte med hverandre og se til å få fred på en eller annen måte; de sa til Eiliv at om de ikke rettet seg etter kongens ord, kunne de vente seg hard medfart av ham; de sa også at det skulle ikke skorte på folk for Eiliv.

Så ble det da avgjort at Eiliv skulle komme ned til sjøen og holde ting med bøndene og kongen. Men da sendte kongen gjestehøvdingen sin, Tore Lange, sjøltolvte til Brynjolv; de hadde brynjer under kjortlene og hetter over hjelmene. Dagen etter kom bøndene mannsterke nordfra med Eiliv, i følge med ham var Brynjolv, og i flokken til Brynjolv var Tore.

Kong Olav
og Brynjolv
i enerom.

Kongen la til med skipene et sted hvor det er en fjellknatt som stikker ut i sjøen, der gikk han og folkene hans i land og satte seg på fjellknatten. Ovenfor var det en voll, og der stod bondehæren; mennene til Eiliv stod oppstilt i skjoldborg omkring ham.

Bjørn stallare talte lenge og klokt på kongens vegne. Da han satte seg igjen, stod Eiliv opp og ville til å tale. Men i samme stund reiste Tore Lange seg, drog sverdet og hogg til Eiliv over nakken, så hodet gikk av. Da styrtet hele bondeflokken opp, og gøtene tok på sprang unna, Tore og hans folk drepte noen av dem. Men da flokkene ble stående, og larmen stilnet, stod kongen opp og sa bøndene skulle sette seg. Det gjorde de. Så ble det talt mye, men til slutt ble det til at bøndene ble kongens handgangne menn og lovte ham lydighet; han lovte dem til gjengjeld at han ikke skulle skilles fra dem, men bli der til han og Olav sveakonge fikk ende på sine stridigheter på en eller annen måte. Etter dette la kong Olav den nordre sysla under seg, og drog helt øst til Elv om sommeren; han fikk alle kongens inntekter langs sjøkanten og på øyene.

Da det lei på sommeren, vendte han tilbake nordover i Viken og seilte opp gjennom Glåma. Der er det en stor foss som heter Sarp, det går et nes nordfra ut i elva ved fossen, og der lot kong Olav lage et gjerde tvers over neset av stein og torv og tømmer og fikk gravd ei grøft utenfor, og bygde en stor jordborg der; i borgen la han grunnen til en kjøpstad*. Der lot han bygge en kongsgård og reiste

---

Marker (norr. *Markir*), dvs. skogsbygdene Aremark, Øymark og Rødenes sokn i Norge og Nordmarka i Sverige.

Kjøpstad, dvs. *Borg*, som en etter hvert først på 1200-tallet begynte å kalle Sarpsborg. Et minne om borgbyggingen har en i navnet *Borgargerði* (seinere Borregård).

en Mariakirke. Han fikk også merket opp tomter til andre gårder og lot folk bygge der. Om høsten lot han føre forråd dit av alt som trengtes for vinteren. Han ble der vinteren over og hadde svært mye folk hos seg; i alle syslene satte han sine menn. Han la forbud på all utførsel fra Viken til Götaland, både av sild og salt, og det kunne gøtene nødig unnvære. Han holdt et stort julegjestebud og bad til seg mange storbønder fra bygdene der.

62. Det var en mann som het Øyvind Urarhorn*, han hadde ætta si på Aust-Agder. Han var en gjæv mann og av god ætt; hver sommer drog han på hærferd, snart vest over havet og snart i austerveg eller sør til Frisland. Han hadde ei snekke, ei tjuesesse, med godt mannskap. Han hadde vært med og hjulpet kong Olav ved Nesjar, og da de skiltes der, hadde kongen lovt ham sitt vennskap, og Øyvind hadde lovt kongen å hjelpe ham hvor han kom til å kreve det. Øyvind var hos kong Olav i julegjestebudet den vinteren, og der fikk han gode gaver av kongen. Brynjolv Ulvalde var også der hos ham, og han fikk et gullinnlagt sverd av kongen i julegave, og dessuten en gard som heter Vettaland*; det er en svær hovedgard. Brynjolv laget en strofe om gavene, og den ender slik:

> Kongen gav meg
> en klinge og Vettaland.

Da gav kongen ham lendmanns navn, og Brynjolv var alltid blant kongens beste venner.

63. Den vinteren drog Trond Kvite øst til Jemtland fra Trondheimen og skulle kreve skatt på vegne av kong Olav Digre. Men da han hadde fått sammen skatten, kom sveakongens menn der og drepte Trond sjøltolvte og tok skatten og førte den til sveakongen. Dette fikk kong Olav vite, og han likte det dårlig.

64. Kong Olav bød kristen lov i Viken på samme måte som nord i landet, og det gikk lett igjennom, for vikværingene var mye bedre kjent med kristen skikk enn folk nord i landet. Der kom det mange kjøpmenn både vinter og sommer, det var både dansker og saksere. Vikværingene dreiv også mye med kjøpmannsferder til England og Saksland eller Flandern eller Danmark. Noen var i viking også, og ble vinteren over i kristne land.

65. Om våren sendte kong Olav bud til Øyvind at han skulle komme til ham. De talte lenge med hverandre i enerom. Like etter dette gjorde Øyvind seg ferdig til å dra i viking. Han seilte sørover langs Viken og la til i Eikerøyene* utenfor Hisingen. Der fikk han vite at Roe Skjalge hadde dradd nord til Orust* og hadde samlet inn leidangsskatt og landskyld der, og at han nå var ventendes nordfra.

Urarhorn, dvs. uroksehorn.
Vettaland (Vättland), en gard i Skee i Bohuslän.
Eikerøyene, nå Öckerö.
Orust, ei stor øy sør i Bohuslän.

Da rodde Øyvind inn i Haugasund*, og da Roe kom roende nordfra, møttes de i sundet og kjempet. Der falt Roe og nesten tretti mann; Øyvind tok alt det gods Roe hadde hatt med seg. Så seilte Øyvind i austerveg og lå i viking om sommeren.

66. Det var en mann som het Gudleik Gerdske; han hadde ætta si på Agder, og var en svær sjømann og kjøpmann, han var rik og var på kjøpmannsferd i mange land; han drog ofte øst til Gardarike, og derfor ble han kalt Gudleik Gerdske. Denne våren satte Gudleik skipet sitt i stand og ville dra øst til Gardarike om sommeren. Kong Olav sendte bud til ham at han ville gjerne tale med ham. Og da Gudleik kom, sa kongen til ham at han ville gå i lag med ham om noe handel; han bad ham kjøpe for seg slike kostbare saker som det er vondt å få tak i i Norge. Gudleik sa det skulle bli som kongen ville. Så lot kongen ham få med så mye penger som han syntes trengtes. Gudleik drog i austerveg om sommeren. De lå en stund på Gotland. Da gikk det som det ofte kan gå at ikke alle kunne holde munn, og så fikk folk i land greie på at det var Olav Digres lagsmann som var om bord på det skipet. Gudleik seilte til Holmgard* i auster-veg om sommeren; der kjøpte han pell*, som han mente kongen skulle ha til kongekåpe, og dessuten dyrebart skinn og staselig dekketøy.

Om høsten, da Gudleik seilte østfra, fikk han motvind, så de ble liggende svært lenge ved Öland. Torgaut Skarde hadde holdt utkik etter Gudleik og følget hans om høsten, og nå kom han over dem med et langskip og kjempet med dem; de verget seg lenge, men det var stor overmakt, og derfor falt Gudleik og mange av skipsfolkene hans, mange ble såret også. Torgaut tok alt de eide og dermed kostbarhetene til kong Olav. Torgaut og hans menn delte likt alt de hadde tatt, men han sa at kostbarhetene skulle sveakongen ha. «Det er da en del av den skatten han hadde rett til å få fra Norge,» sa han. Torgaut drog østover til Svitjod. Dette ble fort kjent utover.

Øyvind Urarhorn kom til Öland litt seinere. Da han fikk høre om dette, seilte han etter Torgaut og hans folk, og de møttes i Svea-skjæra og kjempet. Der falt Torgaut og de fleste av mennene hans, eller også løp de på sjøen. Så tok Øyvind alt det som de hadde tatt fra Gudleik, kostbarhetene til kong Olav også. Øyvind drog tilbake til Norge om høsten; han førte kostbarhetene til kong Olav, og kongen takket ham svært for det han hadde gjort og lovte ham sitt vennskap enda en gang. Da hadde kong Olav vært konge i Norge i tre år.

67. Samme sommeren hadde kong Olav leidang ute og seilte øst til Elv igjen; han ble der lenge om sommeren. Da gikk det bud mellom kong Olav og Ragnvald jarl og Ingebjørg Tryggvadotter,

---

Haugasund, nå Högasund som ligger utenfor fastlandet ved garden Höga lengst sør i Bohuslän.
Holmgard, Novgorod i Russland.
Pell, et slags fint tøy, helst av silke.

Kong Olavs møte med Ragnvald jarl ved Göta älv.

kona til jarlen. Hun var svært ivrig for at de skulle hjelpe kong Olav, og hun var en god støtte i denne saken.

Grunnen var for det første at hun og kong Olav var nære frender, og for det andre kunne hun ikke glemme sveakongen det at han hadde vært med på å felle bror hennes, Olav Tryggvason, og at han derfor nå trodde han hadde krav på å rå for Norge. Ved hennes overtalelser ble jarlen sterkt stemt for vennskap med kong Olav, og det endte med at kongen og jarlen satte hverandre stevne og møttes ved Elv. De talte om mange ting, og mye om forholdet mellom Norges konge og sveakongen; begge sa som sant var, at det var den rene ødeleggelse for begge parter, både vikværinger og gøter, i dette at det ikke skulle være handelsfred mellom landene. Til slutt avtalte de at det skulle være fred mellom dem til neste sommer, og da de skiltes, gav de hverandre gaver og lovte hverandre vennskap.

Kongen reiste nord i Viken, og han fikk alle kongsinntektene helt til Elv; alle folk der i landet hadde gitt seg under ham nå. Kong Olav Svenske la Olav Haraldsson så sterkt for hat at ingen mann skulle våge å nevne ham med hans rette navn slik at kongen hørte det; de kalte ham «den digre mannen» og brukte sterke skjellsord om ham hver gang han ble nevnt.

68. Bøndene i Viken sa til hverandre at nå var det bare en utveg, kongene fikk bli forlikte og slutte fred med hverandre. De sa det var dem det gikk ut over om kongene skulle til å herje for hverandre,

men det var ingen som torde være så djerv å komme fram for kongen med denne klagen. Så bad de Bjørn stallare at han skulle tale saken for dem hos kongen og be ham sende menn til sveakongen og tilby forlik. Bjørn hadde ikke lyst og bad om å få slippe. Men da mange av vennene hans bad ham, lovte han til slutt å snakke til kongen om dette, men han sa han visste på forhånd at kongen ikke ville være god å be om å gi etter i så mye som en eneste ting for sveakongen.

Den sommeren kom Hjalte Skeggjason fra Island på kong Olavs bud. Han drog straks til kong Olav, kongen tok godt imot ham, bad Hjalte bli der hos ham og gav ham plass ved sida av Bjørn stallare, de satt til bords sammen og ble snart gode venner.

En gang kong Olav hadde møte med sine menn og bøndene, og de holdt på å tale om landets saker, sa Bjørn stallare: «Hva har De tenkt å gjøre, konge, med den ufreden som er mellom Dem og Olav sveakonge? Nå har begge mistet menn for den andres skyld, men det er ikke avgjort nå mer enn før, hvor mye hver av dere to skal ha av riket. De har vært her i Viken en vinter og to somrer og vendt ryggen til hele landet her nordafor; nå er de leie av å være her, de mennene som har odel og eiendom nord i landet. Nå ønsker lendmenn og andre av følget og likeså bøndene, at det skal bli en eller annen endskap på det. Og ettersom det nå er fred og forlik mellom oss og jarlen og vestgøtene som bor nærmest oss, så mener folk det var det beste om De sendte menn med fullmakt til sveakongen. Mange av de mennene som er hos sveakongen, kommer til å støtte dette, for det er til gagn for folk som bygger begge landene, både her og der.» Folk ropte og var enige i Bjørns tale.

Da sa kongen: «Det rådet som du kom fram med her, Bjørn, har du rimeligvis gitt med tanke på deg sjøl. Du skal reise på denne sendeferden. Var det et godt råd, så er det bra for deg, men om det viser seg å være farlig, så er det svært mye din egen skyld. Det er dessuten ditt embete å tale i forsamlinger om det jeg vil ha sagt.» Så stod kongen opp og gikk i kirken og lot synge høymesse, siden gikk han til bords.

Dagen etter sa Hjalte til Bjørn: «Hvorfor er du så sturen, mann, er du sjuk eller er du sint på noen?» Bjørn fortalte om sin samtale med kongen og sa dette var en farlig sendeferd. Hjalte sa: «Slik er det å følge konger. De som gjør det, får mye å si og blir vist mer heder enn andre, men de kommer ofte i livsfare, og de må kunne finne seg i begge deler. Kongens lykke kan gjøre mye, og om det går godt, kan du vinne stor ære på ferden.» Bjørn sa: «Du tar det så lett med ferden! Kanskje du vil følge med meg? For kongen har sagt jeg skulle få ha folk av mitt eget følge med meg.» Hjalte sa: «Javisst skal jeg bli med om du vil, for det blir ikke lett for meg å finne noen ny å sitte sammen med på benken om vi to skilles.»

69. Da kong Olav var på et møte få dager etterpå, kom Bjørn di sjøltolvte. Han sa til kongen at nå var de ferdige til å dra av sted på sendeferden, og at hestene deres stod oppsalt ute. «Nå vil jeg vit hva ærend jeg skal reise i,» sa Bjørn, «og hva du vil vi skal gjøre.

Kongen sa: «Dere skal si til sveakongen fra meg at jeg vil slutte fred mellom landene våre etter de grensene som Olav Tryggvason hadde før meg, og det skal bli bundet med faste avtaler at ingen av oss skal gå over disse grensene. Men med hensyn til de menn som er drept, så er det ikke verdt å tale om dem hvis vi skal være forlikte, for sveakongen kan ikke få bøtt med gull det mannetap som vi har lidd for svearnes skyld.»

Så stod kongen opp og gikk ut sammen med Bjørn og hans flokk; der tok han opp et fint sverd og en fingerring av gull og gav dem til Bjørn. «Dette sverdet skal du få av meg, det gav Ragnvald jarl meg i sommer, og det skal du ta med til ham og be ham fra meg at han skal hjelpe dere med råd og støtte, så du kan få røktet ærendet. Jeg synes du har gjort det godt, om du kan få høre sveakongens svar, enten han sier ja eller nei. Og gullringen skal du gi til Ragnvald jarl. Disse kjennemerker kommer han til å kjennes ved.»

Hjalte gikk bort til kongen og hilste ham. «Nå kan vi trenge hardt til at du, konge, gir oss din lykke med på denne ferden,» og så ønsket han vel møtt igjen. Kongen spurte, hvor Hjalte skulle hen. «Med Bjørn,» sa han. Kongen sa: «Det blir til hjelp på reisa at du blir med dem, for din lykke har vært prøvd mange ganger. Du kan være viss på at jeg skal legge hele min hug i denne ferden, om det gjør noen forskjell, og jeg skal la min lykke følge både deg og dere alle.»

Bjørn og følget hans rei da av sted og kom til Ragnvald jarls hird. Der ble de godt mottatt. Det var mange mennesker som hadde hørt om Bjørn, og alle de som hadde sett kong Olav, kjente ham både av utseende og stemme, for Bjørn stod fram på alle ting og talte på kongens vegne. Ingebjørg, kona til jarlen, gikk bort til Hjalte og hilste ham; hun kjente ham, for hun var hos Olav Tryggvason, bror sin, da Hjalte var der, og Hjalte reknet frendskap mellom kongen og Vilborg, som var kona til Hjalte; Eirik Bjodaskalle var far til Astrid, mor til kong Olav Tryggvason; og Bodvar var far til Ålov, mor til Gissur Kvite, far til Vilborg, og de to, Eirik og Bodvar, var brødre og sønner til Viking-Kåre, lendmannen på Voss.

Nå var de der og var svært velkomne. En dag gikk Bjørn og Hjalte og talte med jarlen og Ingebjørg. Da kom Bjørn fram med sitt ærend og viste fram kjenningstegnene for jarlen. Jarlen spurte: «Hva er det som har hendt deg, Bjørn, siden kongen vil du skal dø? Det er så liten utsikt til at du skal kunne komme fram med dette budskapet at jeg ikke vet den mann som kunne si dette til sveakongen og komme helskinnet fra det. Olav sveakonge har altfor store tanker om seg sjøl til at noen skulle våge å tale til ham om ting han ikke liker.» Da sa Bjørn at det ikke hadde hendt ham noe som kong Olav var blitt sint på ham for. «Men han har mange ting fore både for seg sjøl og sine menn, og folk som er mindre pågående vil synes det ville være farlig å våge slikt uansett. Men alt han har funnet på hittil, har vendt seg til lykke, og vi venter det kommer til å gå slik denne gangen også. Nå skal jeg si Dem, som sant er, jarl, at jeg vil dra til sveakongen og ikke vende tilbake før jeg har latt ham høre alle de ord

Bjørn stallare viser Ragnvald jarl kong Olavs kjenningstegn.

som kong Olav sa jeg skulle la komme for hans ører, med mindre Hel hindrer meg eller jeg blir satt i lenker, så jeg ikke kan komme fram. Og dette vil jeg gjøre enten De vil bry Dem noe om kongens bud eller ei.» Da sa Ingebjørg: «Jeg vil straks si det jeg mener. Jeg vil ønske, jarl, at De vil legge hele hugen i det å støtte kong Olavs budsending, slik at dette ærendet kommer fram for sveakongen, hvordan han så kan komme til å svare. Om vi så utsetter oss for å få fiendskap av sveakongen og miste all vår eiendom og riket med, så vil jeg mye heller våge dette enn at det skulle bli sagt at du hadde lagt deg til å sove på kong Olavs budsending for det du var redd for sveakongen. Du har både byrd og frendehjelp og alt du trenger til å være så pass fri her i Sveavelde at du kan si hva du vil, når det er sømmelig, og alle kan ha lyst til å høre det, enten det er mange eller få, mektige eller småfolk, ja om det så er kongen sjøl som hører på.»

Jarlen svarte: «Det er ikke vanskelig å se hva du vil ha meg til. Nå skal det bli slik at du får din vilje i denne saken, jeg lover kongsmennene at jeg skal følge dem så de skal få utført ærendet sitt til sveakongen, enten kongen liker det eller ei. Men jeg vil sjøl rå for hvordan vi skal gå fram med dette. Jeg vil ikke ruse inn i en så vanskelig sak for å rette meg etter hastverket til Bjørn eller noen annen mann. Jeg vil de skal bli her hos meg til den tid kommer at jeg synes det ser noenlunde ut til at vi skal kunne få utført dette ærendet.» Da jarlen hadde gitt til kjenne at han ville hjelpe dem i denne saken og gi dem sin støtte, så takket Bjørn ham svært og sa han ville la alt gå etter hans råd. Bjørn og følget hans ble der hos jarlen nokså lenge.

70. Ingebjørg var særs vennlig mot dem. Bjørn talte til henne om saken, og sa han syntes det var ille det skulle dra ut så lenge på ferden. De to og Hjalte talte ofte sammen om dette. Da sa Hjalte:

«Jeg kan reise til kongen, om dere vil. Jeg er ikke norsk, og svearne kommer ikke til å ha noe imot meg. Jeg har hørt at det er noen islendinger hos sveakongen, og at de er velkomne der, det er Gissur Svarte og Ottar Svarte, kongens skalder, de er kjenningene mine. Så kan jeg se å få vite om jeg kan merke på sveakongen om denne saken er så helt håpløs som folk sier nå, eller om det skulle være noe annet som ligger under. Jeg kan finne på et ærend som jeg synes er høvelig.»

Det syntes Ingebjørg og Bjørn var et svært så klokt råd, og så ble de enige om det og slo det fast. Ingebjørg rustet ut Hjalte til reisen, og gav ham to gøter; hun sa til dem at de skulle følge ham og gå ham til hånde, både i tjenester og om han ville sende dem noe sted. Ingebjørg gav ham tjue mark veid sølv i reisepenger. Hun sendte bud og kjenningstegn med ham til Ingegjerd, datter til kong Olav, at hun skulle hjelpe ham av hele sin hug, hva han så kunne bli nødt til å be henne om.

Hjalte drog av sted straks han var ferdig. Da han kom til kong Olav, møtte han snart skaldene Gissur og Ottar, de ble svært glade over å se ham og gikk til kongen med ham med én gang, de sa til kongen at det var kommet en mann dit som var en landsmann av dem, og som var en av de største menn der i landet, og bad at kongen skulle ta godt imot ham. Kongen bad dem ta Hjalte og hans følge med seg i flokken sin. Da Hjalte hadde vært der en stund og blitt kjent med folk, ble han godt likt av alle som var der. Skaldene var ofte hos kongen, for de var djerve til å tale, de satt ofte framfor høgsetet til kongen om dagen, og Hjalte var med dem. De gjorde alltid mest ære på ham, og han ble da også kjent med kongen og talte med ham. Kongen var pratsom, talte med ham og spurte etter nytt fra Island.

71. Før Bjørn reiste hjemmefra hadde han bedt Sigvat skald om å følge med seg, han var hos kong Olav den gang, men folk hadde ikke videre lyst på den ferden. Bjørn og Sigvat var gode venner, Sigvat kvad:

Med stallaren hos kongen　　*Bjørn, din forbønn ofte*
alltid godt jeg stod meg,　　*hjalp meg fram hos fyrsten.*
han som stadig ferdes　　*Stridsmann, du rår riktig,*
framfor kongens føtter.　　*for alt du rett kjenner.*

Og da de rei opp i Götaland, kvad Sigvat disse strofene:

Glad var jeg ofte ute　　*Først på sommeren lot vi*
i uværet på fjorden　　*skjoldungens skip skvulpe*
når stiv kuling strammet　　*teltkledd ute ved øya*
seilet for Strindas konge;　　*utfor landet det gode;*
havhesten gikk det den orket,　　*men i høst når havhest*
pløyde havet med kjølen,　　*spenner i hagtornsmoen,*
der vi lot skeiden suse　　*må jeg ri. Mitt yrke*
av sted ut på sjøen.　　*arter seg forskjellig.*

Sigvat kveder for følget sitt på ferden til Skara.

Og da de rei opp gjennom Götaland seint en kveld, kvad Sigvat:

I skumringen renner hesten
sulten lange veger,
hoven tramper vollen
mot hallen, dagen er liten;

Blakken over bekken
bærer meg fjernt fra daner;
nå natt og dag møtes.
Gampen snublet i grøfta.

Så rei de inn i byen Skara* og opp gjennom stretet fram til jarlens gård, han kvad:

Fagre kvinner skal komme
kvikt og titte på oss
når vi rir i Ragnvalds
by, de ser støvrøyken.

Vi sporer hesten, da hører
innefra huset kvinna,
den kloke, lange veger
hester i løp mot gården.

72. En dag gikk Hjalte framfor kongen, og skaldene fulgte ham. Da tok Hjalte til orde: «Som De vet, konge, har jeg kommet hit for

Skara, i Västergötland.

å møte Dem, og jeg har reist en lang og vanskelig veg. Men da jeg nå hadde kommet over havet og hadde hørt om Deres kongelige prakt, så syntes jeg det var dumt å reise hjem igjen uten å ha sett Dem og Deres storhet. Nå er det den lov mellom Island og Norge at islendinger som kommer til Norge, skal svare landøre, og da jeg kom over havet, krevde jeg inn landøren fra alle som var med på skipet mitt. Men ettersom jeg vet at det er De som har makten over Norge, så drog jeg til Dem og tok med landøren til Dem.» Og så viste han kongen sølvet og helte ti mark sølv ut i kappeskjøtet til Gissur Svarte. Kongen sa: «Det er ikke mange som har hatt med slikt til oss fra Norge nå en stund, Hjalte; jeg sier deg hjertelig takk for at du har lagt så mye strev i å føre landøren til oss, heller enn å betale den til våre uvenner. Men disse pengene vil jeg likevel at du skal ta imot av meg, og dermed også mitt vennskap nå.» Hjalte takket kongen med mange ord.

Etter dette ble han svært godt likt av kongen og talte ofte med ham; kongen syntes han var en klok mann som snakket godt for seg. Hjalte sa til Gissur og Ottar at han var sendt til Ingegjerd kongsdatter med kjenningstegn for at hun skulle gi ham støtte og vennskap, og han bad at de skulle hjelpe ham å få tale med henne. De sa det var en lett sak for dem, og så gikk de en dag til husene hennes; hun satt der og drakk sammen med mange mennesker. Hun ønsket skaldene velkommen, for hun kjente dem fra før. Hjalte hilste henne fra Ingebjørg, jarlens kone, og sa at hun hadde sendt ham til henne for at hun skulle gi ham støtte og vennskap, og tok fram kjenningstegnene. Kongsdattera tok godt imot dette og sa at han skulle gjerne få hennes vennskap.

De ble sittende der lenge utover dagen og drikke, kongsdattera spurte Hjalte om mange ting og bad ham komme igjen og tale med henne. Han gjorde det, kom ofte og talte med kongsdattera; han fortalte henne også i hemmelighet om hans og Bjørns reise, og spurte hva hun tenkte, hvordan sveakongen ville ta den saken at det skulle komme i stand forlik mellom de to kongene. Kongsdattera sa at hun skulle tro det ikke kunne nytte å snakke om slikt som at kongen skulle forlike seg med Olav Digre. Hun sa at kongen var blitt så vred på Olav at han ikke kunne tåle å høre ham bli nevnt.

Så var det en dag Hjalte satt hos kongen og talte med ham. Kongen var riktig i godlag og nokså drukken. Da sa Hjalte til kongen: «Her kan en få se mye stas og høy verdighet, og jeg har da nå fått syn for sagn for det jeg ofte har hørt, at det fins ikke konge i Norderlanda som er så gjæv som du. Det er stor synd er det, at det er så lang veg for oss å komme hit, og dertil så farlig, først det store havet, og så er det ikke trygt å reise gjennom Norge for folk som vil reise hit i vennlig ærend. Hvorfor prøver ikke folk å mekle og skape fred mellom Dem og Olav Digre? Jeg hørte mye snakk om det i Norge, og i Västergötland også, alle ville gjerne det skulle bli fred, og det ble sagt meg for visst at Norges konge skulle ha sagt han med glede ville forlike seg med Dem. Jeg er viss på grunnen er at han kan se at han har mye mindre makt enn du har. Det ble også sagt at han tenkte på å fri til dattera di, Ingegjerd, og det var også det beste for å få fullt forlik. Han er en svært gjæv mann, etter det jeg har hørt troverdige folk si.»

Da svarte kongen: «Slikt skal du ikke snakke om, Hjalte. Jeg skal ikke bli sint på deg for de ordene du har sagt, for du visste ikke at du burde ta deg i vare for det. Den digre mannen må ingen kalle konge her i min hird, han er mye mindre til mann enn folk sier. Det skjønner du nok når jeg forteller deg hvorfor dette giftermålet er upassende. Jeg er den tiende kongen i Uppsala som har sittet her slik at den ene har tatt arven etter den andre av oss frender og vært enekonge over Sveavelde og mange andre store land, og alle har vært overkonger over de andre kongene i Norderlanda. Men i Norge er det lite land som er bygd, og dertil ligger bygdene spredt; der har det vært småkonger. Harald Hårfagre var den største kongen i det landet, han kjempet med fylkeskongene og tvang dem under seg. Han visste å holde måte og prøvde ikke på å ta noe av sveakongens land, derfor lot sveakongen ham være i fred; dessuten var det frend-skap mellom dem også. Og da Håkon Adalsteinsfostre var i Norge, fikk han også være i fred, helt til han herjet i Götaland og Danmark, men da ble det reist flokk mot ham, og så mistet han liv og rike. Gunnhildssønnene ble også tatt av dage da de ble ulydige mot dane-kongen. Så la Harald Gormsson Norge til sitt rike, og gjorde det skattskyldig, og likevel syntes jo vi at Harald Gormsson var mye mindre til mann enn Uppsala-kongene; Styrbjørn, vår frende, kuet ham, og Harald ble hans mann. Og enda vokste Eirik Seiersæl, far min, over hodet på Styrbjørn, da de to prøvde seg mot hverandre. Og da Olav Tryggvason kom til Norge og kalte seg konge, fant vi oss ikke i det av ham; Svein danekonge og jeg drog av sted og tok livet av ham. Nå har jeg tatt Norge, og det med ikke mindre makt enn slik du nå hørte, og retten jeg har til det, er ikke dårligere enn dette at jeg har tatt det i kamp og seiret over den kongen som hadde det før. Så nå kan vel du, som er en klok mann, tenke deg til at det er så langt ifra at jeg vil gi slipp på det riket for den digre mannen. Det er rart han ikke minnes at det var med nød og neppe han slapp ut av Mälaren den gangen vi hadde murt ham inne. Jeg tror nok han dengang tenkte på andre ting om han kunne komme fra det med livet, enn å kjempe med oss svear oftere. Nå, Hjalte, må du aldri mer ta slike ord i din munn når du taler med meg.»

Hjalte syntes ikke det så lyst ut med å få kongen til å høre på fredsforslag, han gav det opp og snakket om noe annet.

Litt seinere, en gang da Hjalte talte med Ingegjerd kongsdatter, fortalte han henne hele samtalen han hadde hatt med kongen. Hun sa hun hadde ventet seg slikt av kongen. Hjalte bad henne legge et godt ord inn hos kongen, og sa at det ville sikkert hjelpe. Hun sa kongen ville ikke bry seg om det hun sa. «Men jeg kan godt snakke om det, hvis du vil,» sa hun. Hjalte sa takk til det.

En dag var Ingegjerd kongsdatter og talte med sin far, og da hun skjønte kongen var i godlag, sa hun: «Hva har du tenkt å gjøre med striden mellom deg og Olav Digre? Det er mange som klager over disse vanskelighetene nå. Noen sier de har mistet det de eide, og andre har mistet frender for nordmennenes skyld, og ingen av dine menn kan komme til Norge slik som saken nå står. Det er rent til unyttes også at du krever makten i Norge. Det landet er fattig og vondt å komme fram i, og folket er ikke å lite på. Folk der i landet vil heller ha en hvilken som helst annen mann til konge enn deg. Om jeg fikk rå, så ville du la det bli stilt med kravene på Norge, og heller kjempe i austerveg for å få det riket som sveakongen har hatt der før i tida, og som nå sist Styrbjørn*, vår frende, la under seg, og så la Olav Digre få ha ættearven sin og slutte forlik med ham.»

Kongen sa i sinne: «Så det er det du vil, Ingegjerd, at jeg skal gi opp makten over Norge og så gifte deg med Olav Digre? Nei,» sa han, «det skal det nok ikke bli noe av. Før skal det bli til det at på Uppsalatinget i vinter gjør jeg det kjent for alle svear, at de skal ut med full allmenning før isen går av vannene. Så skal jeg dra til Norge og legge det landet øde med odd og egg og brenne alt, og på den måten lønne dem fordi de har sveket meg.» Og kongen var så vill at det ikke var råd å svare ham. Da gikk hun sin veg.

Hjalte hadde holdt vakt, og han gikk straks for å tale med henne. Han spurte hvordan det gikk henne hos kongen. Hun sa det gikk som hun hadde ventet, det nyttet ikke å snakke til kongen, for han fór opp og ble hissig, og hun bad Hjalte aldri nevne denne saken for kongen mer.

Når Ingegjerd og Hjalte talte sammen, snakket de ofte om Olav Digre; han fortalte henne mye om kongen, og hvordan han var, og roste ham alt han kunne, og det var det sanneste han kunne si også; hun hørte villig på det han sa. Og en gang de talte sammen, sa Hjalte: «Skal jeg få lov, kongsdatter, å si deg det som jeg går og tenker på?» «Si det du,» sa hun, «men slik at bare jeg hører det.» Da sa Hjalte: «Hva ville du svare, om Olav, Norges konge, sendte menn til deg for å be om di hand?»

Hun rødmet og svarte langsomt og sindig: «Jeg har ikke tenkt over hva jeg ville svare på det, for jeg tror ikke jeg kommer til å trenge å gi noe slikt svar. Men om kong Olav er slik som du sier, i alle deler, så skulle jeg ikke kunne ønske at min mann var annerledes, bare du nå ikke har skrytt for mye av ham på mange måter, da.» Hjalte sa at han hadde ikke på noen måte gjort kongen bedre enn han var. De talte flere ganger om dette med hverandre. Ingegjerd sa Hjalte måtte vare seg for å snakke om det til noen andre, «for kongen kommer til å bli sint på deg, om han får vite det.»

Hjalte fortalte det til skaldene Gissur og Ottar, og de sa det måtte være svært så heldig om dette kunne komme i stand. Ottar var en fritalende mann og stod seg godt med høvdinger. Han kom også

Styrbjørn, brorsønn til Eirik Seiersæl, herjet i austerveg og vant Jomsborg i Vendland før han falt i kampen mot Eirik ved Fyrisån.

snart til å snakke med kongsdattera om saken, og fortalte henne det samme om kongen som Hjalte hadde gjort, og for en gild mann han var. Hjalte og hun og de andre talte ofte sammen om denne saken, og da de hadde snakket mange ganger, og Hjalte var blitt helt viss på utfallet, sendte han bort de to gøtene som hadde fulgt ham dit; han lot dem dra tilbake til jarlen med brev som Ingegjerd kongsdatter og Hjalte sendte jarlen og Ingebjørg. Hjalte lot dem også få et vink om hva han hadde snakket med Ingegjerd om, og om hennes svar. Sendemennene kom til jarlen litt før jul.

73. Da kong Olav hadde sendt Bjørn og hans følge øst i Götaland, sendte han noen andre menn til Opplanda i det ærend å kreve veitsler for seg. Han tenkte å dra på veitsler omkring på Opplanda den vinteren, for de forrige kongene hadde hatt for skikk å kreve veitsler på Opplanda hver tredje vinter. Han drog ut fra Borg om høsten. Kongen drog først til Vingulmark. Han laget det slik at han tok imot veitslene oppe i nærheten av skogbygdene, og der stevnte han til seg alle folk fra bygdene og især de som bodde lengst borte fra hovedbygdene.

Han gransket nøye hvordan folk holdt kristendommen, og der han syntes den trengte å bedres, lærte han dem riktig kristenskikk, og om det var noen som ikke ville holde opp å være hedninger, så tok han det så hardt at han dreiv noen ut av landet, noen lot han lemleste på hender eller føtter eller lot stikke øynene ut på dem, noen lot han henge eller halshogge, og han lot ingen være ustraffet som ikke ville tjene Gud. Slik drog han gjennom hele det fylket. Han straffet like mye storfolk som småfolk. Han gav dem prester, og satte så tett med prester i bygdene som han syntes det var best.

På den måten reiste han gjennom dette fylket. Da han kom opp på Romerike, hadde han tre hundre våpenføre menn. Han merket snart at det ble dårligere med kristendommen dess lenger han kom opp i landet. Men han holdt fram på samme måten og omvendte hele folket til den rette tro, og gav strenge straffer til dem som ikke ville lyde hans bud.

74. Da den kongen som rådde på Romerike, fikk høre om dette, syntes han det tok til å se farlig ut. For hver dag kom det mange menn til ham og klagde over slikt, både mektige menn og småfolk. Da fant kongen på den råd å reise opp på Hedmark til kong Rørek, for han var den klokeste av de kongene som var der den gang. Da kongene fikk talt med hverandre, ble de enige om å sende bud nord i Gudbrandsdalen til kong Gudrød, og likeså til Hadeland til den kongen som var der, og be dem komme til Hedmark og møte kong Rørek og de andre. De lot seg ikke be to ganger, og så møttes de fem kongene på Hedmark, der det heter Ringsaker. Ring var den femte av kongene, bror til kong Rørek.

Først gikk kongene og talte med hverandre i enerom. Den kongen som hadde kommet fra Romerike, tok først ordet. Han fortalte om hvordan Olav Digre fór fram og gjorde ufred for folk, tok livet av noen og lemlestet andre, noen dreiv han ut av landet, og han tok

De opplandske kongene gikk til samtale i enerom.

pengebøter av alle dem som sa noe imot ham, han kom med en hær av folk gjennom landet og ikke med den styrke loven gav ham rett til. Han fortalte også at det var for denne ufreden han hadde flyktet dit, og han sa at mange andre mektige menn på Romerike også hadde rømt fra odelen sin. «Og om denne ulykken nå er oss nærmest, så vil det ikke vare lenge før dere kommer ut for det samme, og derfor er det bedre vi alle sammen rådslår om hva vi skal finne på å gjøre.»

Da han var ferdig med å tale, vendte kongene seg til Rørek og bad ham svare. Han sa: «Nå er det gått slik som jeg kunne tenke meg det ville gå, dengang vi hadde stevne på Hadeland, og dere alle sammen var så ivrige på å heve ham opp over hodene på oss; han blir hard å holde i hornene når han får makten alene i landet. Nå har vi to ting å velge mellom. Enten kan vi alle sammen dra og møte ham og la ham stelle og styre som han vil med alt for oss, og det tror jeg blir det beste vi kan gjøre, eller også kan vi reise oss mot ham nå, før han er kommet videre ut over landet. Om han har tre eller fire hundre mann, så er ikke det noen overmakt for oss, dersom vi er enige alle sammen. Men som oftest er det verre å seire når det er mange sammen som er like mektige, enn når det er én fører i spissen for hæren, og derfor er det mitt råd at vi heller lar være å våge lykken mot Olav Haraldsson.»

Etterpå talte hver av kongene og sa det de mente; noen rådde fra og noen til, og det kom ingen endskap på det; de hadde gode grunner for begge deler. Da tok Gudrød Dalekonge til orde og sa: «Jeg synes det er merkelig at dere er så vinglete med avgjørelsen i denne saken, dere er nok fælt redde for Olav. Her er vi fem konger, og ingen av oss er av mindre ætt enn Olav. Nå har vi hjulpet ham til å kjempe mot Svein jarl, og med vår hjelp har han tatt dette landet. Og hvis han nå vil misunne hver av oss det vesle riket vi har hatt fra før, og byr oss pinsler og underkuelse, så kan jeg bare si det om meg sjøl at jeg vil se til å unngå trelldom hos kongen, og jeg sier at den av dere som ikke vil være med på å ta livet av ham, når han kommer her opp til Hedmark rett i hendene på oss, han er ikke mye til mann. For det kan jeg si dere at aldri kan vi bære hodet fritt så lenge Olav lever.»

Etter denne hissige talen gikk de over til hans råd alle sammen. Da sa Rørek: «Når jeg ser på dette tiltaket, skjønner jeg at her kommer vi til å måtte stå sammen i sterkt samband, så ingen svikter noen av de andre. Sett at dere tenker å gå mot kong Olav på et møte dere har avtalt, når han kommer hit til Hedmark. Da stoler ikke jeg så mye på noen av dere at jeg vil la noen være nord i Gudbrandsdalen, og noen ute på Hedmark. Dersom vi blir enige om denne planen, vil jeg at vi skal bli sammen dag og natt så lenge til vi har gjennomført den.»

Dette var kongene enige i, og så holdt de seg samlet videre. De lot gjøre gjestebud for seg ute på Ringsaker og drakk på omgang der, og så holdt de utkik utpå Romerike. Når noen speidere kom hjem, sendte de straks ut nye, slik at de natt og dag visste hva Olav gjorde, og hvor mye folk han hadde.

Kong Olav drog på veitsler opp gjennom Romerike, og hele tida på samme måte som før sagt. Da veitslene ikke strakk til fordi han hadde så mye folk, lot han bøndene få pålegg om å øke veitslene der han syntes han trengte å bli lenger; men noen steder ble han kortere tid enn han hadde tenkt, og slik kom han fortere enn avtalt opp til Mjøsa.

Da kongene hadde stadfestet planen sin seg imellom, sendte de bud til lendmenn og storbønder og stevnte dem til seg fra alle fylkene. Og da de kom, hadde kongene møte med dem i enerom og lot dem få vite om planen og avtalte en møtedag når den skulle settes i verk. De avtalte at da skulle hver av kongene ha tre hundre mann. Så sendte de lendmennene hjem, de skulle samle folk og komme og møte kongene slik som avtalt. Denne planen likte de fleste godt. Men det ble likevel sant som sagt er, at alle har én venn mellom uvenner.

75. På dette møtet var Kjetil fra Ringnes. Og da han kom hjem

om kvelden, åt han først kveldsverd, og så kledde de seg, han og karene hans, og gikk ned til fjorden, der tok de den skuta som Kjetil eide, og som kong Olav hadde gitt ham; de satte skipet på vannet, og i naustet der hadde de all redskap ferdig; den tok de, satte seg til årene og rodde ut på fjorden. Kjetil hadde førti mann, alle vel væpnet. Tidlig neste dag kom de ut til Minnesund. Der gikk Kjetil videre med tjue mann og lot de andre tjue bli igjen og passe skipet.

Kong Olav var på Eid* på øvre Romerike. Kjetil kom dit da kongen gikk fra ottesangen, han ønsket Kjetil velkommen. Kjetil sa han måtte snakke med kongen med én gang, og så gikk de to og talte sammen alene. Så fortalte Kjetil kongen hva det var kongene hadde fore, og alt det han hadde fått vite om planene deres. Da kongen fikk vite dette, kalte han til seg sine menn; han sendte noen ut i bygda og bad folk komme til seg med hester, noen sendte han opp til Mjøsa for å ta de robåtene de kunne få tak i og ha dem ferdige til han kom. Etterpå gikk han i kirken og lot synge messe for seg, og så gikk han straks til bords.

Da han hadde spist, skyndte han seg å bli ferdig og drog så opp til Mjøsa, der kom det båter og møtte ham. Han gikk sjøl om bord i skuta til Kjetil sammen med så mange mann som skuta kunne ta, og alle de andre tok de båtene de kunne få tak i. Da det lei på kvelden, la de fra land. Været var stille; de rodde ut på fjorden, og da hadde kongen nesten fire hundre mann. Før det ble dag, kom han opp til Ringsaker; vaktene merket ingen ting før hæren var kommet opp på garden. Kjetil hadde god greie på hvilke hus kongene sov i; kongen lot alle disse husene kringsette, og passet på at ingen mann kom unna; så ventet de på at det skulle lysne. Kongene hadde ikke nok folk å verge seg med, og så ble de tatt til fange alle sammen og ført fram for kongen.

Kong Rørek var en lumsk og stivsinnet mann, kong Olav mente han ikke var å stole på, sjøl om han gjorde et slags forlik med ham. Han lot Rørek blinde på begge øynene og tok ham med seg; på Gudrød Dalekonge lot han tunga skjære ut. Ring og de to andre lot han sverge eder at de skulle reise ut av Norge og aldri komme igjen mer. Noen av de lendmennene og bøndene som hadde vært medskyldige i sviket, dreiv han ut av landet, noen ble lemlestet, og av noen tok han imot forlik. Ottar Svarte forteller om dette:

Du som øder armgull,
gav arg lønn til karer
som land ville svike,
for alle lumske renker;
hærfører, du fordum
Hedmarks-kongene straffet
som de fortjente, dengang
de søkte mot deg, konge.

Stridskjempe, som farger
sverdet, konger dreiv du
ut av landet, din styrke
større var enn deres.
Folk vet, alle fyrster
flyktet langvegs for deg;
siden du stekket tunga
på ham som satt nordligst.

Eid, nå Eidsvoll.

Kong Olav med halvbrødrene sine.

Gud styrker deg storlig.
Nå styrer du alene
det land som fem konger
fordum rådde over.

Brede ættland ligger
under deg øst til Eidskog;
ingen kampens herre
eide før slikt rike.

Kong Olav la under seg det rike som disse fem kongene hadde hatt, og så tok han gisler av lendmenn og bønder. Han tok inn skatt istedenfor veitsler nord fra Gudbrandsdalen og omkring på Hedmark; så vendte han tilbake til Romerike og drog derfra vest på Hadeland. Den vinteren døde Sigurd Syr, mågen hans. Da reiste kong Olav til Ringerike, og Åsta, mor hans, gjorde et stort gjestebud for ham. Nå var Olav den eneste som hadde kongsnavn i Norge.

76. Det fortelles at en gang mens kong Olav var i gjestebud hos Åsta, mor si, leidde hun fram barna sine og viste dem til ham.

Kongen satte Guttorm, bror sin, på det ene kneet, og på det andre satte han den andre broren, Halvdan. Kongen så på guttene, han rynket brynene og så bistert på dem. Da tok guttene til å sutre. Så bar Åsta den yngste sønn sin som het Harald, til ham, han var tre år gammel. Kongen rynket brynene til ham, men han bare så opp på ham; da tok kongen gutten i håret og lugget ham, gutten tok kongen i hakeskjegget og drog til. Da sa kongen: «Du kommer til å bli hevngjerrig, frende.»

Dagen etter gikk kongen og dreiv omkring på garden sammen med Åsta, mor si. De kom til et vann. Der holdt guttene Guttorm og Halvdan, sønnene til Åsta, på å leike; de hadde laget seg store garder og kornløer og hadde mange kuer og sauer, det var leiken. Ikke langt derfra, i ei leirvik nedved vannet, satt Harald; han holdt på med en mengde trefliser som lå og fløt innmed land. Kongen spurte ham hva det skulle være? Han sa det var hærskipene hans. Da lo kongen og sa: «Det kan nok hende den tid kommer, frende, da du rår for skip.» Nå ropte kongen på Halvdan og Guttorm, og så spurte han Guttorm: «Hva ville du eie mest av, frende?» «Åkrer,» sa han. Kongen spurte: «Hvor store åkrer skulle du ønske du hadde?» Han svarte: «Jeg skulle ønske at hele dette neset som går ut i vannet her, var sådd til hver sommer.» Der stod det ti garder. Kongen svarte: «Der kunne det vokse mye korn.»

Så spurte han Halvdan hva han ville eie mest av. «Kuer,» sa han. Kongen spurte: «Hvor mange kuer ville du ønske deg?» Halvdan svarte: «Når de gikk for å drikke, skulle de stå tett i tett rundt hele vannet.» Kongen svarte: «Dere vil ha store garder, det er likt far deres.» Så spurte kongen Harald: «Hva ville du ha mest av?» Han svarte: «Karer,» sa han. Kongen svarte: «Hvor mange ville du ha?» «Jeg ville ha så mange at de kunne ete opp alle kuene til Halvdan, bror min, i ett mål.» Kongen lo og sa til Åsta: «Her før du nok opp en konge, mor.» Det er ikke fortalt hva mer de sa.

77. Det var gammel landsskikk i Svitjod så lenge hedendommen varte, at det skulle være hovedblot i Uppsala i gjømåneden*; da skulle de blote for fred og seier for kongen sin, og dit skulle det komme folk fra hele Sveavelde; der skulle også alle svears ting være. Det var marknad og handelsstevne der også, og det varte i ei uke, og da kristendommen kom til Svitjod, holdt likevel lagtinget og marknaden seg. Men nå siden hele Svitjod er blitt kristent og kongene har holdt opp å bo i Uppsala, er marknaden flyttet og blir holdt ved kyndelsmesstid*, og slik har det vært hele tida siden, men nå varer den ikke mer enn tre dager. Der er sveatinget, og dit kommer de fra hele landet.

Sveavelde er delt i mange deler. En del er Västergötland og

Gjømåneden var måneden fra ca. midt i februar til midt i mars.
Kyndelsmess, dvs. 2. februar. Dette tinget og marknaden blir omtalt i Upplandslagen som *Disæþing* eller *Kyndilþing*. «Distingen» ble holdt ved kyndelsmess i tre dager (eller flere) like til 1895.

Värmland og Marker* og det som hører til der, og det er så stort rike at den biskopen som rår der, har elleve hundre kirker under seg*. En annen del av landet er Östergötland, det er et annet bispedømme, og under det ligger nå Gotland og Öland, og til sammen blir det et enda større bispedømme*. I sjølve Svitjod er det en landsdel som heter Södermanland, det er ett bispedømme*. Så heter det Västmanland eller Fjadrundaland, det er et bispedømme*. Så er det Tiundaland, det er den tredje delen av Svitjod, den fjerde heter Åttundaland, den femte er Sjåland* og det som hører til der i øst langs havet. Tiundaland er gildest og best bygd av landene i Svitjod, hele riket bøyer seg for det, der er kongssetet og der er erkebispesetet, og derav kommer navnet Uppsala-rikdommen; det er sveakongens eiendom svearne kaller slik, de kaller den Uppsalaød.

I hver av landsdelene er det eget lagting, og de har egne lover i mange stykker; over hver av lovene er det en lagmann, og det er han som har mest å si over bøndene, for det som han vil og sier fram, det blir lov. Og når kongen eller en jarl eller biskopene reiser omkring i landet og holder ting med bøndene, da svarer lagmannen på bøndenes vegne, og de følger ham så sikkert alle sammen, at det knapt er noen stormann som våger å vise sin makt på alltinget deres om ikke bøndene og lagmannen gir lov til det. Men i alle slike saker som lovene ikke er innbyrdes like i, skal Uppsala-loven gjelde, og alle andre lagmenn skal stå under den lagmannen som er i Tiundaland.

78. Dengang var det en lagmann i Tiundaland som het Torgny; hans far het Torgny Torgnysson. Ætta hadde vært lagmenn i Tiundaland sønn etter far i mange kongsaldrer. Torgny var gammel dengang, han hadde en stor hird omkring seg, og han gikk for å være den klokeste mannen i Sveavelde. Han var frende til Ragnvald jarl, og var fosterfar hans.

Nå må vi fortelle om hvordan det gikk de mennene som Ingegjerd kongsdatter og Hjalte hadde sendt vestover, da de kom til Ragnvald jarl. De kom fram med ærendet sitt for Ragnvald jarl og Ingebjørg, hans kone, og sa at kongsdattera flere ganger hadde snakket til sveakongen om forlik mellom ham og Olav Digre, at hun var en svært god venn til kong Olav, men at sveakongen ble sint hver gang hun nevnte Olav, og hun hadde ikke noen tro på å få i stand forlik slik som sakene stod. Jarlen fortalte Bjørn hva han hadde hørt østfra, men Bjørn sa likevel det samme som før, at han ville ikke vende tilbake før han hadde møtt sveakongen, og han sa at jarlen hadde lovt å følge ham til sveakongen.

Nå lei det fram på vinteren, og straks jula var over, gav jarlen seg

---

Marker, dvs. Nordmarka i Dalsland (nå i Värmland).
Bispedømmet Skara omfattet Västergötland, Dalsland og Värmland. På 1200-tallet var det omtrent 630 kirker der.
Linköping bispedømme omfattet Östergötland, Öland og Gotland.
Strängnäs bispedømme omfattet Södermanland og Närke.
Västerås bispedømme omfattet Västmanland med Dalarne, men ikke Fjadrundaland.
Sjåland, nå Roslagen.

i veg og hadde med seg seksti mann; Bjørn stallare og hans følge ble med ham. Jarlen drog østover helt til Svitjod; men da de kom opp i landet, sendte han noen mann i forvegen inn til Uppsala og sendte bud til Ingegjerd kongsdatter at hun skulle komme til Ulleråker* og møte ham; der hadde hun store garder.

Da jarlens bud kom til kongsdattera, lot hun seg ikke be to ganger, men drog av sted med stort følge. Hjalte ble med henne. Men før han reiste, gikk han inn til kong Olav og sa: «Hell og lykke følge deg, konge! Det kan jeg si for sant, at aldri har jeg vært noe sted hvor jeg har sett slik prakt som her hos deg. Det skal jeg fortelle overalt der jeg kommer siden. Konge, jeg vil be deg at du vil være min venn.» Kongen svarte: «Hvorfor taler du som du gjerne vil bort? Hvor skal du hen?» Hjalte svarte: «Jeg skal ri ut til Ulleråker med Ingegjerd, datter di.» Kongen sa: «Ja far vel da, du er en klok og dannet mann, og har god greie på hvordan du skal være sammen med høvdinger.» Så gikk Hjalte sin veg.

Ingegjerd kongsdatter rei ut til garden sin på Ulleråker, der lot hun gjøre i stand gjestebud for å ta imot jarlen. Så kom jarlen dit, og han ble godt mottatt; han ble der i noen dager. Han og kongsdattera talte mye med hverandre og mest om sveakongen og Norges konge, hun fortalte jarlen at hun syntes ikke det så lyst ut med forliket. Da sa jarlen: «Hva mener du nå, frenke, om dette at Olav, Norges konge, ber om di hand? Vi syntes det var den beste måten å få forlik på om kongene ble måger, men jeg vil ikke støtte den saken om jeg vet at det er tvert imot din vilje.» Hun sa: «Far min får rå for mitt giftermål. Men av mine frender er du den jeg helst vil skal rå for meg i saker som jeg synes har noe å si. Og synes du dette er rådelig?» Jarlen rådde henne sterkt til det, og reknet opp mange ting om kong Olav som var til stor heder for ham; han fortalte henne nøye om det som hadde hendt nylig, dengang kong Olav fanget fem konger på en liten morgenstund og tok makten fra dem alle sammen og la eiendommene og rikene deres under sitt velde. De talte mye om denne saken med hverandre. Så drog jarlen bort da han var ferdig, og Hjalte fulgte ham.

79. Ragnvald jarl kom en dag på kvelden til Torgny lagmanns gard. Det var en stor velmaktsgard; det stod mange folk ute, de tok godt imot jarlen, tok seg av hestene og redskapen deres. Jarlen gikk inn i stua, der inne var det mange folk. I høgsetet satt det en gammel mann, Bjørn hadde aldri sett så svær mann, og skjegget var så langt at det lå ned på knærne hans og bredde seg ut over hele brystet; han var en vakker mann og så gjæv ut. Jarlen gikk fram til ham og hilste. Torgny ønsket ham velkommen og bad ham gå og sette seg på den plassen han var vant til å sitte; jarlen satte seg på den andre sida rett imot Torgny.

De var der i noen dager før jarlen kom fram med ærendet sitt. Da bad han Torgny bli med seg til tinghuset. Bjørn og følget hans gikk

Ulleråker var et herred på vestsida av Fyrisån nær det nåværende Uppsala.

Ragnvald jarl kommer til Torgny lagmanns gard.

dit sammen med jarlen, og så tok jarlen til orde og fortalte at Olav Norges konge hadde sendt sine menn der øst for å slutte fred; han talte også lenge om hvor vanskelig det var for vestgøtene å ha ufred med Norge; han fortalte videre at Olav Norges konge hadde sendt menn til ham, og her var nå kongens sendemenn, og han hadde lovt at han skulle følge dem til sveakongen. Han sa også at sveakongen hadde stilt seg så vrangt til saken at han hadde sagt det skulle ikke nytte noen mann å komme til ham med den. «Og nå er det så, fosterfar,» sa jarlen, «at jeg kan ikke greie denne saken alene, og derfor har jeg kommet hit til deg, og her venter jeg å få gode råd og hjelp av deg.»

Da jarlen var ferdig med å tale, tidde Torgny først stille en stund. Og da han tok ordet, sa han: «Det er merkelig som dere steller dere, å være så ivrig etter å få høvdingnavn, og så vet dere verken ut eller inn når dere kommer ut for noe vanskelig. Hvorfor kunne du ikke tenkt på det før du lovte å følge dem at du ikke har makt til å si imot kong Olav? Jeg synes ikke det er mindre stas å bli reknet for bonde, men så være fri til å si det en vil, om så kongen sjøl er til stede. Nå skal jeg komme til Uppsalatinget og hjelpe deg så langt at du kan si til kongen det du har lyst til, uten å være redd.» Jarlen takket ham svært for dette løftet, og så ble han der hos Torgny og rei til Uppsalatinget sammen med ham. Der var det en mengde mennesker, kong Olav var der også med hirden sin.

80. Første dagen tinget var åpnet, satt kong Olav på stolen og hirden omkring ham. På den andre sida av tinget satt Ragnvald jarl og Torgny på én stol, foran dem satt hirden til jarlen og Torgnys flokk av huskarer, men bak stolen og i ring hele vegen omkring stod bondemugen, og noen hadde gått opp på høyder og hauger for å høre på derfra.

Da nå slikt var sagt på kongens vegne som det var skikk å si på tinget, og folk var ferdige med det, stod Bjørn stallare opp ved siden av jarlens stol og sa høyt: «Kong Olav har sendt meg hit i det ærend at han vil by sveakongen forlik etter de landegrenser som fra gammel tid har vært mellom Norge og Svitjod.» Han talte så høyt at sveakongen hørte det godt. Da sveakongen først hørte nevnt kong Olav, trodde han det var en som hadde en sak han ville ha fram for ham; men da han hørte tale om landegrenser og forlik mellom Svitjod og Norge, skjønte han hva kant dette kom fra. Da sprang han opp og ropte høyt at den der mannen skulle tie med slikt nytteløst prat. Bjørn satte seg da ned. Og da det ble stilt, stod jarlen opp og talte. Han fortalte om Olav Digres budskap, og tilbudet om forlik med sveakongen Olav, og at vestgøtene bad kong Olav innstendig at han skulle gjøre forlik med nordmennene. Han reknet opp hvor vanskelig det var for vestgøtene når de måtte sakne alle de tingene fra Norge som de trengte for å livnære seg, og dessuten skulle være utsatt for overfall og herjinger av nordmennene, om Norges konge samlet hær og herjet der. Jarlen sa også at Olav Norges konge hadde sendt menn dit med det ærend at de skulle be om han kunne få Ingegjerd, datter hans, til ekte.

Da jarlen sluttet å tale, stod sveakongen opp. Han svarte tvert nei på forliket, og lastet jarlen hardt og sterkt fordi han hadde vært så djerv å gjøre fred og forlik med den digre mannen og sluttet vennskap med ham; han sa han hadde gjort seg skyldig i landsforræderi, og sa det var til pass om Ragnvald ble drevet ut av landet, og videre at alt dette kom av at Ingebjørg, kona hans, hadde ertet ham opp, og han sa det var det verste som kunne hendt ham at han giftet seg med ei slik kone. Han talte langt og hardt, og snakket til slutt om Olav Digre enda en gang.

Da han hadde satt seg, var det først stilt. Så stod Torgny opp. Og da han reiste seg, stod de opp alle de bøndene som hadde sittet før også, og alle som hadde vært andre steder, stimlet til og ville høre hva Torgny sa. Først ble det stor larm av all trengselen og våpnene. Men da det ble stilt, sa Torgny: «Sveakongens sinnelag er ikke slik nå mer som det har vært før. Torgny, min farfar, mintes Uppsalakongen Eirik Emundsson, og han fortalte om ham, at mens han var ung, hadde han leidang ute hver sommer og drog til både det ene og det andre landet og la under seg Finland og Kirjalaland*, Estland og Kurland* og store deler av landene i øst, og det synes ennå jord-

---

Kirjalaland, Karelen.
Kurland ligger i Latvia.

Torgny lagmann på Uppsalatinget.

voller og andre store festningsverker som han gjorde, men han var ikke
så stor på det at han ikke ville høre på folk som hadde noe de ville
snakke med ham om. Torgny, far min, var hos kong Bjørn i lang tid,
han kjente ham og hans levevis; gjennom hele Bjørns liv stod riket
hans helt og sterkt og minket ikke; men han var grei mot vennene
sine. Jeg kan minnes kong Eirik den seiersæle, og jeg var med ham
på mange hærferder. Han økte svearnes rike, og verget det med hard
hand; det var likevel lett for oss å komme med råd til ham. Men
denne kongen vi har nå, lar ingen mann få våge seg til å si annet til

ham enn det han, kongen, sjøl liker, og dette setter han alt inn på; men skattlandene sine lar han gli fra seg av ugiddelighet og kraftløshet. Han trår etter å legge Norgesvelde under seg, det er det ingen sveakonge som har brydd seg med før, og det volder uro for mange. Nå er det vår, bøndenes, vilje at du skal gjøre forlik med Olav Digre, Norges konge, og gi ham datter di Ingegjerd til ekte. Derimot, om du vil vinne tilbake under deg de rikene i austerveg som dine frender og forfedre har hatt der, da vil vi følge deg alle sammen. Men om du ikke vil gjøre det som vi sier, da vil vi gå mot deg og drepe deg og ikke finne oss i ufred og lovløshet av deg; det har forfedrene våre gjort før, dengang de styrtet fem konger i en brønn på Mulating*, for det de hadde blåst seg opp i overmot, slik som du gjør nå mot oss. Si nå med én gang hva vilkår du vil velge.» Folket laget straks stor larm og våpenbrak. Nå stod kongen opp og sa han ville la alt bli som bøndene ville; han sa at slik hadde alle sveakongene gjort, latt bøndene få rå med seg i alt de ville. Så stanset misnøyen hos bøndene.

Nå talte høvdingene, jarlen og Torgny, og så sluttet de fred på sveakongens vegne på den måten den norske kongen hadde sendt bud om. På det tinget ble det avgjort at Ingegjerd, datter til kong Olav, skulle gifte seg med kong Olav Haraldsson. Kongen overlot til jarlen å feste henne bort, og gav ham fullmakt til alt som gjaldt dette giftermålet, og så skiltes de på tinget da sakene var avgjort slik.

Da jarlen reiste hjemover, møttes han og Ingegjerd kongsdatter, og de talte med hverandre om saken. Hun sendte kong Olav ei kappe med slep gjort av pell og mye gullsøm på og silkeband. Jarlen drog tilbake til Götaland, og Bjørn fulgte med ham. Bjørn ble ikke lenge der, så reiste han tilbake til Norge med følget sitt. Og da han kom til kong Olav og fortalte ham om det utfall reisen hadde fått, takket kongen ham svært for han hadde reist, og sa som sant var at Bjørn hadde vært heldig som hadde greidd å få fram sitt ærend i slik ufred.

81. Da det ble vår, drog kong Olav ut til sjøen og lot skipene sette i stand og stevnte til seg folk, så seilte han ut gjennom Viken og til Lindesnes om våren, og derfra helt nord til Hordaland. Han sendte bud til lendmennene og nevnte også alle de mektigste menn i bygdene, og rustet seg på det staseligste til ferden da han skulle dra for å møte si festemøy. Gjestebudet skulle være om høsten øst ved landegrensa ved Elv.

Kong Olav hadde kong Rørek Blinde hos seg. Da sårene hans var grodd, satte kong Olav to menn til å tjene ham og lot ham sitte i høgsetet hos seg og holdt ham så godt med drikk og klær at det ikke på noen måte var dårligere enn han før hadde holdt seg sjøl. Rørek var fåmælt og svarte stutt og tvert når noen snakket til ham. Han hadde for våne å la skosveinen leie seg ut hver dag og bort fra de

---

Mulating, mul. feil for Morating, det gamle hyllingstinget for Svea-kongene, nær Uppsala.

Kong Rørek går ute med sin frende Svein.

andre folkene, så slo han gutten, og når han løp fra ham, sa han til
kong Olav at gutten ikke ville tjene ham. Så skiftet kong Olav tje-
nestefolk for ham, men det gikk som før, ingen tjenestefolk kunne
greie å være hos kong Rørek.

Da satte kong Olav en mann som het Svein, til å følge og vokte
på kong Rørek, han var en av kong Røreks frender og hadde vært
hans mann før i tida. Rørek holdt ved som før, var like fåmælt og
gikk ute alene. Men når han og Svein var sammen på tomannshand,
da var Rørek lystig og snakksom; da mintes han mange ting og
fortalte hvordan det hadde vært før og om alt det som hadde hendt
i hans dager, dengang han var konge; han mintes hvordan han hadde
hatt det før i livet, og likeså hvem som var skyld i at alt var anner-

ledes nå for tida, både makt og lykke, og som hadde gjort ham til tigger. «Men det aller tyngste,» sa han, «synes jeg likevel er det at du og de andre frendene mine som en skulle vente ville være noe til menn, at dere nå skal vanslekte slik at dere ikke hevner noen av de skjensler som har gått over ætta vår.»

Slike harmfulle ord brukte han støtt. Svein svarte og sa de hadde å gjøre med folk med stor overmakt, og de sjøl hadde liten råd med det. Rørek sa: «Hvorfor skal vi leve lenge, lemlestet og med skam? Om det nå skulle hende seg at jeg, enda jeg er blind, kunne få seier over dem som seiret over meg da jeg sov! Vi frister lykken og så dreper vi Olav Digre, nå er han ikke redd for noen ting. Jeg skal legge planen, og jeg ville ikke spart hendene heller om jeg hadde kunnet bruke dem, men det kan jeg ikke fordi jeg er blind. Derfor skal du bære våpen på ham. Og straks Olav er drept, vet jeg sikkert at riket kommer under uvennene hans, for jeg kan spå. Sett at det skulle hende at jeg blir konge, da skal du få bli jarl hos meg.»

Han talte så lenge om dette, at Svein samtykte i å følge hans vonde råd. De avtalte at når kongen skulle ut og gå til aftensang, skulle Svein stå ute i svala i vegen for ham og ha et draget sverd under kappa. Men da kongen gikk ut av stua, gikk han fortere enn Svein hadde tenkt, og han kom til å se kongen i ansiktet. Da skiftet han farge og ble bleik som et lik, og hendene sviktet ham. Kongen merket han ble redd og sa: «Hva er det nå, Svein? Vil du svike meg?» Svein kastet kappa av seg og sverdet også, og han falt ned for føttene på kongen og sa: «Alt i Guds og Deres hand, konge.» Kongen bad folk ta Svein, og han ble satt i lenker. Så lot kongen Røreks sete flytte til en annen benk, men Svein gav han grid, og han reiste fra landet.

Kongen gav Rørek et annet herberge å sove i enn der han sjøl sov; i det rommet sov mange av hirdmennene, og kongen satte to hirdmenn til å følge Rørek dag og natt, det var menn som hadde vært hos kong Olav lenge, og han hadde prøvd dem at de var trofaste mot ham. Det er ikke sagt noe om at de var av stor ætt.

Kong Rørek skiftet svært; han kunne tie stille i mange dager slik at ingen kunne få et ord ut av ham, men innimellom kunne han være så lystig og glad at folk syntes det var moro å høre hvert ord han sa; og stundom sa han mye, men bare stygge ting. Det var slik også at stundom drakk han alle mann under bordet og gjorde alle som var hos ham, uføre av drikk, men oftest drakk han lite. Kong Olav gav ham rikelig med handpenger. Ofte gjorde han det slik når han var kommet i soverommet, at før han gikk til sengs, lot han ta inn mjød, noen bøtter fulle, og gav alle de som var i samme rommet å drikke. Det ble han godt likt for.

82. Det var en mann som het Finn Litle, han var opplending, og det er de som sier han var av finsk ætt; han var svært liten av vekst, usedvanlig rapp på foten, det var ingen hest som kunne løpe om kapp med ham, og han var bedre skiløper og bueskytter enn de fleste. Han hadde vært tjenestekar hos kong Rørek lenge og hadde

brukt å gå ærend for ham når det trengtes en tro mann; han var kjent med alle vegene over hele Oppland, og han kjente og hadde talt med alle stormennene der også.

Og da kong Rørek ble satt under tilsyn av noen få mann, slo Finn seg i lag med dem; han var støtt sammen med guttene og tjeneste-karene, og hver gang han kunne komme til, gikk han og tjente kong Rørek og talte ofte med ham, men kongen ville ikke snakke lenge med ham om gangen, han ville ikke noen skulle få mistanke til samtalene deres.

Da det lei på våren, og de drog ut i Viken, ble Finn borte fra hæren i noen dager, men så kom han igjen og ble der en stund. Og slik var det flere ganger, og det var ingen som la noe merke til det, for det fulgte så mange omstreifere med hæren.

83. Kong Olav kom til Tønsberg før påske, og han ble der lenge utover våren. Det kom mange kjøpmannsskip dit til byen, både sakser og daner og skip øst fra Viken og nordfra landet. Det var en mengde mennesker der, og det var stor velstand og mange drikke-lag.

Så var det en kveld kong Rørek hadde kommet nokså seint til soverommet, han hadde drukket sterkt og var svært glad. Da kom Finn Litle dit med ei bøtte mjød, det var krydret mjød, og den var fælt sterk. Kongen lot alle som var der inne, få drikke helt til hver mann sovnet på sin plass. Da hadde Finn gått sin veg. Det brente lys i rommet. Nå vekte kongen de mennene som brukte følge ham, og sa han ville gå i gården. De hadde lykt med seg, for det var ikke månelyst ute.

Det var en stor do ute i gården, den stod på stolper, og det var ei trapp opp til døra. Mens Rørek og de to satt der, hørte de en som ropte: «Hogg den djevelen, du!» – og så hørte de et slag og et dunk liksom noe falt. Kong Rørek sa: «De har nok drukket svært rikelig, de som slåss der; gå fort ut og skill dem.» De skyndte seg og løp ut, men da de kom ut på trappa, ble den hogd først som gikk sist ut, og drept ble de begge to. Det var kong Røreks menn som var kommet dit, det var Sigurd Hit*, som hadde vært merkesmann hos ham, og de var tolv sammen; Finn Litle var også der. De drog likene opp mellom husene, og så tok de kongen og førte ham med seg, de løp om bord i ei skute de hadde, og rodde bort.

Sigvat skald sov i samme rom som kong Olav; han stod opp en-gang på natta og skosveinen hans fulgte ham, de gikk ut til den store doen. Men da de skulle gå tilbake igjen og gikk ned trappa, glei Sigvat og falt på kne, han tok seg for med handa og kjente noe vått. Han sa: «Sannelig tror jeg ikke kongen har fått flere av oss til å gå i sjøgang i kveld,» og så lo han. Men da de kom inn i soverommet der det brente lys, spurte skosveinen: «Har du skrubbet deg? eller hvorfor har.du blod utover hele deg?» Han svarte: «Nei, jeg har ikke skrubbet meg, men dette må bety at noe har hendt.» Han vekte

---

Hit betyr skinnpose.

merkesmannen, Tord Folesson, som var sengekameraten hans, og de gikk ut og tok med seg ei lykt, de fant snart blodet; så lette de og fant snart likene også og drog kjensel på dem. De så også at det lå en stor trestubbe der med et svært hogg i, og siden fikk de vite at det hadde vært gjort på narreri, for å lokke ut dem som ble drept.

Sigvat og Tord sa til hverandre at det var nødvendig kongen fikk vite om det som hadde hendt, så snart som mulig. De sendte straks gutten inn i det rommet kong Rørek hadde vært i; der sov alle mann, men kongen var borte. Gutten vekte de mennene som var der inne, og sa hva som hadde hendt. De stod opp med en gang og gikk ut i gården der likene var. Men enda det var greit at kongen måtte få vite om det som hadde hendt så snart som mulig, var det ingen som torde vekke ham.

Da sa Sigvat til Tord: «Hva vil du helst gjøre, lagsmann, vekke kongen eller fortelle ham saken?» Tord svarte: «Jeg tør ikke for noen pris vekke ham, men jeg skal fortelle ham hva som har hendt.» Da sa Sigvat: «Det er mye igjen av natta ennå, og innen det blir dag, kan det hende at Rørek har funnet seg et skjulested så det ikke blir så lett å finne ham igjen siden. Men de kan ikke være kommet så langt bort, for likene var varme ennå. Den skam skal aldri hende oss at vi ikke lar kongen få vite om dette sviket. Gå du Tord opp i soverommet og vent på meg der.» Så gikk Sigvat til kirken og vekte klokkeren, han bad ham ringe for sjelene til kongens hirdmenn og nevnte de mennene som var blitt drept. Klokkeren gjorde som han ble bedt om.

Men av ringingen våknet kongen og satte seg opp. Han spurte om det var tid for ottesangen. Tord svarte: «Det ringer for noe verre; her har det hendt store ting, kong Rørek er borte, og to av hirdmennene Deres er drept.» Kongen spurte ham ut om hva det var som hadde gått for seg, og Tord fortalte ham alt han visste. Da stod kongen opp og lot blåse til hirdstevne. Og da mennene var kommet sammen, nevnte kongen opp menn som skulle gå alle veger ut fra byen og leite etter kong Rørek, på sjø og på land.

Tore Lange tok ei skute og satte av sted med tretti mann, og da det lysnet, så de to små skuter framfor seg. Da de fikk øye på hverandre, rodde de alle sammen så mye de orket. Der var kong Rørek, og han hadde også tretti mann. Da de nærmet seg hverandre, snudde Røreks folk inn mot land, og så løp de i land alle sammen, uten kongen, som satte seg opp i løftingen. Han ropte farvel etter dem og vel møtt igjen. Nå rodde Tore og hans folk mot land. Da skjøt Finn Litle ut ei pil, og den kom midt i livet på Tore så han døde av det. Sigurd og alle hans menn løp til skogs. Tores menn tok med seg liket hans og kong Rørek og førte dem ut til Tønsberg. Kong Olav overtok nå å holde vakt over kong Rørek; han lot ham gjete nøye og tok seg vel i vare for svik fra ham, han satte folk til å gjete ham natt og dag. Kong Rørek var svært så lystig, og ingen kunne merke på ham annet enn at han var vel nøyd med alt.

84. På Kristi himmelfartsdag gikk kong Olav til høymesse; da gikk

Røreks menn løp i land alle sammen, men Rørek satte seg opp i løftingen.

biskopen i prosesjon omkring kirken og leidde kongen med seg, og da de kom tilbake i kirken, leidde biskopen kongen til plassen hans på nordsida i koret. Der satt kong Rørek ved sida av ham som vanlig, han holdt kappa opp for ansiktet. Da kong Olav hadde satt seg ned, la kong Rørek handa på aksla hans og klemte den, han sa: «Du har pell-klær på deg nå, frende,» sa han. Kong Olav svarte: «Nå holder vi en stor høytid til minne om det at Jesus Krist steig fra jorda opp til himmelen.» Kong Rørek svarte: «Jeg skjønner ikke så mye av det dere forteller om Krist at jeg han huske det; mye av det dere sier, synes jeg er utrolig. Men det har jo hendt så mye rart i gamle dager.»

Da messen tok til, reiste kong Olav seg, løftet armene over hodet og bøyde seg mot alteret, og da glei kappa ned av akslene på ham. Da spratt kong Rørek opp fort og kvast, han stakk etter kong Olav med en slags dolk som heter ryting; stikket kom i kappa ved akslene, men kongen hadde bøyd seg unna; tøyet ble en del skåret sund, men kongen ble ikke såret. Da kong Olav merket overfallet, sprang han fram på golvet. Kong Rørek stakk etter ham en gang til med dolken, men traff ikke og sa: «Flyr du for meg blinde mannen nå da, Olav Digre!» Kongen bad sine menn ta og leie ham ut av kirken, og det ble gjort.

Etter denne hendelsen prøvde folk å overtale kong Olav til å la Rørek drepe. «Det er å friste lykken for sterkt, konge,» sa de, «når De har ham her hos Dem og holder hand over ham hva han så finner på av ondskap; og han gjør ikke annet dag og natt enn å pønske på å ta livet av Dem. Og dersom De sender ham bort fra Dem, vet vi ikke den mann som kunne greie å gjete ham slik at det blir umulig for ham å komme seg bort. Og kommer han løs, så vil han straks reise flokk og gjøre mye vondt.»

Kongen svarte: «Det er så sant som det er sagt at det er mange som har måttet lide døden fordi jeg er slik mot Rørek. Men jeg har liten lyst til å ødelegge den seieren jeg vant over opplandskongene dengang jeg tok dem alle fem på én morgen, og fikk all den makt de hadde, uten at jeg trengte å bli banemann til noen av dem, for de var mine frender alle sammen. Men nå er jeg likevel ikke helt viss på om ikke Rørek får tvunget meg til å la ham drepe.» Rørek hadde lagt handa på aksla til kong Olav fordi han ville vite om han hadde brynje på.

85. Det var en mann som het Torarin Nevjolvsson; han var islending og hadde ætta si på nordlandet; han var ikke ættstor, men klokere enn de fleste og svært veltalende; han var djerv til å tale med høvdinger. Han fór mye til sjøs og var utenlands lange tider. Torarin var fælt stygg, og det verste var at han var så stygt skapt, han hadde svære, stygge hender, men føttene var likevel enda mye styggere.

Torarin var i Tønsberg dengang det hendte, dette som nettopp er fortalt. Kong Olav kjente ham og hadde snakket med ham. Torarin holdt på å ruste ut et kjøpmannsskip som han eide, og han tenkte seg til Island om sommeren. Kong Olav bad Torarin i gjestebud hos seg noen dager og talte med ham, og Torarin sov i samme rom som kongen.

Så var det tidlig en morgen at kongen var våken, og de andre mennene i rommet sov. Sola hadde nettopp stått opp, og det var helt lyst inne. Kongen så at Torarin hadde stukket den ene foten fram under klærne, han lå og så på foten en stund. Nå våknet de andre i rommet. Kongen sa til Torarin: «Jeg har ligget våken her en stund, og jeg har sett et syn som er av de sjeldne, og det er en mannefot så stygg at jeg ikke tror det fins noen styggere her i byen.» Og så bad han de andre se etter hva de trodde. Og alle som så på den, var enige i at det var sant nok. Torarin skjønte hva de snakket om og svarte: «Det er ikke mange ting som er slik at en ikke kan vente å finne maken til den, og det er vel rimeligst at det er slik her og.» Kongen sa: «Jeg holder likevel på at det ikke fins noen annen fot som er så stygg, og det skal jeg gjerne vedde på også.» Da sa Torarin: «Jeg er ferdig til å vedde med Dem på at jeg skal finne en enda styggere fot her i byen.» Kongen sa: «Da skal den av oss som får rett, få velge en bønn av den andre.» «La gå,» sa Torarin. Så stakk han den andre foten fram av klærne, og den var ikke det minste vakrere, men der var stortåa borte. Da sa Torarin: «Her, konge, kan De se en annen fot, og den er mye styggere, for her mangler den ene tåa, og jeg har vunnet veddemålet.» Kongen sa: «Den første foten var styggest, for der var det fem fæle tær, og her er det bare fire, og da skal jeg få velge en bønn av deg.»

Torarin sier: «Kongens ord er meg dyrebare. Hvilken bønn har du å be meg om?» Kongen sa: «Denne at du skal ta med deg Rørek til Grønland og føre ham til Leiv Eiriksson.» Torarin svarte: «Jeg har aldri vært på Grønland.» Kongen sa: «Slik sjømann som du er, så er det på tide du reiser til Grønland da, om du ikke har vært der før.»

Torarin viser fram den styggeste foten sin for kongen.

Torarin svarte ikke stort på dette først, men kongen holdt ved med
å spørre ham, og så slo Torarin det ikke helt fra seg, men sa:
«Konge, jeg vil la Dem høre den bønn jeg hadde tenkt å be Dem om
dersom jeg hadde vunnet veddemålet. Jeg hadde tenkt å be om å få
bli hirdmann hos Dem. Og om De lar meg få det, så blir det mer min
skyldighet ikke å unnslå meg for å gjøre det som De krever.» Kon-
gen sa ja til dette, og Torarin ble hans hirdmann.

Nå gjorde Torarin skipet sitt ferdig, og da han var seilklar, tok han
imot kong Rørek. Da de skiltes, kong Olav og Torarin, sa Torarin:
«Sett at det nå skulle gå slik som ikke er umulig, men lett kan hende,
at vi ikke kommer fram til Grønland, men at vi kommer til Island
eller andre land, hvordan skal jeg da bli kvitt denne kongen på en
måte som De kan være nøyd med?» Kongen sa: «Om du kommer til
Island, så skal du gi ham over til Gudmund Eyjolvsson* eller Skafte
lovsigemann eller en annen av høvdingene som vil ta imot mitt venn-
skap og tegn på det. Men om du skulle komme til andre land som
er nær oss, da får du lage det slik at du er viss på at Rørek aldri
kommer levende til Norge mer. Men det skal du bare gjøre når det
ikke er noen annen utveg.»

Gudmund den mektige på garden *Möðruvellir* var en stor høvding på Nord-Island.

Kong Olav seiler i brudeferd til landmerket.

Da Torarin var ferdig, og det ble bør, seilte han av sted og hele vegen ytre leia utenfor øyene, og nordover fra Lindesnes styrte han ut på havet. Han fikk ikke god bør, men tok seg vel i vare for å komme nær land. Han seilte sør for Island og tok merke av det, og så vestover omkring landet og i Grønlandshavet. Der fikk han sterk strøm og vondt vær, og da det lei på sommeren, tok han land i Breidafjord på Island.

Torgils Arason* var den første av stormennene som kom til dem, Torarin fortalte ham om kong Olavs budskap og kjenningstegnene og løftet om vennskap, som fulgte om han tok seg av kong Rørek. Torgils hadde god lyst på dette og bød kong Rørek hjem til seg, og han var hos Torgils Arason om vinteren. Han likte seg ikke der, og bad at Torgils skulle la noen følge ham til Gudmund; han sa han mente å ha hørt at hos Gudmund levde de best og rikest på hele Island, og det var ham han var sendt til. Torgils gjorde som han krevde, og fikk noen menn til å følge Rørek til Gudmund på Mödruvellir. Gudmund tok godt imot Rørek fordi kongen bad ham om det, og så var Rørek hos Gudmund den andre vinteren; da trivdes han ikke der lenger. Så fikk Gudmund hus til ham på en liten gard som heter Kalvskinn*, der var det ikke mange folk. Der var Rørek tredje vinteren, og han sa det at siden han hadde mistet kongedømmet, var dette det stedet han hadde likt best, for der reknet alle ham for å være størst. Sommeren etter ble Rørek sjuk, og det endte med at han døde. Det sies at han er den eneste kongen som hviler på Island. Torarin Nevjolvsson var ute og fór i lange tider etterpå, men innimellom var han hos kong Olav.

Torgils Arason bodde på *Reykhólar* på nordsida av *Breiðafjörður*.
Kalvskinn på vestsida av *Eyjafjörður*.

86. Den sommeren ⸀Torarin drog til Island med Rørek, seilte Hjalte Skeggjason også til Island, og kongen fulgte ham ut og gav ham vennegaver med da de skiltes. Samme sommeren drog Øyvind Urarhorn i vesterviking og kom til irerkongen Konofogor i Irland om høsten. Irerkongen og Einar jarl på Orknøyene møttes i Ulvreksfjorden* om høsten, og det kom til en stor kamp. Kong Konofogor hadde mye større hær, og han seiret, og Einar jarl flyktet med bare ett skip, og slik kom han tilbake til Orknøyene om høsten; da hadde han mistet nesten hele hæren og alt det hærfanget de hadde tatt. Jarlen var fælt lite nøyd med ferden sin, og han gav skylden for at han hadde tapt, til de nordmennene som hadde vært med irerkongen i kampen.

87. Nå må vi fortelle videre fra der vi sluttet før. Kong Olav Digre drog i brudeferd for å hente si festemøy Ingegjerd, datter til Olav sveakonge. Kongen hadde et stort følge, og det var så nøye utvalg at alle stormenn han hadde kunnet få tak i, fulgte ham, og hver av stormennene hadde med seg utvalgte folk, både de beste av ætt og ellers de dugeligste som var. Følget var rustet ut på det beste med all slags tilfang, både skip og våpen og klær. De styrte flåten øst til Konghelle*. Da de kom dit, var det ingen som visste noe om svea kongen, og det var heller ikke kommet noen utsendinger fra ham. Kong Olav ble i Konghelle lenge utover sommeren, og spurte stadig etter hva folk kunne fortelle ham om hvor sveakongen holdt til og hva han hadde tenkt å gjøre. Men det var ingen som kunne si han noe visst om det.

Så sendte han noen menn opp i Götaland til Ragnvald jarl og bad ham spørre etter, om han kunne få greie på hva det kom av at sveakongen ikke kom til stevnet, som avtalt. Jarlen sa at han visste det ikke. «Men om jeg får greie på det,» sa han, «skal jeg strak sende bud til kong Olav og la ham vite hva det ligger under, om denne utsettelsen har noe annet på seg enn at han har så mye å gjøre; det kan så ofte hende at sveakongens ferder går langsommere enn han hadde tenkt.»

88. Olav Eiriksson sveakonge hadde først hatt ei frille som he Edla, datter til en jarl i Vendland. Hun hadde først vært hærtatt og ble reknet som kongens tjenestejente. Barna deres var Emund Astrid og Holmfrid. Dessuten hadde han en sønn med dronninga han ble født jakobsmessedagen*, og da de skulle døpe ham, kalt biskopen ham Jakob. Dette navnet kunne ikke svearne like, de s at aldri hadde noen sveakonge hett Jakob før. Alle kong Olavs barn var vakre og hadde godt vett. Dronninga var stor på det og var ikke god mot stebarna sine, og kongen sendte Emund, sønn sin, til Vendland, og der vokste han opp hos morsfrendene; han holdt ikke lenge fast ved kristendommen. Astrid kongsdatter vokste opp i Västergöt

Ulvreksfjorden, Lough Larne, en trang fjord litt nordafor Belfast.
Konghelle. Se merkn. s. 177.
Jakobsmessedagen, dvs. 25. juli.

land hos en gjæv mann som het Egil. Hun var ei svært vakker kvinne og visste vel å velge sine ord, blid og medgjørlig og gavmild på gods. Da hun ble voksen, var hun ofte hos sin far, og alle mennesker likte henne godt.

Kong Olav var herskesjuk og vrang å ha med å gjøre. Han kunne slett ikke like at folk i landet hadde reist seg mot ham på Uppsalatinget og truet ham på livet, og han gav Ragnvald jarl største skylden for det. Han lot ikke noe gjøre ferdig til brudeferden, slik som det var avtalt om vinteren at han skulle gifte sin datter Ingegjerd med Olav Digre, Norges konge, og komme til landegrensa om sommeren. Da det nå lei på, tok mange til å undres hva kongen tenkte på, om han hadde tenkt å holde forliket med Norges konge, eller om han ville bryte både forlik og fred.

Det var mange som var rent ute av seg for dette, men det var ingen som var så modig at han torde spørre kongen om saken. Mange gikk og klagde til Ingegjerd kongsdatter og bad henne få greie på hva kongen ville. Hun svarte: «Jeg har liten lyst på en samtale med kongen for å snakke om saken mellom ham og Olav Digre, for den ene er ikke den andres venn. Han har svart meg med vondord en gang før da jeg talte Olav Digres sak.» Denne saken gav Ingegjerd kongsdatter mye å tenke på, hun var ute av seg og sorgfull, og hun var svært spent på hva kongen ville finne på. Hun hadde mest tro på at han ikke kom til å holde sitt ord til Norges konge, for en kunne merke at han ble sint hver gang noen kalte Olav Digre for konge.

89. Tidlig en dag rei kongen ut med hauker og hunder, og mennene hans fulgte ham. Da de slapp haukene, drepte hauken til kongen to orrfugl i samme flukten, og like etter fløy den fram igjen, og da drepte den tre orrfugl. Hundene løp nedenunder den og tok alle fuglene da de falt til jorden. Kongen sprengte etter og tok sjøl viltet sitt og skrøt fælt. Han sa: «Det blir lenge før noen av dere får slik jakt.» De sa det var sant, og at de trodde knapt noen annen konge hadde slik lykke på jakten som han.

Så rei kongen og alle de andre hjem; han var svært så blid. Ingegjerd kongsdatter kom ut av huset, og da hun så at kongen kom ridende inn til garden, gikk hun dit bort og hilste ham. Han hilste leende igjen og holdt straks fram fuglene og fortalte om jakten og sa: «Hvor tror du det fins en konge som har fått så mye vilt på så liten stund?» Hun svarte: «Det er en god morgenfangst dette, herre, at De har fanget fem orrfugl. Men det var større det Olav, Norges konge, gjorde, han tok på en morgenstund fem konger og gjorde hele riket deres til sin eiendom.»

Da kongen hørte dette, sprang han av hesten, vendte seg mot henne og sa: «Det skal du vite, Ingegjerd, at enda så stor kjærlighet som du har fått til denne digre mannen, så skal du aldri få ham, og ikke han deg heller. Jeg vil gifte deg med en av de høvdingene som jeg kan holde vennskap med. Og jeg kan aldri bli den manns venn som har tatt mitt rike i hærfang og gjort meg stor skade med ran og manndrap.» Slik sluttet samtalen, og hver gikk sin veg.

Bjørn stallare taler på hustinget til kongen.

90. Nå hadde Ingegjerd kongsdatter fått greie på hvordan det virkelig stod til med kong Olavs planer, og så sendte hun straks bud ned i Västergötland til Ragnvald jarl og lot ham få vite hva det var på ferde med sveakongen og at hele forliket med Norges konge var brutt; hun sa at jarlen og de andre vestgøtene fikk vokte seg, og nå var det ikke rimelig de fikk fred med nordmennene. Da jarlen fikk høre dette, sendte han bud over hele riket sitt og bad folk være på vakt om nordmennene ville herje hos dem. Jarlen sendte også sendebud til kong Olav Digre og bad dem fortelle ham det jarlen hadde fått høre, men dessuten at han ville holde på forliket og vennskapet med kong Olav. Han bad også om at kongen ikke skulle herje i riket hans.

Da dette budskapet kom til kong Olav, ble han fælt harm og ute av seg, og det var flere dager som folk ikke kunne få et ord ut av ham. Men så holdt han husting med følget sitt. Da stod først Bjørn stallare opp. Han tok til med å fortelle hvordan han hadde dradd østover vinteren i forvegen for å slutte fred, og hvordan Ragnvald jarl hadde tatt godt imot ham. Han fortalte også hvor tvert og stritt sveakongen hadde tatt saken i førstningen. «Og det forliket som ble gjort,» sa han, «kom i stand mer med hjelp av Torgnys makt og store folkestyrke og med Ragnvald jarls støtte enn med sveakongens gode vilje. Derfor mener jeg vi kan være viss på at når forliket er brutt, så er det kongens skyld, og det kan vi ikke legge jarlen til last. Han har vi fått røyne er kong Olavs sanne venn. Nå vil kongen vite av høvdinger og andre hærmenn hva han skal gjøre; om han skal gå opp i Götaland og herje med den hæren vi nå har, eller om dere mener vi skal finne på noe annet?» Han talte både langt og klokt.

Etterpå talte mange stormenn, og de endte alle sammen mest på samme måten, de rådde fra å herje, og de sa som så: «Vi har nok en stor hær. Men det er stormenn og høvdinger som er samlet her, og til hærferd er ikke unge menn dårligere, de synes det er bra å vinne seg rikdom og rang. Når høvdinger skal dra i strid eller kamp, har de dessuten for skikk å ha med seg mange menn til å gå foran o være skjold for seg, men det er oftest slik at folk som har lite penger, slåss bedre enn slike som har vokst opp i rikdom.»

Etter disse overtalelsene tok kongen det råd å løse opp leidangen. Han gav alle lov til å dra hjem, men kunngjorde det at neste sommer skulle han ha leidang ute fra hele landet og stevne mot sveakongen og hevne at han ikke holdt ord. Dette likte alle godt. Så drog kong Olav nord i Viken og slo seg ned i Borg om høsten, og dit lot han føre alt slikt som trengtes for vinteren. Der satt han om vinteren og hadde mye folk.

91. Folk talte svært forskjellig om Ragnvald jarl. Noen sa at han var kong Olavs sanne venn, men andre syntes ikke det var trolig, de sa han måtte da ha så pass å si hos sveakongen at han kunne fått ham til å holde forliket med kong Olav Digre. Sigvat skald brukte svært mange vennlige ord om Ragnvald jarl, og talte ofte til kong Olav om det. Han tilbød kongen at han skulle reise til Ragnvald jarl og finne ut hva han hadde fått vite om sveakongen, og friste om det skulle være mulig å få forlik. Kongen ville gjerne det, for han syntes ofte det var godt å snakke med sine trofaste menn om Ingegjerd kongsdatter.

Tidlig på vinteren drog Sigvat skald og to andre av sted fra Borg, de reiste øst over Marker og derfra til Götaland. Men før de skiltes, kong Olav og Sigvat, kvad han denne visa:

Lev nå vel, kong Olav,
til vi atter møtes
her i dine haller,
når jeg har hentet dommen.
Skalden ber at kongen
kampdjerv må få leve
og styre dette landet.
Det skje! Jeg slutter visa.

Nå er de ord uttalt
som aller mest av alle
det gjaldt å si, konge!
Jeg kunne dog si flere:
Gud la deg vokte landet
du eier, sterke konge,
for til det er du båren!
Dette er mitt ønske.

Så drog de østover til Eidar*, de fikk en låk farkost over elva, en slags ferjebåt, og det var så vidt de kom over. Sigvat kvad:

Den kantrende skuta lot jeg
slepe tilbake til Eid;
våt som en ulykke vasset
jeg oppe i båten, slik gikk det.

Haugfolk hente den prammen!
Jeg husker ei verre farkost.
Jeg vågde livet på båten,
men bedre det gikk enn ventet.

Så drog de gjennom Eidskogen*. Sigvat kvad en strofe:

Det var ikke søtt å trave
tretten mil gjennom Eidskog,
vred jeg var, kan enhver
vite jeg møtte uhell.

Det fans ei fot uten blemmer
på fyrstens menn den dagen,
kvast vi la av gårde
med gnagsår på begge føtter.

Eidar, dvs. Stora Ed ved Göta älv, mellom Trollhättan og Vänersborg.
Eidskogen, skogene øst for Stora Ed.

Så drog de gjennom Götaland og kom fram om kvelden til en gard
som heter Hov*. Der var døra stengt, og de kom ikke inn. Folkene
i huset sa det var hellig der, og så gikk de derfra. Sigvat kvad:

Jeg kom til Hov ved et høve.	*Jeg fikk snautt ord tilbake,*
Døra var låst. Jeg spurte	*de sa stedet var hellig,*
meg utenfra fore, lutet	*jeg bad gygrene ta dem;*
nyfiken inn med nesa.	*hedensk folk meg jagde.*

Så kom han til en annen gard. Der stod husfrua i døra og sa han
måtte ikke gå inn der, hun sa de holdt alveblot. Sigvat kvad:

Gå ikke lenger inn du,	*Alveblot var det inne,*
arme dreng, sa kona.	*sa den usle kjerring,*
Hedninger er vi. Odins	*dreiv meg uten å blunke*
vrede er jeg redd for.	*som var jeg en ulv, fra garden.*

Neste kveld kom han til tre bønder, de kalte seg Olve alle tre, og
alle sammen dreiv de ham ut. Sigvat kvad:

Tre samnavner synte	*Nå er jeg redd nesten*
meg nakken, dreiv meg fra seg.	*at menn ved navnet Olve*
De sverdets herrer neppe	*alle som oftest bruker*
synderlig ros kan kreve.	*jage sine gjester.*

De drog videre samme kvelden og kom til en fjerde bonde, han
ble reknet for å være den beste karen av dem. Men han dreiv dem
ut han også. Sigvat kvad:

Siden jeg søkte mannen,	*En gard som Åstas saknet*
den søkkrike, som kaltes	*jeg sårt øst for Eidskog,*
den vennligste av alle;	*på vegen hus jeg søkte*
jeg ventet meg noe vakkert.	*hos en hedensk bonde.*
Men grevets herre glodde	*Jeg så ikke mektige Sakses*
bare grettent på meg;	*sønn, han var der ikke.*
er denne best, den verste	*Ut ble jeg samme kvelden*
er vond. Jeg laster nødig.	*kastet fire ganger.*

Da de kom fram til Ragnvald jarl, sa jarlen at de visst hadde hatt
en slitsom reise. Sigvat kvad:

Sendemenn som søkte	*Vegen over Eidskog*
hit fra sognings konge	*øst til kongers mester*
med kongelig budskap	*var dryg for oss drenger;*
kom fra en lang reise.	*drengen dog kongen priser.*
Vi sparte oss lite; mye	*Men fyrstens rike bønder*
møter folk som ferdes.	*burde ei vist meg fra seg,*
Norges nyttige verge	*helt til jeg kom og møtte*
nordafra oss sendte.	*min gavmilde drotten.*

Hov, Stora Hov, sørvest for Skara.

Ragnvald jarl gav Sigvat en gullring. Det var ei kvinne som sa at han der med de svarte øynene hadde da iallfall noe igjen for reisen. Sigvat kvad:

Disse svarte øyne	*Denne foten min, frue,*
fra Island, kvinne, viste	*fant drengelig fram på gamle*
oss bratte, lange stier	*veger hit, som dårlig*
til den skinnende ringen.	*din husbonde kjente.*

Sigvat skald kom til Ragnvald jarl og var der lenge og hadde det godt. Da fikk han vite av brev fra Ingegjerd kongsdatter at det var kommet sendemenn fra kong Jarisleiv* øst i Holmgard til Olav Sveakonge for å fri til Ingegjerd, datter til Olav Sveakonge, for kong Jarisleiv, og videre at kong Olav tok dette på aller beste måte. Astrid, datter til kong Olav, kom også til hirden hos Ragnvald jarl, og det ble gjort stort gjestebud. Sigvat kom snart i snakk med kongsdattera, hun kjente til ham og ætta hans, for Ottar skald, som var søstersønn til Sigvat, hadde lenge hatt vennskap med Olav sveakonge. Det ble talt om mange ting, og så spurte Ragnvald jarl, om kanskje Olav Norges konge ville ha Astrid. «Om han vil det,» sa han, «så tror jeg nesten vi ikke spør sveakongen om denne saken.» Det samme sa Astrid kongsdatter.

Etter dette drog Sigvat og følget hans hjem, de kom til Borg litt før jul og fant kong Olav.

Da Sigvat kom hjem til kong Olav, og han gikk inn i hallen, sa han og så på veggene:

Kongens hirdmenn smykker	*Ingen blant unge konger*
salen med hjelm og brynje,	*seg roser av bedre bunad*
de henger tett på veggen.	*for huset, det er sikkert.*
Hirden samler ravner.	*Hallen er helt herlig.*

Så fortalte han om reisen og kvad disse visene:

Den hugstore hirden ber jeg	*Opp fra skip som skrider*
høre, raske konge,	*som ski på havet, jeg sendtes*
disse viser jeg diktet	*den lange veg til Svitjod.*
på vegen. Vondt jeg tålte.	*Jeg sov lite den høsten.*

Og da han talte med kongen, kvad han:

Jeg sa dengang jeg møtte	*Jarlers ætling bad deg,*
den mektige, store Ragnvald,	*ødsle konge, fagne*
at ord til Dem, kong Olav,	*vel hver den som kommer*
bør holdes rett og riktig.	*hit av hans hirdmenn,*
Sverdvokter! Jeg drøftet	*og hver som øst vil vandre*
mang en sak i hallen	*av Lista-herrens venner*
hos den gavmilde, aldri	*får støtte der hos Ragnvald,*
hørte jeg greiere tale.	*det er like sikkert.*

Jarisleiv (Jaroslaw) var sønn til Wladimir og storfyrste i Kiev og Novgorod 1016–1054.

Da jeg kom vestfra, fyrste,
var folket mest ferdig
til svik, som Eiriks ættmann
alt hadde krevd av dem.
Men at De jarleættas
jord, som fra Svein De røvet,
skal få eie, dette
skylder De Ulvs brorhjelp*.

Kloke Ulv* tok saken
opp mellom dere, Olav.
Greit svar, forlik fikk jeg,
begges saker skal ligge.
Tjuvers fiende! Ragnvald
bryter ei mer freden
enn om aldri noen
hatefull dåd var øvet.

Sigvat sa fra til kong Olav med én gang om det han hadde fått høre. Kongen ble først svært ute av seg da Sigvat fortalte ham om frieriet til kong Jarisleiv; kong Olav sa han kunne aldri vente seg annet enn vondt av sveakongen. «Når vi nå bare kunne få lønt ham så han husker det.»

Men da ei tid var gått, spurte kongen Sigvat om annet nytt fra Götaland. Sigvat fortalte ham mye om Astrid kongsdatter, hvor vakker hun var og klok attpå, og dessuten at folk sa hun var ikke på noen måte dårligere hun enn Ingegjerd, søster hennes. Dette likte kongen å høre. Sigvat fortalte ham alt det Astrid og han hadde talt om. Kongen tenkte mye på dette, og så sa han: «Sveakongen tror nok ikke at jeg våger å gifte meg med datter hans uten hans vilje.» Men denne saken snakket de ikke om til noen andre. Kong Olav og Sigvat skald talte ofte om dette, kongen spurte Sigvat nøye ut om det kjennskap han hadde til Ragnvald jarl; «hva slags venn har vi i ham?» sa han. Sigvat sa at han var en sikker venn for kong Olav. Da kvad Sigvat:

Mektige konge, freden
med den mektige Ragnvald
bør du holde. Nyttig
er han deg netter og dager.

Tingherre, han vet jeg
er den beste vennen
du i austerveg eier
helt ut til grønne Saltet*.

Etter jul drog Tord Skotakoll, søstersønn til Sigvat skald, og skosveinen til Sigvat i all hemmelighet bort fra hirden. De reiste øst til Götaland, de hadde vært med Sigvat dit før om høsten. Da de kom til jarlens hird, viste de jarlen kjenningstegn som sa at kong Olav sjøl hadde sendt dem dit til jarlen med fullmakt. Straks med en gang gav jarlen seg av sted, og Astrid kongsdatter fulgte med ham; de hadde nesten hundre mann, utvalgte folk, både fra hirden og sønner til mektige bønder, og hele utstyret deres var staselig, både våpen og klær og hester. Deretter rei de nord til Sarpsborg i Norge og kom dit ved kyndelsmesstider.

92. Der hadde kong Olav latt alt gjøre i stand; der var all slags drikk, den beste en kunne få, og alt annet var også av beste slag.

Ulvs brorhjelp. Ragnvald jarl hadde to sønner, Ulv og Eiliv. Her kan være tenkt på den siste av dem.
Kloke Ulv, vel Ulv Ragnvaldsson.
Saltet, dvs. havet.

Ragnvald jarl og Astrid kongsdatter kommer til Sarpsborg.

Han hadde også stevnet til seg mange stormenn fra bygdene om-
kring. Og da jarlen kom dit med sitt følge, tok kongen hjertelig imot
ham, jarlen fikk et stort godt herberge som var gildt utstyrt, og
dessuten tjenestefolk og menn som skulle se til at det ikke skortet
på noe som kunne pryde et gjestebud.

Da gjestebudet hadde vart slik i noen dager, hadde kongen, jarlen
og kongsdattera en samtale, og i denne samtalen ble det avgjort at
Ragnvald jarl gav Astrid, datter til Olav sveakonge, til Olav Norges
konge, og han festet henne med samme medgift som det før hadde
vært avtalt at Ingegjerd, søster hennes skulle hatt. Kongen skulle
også gi Astrid samme brudegave som han skulle ha gitt Ingegjerd,
søster hennes. Nå gjorde de gjestebudet større, og så ble det drukket
bryllup for kong Olav og dronning Astrid med stor stas.

Etter dette drog Ragnvald jarl tilbake til Götaland, og da de skil-
tes, gav kongen ham store og gode gaver, og de skiltes som de
kjæreste venner, og det vennskapet holdt seg så lenge begge levde.

93. Våren etter kom det sendemenn til Svitjod fra kong Jarisleiv
øst i Holmgard; de kom og ville ha oppfylt avtalen fra sommeren før,
da kong Olav hadde lovt å gifte sin datter Ingegjerd med kong
Jarisleiv. Kong Olav talte med Ingegjerd om saken, og sa han ville
at hun skulle gifte seg med kong Jarisleiv. Hun svarte: «Om jeg skal
gifte meg med kong Jarisleiv,» sa hun, «da vil jeg ha Aldeigjuborg*
og det jarlsriket som hører til borgen i brudegave.» Sendemennene
fra Gardarike gikk med på det på sin konges vegne. Da sa Ingegjerd:
«Om jeg skal dra øst i Gardarike, vil jeg velge en mann som skal
følge med meg fra Sveavelde, den jeg synes høver best til det, og jeg
setter det vilkår at han ikke skal ha lavere rang der øst enn her, og
ikke på noen måte dårligere eller mindre rett og verdighet enn han

Aldeigjuborg, den gamle russiske byen Ladoga.

har her.» Dette gikk kongen med på og sendemennene også; kongen gav sitt ord på det, og sendemennene gjorde det samme.

Så spurte kongen Ingegjerd hva det var for en mann hun ville velge til å følge med seg fra hans rike. Hun svarte: «Mannen heter Ragnvald Ulvsson jarl, min frende.» Kongen svarte: «Jeg hadde tenkt å lønne Ragnvald jarl på en annen måte for det han sveik sin konge og drog til Norge med dattera mi og gav henne som frille til den digre mannen der, han som han visste var den verste uvennen vår. I sommer skal han bli hengt for det.» Ingegjerd bad faren holde ord, når han hadde gitt henne et løfte, og fordi hun bad, ble det til at Ragnvald jarl skulle få dra ut av Sveavelde i fred, men han skulle aldri komme kongen for øynene mer og aldri vise seg i Svitjod engang så lenge Olav var konge.

Ingegjerd sendte bud til jarlen og fortalte ham dette og satte stevne med ham et sted de skulle møtes. Jarlen drog straks av sted og rei opp i Östergötland, fikk seg skip der og seilte så med følget dit han skulle møte Ingegjerd kongsdatter. Så drog de alle sammen øst til Gardarike om sommeren, og så ble Ingegjerd gift med kong Jarisleiv. Sønnene deres var Valdemar, Vissavald og Holte den frøkne. Dronning Ingegjerd gav Ragnvald jarl Aldeigjuborg og det jarlsriket som hørte til der. Ragnvald jarl bodde der lenge; han var en gjæv mann. Sønnene til Ragnvald jarl og Ingebjørg var Ulv jarl og Eiliv jarl.

94. Det var en mann som het Emund fra Skara, han var lagmann der i Västergötland og var en av de klokeste og mest veltalende menn som var. Han var av stor ætt og hadde mange frender, steinrik var han også. Folk sa han var full av baktanker og bare måtelig å stole på. Han var den mektigste mannen i Västergötland, nå som jarlen var borte.

Den våren Ragnvald jarl drog fra Götaland, holdt gøtene ting med hverandre. De spurte hverandre ofte og lurte på hva sveakongen kunne finne på nå; de hadde hørt at han var sint på dem for det de hadde gjort seg venner med Olav, Norges konge, istedenfor å ha ufred med ham, og så at han reiste sak mot de mennene som hadde fulgt Astrid, datter hans, til Norge. Noen sa at de fikk støtte seg til Norges konge og by ham sin tjeneste, noen rådde fra dette, de sa vestgøtene hadde ikke makt til å kjempe mot svearne. «Og Norges konge blir for langt borte fra oss,» sa de, «for den beste delen av landet hans ligger langt fra oss. Det er best vi først sender menn til sveakongen og frister om vi ikke kunne få forlik med ham. Men om ikke det skulle gå, da får vi heller prøve å få støtte hos Norges kønge.»

Bøndene bad Emund ta på seg denne sendeferden, og han sa ja til det og drog av sted med tretti mann. Han kom til Östergötland; der hadde han mange frender og venner, og hos dem ble han godt mottatt. Han talte med de klokeste menn der om det uføret de var kommet i, og de var helt enige alle sammen om at de syntes det var utenfor all lov og skikk, det kongen gjorde mot dem. Så drog Emund opp i Svitjod, og der talte han med mange stormenn, og det gikk like ens alt sammen der også. Så drog han videre helt til han kom til Uppsala en dag mot kvelden. Der fikk de seg godt hus og sov natta over.

Dagen etter gikk Emund til kongen mens kongen satt i et møte, og det var mange mennesker omkring ham. Emund gikk fram til ham, bøyde seg for ham og hilste. Kongen så på ham og hilste og spurte om nytt. Emund svarte: «Det hender ikke stort hos oss gøter. Men her er noe vi synes var en stor nyhet: Atte den dølske i Värmland drog til skogs i vinter med ski og bue, han går for å være en svær jeger hos oss. Han hadde fått så mange gråverkskinn* på fjellet at han hadde fått fylt skisleden sin med så mye som han orket dra med seg. Da han var på hjemvegen fra skogen, så han et ekorn oppe i et tre og skjøt etter det, men bommet. Da ble han sint og slapp sleden og rente etter ekornet. Men ekornet løp hele tida der skogen var tettest, og snart var det nede ved røttene og snart oppe i greinene, og så seilte det gjennom lufta over i et annet tre, og når Atte skjøt etter det, fløy pila alltid enten over eller under. Men ekornet løp aldri slik at ikke Atte kunne se det. Han ble så ivrig på denne jakten at han rente etter ekornet på ski hele dagen, men han fikk ikke tak i det likevel. Da det tok til å mørkne, kastet han seg ned på snøen, slik som han var vant til, og lå der natta over. Det var snøfokk. Dagen etter gikk Atte og lette etter skisleden sin, men han fant den aldri mer, og så måtte han dra hjem uten den. Det var det jeg kan fortelle.»

Kongen sa: «Dette var ikke stort, har du ikke mer å si.» Emund svarte: «Her ganske nylig hendte det noe annet som en må kalle nytt. Gaute Tovesson seilte ut etter Göta älv med fem hærskip, og da han lå ved Eikerøyene, kom det fem store danske kjøpmannsskip der. Gaute og folkene hans vant snart fire av skipene, de mistet ingen folk og tok en mengde gods. Men det femte skipet kom seg unna og ut på havet, og det fikk opp seilet. Gaute seilte etter dem med ett skip, han halte først inn på dem, men så tok været til å vokse, og da gikk kjøpmannsskipet fortere, det kom ut på havet. Da ville Gaute snu. Men nå røk det opp til storm, og skipet hans forliste ved Læsø*, alt gods og det meste av mannskapet strøk med. De andre skipene hans skulle vente ved Eikerøyene. Da kom det daner dit med femten kjøpmannsskip, de drepte alle sammen og tok alt det gods de andre nettopp hadde fått tatt. Det fikk de igjen fordi de var så griske.»

Kongen sa: «Dette var jo store nyheter og vel verd å fortelle. Men hva er det du vil her?» Emund svarte: «Herre, jeg kommer for å få en dom i en vanskelig sak hvor vår lov skiller seg ut fra Uppsala-loven.» Kongen spurte: «Hva er det du vil klage over?» Emund sa: «Det var to menn av edel byrd, like gode i alt, men ulike i rikdom

---

Gråverkskinn, dvs. ekornskinn.
Læsø, i Kattegat.

og sinnelag. De lå i ufred om noe jord, og hver av dem gjorde skade for den andre, men den mest som var mektigst, helt til denne striden ble tatt opp, og det kom dom i den på folketinget. Der ble den som var mektigst dømt til å betale. Men på første forfallsdagen lot han gåsunge gå for gås og grisunge for gammelt svin, og istedenfor ei mark brent gull greidde han ut ei halv mark i gull og den andre halve i leire og boss, og enda lovte han død og fordervelse over den andre som tok imot dette som betaling på gjelda. Hva dømmer De her, herre?» Kongen sa: «Han skal betale fullt ut det han var dømt til, og dessuten tre ganger så mye til kongen sin. Og om det ikke er betalt innen år og dag, skal han fare fredløs fra alt han eier, og halvparten av det skal tilfalle kongen og det andre halve skal den ha som han skulle bøte til.»

Emund tok alle de mektigste menn som var der, til vitne på denne dommen, og viste til de lovene som gjaldt på Uppsalatinget. Etter dette hilste han kongen og gikk ut. Og så kom andre menn til kongen med det de hadde å anke over. Da kongen kom til bords, spurte han hvor Emund lagmann var. Det ble sagt at han var hjemme i herberget. Da sa kongen: «Gå og hent ham, han skal komme i gjestebud hos meg i dag.» Så kom maten inn, og så kom det spillemenn med harper og giger og spill, og så tok de til å skjenke. Kongen var svært lystig, og han hadde så mange mektige menn hos seg, at han glemte å se etter Emund.

Kongen drakk resten av dagen og sov natta etterpå. Men morgenen etter, da kongen våknet, kom han til å tenke på hva Emund hadde snakket om dagen før. Og da han var kledd, kalte han til seg sine viseste menn. Kong Olav hadde tolv av de viseste mennene hos seg, de var med og dømte og gav råd i vanskelige saker. Men det var ikke lett, for kongen likte det ikke om dommene veik av fra det rette, men det kunne ikke nytte å si imot ham. På dette møtet tok kongen ordet, han bad dem først kalle Emund lagmann dit. Men da budet kom igjen, sa det: «Herre, Emund lagmann rei bort i går straks han hadde spist.»

Da sa kongen: «Si meg nå, gode høvdinger, hva mente Emund med det lovspørsmålet han kom med i går?» De svarte: «Herre, De har vel funnet det ut sjøl, om han mente noe annet enn det han sa.» Kongen sa: «De to menn av edel byrd som han fortalte hadde vært uvenner, og den ene var mektigere enn den andre, og de gjorde skade for hverandre, med dem mente han meg og Olav Digre.» «Slik er det, herre,» sa de, «som De sier.» Kongen sa: «Det kom dom i saken for oss på Uppsalatinget. Men hva mente han med det han sa at det var fusk med betalingen, og at gåsunge var reknet som gås og grisunge som gammelt svin, og at halve gullet var leire?»

Arnvid Blinde svarte: «Herre,» sa han, «det er ikke stor likhet mellom rødt gull og leire, men enda mer er det som skiller konge fra trell. De lovte Olav Digre Ingegjerd, datter Deres, og hun er kongebåren til begge sider, og av uppsvears ætt, den ætta som er den høyeste i Norderlanda, for den kommer fra sjølve gudene. Og nå har

Sveakongens rådgivere.

kong Olav fått Astrid, og hun er nok kongsbarn, men mor hennes var tjenestejente og attpå til vendisk. Det er langt imellom to konger når den ene tar imot slikt av den andre og takker til; men det er jo rimelig at ingen nordmann kan måle seg med Uppsalakongen. La oss alle sammen takke for at dette går, gudene har lenge nok hjulpet dem de elsket, men nå er det mange som ikke bryr seg om å tro dette lenger.»

Det var tre brødre, Arnvid Blinde, han så så lite at han snaut kunne ferdes mellom folk, men var svært klok, den andre het Torvid Stamme, han kunne ikke få sagt mer enn to ord i ett sett, han var den djerveste og ærligste der; den tredje het Frøyvid Døve, han hørte lite. Alle brødrene var mektige og rike menn, ættstore og kloke, og kongen satte dem høyt. Da sa kong Olav: «Hva var meningen med det Emund fortalte om Atte Dølske?» Det var det ingen som svarte på, den ene så på den andre. Kongen sa: «Si det nå.» Så sa Torvid Stamme: «Atte, atal, grisk av seg, slem av seg; dølsk, dum.» Da sa kongen: «Hvem er det han sikter til?» Da svarte Frøyvid Døve: «Herre, vi kunne nok tale mer tydelig, om vi fikk lov av Dem.» Kongen sa: «Tal du Frøyvid, jeg gir deg lov til å si det du vil.»

Så tok Frøyvid til orde: «Torvid bror min, som går for å være den klokeste av oss, sier det er ett og det samme alt dette: «Atte og atal, dølsk og dum.» Han sier at slik er den som er så lei av fred at han heller vil slåss for å få noen småtterier; dem får han ikke, men han mister av den grunn store verdifulle ting. Nå er jeg riktignok så døv, men det er så mange som har talt nå, at jeg også har kunnet forstå det at folk ikke liker, enten de er store eller små, at De ikke holder ord til Norges konge, og de liker enda mindre at De bryter den dom som hele folket dømte på Uppsalatinget. De trenger ikke å være redd verken Norges konge eller danekongen eller noen annen så lenge sveahæren vil følge Dem; men om folk i landet vender seg mot Dem som én mann, da kan vi vennene Deres ikke se noen råd som kunne hjelpe mot det.»

Kongen spør: «Hvem er det som var hovedmannen i den planen at dere skulle ta riket fra meg?» Frøyvid svarte: «Alle svear vil ha de gamle lovene og sin fulle rett. Se Dem omkring, herre, og se hvor mange av høvdingene Deres sitter her nå og rådslår med Dem. Sant å si tror jeg vi er her vi seks De rekner for å være Deres rådgivere, men alle andre tror jeg har ridd bort og hjem i bygdene, og der holder de ting med folket i landet. Og når vi skal si sannheten, så er det skåret hærpil, og den er sendt over hele landet, og det er stevnet til straffeting. Alle vi brødre er blitt bedt om å bli med på dette, men det var ingen av oss som ville ha navnet drottensviker, for det var ikke far vår.»

Da tok kongen til orde: «Hva skal vi gjøre for å komme ut av dette igjen? Nå er vi kommet i en lei knipe. Gi meg nå et råd, gode høvdinger, så jeg kan få beholde kongedømmet og farsarven min. Men jeg vil ikke prøve å kjempe mot hele sveahæren.»

Arnvid Blinde svarte: «Herre, jeg tror det blir best om De rir ned til Åros* med de menn som vil følge Dem, der skal De ta skipene Deres og dra ut i Mälaren, og stevne folk der til Dem; men nå må De ikke være stri, by folk lov og landsrett; stans hærpila, den er vel ikke kommet så langt utover landet ennå, for det er gått så kort tid. Send så menn som De stoler på, til de menn som har gjort dette tiltaket, og så får De friste om ikke urolighetene legger seg.» Kongen sa at han ville gå med på dette rådet. «Jeg vil at dere brødre skal dra av sted og gjøre dette,» sa han, «for det er dere jeg stoler mest på av mennene mine.» Da sa Torvid Stamme: «Jeg blir, Jakob reiser; det trengs.» Da sa Frøyvid: «La oss gjøre som Torvid sier, herre; han vil ikke skilles fra Dem i denne fare. Arnvid og jeg skal reise.»

De gjorde som det ble avtalt, kong Olav drog til skipene sine og styrte ut i Mälaren, og det varte ikke lenge før han fikk flere folk. Men Frøyvid og Arnvid rei ut til Ulleråker; de hadde med seg Jakob kongssønn, men de holdt det hemmelig at han var med. Snart merket de at de var kommet opp i hærsamlinger, og bøndene holdt ting natt og dag. Men når Frøyvid og Arnvid møtte folk som var deres frender og venner, sa Frøyvid at de ville slutte seg til flokken, og det tok alle imot og var glade til. Så ble folk enige om at brødrene skulle

Åros, det nåværende Uppsala, ved Fyrisåns gamle utløp.

rå, og hele folkemengden gikk over til dem. Men likevel var alle enige om én ting, de sa at aldri mer ville de ha Olav til konge over seg, og de ville ikke finne seg i slik lovløshet og overmot som at han ikke ville høre på hva noen sa, enda storhøvdingene ville si ham sannheten.

Da Frøyvid så hvor harme folk var, skjønte han også at dette nyttet ikke lenger. Han holdt møte med landets høvdinger, snakket for dem og sa som så: «Jeg synes at om vi skal gi oss ut på så store ting som å ta riket fra Olav Eiriksson, så må vi uppsvear gå i spissen. Det har alltid vært så at det som uppsveahøvdingene er blitt enige om seg imellom, det har de andre folkene i landet også gått med på. Våre fedre har ikke trengt å spørre vestgøtene om råd til å styre landet. Nå skal ikke vi være slike vanslektinger at Emund skal komme her og gi oss råd. Jeg vil at vi skal stå sammen, vi frender og venner, og at vi binder oss til det.» Dette var de enige i alle sammen og syntes det var godt sagt. Etterpå kom hele folkemengden med i det sambandet uppsveahøvdingene hadde gjort med hverandre. Frøyvid og Arnvid ble høvdinger for denne hæren.

Da Emund merket dette, ble han redd for hvordan det skulle gå med tiltaket. Så gikk han til de to brødrene, og de hadde en samtale; da spurte Frøyvid Emund: «Hva har dere nå tenkt, om dere tar livet av Olav Eiriksson; hvem vil dere ha til konge da?» Emund sa: «Den som vi synes høver best til det, enten han er av høvdingætt eller ikke.» Frøyvid svarte: «Vi uppsvear vil ikke at kongedømmet skal gå ut av ætta etter de gamle kongene nå i våre dager, når vi har så godt å velge mellom som vi har. Kong Olav har to sønner, og en av dem vil vi ha til konge. Men det er enda stor skilnad på dem, den ene er ekte født og svensk i all si ætt, den andre sønn til en tjenestekvinne og halvt vendisk av ætt.»

På denne uttalelsen fulgte det høye tilrop, alle ville ha Jakob til konge. Så sa Emund: «Dere uppsvear har makten og får rå denne gangen. Men det sier jeg dere, og slik kommer det til å gå, at noen av dere som nå ikke vil høre tale om annet enn at kongedømmet i Svitjod skal bli i kongsætta, dere kommer sjøl til å leve og gi samtykke til at kongedømmet går over i andre ætter, og det kommer også til å bli bedre.»

Etter dette lot brødrene Frøyvid og Arnvid leie fram Jakob kongssønn på tinget, og de lot ham få kongsnavn der; dertil gav svearne ham navnet Anund, og det ble han alltid kalt siden. Da var han ti–tolv år gammel. Så tok kong Anund seg en hird, og valgte høvdinger til å følge seg, og da hadde de til sammen så stor hær som han syntes han trengte, og så gav han hele bondemugen hjemlov.

Så gikk det sendemenn mellom kongene, og så ble det til at de møttes sjøl og sluttet forlik. Olav skulle være konge over landet så lenge han levde, han skulle også holde fred og forlik med Norges konge og med alle de menn som hadde vært innviklet i disse sakene. Anund skulle også være konge, og han skulle ha så mye av landet som de to, far og sønn, ble enige om; men han skulle være pliktig til å følge bøndene, om kong Olav gjorde noe slikt som bøndene ikke ville finne seg i av ham.

Så gikk det sendemenn til kong Olav i Norge, de skulle si at han skulle komme til stevneleidang til Konghelle og møte sveakongen, og videre at sveakongen ville de skulle trygge forliket. Da kong Olav hørte dette budskapet, var han like ivrig etter å få fred nå som før, og han drog av sted med flåten, slik som avtalt. Der kom da sveakongen, og da de to mågene møttes, bandt de seg til hverandre med fred og forlik. Da var Olav sveakonge lett å tale med, spak og føyelig.

Torstein Frode* sier at det var ei bygd på Hisingen som snart hadde fulgt med Norge og snart med Götaland. Nå avtalte kongene med hverandre at de skulle kaste lodd om hvem som skulle eie den; de skulle kaste terninger, og den som fikk størst tall, skulle ha den. Sveakongen kastet to seksere, og så sa han at kong Olav trengte ikke kaste. Han ristet terningene i handa og sa: «Det er to seksere på terningene ennå, og det er ingen sak for Gud min herre å la dem komme opp.» Han kastet, og det kom opp to seksere. Så kastet Olav sveakonge, og det ble to seksere igjen. Så kastet Olav, Norges konge, og da kom det opp seks på den ene, men den andre gikk i stykker, så det kom opp sju på den. Da fikk han bygda. Vi har ikke hørt noe annet å fortelle fra dette møtet. Kongene skiltes som forlikte.

95. Etter dette som nå er fortalt, vendte kong Olav tilbake i Viken med hæren; han drog først til Tønsberg, og der ble han en liten stund, så drog han nord i landet, og kom helt nord i Trondheimen om høsten; der lot han gjøre i stand for vinteren, og ble der vinteren over. Nå var Olav enevoldskonge over hele det riket som Harald Hårfagre hadde hatt, og det så mye mer som han var den eneste kongen i landet. Han hadde fått den delen av landet som Olav sveakonge hadde hatt, med fred og forlik, men den delen av landet som danekongen hadde hatt, tok han med makt, og han rådde over den delen like så vel som annensteds i landet. I den tida rådde Knut danekonge for både England og Danmark; han var for det meste i England sjøl, og satte høvdinger til å styre i Danmark; han gjorde ikke krav på Norge den gangen.

96. Det er fortalt at Orknøyene ble bygd i de dager da Harald Hårfagre var konge i Norge; før hadde det vært vikingbøle der. Den første jarlen på Orknøyene het Sigurd; han var sønn til Øystein Glumra, og bror til Ragnvald Mørejarl. Etter Sigurd var Guttorm, sønn hans, der en vinter. Etter ham fikk Torv-Einar jarledømmet, sønn til Ragnvald Mørejarl; han var jarl lenge, og var en mektig mann. Halvdan Hålegg, sønn til Harald Hårfagre, gikk mot Torv-Einar og dreiv ham bort fra Orknøyene. Einar kom tilbake og drepte Halvdan på Rinansøy. Etter dette kom kong Harald til Orknøyene med en hær. Da rømte Einar opp i Skottland. Kong Harald lot orknøyingene sverge at han skulle få all odelen. Så ble kongen og

---

Torstein Frode er en ellers ukjent sagnforteller.

Kongene kaster terninger om ei bygd på Hisingen.

jarlen forlikte; jarlen ble hans mann og fikk landet i len av kongen, men han skulle ikke svare noen skatt av det, for det lå så utsatt for herjinger. Jarlen bøtte seksti mark gull til kongen. Så herjet kong Harald i Skottland, slik det heter i Glymdråpa.

Etter Torv-Einar rådde sønnene hans for øyene, det var Arnkjell, Erlend og Torfinn Hausakljuv. I deres tid kom Eirik Blodøks fra Norge, og så stod jarlene under ham. Arnkjell og Erlend falt på hærferd, men Torfinn styrte landet og ble en gammel mann. Hans sønner var Arnfinn, Håvard, Lodve, Ljot og Skule; mora deres var Grelod, som var datter til Dungad jarl på Katanes; hennes mor var Groa, datter til Torstein Raud. I Torfinn jarls siste tid kom Blodøks-sønnene fra Norge, de hadde rømt unna for Håkon jarl. De herjet fælt på Orknøyene.

Torfinn jarl døde av sjukdom. Sønnene hans rådde over øyene etter ham, og det går lange frasagn om dem. Lodve levde lengst av dem, og da rådde han alene for øyene; sønn hans var Sigurd Digre, han ble jarl etter ham. Det var en mektig mann, og en svær hærmann. I hans dager kom Olav Tryggvason fra vesterviking med hæren sin, han la til i Orknøyene og tok Sigurd jarl til fange på Ragnvaldsøy da han lå der med bare ett skip. Kong Olav tilbød jarlen å få løse livet om han tok imot dåpen og den rette tro og ble hans mann og bød kristendom på alle Orknøyene. Kong Olav tok sønn hans til gissel, han het Hunde eller Valp. Derfra drog kong Olav til Norge, og der ble han konge. Hunde var hos kong Olav noen år, så døde han, og siden viste ikke Sigurd jarl noen lydighet mot kong Olav. Han giftet seg med datter til Melkolm* skottekonge; sønn deres het Torfinn; det var noen eldre sønner av Sigurd jarl også: Sumarlide, Bruse og Einar Vrangmunn.

Fire eller fem år etter at kong Olav Tryggvason hadde falt, drog Sigurd jarl til Irland, han satte de eldste sønnene sine til å styre landet. Han sendte Torfinn til skottekongen, som var morfar hans. På den ferden falt Sigurd jarl i Briansslaget*. Da det ble kjent på Orknøyene, ble de tre brødrene Sumarlide, Bruse og Einar tatt til jarler, og de delte øyene mellom seg i tre deler. Torfinn Sigurdsson var fem år gammel da Sigurd jarl falt. Da skottekongen fikk vite at Sigurd var falt, gav han Katanes og Suderland til Torfinn, frenden sin, og gav ham jarls navn og satte menn til å styre riket for ham. Torfinn jarl var tidlig moden i oppveksten på alle måter, han var stor og sterk, en stygg mann, og ettersom han vokste til, var det lett å se at han ble en grisk mann, hard, grusom og svært klok. Dette nevner Arnor Jarlaskald:

Yngre var vel ingen   *som land tok og verget,*
under himlens skytak   *enn tapre bror til Einar.*

97. De to brødrene Einar og Bruse liknet ikke hverandre i sinn; Bruse var grei og omgjengelig, klok og veltalende og vennesæl. Einar var stri, fåmælt og menneskesky, grisk og pengesjuk og en svær hærmann. Sumarlide liknet Bruse på sinnelaget; han var den eldste og levde kortest av brødrene, han døde av sjukdom. Etter at han var død, krevde Torfinn sin del av Orknøyene. Einar svarte at Torfinn hadde Katanes og Suderland, det var et rike som Sigurd jarl, far deres hadde hatt, og det var mye større enn en tredjedel av Orknøyene, og han ville ikke la Torfinn få noen i skiftet; men Bruse lot skifte for sin del. «Jeg vil ikke streve etter å få mer av øyene enn den tredjedelen jeg kan få ha i fred,» sa han. Da tok Einar to tredjedeler av øyene, han ble en mektig mann og hadde en stor hær, om sommeren var han ofte i hærferd og hadde stort oppbud av folk på øyene, men det var svært ujamt med hvor mye utbytte de fikk på vikingtogene. Da ble bøndene leie av dette slitet, men jarlen dreiv på like grådig med påleggene, og sa det skulle ikke gå dem godt om de sa noe imot. Einar jarl var en fælt ustyrlig kar. Så ble det uår i riket hans for alt dette slitet og utgiftene som bøndene hadde;

Malcolm mac Kenneth var konge i Skottland 1005–1034.
Briansslaget stod ikke i 1004 eller i 1005 som Snorre mener, men i 1014.

Vikinger seiler inn til Orknøyene.

men i den delen av landet som Bruse hadde, var det godt år og godt utkomme for bøndene, og derfor var han vennesæl.

98. Det var en mann som het Åmunde, han var mektig og rik, og bodde i Sandvik* på Laupandanes på Rossøy*. Sønn hans het Torkjell, det var den kjekkeste karen på Orknøyene. Åmunde var en svært klok mann og en av de menn som stod høyest på øyene.

Så var det en vår Einar jarl hadde oppbud igjen som han var vant med. Bøndene brukte seg og klagde sin nød for Åmunde og bad ham gå i forbønn for dem hos jarlen. Han svarte: «Jarlen bryr seg ikke om det folk sier til ham,» og han sa det kunne ikke nytte å be jarlen om noe, verken dette eller noe annet. «Jarlen og jeg er gode venner nå, så lenge det varer, men jeg er redd det blir ulykker av det om vi skulle bli usams, slik som vi er laget begge to. Jeg vil ikke legge meg opp i dette,» sa Åmunde.

Så gikk de til Torkjell og snakket med ham om saken, han ville nødig, men lovte det likevel til slutt, da de hadde bedt ham lenge. Åmunde mente han hadde vært for snar til å love. Da jarlen holdt ting, talte Torkjell på bøndenes vegne. Han bad jarlen skåne bøndene for pålegg, og holdt fram nøden blant folk. Jarlen svarte pent, han sa at han skulle ta mye hensyn til det Torkjell sa. «Jeg hadde tenkt å få med seks skip her fra landet, men nå skal jeg bare kreve tre. Men du Torkjell, du skal ikke be om slikt oftere.» Bøndene takket Torkjell svært for hjelpen.

Så drog jarlen i viking, og om høsten kom han tilbake. Neste vår kom jarlen med samme bud som vanlig, og holdt ting med bøndene. Da talte Torkjell igjen og bad jarlen skåne bøndene. Jarlen svarte i sinne, han sa bøndene skulle få det mye verre når han snakket for dem. Han slo seg så vill og gal at han sa de skulle ikke komme levende på tinget begge to neste vår, og så ble tinget oppløst.

Da Åmunde fikk vite hva Torkjell og jarlen hadde sagt til hverandre, bad han Torkjell dra bort, og han satte over til Katanes til Torfinn jarl. Torkjell var der i lang tid etterpå, det var stort venn-

Sandvik på østsida av halvøya Dyrnes øst på Mainland.
Rossøy, nå Mainland, den største av Orknøyene.

skap mellom ham og jarlen mens jarlen var ung, han ble kalt Tor-
kjell Fostre siden og var en stor mann. Det var flere mektige menn
som rømte fra odelen sin på Orknøyene for Einar jarls hardstyre; de
fleste satte over til Katanes til Torfinn jarl, men det var noen som
flyktet til Norge også fra Orknøyene, og andre rømte til andre land.

Da Torfinn jarl ble voksen, sendte han bud til Einar jarl, bror sin,
og krevde å få av ham det riket han mente han skulle eie på Orkn-
øyene, og det var en tredjedel av øyene. Einar hadde ikke lyst på å
gjøre riket sitt mindre. Da Torfinn hørte det, bød han opp hær på
Katanes og satte over til øyene. Og da Einar jarl fikk vite dette,
samlet han hær og ville verge landet. Bruse jarl samlet også folk, han
kom og møtte dem og gikk imellom og prøvde å få i stand forlik. Så
ble de forlikt om at Torfinn skulle få den tredjedelen av landet på
Orknøyene, som han skulle ha med rette. Einar og Bruse slo sam-
men sine deler, og Einar skulle rå for dem alene. Men om den ene
døde før den andre, så skulle den som levde lengst, arve landet etter
den andre. Denne avtalen syntes ikke folk var rimelig, for Bruse
hadde en sønn som het Ragnvald, men Einar var sønneløs.

Torfinn jarl satte folk til å ta vare på det riket han hadde på
Orknøyene, sjøl var han for det meste på Katanes. Einar jarl var
mest på hærferd om sommeren, omkring i Irland og Skottland og
Bretland. En sommer Einar jarl herjet i Irland, kjempet han med
irerkongen Konofogor i Ulvreksfjorden, som før skrevet; Einar jarl
ble slått og mistet en mengde folk.

Sommeren etter drog Øyvind Urarhorn vest fra Irland og skulle
til Norge. Men det ble kvast vær og så sterk strøm at han ikke kom
fram, og så la han inn i Åsmundarvåg* og ble liggende værfast der
en stund. Da Einar jarl fikk høre det, styrte han dit med en stor flåte
og tok Øyvind og lot ham drepe; men han gav grid til de fleste av
mennene hans, og de seilte til Norge om høsten og kom til kong Olav
og fortalte at Øyvind var drept. Kongen svarte ikke stort på det, men
det var lett å skjønne at han syntes han hadde mistet en god mann,
og at dette måtte være gjort rent på trass mot ham. Han var nesten
alltid fåmælt om ting som gikk ham imot.

Torfinn jarl sendte Torkjell Fostre ut på øyene for å samle inn
skattene til ham. Einar jarl gav Torkjell en stor del av skylden for
at Torfinn hadde reist krav om noe der ute på øyene. Torkjell
skyndte seg ut av øyene igjen og over på Katanes. Han fortalte
Torfinn jarl at han hadde fått vite at Einar jarl ville ha drept ham om
ikke frendene og vennene hans hadde varskudd ham. «Og nå gjelder
det for meg,» sa han, «neste gang jeg møter jarlen, å la det bli en
avgjørelse mellom oss, eller også må jeg reise lenger unna, dit han
ikke har noen makt.»

Jarlen ville helst at Torkjell skulle reise østover til Norge og til
kong Olav. «Du kommer til å bli satt høyt, hvor du så kommer blant
høvdinger,» sa han, «og jeg kjenner dere begge to så godt, både deg

Åsmundarvåg, nå Osmondwall.

Jarlen slo seg vill og gal.

og jarlen, at jeg vet dere er ikke lenge om å ta sikte på hverandre.»
Så gav Torkjell seg i veg og kom til Norge om høsten og deretter til
kong Olav. Han var hos kongen vinteren over, og kongen likte ham
godt. Han snakket ofte med Torkjell, for han syntes som sant var,
at Torkjell var en klok mann, og en kraftkar. Kongen merket på det
han sa, at han var svært ujevn når han snakket om jarlene, han var
en stor venn av Torfinn, men han snakket vondt om Einar jarl.

Tidlig på våren sendte kongen et skip vest over havet til Torfinn
jarl med budskap om at jarlen skulle komme østover til kongen.
Jarlen lot seg ikke be to ganger, for det fulgte løfte om vennskap
med budet.

99. Torfinn jarl drog øst til Norge, han kom til kong Olav og ble
godt mottatt der. Han ble der lenge utover sommeren. Og da han
skulle seile vestover igjen, gav kong Olav ham et stort og godt lang-
skip med fullt utstyr. Torkjell Fostre ville også reise sammen med
jarlen da, og jarlen gav ham det skipet han sjøl hadde hatt med
vestafra om sommeren. Kongen og jarlen skiltes som de kjæreste
venner.

Torfinn jarl kom til Orknøyene om høsten. Da Einar jarl fikk høre
det, hadde han mange folk hos seg og ble liggende ute på skipene.
Bruse jarl kom til begge brødrene igjen og søkte å få dem forlikte,
og så ble de forlikte enda en gang, og dette bandt de med eder.
Torkjell Fostre og Einar jarl skulle være venner og forlikte, og det

Torkjell Fostre etter drapet på Einar jarl.

ble avtalt at de skulle gi gjestebud for hverandre, og jarlen skulle komme først til Torkjell i Sandvik.

Jarlen kom der, og gjestebudet ble gitt med stor stas, men jarlen var ikke i godlag. Det var ei stor gjestestue der med dør i begge ender. Samme dagen jarlen skulle reise, skulle Torkjell følge med til gjestebud hos ham. Torkjell sendte noen folk i forvegen for å holde utkik på vegen de skulle ri om dagen, og da mennene kom tilbake, kunne de fortelle Torkjell at de hadde funnet tre bakhold og folk med våpen. «Vi tror dette må være svik,» sa de. Da Torkjell fikk vite dette, lot han det dra ut med å bli ferdig til reisen og hentet til seg mennene sine. Jarlen bad ham se til å bli ferdig, og sa det var på tide å ri av sted. Torkjell sa han hadde så mye å se etter, han gikk ut og inn hele tida.

Det brant på ildstedene på golvet. Så kom han inn den ene døra, og etter ham kom det en mann som het Hallvard, han var islending og fra Austfjordene, han lukket døra etter seg. Torkjell gikk innover mellom ildstedet og der jarlen satt. Jarlen spurte: «Er du ikke ferdig ennå?» Torkjell svarte: «Jo, nå er jeg ferdig.» Og så hogg han til jarlen i hodet. Jarlen stupte på golvet. Da sa islendingen: «Jeg har

aldri sett så tafatte som dere er; at dere ikke drar jarlen ut av ilden.»
Han kjørte ei stridsøks inn under nakkebeinet på jarlen og lempet
ham opp på fotpallen. Torkjell og islendingen skyndte seg ut gjen-
nom en annen dør enn der de kom inn, og der utenfor stod Torkjells
menn fullt væpnet.

Jarlens menn tok seg av ham, men da var han død; alle var så
handfalne at ingen kom seg til å hevne. Saken var at det gikk så fort
for seg, og det var ingen som ventet seg en slik gjerning av Torkjell;
de trodde alle sammen at det skulle bli slik som det nettopp hadde
vært avtalt at det skulle være, vennskap mellom Torkjell og jarlen.
Dessuten var de fleste som var der inne, våpenløse, og mange av
dem hadde vært Torkjells gode venner før. Og så var det vel lagna-
den som gjorde det; det var så laga at Torkjell skulle leve lengst. Da
Torkjell kom ut, hadde han ikke mindre mannskap han enn jarlens
folk. Torkjell gikk til skipene sine, og jarlsmennene drog bort. Tor-
kjell seilte ut straks samme dagen og øst i havet; det var etter vin-
ternatt, men han kom vel fram til Norge og skyndte seg til kong
Olav. Der ble han godt mottatt. Kongen var vel nøyd med det han
hadde gjort. Torkjell ble hos ham vinteren over.

100. Etter at Einar jarl hadde falt, tok Bruse den delen av landet
som Einar jarl hadde hatt før, for det var mange som kunne vitne om
den avtalen Einar og Bruse hadde gjort da de gikk i lag med hver-
andre. Men Torfinn syntes det var riktigst at de fikk halvparten hver
av øyene. Likevel hadde Bruse to tredjedeler av landene den vinteren.

Våren etter gjorde Torfinn krav på dette landet hos Bruse, han
ville ha halvparten av Bruse, men Bruse ville ikke gå med på det. De
holdt ting og stevne om denne saken, vennene deres gikk imellom
og prøvde å få dem forlikte i saken. Men det endte med at Torfinn
sa han ikke ville være nøyd med mindre enn å få halvparten av
øyene, og han sa like ut at Bruse trengte ikke mer enn en tredjedel,
slikt sinn som han hadde. Bruse sa: «Jeg var tilfreds da jeg hadde
den tredjedelen av landet som jeg tok i arv etter far min,» sa han,
«og det var heller ikke noen som gjorde krav på den. Nå har jeg
arvet en tredjedel til etter bror min, med rettmessige avtaler. Og
enda jeg kanskje ikke duger til å måle meg med deg i strid, bror, så
vil jeg likevel prøve en annen utveg enn den å gi fra meg riket slik
uten videre.» Dermed sluttet møtet.

Bruse innså at han ikke hadde makt til å holde seg ved sida av
Torfinn, for Torfinn hadde mye større rike og dessuten hjelp av
skottekongen, som var morfar hans. Da fant Bruse på den utveg å
reise fra landet og øst til kong Olav; han tok med seg sønnen Ragn-
vald, som var ti år gammel dengang. Da jarlen kom inn til kongen,
tok kongen godt imot ham. Jarlen kom fram med ærendet sitt og
fortalte kongen hele saken og hvordan alt hadde gått for seg mellom
brødrene; han bad kongen hjelpe seg å få ha riket sitt i fred, og bød
til gjengjeld fullt vennskap.

Kongen svarte. Han tok først til å tale om hvordan Harald Hår-
fagre hadde tatt all odelen på Orknøyene, og jarlene hadde alltid

siden hatt øyene i len og aldri til eiendom. «Det kan vi se av det,» sa han, «at da Eirik Blodøks og sønnene hans var på Orknøyene, så stod jarlene under dem, og da min frende Olav Tryggvason kom dit, ble Sigurd jarl, far din, hans mann. Nå har jeg tatt hele arven etter kong Olav. Jeg stiller deg det vilkår at du skal bli min mann, og så skal jeg gi deg øyene i len. Om jeg så gir deg min støtte, så får vi se hva som hjelper mest, det eller den hjelpen Torfinn bror din kan få av skottekongen. Men går du ikke med på det vilkåret, så vil jeg gjøre krav på den odel og eiendom som våre frender og forfedre har hatt der vest.»

Denne talen la jarlen seg på sinne, han tenkte på den og forela den for vennene sine, han spurte dem om råd, hva han burde gi sitt samtykke til, om han skulle forlike seg med kong Olav om dette og bli hans mann. «Jeg er slett ikke sikker på hvordan det vil gå meg når vi skilles, om jeg sier nei til det; for kongen har sagt åpent fra om det krav han har på Orknøyene. Og så mektig som han er, og når vi dessuten er kommet hit, så er det en lett sak for ham å gjøre med oss hva han får lyst på.» Jarlen syntes det ble galt hva han gjorde, men han valgte likevel å legge alt i kongens hand, både seg og sitt rike. Så fikk kong Olav av jarlen makt og styring over alle jarlens arveland. Jarlen ble hans mann og svor ham eder.

101. Torfinn jarl fikk høre at Bruse, bror hans, hadde dradd østpå til kong Olav og ville få hjelp hos ham. Men ettersom Torfinn alt hadde vært hos kong Olav før og møtt vennskap der, så mente han saken lå godt til rette for ham; han visste at det var mange der som ville tale hans sak. Men han mente likevel at det ville bli enda flere om han kom der sjøl, og så gjorde Torfinn jarl opp med seg sjøl at han ville skynde seg av sted østover til Norge, han mente Bruse skulle få så lite forsprang som mulig, og at han ikke skulle få fullført sitt ærend før Torfinn møtte kongen.

Men det gikk annerledes enn jarlen hadde ventet, for da Torfinn kom til kong Olav, var overenskomsten mellom kongen og Bruse jarl alt fullt ferdig. Torfinn jarl visste heller ikke noe før han kom til kong Olav, om at Bruse jarl hadde gitt opp riket sitt. Og da Torfinn jarl og kong Olav møttes, tok kong Olav med én gang opp samme kravet på riket i Orknøyene som han hadde kommet med til Bruse jarl, og han krevde det samme av Torfinn, at han skulle samtykke i å gi kongen den delen av øyene som han hadde eid før.

Jarlen svarte pent og rolig på kongens ord, han sa han syntes mye fikk komme an på om han da ville få kongens vennskap. «Og dersom De, herre, mener De trenger min hjelp mot andre høvdinger, så har De gjort Dem fullt fortjent til det alt før, men jeg kan ikke godt bli Deres handgangne mann, for jeg er skottekongens jarl alt og skylder ham lydighet.»

Men da kongen skjønte på jarlens svar at han drog seg unna for det kongen ville ha ham til, så sa han: «Om ikke du, jarl, vil bli min mann, så står det meg fritt å sette den mannen jeg vil over Orknøyene. Men jeg vil at du skal avlegge ed på ikke å gjøre krav på de landene, og la de menn jeg setter over dem, være i fred for deg. Går du ikke med på noen av disse vilkårene, så må den som kommer til å rå for landene, vente seg ufred av deg, og da kan du ikke synes det er noe underlig om det kommer til å stå hardt imot hardt.»

Jarlen svarte med å be ham gi seg en frist, så han fikk tenkt over saken. Kongen gjorde så, gav jarlen en stund å områ seg på og spørre sine menn hva han burde gjøre. Da krevde han at kongen skulle gi ham frist til neste sommer så han fikk dra vest over havet først, for han hadde rådgiverne sine hjemme, og han sjøl var bare barnet ennå, så ung. Kongen sa han fikk velge nå.

Torkjell Fostre var hos kong Olav da. Han sendte hemmelig bud til Torfinn jarl og sa at hva han så tenkte å gjøre, så måtte han ikke gi seg til å skilles fra kong Olav uten å være forlikt med ham, nå som han var kommet i hendene på kongen. Da jarlen fikk en slik påminning, skjønte han at han ikke hadde noe annet valg enn å la kongen rå denne gangen. Han hadde liten lyst på å miste alt håp om å få sin egen ættearv, men derimot sverge at de som ikke var født til det, skulle få ha riket i ro. Og da han ikke kunne se hvordan han skulle komme bort, valgte han heller å bli kongens handgangne mann, slik som Bruse hadde gjort. Kongen merket at Torfinn hadde et stoltere sinn enn Bruse, og at han følte denne ydmykelsen mer; kongen stolte ikke så mye på Torfinn som på Bruse, og kongen skjønte at Torfinn kunne vente å få hjelp av skottekongen om han brøt dette forliket. Kongen hadde så mye vett at han skjønte Bruse nødig gikk til forlik av alle slag, men han lovte til gjengjeld ikke mer enn det han hadde tenkt å holde. Torfinn derimot, da han først hadde valgt hva han ville gjøre, gikk glatt med på alle avtaler, og sa ikke noe mer om det når han først hadde lovt noe. Men dette fikk kongen til å tvile på at jarlen ville holde avtalene.

102. Da kong Olav fikk tenkt over hele denne saken med seg sjøl, lot han blåse til et stort stevne, og lot jarlene kalle dit. Så sa kongen: «Det er forliket mellom meg og Orknøyjarlene som jeg nå vil kunngjøre for alt folket. De har nå gått med på at jeg har eiendomsretten til Orknøyene og Hjaltland, de har begge to blitt mine menn og svoret meg eder. Nå vil jeg gi dem dette i len, Bruse skal ha en tredjedel av landene og Torfinn den andre tredjedelen, slik som de før har hatt. Men den tredjedelen som Einar Vrangmunn hadde, den vil jeg sjøl ha i bøter fordi han drepte Øyvind Urarhorn, som var hirdmannen min og min kjære venn og handelsfelle. Den delen av landene vil jeg stelle med som jeg sjøl synes. Jeg stiller også det krav til dere, mine jarler, at dere skal ta imot forlik av Torkjell Åmundason for drapet på Einar, bror deres. Den dommen vil jeg skal komme under meg, om dere vil gi samtykke til det.» Og det gikk med dette som med det andre, jarlene gikk med på alt kongen sa. Så stod Torkjell fram og gav saken inn under kongens dom, og slik sluttet tinget. Kong Olav dømte bøter for Einar som for tre lendmenn, men tredjedelen av boten skulle falle bort fordi Einar sjøl hade skyld.

Så bad Torfinn jarl kongen om hjemlov, og straks jarlen fikk det, skyndte han seg å bli ferdig til å reise. Da jarlen var helt ferdig til å dra av sted, var det en dag han satt om bord i skipet og drakk, så kom Torkjell Åmundason helt uventende til ham og la hodet sitt i fanget til jarlen og bad ham gjøre med det som han ville. Jarlen spurte hvorfor han bar seg at slik, «vi er jo alt forlikte etter kongens dom. Stå opp du, Torkjell.» Han gjorde så. Så sa Torkjell: «Det forliket som kongen fikk i stand, skal jeg holde så langt det gjelder Bruse og meg, men det som kommer deg ved, skal du rå for alene. Kongen har nok tilstått meg eiendommer på Orknøyene og rett til å være der, men jeg kjenner deg så godt at jeg vet det er uråd for meg å dra til Orknøyene uten at jeg har Deres tilsagn om fred når jeg kommer dit, jarl. Jeg vil love Dem,» sa han, «at jeg aldri skal komme til Orknøyene, hva så kongen sier til det.»

Jarlen tidde, det varte lenge før han sa noe, og da svarte han: «Vil du, Torkjell, at jeg skal dømme i saken mellom oss heller enn å følge kongens dom? Da vil jeg at første vilkår for forliket skal være at du følger med meg til Orknøyene og blir hos meg og aldri skilles fra meg uten jeg gir lov og samtykke til det. Du skal være pliktig til å verge landet for meg og gjøre alt det jeg vil, så lenge vi lever begge to.» Torkjell sa: «Dette skal ligge helt i Deres hand, jarl, likesom alt annet som jeg kan rå for.» Så gikk Torkjell bort og lovte jarlen fullt og fast alt dette som han krevde. Jarlen sa at pengebøtene kunne de snakke om siden, men han tok Torkjell i ed straks. Så gjorde Torkjell seg ferdig til å reise med jarlen, jarlen drog av sted da han var ferdig, og han og kong Olav så hverandre aldri mer.

Bruse jarl ble igjen og gav seg mer tid med å bli reiseklar. Før han reiste, hadde kong Olav møte med ham og sa: «Jeg synes det ser ut til at du, jarl, blir en mann jeg kan lite på der vest for havet. Jeg har tenkt at du skal få de to tredjedelene av øyene å styre som du har hatt før, for jeg vil ikke at du skal være mindre mann og ha mindre makt når du er min handgangne mann, enn du var før. Men jeg vil binde deg til troskap på den måten at jeg vil sønnen din, Ragnvald, skal bli igjen her hos meg. Når du så har meg i ryggen og to tredjedeler av øyene, så skulle jeg tro du måtte kunne få ha det som med rette er ditt i fred for Torfinn, bror din.» Bruse tok imot med takk å få to tredjedeler av øyene. Etter dette ble Bruse der bare en kort stund før han drog bort, og om høsten kom han til Orknøyene.

Ragnvald, sønn til Bruse, ble igjen østpå hos kong Olav; han var så vakker som få, hadde stort hår, gult som silke; han ble tidlig stor og sterk og var en usedvanlig kjekk kar, både når det gjaldt å ha vett og å føre seg høvisk. Han ble hos kong Olav i lang tid siden. Ottar Svarte nevner dette i den dråpa han diktet om kong Olav:

Fast og strengt du holder
på storkongenes velde;
hjaltlendinger teller
du blant dine tegner.

Før deg ingen stridsdjerv
yngling* her på jorda
vant under seg øst fra
øyer vest for havet.

Yngling, dvs. av Ynglingætta.

103. Da de to brødrene Torfinn og Bruse kom vest til Orknøyene, tok Bruse og styrte to tredjedeler av landet, og Torfinn en tredjedel. Han var mest på Katanes og i Skottland og satte noen av sine menn over øyene. Så hadde Bruse alene hele landvernet for øyene, og på den tida var de svært utsatte for herjinger; nordmenn og dansker herjet ofte i vesterviking, og de kom ofte innom Orknøyene når de drog vestover eller kom vestfra, og så røvet de på nesene. Bruse snakket til Torfinn bror sin om dette, at Torfinn hadde ingen utgifter til Orknøyene og Hjaltland, men han tok inn alle skatter og skylder av sin del. Da tilbød Torfinn ham at Bruse kunne få en tredjedel av landene og Torfinn to tredjedeler, og så skulle Torfinn alene ha landvernet for begge to. Dette skiftet kom ganske visst ikke i stand med én gang, men det er likevel fortalt i Jarle-sagaene at det kom i stand siden, så Torfinn fikk to tredjedeler og Bruse én da Knut den mektige hadde lagt Norge under seg, og kong Olav hadde reist fra landet.

Torfinn Sigurdsson jarl er den gjæveste jarl som har vært på øyene, og den som har hatt størst makt av Orknøyjarlene. Han tok Hjaltland og Orknøyene og Suderøyene*. Han hadde et stort rike i Skottland og Irland også. Om dette sier Arnor Jarlaskald:

Hæren lystret Torfinn
fra Tusseskjær til Dublin.

Jeg sier sant om gullets
herre, for slik var han.

Torfinn var en stor hærmann. Han var fem år gammel da han fikk jarledømmet, og han rådde for det mer enn seksti år*; han døde av sjukdom i Harald Sigurdssons siste dager. Bruse døde på Knut den mektiges tid, litt etter at kong Olav den hellige hadde falt.

104. Her går nå to sagaer fram, og nå tar vi fatt igjen der vi slapp før, der Olav Haraldsson hadde sluttet fred med Olav sveakonge, og kong Olav drog nordover til Trondheimen samme sommer. Da hadde han vært konge i Norge i fem år. Den høsten laget han i stand for vinteren i Nidaros, og ble der vinteren over. Torkjell Åmundason var hos kong Olav den vinteren, som før skrevet. I samtaler kom kong Olav støtt inn på kristendommen, og spurte etter hvordan den ble holdt omkring i landet. Han fikk høre at straks en kom nord på Hålogaland, fantes det ingen kristendom, og det skortet ennå mye på at det var som det skulle i Namdalen og det indre av Trondheimen også.

Det var en mann som het Hårek, han var sønn til Øyvind Skaldespille. Han bodde på ei øy som heter Tjøtta, den er på Hålogaland. Øyvind hadde ikke vært noen svært rik mann, men ættstor og en mann det stod age av. Dengang bodde det bare småbønder på Tjøtta, og det var ikke få av dem. Hårek kjøpte først en gard der som ikke var svært stor; så flyttet han dit, og få år etter hadde han

---

Suderøyene, nå Hebridene.
Seksti år. Det korrekte er femti år; *Torfinn* døde i 1064 el. 1065.

Kong Olav gjør seg ferdig med fem skip.

fått ryddet unna alle de bøndene som bodde der før, så at han eide hele øya alene, og der satte han opp en stor hovedgard. Hårek ble snart en grunnrik mann; han var en mann med godt vett som visste å komme seg fram. Han hadde lenge stått høyt hos høvdingene, han reknet seg i skyld til Norges konger, og derfor hadde Hårek mye å si hos landets høvdinger. Gunnhild, farmor til Hårek, var datter til Halvdan jarl og Ingebjørg som var datter til Harald Hårfagre.

Hårek var nokså gammel da dette hendte. Hårek var den største mannen i Hålogaland; han hadde handelen med finnene i lange tider og kongssysla i Finnmark; dette hadde han noen ganger hatt helt alene, og til andre tider hadde andre delt med ham. Han hadde ikke vært hos kong Olav, men det hadde gått bud og sendemenn mellom dem, og alt gikk i vennskap. Og nå denne vinteren da kong Olav var i Nidaros, gikk det bud igjen mellom kongen og Hårek fra Tjøtta. Da lyste kongen at til sommeren ville han dra nord til Hålogaland og helt nord til landegrensa. Men håløygene hadde sine tanker om denne reisa.

105. Om våren gjorde da kong Olav seg ferdig med fem skip, han hadde nesten tre hundre mann. Da han var ferdig, drog han av sted nordover langs landet, og da han kom inn i Namdølafylke, stevnte han ting med bøndene. På hvert ting ble han tatt til konge. Der som andre steder lot han lese opp de lovene som bød folk der i landet å holde kristendommen, og hver mann som ikke ville gi seg inn under kristen lov, truet han med tap av liv og lemmer og all eiendom. Kongen straffet hardt mange mennesker der, og han lot det gå like mye ut over storfolk som over småfolk. Han skiltes ikke fra dem i noen bygd før hele folket hadde gått med på å ha den hellige tro.

De fleste av høvdingene og mange storbønder gjorde gjestebud for kongen, og slik drog han nordover helt til Hålogaland. Hårek på

Tjøtta gav et gjestebud for kongen, der kom en svær mengde mennesker, og det var et staselig gjestebud. Da ble Hårek lendmann; kong Olav gav ham de veitslene han hadde hatt av dem som før var høvdinger for landet.

106. Det var en mann som het Grankjell eller Grankjetil; han var en rik bonde og litt til års dengang. Mens han var ung, hadde han vært i viking og vært en stor hærmann. Han var en svært dugelig mann i det meste av slikt som reknes for idretter. Sønn hans het Åsmund; han var lik far sin i allting, og kanskje enda bedre. Det er dem som sier at når det er tale om å ha vakkert utseende, styrke og ferdighet i idretter, så var han den tredje beste mannen som har vært i Norge; som den første nevner de Håkon Adalsteinsfostre og så Olav Tryggvason.

Grankjell bad kong Olav til gjestebud, og det var et overdådig gjestebud han gav. Grankjell gav kongen store vennegaver da han reiste. Kongen bød Åsmund å følge med seg, og gav ham mange løfter; Åsmund syntes ikke han kunne la en slik heder gå fra seg, og så ble han med kongen da han reiste, og ble hans mann siden; kongen satte stor pris på ham. Kong Olav ble på Hålogaland det meste av sommeren, han drog omkring i alle tinglagene og kristnet hele folket der.

Den gang bodde Tore Hund på Bjarkøy, han var den mektigste mannen der nord, og han ble kong Olavs lendmann. Det var mange mektige bondesønner som sluttet seg til kong Olav og fulgte ham. Da det lei på sommeren, kom kongen nordfra og styrte inn gjennom Trondheimen til Nidaros, og der ble han vinteren som fulgte. Den vinteren kom Torkjell Fostre vest fra Orknøyene, etter at han hadde drept Einar Vrangmunn jarl.

Det var uår på kornet i Trondheimen den høsten; før hadde det vært gode kornår i lang tid; det var uår over hele landet nordafjells, og verre dess lenger nord en kom. Men på Østlandet var det godt med korn og likeså på Opplanda, og i Trondheimen klarte de seg fordi folk hadde mye gammelt korn der.

107. Om høsten ble det fortalt kong Olav innefra Trondheimen at bøndene der hadde holdt gjestebud med mange folk vinternatt*; det var mye drikk der, og det ble fortalt kongen at alle skålene ble signet i æsenes navn på gammel hedensk vis. De fortalte videre at det ble drept naut og hester, og at gudestøtter ble rødfarget med blodet, og det var bloting, og det ble sagt at det var for å få bedre år. Og så sa de videre at det var lett å skjønne for alle mennesker at gudene var blitt sinte fordi håløygene hadde omvendt seg til kristendommen. Da kongen fikk høre om dette, sendte han menn inn i Trondheimen og stevnte til seg en del bønder, som han så nevnte opp.

Det var en mann som het Olve på Egge, han ble kalt etter den garden han bodde på. Det var en mektig mann av stor ætt. Han var hovedmannen for den flokken som ble sendt ut fra bøndene til

---

Vinternatt, dvs. tida omkring 14. oktober.

Kong Olav stevnte ting med bøndene.

kongen. Da de kom til kongen, reiste kongen klage mot bøndene for dette. Olve svarte på bøndenes vegne, han sa de hadde ikke hatt noen gjestebud den høsten annet enn gildene sine og omgangs-drikkelagene, og så noen vennelag. «Og om det der,» sa han, «som er blitt fortalt Dem om hva det er for ordtak vi trøndere bruker når vi drikker, så kan jeg si at alle folk som det er noe vett i, tar seg i vare for å si slikt, men ingen mann kan jo svare for hva galne og fulle folk kan finne på å si.»

Olve var en veltalende mann og ikke redd for å si fra, og han verget bøndene mot alt dette snakket. Til slutt sa kongen at inntrøn-derne skulle sjøl få bære vitne om dette, «hva det er de tror på». Så fikk bøndene lov til å dra hjem, og de drog også av sted så snart de kunne.

108. Lenger utpå vinteren ble det fortalt kongen at inntrønderne hadde samlet seg i mengder på Mære, og der var det store blot midtvinters*, da blotet de for å få fred og en god vinter. Da kongen mente å ha visshet for dette, sendte han menn med bud inn i Trond-heimen og stevnte bøndene ut til byen; han nevnte igjen opp de mennene han mente det var mest vett i. Bøndene hadde en samtale, de snakket med hverandre om denne budsendingen. Ingen av dem som hadde vært der før om vinteren, hadde den minste lyst til å reise.

Midtvinter. Midtvintersnatta var 12. januar.

Men Olve gav seg likevel av sted da alle bøndene bad ham. Da han kom ut til byen, gikk han straks til kongen, og de talte sammen. Kongen klagde på bøndene, og sa de hadde hatt midtvintersblot. Olve svarte og sa at bøndene var uskyldige i dette. «Vi hadde julegjestebud,» sa han, «og samdrikkelag rundt omkring i bygdene. Bøndene lager ikke til så knapt til julegjestebudet at det ikke blir mye til overs, og det holdt folk på å drikke lenge etterpå, herre. Mære er et stort sted, og der er det store hus, og det er store bygder omkring, og folk synes det er moro å drikke mange sammen der.»

Kongen svarte ikke stort, men han var nokså stiv, han mente han visste noe annet og sannere enn det de nå kom med. Kongen sa bøndene kunne reise hjem igjen. «Jeg skal nok få greie på hva som er sant,» sa han, «enda dere nekter og ikke vil gå ved det. Men hvordan det nå har vært hittil, så gjør iallfall ikke slikt oftere.» Så drog bøndene hjem og fortalte hvordan det hadde gått, og sa at kongen var nokså harm.

109. Kong Olav hadde et stort gjestebud i påsken, han hadde bedt til seg mange av bymennene og en del bønder også. Etter påske lot kongen sette fram skipene sine, og lot redskap og årer bære ut på dem; han lot legge tiljer i skipene og sette telt over, og slik lot han skipene ligge og flyte ved bryggene. Over påske sendte kong Olav noen menn opp i Verdalen.

Det var en mann som het Toralde, kongens årmann; han stod for kongsgarden på Haug*. Kongen sendte bud til ham at han skulle komme til ham så fort han kunne. Toralde lot seg ikke be to ganger, han kom ut til byen med én gang, sammen med sendemennene. Kongen kalte ham til seg i enerom og spurte hvor mye sant det var i dette, «det er blitt fortalt meg om noen skikker hos inntrønderne; er det så at de har gått over til å blote? Jeg vil du skal si meg det som det er, og fortelle det du vet er mest sant,» sa kongen, «det er du pliktig til, for du er min mann.»

Toralde svarte: «Herre, først vil jeg si deg det at jeg tok med meg hit til byen begge sønnene mine og kona mi og alt det løsøre jeg kunne få med meg. Om De vil at jeg skal fortelle Dem dette, så skal det bli som De vil; men når jeg har sagt det som er sant, så må De sørge for meg etterpå.» Kongen sa: «Svar du bare sant på det jeg spør deg om, så skal jeg sørge for at du ikke skal få noen skade av det.»

«Siden De vil høre sannheten, konge, så får jeg si det som det er; inne i Trondheimen er nesten hele folket rent hedensk i troen, enda det nok er noen som er døpt der. De har for skikk å holde et blot om høsten og ta imot vinteren, et annet midtvinters og det tredje mot sommeren, da tar de imot sommeren. Dette er øyner, sparbygger, verdøler og skøyner med på. Det er tolv av dem som skiftes til om blotveitslene, og nå i vår er det Olve som skal holde gjestebudet.

Haug vest i Verdalen mellom Verdalsøra og Stiklestad.

Kongens menn fører sitt hærfang om bord.

Han har et svare strev på Mære nå, og alt det de trenger til gjeste-
budet, er ført dit.»

Da kongen fikk høre sannheten, lot han blåse sammen hæren, og
sa til mennene sine at de skulle gå til skipene. Kongen nevnte opp
menn til å være styresmenn på skipene og til flokkeførere, og sa fra
hvilket skip hver flokk skulle være på. De ble snart ferdige, kongen
hadde fem skip og tre hundre mann, han styrte inn gjennom fjorden.
Det var god bør, og snekkene var ikke lenge om å komme innover,
det var ingen som tenkte seg at kongen kunne komme inn der så
fort.

Kongen kom inn til Mære om natta, det ble straks slått mannring
om husene. Så ble Olve tatt til fange der, kongen lot ham drepe og
en god del andre også. Kongen tok all gjestebudskosten og lot den
flytte ned på skipene sine, og likeså alt det andre folk hadde ført dit,
både husbunad og klær og kostbarheter, og det delte han som hær-
fang mellom folkene sine. Kongen lot også folk hjemsøke de bøn-
dene som han trodde hadde hatt mest del i disse tilstelningene; noen
ble tatt til fange og satt i lenker, noen kom seg unna på flukt, og fra
mange ble det tatt alt det de eide. Så stevnte kongen ting med
bøndene. Og ettersom han hadde tatt mange av stormennene til
fange og hadde dem i sin makt, så tok frendene og vennene deres
den utveg å love kongen lydighet, og så ble det ikke noen reisning
mot kongen den gangen. Han omvendte hele folket der til den rette

tro og satte prester der og lot bygge kirker og vie dem. Kongen dømte ingen bøter for Olve, men tok alt det han hadde eid som sin eiendom. Av de andre mennene som han mente var mest skyldige, lot han noen drepe, noen lot han lemleste, og noen dreiv han ut av landet, og av noen tok han bøter. Så drog kongen ut til Nidaros igjen.

110. Det var en mann som het Arne Armodsson, han var gift med Tora, datter til Torstein Galge. De hadde disse barna: Kalv, Finn, Torberg, Åmunde, Kolbjørn, Arnbjørn, Arne og Ragnhild, og hun var gift med Hårek på Tjøtta. Arne var lendmann, en stor og mektig mann og kong Olavs gode venn. Sønnene hans, Kalv og Finn, var hos kong Olav den gangen, og kongen satte dem svært høyt.

Den kvinna som hadde vært gift med Olve på Egge, var ung og vakker, rik og av god ætt; hun ble reknet som et svært godt gifte, og det var kongen som hadde rett til å gifte henne bort. Hun og Olve hadde to sønner. Kalv Arnesson bad kongen om at han skulle la ham få til ekte den kona Olve hadde hatt, og for vennskaps skyld gav kongen ham henne, og dertil alle de eiendommene Olve hadde eid. Kongen gjorde Kalv til lendmann og gav ham ombudet for seg inne i Trondheimen. Kalv ble en stor høvding, han var en omtenksom mann.

111. Nå hadde kong Olav vært i Norge i sju år. Den sommeren kom jarlene Torfinn og Bruse til ham fra Orknøyene; kong Olav la de landene under seg, som før skrevet. Den sommeren drog kong Olav gjennom begge Mørene og kom til Romsdalen om høsten; der gikk han i land fra skipene og drog til Opplanda og kom fram i Lesja.

Han tok alle de beste mennene til fange både i Lesja og Dovre, og de måtte ta imot kristendom eller lide døden, eller de rømte unna, om de kunne komme til. De som tok kristendommen, måtte gi sønnene sine til kongen som gisler for sin troskap.

Om natta var kongen på en gard i Lesja som heter Bø, der satte han igjen prester. Så drog han over Lordal og kom ned der det heter Stavebrekka. Den elva som renner gjennom dalen, heter Otta, og på begge sider av elva er det ei vakker bygd som heter Lom. Kongen kunne se fra den ene enden av bygda til den andre. «Det er synd,» sa kongen, «å skulle brenne slik ei vakker bygd.» Og så gikk han ned i dalen med hæren sin; han ble natta over på en gard som heter Nes*. Der tok kongen seg natteherberge i et loft, som han sjøl sov i, og det loftet står der ennå den dag i dag, og det er ikke gjort noe med det siden. Kongen ble der i fem dager, han sendte ut budstikke og stevnte folk til ting både fra Vågå og Lom og Heidal; han lot bud følge budstikka om at enten skulle de kjempe mot ham og finne seg i at han brente bygdene, eller også skulle de gå over til kristendommen og gi ham sønnene sine som gisler. Etter dette kom de til kongen og ble hans menn; men noen rømte sør i Gudbrandsdalen.

112. Det var en mann som het Dale-Gudbrand; han var som en

Nes, nå Synstnes.

«Du skal få annet å tenke på i dag enn å gjøre narr av oss.»

konge over Gudbrandsdalen, men han var herse i navnet. Sigvat skald liknet ham med Erling Skjalgsson i makt og store landeiendommer. Sigvat kvad om Erling:

Jeg vet bare én annen
Odinskjempe lik deg;
han het Gudbrand, og store
land den herren eier.

Dere to jeg setter
jamt, sløsende rikmann.
Den som likere tror seg,
lyger, milde høvding.

Gudbrand hadde en sønn som blir nevnt her.

Da Gudbrand hørte at kong Olav hadde kommet til Lom, og at han truet folk til å ta imot kristendommen, skar han hærpil og sendte ut og stevnte alle dølene sammen til møte med seg på en gard som heter Hundorp. Så kom de dit alle sammen, og det var så mye folk at det var ikke tall på dem, for like ved der går et vassdrag som heter Lågen, og derfor kan en komme dit like lett med skip som over land.

Gudbrand holdt ting med dem og sa det var kommet en mann til Lom som het Olav. «Og han vil by oss en annen tro enn den vi har hatt før, og han bryter i stykker alle gudene våre, og sier han har en annen gud som er mye større og mektigere. Det er et under at ikke jorda sprekker under ham når han tør si slikt, og at gudene våre lar ham få lov til å gå lenger. Men jeg tenker at når vi bærer Tor ut av hovet hos oss, han som står her på garden og alltid har hjulpet oss, så han får se Olav og mennene hans, da kommer guden til Olav til å bråne, og han sjøl og mennene hans med, så de blir til ingen ting.»

Da ropte og skreik de alle sammen og sa Olav skulle aldri komme levende derfra om han kom til dem. «Men han tør nok ikke komme lenger sør i dalen,» sa de. Så satte de sju hundre mann til å dra nord til Bredi og holde utkik. Sønn til Gudbrand, som var atten år gammel, var høvding for den flokken, og det var mange andre gjæve menn med også. De kom til en gard som heter Hove, der var de tre dager, og det kom mye folk til dem, av dem som hadde flyktet fra Lesja og Lom og Vågå, fordi de ikke ville inn under kristendommen.

Kong Olav og biskop Sigurd satte igjen prester i Lom og Vågå. Så drog de over Vågårusti og kom ned i Sel og ble der natta over; der fikk de vite at det lå en stor hær og ventet på dem. Bøndene som lå på Bredi, fikk også vite om kongen, og de gjorde seg ferdige til å kjempe mot ham.

Da kongen stod opp, kledde han seg til kamp og drog sørover Selsvollene, han stanset ikke før han kom til Bredi, og der så han en svær hær framfor seg, ferdig til kamp. Så fylkte kongen hæren sin, og rei sjøl i spissen og ropte til bøndene. Han bad dem ta kristendommen. De svarte: «Du skal få annet å tenke på i dag enn å gjøre narr av oss!» Og så satte de i et hærskrik og slo på skjoldene med våpnene sine. Kongsmennene løp fram og kastet spyd på dem, men da snudde bøndene straks og rømte, så det bare stod igjen noen få mann. Sønn til Gudbrand ble tatt til fange, og kong Olav gav ham grid og tok ham med seg. Kongen ble der i fire dager.

Da sa kongen til Gudbrands sønn: «Du skal gå tilbake til far din og si til ham at nå kommer jeg snart dit.» Han drog hjem igjen og fortalte far sin disse harde tidender at de hadde møtt kongen og holdt slag med ham. «Men hele hæren vår rømte like i førstningen, og jeg ble tatt til fange,» sa han. «Kongen gav meg grid og bad meg gå og si deg at nå kommer han her snart. Nå har vi ikke mer enn to hundre mann igjen av hele den hæren som vi hadde å møte ham med, og derfor rår jeg deg til at du ikke slåss med den mannen, far.» «En kan høre at de har banket motet av deg,» sa Gudbrand, «det var en ulykkesstund da du drog herfra, og den ferden kommer du til å bli husket for lenge. Og nå tror du straks på all galskapen denne mannen farer med, han som har gjort deg og hæren så stor skam.»

Natta etter drømte Gudbrand at det kom en mann til ham, han var lys, og det stod stor skrekk av ham; han sa: «Det var ingen seiersgang sønn din gikk mot kong Olav, men det kommer til å gå deg enda verre om du tenker å kjempe mot kongen. Du kommer til å falle sjøl og hele hæren din også, og ulver skal rive deg og alle dine, og ravner skal slite i dere.» Han ble fælt redd for dette skrekkelige synet og fortalte det til Tord Istermage, som var hovgode for dølene. Han sa: «Jeg drømte det samme,» sa han.

Morgenen etter lot de blåse til ting, de sa de mente det var best å holde ting med den mannen som kom nord fra med nye bud, og få greie på hvor mye sant det var i det han fór med. Så sa Gudbrand til sønnen sin: «Nå skal du gå til den kongen som gav deg grid, og ta tolv mann med deg.» Så ble gjort. De kom til kongen og sa ham hva ærend de hadde, at bøndene ville ha ting med ham og sette grid mellom kongen og bøndene. Kongen var vel nøyd med dette, og de bandt seg til det med særlige avtaler så lenge stevnet varte. Da det var gjort, drog de tilbake og fortalte Gudbrand og Tord at det var satt grid.

Nå drog kongen til en gard som heter Listad*, der var han fem dager. Så gikk kongen og møtte bøndene og holdt ting med dem. Det regnet svært den dagen. Da tinget var satt, stod kongen opp og sa at folk i Lesja og Lom og Vågå hadde tatt kristendommen og brutt ned blothusene sine. «Og nå tror de på den sanne Gud som skapte himmel og jord, og som vet alle ting.»

Så satte kongen seg ned, og Gudbrand svarte: «Vi vet ikke hvem du taler om. Du kaller én for gud som verken du eller noen andre kan se. Men vi har en gud vi kan se hver dag. I dag er han ikke ute, fordi det er regnvær. Men dere kommer nok til å synes han ser skremmelig og mektig ut; jeg tenker hjertet kommer til å skjelve i brystet på dere når han kommer til tinget. Og siden du sier at deres gud makter så mye, så kan du jo la ham gjøre det slik at det er skyet vær i morgen, men ikke regnvær, og så skal vi møtes her.» Nå gikk kongen til herberget sitt, og sønn til Gudbrand fulgte med ham som gissel, kongen gav dem en annen mann til gjengjeld.

Om kvelden spurte kongen sønn til Gudbrand hvordan guden deres var gjort. Han sa at det var et bilde av Tor. «Han har en hammer i handa og er stor av vekst, men hul inni; under ham er det laget som en slags hjell, og den står han på når han er ute; det skorter ikke på gull og sølv på ham. Hver dag får han fire brødleiver med kjøtt til.»

Så gikk de til sengs. Kongen våkte hele natta og lå og bad bønnene sine. Da det ble dag, gikk kongen til messe først og så til bords, og derfra til tinget. Det var blitt slikt vær som Gudbrand hadde bedt om. Da stod biskopen opp i messeskrud med mitra på hodet og bispestav i handa; han prekte troen for bøndene og fortalte om mange jærtegn som Gud hadde gjort, og skilte seg godt fra talen.

Da svarte Tord Istermage: «Han sier mye han den hornete mannen som har en stav i handa, kroket oventil som hornet på en vær. Men siden dere sier at guden deres kan så mye, så si til ham at han skal la det bli klarvær og solskinn ved soloppgang i morgen, og la oss så møtes, og så får vi enten bli forlikte om denne saken, eller også får vi kjempe.» Og med dette skiltes de for den gangen.

113. Det var en mann hos kong Olav som het Kolbein Sterke, han hadde ætta si i Fjordane. Han gikk alltid væpnet slik at han hadde sverd ved sida og en svær trelurk i handa, en slik som folk kaller ei klubbe. Kongen sa til Kolbein at han skulle stå ved sida av ham den morgenen. Så sa han til sine menn: «I natt skal dere gå dit skipene til bøndene ligger og bore huller i alle sammen; så skal dere ri hestene deres ut fra gardene som de er på.» Og så ble gjort.

Kongen var hjemme på garden hele natta og bad til Gud at han måtte løse ham ut av denne trengsel med sin godhet og miskunn. Da

---

Listad ligger lengst sør i Sør-Fron.

kongen hadde hørt messe og det lei mot dag, gikk han til tinget etterpå. Da han kom på tinget, var noen av bøndene kommet; men så fikk han se en stor flokk bønder som kom til tinget, og de bar mellom seg et svært mannebilde, som var så staset ut med gull og sølv at det skinte av det. Da de bøndene som var på tinget fikk se det, sprang de opp alle sammen og bøyde seg for dette skremslet. Så ble det satt ned midt på tingvollen.

På den ene sida satt bøndene og på den andre kongen og hans folk. Så stod Dale-Gudbrand opp og sa: «Hvor er nå din gud, konge? Jeg skulle tro at han holder ikke hakeskjegget svært høyt i dag. Og jeg synes det ser ut til at dere skryter noe mindre nå enn forrige dagen, både du og denne hornete karen som dere kaller biskop, og som sitter der ved sida av deg. For nå er vår gud kommet, han som rår for alt, og han ser på dere med kvasse øyne. Jeg ser at nå er dere fulle av redsel og tør snaut se opp med øynene. La nå trollskapen deres falle, og tro på vår gud som har all makt over dere i si hand.» Og slik sluttet han talen.

Kongen sa til Kolbein: «Om det skulle hende at de kommer til å se bort fra guden sin mens jeg taler, så slå til ham så hardt du kan med lurken.» Så stod kongen opp og sa: «Du har sagt mangt og mye til oss nå på morgenen. Du synes det er underlig at du ikke kan se guden vår, men nå venter vi at han snart kommer til oss. Du skremmer oss med guden din, som er både blind og døv og verken kan frelse seg sjøl eller andre, og som ikke kan komme av flekken uten at noen bærer ham. Men nå tror jeg ikke det er lenge før det går ham ille. Se opp nå, og se mot øst, der kommer vår gud med stort lys!»

Da rant sola, og alle bøndene så på sola. I det samme slo Kolbein til guden deres slik at den gikk helt i stykker, og der løp det ut mus så store som katter, og øgler og ormer. Bøndene ble så redde at de rømte, noen til skipene, men da de skjøv ut skipene, så rant det vann i dem så de ble fulle, og bøndene kunne ikke komme ut på dem; og de som løp til hestene, fant dem ikke.

Så lot kongen bøndene kalle til seg, og sa han ville tale med dem. Bøndene vendte da tilbake, og de satte ting, og kongen stod opp og talte: «Jeg vet ikke,» sa·han, «hva alt dette ståket og den løpingen som dere driver med skal være til. Her kan dere se nå hvor mye guden deres makter, han som dere bar gull og sølv og mat og drikke til. Nå så vi hva slags vetter som hadde godt av det, det var mus og ormer, øgler og padder. Det er verst for dem som tror på slikt og ikke vil holde opp med dumhetene sine. Ta gullet deres og de kostbarhetene som ligger og flyter her utover vollen, ta det hjem og gi det til kvinnene deres, og heng det ikke mer på stokk eller stein. Men her hos oss er det to vilkår, enten at dere tar kristen tro nå, eller at dere kjemper med meg i dag. Og så får den få seieren i dag som han vil, den guden vi tror på.»

Da stod Gudbrand opp og sa: «Vi har lidd stor skade på guden vår. Men ettersom han likevel ikke kunne hjelpe oss, så vil vi nå tro på den guden som du tror på.» Og så tok de kristen tro alle sammen.

Kong Olav taler til bøndene på tinget ved Hundorp.

Så døpte biskopen Gudbrand og sønn hans og satte igjen prester der. De skiltes som venner de som før var uvenner, og Gudbrand lot bygge en kirke i Gudbrandsdalen.

114. Etter dette drog kong Olav ut på Hedmark og kristnet der, for den gang han tok kongene, vågde han ikke å dra mye omkring i landet etter en slik stordåd; derfor var det ikke kristnet noe videre av Hedmark. Men denne gangen gav kongen seg ikke før hele Hedmark var kristnet, og det var innvigd kirker der og satt prester til dem. Så drog han ut på Toten og Hadeland og gav folk den rette tro, og gav seg ikke før det var helt kristnet der. Derfra drog han til Ringerike, og der gikk alle med på kristendommen.

Romerikingene hørte at kong Olav var på veg til dem; da samlet de en stor hær og sa til hverandre at de kom aldri til å glemme den medfarten kong Olav hadde gitt dem sist han drog gjennom der. Så kom bondesamlingen mot ham ved en elv som heter Nittelva. Bøndene hadde en hel hær av folk. Da de møttes, gikk bøndene straks til kamp, men det ble de fort brent på, de skvatt unna med én gang og fikk bank til de bedret seg, for de måtte ta kristendommen. Kongen drog omkring i det fylket, og skiltes ikke derfra før alle mann hadde tatt kristendommen der. Derfra drog han østover til Solør og kristnet den bygda. Der kom Ottar Svarte til ham og bad om å få bli kong Olavs handgangne mann. Olav sveakonge var død vinteren i forvegen, og Anund Olavsson var blitt konge i Svitjod.

Så vendte kong Olav tilbake til Romerike. Da var det langt på vinteren. Nå stevnte kong Olav et stort ting på det stedet Heidsævistinget har vært siden. Han satte det inn i loven at opplendingene skulle sokne til det tinget, og Heidsævisloven skulle gjelde over alle fylkene på Opplanda og så langt omkring andre steder som den alltid har gjort siden.

Da det ble vår, drog han ned til sjøen, han lot sette i stand skipene og seilte ut til Tønsberg; der var han om våren mens det var flest folk der, og det kom varer til byen fra utlandet. Det var godt år over hele Viken, og det så bra ut helt nord til Stad, men hele veien nordafor var det uår.

115. Kong Olav sendte bud vest over Agder om våren, og helt nord til Rogaland og Hordaland, at han ikke ville tillate at de solgte verken korn eller malt eller mjøl ut derfra. Han la til at han ville komme dit med følget sitt og dra på veitsler, som skikk og bruk var. Dette budet gikk over alle disse fylkene; men kongen ble i Viken sommeren over og kom helt øst til landegrensa.

Einar Tambarskjelve hadde vært hos Olav sveakonge siden Svein jarl, mågen hans, døde, og han hadde blitt sveakongens mann og fått et stort len av ham. Men da kongen var død, fikk Einar lyst til å prøve å få grid av Olav Digre, og det hadde gått bud mellom dem om dette. Og mens kong Olav lå i Elv, kom Einar Tambarskjelve dit med noen menn; han og kongen talte om forlik, og de kom overens om at Einar skulle få dra nord til Trondheimen og få alle sine eiendommer og likeså den jord som Bergljot hadde hatt i medgift. Så reiste Einar sin veg nordover, men kongen ble i Viken; han var i Borg lenge utover høsten og først på vinteren.

116. Erling Skjalgsson hadde sin gamle makt, slik at han rådde for bøndene i alle ting hele vegen fra Sognefjorden i nord og øst til Lindesnes, men han hadde mye mindre veitsler av kongen enn han hadde hatt før. Likevel stod det så stor age av ham at det var ingen som prøvde å gjøre annet enn han ville. Kongen syntes Erlings makt gikk for vidt.

Det var en mann som het Aslak Fitjaskalle, han var ættstor og mektig. Skjalg, far til Erling, og Askjell, far til Aslak, var brorsønner. Aslak var kong Olavs gode venn, og kongen lot ham slå seg ned i Sunnhordland, og gav ham et stort len og store veitsler der. Kongen sa han skulle holde igjen med Erling. Men det ble det ikke noe av; straks kongen ikke var til stede, fikk Erling rå alene som han ville; han ble ikke mykere av det at Aslak ville skubbe seg fram ved siden av ham; og det endte slik mellom dem at Aslak ikke kunne greie seg i sysla. Så gikk han til kongen og fortalte hvordan det hadde gått mellom ham og Erling. Kongen sa Aslak skulle bli hos ham, «til jeg og Erling møtes,» sa han.

Kongen sendte bud til Erling at han skulle komme til Tønsberg og møte kongen om våren. Da de kom sammen, hadde de møte med hverandre, og så sa kongen: «Jeg har hørt si at du er så mektig, Erling, at det fins ikke en mann nord fra Sognefjorden helt til Lindesnes som får ha friheten for deg. Og det er mange der som mener de er odelsbårne nok til å få rett og skjel av folk som er deres jambyrdige. Her har vi nå Aslak, Deres frende. Han synes han har merket nokså mye kulde fra Dem. Nå vet jeg ikke om det er så at han sjøl er skyld i dette, eller om han skal unngjelde for det at jeg har satt ham der til å ta vare på mine saker. Og jeg nevner bare ham, men det er mange andre som klager over slikt for oss også, både menn i sysler og årmenn* som styrer gardene mine og skal gjøre veitsler for meg og følget mitt.»

Erling svarte: «Dette kan jeg fort svare på,» sa han. «Jeg nekter at jeg har lagt meg ut med Aslak eller noen annen mann fordi han er i Deres tjeneste. Men jeg skal vedgå det at det er nå som det lenge har vært, hver av oss frender vil gjerne være større enn den andre. Og det kan jeg også vedgå, at jeg bøyer med glede hodet for deg, kong Olav, men det byr meg imot å bøye meg for Sel-Tore, som er trellefødt i alle ættgreiner, for det om han er Deres årmann nå, og likedan med andre som er hans like i ætt, men som De setter så høyt.»

Så kom begges venner til og bad dem forlike seg, de sa at kongen kunne ikke få så god støtte av noen annen mann som av Erling, «om han kan få ha Deres fulle vennskap.» På den annen side sa de til Erling at han skulle bøye seg for kongen; de sa at om han kunne holde på vennskapet med kongen, så ville det være lett nok for ham å få igjennom det han ville med alle andre. Møtet endte slik at Erling skulle få ha de samme veitsler som han hadde hatt før, og alle de sakene kongen hadde mot Erling, skulle falle bort. Dessuten skulle Skjalg, sønnen hans, dra til kongen og bli hos ham. Så drog Aslak tilbake til gardene sine, og de var forlikte å kalle for. Erling drog hjem til gardene sine og holdt ved som før med å vise sin makt.

117. Det var en mann som het Sigurd Toresson, bror til Tore Hund på Bjarkøy. Sigurd var gift med Sigrid, datter til Skjalg og søster til Erling. Sønn deres het Asbjørn, han så ut til å bli en framifrå mann i oppveksten. Sigurd bodde på Trondenes på Omd*, han var en grunnrik mann og høyt hedret; han hadde ikke blitt kongens handgangne mann, og derfor stod Tore høyest av de to, for han var kongens lendmann. Men hjemme på garden var Sigurd ikke på noen måte mindre raus; så lenge folk var hedenske, var han vant til å ha tre blot hver vinter, ett om vinternatt, det andre midtvinters og det tredje mot sommeren. Da han gikk over til kristendommen, holdt han likevel ved på samme måten med gjestebud; om høsten holdt han et stort vennelag, og om vinteren julegjestebud og bød til seg mange mennesker da igjen; det tredje gjestebudet holdt han til påske, og da kom det også mange mennesker. Slik holdt han på så lenge han levde. Sigurd døde av sjukdom. Da var Asbjørn atten år; han overtok arven etter faren, og han dreiv på samme måten og holdt tre gjestebud hver vinter, slik som far hans hadde gjort.

Årmann var fra først av navnet på gardsbestyreren på en kongsgard. Seinere fikk han også administrativ makt i sitt distrikt. I Sverige og Danmark stod årmannen noe høyere, der svarte han omtrent til «fut».

Trondenes, på Hinnøya; det er trolig uriktig når Snorre kaller den for *Omd*, som heller synes å være det gamle navnet på Andøya.

Ikke lenge etter at Asbjørn hadde fått farsarven, var det at åringene ble dårligere, og kornet slo feil for folk. Asbjørn holdt ved med gjestebudene sine slik som før, nå hjalp det ham at han hadde gammelt korn og gamle forråd av alt det som trengtes. Men da året var gått, og det neste kom, så ble kornet ikke det minste bedre enn året før. Da ville Sigrid at de skulle holde opp med gjestebudene, enten med noen eller med alle. Det ville ikke Asbjørn, han reiste rundt til vennene sine om høsten og kjøpte korn der han kunne, og noen steder fikk han det. Så gikk det den vinteren også, og gjestebudene ble holdt. Våren etter fikk folk sådd lite, for det var ikke såkorn å få kjøpt. Sigrid snakket om at de fikk ha færre huskarer; det ville ikke Asbjørn, han dreiv på den sommeren også på samme måten. Det så nokså dårlig ut med kornet. Nå kom også det til at det ble fortalt sørfra landet at kong Olav hadde forbudt å føre korn og malt og mjøl nord i landet sørfra.

Da syntes Asbjørn det tok til å bli vanskelig å skaffe mat til garden. Så fant han på den utveg at han lot sette ut en lastebåt han hadde, den var bygd som et havgående skip. Skipet var godt, og all redskapen til det var omhyggelig gjort, det hadde seil som var farget i striper. Asbjørn gav seg av sted og hadde tjue mann med, de seilte nordfra om sommeren, og det er ikke fortalt noe fra ferden før de kom til Karmsund en dag mot kvelden og la til ved Avaldsnes.

Det er en stor gard der ikke langt oppe på Karmøy som heter Avaldsnes. Det var en kongsgard, en fin gard, og der rådde Tore Sel, han var årmann der. Tore var en mann av lav ætt, men han hadde kommet seg opp, han var god arbeidskar, talte godt for seg, svær til å skryte, pågående og stri. Det hjalp ham godt siden at han fikk hjelp av kongen. Han var snar til å si fra og uvøren i munnen.

Asbjørn og folkene hans lå der natta over. Om morgenen da det ble lyst, kom Tore og noen andre ned til skipet. Han spurte hvem som eide dette staselige skipet. Asbjørn sa hvem han var og nevnte sin far. Tore spurte hvor han skulle hen som lengst, og hva ærend han hadde. Asbjørn sa han ville kjøpe seg korn og malt; han sa som sant var, at det var svært uår nord i landet. «Men vi har hørt at det skal være godt år her. Vil du, bonde, selge oss korn? Jeg ser dere har store stakker her; det ville være en hjelp for oss om vi ikke trengte fare lenger.» Tore svarte: «Jeg skal hjelpe deg så du ikke trenger å reise på kornkjøp lenger, verken her i Rogaland eller videre. Jeg skal fortelle deg at du like godt kan snu her og ikke seile lenger, for du får ikke korn, verken her eller andre steder; kongen har forbudt å selge korn herfra nord i landet. Reis hjem igjen, håløyg. Det blir det beste for deg.»

Asbjørn sa: «Om det er som du sier, bonde, at vi ikke kan få kjøpt korn, så har jeg et annet ærend som ikke er mindre, jeg vil hilse på venner på Sola og se hvordan Erling, min frende, har det hjemme.» Tore sa: «Hvor nært frendskap er det mellom deg og Erling?» Han sa: «Mor mi er søster hans.» Tore sa: «Nå har jeg visst vært litt fort til å snakke, siden du er søstersønn til rygekongen!» Så tok Asbjørn inn teltene og styrte ut med skipet. Tore ropte etter dem: «Far vel da, og kom innom her på hjemvegen!» Asbjørn sa at det skulle han gjøre.

Så drog de videre og kom til Jæren mot kvelden. Asbjørn og ti mann gikk i land, de andre ti ble igjen på skipet. Da Asbjørn kom til garden, ble han godt mottatt, og Erling var svært blid mot ham. Erling satte ham ved sida av seg og spurte ivrig etter nytt nord fra landet. Asbjørn fortalte ham alt om det ærend han var ute i. Erling sa det var ingen lett sak, for kongen nektet dem alt kornsalg. «Jeg tror ikke det fins noen mann her,» sa han, «som våger seg til å bryte kongens ord. Jeg må være nøye med å følge kongens sinn, for det er så mange som vil ødelegge vennskapet mellom oss.» Asbjørn sa: «Sannheten får en sist høre. Helt fra barnsbein har jeg alltid lært at mor mi var fribåren i alle ættgreiner, og videre at Erling på Sola nå var den mektigste av frendene hennes. Men nå hører jeg du sier at du er ikke mer fri for kongens treller enn at du ikke kan gjøre det du har lyst til med kornet ditt.» Erling så på ham og smilte, han sa: «Dere håløyger kjenner nok mindre til kongens makt enn vi ryger, og du bruker vel lett store ord hjemme; du har godt å slekte på i det stykket. La oss nå først drikke, frende, så får vi se på det i morgen hva vi skal gjøre med ærendet ditt.» De gjorde det, og var glade om kvelden.

Dagen etter talte Erling og Asbjørn med hverandre. Erling sa: «Jeg har tenkt ut noe med kornkjøpet ditt, Asbjørn. Men er du svært nøye på hvem du handler med?» Han sa at han brydde seg aldri det grann om hvem han kjøpte korn av, når bare den som solgte, hadde rett til det. Erling sa: «Jeg skulle tro trellene mine hadde så mye korn å selge at du kan få kjøpt det du trenger. De står ikke under lov og landsrett som andre folk.» Asbjørn sa at dette ville han ta imot. Så ble det sagt fra til trellene om kjøpet; de fant fram korn og malt og solgte det til Asbjørn, og han lastet skipet så mye han ville. Da han var ferdig til å seile, fulgte Erling ham ut og gav ham vennegaver; de skiltes som kjære venner.

Asbjørn fikk god bør og la til ved Avaldsnes på Karmøy om kvelden, og ble der natta over. Tore Sel fikk straks høre at Asbjørn var kommet, og likeså at skipet hans var fullastet. Tore stevnte til seg folk om natta, så han hadde seksti mann før det ble dag. Så snart det ble litt lyst, gikk han ned til Asbjørn, han og mennene gikk like ut på skipet. Da var Asbjørn og hans folk alt kledd, og Asbjørn hilste på Tore. Tore spurte hva slags last Asbjørn hadde på skipet. Han sa at det var korn og malt. Tore sa: «Så har Erling gjort som han er vant til og tatt alt det kongen har sagt for å være bare løst snakk. Han er ennå ikke blitt lei av å stå imot ham i alle ting. Det er et under at kongen finner seg i allting av ham.»

Tore brukte seg fælt en stund. Da han tidde, sa Asbjørn at det var Erlings treller som hadde eid kornet. Tore svarte skarpt at han brydde seg ikke om hans og Erlings krokveger. «Nå er det ikke annet å gjøre for dere enn å gå i land, Asbjørn, ellers hiver vi dere

Asbjørn går innover Karmøy mot Avaldsnes.

over bord. Vi vil ikke ha noe bråk med dere mens vi rydder skipet.» Asbjørn så at han hadde ikke folk nok mot Tore, og så gikk Asbjørn og folkene hans i land, og Tore lot hele ladningen flytte i land fra skipet. Da skipet var ryddet, gikk Tore bortover skipet. Han sa: «Det var svært så godt seil de har disse håløygene, ta det gamle seilet fra lastebåten vår og gi dem det! Det er fullt ut godt nok til dem når de seiler med tom båt.» Dette ble gjort, seilene ble byttet. Så seilte Asbjørn og folkene hans sin veg etter dette, og han styrte nordover langs kysten og stanset ikke før han kom hjem først på vinteren. Denne reisen snakket folk mye om.

Asbjørn fikk ikke noe strev med å lage gjestebud den vinteren. Tore* bad Asbjørn og mor hans til julegjestebud med så mange menn som de ville ta med seg. Asbjørn ville ikke reise, så han satt hjemme. Det viste seg at Tore syntes Asbjørn hadde tatt imot innbydelsen på en lite hedrende måte, og så gav Tore fantord fra seg om denne reisen til Asbjørn. «Det er nok så,» sa han, «at det er stor forskjell på oss frendene til Asbjørn, men Asbjørn viser det nå også tydelig, slikt strev som han tok for å hilse på Erling på Jæren i sommer, og så vil han ikke komme hit til meg som bor i det nærmeste huset. Eller kanskje det er så at han tror det bor en Sel-Tore på hver holme.»

Slike ord fikk Asbjørn høre fra Tore, og flere til av samme slag. Asbjørn var helt ute av seg for denne reisen, og verre ble det da han hørte den var til latter og spott. Han ble hjemme hele vinteren og gikk ikke til noen gjestebud.

118. Asbjørn hadde et langskip; det var ei snekke med tjue tofter, og den stod i det store naustet. Etter kyndelsmess* lot han sette fram

Tore, dvs. Tore Hund.
Kyndelsmess, 2. februar.

skipet og bar all redskap ut på det og lot det gjøre seilklart. Så stevnte han til seg vennene sine og fikk nesten nitti mann, alle vel væpnet. Da han var ferdig og han fikk bør, seilte han sørover langs land; de seilte av sted, men fikk nokså seint bør. Da de kom sør i landet, seilte de den ytre leia mer enn den vanlige skipsleia. Det hendte dem ikke noe før de kom inn til Karmøy om kvelden torsdag etter påske. Denne øya er slik laget: det er ei stor øy, lang, men for det meste ikke brei; den ligger på utsida av den vanlige skipsleia. Det er ei stor bygd der, men ellers er store deler av øya ubygd, de som ligger ut mot havet. Asbjørn og hans folk landet på utsida av øya, der det var ubygd.

Da de hadde fått opp teltene, sa Asbjørn: «Nå skal dere bli igjen her og vente på meg; jeg vil gå opp på øya og få greie på hvordan det står til her, for vi har ikke hørt noe om det i forvegen.» Asbjørn var dårlig kledd og hadde ei sid hette på, en båtshake i handa, men et sverd ved sida under klærne. Han gikk i land og innover øya. Da han kom opp på en høyde der han kunne se garden på Avaldsnes og ut i Karmsund, så han at det kom en mengde folk dit både på sjø og på land, og alle drog til garden på Avaldsnes; det syntes han var merkelig. Så gikk han opp på garden og inn der tjenestefolkene holdt på å lage til maten; da hørte han straks så pass at han skjønte på det de sa, at kong Olav var kommet dit på veitsle, og dessuten at kongen hadde gått til bords.

Asbjørn gikk til stua, og da han kom i forstua, gikk det folk ut og inn, så det var ingen som la merke til ham. Stuedøra stod åpen, og han så at Tore Sel stod foran høgsetesbordet. Det var langt på kvelden. Asbjørn hørte at folk spurte Tore om hvordan det gikk for seg mellom ham og Asbjørn, og videre at Tore hadde en lang historie om det, og Asbjørn syntes han lot den helle sterkt til den ene sida. Så hørte han en som sa: «Hvordan tok han Asbjørn det da dere ryddet skipet?» Tore sa: «Han bar seg da noenlunde mens vi ryddet skipet, men likevel ikke helt godt, men da vi tok seilet fra ham, gråt han.»

Da Asbjørn hørte dette, drog han sverdet hardt og fort og løp inn i stua, og hogg til Tore med en gang; hogget kom i halsen bakfra på ham, og hodet falt ned på bordet foran kongen og kroppen over føttene hans, borddukene fløt i bare blod både oppe og nede. Kongen sa de skulle ta ham, og så ble gjort; Asbjørn ble tatt til fange og ført ut, så tok de bordstellet og dukene og bar dem ut, og så liket til Tore, som også ble båret bort, og så sopte de alt det som var blitt blodig. Kongen var fælt harm, men han styrte seg når han talte, som han alltid brukte.

Skjalg Erlingsson stod opp og gikk fram for kongen og sa: «Nå går det som ofte ellers, konge, vi må vende oss til Dem for å finne en råd ut av dette. Jeg vil by bøter for denne mannen, så han skal få ha liv og lemmer; men De, konge, skal rå for alt annet.» Kongen sa: «Er ikke det en dødssak, Skjalg, om en mann bryter påskefreden? Og en til om en mann dreper en annen i kongens hus? Og en tredje, som riktignok du og far din vel synes har lite å si, at han brukte

Asbjørn står bundet ute i svala.

føttene mine til hoggestabbe?» Skjalg svarte: «Det var leit, konge, at De ikke likte dette; ellers var det ikke dårlig gjort. Men om De, konge, synes det er et verk som går Dem imot, og at det har mye å si, så venter jeg likevel å få mye igjen for min tjeneste hos Dem. Mange vil si at dette kan De godt gjøre.» Kongen sa: «Du er nok mye verdt, Skjalg, men jeg vil ikke for din skyld bryte loven og minke kongens verdighet.»

Skjalg vendte seg bort og gikk ut av stua. Det hadde vært tolv mann i følge med Skjalg, og de fulgte ham alle sammen, og det var mange andre som gikk bort med ham også. Skjalg sa til Torarin Nevjolvsson: «Om du vil ha vennskap med meg, så gjør du alt du kan for at mannen ikke skal bli drept før søndag.»

Så gikk Skjalg og mennene hans av sted; de tok en robåt han hadde, og rodde sørover så hardt de kunne, og kom til Jæren i grålysningen. Der gikk de opp på garden og til det loftet Erling sov i. Skjalg løp mot døra, så den knakk i naglene. Av dette våknet Erling og de andre som var der inne, han kom seg opp i en fart, greip skjold og sverd og løp til døra og spurte hvem det var som hadde slikt hastverk. Skjalg sa hvem det var, og bad ham lukke opp. Erling sa: «Jeg kunne tenke det var du som farer så uvettig; har dere noen etter dere?» Så ble døra lukket opp. Nå sa Skjalg: «Du synes kanskje jeg har hastverk, men jeg tenker ikke Asbjørn, din frende, synes jeg farer for fort der han sitter i lenker nord på Avaldsnes. Det er mer mandig å ta av sted og hjelpe ham.» Så skiftet far og sønn noen ord, Skjalg fortalte Erling hvordan alt hadde gått for seg da Sel-Tore ble drept.

119. Kong Olav satte seg i høgsetet igjen da de hadde ryddet opp i stua. Han var fælt harm. Han spurte hva de hadde gjort med drapsmannen, det ble sagt at han stod ute i svalgangen og var tatt i forvaring. Kongen sa: «Hvorfor er han ikke drept?» Torarin Nevjolvsson sa: «Herre, rekner De det ikke for mord å drepe folk om natta?» Da sa kongen: «Sett ham i lenker og drep ham i morgen.» Så ble Asbjørn lenket og lukket inne i et hus natta over.

Dagen etter hørte kongen morgenmesse, så gikk han til møter og satt der til høymessen; da han gikk fra messen, sa han til Torarin: «Nå står vel sola høyt nok til at Asbjørn, vennen din, kan bli hengt.» Torarin bøyde seg for kongen og sa: «Herre, sist fredag sa biskopen at den kongen som har all makt, han tålte likevel prøvelser; og salig er den som kan likne på ham mer enn på dem som dømte ham til døden, eller på dem som drepte ham. Nå er det ikke lenge til i morgen, og da er det hverdag.» Kongen så på ham og sa: «Du skal få din vilje, han skal ikke bli drept i dag. Men nå skal du overta ham og ta vare på ham, og det skal du vite for visst at du setter livet på spill om han kommer bort på noen måte.»

Så gikk kongen sin veg, og Torarin gikk dit hvor Asbjørn satt i lenker. Nå tok Torarin av ham lenkene og fulgte ham bort i ei lita stue og lot ham få mat og drikke, og fortalte ham hva kongen hadde lovt om Asbjørn løp bort. Asbjørn sa at Torarin trengte ikke være redd for det. Torarin satt hos ham lenge om dagen og sov der om natta også.

Lørdagen stod kongen opp og gikk til morgenmessen, så gikk han til møtet, der var det kommet en mengde bønder, og de hadde mange ting de skulle ha avgjort. Kongen satt der lenge utover dagen, og det ble seint før han gikk til høymesse. Etterpå gikk kongen og spiste, og da han hadde spist, ble han sittende og drikke en stund før bordene ble tatt ned.

Torarin gikk til den presten som hadde å gjøre med kirken der, og gav ham to øre i sølv for at han skulle ringe inn helgen med en gang de tok bort bordet for kongen. Da kongen hadde drukket en stund så han syntes det var nok, ble bordene tatt bort. Da sa kongen at nå var det best trellene tok med seg drapsmannen og drepte ham. I det samme ringte de helgen inn. Så gikk Torarin fram for kongen og sa: «Mannen får da få grid helgen over, enda så galt han har gjort.» Kongen sa: «Du får gjete ham, Torarin, så han ikke kommer bort.» Så gikk kongen til kirken og hørte nonsmesse*, og Torarin satt hos Asbjørn resten av dagen.

Søndag kom biskopen til Asbjørn og skriftet ham og gav ham lov til å høre høymessen. Da gikk Torarin til kongen og bad ham finne folk til å holde vakt over Asbjørn. «Nå vil jeg ikke ha mer med hans sak å gjøre,» sa han. Kongen sa han skulle ha takk for det. Så satte han folk til å holde vakt over Asbjørn, og da satte de lenker på ham. Da folk gikk til høymesse, ble Asbjørn leidd til kirken; han og de

---

Nonsmesse er messe ved non (lat. *nona hora*, den niende timen), omkring kl. 15–16.

Kong Olav går gjennom manngarden fram mot Erling Skjalgsson.

som holdt vakt over ham, stod utenfor kirken. Kongen og hele allmuen hørte messen stående.

120. Nå må vi gå videre der vi sluttet før. Erling og Skjalg, sønn hans, rådførte seg med hverandre om vanskelighetene, og da Skjalg og de andre sønnene rådde sterkt til det, ble de stående ved det at de samlet folk og skar hærpil; det kom snart en stor hær sammen, og de gikk om bord i skipene; så holdt de manntall, og der var innpå femten hundre mann. Med denne hæren drog de av sted, og om søndagen kom de til Avaldsnes på Karmøy og gikk opp til garden med hele hæren; de kom dit nettopp da evangeliet var lest. De gikk straks opp til kirken, tok Asbjørn og brøt lenkene av ham. Ved dette ståket og ved larmen av våpen løp alle de inn i kirken som før stod ute, og de som var inne i kirken, så ut alle sammen uten kongen, han ble stående og så seg ikke om. Erling og sønnene stilte opp hæren sin på begge sider av den vegen som gikk fra kirken til stua, og sønnene hans stod nærmest stua.

Da hele messen var sunget, gikk kongen like ut av kirken, han gikk foran gjennom manngarden, og så fulgte den ene etter den andre av hans menn. Da han kom hjem til huset, gikk Erling framfor døra, bøyde seg for kongen og hilste ham. Kongen svarte og bad Gud hjelpe ham. Så tok Erling ordet: «Jeg har hørt at Asbjørn, min frende, har kommet i skade for å gjøre en stor ugjerning, og det er leit om det har hendt noe slikt, konge, som De er misnøyd med. Jeg kommer her nå for å by forlik og bøter for ham, så store som De sjøl vil fastsette, men til gjengjeld vil jeg han skal få ha liv og lemmer og rett til å være i landet.»

Kongen svarte: «Jeg synes det ser ut til at du mener du har Asbjørns sak helt i di hand nå, Erling. Jeg skjønner ikke hvorfor du later som du byr forlik for ham; du har vel dradd sammen denne folkehæren fordi du tenker at denne gangen vil du rå mellom oss.» Erling sa: «De skal rå, men rå slik at vi skilles forlikte.» Kongen sa: «Tenker du å skremme meg, Erling? Er det derfor du har så mye folk?» «Nei,» sa han. «Ja ligger det noe annet under, så kommer ikke jeg til å flykte nå.»

Erling sa: «Du trenger ikke å minne meg om at hver gang vi har møttes hittil, så har jeg hatt lite folk å sette imot deg. Men jeg vil ikke legge skjul på hva jeg har i sinne; jeg vil vi skal skilles forlikte. Ellers skulle jeg tro jeg ikke kommer til å prøve flere møter mellom oss.» Da var Erling rød som blod i ansiktet. Nå gikk biskop Sigurd fram og sa til kongen: «Herre, jeg ber Dem høre på meg for Guds skyld, og forlike Dem med Erling på de vilkår han byr Dem, slik at denne mannen får ha fred på liv og lemmer, men De alene skal rå for alle forliksvilkårene.» Kongen svarte: «De skal rå.»

Da sa biskopen: «Erling, gi kongen den trygd han vil ha, og siden skal Asbjørn gi seg i kongens makt og be om grid.» Erling gav trygd, og kongen tok imot. Så gikk Asbjørn og bad om grid og gav seg i kongens makt og kysset kongen på handa. Da gikk Erling bort med hæren sin; de hilste hverandre ikke.

Nå gikk kongen inn i huset, og Asbjørn fulgte ham; der satte kongen opp forliksvilkårene og sa så: «Første vilkår i forliket, Asbjørn, er det at du skal følge den landsens lov som byr at den mann som dreper kongens tjenestemann, skal sjøl påta seg samme tjeneste, om kongen vil. Nå vil jeg at du skal påta deg den årmanns-stillingen som Sel-Tore har satt, og styre garden for meg her på Avaldsnes.» Asbjørn sa det skulle bli som kongen ville. «Men jeg må likevel først hjem til garden min og ordne opp der.» Kongen gikk gjerne med på det. Han drog derfra til et annet gjestebud som ble gjort for ham.

Asbjørn gav seg på veg hjem med følget sitt, som hadde ligget gjemt i ei vik hele tida mens Asbjørn var borte; de hadde fått høre hva det var på ferde med ham og ville ikke seile bort før de visste hva enden ble på det. Så gav Asbjørn seg i veg og stanset ikke før han kom nordpå til garden sin ut på våren. Han ble kalt Asbjørn Selsbane.

Asbjørn hadde ikke vært lenge hjemme før de møttes, han og frenden hans, Tore, og de talte med hverandre. Tore spurte Asbjørn nøye ut om ferden, og om alt som hadde hendt der, og Asbjørn fortalte alt som det hadde gått for seg. Da sa Tore: «Du synes vel du er kvitt den skammen nå, at du ble ranet i høst?» «Ja, det er så,» sa Asbjørn, «eller hva synes du, frende?» «Det skal jeg snart si,» sa Tore. «Forrige gang du seilte sør i landet, ble det til stor skam, men det stod da til å rette på. Men denne ferden blir til skam for både deg sjøl og frendene dine, om det skal bli til det at du blir kongens trell og jamgod med slik en usling som denne Tore Sel. Vær nå så mye til kar at du heller blir sittende her på eiendommen din! Vi, dine frender, skal hjelpe deg, så du aldri kommer i en slik knipe mer.»

Asbjørn syntes det hørtes lovende, og før de skiltes, han og Tore, hadde de slått fast dette; han skulle bli boende på garden sin og aldri komme til kongen mer og heller ikke gå i hans tjeneste. Og det gjorde han, ble hjemme på gardene sine.

121. Etter at kong Olav og Erling Skjalgsson hadde møtt hverandre på Avaldsnes, tok stridighetene mellom dem til igjen, og de vokste slik at det til slutt var fullt fiendskap mellom dem. Kong Olav var på veitsler omkring i Hordaland om våren, så drog han opp på Voss, for han hadde hørt at folket der var lite troende. Han holdt ting med bøndene der det heter Vang, og bøndene kom dit mannsterke og fullt væpnet. Kongen bad dem ta kristendommen, men bøndene bød kamp igjen, og det kom så langt at begge fylkte hærene sine. Men så gikk det slik med bøndene at hjertet tok til å skjelve i brystet på dem, og ingen ville stå fremst, og så endte det med at de gjorde det som også var det beste for dem, de gav seg i kongens hand og tok kristendommen. Kongen drog ikke derfra før alle var blitt kristnet.

Det var en dag kongen var ute og rei framover vegen og sang salmene sine. Da han kom rett mot haugene der, stanset han og sa: «Disse mine ord skal gå fra mann til mann, jeg gir det råd at aldri mer skal noen av Norges konger gå mellom disse haugene.» Folk sier også at de fleste kongene har tatt seg i vare for det siden.

Så drog kong Olav ut til Osterfjorden, der møtte han skipene sine, og så drog han nord i Sogn og var der og tok veitsler om sommeren. Da det ble høst, seilte han inn fjorden og tok derfra opp i Valdres, der var det hedensk før. Kongen drog så fort han kunne opp til sjøen*, der kom han over bøndene helt uventet, han tok skipene deres og gikk sjøl om bord i dem med alle sine menn. Så sendte han ut tingbud, og tinget ble holdt så nær sjøen at kongen hadde full rådighet over skipene om han syntes han trengte dem. Bøndene kom til tinget som en hel hær og i full væpning. Kongen bød dem kristendommen, men bøndene ropte og skreik imot ham og bad ham tie stille; samtidig gjorde de stor larm og våpenbrak. Da kongen så at de ikke ville høre på det han lærte dem, og at de dessuten hadde så mange folk at ikke noe kunne stå seg mot dem, så tok han til å tale om noe annet, han spurte etter om det var noen der på tinget som hadde saker med hverandre, som de ville han skulle avgjøre for dem. Da bøndene fikk talt, viste det seg at det var mange som var uforlikte med hverandre av dem som hadde gått sammen om å tale mot kristendommen. Da nå bøndene tok til å legge fram klagemålene, prøvde hver mann å samle flokk til å støtte sin sak; hele den dagen gikk med til det, og om kvelden ble tinget oppløst.

Så snart bøndene fikk høre at kong Olav hadde fart gjennom Valdres og var kommet ned i bygdene, hadde de latt hærpil gå og stevnt sammen både fri mann og trell. Med den hæren gikk de mot kongen, og da ble det helt øde mange steder rundt i bygdene.

Sjøen er enten Vangsmjøsa eller Slidrefjorden.

Bøndene holdt-seg samlet også etter at tinget var oppløst. Dette fikk kongen vite. Og da han kom om bord i skipene sine, lot han dem ro tvers over sjøen om natta; der lot han folk gå opp i bygda og brenne og rane. Dagen etter rodde de fra nes til nes, og kongen lot hele bygda brenne. Men da de bøndene som var i samlingen, så røyk og lue på gardene sine, løste de seg fra flokken; hver tok vegen bort og søkte hjem for å finne igjen husstanden sin. Og da det først gikk hull på hæren, tok de av sted den ene etter den andre, til alt løste seg opp i små flokker. Men kongen rodde over sjøen og brente landet på begge sider. Så kom bøndene til ham og bad om nåde, bød seg til å bli hans handgangne menn. Han gav hver den grid som kom og krevde det, og lot dem ha sin eiendom. Nå var det ingen som talte mot kristendommen lenger, kongen lot folket døpe og tok gisler av bøndene. Kongen ble der lenge utover høsten, han lot skipene dra over eidet mellom sjøene. Kongen gikk ikke mye omkring i landet opp fra sjøene, for han trodde lite på bøndene. Han lot bygge kirker der og vigde dem og satte prester til dem. Da kongen ventet det snart skulle bli frost, gikk han lenger opp i landet og kom fram på Toten. Arnor Jarlaskald nevner dette at kong Olav hadde brent på Opplanda, den gang han diktet om Harald, bror hans:

Ættearv var det når Yngve
brente hus på Oppland,
fyrsten, den fremste av alle,
lot folket føle sin vrede.

Før det var fare på ferde,
lystret bøndene ikke
den seierkronede konge.
Galgen tok fyrstens fiender.

Så drog kong Olav nordover gjennom Gudbrandsdalen og helt til fjellet* og stanset ikke før han kom til Trondheimen og helt ut til Nidaros. Der gjorde han i stand til vinteropphold og var der om vinteren. Det var den tiende vinter han var konge.

Sommeren før hadde Einar Tambarskjelve reist fra landet og kom først vest til England, der møtte han mågen sin, Håkon jarl, og ble hos ham en stund. Så drog Einar til kong Knut og fikk store gaver hos ham. Etter dette reiste Einar sør over havet og helt til Roma, og kom tilbake neste sommer. Da reiste han til gardene sine, og han og kong Olav møttes ikke.

122. Det var ei kvinne som het Alvhild, hun ble reknet som kongens tjenestejente. Hun var likevel kommet av god ætt, og hun var ei svært vakker kvinne og fulgte med kong Olavs hird. Den våren hendte det at Alvhild ble med barn, og kongens nærmeste venner visste at han nok var far til barnet.

Så hendte det ei natt at Alvhild ble sjuk; det var ikke mange folk til stede, bare noen koner, en prest, Sigvat skald og noen få andre. Alvhild hadde det tungt, og hun var døden nær; hun fødte en gutt, og det var en stund de ikke sikkert visste om det var liv i barnet. Da barnet drog pusten, men ganske svakt, bad presten Sigvat gå og si

Fjellet, dvs. Dovrefjell.

Olavs menn brenner i Valdresbygdene.

fra til kongen. Han svarte: «Jeg tør ikke for noen pris vekke kongen, for han har forbudt alle mennesker å avbryte søvnen for ham før han våkner sjøl.» Presten svarte: «Det er nødvendig at dette barnet blir døpt nå, jeg synes ikke det ser ut til å kunne leve.» Sigvat sa: «Jeg tør heller rå til at du døper barnet, enn jeg vekker kongen; jeg får ta ansvaret og gi det navn.» Så gjorde de det, gutten ble døpt og kalt Magnus.

Morgenen etter da kongen hadde våknet og kledd seg, fikk han høre om alt det som hadde hendt. Da lot kongen Sigvat kalle til seg. Kongen sa: «Hvordan kunne du være så freidig at du lot barnet mitt døpe før jeg visste om det sjøl?» Sigvat svarte: «Fordi jeg heller ville gi to menn til Gud enn én til djevelen.» Kongen sa: «Hvordan kunne det gjelde noe slikt?» Sigvat svarte: «Barnet holdt på å dø, og om det døde hedensk, ble det djevelens mann, men nå ble det Guds mann. Og for det andre visste jeg at om du ble sint på meg, så gjaldt det ikke mer enn livet mitt, og om du vil at jeg skal dø for denne saken, så venter jeg å bli Guds mann.»

Kongen sa: «Hvorfor lot du gutten hete Magnus? Det er ikke ættenavn hos oss.» Sigvat svarte: «Jeg kalte ham opp etter kong Karlamagnus*, for han var den beste mann jeg visste i verden.» Da

Karlamagnus, Carolus Magnus, dvs. Karl den store.

sa kongen: «Du har lykken med deg, Sigvat. Men det er ikke noe rart at lykke følger vett. Det er merkeligere det som stundom også hender, at samme lykken følger uvettige folk så mye at uvettige påfunn vender seg til lykke.» Og nå var kongen helt blid. Sveinen vokste opp, og ble snart en kjekk gutt da han fikk alderen på seg.

123. Samme våren gav kong Olav halve sysla på Hålogaland til Åsmund Grankjellsson; den andre halve hadde Hårek på Tjøtta, men før hadde han hatt hele, noe i veitsler og noe i len*. Åsmund hadde ei skute og innpå tretti mann om bord, de var godt væpnet. Da Åsmund kom nordpå, møttes han og Hårek; Åsmund sa ham hvordan kongen hadde ordnet med sysla, og viste fram sikre kjenningstegn fra kongen. Hårek sa som så at kongen fikk rå for hvem som skulle ha sysla. «Men høvdingene gjorde likevel ikke slik i gamle dager at de minket rettighetene for oss som er født til å få makt av konger, og gav dem til slike bondesønner som aldri før har hatt den slags mellom hendene.» Og enda en kunne merke på Hårek at dette bød ham imot, så lot han likevel Åsmund få overta sysla, slik som kongen hadde sendt bud om.

Så drog Åsmund hjem til far sin; han ble der en liten stund, og så drog han siden til sysla nord på Hålogaland. Han kom nord til Langøya*; der bodde det den gang to brødre, den ene het Gunnstein, den andre Karle; det var rike menn og storkarer. Gunnstein styrte garden, han var den eldste av brødrene; Karle var vakker å se til og glad i stas; begge hadde de ferdighet i mange ting. Åsmund ble godt mottatt der og ble der en stund; han hentet sammen det han kunne få fra sysla. Karle snakket med Åsmund om at han gjerne ville bli med ham sørover til kong Olav og prøve å komme inn i hirden. Åsmund rådde ham til dette og lovte å hjelpe ham hos kongen, så Karle kunne få det han bad om der. Så slo Karle følge med Åsmund.

Åsmund fikk høre at Asbjørn Selsbane hadde seilt sørover til stevnet i Vågan med et lasteskip han hadde, og nesten tjue mann, og at han var ventende sørfra nå. Åsmund og hans følge drog sin veg sørover langs land, de hadde motbør, men det var liten vind. Det kom seilende skip mot dem som hørte til Vågan-flåten. De spurte nå i all stillhet etter hvor Asbjørn var, og fikk vite at han var på veg sørfra.

Åsmund og Karle delte seng, og de var kjære venner. Så var det en dag Åsmund og følget hans rodde fram gjennom et sund, da kom det seilende et lasteskip mot dem. Skipet var lett å kjenne, det var lyst på sidene, malt både med hvitt og rødt, og hadde seil med striper. Da sa Karle til Åsmund: «Du har ofte talt om at du gjerne ville se han Asbjørn Selsbane. Om det ikke er han som seiler der, så skjønner ikke jeg meg på å kjenne skip.» Åsmund svarte: «Vær

---

Veitsler og len. Kongens sysselmann hadde vanl. en viss del av innkomstene fra kongens jordegods i lønn, kalt *veitsle.* Hvis han hadde noe i *len,* vil det si at han fikk alle kongens innkomster i distriktet, mot å betale kongen en viss årlig avgift.
Langøya, den vestligste øya i Vesterålen.

så snill å si meg til, lagsmann, når du kjenner ham.» Nå glei skipene inn på sida av hverandre. Da sa Karle: «Der sitter han Selsbane ved roret i blå kjortel!» Åsmund svarte: «Jeg skal gi ham rød kjortel.» Og så kastet han Åsmund et spyd etter Asbjørn, og det traff ham i livet og gikk igjennom ham, så det ble sittende fast i hodefjøla. Asbjørn falt død ned fra styret. Deretter seilte begge hver sin veg.

De førte Asbjørns lik nord til Trondenes. Sigrid lot sende bud etter Tore Hund på Bjarkøy. Han kom til da de stelte med Asbjørns lik etter deres skikk. Da de skulle reise, fant Sigrid fram gaver til vennene sine. Hun fulgte Tore til skipet, og før de skiltes, sa hun: «Det er jo så, Tore, at Asbjørn, sønn min, hørte på dine kjærlige råd. Nå fikk ikke han langt nok liv til å lønne deg slik som du fortjener, og om jeg vel ikke er så god til det som han ville vært, så skal jeg da legge godviljen til. Her er ei gave som jeg vil gi deg, og jeg vil ønske du må få bruk for den.» Det var et spyd.

«Her er det spydet som stod igjennom Asbjørn, sønn min, og det er blod på det ennå, så det blir lettere for deg å huske hvordan det høver i det såret du så på Asbjørn, din brorsønn. Om du vil gjøre et karsstykke nå, så lot du dette spydet gå ut av hendene slik at det kom til å stå i brystet på Olav Digre. Og det sier jeg,» sa hun, «du skal bli hver manns niding om du ikke hevner Asbjørn.»

Så vendte hun seg og gikk. Tore var blitt så harm mens hun talte at han ikke kunne svare noen ting, han sanste ikke å slippe spydet, og han sanste ikke landgangen, og om ikke folk hadde tatt og støttet ham, ville han gått på sjøen, da han gikk ut på skipet. Det var et lite spyd med graveringer på, falen* var gullinnlagt. Tore og følget hans rodde bort og hjem til Bjarkøy.

Åsmund og hans folk seilte videre sin veg til de kom sør i Trondheimen til kong Olav. Åsmund sa til kongen hva som hadde hendt ham på reisa. Karle ble kongens hirdmann. Åsmund og han var gode venner som før. Men de ord som Åsmund og Karle hadde sagt til hverandre før drapet på Asbjørn, ble ikke holdt hemmelige, for dem fortalte de sjøl til kongen. Men her gikk det slik at alle har én venn mellom uvenner, som det heter; det var noen der som husket på dette, og derfra kom det til Tore Hund.

124. Da det lei utpå våren, tok kong Olav fatt og gjorde skipene sine klare. Så seilte han sørover langs landet om sommeren, han holdt ting med bøndene, forlikte folk og kristnet landet. Han tok inn kongsinntektene der han fór fram. Om høsten drog kongen helt til landegrensa. Da hadde kong Olav kristnet hele landet der det var store bygder. Han hadde også ordnet med lovene over hele landet. Han hadde også lagt under seg Orknøyene, slik som før er fortalt. Og han hadde sendt bud til både Island og Grønland og fått seg mange venner der, og likeså på Færøyene.

Kong Olav hadde sendt kirketømmer til Island, og den kirken ble reist på Tingvellir, der hvor Alltinget er; han sendte med ei stor

---

Falen, dvs. røret på spydet der skaftet settes inn.

Tore Hund går ned til brygga med spydet Selshevner.

klokke, som er der ennå. Dette var etter at islendingene hadde gjort
om lovene sine og satt kristenretten etter det som kong Olav hadde
sendt bud til dem om. Etter dette kom det mange storfolk fra Island
og ble kong Olavs handgangne menn; det var Torkjell Eyjolvsson,
Torleik Bollason, Tord Kolbeinsson, Tord Borksson, Torgeir
Håvardsson og Tormod Kolbrunarskald. Kong Olav hadde sendt
vennegaver til mange høvdinger på Island, og de sendte ham slike
ting som fantes der, og som de mente han ville synes var mest verdt
å få som sending. Men med disse tegn på vennskap som kongen viste
Island, lå det flere ting under, som siden kom fram i dagen.

125. Denne sommeren sendte kong Olav Torarin Nevjolvsson til
Island i sitt ærend, og Torarin styrte skipet sitt ut av Trondheimen
samtidig med at kongen reiste, og fulgte ham sør til Møre. Så seilte
Torarin ut til havs, og fikk så strykende bør at han seilte på åtte

halvdøgn til Island og tok land ved Eyrarbakki. Han drog straks til Alltinget, og kom dit da folk var samlet på Logberget; han gikk like til Logberget.

Da folk hadde avsagt rettskjennelsene, tok Torarin Nevjolvsson ordet: «For fire netter siden skiltes jeg fra kong Olav Haraldsson. Han sender alle høvdinger her i landet, styresmennene, og likeså hele allmuen, karer og kvinner, unge som gamle, rike og fattige, Guds og sin hilsen, og sier at han vil være deres konge om dere vil være hans menn, og hver skal være den annens venn og hjelper i alle gode ting.» Folk svarte pent på talen hans, de sa de ville alle være glade over å være kongens venner, om han ville være en venn for folk her i landet.

Da tok Torarin til orde: «Med kongens hilsen følger dette at han vil be nordlendingene om en vennskapstjeneste, om de ville gi ham ei øy eller et utskjær som ligger utenfor Eyjafjord, og som folk kaller Grimsey; til gjengjeld vil han gi slike herligheter fra sitt land som folk kunne be ham om. Og han sender sin hilsen til Gudmund på Mödruvellir og ber ham ta seg av denne saken, for han har fått høre at Gudmund er den som rår mest der.» Gudmund svarte: «Jeg vil gjerne ha kong Olavs vennskap, og jeg tror det er mye mer til gagn for meg enn dette utskjæret han ber om. Men kongen har ikke hørt riktig når han tror at jeg har mer makt over det enn andre, for det er gjort til allmenning nå. Vi får ha et møte om dette først, jeg og de menn som har mest gagn av øya.» Så gikk folk til buene sine.

Etter dette holdt nordlendingene et møte med hverandre og talte om saken. Hver og en kom fram med det han syntes. Gudmund var for saken, og det var mange andre som fulgte ham. Da spurte noen hvorfor ikke Einar, bror hans, sa noe om det. «Vi synes han er den som ser klarest i de fleste ting,» sa de.

Da svarte Einar: «Jeg har ikke sagt stort om denne saken fordi ingen har spurt meg. Men når jeg skal si min mening, så tror jeg det er best for folk her i landet om de ikke påtar seg skattegaver til kong Olav eller alle slike pålegg som han legger på folk i Norge. Det er en ufrihet som vi ville føre ikke bare over oss sjøl, men også over sønnene våre og all vår ætt som bygger og bor her til lands. Og den tvangen vil aldri minke eller bli borte fra dette landet. La gå at denne kongen er en god mann, som jeg gjerne skal tro han er; men det vil gå heretter som hittil, at når det blir kongsskifte, så er kongene ujamne, noen er gode og noen er vonde. Og om folk i landet vil få ha den friheten som de har hatt siden landet her ble bygd, da er det eneste råd det å ikke gi kongen tak på oss i noen ting, verken ved landeiendom her eller løfte om å svare avtalte skylder herfra som kunne gå for å være skatter fra undersåtter. Men jeg vil rekne det for å være tjenlig om folk sender kongen vennegaver når de har lyst på det, hauker eller hester, telt eller seil eller andre slike ting som er verdt å sende; for det lønner seg godt om en får vennskap igjen for det. Når det er tale om Grimsey, så må det nevnes at enda det nok ikke kommer noe derfra som en kan bruke til mat, så kan en likevel fø en hær der, og om det er en utenlandsk hær som kommer dit på langskip, så tenker jeg mange småbønder kommer til å synes det blir trangt med rom omkring dørene.»

Da Einar hadde sagt dette og klarlagt hele stillingen, så vendte straks hele allmuen seg til ham og gav sitt samtykke i at dette skulle aldri hende. Torarin skjønte nå hva som ble enden på ærendet hans i denne saken.

126. Dagen etter gikk Torarin til Logberget og holdt en tale enda en gang, og tok slik til orde: «Kong Olav sendte bud til vennene sine her til lands, og han nevnte Gudmund Eyjolvsson, Snorre gode, Torkjell Eyjolvsson, Skafte lovsigemann og Torstein Hallsson. Han sendte det bud til dere at dere skulle komme til ham og ta imot det vennskap han byr. Han sa videre at dere skulle ikke vente lenge med å komme, om dere satte noen pris på hans vennskap.» De svarte på denne talen, takket kongen for tilbudet, men sa de ville si fra til Torarin om de ville reise siden, når de hadde fått områdd seg og talt med vennene sine.

Da nå høvdingene fikk tale med hverandre, sa hver av dem det han mente om denne ferden. Snorre gode og Skafte rådde fra det å våge så mye hos nordmennene som at de skulle reise fra Island til Norge alle på en gang, de mennene som rådde mest for landet; de sa at dette budet snarere gav dem mistanke om det samme som Einar hadde slått på, at kongen hadde planer om en slags tvang mot islendingene, om han kunne få det til. Gudmund og Torkjell Eyjolvsson ville gjerne rette seg etter kong Olavs bud, og de mente det ville bli en ferd de ville få stor ære av. Men da de hadde drøftet saken med hverandre, ble det til slutt til at de ikke skulle reise sjøl, men hver av dem skulle sende en mann på sine vegne som de syntes høvde best til det. Og så skiltes de på tinget med dette, og det ble ikke til noen Norgesreise den sommeren.

Torarin seilte tilbake samme sommer og kom til kong Olav om høsten; han fortalte ham hvordan det hadde gått med ærendet, men også at de høvdingene han hadde sendt bud på, skulle komme fra Island, enten de sjøl eller sønnene deres.

127. Samme sommeren kom Gille lovsigemann, Leiv Ossursson, Toralv* fra Dimun* og mange andre bondesønner vest fra Færøyene til Norge på kong Olavs bud; Trond i Gata* gjorde seg også klar til å reise, men da han på det nærmeste var ferdig, fikk han en hard sjukdom, så han ikke kunne komme noen steder, og så ble han igjen hjemme.

Da færøyingene kom til kong Olav, kalte han dem til en samtale og hadde et møte med dem. Der åpenbarte han for dem hva mening han hadde med å la dem komme, han sa han ville ha skatt fra Færøyene, og dessuten at færøyingene skulle ha den loven kong

Toralv var sønn til Sigmund Brestesson.
Dimun, nå Stóra Dimun mellom Sandoy og Suðuroy.
Gata, en gard på østsida av Eysturoy.

Olav ville gi dem. På dette møtet kunne man merke på kongens ord at han ville ha sikkerhet i denne saken av de færøyingene som hadde kommet der, om de ville binde seg til dette forliket med eder; han bød de menn han syntes var gjævest der, at de skulle bli hans handgangne menn og til gjengjeld få en høy stilling og vennskap av ham. Færøyingene skjønte på kongens ord at det var uvisst hvordan det ville gå dem om de ikke gav seg på alt det kongen krevde av dem. Det ble nok først holdt flere møter om denne saken før det kom til en avgjørelse, men til slutt fikk likevel kongen fram alt det han krevde. Leiv, Gille og Toralv ble kongens handgangne menn og hirdmenn, og alle de andre i følget svor kong Olav å holde den lov og landsrett på Færøyene som han ville sette for dem, og svare den skatten han påla. Etter dette gjorde færøyingene seg ferdige til hjemferden. Da de skiltes, gav kongen dem vennegaver, og de som hadde blitt hans handgangne menn, seilte sin veg så snart de var ferdige.

Men kongen lot ruste et skip og fant mannskap til det, og sendte det til Færøyene for å ta imot de skattene færøyingene skulle betale ham. De ble ikke fort ferdige, og om denne ferden er bare det å si at de kom aldri igjen, og det kom ingen skatt den sommeren som fulgte, for de hadde ikke kommet fram til Færøyene, og det var ingen som hadde krevd inn skatt der.

128. Om høsten drog kong Olav inn i Viken; han sendte bud i forvegen til Opplanda og lot gjøre i stand veitsler, og da han tenkte å reise omkring på Opplanda den vinteren, gav han seg på veg og drog til Opplanda. Kong Olav ble på Opplanda den vinteren og fór i veitsler der. Han rettet på alt det som han syntes var mangelfullt, styrket igjen kristendommen der han syntes det trengtes.

Da kongen var på Hedmark, hendte det at Kjetil Kalv på Ringnes fridde og bad om Gunnhild, datter til Sigurd Syr og Åsta; Gunnhild var søster til kong Olav, og det var kongen som skulle svare på dette og rå for giftermålet. Han tok det godt opp, og det var fordi han visste om Kjetil at han var en mann av stor ætt, rik, klok og en stor høvding; han hadde alt lenge vært kong Olavs gode venn også, som fortalt her før. Alt dette til sammen gjorde at kongen gjerne unte Kjetil dette giftet, og så ble det til det at Kjetil fikk Gunnhild; kong Olav var med i bryllupsgildet.

Kong Olav drog nord i Gudbrandsdalen og tok imot veitsler. Der bodde det en mann som het Tord Guttormsson, på garden som heter Steig*. Tord var den mektigste mannen i den nordre del av Gudbrandsdalen. Da han og kongen møttes, fridde Tord og bad om Isrid Gudbrandsdotter, kong Olavs moster. Det var kongen som skulle svare på dette, og da de hadde talt om saken, ble det avgjort at giftermålet kom i stand, og Tord fikk Isrid. Etter dette ble han kong Olavs fulltro venn, og med ham mange andre av Tords frender og venner, som brukte å rette seg etter ham.

Steig i Sør-Fron.

Så reiste kong Olav sørover igjen over Toten og Hadeland, derfra til Ringerike, og så ut i Viken. Om våren kom han til Tønsberg, og der ble han lenge, mens det var størst handel og tilførsel der. Så lot han ruste ut skipene sine og hadde en mengde folk med seg.

129. Denne sommeren kom Stein, sønn til Skafte lovsigemann, Torodd, sønn til Snorre gode, Gelle, sønn til Torkjell, og Egil, sønn til Sidu-Hall, bror til Torstein, fra Island på kong Olavs bud. Gudmund Eyjolvsson var død om vinteren. Islendingene gikk straks til kong Olav, så snart de kunne komme til. Da de kom til kongen, ble de godt mottatt og var hos ham alle sammen.

Samme sommeren fikk kong Olav vite at det skipet han hadde sendt til Færøyene etter skatt sommeren før, var blitt borte, og det var ikke kommet til land noe sted, så vidt folk visste. Kongen fant et nytt skip og mannskap til det og sendte det til Færøyene etter skatt. Mennene tok av sted og stod til havs, men siden hørte ingen noe mer til dem enn til de forrige som fór, og det var mange gjetninger om hvor det kunne ha blitt av disse skipene.

130. Knut den mektige, som noen kaller Knut den gamle, var konge både over England og over Danevelde på den tida. Knut den mektige var sønn til Svein Tjugeskjegg Haraldsson. Hans ætt hadde rådd over Danmark i lange tider. Harald Gormsson, farfar til Knut, hadde tatt Norge etter Harald Gunnhildssons fall og hadde tatt skatter derfra og satt Håkon jarl den mektige til å styre landet. Svein danekonge, sønn til Harald, hadde også rådd over Norge og hadde satt Eirik Håkonsson jarl til å styre landet. Han og broren Svein Håkonsson rådde deretter landet, inntil Eirik jarl drog vest til England da Knut den mektige, mågen hans, sendte bud etter ham; han satte sin sønn Håkon jarl etter seg til å styre i Norge, Håkon var søstersønn til Knut den mektige, Eiriks måg. Men da så Olav Digre kom til Norge, tok han først Håkon jarl til fange og avsatte ham fra styret, slik som før er skrevet. Da reiste Håkon til sin morbror Knut, og hos ham hadde han vært hele tida siden til vi er kommet så langt som hit i sagaen.

Knut den mektige hadde vunnet England i strid og kjempet seg til det; og han hadde hatt et langt slit før folket i landet hadde blitt lydige mot ham. Da han nå mente han hadde fått full og hel styring der i landet, tok han til å tenke på det han mente å ha rett til i et rike han ikke sjøl hadde oppsyn med, og det var Norge. Han mente han sjøl hadde arverett til hele Norge, og Håkon, søstersønn hans, til noe av det, og dertil kom at han syntes han hadde mistet det med skam. En av grunnene til at Knut og Håkon hadde latt det være stilt med kravene på Norge, var den at i førstningen da Olav Haraldsson kom til landet, løp den opp som én mann hele den store bondemugen og ville ikke høre tale om annet enn at Olav skulle være konge over hele landet. Men siden, da folk syntes de ikke fikk rå seg sjøl under hans styre, var det noen som prøvde å komme seg ut av landet; da var det nokså mange stormenn som hadde reist til kong Knut, og sønner til mektige bønder også, de hadde gitt seg ett eller

Kong Olav farer på gjesting i Gudbrandsdalen.

annet ærend. Og hver den som kom til kong Knut og ville bli hans mann, fikk alltid hendene fulle av gull. Der kunne en også se mye større prakt enn andre steder, både det at det var så mange folk der til daglig, og så utstyret ellers i de husene han hadde, og som han sjøl bodde i.

Knut den mektige fikk skatter og skylder fra de rikeste folkland i Norderlanda; og ettersom han hadde større inntekter enn andre konger, gav han også bort av dem i samme monn mer enn noen annen konge. I hele riket hans var freden så sikker at ingen torde bryte den, og sjølve folket i landet hadde fred og gammel landsens rett. Slikt ble han kjent og æret for i alle land. Men av dem som kom fra Norge, var det mange som klagde over ufrihet, og la ut for Håkon jarl om det, og noen lot kongen sjøl få vite at nordmennene ville være ferdige til å vende tilbake under kong Knut og jarlen og få friheten sin igjen av dem. Dette snakket syntes jarlen godt om, han la det fram for kongen, og bad ham undersøke om kong Olav ville gi opp riket sitt til dem eller gå med på noe slags forlik om å dele det. Det var mange som støttet jarlen denne gangen.

131. Knut den mektige sendte menn vest fra England til Norge, og sendeferden var utstyrt på det verdigste, de hadde brev med segl under fra Knut, Englands konge. De kom til Olav Haraldsson, Norges konge, i Tønsberg om våren. Da det ble meldt kongen at det var kommet sendemenn fra Knut den mektige, ble han sint; han sa at Knut hadde visst ikke sendt menn dit i noe ærend som kunne være

til gagn for ham eller hans menn, og det gikk noen dager før sende-mennene fikk komme inn til kongen.

Da de fikk lov til å tale med ham, gikk de til ham og hadde med kong Knuts brev og sa fram det budskap som fulgte «at kong Knut rekner hele Norge for sin eiendom, og sier at hans forfedre hadde hatt det riket før ham. Men ettersom kong Knut vil by fred til alle land, vil han ikke fare med hærskjold over Norge, om det fins noen annen råd. Om nå kong Olav Haraldsson vil være konge over Norge, da skal han komme til ham og ta landet i len av ham og bli hans mann og svare samme skatter som jarlene svarte før.» Så tok de fram brevene, og de sa aldeles det samme.

Da svarte kong Olav: «Jeg har hørt fortalt i gamle frasagn at Gorm, danenes konge, ble reknet for å være en fullgod folkekonge, og han rådde enda bare for Danmark alene. Men disse danekongene som har vært siden, synes ikke dette er nok. Nå har det kommet så langt at Knut rår for Danmark og for England, og enda har han nå slått under seg en stor del av Skottland. Og nå gjør han krav på å få min ættearv av meg. Han skulle en gang lære å sette mål for sin griskhet, eller tenker han å rå for alle Norderlanda alene? Eller tenker han å ete opp all kålen i England? Han kommer før til å orke det enn han får meg til å bringe ham mitt hode eller vise ham noen som helst undergivenhet. Derfor skal dere si ham disse mine ord at jeg vil verge Norge med odd og egg så lenge jeg får ha livet, og ikke svare noen mann skatt av riket mitt.» Etter denne avgjørelsen kom kong Knuts sendemenn seg av gårde igjen, og de var ikke glade for den vending saken hadde tatt.

Sigvat skald hadde vært hos kong Knut, og kong Knut gav ham en gullring som veide ei halv mark. Dengang var Berse Skaldtorvuson også hos kong Knut, og kong Knut gav ham to gullringer, hver av dem veide ei halv mark, og dessuten et fint sverd. Så kvad Sigvat:

Knut lyser av storverk.
Staselig har han prydet
armene på oss begge,
Bamse*, da kongen vi søkte.

Deg ei mark eller mere
av gull han gav, og et skarpslipt
sverd – jeg fikk det halve.
Gud sjøl allting styrer.

Sigvat gjorde seg til venns med sendemennene til kong Knut og fikk vite mye nytt. De fortalte ham da han spurte om det, at de hadde hatt en samtale med kong Olav og likeså hva som hadde blitt enden på ærendet deres; de sa kongen hadde tatt det de hadde sagt, svært ille opp. «Men vi skjønner ikke,» sa de, «hvor han tar motet fra til slikt noe som å nekte å bli kong Knuts mann og reise til ham. Det var det beste han kunne gjøre, for kong Knut er så god at om det er høvdinger som gjør ham aldri så mye imot, så tilgir han alt når de bare kommer til ham og viser ham underkastelse. Det er ikke lenge siden det hendte at det kom to konger til ham nord fra Skott-

Bamse, d.s.s. Berse; begge ord betyr bjørn.

Kong Knuts sendemenn kommer til kong Olav i Tønsberg.

land fra Fife*, og han lot hele sin vrede mot dem falle og gav dem alle de land de hadde hatt før og dessuten store vennegaver.» Da kvad Sigvat:

Fremmelige fyrster
nordfra midt på Fife
førte Knut sitt hode,
fred ville de kjøpe.

Olav solgte aldri
en eneste mann i verden
hodet sitt. Den Digre
hadde ofte seier.

Kong Knuts sendemenn reiste sin veg tilbake, de fikk god bør over havet. Så gikk de til kong Knut og fortalte ham hvordan det hadde gått med ærendet, og likeså de avgjørende ord kong Olav hadde sagt til slutt til dem. Kong Knut svarte: «Kong Olav gjetter galt om han tror at jeg har lyst på alene å ete all den kålen som fins i England. Jeg skulle ha større lyst til å la ham få merke at jeg har andre ting innenfor ribbeina enn bare kål; og heretter skal det komme kalde råd mot ham fra hvert eneste ribbein.»

Samme sommer kom Aslak og Skjalg, sønnene til Erling på Jæren, fra Norge til kong Knut; de ble godt mottatt der, for Aslak var gift med Sigrid, datter til Svein Håkonsson jarl; hun og Håkon

Fife, landskap i det østlige Skottland, nord for Edinburgh.

Eiriksson jarl var søskenbarn. Kong Knut gav brødrene store veitsler der hos seg.

132. Kong Olav stevnte til seg lendmennene sine og samlet mange menn om sommeren, for det gikk det ord at Knut den mektige ville komme vestfra den sommeren. Folk mente de skjønte på kjøpmannsskip som kom vestfra at Knut holdt på å samle en stor hær i England. Men da det lei på sommeren, var det noen som sa det var sant, andre nektet at det ville komme noen hær. Kong Olav ble i Viken om sommeren, og han hadde folk ute for å holde utkik med om Knut skulle komme til Danmark.

Om høsten sendte kong Olav sendemenn øst i Svitjod til kong Anund, mågen sin, med det budskap at han trodde at dersom Knut la Norge under seg, ville ikke Anund få ha Sveavelde i fred lenge; han sa det beste ville være at de sluttet forbund og reiste seg mot ham, og han sa at da ville det ikke skorte på styrke for dem til å kjempe mot kong Knut. Kong Anund tok godt imot kong Olavs budskap, og han sendte det svar at han ville gjøre fellesskap med kong Olav, slik at hver av dem skulle hjelpe den andre med sin makt, hvem som kom til å trenge det først. De sendte hverandre bud om det også at de skulle møtes og holde en rådslagning. Kong Anund ville reise gjennom Västergötland vinteren etter, og kong Olav gjorde i stand til å bli vinteren over i Sarpsborg.

Den høsten kom Knut den mektige til Danmark og ble der om vinteren og hadde en mengde folk. Det ble fortalt ham at det hadde gått sendemenn og budskap mellom Norges konge og sveakongen, og at det nok lå store planer under. Om vinteren sendte kong Knut menn til Svitjod til kong Anund, han sendte ham store gaver og løfter om vennskap, og sa at han kunne trygt sitte rolig i striden mellom Knut og Olav Digre. «For kong Anund,» sa han, «og hans rike skal få være i fred for meg.» Og da sendemennene kom til kong Anund, bar de fram de gavene kong Knut sendte ham, og med dem skulle følge kong Knuts vennskap. Kong Anund opptok det de sa nokså kaldt, og sendemennene syntes de kunne merke at kong Anund var mest stemt for vennskap med kong Olav. De reiste tilbake og fortalte kong Knut hvordan det hadde gått dem med ærendet, og de sa videre at han måtte ikke vente seg noe vennskap av kong Anund.

133. Vinteren etter var kong Olav i Sarpsborg og hadde mange menn hos seg. Da sendte han Karle den håløygske nord i landet i sine ærender. Karle tok vegen først gjennom Opplanda og siden nord over fjellet og kom fram til Nidaros. Der fikk han så mye av kongens midler som kongen hadde sendt bud om, og et godt skip som han syntes høvde bra for den reisen kongen hadde eslet ham til, og det var å seile nord til Bjarmeland. Det var meningen at Karle skulle gå i lag med kongen, og de skulle eie varene halvt med hverandre. Karle styrte skipet nord til Hålogaland tidlig på våren, der slo bror hans, Gunnstein, seg sammen med ham; han hadde sine egne varer å handle med. De var bortimot 25 mann på det skipet. Tidlig på våren seilte de nord til Finnmark.

Tore Hund fikk høre om dette. Da sendte han bud til brødrene og sa han hadde tenkt seg nord til Bjarmeland om sommeren; han ville gjerne de skulle seile sammen og så dele likt den fangsten de kom til å få. Karle og følget hans sendte bud til svar at Tore skulle ha 25 mann, slik som de hadde; de ville også at det gods de vant, skulle bli delt likt mellom skipene, men handelen med de varene mannskapet hadde med, skulle holdes utenfor. Men da sendemennene til Tore kom tilbake, hadde han alt latt sette fram en svær langskips-busse*, som han eide, og gjort den seilklar. Til mannskap på skipet hadde han huskarene sine, og det var bortimot åtti mann om bord. Tore alene hadde styret for hele denne flokken og rådde for alt det utbyttet de kunne få av ferden også.

Da Tore var ferdig, styrte han skipet sitt nordover langs land og møtte Karle og hans følge nord i Sandsvær. Så seilte de av sted alle i følge og hadde god bør. Gunnstein sa til Karle, bror sin, straks de møtte Tore, at han syntes Tore var vel mannsterk. «Og jeg tror det var rådeligst om vi snudde,» sa han, «og ikke drog av sted slik at Tore helt har overtaket på oss, for jeg tror ikke videre på ham.» Karle sa: «Jeg vil ikke vende tilbake. Men sant å si likevel, hadde jeg visst, da vi var hjemme i Langøy ennå, at Tore Hund skulle følge med oss med så mye folk som han har, da skulle nok vi ha hatt flere menn med oss.»

Brødrene snakket til Tore om dette, spurte hva meningen var med at han hadde med seg mange flere menn enn det hadde vært avtalt. Han svarte som så: «Vi har et stort skip som krever mye mannskap, og i slik en farlig ferd synes jeg gode karer alltid kan komme godt med.» Så seilte de om sommeren, og mest slik som skipene ville gå. Når det var liten vind, gikk skipet til Karle fortere, men når det frisket på, tok Tore og hans skip dem igjen; de var sjelden helt sammen, men de visste hele tida om hverandre. Da de kom til Bjarmeland, la de inn til et sted det var handelsplass; der ble det nå marknad, og alle de som hadde varer med, fikk dem godt betalt. Tore fikk en mengde gråverkskinn og bever og sobel. Karle hadde også en mengde varer som han kjøpte for, han fikk mange skinnvarer.

Da kjøpstevnet var slutt, seilte de ut gjennom elva Dvina. Nå ble freden med folk i landet oppsagt. Da de kom ut til havs, holdt de skipsstevne. Tore spurte om folkene hadde noen lyst på å gå opp på land og vinne seg gods. De svarte at det hadde de god lyst til dersom det var fangst for hånden. Tore sa at det var penger å få om det gikk godt. «Men det er ikke umulig at det blir fare for livet på vegen.» Alle sa at de ville prøve dette, om det var noe å vinne på det. Tore sa det var skikken der, når rikmenn døde, at de skulle dele løsøret mellom den døde og arvingene hans, han skulle ha det halve eller en tredjedel, stundom mindre. Dette løsøret måtte de så bære ut i skogene, og stundom i hauger, og grave jord over det; noen ganger

Busse er et stort, bredt handelsskip.

Kong Olav sender Karle på Bjarmelandsferd.

ble det bygd hus til det. Han sa de skulle legge i veg en dag mot kvelden. Det ble avtalt at ingen måtte løpe fra de andre, og ingen måtte bli igjen når styresmennene sa de skulle gå derfra igjen. De lot noen folk bli igjen til vakt ved skipene, og så gikk de i land.

Der var det først flate voller og dernest en stor skog. Tore gikk føre og brødrene Karle og Gunnstein etter. Tore sa de skulle fare stilt. «Og riv noe bark av trærne, slik at en kan se fra det ene treet til det andre.» De kom fram i en stor rydning, og i den rydningen stod det en høy skigard, det var ei grind i skigarden, og den var låst. Seks mann av landets folk skulle våke over skigarden hver natt to og to, en tredjedel av natta hver. Da Tore og følget hans kom til skigarden, hadde vaktmennene nettopp gått hjem, og de som så skulle våke, hadde ikke kommet på vakt ennå. Tore gikk bort til skigarden, haket øksa opp på den og heiste seg sjøl etter; slik kom han inn over garden på den ene sida av inngangen. Da hadde Karle og Gunnstein også kommet seg over garden på den andre sida av inngangen. De kom samtidig til grinda, tok fra slåene og lukket opp grinda. Så gikk de andre inn i garden. Tore sa: «I denne garden er det en haug, hvor gull og sølv og jord er rørt sammen, dit skal vi gå. Bjarmenes gud, som heter Jomale*, står også i garden, men ingen må være så djerv at han røver ham!» Så gikk de til haugen og tok så mye gull og sølv de kunne bære og få med seg i klærne sine; det fulgte mye jord med, som ventelig var. Siden sa Tore at nå fikk de gå. Han sa så: «Nå skal dere brødre, Karle og Gunnstein, gå først, og jeg skal gå sist.» Så gikk de alle sammen ut til utgangen.

Tore vendte tilbake til Jomale og tok en sølvbolle som stod i fanget på ham; den var full av sølvpenger. Han helte sølvet ned i brystet på kjortelen sin, og drog hanka som var på bollen, opp på armen, og så gikk han til utgangen. Da hele følget hadde kommet ut av skigarden, ble de var at Tore hadde blitt igjen. Karle vendte tilbake for å leite etter ham, og de møttes innenfor grinda; Karle så at Tore hadde sølvbollen med seg. Da rente Karle bort til Jomalen; han så det var en diger halsring om halsen på ham. Karle løftet øksa og hogg sund snora som ringen var festet i bak på halsen; hogget var så hardt at hodet røk av Jomalen. Det ble et smell så høyt at alle syntes det var et under. Karle tok ringen; og så kom de seg av sted. Men i samme stund som smellet hørtes, kom vaktmennene fram i rydningen, og de blåste straks i hornene sine, og så hørte de lurblåst alle vegne omkring seg. De løp bort til skogen og inn i skogen, men bak seg hørte de rop og skrik fra rydningen, det var bjarmene som hadde kommet dit.

Tore Hund gikk sist av alle sine menn; det gikk to mann foran ham og bar en sekk, og i den var det noe som liknet aske. Den stakk Tore handa nedi og sådde i sporene etter dem, og noen ganger kastet han noe av det fram over folkene. Slik gikk de framover ut av skogen og ut på vollene. De hørte at bjarmehæren kom etter dem med rop og fæl gauling. Så ruste bjarmene fram, ut av skogen og etter dem og opp på begge sider av dem, men ingensteds kom bjarmene eller våpnene deres så nær at noen fikk skade av det. Og de skjønte det kom av det at bjarmene ikke så dem. Da de kom til skipene, gikk Karle og hans folk først om bord, for de kom dit først, og Tore var lengst oppe på land. Straks Karle og hans menn kom om bord, tok de ned teltene og løste landfestet, så heiste de seil, og skipet gikk fort ut mot havet. For Tore og hans folk gikk allting seinere; skipet deres var mer tungvint, og da de fikk heist seil, var alt Karle og hans folk langt fra land.

Nå seilte begge skipene over Gandvik*. Natta var lys ennå, de seilte dag og natt, helt til Karle en dag mot aftenen la til med skipet ved noen øyer; der tok de ned seilene og kastet anker og ventet på strømfallet, for det var en stor malstrøm foran dem. Da kom Tore og hans folk etter med sitt skip, de la seg også for anker. Så satte de ut en båt, Tore og noen mann gikk om bord i den og rodde bort til Karles skip. Tore gikk opp på skipet. Brødrene hilste vennlig på ham. Tore bad Karle gi seg halsringen. «Jeg synes det er rimelig at

Jomale er karelsk og betyr himmel eller himmelgud.
Gandvik, dvs. Kvitsjøen.

Tore Hund og mennene hans kommer sist til skipene med hærfang.

jeg får de kostbarhetene som ble tatt der, for jeg mener det var min skyld at vi kom unna uten fare for livet. Og jeg synes at du, Karle, førte oss opp i en stygg fare.» Da sa Karle: «Kong Olav eier halvdelen av alt det gods jeg vinner på denne reisen, jeg hadde tenkt han skulle ha halsringen. Reis til ham du, om du vil; da kan det være han gir deg halsringen, om det er så han ikke vil ha den fordi jeg har tatt den fra Jomale.» Da svarte Tore og sa han ville de skulle gå opp på øya og dele fangsten. Gunnstein sa at rett nå skiftet strømmen, så nå var det tid å seile. Så drog de opp ankeret. Da Tore så det, gikk han ned i båten og rodde til skipet sitt.

Karle og hans folk hadde heist seil og var alt langt til sjøs før Tore hadde fått opp seilet. Så seilte de, og hele tida slik at Karle var fremst, og begge seilte så hardt de vant. Slik gikk det helt til de kom til Gjesvær; det er den første bryggeplassen når en seiler nordfra. Dit kom begge skipene en dag tidlig på kvelden, de la seg i havn ved bryggeplassen. Tore og hans skip lå inne i havna, og Karle og hans ytterst. Da Tore hadde fått opp teltene, gikk han opp på land sammen med en hel del menn, de gikk bort til Karles skip, der hadde de også gjort seg ferdige da. Tore ropte ut til skipet og bad styresmennene komme i land. Så gikk brødrene og noen mann i land.

Så tok Tore til å snakke om det samme som før igjen, han ville de skulle gå i land og bære til skifte det gull og sølv de hadde tatt i hærfang. Brødrene sa det hastet ikke med det før de kom hjem til folk. Tore sa det var ikke skikk og bruk å vente med å skifte hærfang helt til en kom hjem, og sette folks redelighet på prøve. De snakket noen ord om dette og ble ikke enige. Da vendte Tore seg og gikk, men han hadde ikke kommet langt, før han snudde og sa følget hans skulle vente på ham der. Han ropte på Karle: «Får jeg tale med deg

alene,» sa han. Karle gikk bortover til ham. Men da de møttes, stakk
Tore spydet i livet på ham, så det stod tvert igjennom. Da sa Tore:
«Her skal du få kjenne en bjarkøying, Karle; og spydet Selshevneren
tenker jeg også du skulle kjenne.» Karle døde straks, og Tore og
hans folk gikk tilbake til skipet.

Gunnstein og de andre så Karle falt, de løp straks til og tok liket
og bar det til skipet sitt; så tok de ned teltene og landgangen og la
ut fra land, siden heiste de seil og seilte sin veg. Tore og hans folk
så dette. Da tok de også inn teltene, og så til å bli ferdige så fort de
kunne. Men da de skulle heise seil, gikk staget i stykker, og seilet falt
ned tvers over skipet, og det varte en stund før Tore og folkene hans
fikk opp seilet for annen gang. Gunnstein og hans folk hadde kom-
met langt alt, da Tores skip kom i sig. Tore og hans folk tok det slik
at de både seilte og rodde, og det samme gjorde Gunnstein.

Slik fór begge skipene av sted så fort de kunne dag og natt; men
det gikk seint med å nå igjen Gunnstein, for så snart de kom inn i
øysundene, var det lettere å manøvrere med Gunnsteins skip, men
likevel drog Tore innpå dem, så da Gunnstein kom utenfor Lenvik,
snudde de inn mot land, og løp av skipet og opp på land. Litt etter
kom Tore og hans folk dit og løp etter dem og jagde dem. Det var
ei kone som fikk hjulpet Gunnstein og gjemt ham, og folk sier hun
var trollkyndig. Tore og hans folk gikk tilbake til skipet og tok alt
det gods som var på Gunnsteins skip, og la stein i stedet; så rodde
de skipet ut på fjorden og hogg huller i det og søkkte det ned. Så
seilte Tore hjem til Bjarkøy.

Gunnstein og følget hans reiste først uten å gi seg til kjenne; de
rodde i småbåter og drog videre om natta og lå stille om dagen; slik
fór de til de var forbi Bjarkøy, og helt til de kom ut av sysla til Tore.
Gunnstein tok først hjem til Langøy, men han ble der ikke lenge; så

«Her skal du få kjenne en bjarkøying, Karle.»

drog han straks sørover, og stanset ikke før han kom sør i Trond-heimen og møtte kong Olav der, og fortalte ham alt det som hadde hendt på Bjarmelandsferden. Kongen gav vondt fra seg for hvordan det hadde gått dem; han bød Gunnstein å bli hos seg og sa at han skulle sørge for at Gunnstein fikk oppreisning så snart han kunne komme til. Gunnstein tok imot tilbudet med takk og ble hos kong Olav.

134. Det er sagt før at kong Olav var øst i Sarpsborg den vinteren Knut den mektige satt i Danmark. Anund sveakonge rei omkring i Västergötland den vinteren og hadde mer enn tretti hundre mann. Det gikk menn og sendebud mellom ham og kong Olav; de satte hverandre stevne så de skulle møtes ved Konghelle om våren. Møtet ble utsatt av den grunn at de ville vite hva kong Knut hadde fore før de møttes.

Da det lei på våren, gjorde kong Knut seg ferdig med hæren til å reise vest til England; han satte Horda-Knut, sønnen sin, igjen i Danmark, og satte Ulv jarl, sønn til Torgils Sprakalegg, hos ham. Ulv var gift med Astrid, datter til kong Svein og søster til Knut den mektige, deres sønn var Svein som siden ble konge i Danmark. Ulv jarl var en stor og mektig mann.

Knut den mektige seilte vest til England. Og da kongene Olav og Anund fikk vite det, reiste de til stevnet og møttes ved Konghelle i Elv. Det ble et gledelig møte og store løfter om vennskap slik at alle fikk vite det; men likevel talte de om mange ting seg imellom som bare de to visste, og noe av dette kom fram etterpå og ble åpenlyst for alle. Da kongene skiltes, skiftet de gaver med hverandre og skiltes som venner. Så drog kong Anund opp i Götaland, og kong Olav tok nord i Viken og så ut på Agder og derfra nordover langs land. Han ble liggende lenge i Eigersund og ventet på bør. Han fikk høre at Erling Skjalgsson og jærbuene sammen med ham lå i samling og hadde en hær av folk.

Det var en dag som kongsmennene snakket sammen om været, om det var sønnavær eller sørvest, og om været var slik at en kunne seile om Jæren med det eller ikke; de fleste sa det ville ikke la seg gjøre å seile. Da svarte Halldor Brynjolvsson: «Jeg skulle tro,» sa han, «at vi ville synes været var godt nok til å seile om Jæren, dersom Erling Skjalgsson hadde laget til gjestebud for oss på Sola.» Da sa kong Olav at de skulle ta ned skipsteltene og snu skipene; så ble gjort; de seilte om Jæren den dagen, og vinden var den beste de kunne få. Om kvelden la de til ved Kvitingsøy*. Så seilte kongen nordover til Hordaland og drog på veitsler der.

135. Den våren hadde det gått skip fra Norge vest til Færøyene; med det skipet fulgte budskap fra kong Olav om at en eller annen av hirdmennene hans, Leiv Ossursson eller Gille lovsigemann eller Toralv fra Dimun, skulle komme vest fra Færøyene til ham. Da dette budskapet kom fram til Færøyene, og det ble gitt til dem det gjaldt,

Kvitsøy i Rogaland.

snakket de med hverandre om hva det vel kunne ligge under dette budskapet. De ble enige om at de trodde kongen kanskje ville spørre dem ut om dette som skulle ha hendt der på øyene, og som noen mente var sant, og som hang sammen med den ulykke kongens sendemenn hadde kommet ut for, de to skipsmannskapene som var blitt borte så ikke én mann ble berget. De ble enige om at Toralv skulle reise. Han gjorde seg ferdig og rustet ut en byrding* han hadde, og fant mannskap til den; de var en ti–tolv mann på skipet.

Da de var ferdige og bare ventet på bør, hendte dette hos Trond i Gata på Eysturoy. En godværsdag gikk Trond inn i stua, der lå de to brorsønnene hans på pallen, Sigurd og Tord, sønnene til Torlak; den tredje der inne het Gaut den raude, han var også en av frendene deres. Alle var de fostersønner til Trond og dugelige karer; Sigurd var den eldste av dem og fremst av dem i alle ting. Tord hadde et tilnavn, han ble kalt Tord den låge, han var likevel høyere enn de fleste, og dertil var han kraftig av vekst og ramsterk. Så sa Trond: «Det er mye som skifter i en manns levetid. Det var ikke skikk da vi var unge, at folk satt eller lå på godværsdager, når de var unge og vel føre til allting. Folk i gamle dager ville ikke trodd at Toralv fra Dimun skulle bli mer til kar enn dere er; men den lasteskuta jeg har eid, og som står her ute i naustet, den tror jeg blir så gammel nå at hun snart råtner under tjæra. Her er alle husene fulle av ull som ikke blir bydd ut til salgs, slik skulle det ikke vært om jeg hadde vært noen år yngre.» Sigurd sprang opp og ropte på Gaut og Tord; han sa han greidde ikke å høre på at Trond hånte dem. De gikk ut til huskarene, og gikk bort til dem og bad dem sette ut skuta; så lot de føre ut ladning og lastet skipet; det skortet ikke på last der hjemme og heller ikke på all slags redskap til skipet, på få dager hadde de skipet klart, og de sjøl og ti eller tolv mann til var om bord. Samme vind tok alle sammen, både dem og Toralv ut til havs, og de hadde kjenning av hverandre hele vegen over sjøen. De kom i land ved Hennøyene* en dag mot aftenen; Sigurd og hans folk la til ytterst ved stranda, men det var ikke langt imellom dem.

Om kvelden da det var mørkt, og Toralv og hans folk tenkte å gå til sengs, hendte det at Toralv og en mann til gikk i land, de skulle gå avsides. Og da de var ferdige og skulle gå tilbake igjen, så forteller han som fulgte Toralv, at det ble kastet et klede over hodet på ham, og han ble løftet opp i været; i samme stund hørte han et smell, og så bar det av sted med ham, og han ble slengt ned, og der nedenunder var sjøen, og han ble kjørt ned på dypet. Men han kom seg i land, og gikk dit hvor han og Toralv hadde blitt skilt; der fant han Toralv, og han var kløvd i to helt ned til akslene og var død. Da mannskapet fikk vite om dette, bar de liket hans ut på skipet og satte det der for natta.

Da var kong Olav på veitsle på Lygra, og det ble sendt bud dit.

Byrding er ei lasteskute.
Hennøyene utenfor Manger i Nordhordland.

Trond i Gata kommer inn i stua til frendene sine.

Så lot de budstikka gå og stevnte til ting; kongen kom på tinget. Han hadde latt stevne dit færøyingene fra begge skipene, og de hadde kommet til tinget. Da tinget var satt, stod kongen opp og sa: «Her har det hendt ting som er slik at det er bedre dess sjeldnere en hører om dem; her er en kjekk kar tatt av dage, og vi må tro at han er sakløs. Er det noen mann her på tinget som kan si hvem som er skyld i denne gjerningen?» Men det var ingen der som kjentes ved det.

Da sa kongen: «Jeg skal ikke legge skjul på det jeg tenker om dette uverket; jeg mistenker færøyingene for det. Jeg tror mest det er gjort på den måten at Sigurd Torlaksson har drept mannen, og Tord den låge har kastet den andre på sjøen. Til dette kommer at når jeg har gjettet slik, så er det fordi de kan ha hatt den årsak at de ikke ville at Toralv skulle sladre på dem om noen ugjerninger der som han nok har kjent sannheten om, de mord og misgjerninger som vi har hatt mistanke om, at mine sendemenn er blitt myrdet.»

Da kongen sluttet å tale, stod Sigurd Torlaksson opp. Han sa: «Jeg har aldri talt på noe ting før, og jeg er redd folk ikke synes jeg skjønner å velge mine ord, men jeg mener likevel at her er det helt nødvendig å svare noe. Jeg skulle gjette på at den talen kongen har holdt, er kommet fra tungerota på folk som er mye uvettigere og verre enn han er, og det er ingen hemmelighet at de vil være våre uvenner i alle ting. Det likner ikke noe å si at jeg skulle være Toralvs drapsmann, for han var min fosterbror og gode venn. Og om det hadde vært annerledes, og det hadde vært sak mellom Toralv og meg, da har jeg da så mye vett at jeg ville heller ha vågd å gjøre dette hjemme på Færøyene enn her innenfor Deres rekkevidde, konge. Derfor vil jeg nekte enhver skyld for meg sjøl og hele mannskapet mitt i denne saken; jeg tilbyr å avlegge ed slik som loven krever; og om De synes det ville være tryggere, så skal jeg bære jernbyrd, og jeg vil at De skal være til stede når jeg renser meg.»

Da Sigurd sluttet talen, var det mange som støttet ham og bad kongen at Sigurd skulle få fri seg; de syntes Sigurd hadde talt godt, og sa at han visst var uskyldig i det han var anklaget for. Kongen sa: «Det er nok vidt forskjellige meninger om denne mannen. Om det er løyet på ham her i dette, så kan han være en bra kar; men er det ikke så, da må han være ikke så lite frekkere enn folk flest, og slik skulle jeg mest tro det var. Men jeg tenker han skal få bære vitne for seg sjøl.» Da folk gikk i forbønn, tok kongen trygd av Sigurd for jernbyrden, han skulle komme til Lygra dagen etter, og biskopen skulle lede renselsen der. Og slik sluttet de tinget; kongen drog tilbake til Lygra, og Sigurd og hans folk til skipet sitt.

Det tok snart til å mørkne av natt. Da sa Sigurd til folkene sine: «Når jeg skal si som sant er, så har vi kommet opp i et stygt uføre og har vært utsatt for en lei bakvaskelse. Denne kongen er så full av list og renker at det er lett å se hvordan det skal gå oss om han får rå. For først lot han drepe Toralv, og nå vil han gjøre oss til fredløse brottsmenn. Det er ingen sak for ham å fuske med denne jernbyrden. Jeg tenker det blir verst for den som våger seg på slikt med ham. Og nå står det en bra fjellgule ut etter sundet også; jeg vil rå til at vi heiser seil og seiler ut til havs; Trond får reise med sin ull et

Trond gav vondt fra seg over sine frenders ferd.

annet år om han vil la den selge. Og kommer jeg unna, så tror jeg
ikke det er stor utsikt til at jeg kommer til Norge mer.» De andre på
skipet syntes dette var vel talt; de tok og heiste seilet og lot det stå
ut til havs det meste de kunne samme natta; de stanset ikke før de
kom til Færøyene og hjem til Gata. Trond gav vondt fra seg for
ferden, og de svarte ikke pent de heller, men ble da der hjemme hos
Trond.

136. Kong Olav fikk snart høre at Sigurd og følget hans hadde reist
sin veg, og da felte folk en tung dom over saken deres; nå var det
mange som mente det så mest ut til at Sigurd og følget hans hadde
vært mistenkt med rette, enda de før hadde vært med å nekte for
ham og talt imot klagen. Kong Olav sa ikke mye om saken, men han
mente at nå var han sikker på det han før hadde hatt mistanke om.
Kong Olav reiste videre og tok imot veitsler der de var gjort i stand
til ham.

Kong Olav kalte til seg til samtale de menn som hadde kommet
fra Island, Torodd Snorrason, Gelle Torkjellsson, Stein Skaftason
og Egil Hallsson. Så tok kongen til orde: «Dere har talt til meg i
sommer om at dere gjerne ville bli ferdige til å reise til Island, og jeg
har ikke gitt noe greit svar i denne saken hittil. Nå skal jeg si dere
hva jeg har tenkt. Gelle, jeg har tenkt at du skal få reise til Island
om du vil ta mitt budskap med ditt, men de andre islendingene som
er her nå, skal ikke reise til Island noen av dem før jeg får vite
hvordan den saken blir tatt opp som jeg vil at du, Gelle, skal føre
der.»

Da kongen hadde kommet fram med dette, syntes de som gjerne
ville reise og ikke fikk lov, at dette ble sure dager, de var lei av å sitte
slik i ufrihet. Gelle gjorde seg ferdig til å reise og seilte til Island om
sommeren og hadde med seg et budskap dit som han kom fram med
på tinget sommeren etter. Men kongens budskap var dette at han
krevde av islendingene at de skulle vedta de lovene som han hadde
satt i Norge, og svare ham tegngilde* og nevgilde*, for hver nese én
penning av det slaget som det går ti av på en alen vadmel*. Videre
lovte han folket vennskap om de ville gå med på dette, men ellers
skulle de som han kunne få tak på, få harde vilkår.

Folk satt lenge og rådslo om denne saken med hverandre, og til
slutt samlet alle seg og vedtok enstemmig at de ville nekte å gå med
på skattene og alle de andre påleggene som ble krevd. Og så drog
Gelle østover om sommeren og kom til kong Olav og møtte ham øst
i Viken samme høsten som han hadde kommet ned fra Götaland;
dette venter jeg det skal bli fortalt mer om siden i kong Olavs saga.
Da det lei på høsten, drog kong Olav nordover til Trondheimen og

Tegngilde, bøter til kongen for drap på en fri undersått.
Nevgilde, dvs. neseskatt, en personlig skatt.
Ti penninger på en alen vadmel. I det 11. og 12. århundre gikk det bare fem penninger
på en alen vadmel. Da mynten sank i verdi, begynte en å gjøre forskjell på veid
penning og talt penning. På Sør-Island omkring 1200 ble en alen vadmel reknet til ti
talte penninger.

styrte flåten til Nidaros; der lot han gjøre i stand for seg til vinteren. Kong Olav satt i kaupangen vinteren som fulgte, det var trettende vinter han var konge.

137. Det var en mann som het Kjetil Jemte, sønn til Anund jarl fra Sparbu i Trondheimen; han flyktet østover Kjølen for kong Øystein Illråde. Han ryddet skoger og reiste bu der det nå heter Jemtland. Dit øst flyktet også en mengde folk fra Trondheimen for samme ufreden, for kong Øystein la skatt på trønderne og satte hunden sin som het Saur, til konge der. Sønnesønn til Kjetil var Tore Helsing; etter ham er Helsingland oppkalt, der bodde han. Men da Harald Hårfagre ryddet rike for seg, rømte det en mengde folk av landet for ham også, det var trøndere og namdøler, og så ble det nye bygder i øst omkring i Jemtland, og noen drog helt til Helsingland øst ved havet, og de stod under sveakongen.

Da nå kong Håkon Adalsteinsfostre rådde for Norge, kom det i stand fred og kjøpferder fra Trondheimen til Jemtland, og fordi kongen var så vennesæl, kom jemtene østfra til ham og lovte ham lydighet og svarte ham skatter; han satte lov og landsens rett for dem. De ville heller høre til under hans kongedømme enn under sveakongen, for de var kommet av nordmannsætt. Det samme gjorde alle de helsingene også som hadde ætta si nord for Kjølen, og dette holdt seg i lang tid siden, helt til Olav Digre og Olav Svenske sveakonge trettet om landegrensene; da snudde jemter og helsinger om og gav seg under sveakongen, og så gjaldt Eidskogen som landskille mot øst, og derfra Kjølen helt nord til Finnmark.

Nå tok sveakongen skatter av både Helsingland og Jemtland. Men kong Olav mente at etter forliket mellom ham og sveakongen skulle skattene fra Jemtland gå en annen veg enn de gjorde fra gammelt av; likevel hadde det da vært slik en lang stund at jemtene hadde skattet til sveakongen, og fra ham hadde også sysselmennene i landet kommet; svearne ville da heller ikke høre tale om annet enn at alt land som lå øst for Kjølen, hørte under sveakongen. Det gikk da som så ofte, at enda det var svogerskap og vennskap mellom kongene, så ville de likevel begge to ha hele det riket de mente de hadde noe krav på. Kong Olav hadde sendt bud til Jemtland om at det var hans vilje at jemtene skulle vise ham lydighet, og han truet med å bruke makt om de ikke gjorde det; men jemtene hadde gjort opp med seg sjøl at de ville vise sveakongen lydighet.

138. Torodd Snorrason og Stein Skaftason var misnøyde med at de ikke fikk reise når og hvor de sjøl ville. Stein Skaftason var en mann vakrere enn de fleste og veløvd i alle idretter, en god skald, kledde seg staselig og holdt på sin verdighet. Skafte, far hans, hadde diktet en dråpa om kong Olav og hadde lært den til Stein; det var meningen at han skulle si fram kvedet for kongen. Stein la ikke band på sine ord verken i vers eller tale når han klaget over kongen. Både han og Torodd var uvørne til å snakke, de sa at det skulle bli verre for kongen at han la slik ufrihet på dem, enn for dem som hadde stolt på ham og sendt ham sønnene sine.

Stein bad årmannen skaffe seg hest og slede.

Så var det en dag Stein Skaftason stod framfor kongen og spurte om lov til å tale, og om kongen ville høre på den dråpa som Skafte, far hans, hadde diktet om kongen. Han svarte: «Først og fremst vil jeg nå at du skal kvede det du sjøl, Stein, har diktet om meg.» Stein sa det var ikke noe det han hadde laget: «Jeg er ikke skald, konge,» sa han. «Og om jeg hadde kunnet dikte, så ville De vel synes det hadde lite på seg, det som alt annet når det gjelder meg.» Så gikk Stein sin veg, men folk trodde de skjønte hva han mente med det han sa.

Torgeir het en av kongens årmenn; han styrte garden hans i Orkdalen, han var hos kongen den gangen og hørte på samtalen mellom Stein og kongen. Litt etter reiste Torgeir hjem. Ei natt hendte det at Stein løp bort fra byen, og skosveinen hans ble med ham. De tok vegen opp over Gaularåsen og utover helt til de kom ned i Orkdalen, og om kvelden kom de til den kongsgarden Torgeir rådde for; Torgeir bød Stein bli der natta over og spurte hva det var han var ute etter. Stein bad ham låne seg hest og slede, han så de holdt på å kjøre inn kornet der.

Torgeir sa: «Jeg kan ikke vite hvordan det har seg med denne reisen din, om du har lov av kongen eller ikke; her forrige dagen syntes jeg ikke det var myke ord som falt mellom deg og kongen.» Stein sa: «Om jeg ikke på noen måte rår meg sjøl for kongen, så skal det likevel være annerledes med trellene hans.» Han drog sverdet, og så drepte han årmannen; han tok hesten og bad sveinen sette seg opp på den, Stein sjøl satte seg i sleden, og så drog de i veg og kjørte hele natta. De reiste videre helt til de kom ned i Surnadal på Møre, der fikk de seg båtskyss over fjorden, han reiste så fort han kunne. De sa ikke noe til noen om drapet der de kom, men sa de var kongsmenn; de fikk god hjelp overalt der de kom.

En dag mot kvelden kom de til Torberg Arnessons gard på Giske; han var ikke hjemme, men hjemme var Ragnhild, kona hans, datter til Erling Skjalgsson. Der ble Stein riktig godt mottatt, for de kjente hverandre godt fra før. Det hadde nemlig hendt seg slik før, den gang Stein kom fra Island – han eide sjøl skipet han kom med – og kom i land utenfor Giske og la til ved øya, da lå Ragnhild i barnsnød, og det gikk svært tungt for henne, og ingen prest var det på øya og ingen ellers i nærheten heller. Så kom det folk ned til kjøpmannsskipet og spurte om det var noen prest om bord; det var en prest som het Bård med skipet, en mann fra Vestfjordene, ung og ikke videre lærd. Sendemennene bad presten bli med til huset; han syntes dette var en svært vanskelig sak, og han visste hvor lite han kunne, derfor ville han ikke gå. Da la Stein et ord inn hos presten og bad ham gå med. Presten svarte: «Jeg skal gå om du blir med meg; det er en trøst i det å ha deg å rådspørre.» Stein sa at det skulle han gjerne gjøre.

Så drog de opp til garden og dit Ragnhild var. Litt seinere fødte hun et barn, det var ei jente, som så nokså svak ut. Så døpte presten barnet, og Stein holdt jenta over dåpen og kalte henne Tora. Stein gav henne en gullfingerring. Ragnhild lovte Stein trofast vennskap, og sa han skulle komme dit til henne om han kom til å synes han trengte hjelp av henne. Stein sa som så at han ville ikke holde flere jentunger over dåpen, og så skiltes de med dette. Men så var det kommet dit at Stein minte Ragnhild om vennskapsløftet, han fortalte hva som hadde hendt ham, og at nå var han kommet ut for kongens unåde. Hun sa at hun skulle legge så mye makt på å hjelpe ham som hun hadde styrke til, og bad ham vente der til Torberg kom; hun gav ham plass ved sida av Øystein Orre*, sønnen sin; han var tolv år gammel den gang. Stein gav Ragnhild og Øystein gaver.

Torberg hadde hørt alt om Steins ferd før han kom hjem, og han var nokså sint. Ragnhild gikk og snakket med ham, fortalte ham hva Stein hadde gjort, og bad ham ta seg av Stein og se etter saken hans. Torberg sa: «Jeg har hørt,» sa han, «at kongen har sendt budstikke og stevnt ting etter drapet på Torgeir, at Stein er gjort utleg*, og at kongen er så sint han kan bli. Og jeg har mer vett enn at jeg skulle ta meg av en utlending og få uvennskap med kongen for det. La Stein ha seg bort herfra på timen.» Ragnhild svarte, hun sa at enten kom de til å reise både hun og Stein, eller også fikk begge to bli. Torberg sa hun kunne reise hvor hun ville. «Jeg tenker nok det,» sa han, «at om du reiser, så kommer du snart igjen, for du har ingen steder så mye å si som her.»

Orre, orrhane.
utleg, dvs. fredløs.

Da gikk Øystein Orre fram, sønn deres; han sa fra om at han ville ikke bli igjen om Ragnhild skulle reise bort. Torberg sa at det var fælt så påståelige og strie de var på dette. «Men det ser mest ut til at dere kommer til å rå her, siden dere synes det er så mye om å gjøre. Men du slekter altfor mye på ætta di, Ragnhild, i dette at dere ikke bryr dere stort om hva kong Olav sier.» Ragnhild sa: «Om du synes det blir altfor mye for deg å ha Stein her, så følg sjøl med ham til Erling, far min, eller gi ham følge med, så han kan komme dit i fred.» Torberg sa at han ville ikke sende Stein dit. «Erling har nok å svare for likevel som kongen er misnøyd med.» Stein ble der om vinteren.

Etter jul kom det sendemenn fra kongen til Torberg med bud om at han skulle komme til kongen før midfaste, og med strengt pålegg om å følge budet. Torberg forela det for vennene sine og bad om råd om han skulle våge så mye som å reise til kongen slik som saken stod, og det var mange som rådde ham fra det, og sa det var tryggere å se til å bli av med Stein først og så gå i kongens makt. Torberg hadde mest lyst til ikke å utsette ferden.

Litt seinere drog Torberg til sin bror Finn og forela saken for ham og bad ham følge med seg. Finn svarte, han sa at han syntes det var fælt å la seg kue av kvinnfolk slik at han ikke torde holde ord mot sin herre for kona si. «Du kan jo la være å komme om du ikke vil,» sa Torberg, «men jeg tror nå at du lar være mer av redsel enn av troskap mot kongen.» De skiltes i sinne.

Så drog Torberg til Arne Arnesson, bror sin, og fortalte ham hvordan saken stod, og bad ham følge med seg til kongen. Arne sa: «Det er underlig med deg, synes jeg, så klok mann som du er, og så omtenksom, at du skal ha styrtet deg ut i en slik ulykke og fått kongens unåde over deg når det ikke var noen nødvendighet for det. Det kunne enda vært en unnskyldning om det hadde vært din frende du tok deg av eller en fosterbror, men det er ingen mening i slikt, å ta seg av en islending og ha hos seg en mann som kongen har gjort fredløs; og nå vil du sette både deg sjøl og alle dine frender på spill.»

Torberg sa: «Det er som de sier at én er det som vanslekter i hver ætt. Den ulykke far hadde, ser jeg nå helt klart, hvorledes det glapp for ham med sønnene, siden han til slutt skulle få en som ikke har noen likhet med ætta vår, men er uten tiltak. Om jeg ikke syntes det var skam å si slikt om min mor, så skulle jeg sannelig aldri kalle deg vår bror.» Så snudde Torberg seg og gikk, han drog hjem og var nokså ute av seg. Etterpå sendte han bud nord til Trondheimen til Kalv, bror sin, og bad ham komme og møte seg ved Agdenes. Og da sendemennene kom til Kalv, lovte han å komme og sa ikke et ord imot.

Ragnhild sendte noen menn øst på Jæren til sin far Erling og bad ham sende hjelp til henne. Derfra kom da Erlings sønner, Sigurd og Tore, og hver av dem hadde ei tjuesesse med nitti mann om bord. Da de kom nord til Torberg, tok han imot dem på det beste og med stor glede. Så rustet han seg til reisen, og Torberg hadde også ei tjuesesse. De drog i veg nordover. Da de kom til Trondheims

Torberg Arnesson hilser brødrene sine velkommen.

Mynne*, så lå alt Finn og Arne der, brødrene til Torberg, med to tjuesesser. Torberg hilste glad på brødrene sine, og sa at bryningen hadde nok bitt på dem. Finn sa det var ikke ofte det trengtes med ham.

Så seilte de med hele denne flåten til Trondheimen, og Stein var med dem ennå. Og da de kom til Agdenes, lå Kalv Arnesson og ventet, og han hadde ei tjuesesse med godt mannskap. Med denne flåten seilte de inn til Nidarholm og lå der natta over. Morgenen etter hadde de en samtale med hverandre; Kalv og sønnene til Erling ville at de skulle seile inn til byen med hele flåten og så la lykken rå, men Torberg ville at de først skulle fare varsomt og komme med tilbud, det var Finn og Arne enige i. Så ble det avgjort slik at Finn og Arne drog til kong Olav først og hadde få menn med.

Kongen hadde fått høre hvor mannsterke de var, og han var nokså sint da han talte med dem. Finn gjorde tilbud for Torberg og for Stein, han tilbød at kongen skulle dømme så store pengebøter han ville, men Torberg skulle få lov å bli i landet og få ha veitslene sine, Stein skulle ha fred på liv og lemmer. Kongen sa: «For meg ser det ut som dere har stelt det slik at dere nå mener dere rår halvt med meg eller mer. Det var det siste jeg hadde ventet av dere brødre at dere skulle gå mot meg med en hær; jeg kan merke på denne planen at det er disse jærbuene som har satt den i verk. Men dere trenger ikke å by meg penger.»

Trondheims Mynne. Etter Peder Claussøns oversettelse. Stedsnavnet mangler i handskriftene.

Da sa Finn: «Vi brødre har ikke samlet hær av den grunn at vi vil by Dem ufred, konge. Det er tvert imot slik at vi vil by Dem vår tjeneste først. Men om De nekter og tenker å la Torberg li noen overlast, da vil vi dra med hele den hæren vi har, til Knut den mektige.» Da så kongen på ham og sa: «Om dere brødre vil sverge en ed til meg på det at dere skal følge meg innenlands og utenlands og ikke skilles fra meg uten jeg gir lov og samtykke til det, og ikke dølge det for meg om dere får vite om svikråd mot meg, da skal jeg ta imot forlik av dere brødrene.»

Så drog Finn tilbake til hæren og sa hva for et valg kongen hadde gitt dem. Nå sa hver sin mening; Torberg sa at han for sin part ville ta imot dette vilkåret; «jeg har ingen lyst til å rømme fra eiendommene mine og reise til utenlandske høvdinger,» sa han. «Jeg mener det alltid vil være til ære for meg å følge kong Olav og være der han er.» Da sa Kalv: «Jeg vil ikke avlegge noen ed til kongen, og jeg vil bare være hos kongen så lenge jeg får ha veitslene mine og de andre verdighetene, og så lenge kongen vil være min venn. Og det er mitt ønske at vi alle sammen skal gjøre det slik.»

Finn svarte: «Jeg vil rå til det at vi lar kong Olav rå alene i tretten mellom oss.» Arne Arnesson sa som så: «Om jeg var ferdig til å følge deg, Torberg, enda du ville kjempe mot kongen, da skal jeg ikke skilles fra deg nå, dersom du velger en bedre veg. Jeg vil følge deg og Finn og velge det vilkåret dere synes er best for dere.» Så gikk de tre brødrene, Torberg, Finn og Arne, om bord på ett skip, og rodde inn til byen, og så gikk de til kongen. Forliket kom i stand, og brødrene avla ed til kongen. Så prøvde Torberg å få forlik med kongen for Stein, og kongen sa at Stein kunne få fare i fred hvor han ville for ham. «Men hos meg kan han ikke være mer,» sa han.

Dermed fór Torberg og brødrene hans ut til hæren. Kalv tok inn på Egge, og Finn drog til kongen, men Torberg og resten av hæren deres reiste hjem sørover. Stein fulgte med Erlings sønner sørover; tidlig på våren drog han vestover til England og så til kong Knut den mektige og ble hos ham lenge og var velsett der.

139. Da Finn Arnesson hadde vært ei kort tid hos kong Olav, var det en dag kongen kalte Finn til seg til en samtale, og foruten ham noen andre menn som han brukte å spørre til råds. Så tok kongen ordet og sa som så: «Jeg har nå blitt enig med meg sjøl om en plan; i vår vil jeg by opp leidang fra hele landet, både av folk og skip, og så vil jeg dra med hele den hæren jeg kan få tak på, mot kong Knut den mektige, for jeg vet så vel at det kravet han har reist på å få riket av meg, det har han ikke tenkt skulle være bare løst snakk. Men til deg, Finn Arnesson, har jeg det å si at jeg vil du skal fare i sendeferd for meg nord på Hålogaland og holde oppbud der, by opp allmenning både av folk og skip, og med den hæren skal du styre til Agdenes og møte meg.» Deretter nevnte kongen opp andre menn, han sendte noen inn i Trondheimen og noen sør i landet, så han lot budet gå over hele landet.

Om Finn og reisen hans er det å fortelle at han hadde ei skute med bortimot tretti mann, og da han var ferdig, drog han av sted helt til han kom til Hålogaland; der stevnte han ting med bøndene. Så kom han fram med ærendet sitt og krevde leidang. Bøndene der i bygda hadde store og leidangsføre skip, de fulgte kongens bud og gjorde skipene seilklare. Da Finn kom lenger nord på Hålogaland, holdt han ting der og sendte noen av sine menn dit han syntes til å kreve oppbudet. Finn sendte bud til Tore Hund på Bjarkøy og lot kreve leidang der som andre steder. Og da kongens bud kom til Tore, gjorde han seg i stand til å reise og satte huskarene sine til mannskap på det skipet han hadde hatt på Bjarmelandsferden sommeren før; han rustet det ut helt på egen kostnad.

Finn stevnte sammen i Vågan alle de håløygene som bodde nordafor; der kom det sammen en stor flåte om våren, og alle ventet på at Finn skulle komme nordfra. Da var Tore Hund også kommet dit. Da Finn kom, lot han straks blåse til husting for hele leidangshæren, og på det tinget viste folk fram våpnene sine, og slik ble også oppbudet fra hver skipreide gransket. Da dette var gjort, sa Finn: «Til deg, Tore Hund, vil jeg stille det spørsmål hva tilbud du vil by kong Olav for drapet på Karle, hirdmannen hans, og for ranet da du tok kongens gods nord i Lenvik? Det er så at jeg har kongens ombud i denne saken, og nå vil jeg vite hva du svarer.»

Tore så seg om, og på begge sider så han det stod mange menn i full væpning; der kjente han igjen Gunnstein og mange andre av Karles frender. Da sa Tore: «Mitt tilbud er snart gjort, Finn. Jeg skyter inn under kongens dom alt det han har å si mot meg.» Finn svarte: «Det er ikke å vente at det blir unt deg så stor ære nå, for nå får du nok skyte det inn under min dom, om det skal bli forlik.» Tore sa: «Da synes jeg likevel det går svært så bra, og jeg skal ikke dra meg unna for det.» Så gikk Tore fram og gav handslag, og Finn skulle avgjøre alt i saken. Etterpå sa Finn fram forliksvilkårene: Tore skulle betale ti mark gull til kongen og andre ti mark til Gunnstein og de andre frendene, og for ran og pengetap enda ti mark. «Men det skal betales nå straks,» sa han.

Tore sa: «Dette er svære pengebøter.» «Du har valgt mellom dette og at hele forliket ryker,» sa Finn. Tore sa Finn fikk la ham få frist så han fikk låne av følget sitt. Finn sa han skulle betale på flekken, og dessuten at Tore skulle gi fra seg den halsringen han tok av Karles lik. Tore sa han hadde ikke tatt noen ring. Da steig Gunnstein fram og sa at Karle hadde hatt ringen om halsen da de skiltes – «men den var borte da vi hentet liket hans.» Tore sa han hadde ikke tenkt på den ringen. «Men dersom vi skulle ha noen ring, så ligger den iallfall hjemme på Bjarkøy.»

Da satte Finn spydodden for brystet på Tore og sa han skulle komme med halsringen. Så tok Tore ringen av halsen på seg og gav den til Finn. Nå snudde Tore seg og gikk ut på skipet sitt. Finn fulgte etter ham ut på skipet, og mange menn gikk med ham. Finn gikk bortover skipet, og de undersøkte rommene. Men ved masta, nedenunder tiljene, så de to tønner så store at de syntes det var rent et

Finn Arnesson setter spydodden for brystet på Tore.

under. Finn spurte hva det var i de tønnene, og Tore sa at det var drikken hans. «Hvorfor gir du oss ikke noe å drikke da, mann, så mye drikk som dere har?» sa Finn. Tore sa til en av mennene sine at han skulle tappe en bolle av tønna. Så fikk Finn og følget hans drikke, og det var særdeles god drikk.

Nå bad Finn Tore å greie ut bøtene. Tore gikk fram og tilbake på skipet og talte med den ene og den andre av mennene sine. Finn ropte til ham, sa han skulle komme med pengene. Tore bad ham gå i land og sa han skulle betale der. Så gikk Finn og hans menn i land. Nå kom Tore også dit og greidde ut sølv; av en pung fikk han ut ti mark veid, og så kom han fram med mange små knytter, i noen var det ei mark veid, i noen bare ei halv eller noen øre. Tore sa da: «Dette er lånte penger, som jeg har lånt rundt hos folk, for jeg er redd det er helt slutt på reisepengene mine.» Så gikk Tore ut på skipet, og da han kom tilbake, talte han opp noe sølv i bare smått; slik gikk dagen, og straks tinget var over, gikk folk om bord på skipene sine og gjorde seg ferdige til å komme av sted, og da folk var ferdige, tok de til å seile, og til slutt var det så at de fleste hadde seilt sin veg. Da så Finn at flokken omkring ham tok til å tynnes, og folk ropte på ham og bad ham bli ferdig. Da var ennå ikke en tredjedel av pengene betalt. Nå sa Finn: «Det går nok seint med betalingen, Tore. Jeg ser det blir for mye for deg å betale pengene; derfor skal vi la det være med dette med det første; du skal betale kongen det som er igjen.» Så stod Finn opp. Tore sa: «Jeg synes det er godt at vi skilles, Finn. Men jeg skal ha vilje til å betale denne gjelden slik at verken du eller kongen skal synes det blir dårlig betalt.» Så gikk Finn til skipet og seilte etter hæren sin.

Tore ble seint ferdig i havna, men da de fikk opp seilene, styrte de ut gjennom Vestfjorden og derfra ut på havet og så sørover langs land så langt ute at sjøen stod midt i liene, eller at landet stundom sank i sjøen; slik lot han det gå sørover til han seilte inn i Englands-havet og kom fram til England. Der drog han til kong Knut, og han tok godt imot ham. Da viste det seg at Tore hadde en mengde løsøre der, han hadde alt det gull og sølv de hadde tatt i Bjarmeland både han og Karle, og i de store tønnene var det dobbelt bunn og bare et lite mellomrom, og der var det drikk, men sjølve tønnene var fulle av gråverk* og bever og sobel begge to. Tore ble der hos kong Knut.

Finn Arnesson seilte til kong Olav med hæren sin; han fortalte alt om hvordan det hadde gått ham, og likeså at han trodde Tore hadde seilt fra landet og vest til England til kong Knut den mektige. «Og jeg tror han er alt annet enn nyttig for oss.» Kongen sa: «Jeg tror gjerne det at Tore er vår uvenn, og jeg synes alltid det er bedre han er langt borte enn nær meg.»

140. Åsmund Grankjellsson hadde vært på Hålogaland i sysla si den vinteren og bodde hjemme hos sin far Grankjell. Mot havet ligger det et utvær som det både var sel- og fuglefangst på, eggvær og fiskevær, og det hadde fra gammel tid av ligget til den garden som Grankjell eide. Men Hårek fra Tjøtta gjorde krav på det, og det var blitt til det at han hadde hatt alt gagn av været da i noen år. Men nå mente Åsmund og hans far at de kunne rekne med hjelp av kongen i alle rettferdige krav.

Om våren reiste så både far og sønn til Hårek og gav ham bud og kjenningstegn fra kong Olav om at Hårek skulle la kravet på været falle. Hårek svarte tvert og stritt, han sa Åsmund hadde vært hos kongen med en slik løgn som med så mange andre. «Jeg har hele retten på min side i saken. Du, Åsmund, skulle vite å holde måte, enda du vel synes du er svært til kar nå som du har kongen i ryggen. Det kan du trenge også, om du skal klare å drepe noen høvdinger og la dem ligge som fredløse uten bøter, og rane oss som hittil alltid har ment å kunne hevde oss, om det enda var jevnbårne menn vi hadde å gjøre med; og nå er det så langt ifra at dere er av så god ætt som jeg er.» Åsmund svarte: «Det er mange som får føle at du, Hårek, har store frender og er en mektig mann; mange er det som sitter igjen med mindre enn de hadde for din skyld. Men nå, Hårek, ser det likevel mest ut til at du kommer til å måtte gå annensteds med overgrepene dine enn til oss, og ikke gjøre noe så rent ulovlig som dette.» Dermed skiltes de.

Hårek sendte ut ti–tolv av huskarene sine på ei stor roferje. De

---

gråverk, ekornskinn.

Åsmund Grankjellsson kommer over huskarene til Hårek på utværet.

rodde ut til været og tok all slags fangst og lastet ferja, men da de skulle til å reise hjem igjen, kom Åsmund Grankjellsson over dem med tretti mann og sa de skulle gi fra seg hele fangsten. Huskarene til Hårek svarte ikke videre villig på dette, og så gikk Åsmund og hans folk på dem med makt; da fikk de merke overmakten, noen av huskarene til Hårek ble banket, noen såret, noen slengt på sjøen, og hele fangsten ble båret opp av skipet deres, og den tok Åsmund med seg. Huskarene til Hårek kom hjem etter dette og fortalte Hårek hvordan det var gått dem. Han svarte: «Det er alltid moro å høre nytt; dette har ikke vært gjort før. Å slå mine folk!» Det ble med dette. Hårek sa ikke et ord mer og var glad og fornøyd.

Om våren lot Hårek ruste ut ei snekke, ei tjuesesse, og satte huskarene sine til mannskap på den; skipet var svært godt utstyrt både med folk og all slags redskap. Hårek fór i leidang om våren. Da han kom til kong Olav, var Åsmund Grankjellsson alt kommet dit. Da fikk kongen i stand et møte mellom Åsmund og Hårek og forlikte dem; saken ble gitt i kongens dom. Så lot Åsmund føre vitner på at Grankjell hadde eid været, kongen dømte etter dette; men saken stod da ulikt. Det ble ingen bot for Håreks huskarer, og været ble tildømt Grankjell. Hårek sa at det var ingen skam for ham å føye seg etter kongens dom, hvordan det så kom til å gå siden med saken.

141. Torodd Snorrason hadde blitt etter i Norge på kong Olavs bud, da Gelle Torkjellsson fikk lov til å reise til Island, som før

skrevet. Han var hos kong Olav, men var svært lei av ufriheten og at han ikke kunne få reise sin veg hvor han ville. Først på vinteren det året kong Olav satt i Nidaros, lyste kongen at han ville sende noen menn til Jemtland for å kreve skatt. Men en slik ferd hadde folk liten lyst på, for de hadde blitt tatt av dage de sendemennene kong Olav hadde sendt dit før, Trond Kvite sjøltolvte, slik som før er skrevet, og siden hadde jemtene holdt seg til sveakongen og vist ham lydighet. Torodd Snorrason bød seg til å reise, for han brydde seg ikke lenger om hva som kunne hende ham bare han fikk rå seg sjøl.

Kongen tok imot dette, og Torodd og noen andre tok av sted, tolv i følge. De kom fram øst i Jemtland, og tok inn hos en mann som het Torar; han var lagmann der og den som hadde mest å si. Der ble de godt mottatt. Da de hadde vært der en liten stund, kom de fram med ærendet sitt til Torar. Han sa at andre menn og høvdinger der i landet rådde like mye som han for hva svar det skulle komme på dette, og sa at han fikk kalle sammen ting. Det ble gjort, budstikke ble sendt ut, og det ble stevnt sammen et stort ting. Torar reiste på tinget, men sendemennene ble igjen hjemme hos ham imens. Torar la fram saken for tingallmuen, men alle var enige om at de ville ikke svare noen skatt til Norges konge, og sendemennene ville noen la henge, andre ville bruke dem til å blote med; men enden ble at de skulle holde dem der til sveakongens sysselmenn kom dit, og så skulle de avgjøre for dem hva de ville, og få samtykke av folk i landet. Men de skulle gå listig fram og stelle godt for sendemennene, og late som de ble oppholdt der fordi de skulle vente på skatten; og så skulle de dele dem mellom seg så de bodde to og to sammen.

Torodd og en mann til bodde hos Torar. Der var det stort jule-gjestebud og sammenskuddsøl. Det var mange bønder der i torpet, og de drakk sammen alle på ett sted i jula. Det var et annet torp ikke langt borte, der bodde Torars måg, en mektig og rik mann, han hadde en voksen sønn. Mågene brukte å drikke halve jula hos hver-andre, og først hos Torar. De to mågene drakk med hverandre, og Torodd og bondesønnen; det var kappdrikking, og om kvelden ble det kappskryting og mannjamning mellom nordmenn og svear, og så om kongene deres, både de som hadde vært før, og de som var nå, og så om de stridighetene som hadde vært landene imellom, med manndrap og ran mellom landene. Da sa bondesønnen: «Om våre konger skulle ha mistet flere folk, så kommer sveakongens syssel-menn til å jevne ut det med tolv manns liv nå når de kommer sørfra etter jul. Stakkars menn, dere vet nok ikke hvorfor dere blir holdt tilbake her.»

Torodd tenkte over hva han skulle si til det, og det var mange som flirte og kom med fantord om dem og kongen deres. Nå da ølet talte hos jemtene, kom det da fram det som Torodd før ikke hadde hatt noen tanke om. Dagen etter tok Torodd og den andre alle klærne og våpnene sine og la dem så de hadde dem for hånden, og om natta da folk hadde sovnet, løp de sin veg til skogs. Morgenen etter, da folk merket de hadde rømt, fulgte noen etter dem med sporhunder og fant dem i skogen der de hadde gjemt seg, og tok dem med seg hjem og satte dem inn i et lite hus; der var det ei dyp grav, og den ble de sloppet ned i, og døra ble låst for dem. De fikk lite mat og ingen klær uten de som de hadde på seg.

Midt i jula drog Torar og alle frie menn med ham til mågen hans, der skulle de drikke resten av jula. Trellene til Torar skulle gjete grava; det var eslet nok av drikke til dem, og de holdt liten måte med drikken og ble fulle alt første kvelden. Da de kjente seg fulle nok, sa de til hverandre de som skulle bære mat til mennene i grava, at det skulle ikke skorte dem på noe. Torodd kvad kveder og holdt moro med trellene, og de sa han var en kjekk kar og gav ham et riktig stort lys og tente det. Så kom de trellene ut som før hadde vært inne, og ropte og skreik at de andre skulle komme inn, men de var fulle alle sammen, så de lukket verken grava eller huset etter seg. Da reiv Torodd og den andre kappene sine opp i remser og knyttet dem sammen og gjorde en knute på enden og slengte den opp på golvet i huset; den slynget seg om foten på ei kiste og ble sittende fast der. Så prøvde de å komme opp; Torodd løftet opp kameraten sin så han stod på akslene hans, og så heiste han seg opp gjennom gluggen. Da skortet det ikke på reip der oppe i huset, han slapp et ned til Torodd. Men da han skulle dra opp Torodd, kunne han ikke komme noen veg med ham. Så sa Torodd at han skulle kaste reipet over takbjelken som var der i huset og gjøre ei løkke på den ene enden og legge så mye ved og stein i den at det veide ham opp; han gjorde så, og så gikk vekten ned i grava, og Torodd kom opp. De tok seg klær der i huset, så mye de trengte.

Det lå noen reinskinn der inne; dem skar de klauvene av og bandt dem bakvendt under føttene. Men før de gikk bort, satte de ild på ei stor kornløe som stod der, og så løp de bort i svarte natta; løa brant og mange andre hus i torpet også. Torodd og den andre gikk hele natta gjennom ville skogen og gjemte seg om dagen. Morgenen etter ble de saknet; da fór det folk med sporhunder og lette etter dem alle vegne fra garden, men hundene fulgte sporene tilbake til garden, for de hadde teven av reinklauvene, og fulgte sporet dit som klauvene viste, og så ble de ikke funnet.

Torodd og følget hans drog lenge gjennom øde skoger. En kveld kom de til en liten gard, og der gikk de inn. Der inne satt det en mann og ei kone ved varmen. Mannen kalte seg Tore og sa at hun som satt der, var kona hans, og at de eide denne vesle plassen. Bonden bad dem bli der, og det tok de imot. Han sa han var kommet dit fordi han hadde rømt fra bygda for en drapssak. Torodd og følget hans fikk godt stell, de spiste ved varmen alle sammen. Seinere ble det gjort i stand for Torodd og den andre på benken der, og de la seg til å sove; det brant ennå på varmen. Da så Torodd at det kom en mann ut fra et annet hus, og aldri hadde han sett så stor mann; denne mannen hadde klær av skarlagen, prydet med gullband, og han så staselig ut. Torodd hørte at han skjente på de to fordi de tok

Torodd kvad kveder og holdt moro med trellene.

imot gjester når de snaut nok hadde mat til seg sjøl. Husfrua svarte: «Ikke vær vond, bror; slikt hender sjelden. Gi dem heller en hands- rekning sjøl, for du er bedre til det enn vi.» Torodd hørte at den store mannen ble kalt Arnljot Gelline, og at husfrua var søster hans. Torodd hadde hørt om Arnljot, og at han var en fæl landevegsrøver og ugjerningsmann.

Torodd og kameraten hans sov om natta, for de var trøtte etter gangen. Men da det ennå var en tredjedel igjen av natta, kom Arn- ljot til dem og bad dem stå opp og bli ferdige til å gå. Torodd og den andre stod opp med én gang og kledde på seg; så fikk de dugurd. Etterpå gav Tore dem ski begge to, Arnljot gav seg i følge med dem. Han tok på seg noen ski som var både breie og lange; men straks Arnljot hadde satt staven i bakken, var han langt fra dem; da ventet han, og sa de kom ingen veg på denne måten, og bad dem stå opp på skiene hos seg. De så gjorde. Torodd stod nærmest og holdt seg i beltet på Arnljot, og kameraten til Torodd holdt seg i ham. Så rente Arnljot av sted så fort som om han gikk alene.

Da det var gått en tredjedel av natta, kom de til et herberge, der slo de ild og laget seg mat. Da de fikk seg mat, sa Arnljot at de måtte ikke kaste ned noe av maten, ikke så mye som et bein eller den minste smule. Arnljot tok fram et sølvfat under skjorta si og åt av det. Da de var mette, tok Arnljot og gjemte levningene. Så ville de gå til sengs.

I den ene enden av huset var det et loft oppe på tverrbjelkene; Arnljot og de to andre gikk opp der på loftet og la seg til å sove. Arnljot hadde et svært hoggspyd, falen var gullslått, og skaftet var så langt at han så vidt nådde falen med handa; han hadde sverd ved beltet. De tok både våpen og klær med seg opp på loftet. Arnljot bad dem være stille, han lå ytterst på loftet. Litt etterpå kom det tolv mann til huset; de var kjøpmenn som skulle til Jemtland med varene sine. Da de kom inn i huset, gjorde de mye bråk og var lystige, og de gjorde opp en stor varme for seg. Og da de åt, kastet de alle beina utover. Etterpå gikk de til sengs og la seg ned på benkene der ved ilden. Men de hadde ikke sovet lenge, før det kom ei svær trollkjer- ring til huset, og da hun kom inn, sopte hun fort omkring seg og tok beina og alt det hun syntes var etendes og stappet det i munnen på seg; etterpå tok hun den mannen som lå nærmest, og reiv og sleit ham helt i filler og kastet ham på varmen. Da våknet de andre som av en vond drøm og sprang opp. Men hun tok den ene etter den andre og slo dem i hjel så det bare var én igjen i live; han løp inn under loftet og ropte på hjelp om det skulle være noen på loftet som kunne hjelpe ham. Arnljot strakte seg ut til ham og tok ham i aks- lene og lempet ham opp på loftet. Så drog hun seg fram til varmen og gav seg til å ete de mennene som var stekt.

Nå stod Arnljot opp og greip hoggspydet sitt og satte det mellom akslene på henne slik at odden stakk ut gjennom brystet. Da vrei hun seg hardt og skreik stygt og løp ut. Arnljot slapp spydet, og det tok hun med seg bort. Arnljot gikk bort og ryddet ut likene av

Torodd og følgesveinen hans på ski med Arnljot Gelline.

mennene, han satte dør og dørkarm i stua igjen, for det hadde hun revet fra alt sammen da hun løp ut. Så sov de det som var igjen av natta. Da det ble lyst, stod de opp og åt først dugurd; da de hadde fått seg mat, sa Arnljot: «Nå får vi skilles her. Dere skal nå følge denne vegen som kjøpmennene kom kjørende hit på i går. Jeg vil lete etter spydet mitt. I lønn for umaken vil jeg ha alt det som jeg synes er noe verdt av det disse mennene eide. Du Torodd skal ta min hilsen med til kong Olav og si ham at han er den mann jeg har mest lyst til å møte. Men min hilsen vil vel ikke han synes er noe verdt.» Så tok han opp sølvfatet og tørket av det med duken og sa: «Gi kongen dette fatet, og si ham at det er min hilsen.»

Så gjorde de seg ferdige til å gå, og etter det skiltes de. Torodd og kameraten hans tok av sted, og den mannen som hadde kommet seg unna av kjøpmannsfølget, fulgte dem. Torodd drog videre til han kom til kong Olav i kaupangen* og fortalte ham alt som hadde hendt ham på reisen; han hilste ham fra Arnljot og gav ham sølvfatet. Kongen sa det var ille Arnljot ikke hadde kommet til ham. «Og det er stor synd at det skal lage seg så vrangt for en så kjekk kar og en merkelig mann.» Torodd ble hos kong Olav det som var igjen av vinteren, og så fikk han lov av ham til å reise til Island sommeren etter. De skiltes i vennskap, han og kong Olav.

142. Om våren gjorde kong Olav seg ferdig til å reise ut fra Nidaros; det samlet seg en stor hær om ham både der fra Trondheimen og nord fra landet. Da han var ferdig til å ta av sted, styrte han først sør på Møre med hæren og samlet sammen leidangsflåten der, og likeså fra Romsdal. Siden drog han til Sunnmøre. Han lå

Kaupangen, dvs. Nidaros.

lenge ved Herøyene og ventet på hæren; da holdt han ofte husting. Da fikk han høre om mye som han syntes trengte å bøtes på.

Det var på ett av de hustingene han holdt, at han tok til å snakke om denne saken og fortalte om alle de menn han hadde mistet på Færøyene. «Og den skatten de har lovt meg,» sa han, «den kommer ikke fram. Nå har jeg tenkt å sende menn dit etter skatten enda en gang.» Kongen vendte seg til både den ene og den andre med denne saken, og ville de skulle ta på seg å fare, men de svar han fikk, gikk ut på at alle unnslo seg for å reise. Da stod det opp på tinget en stor, staut mann; han hadde rød kjortel, hjelm på hodet og sverd ved sida, i handa et stort hoggspyd. Han tok ordet: «Sannelig må jeg si at her er stor forskjell på folk,» sa han. «Dere har en god konge, men han har låke karer. Dere sier nei til en sendeferd som han ber dere om, men før har dere tatt imot vennegaver og mange andre gode ting av ham. Jeg har hittil ikke vært noen venn med denne kongen, og han har da også vært min uvenn. Han mener det er grunner til dette. Nå byr jeg deg, konge, at jeg tar på meg denne ferden, om det ikke er bedre folk å få.»

Kongen sa: «Hvem er den kjekke mannen som svarer på min tale? Du skiller deg langt ut fra de andre mennene som er her, når du byr deg til å reise nå som de drar seg unna alle de jeg trodde kunne vært skikket til det. Men jeg kjenner ikke noe til deg og vet ikke navnet ditt.» Han svarte som så: «Navnet mitt er lett nok, konge. Jeg skulle tro du hadde hørt tale om meg, jeg heter Karl Mørske.» Kongen sa: «Det er så, Karl, jeg har nok hørt tale om deg før, og sant å si har det vært stunder da du ikke skulle ha kunnet fortelle noen om det, dersom vi to hadde møttes. Men nå vil jeg ikke være verre enn du, så når du byr meg hjelp, vil jeg ikke la være å gi takk og godvilje igjen. Du Karl skal komme til meg og være min gjest i dag, så skal vi snakke om denne saken.» Karl sa at så skulle skje.

143. Karl Mørske hadde vært viking og en stor ransmann, og kongen hadde ofte sendt menn etter ham og ville ta ham av dage. Men Karl var en mann av stor ætt og visste mange utveger, han var idrettsmann og en dugelig kar på mange måter. Og da Karl tok på seg denne reisen, gjorde kongen forlik med ham, og deretter gav han ham sitt vennskap og lot ham utstyre på det beste til ferden. De var nær tjue mann på skipet. Kongen sendte bud til sine venner på Færøyene og sendte Karl til Leiv Ossursson og Gille lovsigemann for at de skulle ta seg av ham og støtte ham, og han sendte kjennings-tegn med om dette.

Karl tok av sted straks han var ferdig; han fikk god bør og kom til Færøyene og la til i Torshavn på Streymoy. Så ble det stevnt ting der, og det kom mange folk. Trond i Gata kom der med en stor flokk; Leiv og Gille kom også dit, de hadde også mange menn. Da de hadde slått opp teltene og var ferdige med det, gikk de til Karl Mørske; de hilste vennlig på hverandre. Så kom Karl fram med bud og kjenningstegn fra kong Olav og hans løfte om vennskap til Gille og Leiv. De tok det godt opp, og bad Karl hjem til seg og bød seg til å tale hans sak og gi ham så mye hjelp som de hadde makt til. Han tok imot med takk.

Litt etterpå kom Trond dit og hilste vennlig på Karl. «Jeg er så glad,» sa han, «at det har kommet slik en gild kar hit til landet vårt med ærend fra kongen vår som vi alle sammen skylder undergivenhet. Jeg vil ikke vite av annet, Karl, enn at du kommer til meg og blir der i vinter, og ta med alle dem i følget ditt som det er til større heder for deg å ha med.» Karl sa han hadde alt lovt å komme til Leiv. «Men ellers,» sa han, «skulle jeg med glede tatt imot dette tilbudet.»

Trond sa: «Da er det vel så laga at Leiv skal få størst heder av dette. Men er det noen andre ting som jeg kunne gjøre for dere, og som det kunne være noen hjelp i?» Karl svarte han syntes det ville være en stor hjelp om Trond ville samle inn skatten fra Eysturoy og alle Nordøyene*. Trond sa det var ikke mer enn hans skyldighet at han gjorde så mye for å lette kongens ærend. Så gikk Trond tilbake til bua si. Det hendte ikke mer på det tinget. Karl ble med Leiv Ossursson hjem og var der vinteren som fulgte. Leiv samlet inn skatten på Streymoy og alle øyene sønnafor der.

Våren etter ble Trond i Gata sjuk; han hadde øyeverk og dertil andre småplager; men han laget seg da likevel til å dra på tinget som han var vant til. Da han kom til tinget, og de hadde slått telt over bua hans, lot han den trekke med svart innerst for at det skulle komme mindre lys inn. Da det hadde gått noen dager av tinget, gikk Leiv og Karl til Tronds bu, de kom mannsterke. Da de kom til bua, stod det noen menn utenfor. Leiv spurte om Trond var inne i bua. De sa at det var han. Leiv sa de skulle be Trond komme ut. «Karl og jeg har et ærend til ham,» sa han. Men da disse mennene kom ut igjen, sa de at Trond hadde slik øyeverk at han kunne ikke gå ut. «Han bad at du, Leiv, skulle komme inn.» Leiv sa til følget at de skulle gå varsomt fram når de kom inn i bua og ikke lage trengsel; «den skal gå først ut som gikk sist inn.» Leiv gikk inn først, og dernest Karl og så følget hans, og alle hadde våpen som om de skulle gjort seg ferdige til kamp.

Leiv gikk inn i det svarte teltet og spurte hvor Trond var. Trond svarte og hilste på Leiv. Leiv svarte på hilsenen, og så spurte han om han hadde tatt inn noen skatt fra Nordøyene, og hvordan nå sølvet skulle greies ut. Trond svarte og sa at det hadde ikke gått ham av minne det Karl og han hadde talt om, og videre at skatten skulle bli greid ut. «Her er en pung, Leiv, den skal du ta imot, og den er full av sølv.» Leiv så seg om, og så ikke mange menn i bua, det lå noen på pallene, men bare noen få satt oppe. Så gikk Leiv bort til Trond og tok imot pungen og bar den lenger ut i bua der det var lyst, og helte sølvet ut på skjoldet sitt, han rotet i det med handa og sa at Karl skulle komme og se på sølvet. De så på det en stund. Så spurte Karl hva Leiv syntes om sølvet. Han sa: «Jeg tror hver eneste dårlig

Nordøyene, fær. Norðuroyar.

penning som fins på Nordøyene har kommet hit.» Trond hørte dette og sa: «Synes du ikke sølvet ser bra ut, Leiv?» «Nei,» svarte han. Trond sa: «Da er de noen store uslinger frendene våre; en kan ikke lite på dem i noen ting. Jeg sendte dem nord i øyene for å ta inn skatten i vår, for jeg var ikke god for noen ting her i våres; men de har tatt imot bestikkelser av bøndene og godtatt slike falske penger som ikke gjelder. Det blir best du ser på dette sølvet, Leiv, det har jeg sjøl fått i landskyld.»

Leiv bar tilbake sølvet og fikk en annen pung og bar den bort til Karl. De gransket de pengene; Karl spurte hva Leiv syntes om disse pengene. Han sa han syntes pengene var dårlige, men ikke så at de ikke kunne ta imot dem i slik gjeld som det ikke var så nøye avtaler om – «men jeg vil ikke ta imot disse pengene på kongens vegne.» En mann som lå på pallen, kastet fellen av hodet på seg og sa: «Det er sant som det er sagt for et gammelt ord, at alle blir usle med åra. Slik er det med deg også Trond, når du lar Karl Mørske stå og vrake penger for deg i hele dag.» Det var Gaut den raude. Trond sprang opp ved Gauts ord og brukte grov munn og kom med harde ord mot frendene sine, og til slutt sa han at Leiv skulle gi ham det sølvet – «her skal du få det sølvet som leilendingene mine har kommet til meg med i vår; for enda jeg ikke ser så svært godt, så er likevel egen hand mest å lite på.»

En mann som lå på pallen, reiste seg opp på albuen, det var Tord den låge. Han sa: «Det er ikke få fantord vi får høre av han der Møre-Karl. Det burde han få igjen for.» Leiv tok pungen og bar den bort til Karl igjen, de så på de pengene også. Leiv sa: «Dette sølvet trenger en ikke se lenge på, her er den ene penningen bedre enn den andre, og disse pengene vil vi ha. Du Trond, få en mann til å se på tellingen.» Trond sa han mente han hadde den beste han kunne få, når Leiv så etter for ham. Så gikk Leiv og følget hans ut og litt bort fra bua, de satte seg ned og talte opp pengene. Karl tok hjelmen av hodet og helte sølvet opp i den etter som det var veid opp. De så en mann som kom bort til dem, han hadde en piggstav med øks på i handa, ei sid hette over hodet og grønn kappe, han var barføtt og hadde linbrok knyttet om leggene. Han satte piggstaven ned i vollen og gikk bort idet han sa: «Se deg for, du Møre-Karl, så du ikke får mein av piggstaven min.» Litt seinere kom en mann løpende og ropte høyt på Leiv Ossursson og bad ham komme så fort han kunne til bua til Gille lovsigemann. «Sigurd Torlaksson sprang inn gjennom teltdøra der og har gitt en av folkene i bua hans ulivssår.» Leiv sprang opp med én gang og gikk bort til Gille; alle som hadde bu sammen med ham, fulgte, men Karl ble sittende igjen. Austmennene* stod i ring omkring ham. Gaut den raude løp til og hogg med ei handøks over akslene på mennene, og det hogget kom i hodet på Karl, men det ble ikke noe stort sår. Tord Låge rykket opp piggsta-

---

Austmann. På Vesterhavsøyene og Island var en austmann det samme som en nord-mann.

Leiv kalles bort til Gille lovsigemanns bu.

ven som stod i vollen, og slo ovenfra på øksehammeren så øksa stod helt inn i hjernen. Da kom det veltende en mengde folk ut av bua til Trond. Karl ble båret død derfra.

Trond gav vondt fra seg for det som var gjort, men bød likevel penger for å få forlik for frendene sine. Leiv og Gille tok opp søksmål for drapet, og det ble ikke noe av med pengebøter. Sigurd ble fredløs for overfallet på Gilles tingmann, og Tord og Gaut for drapet på Karl. Austmennene gjorde seilklart det skipet Karl hadde hatt dit, og seilte østover til kong Olav; han ble svært harm over denne ugjerningen, men det var ikke så laga at kong Olav skulle få hevne dette på Trond eller frendene hans, på grunn av den ufreden som hadde reist seg i Norge da, og som det nå skal bli fortalt om. Og nå er det slutt med å fortelle om det som hendte den gang kong Olav krevde skatt på Færøyene, men det kom opp strid seinere på Færøyene etter drapet på Karl Mørske, og der trettet frendene til Trond i Gata og Leiv Ossursson, og det går det store frasagn om.

144. Men nå skal vi fortelle om det som vi tok til med før, at kong Olav drog med hæren sin og hadde leidang ute langs kysten. Alle lendmenn nordfra landet fulgte ham, uten Einar Tambarskjelve; han hadde sittet stille på gardene sine siden han kom til landet, og tjente ikke kongen. Einar hadde svære eiendommer og levde som en stormann, enda han ikke hadde noen veitsler av kongen. Kong Olav styrte sørover forbi Stad med denne flåten, der kom det også mye folk til ham fra bygdene. Da hadde kong Olav det skipet som han

hadde latt bygge vinteren i forvegen og som ble kalt Visund*; det var et veldig stort skip; i framstavnen hadde det et bisonhode som var gull-lagt. Dette nevner Sigvat skald:

«Ormen» bar til fangsten   *Men Olav den digre*
fluktsky sønn til Tryggve,   *lot dyrt prydet Visund*
en lyngfisk* med gylne gjeller, *trave våte voller;*
Gud selv slik det styrte.   *sjøer om hornene vasket.*

Så seilte kongen sørpå til Hordaland. Der fikk han høre at Erling Skjalgsson hadde reist fra landet og hadde med seg et stort følge, fire–fem skip; han hadde en stor skeid sjøl, og sønnene hans tre tjuesesser, og de hadde seilt vestover til England til Knut den mektige. Da seilte kong Olav østover langs land og hadde en veldig hær. Han spurte hele tida folk om de visste noe om hva Knut den mektige hadde fore, men alle visste å fortelle at han var i England. Men det ble også sagt at han hadde leidang ute og tenkte seg til Norge. Og da nå kong Olav hadde en stor hær, og han ikke kunne få visshet for hvor han skulle styre hen for å finne Knut, og folk dessuten syntes det ikke var bra å bli lenge på ett sted med en så stor hær, så valgte han av den grunn heller å seile sør til Danmark med hæren; han tok med seg alt det folket han mente var mest hærført og best rustet, og gav de andre hjemlov, slik som det er kvedet:

Med årene driver Olav,   *en annen konge bryter*
den ordkloke, Visund nordfra,   *bølgen sørfra på draken.*

Så drog de hjem igjen de som han mente han ville ha minst nytte av. Kongen hadde en stor og vakker hær der; de fleste av lendmennene fra Norge var med, uten de som det er sagt før hadde reist fra landet, eller som hadde blitt sittende hjemme.

145. Så seilte kong Olav til Danmark og styrte mot Sjælland; da han kom dit, tok han til å herje og gjorde landgang. Da ble landets menn både ranet og drept noen av dem, og noen ble tatt til fange og bundet og ført til skipene; alle som kunne komme til, rømte unna, og det ble ikke gjort noen motstand. Kong Olav gjorde stort hærverk der. Mens kong Olav var på Sjælland, fikk han høre at kong Anund Olavsson hadde leidang ute og seilte østfra langs Skåne med en stor hær og herjet der. Nå kom det fram i dagen det kong Olav og kong Anund hadde avtalt den gangen i Elv da de sluttet forbund og vennskap, dette at de begge to skulle gjøre motstand mot kong Knut. Kong Anund styrte videre til han møtte kong Olav, mågen sin. Da de møttes, gjorde de det kjent både for sin egen hær og for landets folk at de hadde tenkt å legge Danmark under seg og kreve at folk

---

Visund, bisonokse.
Lyngfisk, dvs. Ormen.

Kong Olav lar bygge Visund.

der i landet skulle ta dem til høvdinger. Og så gikk det slik som en ofte ser hende; når landsfolk blir utsatt for herjinger og ikke får hjelp til å gjøre motstand, så sier de ja til nesten alle pålegg som de kan kjøpe seg fred for. Derfor ble det til at mange menn ble kongenes handgangne menn og lovte å følge dem; kongene la landet under seg mange steder der de kom, og ellers herjet de. Sigvat skald nevner dette hærtoget i den dråpa han diktet om kong Knut den mektige:

Knut var under himmelen*
Jeg vet det er sagt
at Haralds ætling
i hærferd dugde;
den årsæle konge
Olav lot
hæren seile
mot sør fra Nidelv.

Nordfra med kongen
– kjent ble det siden –
styrte de svale
kjøler mot Sjælland,
og Anund fór
med en annen hær
av svenske menn
til strid med daner.

146. Kong Knut hadde fått høre vest i England at Olav, Norges konge, hadde leidang ute, og dessuten at han seilte med flåten til Danmark, og at det var ufred i Knuts rike. Da tok Knut til å samle hær; det kom snart sammen en stor hær og en mengde skip. Håkon jarl ble den andre høvdingen for hæren. Den sommeren kom Sigvat skald til England vest fra Ruda i Valland*, og sammen med ham var en mann som het Berg. De hadde seilt på kjøpmannsferd dit sommeren før. Sigvat diktet en flokk, som ble kalt Vestfararvisene, og dette er første vers:

«Knut var . . .» Første linje av omkvedet. Siste linje kommer i verset side 379.
Ruda, nå Rouen i Frankrike.

Berg! Jeg minnes vi mang en   *lot skipet ankre i vestre*
morgen på kjøpmannsferden   *armen ved Rudaborgen.*

Da Sigvat kom til England, drog han straks til kong Knut og ville be om lov til å reise til Norge. Kong Knut hadde lagt reiseforbud på alle kjøpmannsskip inntil han var ferdig med å ruste ut hæren. Da nå Sigvat kom til ham, gikk han til det rom kongen var i; men der var det låst, og han stod lenge utenfor. Men da han fikk tale med kongen, fikk han lov til det han bad om. Da kvad han:

Utenfor husdøra stod jeg   *Men da vi kom i salen*
og spurte før jeg fikk komme   *kunne jo Gorms ætling*
og tale med juters høvding,   *lett gi svar på vårt ærend.*
huset var lukket for bønder.   *Jern-ermer bar jeg ofte.*

Da Sigvat merket at kong Knut rustet seg til hærferd mot kong Olav, og han fikk vite hvor stor styrke kong Knut hadde, da kvad Sigvat:

Den ødsle Knut og Håkon   *Må verneren leve, enda*
vil prøve å velte Olav,   *ei Knut og jarlene vil det.*
alt har han som fór ute;   *Godt blir et møte på fjellet*
for kongens død jeg engstes.   *først når du slapp fra det.*

Sigvat diktet enda flere strofer om Knuts og Håkons ferd. Han kvad dette også:

Den djerve jarlen skulle   *Eiriks ætt er mektig;*
søke forlik for Olav   *i større fiendskap handlet*
med de gamle bønder   *de før om hoder, men Håkon*
som oftest reiste striden.   *bare hatet minnes.*

147. Knut den mektige hadde rustet hæren sin til å fare fra landet; han hadde en diger hær og svære skip. Sjøl hadde han en drake som var så stor at det var seksti rom i den; hodene på den var gull-lagte. Håkon jarl hadde en annen drake, den hadde førti rom, der var også hodene forgylte, og alle seilene på begge var stripete med blått og grønt og rødt. Alle skipene var malt ovenfor vannlinja, og all redskapen på skipene var av fineste slag. Mange andre skip hadde de også, store og godt rustet. Dette nevner Sigvat skald i Knutsdråpa:

Knut var under himmelen   *Da skrei skipet*
Daners snarøyde   *mens åretak skinte,*
konge hørte   *og førte vestfra*
om hær østfra.   *Adalråds fiende.*

Knut den mektige ruster seg til strid.

Blå seil ved rå
bar de i blåsten,
kongens draker;
dyr var ferden.

Og skuter som kom
vestfra, seilte
den veg som ledet
gjennom Limfjords brenning.

Det blir fortalt at kong Knut seilte med denne store flåten vest fra England og kom vel fram til Danmark med hele hæren og la til i Limfjorden. Der møtte de en stor samling av landets menn.

148. Ulv jarl Sprakaleggsson var blitt satt til landvernsmann i Danmark da kong Knut reiste til England; Knut hadde gitt sin sønn, som ble kalt Horda-Knut, i Ulv jarls varetekt. Dette var sommeren i forvegen, som før er skrevet. Men jarlen sa straks at kong Knut hadde gitt ham det ærend da de skiltes, at han ville de skulle ha Horda-Knut, sønn til kong Knut, til konge over Danevelde. «Det var derfor han gav ham i våre hender,» sa han. «Jeg og mange andre menn og høvdinger her i landet har ofte klaget til kong Knut over det at folk her i landet synes det er svært vondt å sitte kongeløse, her som danekongene før i tida syntes de hadde fullt ut nok med å holde kongedømmet over bare Danevelde. Og i gamle dager rådde det mange konger for dette riket. Likevel blir det nå enda mye verre her enn det før har vært, for hittil har vi fått sitte i fred for utenlandske konger, men nå får vi høre rykter om at Norges konge tenker å komme og herje hos oss, og det er dem som tror at sveakongen også blir med på den ferden. Men kong Knut er i England nå.»

Så bar jarlen fram et brev fra kong Knut med hans innsegl på, og det stadfestet alt dette som jarlen sa. Denne talen var det mange andre høvdinger som støttet. Og ettersom alle disse talte for det, ble folk enige om å ta Horda-Knut til konge, og det ble gjort på samme tinget. Det var dronning Emma som hadde vært opphavsmann til denne planen; hun hadde latt skrive brevet og latt det innsegle; hun hadde fått tak på kongens innsegl med list, men han sjøl visste ikke noe om alt dette.

Da nå Horda-Knut og Ulv jarl fikk vite at kong Olav hadde kommet nord fra Norge med en stor hær, drog de til Jylland, for der var det Daneveldes største styrke lå; de sendte ut hærpil og stevnte sammen en stor hær. Men da de hørte at sveakongen også hadde kommet med sin hær, mente de at de ikke hadde stor nok styrke til å legge til kamp mot dem begge to. Så ble de liggende samlet i Jylland og mente å verge det landet mot kongene. Hele flåten drog de sammen i Limfjorden, og slik ventet de på kong Knut. Da de nå fikk høre at kong Knut hadde kommet vestfra til Limfjorden, sendte de sendemenn til ham og til dronning Emma og bad om at hun skulle få greie på om kongen var sint på dem eller ikke, og så la dem få vite det.

Dronninga talte med kongen om saken, og sa at Horda-Knut, sønnen deres, var villig til å bøte på alle måter slik kongen ville, om han hadde gjort noe som kongen ikke var nøyd med. Han svarte med å si at Horda-Knut hadde ikke funnet på dette sjøl. «Det har gått som en måtte vente,» sa han, «når han som bare var et uvettig barn, ville kalles konge; om det kom noen vanskeligheter, ville hele dette landet ha blitt herjet med hærskjold og lagt under utenlandske høvdinger, hvis ikke vi kunne komme til hjelp. Om han nå vil ha noe forlik med meg, så får han komme hit til meg og holde opp med slikt oppspinn som at han har latt seg kalle konge.» Disse samme ordene sendte dronninga siden til Horda-Knut, og hun lot også si at hun bad Horda-Knut om ikke å vente med å komme; hun sa som sant var, at han ville ikke få noen hjelp til å stå imot sin far.

Da dette budet kom til Horda-Knut, rådførte han seg med jarlen og de andre høvdingene som var hos ham. Men da viste det seg snart at straks folk i landet fikk vite at Knut den gamle hadde kommet, så gikk hele mengden i landet over til ham, og mente han var den de hadde å sette sin lit til. Ulv jarl og de andre som var i lag med ham, så at de hadde to ting å velge mellom, enten måtte de gå til kongen og legge alt i hans hand, eller også reise ut av landet; men alle rådde de Horda-Knut til å reise til sin far. Han gjorde det. Og da de møttes, falt han på kne for sin far og la det innseglet som fulgte med kongsnavnet ned i hans fang. Kong Knut tok Horda-Knut i handa og gav ham sete så høyt som han før hadde sittet.

Ulv jarl sendte sønnen sin Svein til kong Knut. Svein var søstersønn til kong Knut. Han bad om grid for faren og om forlik med kongen og bød seg til å bli hos ham som gissel for jarlen. Svein og Horda-Knut var jevnaldrende. Kong Knut bad ham si til jarlen at han skulle samle hær og skip og komme til kongen, og så fikk de siden snakke om forliket. Jarlen gjorde dette.

149. Da kong Olav og kong Anund fikk høre at kong Knut hadde kommet vestfra*, og at han hadde en uovervinnelig hær, seilte de østover langs Skåne og tok til å herje og brenne i bygdene; slik drog de østover langs land henimot sveakongens rike. Men straks folk i landet hørte at kong Knut hadde kommet vestfra, ble det ikke noe mer av med å gi seg under kongene. Dette taler Sigvat skald om:

De tapre konger	*dengang daners*
fikk ikke tvunget	*drapsmann herjet*
under seg Danmark	*skarpt på Skåne*
på denne hærferd,	den herligste konge*.

Da styrte kongene østover langs land og la til der det heter Helga å*; der lå de en stund. Nå fikk de høre at kong Knut kom etter dem med hæren sin. Da rådslo de med hverandre, og så fant de på den utveg at kong Olav med noe av sin hær skulle gå opp i landet og helt opp i skogene til det vannet Helga å faller ut av. Der i elveosen laget de en demning av tømmer og torv, og demte opp vannet på den måten; så grov de store grøfter og fikk flere vann til å renne sammen, og det ble store oversvømmelser; i elvefaret hogg de store trær. De holdt på i mange dager med dette arbeidet; og det var kong Olav som hadde funnet på alt og fått i stand denne list; kong Anund hadde styringen over hæren på skipene.

Kong Knut hørte om hvordan kongene fór fram, og om all den skade de hadde gjort i hans rike; han styrte mot dem der de lå i Helga å, og han hadde en stor hær, dobbelt så stor som de to andre til sammen. Dette nevner Sigvat:

Jyllands konge	*Danenes verge*
her hjemme ingen	*ville ei tåle*
lot ete av arven,	*ran av sin jord.*
det alle fikk merke.	den herligste konge.

150. Det var en dag mot kvelden at kong Anunds speidere så at kong Knut kom seilende, og da hadde han ikke langt igjen til dem. Da lot kong Anund blåse hærblåst. Så reiv folk ned teltene og væpnet seg; de rodde ut av havna og østover langs land, der la de skipene samlet og bandt dem sammen og gjorde seg ferdig til kamp. Kong Anund sendte speiderne på sprang opp i landet, de løp til kong Olav og fortalte ham nyheten. Da lot kong Olav bryte demningene, så elva rant tilbake i det gamle faret, og sjøl drog han ned til skipene om natta.

Kong Knut kom utenfor havna; da så han at kongenes hær lå ferdig til strid; han syntes det ble vel seint på dagen til å legge til kamp før hele hæren hans kunne være ferdig, for flåten hans trengte stor plass

---

Kong Knut . . . vestfra, i år 1027.
«den herligste konge.» Linja er slutten av et omkved. Første linje står i verset side 375.
Helga å ligger øst i Skåne.

Vannet flommet som en foss imot kong Knuts skip og folk.

på sjøen til å seile, og det var langt mellom det første og det siste skipet, og likeså mellom det som seilte ytterst og det som var nærmest land. Det var liten vind. Da kong Knut så at svear og nordmenn hadde rømt havna, la han inn i havna, og med ham alle de skipene som fikk plass der; men hovedmassen av flåten lå likevel ute på havet. Om morgenen da det ble lyst, var en stor del av folkene oppe på land, noen talte sammen, andre holdt moro. Da visste de ikke ord av før det kom vann flommende over dem som en foss; med flommen fulgte store trær som dreiv mot skipene deres, og skipene ble skadd av dem, og vannet fløt utover hele vollen. De folkene som var oppe på land, ble drept, og mange av dem som var om bord også. Alle som kunne komme til, hogg landfestet og så til å komme løs og ut, og skipene dreiv hver for seg utover. Den store draken som kongen sjøl var om bord på, dreiv ut med strømmen, det var ikke lett å få snudd den med årene, og den dreiv ut til kong Anunds flåte. Da de kjente skipet, la de seg straks omkring det, men skipet var høyt til relinga som en borg, og det hadde en mengde menn om bord, og det var utvalgte folk av beste slag og forsvarlig væpnet, og av den grunn var det ikke lett å ta skipet. Det varte heller ikke lenge før Ulv jarl kom til med sin hær, og så tok slaget til. Dernest kom kong Knuts hær til fra alle kanter. Da så kongene Olav og Anund at de hadde vunnet så stor seier som skjebnen ville den gangen, så lot de skåte om bord på skipene og kom seg løs og bort fra kong Knuts hær, og flåtene skiltes. Men denne kampen hadde ikke gått slik fra først av som kong Knut hadde reknet med, og derfor hadde heller ikke skipene holdt fram slik som det var fastsatt, og så ble det ikke noen greie på roingen. Kong Knut og hans folk så over hæren igjen og tok til å ordne flåten og gjøre seg ferdige. Men da de var blitt skilt fra hverandre, og hver flåte seilte for seg, så kongene over hæren sin, og de fant at de ikke hadde mistet noen folk. Men det så de også, at om de ventet så lenge at kong Knut fikk ordnet hele den hæren han hadde, og så la mot dem, så ville overmakten bli så stor at det var lite håp om at de skulle få seier, og det var lett å skjønne at om det kom til kamp, så ville det bli svære mannefall. Så tok de heller det råd å ro hele flåten østover langs land. Men da de så at kong Knuts flåte ikke fulgte etter dem, reiste de mastene og heiste seil. Ottar Svarte taler om dette møtet i den dråpa han laget om Knut den mektige:

Gullrike konge, svear
knekte du der det heter
Helga å. Ulveåte
eter grådig hunnulv.

Snarrådig stridsherre,
sulten var ikke ravnen,
der du holdt på landet
mot hærfolk og to konger.

Tord Sjåreksson skald laget en arvedråpa om kong Olav den hellige, den som heter Rodudråpa*, og der er dette møtet nevnt:

Olav, egders konge,
lot jern og stål tordne
mot jydenes konge
den gjæve, som deler ringer.

På nært hold skånekongen
skjøt da skarpt imot ham;
sløv var Sveins sønn ikke.
Ulv over lik tutet.

151. Kong Olav og kong Anund seilte østover langs sveakongens rike, og en dag mot kvelden la de til land der det heter Barvik*, der ble kongene liggende natta over. Men en kunne skjønne på svearne at de gjerne ville reise hjem, og det var en stor del av sveahæren som seilte østover langs land om natta, og de stanset ikke før hver kom dit han hørte hjemme. Da kong Anund merket dette, og det lyste av dag, lot han blåse til husting. Så gikk hele hæren i land, og det ble satt ting. Kong Anund tok ordet: «Som De vet, kong Olav,» sa han, «så har vi alle fart sammen i sommer og herjet rundt omkring i Danmark; vi har fått mye gods, men ikke noe land. Jeg har hatt halvfjerde hundre* skip i sommer, men nå har jeg ikke mer enn hundre skip igjen. Derfor synes jeg ikke det ser ut til at vi kan vinne mer ære nå med den lille hæren vi har, enda De jo har de seksti skipene De har hatt i hele sommer. Nå mener jeg det blir det rimeligste at jeg reiser hjem i riket mitt; det er godt å kjøre hjem med hel vogn. Vi har vunnet en del på denne ferden, og ikke mistet noe. Og nå vil jeg by Dem, Olav måg, å følge med meg, så blir vi samlet

Rodudråpa betyr krusifiksdiktet.
Barvik, et sted i Blekinge.
Et hundre er d.s.s. et storhundre, dvs. 120.

alle sammen i vinter; ta så mye av mitt rike at De har nok til underhold for Dem sjøl og det mannskapet som følger Dem. Når så våren kommer, kan vi gjøre det vi får lyst på da. Men om De heller vil det, så kan De få reise gjennom mitt land; det står Dem fritt for, dersom De vil dra landvegen til riket Deres i Norge.»

Kong Olav takket kong Anund for det vennlige tilbud han hadde gjort ham. «Men om jeg får rå,» sa han, «så skal vi likevel prøve en annen utveg. Vi skal holde den hæren samlet som vi nå har igjen. Her først på sommeren, før jeg reiste fra Norge, hadde jeg halvfjerde hundre skip; men da jeg reiste fra landet valgte jeg ut av hele den hæren det mannskap jeg mente var best. Det satte jeg på disse seksti skipene jeg har her. Slik ser det nå ut for meg med Deres hær også, det folket som har løpt sin veg, er det som var mest likeglad og som det var minst hjelp i, men alle høvdingene Deres og hirdstyrerne ser jeg er her. Og jeg vet at det folk som hører til hirden, er best i våpenbruk. Vi har ennå en stor hær, og så gode skip at vi godt kan ligge ute på skipene i hele vinter, slik som konger har brukt før. Og kong Knut blir ikke liggende lenge i Helga å, for det er ingen havn der for så mange skip som han har, han kommer til å seile østover etter oss. Da skal vi dra oss unna, og så kommer vi snart til å få mer folk. Men om han skulle vende tilbake dit det fins slike havner at han kan ligge der med flåten sin, så kommer mye av hæren til å få hjemlengsel der likså vel som her. Jeg skulle tro vi har stelt det slik i sommer at bonden vet hva arbeid som venter på ham både i Skåne og Halland. Kong Knuts hær kommer snart til å spre seg vide veger, og da vet ingen hvem som skal få seier. La oss først få greie på hva han har tenkt å gjøre.» Kong Olav sluttet talen slik at alle mennene gav ham medhold, og de ble enige om å gjøre slik som han sa. Så ble det sendt speidere ut etter kong Knuts hær, men begge kongene ble liggende der de var.

152. Kong Knut så dette at Norges konge og sveakongen styrte flåten sin østover langs land. Da sendte han straks en hær opp på land og lot sine menn ri landvegen dag og natt etter som kongenes hær seilte utenfor; andre speidere kom og drog videre når noen vendte tilbake. Kong Knut fikk hver dag høre nytt om hva kongene hadde fore, det var speidere i hæren hos kongene. Men da han fikk høre at en stor del av hæren hadde reist hjem, så styrte han tilbake til Sjælland med sin hær og la seg i Øresund med hele hæren. Noe av flåten lå ved Sjælland og noe ved Skåne.

Kong Knut rei opp til Roskilde dagen før mikkelsmess*, og en stor flokk fulgte ham. Der hadde Ulv jarl, mågen hans, gjort gjestebud for ham; jarlen gav et storslått gilde og var glad og lystig. Kongen var fåmælt og ikke god å komme nær, jarlen prøvde å tale til ham og lette etter slike samtaleemner som han trodde kongen best likte. Kongen svarte ikke stort. Så spurte jarlen om han ville spille sjakk; det sa han ja til, og så tok de sjakkbrikkene og spilte. Ulv jarl var

---

Mikkelsmess, 29. september.

flåkjeftet og uvøren både i ord og alle andre ting, en mann som fikk fram det han ville i riket sitt og en stor hærmann, det er en lang saga om ham. Ulv jarl var den mektigste mann i Danmark nest etter kongen. Søster til Ulv jarl var Gyda som var gift med Gudine jarl Ulvnadsson, og deres sønner var Harald, Englands konge, Toste jarl, Valtjov jarl, Morukåre* jarl, Svein jarl; Gyda var datter deres, hun som var gift med Edvard den gode*, Englands konge.

153. Mens de spilte sjakk, kong Knut og Ulv jarl, gjorde kongen et stygt feiltrekk, og så tok jarlen en springer fra ham. Kongen satte brikken hans tilbake og sa han skulle trekke om igjen. Jarlen ble sint, skubbet ned hele spillet, stod opp og gikk sin veg. Kongen sa: «Renner du nå, Ulv den redde!» Jarlen snudde seg i døra og sa: «Du hadde rent lenger i Helga å om du hadde kunnet komme til. Du kalte meg ikke Ulv den redde da jeg la inn til skipet og hjalp deg, mens svearne banket dere som hunder.» Så gikk jarlen ut og gikk til sengs. Litt etterpå gikk kongen for å sove.

Morgenen etter da kongen kledde på seg, sa han til skosveinen: «Gå til Ulv jarl du,» sa han, «og drep ham.» Sveinen gikk og var borte en stund og kom så igjen. Da sa kongen: «Har du drept jarlen?» Han svarte: «Nei, jeg har ikke drept ham, for han hadde gått i Luciuskirken.» Det var en mann som het Ivar Kvite, av norrøn ætt; han var hirdmann hos kong Knut dengang og sov i samme rom som kongen. Kongen sa til Ivar: «Gå og drep jarlen, du.» Ivar gikk til kirken og inn i koret og stakk sverdet gjennom jarlen; der døde Ulv jarl. Ivar gikk til kongen og holdt det blodige sverdet i handa. Kongen spurte: «Har du nå drept jarlen?» Ivar svarte: «Nå har jeg drept ham.» «Det var godt gjort,» sa kongen. Men etterpå, da jarlen var drept, lot munkene låse kirken. Det ble sagt fra til kongen om dette. Han sendte bud til munkene og sa de skulle lukke opp kirken og la synge messer. De gjorde som kongen bød. Men da kongen kom til kirken, la han så mye jord til kirken at det er et stort herred, og siden har dette kirkestedet kommet seg svært opp. Derfor har dette jordegodset ligget til kirken der siden. Kong Knut rei ut til skipene sine etterpå og ble der lenge utover høsten med en svær hær.

154. Da kong Olav og kong Anund fikk høre at kong Knut hadde styrt inn i Øresund, og at han lå der med hæren sin, holdt kongene husting. Kong Olav talte og sa at dette hadde gått som han hadde tenkt seg, kong Knut hadde ikke blitt lenge i Helga å. «Og nå tenker jeg flere ting kommer til å gå som jeg sa, i striden mellom oss. Han har ikke stor folkestyrke nå sammenliknet med den han hadde i sommer, og han kommer til å få enda mindre siden, for de er ikke mindre lei av å ligge ute på skipene seinhøstes de enn vi er, og om vi nå ikke slipper opp for utholdenhet og tiltak, så kan vi få seier. Det har vært slik i sommer at vi har hatt mindre hær enn de, men de

---

Valtjov og *Morukåre* var ikke sønner av Gudine jarl; jfr. Harald Hardrådes saga kap. 75.
Edvard den gode, dvs. Edward Confessor.

Det var gråt og jamring av de hærtatte folk.

har mistet både folk og fe for oss.» Da tok svearne til å tale, de sa det var ikke verdt å vente på vinteren og frosten der, «fordi om nordmennene vil ha oss til det. De har ingen greie på hvor mye is det kan legge seg her, ofte fryser hele havet til om vinteren. Vi vil reise hjem og ikke bli her lenger.» Og så ble det stor uro blant svearne, og alle snakket i munnen på hverandre. Til slutt ble det til at kong Anund drog bort med hele sin hær, men kong Olav ble igjen der.

155. Mens kong Olav lå der, hadde han ofte samtaler og rådslagninger med hæren. Det var ei natt de skulle holde vakt på kongsskipet, Egil Hallsson og en mann som het Tove Valgautsson, han hadde ætta si i Västergötland og var en mann av stor ætt. Da de satt der på vakt, hørte de gråt og klynking borte fra der som de hærtatte satt bundet, de var bundet oppe på land om nettene. Tove sa han syntes det var vondt å høre på den gaulingen deres, og sa til Egil at de skulle gå bort og løse dem og la dem løpe sin veg. Dette gjorde de; de gikk bort og skar over bandene og lot alle disse folkene løpe bort.

Det ble alminnelig harme over det de hadde gjort, kongen var også så sint at det nær hadde gått dem helt ille. Og siden, da Egil ble sjuk, var det lenge kongen ikke ville komme og se til ham, enda mange bad ham om det. Da angret Egil dypt at han hadde gjort noe slikt som kongen ikke likte, og bad ham ikke være sint på ham; kongen bønnhørte ham til slutt. Kong Olav la hendene over sida på Egil der som verken satt, og sang bønnene sine, og straks ble hele verken borte, og etter dette ble Egil bedre. Tove fikk forlik seinere. Det blir sagt at for å få forlik skulle han få far sin til å komme til kong Olav. Valgaut var så hedensk som en hund, men han ble kristen på kongens ord, og døde straks han var døpt.

156. Når kong Olav talte til hæren sin, spurte han høvdingene om råd hva han nå skulle gjøre. Den ene sa det var uråd det som en annen mente var rådelig, og slik tenkte de lenge fram og tilbake på hva som var det beste. Stadig kom det speidere fra kong Knut i hæren hos dem, de kom seg i snakk med mange av mennene, de bød fram penger og vennskapsløfter fra kong Knut, og det var mange

som lot seg lokke av dette og gav sitt ord på at de skulle bli kong
Knuts menn og holde landet under ham dersom han kom til Norge.
Mye av dette kom for dagen siden, enda det var skjult fra først av.
Noen fikk pengegaver straks, og noen fikk løfter om penger siden.
Men det var dessuten svært mange som alt hadde fått store venne-
gaver av ham før, for det skal bli sagt med sannhet om kong Knut
at alle de menn som kom til ham, og som han syntes var noe til
karer, fikk hendene fulle av penger om de ville bli hans menn.
Derfor ble han umåtelig vennesæl. Men han var mest rundhåndet
mot utlendinger, og mer dess lenger borte fra de hadde kommet.

157. Kong Olav holdt ofte samtaler og stevner med mennene sine
og spurte om råd. Men da han merket at hver hadde sin mening, fikk
han mistanke om at det var noen av dem som sa noe annet enn det
som måtte synes mest rådelig, og han kunne ikke få greie på om alle
viste ham den troskap de var skyldige til. Det var mange som var
ivrige for at de skulle nytte vinden og seile til Øresund og så nord-
over til Norge; de sa at danene ville ikke tore gå på dem, enda de
lå der med en stor hær. Men kongen var en så klok mann at han
skjønte slikt var uråd; han visste også at Olav Tryggvason hadde fått
føle noe annet dengang han hadde liten hær og la til strid der det lå
en stor hær imot ham, enn som dette at danene ikke skulle tore slåss.
Kongen visste også at det var en mengde nordmenn i kong Knuts
hær. Kongen hadde mistanke om at de som rådde ham til slikt, var
kong Knuts venner mer enn hans. Så tok kongen en avgjørelse og
sa at de som ville følge ham, skulle gjøre seg klare til det, og så skulle
de reise landvegen opp gjennom Götaland og til Norge den vegen.
«Men skipene våre,» sa han, «og all den last vi ikke kan føre med
oss, vil jeg sende øst i sveakongens rike og la dem ta vare på det for
oss der.»

158. Hårek fra Tjøtta svarte på kong Olavs tale: «Det er lett å
skjønne at jeg ikke kan gå til fots til Norge. Jeg er gammel og tung
og lite vant med å gå. Liten lyst har jeg også til å skilles fra skipet
mitt; jeg har lagt så mye arbeid på det skipet og på redskapen til det
at jeg synes det ville være leit å la uvennene mine få tak på det skipet
der.» Kongen sa: «Far med oss du, Hårek, vi skal bære deg etter oss
om du ikke orker gå.» Hårek kvad da en strofe:

Heller enn gå vegen   *enda Knut ligger*
herfra vil jeg ride   *lumsk i Øresundet*
mine lange gamper   *og har hærskip ute.*
som går med gny over havet,   *Alle vet jeg er uredd.*

Da lot kong Olav alt gjøre ferdig til oppbrudd; folk fikk ha de
klærne de gikk i og våpnene sine, og alle de hester de kunne få tak
på, kløvde de med klær og løsøre. Han sendte noen menn av sted
som skulle føre skipene øst til Kalmar; der lot han skipene sette opp
og lot redskapen og alle andre varer føre i forvaring.

Hårek gjorde som han hadde sagt. Han ventet til det ble bør, og

Hårek lot ro i noen rom forut og akter.

så seilte han øst fra rundt Skåne til han kom vest i Holane*; det var langt på dag, og det var strykende bør. Da lot han ta ned seilet og senke masta, han tok ned skipsfløyen og lot trekke grå teltduk over hele skipet ovenfor vannlinja; han lot noen mann ro i et par rom for og akter, men lot de fleste av folkene sitte lavt nede i skipet. Kong Knuts vaktmenn så skipet og talte med hverandre om hva det kunne være for slags skip; de gjettet på at det kanskje førte sild eller salt, siden de så så lite mannskap om bord og få menn ved årene; skipet sjøl så grått ut og var ikke tjærebredd, som om det var falmet i sola, og de kunne se at skipet var tungt lastet.

Men da Hårek kom fram i sundet og forbi flåten, lot han reise masta og heise seil og lot sette opp den forgylte skipsfløyen; seilet var drivende hvitt med røde og blå striper. Da så kong Knuts menn det, og de sa til kongen at det så mest ut til at det var kong Olav som hadde seilt forbi. Men kong Knut sa som så at kong Olav hadde nok så mye vett at han ikke hadde seilt på ett eneste skip rett igjennom kong Knuts hær, og han sa han mente det var mer likt til at det hadde vært Hårek fra Tjøtta eller en annen slik kar.

Folk mener at kong Knut sikkert har visst om Håreks ferd, og at Hårek nok ikke hadde gjort det på den måten, om det ikke hadde vært avtalt vennskap mellom ham og kong Knut i forvegen. Og det syntes å komme tydelig fram siden da vennskapet mellom kong Knut og Hårek ble kjent for all verden. Hårek laget denne strofen da han seilte nordover forbi Vedrøy*:

Jeg styrer langskip ut fra *jenter og Lunds enker*
øya; ikke skal danske *få le av meg for dette:*

Holane, bukta innenfor Skanør.
Vedrøy, nå Väderö i Halland.

at ikke jeg skulle tore
trave på havhester

Frodes* flate veger
i høst, fagre kvinne!

Hårek seilte videre og stanset ikke før han kom nord på Håloga-
land og til garden sin på Tjøtta.

159. Kong Olav gav seg på veg; han tok først opp gjennom Små-
land og kom fram i Västergötland; han fór rolig og fredelig fram, og
folk i landet hjalp ham godt på veg. Kongen drog videre til han kom
ned i Viken, og så nordover i Viken til han kom til Sarpsborg; der
slo han seg ned og lot gjøre i stand for vinteren. Kongen gav hjemlov
til største delen av hæren, men holdt hos seg de av lendmennene han
syntes han trengte. Alle sønnene til Arne Armodsson var der hos
ham, det var dem kongen satte høyest. Da kom Gelle Torkjellsson
til kong Olav, han hadde kommet fra Island tidligere på sommeren,
som før er skrevet.

160. Sigvat skald hadde vært hos kong Olav lenge, slik som det har
vært skrevet her, og kongen hadde gjort ham til sin stallare. Sigvat
talte ikke lett i ubunden stil, men skaldskap falt så lett for ham at han
kvad på stående fot som om han talte på vanlig vis. Han hadde vært
på kjøpmannsferd til Valland, og på den ferden hadde han kommet
innom England og hadde møtt Knut den mektige og fått lov av ham
å reise til Norge, som før skrevet. Men da han kom til Norge, tok
han straks til kong Olav og kom til ham i Borg; han gikk framfor
kongen mens han satt til bords. Sigvat hilste, kongen så på ham og
tidde. Sigvat kvad:

Her er vi hjem kommet;
tenk nå, hirdmenns herre,
på din stallare; høre
skal menn den sak jeg taler.

Storkonge, si hvor har du
sete for meg, din tjener,
hos dine huskarer?
Hele hallen jeg liker.

Da måtte han sanne det gamle ord at mange er kongens ører.
Kong Olav hadde hørt alt om Sigvats ferd, og at han hadde vært hos
kong Knut. Kong Olav sa til Sigvat: «Jeg vet ikke om du tenker å være
min stallare mer. Eller er du blitt kong Knuts mann nå?» Sigvat kvad:

Knut, gavmild på ringer
av gull, spurte om ikke
jeg ville bli hans huskar
så vel som hugstore Olavs.

Jeg sa, og det jeg svarte
var sant, at én drotten
om gangen vel meg høvde.
Hver mann har sett det ofte.

Da sa kong Olav at Sigvat kunne gå til den plassen han var vant
til å sitte på fra før. Sigvat kom snart i samme nære vennskap til
kongen som han før hadde stått i.

161. Erling Skjalgsson og alle sønnene hans hadde vært i kong
Knuts hær om sommeren og i flokken til Håkon jarl; der var Tore
Hund også og hadde mye å si. Men da kong Knut fikk høre at kong
Olav hadde tatt landvegen til Norge, løste kong Knut opp leidangen

Frode, en sjøkonge.

og gav alle mann lov til å finne seg bosted for vinteren. Da var det en svær hær av utlendinger i Danmark, både engelskmenn og nordmenn og folk fra flere land som hadde kommet til hæren om sommeren. Erling Skjalgsson reiste til Norge med følget sitt om høsten, han fikk store gaver av kong Knut da de skiltes. Tore Hund ble igjen hos kong Knut. Sammen med Erling reiste det sendemenn fra kong Knut nord til Norge, de hadde med seg en mengde gull og sølv. Om vinteren drog de rundt omkring i landet og greidde ut de pengene kong Knut hadde lovt folk om høsten dersom de ville følge ham, og de gav også til mange andre som de fikk kjøpt med penger for å vise kong Knut vennskap. De hadde støtte av Erling da de reiste omkring. Så ble det til at en mengde menn gikk over til å bli kong Knuts venner og lovte ham sin tjeneste, og dessuten å gjøre motstand mot kong Olav; noen gjorde det åpenlyst, men det var mange flere som holdt det hemmelig for allmuen. Kong Olav fikk vite om dette; det var mange som kunne fortelle ham om det, og det ble talt mye om det der i hirden. Sigvat skald kvad dette:

Kongens fiender farer
med løse pengepunger,
folk byr ofte det tunge
malm for kongens hode.

Jeg vet at hver som selger
for gull sin gode herre
en gang vandrer til svarte
helvete, og er verdt det.

Og dette kvad Sigvat også:

Sørgelig lønn i himmelen
fikk han som her på jorda

dreiv med svik, han dømmes
i dypet av ildens konge.

Det ble ofte sagt og talt om hvor dårlig det var av Håkon jarl å føre en hær mot kong Olav som hadde gitt ham livet dengang jarlen hadde kommet i hans makt. Men Sigvat var svært god venn til jarlen, og da nå Sigvat hørte jarlen ble baktalt igjen, kvad han:

Hordekongens hirdmenn
holdt seg for sterkt til jarlen
om de tok imot penger
for Olavs liv å røve,

det er ingen heder for hirden
at slikt blir hørt om den,
best er for oss om alle
er uten svik og reine.

162. Kong Olav hadde et stort julegjestebud, og det hadde kommet en mengde stormenn til ham. Så var det sjuende dag jul at kongen og noen få andre gikk ut. Sigvat fulgte kongen dag og natt, så han var med ham. De gikk inn i et hus, der kongens kostbarheter ble gjemt. Han hadde gjort store forberedelser som skikken var, og samlet sammen kostbarhetene sine for å gi vennegaver om kvelden åttende dag jul. Der i huset stod det ikke så rent få gullinnlagte sverd. Da kvad Sigvat:

Gull-lagte sverd, ser jeg,
står der; dem jeg roser,

årer som ror i blodet.
Best er kongens nåde.

Ett av dem tok jeg gjerne
om du ville gi det, konge,

til skalden. Jeg har stadig
stått hos deg, gullrike!

Kongen tok ett av sverdene og gav ham; handtaket var viklet med gull og hjaltene gullagt, det var en stor kostbarhet. Men det var de som misunte ham gaven, og det fikk en høre siden.

Straks over jul tok kongen av sted og reiste til Opplanda, for han hadde mange folk, og det hadde ikke kommet noen inntekter til ham nord fra landet om høsten, for leidangen hadde vært ute om sommeren, og den hadde kostet kongen alt det som det var råd å få tak på. Det var heller ingen skip å få så han kunne reise nordover med hæren. Det han hørte nordfra, var heller ikke slik at han trodde det ville bli fredelig der om han ikke kom med en stor hær. Av denne grunn tok kongen den utveg å reise omkring på Opplanda. Men det hadde ikke gått så lang tid siden sist han hadde vært på veitsler der, som loven krevde, eller som konger hadde hatt for skikk. Men da kongen kom oppover i landet, bød lendmenn og mektige bønder ham hjem til seg og lettet ham for utgifter på den måten.

163. Det var en mann som het Bjørn, han var av gøtisk ætt; han var venn og kjenning til dronning Astrid og litt skyld med henne også; hun hadde gitt ham årmannsombud og syssel på øvre Hedmark; han hadde også oppsyn med Østerdalen. Kongen likte ikke Bjørn, og han var ikke godt likt av bøndene heller. Det hadde også hendt i den bygda som Bjørn rådde for, at det ble borte mange naut og griser. Bjørn lot kalle sammen ting, og spurte etter der om noen kjente til det som hadde kommet bort; han sa at folk som satt ute i skogsbygdene langt fra andre mennesker, var vel de likeste til å gjøre den slags fantestreker. Det var de som bodde i Østerdalen han mente med dette, der var det svært spredte bygder, folk bodde langs vassdrag og på rydninger i skogene, men det var få steder det lå samlet storbygder.

164. En mann het Raud, han bodde der i Østerdalen. Hans kone het Ragnhild og sønnene Dag og Sigurd; de var menn med store evner. De var til stede på dette tinget og svarte på dølenes vegne og avviste klagen. Bjørn syntes de slo stort på, og at de var staselig utstyrt med våpen og klær. Bjørn snertet innpå brødrene i sin tale og sa det var ikke så ulikt dem å gjøre slikt. De nektet, og slik sluttet tinget.

Litt etter kom kong Olav med følget sitt til Bjørn årmann og tok veitsle der. Da ble det ført klagemål for kongen om den saken som hadde vært oppe på tinget før; Bjørn sa han mente Raud-sønnene var de likeste til å ha gjort slik ugagn. Så ble det sendt bud etter Rauds sønner. Men da de kom til kongen, sa han at han ikke syntes de så ut som tjuver og frikjente dem for klagen. De bad kongen komme hjem til far deres og være i gjestebud der i tre dager med hele følget sitt. Bjørn rådde ham fra å reise, men kongen tok av sted likevel.

Hos Raud var det et staselig gjestebud. Så spurte kongen hva folk de var kommet av, Raud og hans kone. Raud sa han var svensk, rik

Kong Olav gir Sigvat skald sverdet.

og av stor ætt. «Men jeg løp bort derfra,» sa han, «med denne kona som jeg har hatt siden, hun er søster til kong Ring Dagsson.» Da kjentes kongen straks ved ætta til dem begge. Han merket at både faren og sønnene var kloke folk, og så spurte han hvilke idretter de dreiv mest med. Sigurd sa han kunne tyde drømmer og vite når det var på dagen uten at han så verken sol, måne eller stjerner. Kongen prøvde ham i dette, og det var som Sigurd hadde sagt. Dag sa han kunne den kunsten å se godt og vondt hos alle mennesker som kom ham for øynene, når han ville legge an på det og tenke over det. Kongen bad ham si hvilket lyte han hadde. Dag fant ut noe, og kongen mente han hadde rett.

Så spurte kongen om Bjørn årmann hvilket lyte han hadde. Dag sa at Bjørn var en tjuv, og dessuten sa han hvor på garden sin Bjørn hadde gjemt både bein og horn og huder av de nauta han hadde stjålet om høsten. «Det er han som er mester for tjuveriene av alt som er blitt borte i høst, og som han har gitt andre skylden for.» Dag fortalte kongen nøye alle merkene på hvor han skulle leite. Da kongen reiste fra Raud, ble han fulgt ut med store vennegaver; Rauds sønner fulgte kongen. Kongen tok først til Bjørn, og da viste det seg at det var sant det som Dag hadde sagt. Etter dette lot kongen Bjørn reise ut av landet, og det var bare for dronningas skyld at han fikk beholde liv og lemmer.

165. Tore, sønn til Olve på Egge, stesønn til Kalv Arnesson og søstersønn til Tore Hund, var en svært vakker mann; han var stor og sterk og var atten år gammel dengang. Han hadde fått et godt gifte på Hedmark og store rikdommer med det; han var en overmåte vennesæl mann og ble reknet for et godt høvdingemne. Han bød kongen hjem til seg i gjestebud med hele følget; kongen tok imot tilbudet og kom til Tore, der ble han riktig godt mottatt. Det var et gildt gjestebud, og det ble disket opp på stormannsvis, alt var av

beste slag. Kongen og mennene hans talte til hverandre om det, og mente at alt stod så fint sammen, og de visste ikke hva de skulle rose mest, husene til Tore eller innboet, bordbunaden eller drikken eller mannen som gav gjestebudet. Dag sa ikke stort til noe av det.

Kong Olav brukte ofte å tale med Dag og spurte ham om det ene og det andre. Kongen fant alltid at det var sant det Dag sa, enten det var noe som hadde hendt, eller som skulle hende, og derfor festet kongen stor tiltro til hans utsagn. Så kalte kongen Dag til seg i enerom og talte om mangt og mye med ham; til slutt snakket kongen og la ut for Dag om for en raus mann Tore var som gjorde slikt gildt gjestebud for dem. Dag svarte ikke stort på dette, og mente det var sant alt det kongen sa. Nå spurte kongen Dag hva for et lyte han kunne se hos Tore. Dag sa han mente Tore måtte være en bra mann og alt ved ham var slik som det alle kunne se. Kongen bad ham svare på det han spurte om, og sa at det hadde han skyldighet til.

Dag svarte: «Da får du føye meg i dette, konge, at jeg vil rå for hevnen om jeg skal finne lytet.» Kongen sa, at han ville ikke la noen andre få dømme for seg, og bad Dag si det han spurte om. Dag svarte: «Dyrt er drottens ord. Jeg finner samme lytet hos Tore som hos så mange andre, han er altfor pengekjær.» Kongen svarte: «Er han tjuv eller ransmann?» Dag svarte: «Nei, ikke det.» «Hva da?» sa kongen. Dag svarte: «Han gjorde så mye for gull som å svike sin herre. Han har tatt imot gull av Knut den mektige for å ta ditt hode.» Kongen sa: «Hvordan vil du vise at dette er sant?» Dag sa: «På høyre arm ovenfor albuen har han en diger gullring, som kong Knut har gitt ham, men den lar han ingen få se.» Etter dette sluttet han og kongen samtalen, og kongen var styggelig sint.

Kongen satt til bords, og de hadde drukket en stund; folk var svært lystige. Tore gikk omkring og vartet opp. Da lot kongen Tore kalle til seg; han kom bort til bordet og la handa opp på bordet. Kongen spurte: «Hvor gammel er du, Tore?» «Jeg er atten år gammel,» sa han. Kongen sa: «Du er stor, Tore, og en kjekk kar, så ung som du er.» Så tok kongen om den høyre armen og strøk oppover den forbi albuen. Tore sa: «Ta ikke hardt der, jeg har en byll på armen.» Kongen holdt omkring armen og kjente at det var noe hardt under. Kongen sa: «Har du ikke hørt at jeg er lege? La meg se på byllen.» Tore skjønte at her nyttet det ikke å nekte, han tok ringen og viste den fram. Kongen spurte om det var en gave fra kong Knut. Tore sa at det ville han ikke nekte.

Kongen lot Tore ta til fange og satte ham i lenker. Da gikk Kalv fram og bad om fred for Tore og bød bøter for ham. Mange andre støttet saken og bød seg til å bøte. Kongen var så sint at det ikke nyttet å tale til ham, han sa Tore skulle ha samme dom som han hadde tiltenkt ham selv. Så lot kongen drepe Tore. Men av dette vokste det stort hat både der på Opplanda og ikke mindre nord i Trondheimen, der hvor størsteparten av Tores ætt var. Kalv tok det også svært tungt at denne mannen var blitt drept, for Tore hadde vært fostersønn hans i oppveksten.

166. Grjotgard, sønn til Olve og bror til Tore, var den eldste av de brødrene. Han var også en stor og gjæv mann og hadde følge omkring seg. Han var også på Hedmark dengang. Da han fikk høre at Tore var drept, gjorde han overfall der kongens menn eller eiendom var, og innimellom holdt han til i skogene eller andre gjemmesteder. Da kongen fikk høre om denne ufreden, lot han holde utkik med hvor Grjotgard holdt til. Kongen fikk greie på hvor Grjotgard var, han hadde tatt seg hus for natta ikke langt fra der hvor kongen bodde.

Kong Olav tok av sted straks om natta, han kom dit da det daget, de slo mannring om det huset Grjotgard var i. Grjotgard og hans folk våknet ved larm av menn og våpenbrak; de løp straks opp og greip til våpen, Grjotgard løp ut i forstua. Grjotgard spurte hvem som rådde for flokken, det ble sagt ham at det var kong Olav som hadde kommet. Grjotgard spurte om kongen kunne høre det han sa. Kongen stod utenfor døra, han sa Grjotgard kunne si det han ville: «Jeg hører hva du sier,» sa kongen. Grjotgard sa: «Ikke vil jeg be om grid!» Så løp Grjotgard ut, han holdt et skjold over hodet på seg og et draget sverd i handa. Det var lite lyst, og han så ikke klart; han stakk med sverdet etter kongen, men det traff Arnbjørn Arnesson; stikket kom under brynja og gikk opp i magen, der døde Arnbjørn.

Grjotgard ble også straks drept, og nesten hele følget hans. Etter dette vendte kongen om og reiste sør til Viken igjen.

167. Da nå kong Olav kom til Tønsberg, satte han menn i alle syslene, og kongen krevde hær og leidang. Han hadde dårlig med skip, det var ikke andre skip å få enn bondefarkoster. Folk fikk han godt med der fra bygdene, men det var få som kom langvegsfra, det var lett å merke at folk i landet hadde snudd om og holdt opp å vise kongen troskap. Kong Olav sendte noen menn øst i Götaland etter de skipene og varene de hadde latt bli igjen der om høsten. Men disse mennene ble sinket på vegen, for det var ikke bedre nå enn høsten før å reise gjennom Danmark; kong Knut hadde hær ute fra hele Danevelde om våren, og han hadde ikke færre enn tolv hundre skip.

168. Det ble kjent i Norge at Knut den mektige drog sammen en uovervinnelig hær i Danmark, og videre at han tenkte å seile til Norge med hele den hæren og legge dette landet under seg. Men da slikt spurtes, ble det enda verre for kong Olav å få menn, og etter det fikk han lite fra bøndene. Mennene hans talte ofte om dette seg imellom. Da kvad Sigvat dette:

Englands konge krever　　　　　*Lumpent var det om landsmenn*
folk til kamp, og vi får　　　　*lot en konge som denne*
mindre skip og lite　　　　　　*mangle folk; men penger*
mannskap – uredd er kongen.　*vender manges troskap.*

Kongen holdt hirdstevner og noen ganger husting med hele hæren, og han spurte folk til råds, hva de mente det ble best å gjøre. «Vi trenger ikke å legge skjul på det,» sa han, «at kong Knut kommer hit til oss i sommer, og han har en stor hær, som dere vel har hørt; vi har lite folk å sette imot hæren hans slik som sakene står, og folket her i landet er ikke å stole på for oss lenger.» De menn kongen vendte seg til, svarte ikke likt på denne talen hans. Her blir det fortalt om det, når Sigvat sier:

Flykte kan vi fra fienden,　　　*Om kongens flokk av venner*
men folk vil si vi er feige,　　*faller fra, vil alle*
og vi må ut med gullet;　　　　*være seg selv nærmest;*
de ord syns kongen er usle.　　*da kommer svik for dagen.*

169. Samme vår hendte det på Hålogaland at Hårek fra Tjøtta kom i hug det at Åsmund Grankjellsson hadde ranet og banket huskarene hans. Skipet som Hårek hadde, ei tjuesesse, lå på vannet med telt og tiljer utenfor garden hans. Han lot falle ord om at han hadde tenkt seg sørover til Trondheimen. En kveld gikk Hårek ned til skipet med følget av huskarer, han hadde innpå åtti mann. De rodde natta igjennom, og utpå morgenen kom de til Grankjells gard, de slo ring om huset. Så gikk de på og satte ild på huset. Der brant

Tønsberg på kong Olav den helliges tid.

Grankjell inne og noen menn med ham, noen ble drept utenfor; i alt
døde det tretti mann der. Hårek reiste hjem da dette var gjort, og
satt i ro på garden sin. Åsmund var hos kong Olav. Og de menn som
var på Hålogaland, de krevde ikke bot av Hårek for det han hadde
gjort, og ikke bød han dem det heller.

170. Knut den mektige drog sammen hæren sin og styrte til Lim-
fjorden. Da han var ferdig, seilte han derfra med hele denne flåten
til Norge, han seilte fort og lå ikke ved land noe sted øst for fjorden.
Så seilte han over Folden og la til ved Agder, der kalte han sammen
ting. Bøndene kom ned og holdt ting med kong Knut. Der ble kong
Knut tatt til konge over hele landet; så satte han inn sysselmenn og
tok gisler av bøndene, det var ingen som talte imot ham. Kong Olav
var i Tønsberg da Knuts hær seilte utenfor forbi Folden.

Kong Knut seilte nordover langs land. Da kom det folk til ham fra
bygdene, og alle lovte ham lydighet. Kong Knut lå i Eigersund en
stund. Der kom Erling Skjalgsson til ham med stort følge. Da bandt
han og Knut seg på nytt til vennskap med hverandre. Blant kong
Knuts løfter til Erling var det at han skulle få ha styringen over hele
landet mellom Stad og Rygjarbit*. Så reiste kong Knut sin veg, og
det er kort å fortelle om den ferden, for han stanset ikke før han kom
nord i Trondheimen og styrte like inn til Nidaros. Så stevnte han
åttefylkersting i Trondheimen, og på det tinget ble Knut tatt til
konge over hele Norge.

Tore Hund hadde fulgt med kong Knut fra Danmark, og han var
med der. Hårek fra Tjøtta var også kommet. Han og Tore ble kong
Knuts lendmenn og bandt det med eder. Kong Knut gav dem store
veitsler og gav dem finnferden, og han gav dem store gaver attpå.

Rygjarbit, nå Gjærnestangen ved Risør, på grensa mellom Agder og Telemark.

Kong Olavs skip seiler ut fra Tønsberg.

Alle de lendmennene som ville gå over til ham, gjorde han rike på både veitsler og løsøre, han lot dem alle sammen få ha mer makt enn de hadde hatt før.

171. Nå hadde kong Knut lagt under seg alt land i Norge. Så holdt han et stort ting av folk både fra hæren og fra landet. Der lyste kong Knut at han ville gi sin frende Håkon jarl styringen over alt det land han hadde vunnet på denne ferden; da han hadde gjort det, leidde han Horda-Knut, sønn sin, til høgsetet hos seg og gav ham kongsnavn og med det Danevelde. Kong Knut tok gisler av alle lendmenn og storbønder, han tok sønnene deres eller brødrene eller andre nære frender eller slike menn som de var mest glade i, og som han syntes høvde til det. På den måten som nå er fortalt, bandt kongen folk til å vise troskap mot seg.

Da Håkon jarl hadde overtatt makten i Norge, kom Einar Tambarskjelve, mågen hans, og slo seg i lag med ham. Han fikk igjen alle de veitslene han hadde hatt før mens jarlene rådde i landet. Kong Knut gav Einar store gaver og bandt ham til seg i nært vennskap, han lovte at så lenge hans makt stod i landet, skulle Einar få være den største og gjæveste av alle menn som ikke var av høvdingætt i Norge, og han føyde til det at han syntes at for ættas skyld var Einar, eller sønn hans Eindride, den som best kunne høve til å bære høvdingnavn i Norge, om de ikke hadde hatt jarlen. Disse løftene satte Einar stor pris på og lovte ham sin troskap til gjengjeld. Da ble Einar på nytt en stor og mektig mann.

172. Det var en mann som het Torarin Lovtunge; han var islending av ætt og en stor skald og hadde vært mye hos konger og andre høvdinger. Han var hos kong Knut den mektige og hadde gjort en flokk* om ham; men da kongen hørte at Torarin hadde diktet en

---

Flokk, et slags æreskvad uten omkved (stev), det var ikke så fint som en dråpa.

flokk om ham, ble han harm og sa han skulle komme med en dråpa*
til ham dagen etter, når kongen satt til bords. Gjorde han ikke det,
sa kongen, skulle Torarin bli hengt, fordi han hadde vært så djerv og
diktet en dræpling* om kong Knut. Så gjorde Torarin et stev og satte
inn i kvedet og la til noen vers og viser. Dette er stevet:

Knut verger sitt rike
som Grekenlands vokter himlen.

Kong Knut lønte kvedet med 50 mark sølv; denne dråpa blir kalt
Hovudlausn. Torarin diktet en annen dråpa om kong Knut, den
heter Tøg-dråpa; i denne dråpa blir det fortalt om kong Knuts ferd,
den gang han kom sør fra Danmark til Norge, og dette er en av
stevbolkene:

*Knut er under solas**
Dit hen seilte
min verdige venn
med veldig hær.
Den smidige konge
styrte en flåte
som ikke var liten
ut fra Limfjord.

Egder som ellers
er ramme i strid,
ble redde da de så
den ravnevenns ferd.
Hele kongsskipet
skinte av gull.
Jeg så det, og syn
er bedre enn sagn.

Og kolsvarte skuter
i hardseiling suste
*fram over Hådyrets**
hav utfor Lista.
Inne på havna
sør i Eigersund
var hele sjøen
full av skip.

Og fram for den gamle
*haugen i Tjernagel**
seilte huskarer
kvast med fred;
kongen fór
ingen ussel ferd
der sjøhestene
dreiv rundt Stad.

Svange havdyr
hastig i vinden
bar lange sider
*forbi Stem**;
skutene seilte
som falker sørfra
til hærkongen nådde
Nidelv i nord.

Da gav den kraftige
jutenes konge
hele Norge
til søstersønnen,
og det sier jeg,
samme gangen
skjenket kongen
sin sønn Danmark.

Dråpa var et æreskvad inndelt i bolker med omkved etter hver bolk. Et kvad til eller
om en konge skulle helst være en dråpa.
Dræpling, en liten dråpa.
«Knut er under solas.» Første linje av et omkved, fortsettelsen er tapt, men har vel gått
ut på «under solas *sete (himmvelen) den største konge».*
Hådyret (hjorten) er navn på et fjell 15 km øst for Egersund.
Tjernagel ligger lengst sør i Sunnhordland, i Sveio.
Stem, dvs. Stemshesten, fjell ved Hustadvika på grensa mellom Romsdalen og Nord-
møre.

Her er det nevnt at den som kvad dette om kong Knuts ferd, hadde syn for sagn; for Torarin roser seg av at han var i følge med kong Knut da han kom til Norge.

173. De menn kongen hadde sendt øst i Götaland etter skipene, tok med seg de skip de mente var best, og de andre brente de. De tok med seg redskapen og de andre varene som kongen og hans menn eide. De seilte østfra da de hadde fått vite at kong Knut hadde reist nord i Norge; så seilte de østfra gjennom Øresund, og så nord i Viken til kong Olav og førte skipene hans til ham. Han var i Tønsberg da. Da kong Olav hørte at kong Knut seilte med hæren nordover langs land, styrte kong Olav inn i Oslofjorden og opp i sjøen som heter Dramn*, og der holdt han seg til kong Knuts hær hadde seilt forbi mot sør igjen. På vegen da kong Knut seilte langs landet nord fra, holdt han ting i hvert fylke, og på hvert eneste ting svor folk landet under ham og gav ham gisler. Så tok han øst over Folden til Borg og holdt ting der, og de svor landet under ham der som annensteds. Så seilte kong Knut sør til Danmark, og da hadde han vunnet Norge uten kamp. Nå rådde han for tre riker. Så sa Hallvard Håreksblese, da han diktet om kong Knut:

Sterk rår Yngve* alene
for England som for Danmark,
brynjer farger han røde
med blod, men freden bedres.

Stridsmannen stiller hungeren
hos spydslyngerens fugler,
væpnet herre har tvunget
under seg hele Norge.

174. Kong Olav styrte ut til Tønsberg med skipene sine så snart han fikk vite at kong Knut hadde seilt til Danmark. Så tok han av sted med de menn som ville følge ham, da hadde han tretten skip. Deretter styrte han ut etter Viken, men han fikk lite både av penger og folk, ingen uten de som bodde på øyer og utnes fulgte ham. Kongen gikk derfor ikke opp i landet, han tok de folk og midler som falt i hans veg. Han merket at landet var tatt fra ham med svik. Han seilte etter som han fikk bør, det var først på vinteren. De fikk nokså seint vind, i Seløyene* ble de liggende lenge, og der fikk de høre nytt av kjøpmenn nord fra landet. Det ble sagt til kongen at Erling Skjalgsson hadde samlet en stor hær på Jæren, skeiden hans lå ved land fullt seilklar, og der lå også en mengde andre skip som bøndene eide, det var skuter og garnbåter og store roferjer. Kongen styrte østfra med hæren og lå en stund i Eigersund. Der fikk de kjenning av hverandre. Da samlet Erling alt det folk han kunne.

175. Tomasmesse før jul* la kongen ut fra havna straks ved daggry; da var det fin bør, men nokså kvast. Så seilte han nordover

---

Dramn, den innerste delen av Drammensfjorden.
Yngve, dvs. kongen.
Seløyene, vest for Lindesnes.
Tomasmesse før jul, 21. desember 1028.

omkring Jæren. Det var vått vær og litt skoddedrev. Det gikk straks bud landvegen over Jæren at kongen seilte utenfor.

Da Erling ble var at kongen kom østfra, lot han blåse hele hæren sin til skipene, og nå dreiv alt folk om bord i skipene og laget seg til strid. Men kongens skip kom fort nordover mot dem og forbi Jæren. Da styrte han innover, han hadde tenkt seg inn i fjordene og få seg folk og penger der. Erling seilte etter ham, han hadde en hel hær og en mengde skip. Skipene deres gikk fort, for det var ikke annet om bord enn menn og våpen, likevel gikk skeiden til Erling mye bedre enn de andre skipene, da lot han reve seilet og ventet på hæren. Da så kong Olav at Erling og hans folk drog svært inn på dem, for kongens skip var tungt lastet og vasstrukne, fordi de hadde ligget på sjøen hele sommeren og høsten igjennom og vinteren med til da; han så at det ville bli stor overmakt om han møtte hele hæren til Erling på én gang. Så lot han rope fra skip til skip, at folk skulle la seilene falle, men ikke for fort, og så ta inn rev, og dette ble gjort. Erling og hans folk så dette. Da ropte Erling ut, og kalte på sine menn, han bad dem seile fortere. «Ser dere,» sa han, «nå ligger seilene deres lavere, de drar seg unna oss.» Så lot han løse revene på seilet om bord i skeiden, og så bar det fort framover.

1.76. Kong Olav styrte innenfor Bokn, og nå kunne de ikke se hverandre mer. Så sa kongen de skulle ta ned seilene og ro fram i et trangt sund som var der. Der la de da skipene sammen, det stakk fram en bergnabb utenfor dem. Alle mann var hærkledde. Nå seilte Erling mot sundet, og han merket ikke at det lå en hær og ventet på dem, før de så at alle kongsskipene rodde samlet mot dem. Erling og hans folk slapp ned seilet og greip til våpen, men kongshæren lå på alle kanter rundt skipet. Nå ble det kamp, og den var kvass, og det varte ikke lenge før Erlings menn tok til å falle. Erling stod i løftingen på skipet sitt, han hadde hjelm på hodet, skjold foran seg og sverd i handa. Sigvat skald hadde blitt igjen i Viken, og der fikk han høre om dette. Sigvat var en av Erlings beste venner og hadde fått gaver av ham, og vært hos ham. Sigvat diktet en flokk om Erlings fall, og her er denne strofen:

Erling ut lot sette
eikeskip mot kongen;
farget ørnens bleike
fot rød, det er sikkert.

Siden lå hans langskip
langs med kongens skute
i den store hæren;
stridsmenn sloss med sverdet.

Nå tok Erlings folk til å falle, og da de kom i nærkamp, og de hadde greid å gå opp på skeiden, falt hver mann på sin plass. Kongen sjøl gikk hardt fram. Så sier Sigvat:

Kongen hogg ned stridsmenn,
stormet over skeiden,
lik lå trangt på tilja,
tung var kampen ved Tungur.*

Havet, det breie, farget
høvdingen nord for Jæren,
storkongen sloss, i vågen
strømmet det varme blodet.

Tungur, øyene nord for Tungenes.

Hele hæren til Erling falt til siste mann, så til slutt stod ingen mann oppreist på skeiden uten han alene. Saken var at få bad om grid, og ingen fikk det heller om de bad, ikke kunne de komme på flukt heller, for det lå skip helt rundt skeiden. Det blir sagt med sannhet at ingen prøvde å flykte. Sigvat sier dette:

Alle Erlings skipsfolk
utenfor Bokn var falne;
den unge konge la skeiden
øde nord for Tungur.

Skjalgs sønn stod alene
stolt og langt fra venner,
i det tomme skipets
løfting, trygg og svikløs.

Nå gikk de på Erling både fra forrommet og fra de andre skipene. Rommet i løftingen var stort, og skipet løftet seg høyt over de andre båtene, og ingen kunne komme til det uten med skudd eller så vidt med spydstikk, og mot alt slikt verget han seg med hogg. Erling verget seg så modig at ingen noen gang har hørt om en mann som har stått alene så lenge når så mange mann gikk på, og han prøvde aldri å komme unna eller be om grid. Så sier Sigvat:

Skjalgs stridslystne hevner
søkte ei grid hos kongsmenn,
enda øksehogg regnte
om ham, som skog de felte.

Aldri så modig høvding
her på jorda kommer,
så lenge vind suser,
og sjø slår mot stranda.

Kong Olav gikk nå akterover til forrommet og så hva Erling gjorde. Kongen ropte til ham og sa dette: «Du vender ansiktet til i dag, Erling!» Han svarte: «Ansikt til ansikt skal ørner klores!» Disse ordene nevner Sigvat:

Erling sa at ørner
ansikt til ansikt klores,
han lenge med lyst verget
si jord, var ei lei av landvern,

dengang han hist ved Utstein
med Olav i kampen talte
sanne ord. Han alltid
til oppgjør var ferdig.

Da sa kongen: «Vil du gi deg, Erling?» «Det vil jeg,» sa han. Så tok han hjelmen av hodet og la ned sverdet og skjoldet og gikk fram i forrommet. Kongen stakk til ham i kinnet med spissen av øksa og sa: «Merket skal han bli, drottensvikeren.» Da løp Aslak Fitjaskalle til og hogg øksa i hodet på Erling, så den stod ned i hjernen, det var straks banesår, og der mistet Erling livet. Da sa kong Olav til Aslak: «Bare hogg du, din elendige tosk! Nå hogg du Norge av hendene på meg.» Aslak sa: «Jeg trodde jeg hogg Norge i hendene på deg nå. Men har jeg gjort deg mén, konge, og er du sint på meg for det jeg gjorde, da vet jeg ingen råd, for jeg kommer til å få utakk og fiendskap av så mange andre for dette at jeg trenger mer til å få støtte og vennskap av Dem!» Kongen sa at det skulle han få.

Nå bad kongen hver mann gå om bord i sitt skip og gjøre seg klar til å seile som snarest. «Vi vil ikke rane dem som er falt her,» sa han,

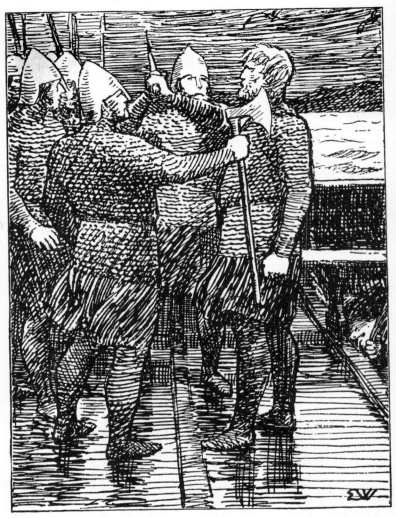

Kong Olav stikker øksespissen i Erlings kinn.

«nå får hver ha det han har fått.» Så gikk folk tilbake til skipene og gjorde seg ferdige så fort råd var. Da de var ferdige, løp skipene med bondehæren inn i sundet. Da gikk det som ofte ellers når folk får tunge slag og mister høvdingene sine, om det da er aldri så mye folk samlet, så blir de rådløse når de blir høvdingløse. Ingen av sønnene til Erling var der, det ble ikke noe av for bøndene å gå til kamp, og kongen seilte sin veg nordover. Bøndene tok Erlings lik og stelte det og førte det hjem til Sola, og likeså alle de andre som hadde falt der. Folk sørget svært over Erling, og folk har brukt å si at Erling Skjalgsson har vært den gjæveste og mektigste mann i Norge av dem som ikke har båret større høvdingnavn enn han. Sigvat skald diktet dette også:

Erling falt. Slikt voldte
i allmakt seierens herre.
Ingen høvding bier
bedre enn han på døden.

Jeg kjenner ingen annen
som, enda brått han døde,
alle sine dager
mer dugelig har kjempet.

Her er også sagt at Aslak hadde drept en frende, og det helt uten grunn:

Aslak strid mellom frender
økte; ingen skulle
vekke slik en ufred.
Drept er horders verge.

Ættedrap er dette,
ingen kan det nekte.
Sant er sagt at fødte
frender bør styre sin vrede.

177. Noen av Erlings sønner var nord i Trondheimen hos Håkon jarl, noen nord på Hordaland og noen inne i fjordene, de var i hærsamling der. Og da Erlings fall ble kjent, fulgte det oppbud med fortellingen om drapet; øst fra Agder og over Rogaland og Hordaland ble det budt opp hær, og det kom svære mengder av folk, den hæren drog med Erlings sønner nordover etter kong Olav.

Da kong Olav drog videre fra kampen med Erling, seilte han nordover gjennom sundet, da var det seint på dagen. Folk sier at da diktet han denne strofen:

Erlings lik føres hjem til Sola.

Glad er neppe den hvite
herre i natt på Jæren;
av liket eter ravnen,
vi vant den larmende striden.

Han rante meg, det endte
ille i alle deler.
Jeg skrei vred over skeiden,
jord er skyld i manndrap.

Så reiste kongen nordover langs landet med hæren, han fikk vite hele sannheten om bondesamlingen. Det var mange lendmenn der med kong Olav, alle Arnessønnene var der. Det nevner Bjarne Gullbråskald i et kvede han laget om Kalv Arnesson:

Kalv! Da Haralds arving
bad deg prøve kampen
øst ved Bokn, du fulgte.
Folk ditt mot fikk merke.
Du knuslet ikke dengang
på julemat for ulven;
man så deg fremst i striden
der stein og spydkast møttes.

Menn fikk mein av kampen,
myrdet ble da Erling,
blakke skuter vadet
i blodet nord for Utstein;
nå er det klart at riket
med svik ble røvet kongen,
egdene hadde større
hær, og de tok landet.

Kong Olav seilte til han kom nordenom Stad og la til i Herøyene, der fikk han høre at Håkon jarl hadde en stor hær i Trondheimen. Da spurte kongen sine menn om råd; Kalv Arnesson talte sterkt for at de skulle ta vegen til Trondheimen og kjempe med Håkon jarl, enda det vel var stor overmakt. Mange andre støttet ham i dette, men andre rådde fra. Så ble det til at kongen skulle avgjøre det.

178. Så styrte kong Olav inn til Steinvågen* og lå der om natta. Men Aslak Fitjaskalle styrte sitt skip inn til Borgund, og der var han om natta. Der lå Vigleik Arnesson i forvegen. Om morgenen da Aslak ville gå til skipet sitt, gikk Vigleik på ham og ville hevne Erling. Der falt Aslak.

Da kom det noen menn til kongen, det var noen av hirdmennene hans nord fra Frekøysund* som hadde sittet hjemme om sommeren, de fortalte kongen at Håkon jarl og mange lendmenn sammen med ham hadde kommet til Frekøysund kvelden før og hadde en stor hær. «Og de vil ta livet av deg, konge, og av hæren din også, om de har makt til det.» Kongen sendte noen av sine menn opp på fjellet som er der*, og da de kom opp på fjellet, så de nord til Bjarnøy*, og der kom det en stor hær og mange skip; de kom ned igjen og sa til kongen at hæren var på veg nordfra. Men kongen lå der med tolv skip imot. Da lot han blåse i luren, og teltene ble tatt av skipene hans, og de stakk ut årene. Og da de var helt ferdige og la ut av havna, da kom bøndenes hær seilende nordfra utenfor Tjotande*, og

---

Steinvågen, (norr. *Steinavágr*) der Ålesund ligger nå.
Frekøysund, vel sundet mellom Dråga og fastlandet (Bud i Romsdal).
Fjellet som er der. Fjellet er Sukkertoppen på Heissa.
Bjarnøy, nå Bjørnøy nord for Ålesund.
Tjotande, nå Kverve, et nes vest på Ellingsøya.

de hadde tjuefem skip. Da styrte kongen innenfor Nørve* og inn forbi Hundsvær*. Da kong Olav kom så langt inn som ut for Borgund, kom de mot ham de skipene Aslak hadde hatt også. Og da de møtte kong Olav, fortalte de det som hadde hendt dem, at Vigleik Arnesson hadde tatt livet av Aslak Fitjaskalle fordi han hadde drept Erling Skjalgsson. Kongen sa dette var vondt nytt, men han kunne likevel ikke la seg stanse på vegen, fordi det var slik ufred, og så seilte han inn gjennom Vegsund* og forbi Skot*. Da skiltes folk fra ham. Kalv Arnesson reiste fra ham, og mange andre lendmenn og styresmenn på skipene, og de seilte og møtte jarlen. Men kong Olav holdt fram på sin veg og stanset ikke før han kom inn i Tafjorden og la til i Valldalen; der gikk han fra borde. Da hadde han fem skip, dem satte han opp og gav seil og redskap i forvaring. Så satte han opp landteltet sitt på øra der det heter Sylte, der er det noen fine voller, og han reiste et kors der på øra like ved. Bonden som bodde på Muri, het Bruse; han var høvding der i dalen. Siden kom Bruse og mange andre bønder ned til kong Olav og tok godt imot ham. Så spurte kongen om en kunne gå opp i landet der fra dalen og til Lesja. Bruse sa at det var ei ur der i dalen som het Skjærsur. «Og den kan verken folk eller hester komme over.» Kong Olav svarte ham: «Vi får nå likevel våge det, bonde! Det får gå som Gud vil. Kom nå hit i morgen og ta med øykene deres, og så får vi se hvordan det går når vi kommer til ura, om vi kan finne på en råd der, så vi kommer over med hester eller folk.»

179. Da det ble dag, kom bøndene ned med øykene sine, slik som kongen hadde sagt dem. Så flyttet de varer og klær med øykene, og alt folk gikk, kongen sjøl også. Han gikk så langt som til der det heter Krossbrekka*, og da han kom opp bakken hvilte han; han satt en stund der og så ned i fjorden og sa: «En slitsom veg har de lagt for meg, lendmennene mine, de som nå har skiftet i troskap; men en stund var de mine fulltro venner.» Det står to kors nå på bakken der som kongen satt. Kongen satte seg opp på en av hestene og rei opp gjennom dalen og stanset ikke før de kom til ura. Da spurte kongen Bruse om det var noe sel* der som de kunne bo i. Han sa at det var det. Men kongen slo opp landteltet sitt og var der om natta. Morgenen etter bad kongen dem gå til ura og friste om de kunne få vognene opp over ura. De gikk dit, men kongen satt hjemme i teltet. Mot kvelden kom de hjem både hirdmennene til kongen og bøndene og sa at de hadde hatt et hardt strev, men ikke kommet noen veg, og de sa at aldri kunne det bli lagt veg over der. Så var de der ei natt til, og kongen bad bønner hele natta. Straks kongen så det ble dag, bad han alle sine menn gå til ura og friste enda en gang om de kunne

Nørve, en gard ved Nørvasundet.
Hundsvær, øyer utenfor Borgund (Ålesund).
Vegsund mellom Sula og Oksnøya.
Skot, nå Skotet i Storfjorden.
Krossbrekka, nå Langbrekka.
Sel, nå Alstadsetra eller Ura.

få vognene over. De gikk, men nødig, de sa at de ville ikke komme noen veg.

Men da de var gått av sted, kom den mannen som greide med maten, til kongen og sa at det var ikke mer mat igjen enn to nauteskrotter, «og du har fire hundre mann av dine egne folk og hundre bønder.» Da sa kongen at han skulle lukke opp alle kjelene og ha litt av kjøttet i hver kjele, og så ble gjort. Kongen gikk bort og gjorde korsets tegn over og bad ham så å lage til maten. Kongen sjøl gikk til Skjærsur, der de skulle rydde veg. Da kongen kom dit, hadde de satt seg ned alle sammen og var trøtte av slitet. Da sa Bruse: «Jeg sa Dem det, konge, men De ville ikke tro meg, at vi kunne ikke rå med denne ura!» Så la kongen av seg kappa si og sa at de skulle komme alle sammen og friste enda en gang, og så ble gjort.

Og nå flyttet tjue mann så langt de ville de steinene som ikke hundre mann hadde greid å røre av flekken før, og vegen var ryddet til middag, så den var farende for både folk og kløvhester like godt som slette voller. Så gikk kongen ned igjen der som maten var, og som nå heter Olavshelleren. Det er ei kjelde også der nær helleren, og den vasket kongen seg i, og om husdyra til folk i dalen blir sjuke, og de så drikker av vannet der, blir de bra av sjukdommen.

Etterpå gikk kongen og alle de andre og fikk seg mat, og da kongen var mett, spurte han om det var noen seter der i dalen ovenfor ura og nær fjellet som de kunne bo i om natta. Bruse sa: «Det er noen setrer her som heter Grønningene*, men der kan ingen mann være om natta for troll og uvetter som holder til der på setra.» Så sa kongen at de skulle ta av sted, og at han ville være natta over der på setra. Da kom den mannen som greide med maten til ham, og sa at det var fullt opp av mat «og jeg vet ikke hvor den er kommet fra.» Kongen takket Gud for denne sendingen, og så lot han gjøre i stand matbører til de bøndene som gikk ned i dalen, sjøl ble han på setra om natta.

Midt på natta da alle lå og sov, var det noe som skreik fælt ute på stølen og sa: «Nå brenner kong Olavs bønner meg slik,» sa vetta, «at jeg ikke kan være i huset mitt, og nå rømmer jeg og kommer aldri tilbake til denne stølen mer.» Om morgenen da folk våknet, tok kongen til fjells, men sa først til Bruse: «Her skal du nå bygge en gard, og den bonden som bor her, skal alltid klare seg, og kornet skal aldri fryse her om det så fryser både ovenfor og nedenfor garden.» Så drog kong Olav over fjellet og kom fram i Einbu* og var der om natta.

Da hadde kong Olav vært konge i Norge i femten år når vi tar med den vinteren da han og Svein jarl var i landet begge to, og så denne som vi nå holder på å fortelle om. Det var alt over jul da han forlot skipene sine og gikk opp i landet, som vi nå fortalte. Are prest Torgilsson den frode var den første som skreiv denne utrekningen

---

Grønningene, nå garden Grønning ovenfor ura.
Einbu, en gard på Lesjaskogen.

om hvor lenge kongedømmet hans varte. Og Are talte både sant og hadde godt minne og var så gammel at han mintes og lærte sagaer av menn som var så gamle at de for alderens skyld kunne huske da dette hendte. Så har han sjøl sagt i bøkene sine og nevnt navnet på de menn han har fått kunnskap av. Men ellers sier folk vanligvis at Olav var konge i Norge i femten år før han falt. Men de som sier så, rekner at Svein jarl hadde makten den siste vinteren han ennå var i landet. For etter det var Olav konge i femten år mens han levde.

180. Da kong Olav hadde vært i Lesja om natta, drog han siden dag etter dag med hæren, først til Gudbrandsdalen og derfra ut på Hedmark. Da viste det seg klart hvem som var hans venner, for de fulgte ham; men de skiltes ved ham, de som hadde tjent ham med mindre troskap, og noen gikk over til å vise uvennskap og fullt fiendskap, slik som det skulle vise seg. En kunne også godt merke på mange av opplendingene at de ikke hadde likt drapet på Tore, så som før er sagt.

Kong Olav gav hjemlov til mange av sine menn, de som hadde gard og barn å tenke på; for disse folkene mente det var usikkert hva slags fred det ville bli gitt for eiendommene til de menn som drog bort fra landet med kongen. Så lot kongen vennene sine få vite at han hadde tenkt å reise ut av landet, først øst i Sveavelde, og så avgjøre der hvor han skulle tenke å ta hen derfra igjen; men han sa til vennene sine at de måtte vente han ville komme tilbake til landet og til riket sitt om Gud lot ham leve så lenge. Han sa at han hadde det for seg at hele folket i Norge kom til å være bundet i hans tjeneste enda en gang. «Og jeg skulle tro,» sa han, «at Håkon jarl ikke kommer til å ha makt i Norge lenge, og det vil vel mange synes ikke er så underlig, for Håkon jarl har hatt for liten lykke med seg mot meg før også. Men dette jeg nå sier, vil vel få tro meg på: Jeg spår at Knut den mektige om få vintrer er død og all hans makt ute, og ætta hans vil ikke kunne reise seg igjen, om det går etter mine ord.»

Da kongen sluttet å tale, gjorde folk seg ferdige til å ta av sted. Kongen og de folk som fulgte ham, snudde østover til Eidskogen. Disse var da med ham: Astrid, Ulvhild, dattera deres, Magnus, sønn til kong Olav, Ragnvald Brusason, Arnessønnene Torberg, Finn, Arne og enda flere lendmenn; han hadde utvalgte folk. Bjørn stallare fikk hjemlov. Han reiste hjem igjen til garden sin, og mange andre av kongens venner fikk også lov å reise hjem til gardene sine. Kongen bad dem om å la ham vite om det hendte noe i landet som han kunne trenge å ha greie på. Så drog kongen av sted.

181. Om kong Olavs reise er det å fortelle, at først drog han fra Norge øst gjennom Eidskogen til Värmland og så ut til Vadsbo og derfra gjennom skogen der vegen går, og kom fram i Närke. Der bodde det en mektig og rik mann som het Sigtrygg, sønn hans het Ivar, han ble en stor mann siden. Kong Olav ble der hos Sigtrygg utover våren. Da sommeren kom, laget kongen seg til å reise og fikk seg skip. Han seilte av sted om sommeren og stanset ikke før han

Kong Olav farer over Eidskogen til Värmland.

kom øst i Gardarike til kong Jarisleiv og dronning Ingegjerd. Dronning Astrid og Ulvhild kongsdatter ble igjen i Svitjod, men kongen tok med seg sønnen Magnus østover. Kong Jarisleiv tok godt imot kong Olav og bad ham bli hos seg og ta imot så mye land der som han trengte til underhold for sine menn. Det tok kong Olav imot og ble der.

Det er sagt at kong Olav var en from mann som bad trofast til Gud alle sine levedager. Men etter at han merket at hans makt minket, mens motstanderne ble sterkere, så la han all hug på å tjene Gud. Da hadde han ikke noe annet å tenke på som kunne ta ham bort fra det, og heller ikke noe av det arbeid som han før hadde hatt mellom hendene. For den tida han hadde vært konge, hadde han alltid arbeidet med det som han syntes var mest nyttig, først og fremst med å skaffe landet fred og frelse fra trelldom under utenlandske høvdinger, og så siden med å omvende folk i landet til den rette tro, og dessuten sette lov og landsens rett. Dette siste gjorde han for rettferdighets skyld, for å tukte dem som ville urett.

Det hadde vært skikk i Norge at sønner til hirdmenn eller rike bønder tok ut på hærskip og skaffet seg rikdommer på den måten at de herjet både utenlands og innenlands. Men etter at kong Olav tok kongedømmet, fredet han landet slik at han stanset alt ran der i landet, og om det så var sønner til mektige menn som gjorde fredsbrudd eller annen lovløshet, så nøyde han seg ikke med mindre enn at de mistet liv og lemmer, så sant han kunne nå å straffe dem. Da nyttet verken bønner eller bøter. Så sier Sigvat skald:

Oykarer som fór med
ufred ville ofte
kjøpe seg fri med det røde
gull; men kongen nektet.
Med sverd, sa han, må luggen
stusses på slike karer.
Så skal riket verges;
for ran må folk refses.

Den dyrebare fyrste
fødde flust vargen,
hogg ned tjuv og ransmann,
og tjuverier ble færre;

alle spreke tjuver
den gode konge lot sakne
fot og armer. Freden
i fyrstens land ble bedre.

Det viste hans makt at landets
verge med kvasse våpen
lot hodehårene skjære
av vikinger i hundrer.
Den milde far til Magnus
vant mang en god seier;
og Olav Digres ære
ble øket ved de fleste.

Han lot rike og fattige få samme straff, men det syntes folk var vørdsløst, og så vokste det opp fiendskap mot ham når folk mistet frendene sine etter kongens rettferdige dom i en sak hvor det var gyldig grunn til klage. Dette var grunnen til den reisning folk i landet gjorde mot kong Olav; de tålte ikke hans rettferdighet, og han ville heller miste kongedømmet enn dømme urett. Men det var ikke sant det folk sa om ham, at han var knipen på gull mot sine menn; for han var svært gavmild mot vennene sine. Når folk reiste ufred mot ham, var det fordi de syntes han var hard og straffet strengt, og kong Knut bød fram en mengde gull. Storhøvdingene ble likevel lokket mest av det at Knut lovte dem alle sammen makt og høvdingnavn. Dertil kom at folk i Norge gjerne ville ha Håkon jarl til herre, for han hadde vært svært vennesæl hos folk før da han rådde for landet.

182. Håkon jarl hadde seilt flåten sin ut av Trondheimen og styrt mot kong Olav sør på Møre, som før skrevet, og da kongen styrte inn i fjordene, satte jarlen etter ham der. Da kom Kalv Arnesson og møtte ham, og flere andre også av de menn som hadde skilt lag med kong Olav. Kalv ble godt mottatt der. Så styrte jarlen inn der som kongen hadde satt opp skipene sine, i Valldalen i Tafjorden. Jarlen tok de skipene som kongen eide. Han lot dem sette på sjøen og stelle i stand, og så ble det kastet lodd om hvem som skulle bli styresmenn på dem. Hos jarlen var det en mann som het Jøkul. Han var islending, sønn til Bård Jøkulsson fra Vatsdal*. Ved loddtrekningen fikk Jøkul Visund å styre, den som kong Olav hadde hatt. Jøkul laget denne strofen:

Fra Sylte fikk jeg styre
et skip – kvinna skal ikke
få spurt at jeg gruer
om storm er i vente.

Det skipet Olav Digre
eide, gullsmykt kvinne!
men kongen sjøl i sommer
for seier ble røvet.

Her skal bli fortalt i korthet om noe som hendte lenge etterpå. Jøkul kom ut for kong Olavs menn på Gotland og ble fanget, og

Vatsdal, på Nord-Island.

Jøkul satte seg ned i en bakke, en mann skulle hogge ham.

kongen lot ham leie bort for å bli hogd. De hadde virret en kjepp inn i håret på ham, og en mann holdt i den. Jøkul satte seg ned på en bakke. Så skulle en mann til å hogge ham. Men da Jøkul hørte det kvine av øksa, rettet han seg opp, og så kom hogget i hodet på ham, og det ble et stort sår. Kongen så at det var banesår, og så sa kongen at de kunne la ham være. Jøkul satte seg opp og laget denne strofen:

·Sårene svir, jeg trøtner.
Bedre satt jeg ofte,
et sår jeg har som spruter
villig den røde væske.

Mitt blod fosser fra såret,
manndom får jeg vise.
En herlig hjelmkledd konge
kastet sin vrede på meg.

Så døde Jøkul.

183. Kalv Arnesson fulgte Håkon jarl nord til Trondheimen, og jarlen bad ham komme og bli hans handgangne mann. Kalv sa at han først ville reise inn til garden sin på Egge og så siden tenke ut en råd for seg. Dette gjorde Kalv. Da han kom hjem, merket han snart at kona hans, Sigrid, var nokså harmfull og reknet opp alle de sorger hun sa hun hadde fått av kong Olav, først det at han lot drepe Olve, mannen hennes «og nå siden,» sa hun, «to av sønnene mine. Og du, Kalv, var med da de ble drept, og det var det siste jeg skulle ventet

meg av deg.» Kalv sa at det var helt imot hans vilje at Tore var tatt
av dage. «Jeg bød bøter for ham,» sa han, «og da Grjotgard ble
drept, mistet jeg min bror Arnbjørn.» Hun sa: «Vel var det at du
måtte tåle noe slikt av kongen, for det kan være at ham vil du hevne,
om du ikke vil hevne de sorger jeg har fått. Du så da Tore ble drept,
han som var din fostersønn, hvor mye kongen vørte deg da.»

Slike harmfulle ord kom hun stadig med til Kalv. Kalv svarte ofte
tvert, men til slutt ble det til at han gav etter for hennes overtalelser,
og så lovte han å bli jarlens handgangne mann om jarlen ville gi ham
større veitsler. Sigrid sendte bud til jarlen og sa hva det var blitt til
med Kalv, og straks jarlen fikk vite dette, sendte han bud til Kalv
at han skulle komme ut til byen og møte jarlen. Kalv lot seg ikke be
to ganger, men reiste litt seinere ut til Nidaros og møtte Håkon jarl.
Han fikk god mottakelse der, og jarlen og han hadde en samtale. De
ble enige om alt, og det ble avgjort at Kalv ble jarlens handgangne
mann og fikk store veitsler av ham. Så reiste Kalv hjem til garden
sin. Nå hadde han herredømme over hele indre Trondheimen.

Da våren kom, gjorde Kalv i stand et skip han hadde, og da han
var ferdig, seilte han ut til havs og styrte vest til England med skipet,
for han hadde hørt om kong Knut at han hadde seilt fra Danmark
tidlig på våren og vest til England. Da hadde kong Knut gitt jarle-
dømme til Harald, sønn til Torkjell Høge. Kalv Arnesson drog til
kong Knut straks han kom til England. Så sier Bjarne Gullbråskald:

Mot øst storkongen hastig
lot stavnen fure havet,
Haralds bror var kamptrøtt,
måtte bort til Gardar.

Jeg samler ikke på skrøner
om folk, til slikt er jeg uvant;
da dere to skiltes,
snart til Knut du reiste.

Da Kalv kom til kong Knut, tok kongen svært godt imot ham og
hadde en samtale med ham. Under samtalen kom kong Knut inn på
det at han ville be Kalv å binde seg til å gjøre reisning mot Olav
Digre om han prøvde å komme tilbake til landet. «Og så skal jeg,»
sa kongen, «gi deg jarledømme og la deg rå over Norge. Og Håkon,
min frende, skal komme til meg, det er det beste for ham, for han
er en så ærlig mann at jeg tror ikke han ville kaste et spyd mot kong
Olav om de møttes.» Kalv hørte på det kong Knut sa, og han fikk
lyst på høvdingnavnet, og så ble kong Knut og Kalv enige om dette.
Kalv gav seg på hjemvegen, og da de skiltes, gav kong Knut ham
ærefulle gaver. Dette nevner Bjarne skald:

Kampdjerve jarleætling,
Englands konge kan du
takke for gaver; saken
med ham godt du greide.

Londons konge gav deg
land før du fór vestfra,
det gikk fort, du lever
med ikke liten ære.

Så reiste Kalv tilbake til Norge og kom hjem til garden sin.
184. Den sommeren seilte Håkon jarl fra landet og vest til

England, og da han kom dit, tok kong Knut godt imot ham. Jarlen hadde sin festemøy der i England, og han reiste for å hente henne, han hadde tenkt å holde bryllupet i Norge, men ville skaffe seg i England de sakene han trengte, og som han mente var verst å få tak på i Norge. Om høsten gjorde jarlen seg klar til å seile hjem, men han ble nokså seint ferdig. Da han var rede, seilte han til havs.

Men om reisen hans er bare det å si, at det skipet gikk under, og ikke én mann ble berget. Det er noen som sier at skipet har vært sett nord for Katanes i en svær storm en dag mot kvelden, og været stod ut Petlandsfjorden*. De som tror på dette, mener at skipet har drevet inn i Svelgen*, men det er iallfall sant, at Håkon jarl kom bort på sjøen, og ikke noe av det som var på det skipet, kom til lands. Samme høsten fortalte kjøpmenn at det gikk rykter omkring i landene om at folk trodde jarlen hadde druknet. Men alle visste at han kom ikke til Norge den høsten, og da var landet høvdingløst.

185. Bjørn stallare satt hjemme på garden sin etter at han hadde skilt lag med kong Olav. Bjørn var kjent av alle, og det spurtes snart rundt omkring at han hadde slått seg til ro. Håkon jarl fikk også vite det, og likeså de andre som styrte i landet. Så sendte de menn med budskap til Bjørn. Da sendemennene kom fram, tok Bjørn godt imot dem. Så kalte Bjørn sendemennene til seg til en samtale og spurte hva ærend de hadde, og han som var fører for dem, sa at de hadde hilsen til Bjørn fra kong Knut, Håkon jarl og enda noen flere høvdinger. «Og dessuten,» sa han, «har kong Knut spurt svært etter deg, og hørt at du har fulgt kong Olav Digre lenge og vært en farlig uvenn for kong Knut, og det synes han er ille, for han vil være venn med deg så vel som med alle andre dugelige menn, bare du vil holde opp å være hans uvenn. Og nå er det bare én ting for deg å gjøre, og det er å vende deg etter støtte og vennskap dit hvor det er lettest å finne, og der nå alle menn i den nordre halvdel av verden er tilfreds med å søke det. Dere kan se, dere som har fulgt kong Olav, hvordan han nå har skilt seg fra dere. Mot kong Knut og hans menn er dere alle hjelpeløse. Og i fjor sommer herjet dere landet hans og drepte hans venner. Derfor er det best å ta imot med takk når kongen byr vennskap. Det hadde vært rimeligere om du hadde bedt om det og bydd penger attpå.»

Da han sluttet å tale, svarte Bjørn og sa dette: «Jeg vil sitte i ro hjemme på gardene mine nå og ikke tjene høvdinger.» Sendemannen svarte: «Slike menn som du er kongsmenn. Jeg kan si deg det at du kan velge mellom to ting, den ene er å fare fredløs fra det du eier, slik som nå Olav din lagsmann gjør. Den andre, som kan hende ser bedre ut, er å ta imot kong Knuts og Håkon jarls vennskap og bli deres mann og gi ditt ord på det, og ta din lønn her.» Og så helte han engelsk sølv ut av en stor pung. Bjørn var en pengekjær mann, og han ble nesten sjuk og tidde stille da han så sølvet. Han tenkte

---

Petlandsfjorden, nå Pentlandsfjorden.
Svelgen, nå Swelchie, en malstrøm.

Knuts sendemann hos Bjørn stallare.

over for seg sjøl hva han skulle gjøre. Han syntes det var mye å miste eiendommene sine, og syntes det så lite ut til at kong Olav skulle komme seg opp igjen i Norge. Da sendemannen skjønte at Bjørn hadde lyst på sølvet, slengte han fram to digre gullringer og sa: «Ta pengene nå du, Bjørn, og sverg eden. Jeg lover deg det at dette er lite penger mot dem som du kommer til å få om du reiser til kong Knut.» Og pengene var så svære, og løftene så fagre, og gavene så store, at da ble han grepet av pengegriskhet og tok imot pengene, og så gikk han bort og ble handgangen mann og gav sin ed på troskap mot kong Knut og Håkon jarl. Så reiste sendemennene sin veg.

186. Bjørn stallare fikk høre det ordet som gikk, at Håkon jarl hadde druknet. Da skiftet han sinn, han angret på at han hadde brutt sitt løfte til kong Olav. Han mente nå at han var løst fra den avtalen han hadde gjort om lydighet mot Håkon jarl. Bjørn mente at nå var det større utsikt til at kong Olavs rike kunne reise seg igjen om han kom til Norge, siden det var høvdingløst der. Så gav Bjørn seg på

veg i all hast og tok noen menn med seg. Siden reiste han dag og natt, til hest der han kunne, og med skip der det falt seg slik. Han stanset ikke på vegen før han kom øst i Gardarike og til kong Olav samme vinter ved juletider. Og kongen ble svært glad da Bjørn kom til ham. Så spurte kongen om mange ting nord fra Norge. Bjørn sa at jarlen hadde druknet, og at nå var landet høvdingløst.

Disse nyhetene ble de glade for alle de mennene som hadde fulgt kong Olav fra Norge, og som hadde hatt eiendommer og frender og venner der, og nå lengtet de svært etter å reise hjem igjen. Bjørn fortalte kongen mange andre ting som hadde hendt i Norge og som kongen gjerne ville vite. Da spurte kongen etter vennene sine, og hvordan de holdt troskapen mot ham. Bjørn sa at det var svært ujamt. Så stod Bjørn opp og falt på kne for kongen og tok om foten hans og sa: «Alt i Guds og Deres hand, konge. Jeg har tatt imot penger av Knuts menn og svoret dem troskapsed. Men nå vil jeg følge deg og ikke skilles fra deg så lenge vi begge lever.» Kongen svarte: «Stå opp straks, Bjørn, med meg skal du ha forlik. Dette får du bøte for til Gud. Jeg kan nok vite at det ikke er mange i Norge nå som holder sitt løfte til meg, når slike som du svikter. Det er sant også at folk sitter i store vanskeligheter der når jeg er langt borte, og de er utsatt for ufred av mine fiender.»

Bjørn fortalte kongen om hvem som mest hadde bundet seg til å reise fiendskap mot kongen og hans menn. Han nevnte sønnene til Erling på Jæren og andre av deres frender, Einar Tambarskjelve, Kalv Arnesson, Tore Hund og Hårek fra Tjøtta.

187. Etter at kong Olav hadde kommet til Gardarike, gikk han mye og grunnet og tenkte på hva han nå skulle gjøre. Kong Jarisleiv og dronning Ingegjerd tilbød kong Olav å bli der hos dem og ta imot et rike som heter Vulgaria*, det er en del av Gardarike, og folket var hedensk i det landet. Kong Olav tenkte over dette tilbudet, men da han la det fram for sine menn, rådde de ham alle sammen fra å slå seg ned der, de ville at kongen skulle prøve å reise nord i Norge til sitt eget rike. Kongen tenkte på dette også, at han skulle si fra seg kongsnavnet og reise ut i verden til Jorsal eller andre hellige steder og gå inn i en munkeorden.

Men det som han tenkte mest på, var om det kunne være noen mulighet for at han fikk igjen riket sitt i Norge. Men når han tenkte på det, så mintes han at de første ti åra han var konge gikk all ting lett og greit for ham, men siden ble alt det han fant på, tungt og vanskelig, og når han fristet lykken, gikk den ham imot. Av den grunn tvilte han nå på at det var noe klokt råd å lite så mye på lykken at han reiste rett i hendene på sine fiender med en så liten styrke, nå som hele allmuen i landet hadde slått seg sammen og gjorde motstand mot kong Olav. Slike tanker gikk han ofte med, og gav sin sak inn under Gud og bad ham la noe hende, så han kunne se hva som var det beste. Han tenkte lenge fram og tilbake på dette og

*Vulgaria, Stor-Bulgaria ved Volga.

visste ikke hva han skulle gjøre, for han syntes det var den visse ulykke det han just tenkte på.

188. Det var ei natt kong Olav lå i senga og var lenge våken utover natta og tenkte på hva han skulle gjøre, og grunnet svært. Men da tankene stilnet av, falt han i søvn, men så lett at han syntes han var våken og så alt som hendte i huset. Han så en mann stod ved senga, han var stor og verdig og hadde kostbare klær. Det falt kongen inn at det visst måtte være Olav Tryggvason som hadde kommet. Denne mannen sa til ham: «Er du svært bekymret for hva du skal gjøre, og hvilket råd du skal ta opp? Jeg synes det er underlig at du tenker så lenge fram og tilbake på dette, og likeså at du tenker på å si fra deg det kongedømme som Gud har gitt deg. Det samme gjelder den tanken at du skulle bli her og ta imot et rike av utenlandske konger som du ikke kjenner. Reis du heller tilbake til ditt eget rike som du har fått ved arv, og rådd for lenge med den hjelp som Gud gav deg, og la ikke dine undermenn skremme deg. Det er en konges ære å seire over sine uvenner, og det er en ærefull død å falle med sine menn i kamp. Eller har du noen tvil om at du har rett i striden mellom dere? Du skal ikke skjule sannheten for deg sjøl. Du kan reise til landet med godt mot, for Gud vil være vitne for deg at det er din eiendom.» Og da kongen våknet, syntes han at han så et glimt av mannen da han gikk.

Fra den stund av gjorde han seg hard og styrket seg sjøl i det forsett at han ville reise tilbake til Norge slik som han hadde hatt mest lyst til før, og som han skjønte at alle hans menn også helst ville. Han sa til seg sjøl at landet ville være lett å ta når det var høvdingløst, slik som han nå hadde fått vite. Han mente at når han kom sjøl, ville mange komme til å følge ham ennå. Da kongen lot sine menn få vite hva han hadde tenkt, takket de ham alle for det.

189. Det blir fortalt at det hendte i Gardarike dengang kong Olav var der, at sønnen til ei fornem enke fikk halsbyll, og gutten ble så sjuk at han ikke kunne få ned noe mat, og det så ut til at han skulle dø. Mora til gutten gikk til dronning Ingegjerd og viste henne gutten, for hun kjente henne. Dronninga sa at hun visste ingen legedom for dette. «Gå til kong Olav,» sa hun, «han er den beste legen her, og be ham ta med hendene på det vonde stedet, og hils ham fra meg hvis han ikke vil ellers.» Hun gjorde som dronninga sa. Da hun kom til kongen, sa hun at sønnen hennes holdt på å dø av halsbyll, og bad ham legge hendene på byllen. Kongen sa til henne at han var ingen lege, og bad henne gå dit hun kunne finne leger. Hun sa at dronninga hadde vist henne til ham «og hun bad meg hilse og si at De skulle gi den legedom De kunne, og hun sa til meg at De var den beste legen her i byen.»

Da tok kongen og kjente om halsen på gutten og tuklet med byllen så lenge til gutten rørte på munnen, og så tok kongen noe brød og brøt det og la det i kors i handa. Deretter la han det i munnen på gutten, og han svelget det. Fra da av gikk all verken ut av halsen, og han var frisk på få dager. Mora hans var svært glad, og det var også andre frender og kjenninger gutten hadde. I førstningen trodde folk dette kom av at kong Olav hadde så gode legehender, slik som det blir sagt om folk som driver denne kunsten, at de har gode hender. Men siden, da det ble allment kjent at han gjorde jærtegn, ble dette tatt for et sant jærtegn.

190. Det hendte en søndag at kong Olav satt til bords i høgsetet sitt og falt i så dype tanker at han ikke sanset tida. Han hadde en kniv i handa og holdt på ei trestikke og spikket noen fliser av den. En skutelsvein* stod og holdt et beger foran ham. Han så hva kongen gjorde, og skjønte at han satt i andre tanker. Han sa: «I morgen er det mandag, herre.» Kongen så på ham da han hørte dette, og kom til å tenke på det han hadde gjort. Da bad kongen at de skulle gi ham et lys. Han sopte alle flisene han hadde spikket, sammen i handa. Så tente han ild på dem der og lot flisene brenne inne i handa. Av dette kan en skjønne at han holdt loven og budene nøye og ikke ville gjøre annet enn det han visste var rett.

191. Da kongen hadde avgjort med seg sjøl at han ville reise hjem, la han dette fram for kong Jarisleiv og dronning Ingegjerd. De rådde ham fra å reise, de sa at han skulle få så mye makt i deres rike som han syntes han var tjent med, og bad at han ikke skulle reise like i sine fienders vold med så lite folk som han hadde der. Da fortalte kong Olav dem hva han hadde drømt, og sa at han trodde dette var Guds styrelse. Da de skjønte kongen hadde gjort opp med seg sjøl at han ville reise tilbake til Norge, så tilbød de ham all den hjelp han ville ha av dem til reisen. Kongen takket dem med vakre ord for deres gode vilje, og sa at han ville gjerne ta imot av dem det han trengte til reisen.

192. Like etter jul gjorde kongen seg ferdig. Han hadde nesten to hundre av sine egne menn der. Kong Jarisleiv gav dem alle sammen hester og dessuten den redskap de trengte. Da han var rede, tok han av sted. Kong Jarisleiv og dronning Ingegjerd tok høytidelig avskjed med ham, og sønnen Magnus lot han bli igjen der hos kongen. Så drog kong Olav vestover, først over de frosne vannene ut til havet, og da våren kom, og isen gikk opp, satte de i stand skipene, og da de var ferdige og fikk bør, så seilte de, og reisen gikk godt.

Kong Olav kom innom Gotland med skipene. Der fikk han høre nytt både fra Sveavelde og Danmark og helt fra Norge. Han fikk vite at det var sant at Håkon jarl hadde druknet, og at landet i Norge var høvdingløst. Da syntes kongen og hans menn at det så lyst ut for dem. De seilte derfra da de fikk bør, og styrte til Svitjod. Kongen la inn i Mälaren med flåten og styrte opp i landet til Åros*. Siden sendte han bud til Anund sveakonge og satte stevne med ham. Kong Anund ble glad for budskapet fra mågen sin og kom til møte med kong Olav, som han hadde sendt bud om. Da kom dronning Astrid

---

Skutelsvein var en hirdmann av en viss klasse, opprinnelig en bordtjener. Fra Olav Kyrres tid ble det et hoffembete for høytstående hirdmenn.
Åros, nå Uppsala.

«I morgen er det mandag, herre!»

også til Olav og tok med de menn som hadde fulgt henne. Det ble et gledelig møte for dem alle sammen. Sveakongen hilste vennlig på mågen sin, kong Olav, da de møttes.

193. Nå skal vi fortelle hva folk tok seg fore i Norge i denne tida. Tore Hund hadde hatt finnferden disse to vintrene, og begge vintrene hadde han vært lenge på fjellet og fått store rikdommer. Han hadde mange slags handel med finnene. Han lot gjøre tolv reinskinnskufter for seg med så mye trollskap at ikke noe våpen beit på dem, mye mindre enn på ei ringbrynje. Siste våren rustet Tore ut et langskip han hadde, og satte huskarene sine til mannskap. Han stevnte sammen bøndene og krevde leidang over hele det nordligste tinglaget; han fikk sammen en mengde folk der, og så reiste han nordfra om våren med denne hæren. Hårek fra Tjøtta samlet også folk og fikk en stor hær. Det var mange flere høvdinger som var med på denne ferden, men disse var de gjæveste av dem. De kunngjorde at denne hærsamlingen skulle dra mot kong Olav og verge landet mot ham om han kom østfra.

194. Einar Tambarskjelve var den som hadde mest å si i ytre Trondheimen etter at Håkon jarls død ble kjent. Han mente at han sjøl og sønnen Eindride hadde mest rett til de eiendommene jarlen hadde hatt, og til løsøret etter ham. Einar mintes nå løfter og vennskapsord som kong Knut hadde gitt ham da de skiltes. Så lot Einar ruste ut et godt skip som han eide, og gikk sjøl om bord der med stort følge, og da han var ferdig, seilte han sørover langs land og så vest over havet og stanset ikke før han kom til England. Han drog straks til kong Knut, og kongen tok godt imot ham. Så kom Einar fram for kongen med ærendet sitt. Han sa at han var kommet for å få innfridd de løftene kongen hadde gitt ham, at Einar skulle få bære høvdingnavn over Norge om Håkon jarl ikke var til.

Kong Knut sa at det gikk nok helt annerledes med den saken nå. «Nå har jeg sendt menn og kjenningstegn til Danmark,» sa han, «til Svein, sønn min, og sagt at jeg har lovt ham riket i Norge. Men jeg vil holde på vennskap med deg. Du skal få den rang av meg som du har ætt til, og være lendmann, men du skal få store veitsler og stå så mye over andre lendmenn som det er mer tiltak i deg enn i de andre lendmennene.» Da skjønte Einar hvordan saken stod, og hva utfall ærendet ville få, og så gav han seg på hjemvegen. Da han nå kjente kongens planer, men også visste at det var stor utsikt til at det ikke ville bli fredelig i landet om kong Olav kom østfra, så falt det Einar inn at det ikke hadde noen bråhast med å komme hjem, om det skulle komme til kamp med kong Olav, og Einar så likevel ikke skulle få mer makt da enn før. Så seilte Einar ut da han var klar til det, og kom ikke til Norge før det allerede hadde hendt, det meste av det som foregikk den sommeren.

195. Høvdingene i Norge holdt speidere øst i Svitjod og sør i Danmark, om kong Olav skulle komme østfra Gardarike, og så fort som folk kunne fare, fikk de vite at kong Olav hadde kommet til Svitjod. Så snart de var visse på dette, gikk det hærbud over hele landet. Det ble stevnt ut allmenning, og så kom hæren sammen. De lendmennene som kom fra Agder og Rogaland og Hordaland, delte seg; noen drog nordover og noen østover, for de mente det trengtes folk begge steder. Sønnene til Erling på Jæren drog østover med hele den hæren som kom fra landet øst for dem, og de var høvdinger for den hæren. Nordover reiste Aslak fra Finnøy* og Erlend fra Gjerde* og de lendmennene som bodde nord for dem. Disse som er nevnt nå, hadde alle svoret til kong Knut at de skulle ta livet av kong Olav om de fikk høve til det.

196. Da det ble kjent i Norge at kong Olav var kommet østfra til Svitjod, samlet de seg sammen de av vennene hans som ville hjelpe ham. Den største høvdingen i den flokken var Harald Sigurdsson, bror til kong Olav. Han var femten år gammel den gang, stor av vekst og fullvoksen å se til. Det var mange andre stormenn der også;

Finnøy, øy og herred i Ryfylke.
Gjerde, gard og sokn i Etne i Hordaland.

Harald og hans menn drog gjennom skogene til Svitjod.

i alt fikk de seks hundre mann da de reiste fra Opplanda, og med den hæren tok de vegen øst over Eidskogen til Värmland. Så drog de øst gjennom skogene til Svitjod og spurte seg for om hvor kong Olav var.

197. Kong Olav var i Svitjod utover våren og hørte etter nytt nord fra Norge, men han hørte bare én ting derfra, og det var at det ville ikke bli fredelig om han kom der, og folk som kom nordfra, rådde ham sterkt fra å dra dit til landet. Men han var like stri på å fare da som før. Kong Olav spurte kong Anund om hvor mye hjelp han ville gi ham til å få igjen landet sitt. Kong Anund svarte slik at han sa svearne hadde liten lyst til å reise på hærferd til Norge. «Vi vet,» sa han, «at nordmennene er harde folk og svære til å slåss og vonde å by ufred. Det skal ikke ta lang tid å si deg hvor mye jeg vil gjøre. Jeg vil gi deg fire hundre mann, og du kan velge dem av hirdflokken min og ta gode hærmenn vel rustet til kamp. Og så vil jeg gi deg lov å reise gjennom landet mitt og få med deg det folket du kan, og som vil følge deg.» Kong Olav tok imot dette tilbudet, og så gav han seg på veg. Dronning Astrid ble igjen i Svitjod og likeså Ulvhild kongsdatter.

198. Da kong Olav tok av sted, kom den hæren sveakongen gav ham, også til ham, og det var fire hundre mann. Kongen tok den vegen svearne viste ham. De drog opp i landet til skogene og kom fram der det heter Jarnberaland*. Der traff kongen den hæren som hadde kommet fra Norge for å møte ham, og som det er fortalt om her før. Han møtte der sin bror Harald og mange andre av frendene sine, og det var et svært gledelig møte. Da hadde de til sammen tolv hundre mann.

199. Det var en mann som het Dag, og de sier at han var sønn til

Jarnberaland, dvs. Dalarne i Sverige.

den kong Ring som hadde rømt fra landet for kong Olav, og folk sier at Ring var sønn til Dag, sønn til Ring, sønn til Harald Hårfagre. Dag var kong Olavs frende. Ring og hans sønn Dag hadde slått seg ned i Sveavelde og hadde fått et rike å styre der. Da kong Olav var kommet østfra til Svitjod om våren, sendte han bud til sin frende Dag om at Dag skulle slå seg sammen med ham og gi ham all den støtte han rådde over, og dersom de fikk tatt landet i Norge, så skulle Dag få et rike der som ikke var mindre enn det hans forfedre hadde hatt.

Da dette budskapet kom til Dag, likte han det godt. Han lengtet svært etter å dra til Norge og ta igjen der det rike som hans frender hadde hatt før. Han svarte med én gang og lovte å komme. Dag var snar både i ord og gjerning, nokså voldsom av seg og en svært modig mann, men han hadde ikke så mye vett. Nå samlet han seg folk og fikk nesten tolv hundre mann, og med den hæren drog han til kong Olav.

200. Kong Olav sendte bud ut i bygdene og lot folk få vite at om noen ville vinne seg gods slik at de tok hærfang og skiftet mellom seg de eiendommene som kongens uvenner satt på, så skulle de komme til ham og følge ham.

Kong Olav førte hæren sin framover. Han fór gjennom skogbygder og noen ganger gjennom ødemarker og ofte over store vann. De drog eller bar skipene med seg mellom vannene. Det kom folk til kongen, folk fra skogene, og noen av dem var landevegsrøvere. Mange steder der han bodde om natta, har fått navnet Olavsbu siden. Han stanset ikke før han kom fram i Jemtland, så drog han nord til Kjølen. Hæren hans delte seg i bygdene og drog mye hver for seg så lenge de ikke ventet seg ufred. Men alltid når hæren delte seg, fulge nordmannshæren med kongen, og Dag drog en annen veg med sin hær og svearne en tredje med sin.

201. Det var to menn; den ene het Gaukatore, den andre Avrafaste. De var røvere av verste slag og hadde med seg tretti mann til som var maken til dem sjøl. Disse brødrene var større og sterkere enn andre; det skortet dem verken på mot eller pågåenhet. De fikk høre om denne hæren som drog gjennom landet der, og sa til hver andre at det ville være en god tanke å dra til kongen og følge ham til landet hans og gå med ham i slag der og få prøve seg. For de hadde aldri før vært i et slag der hæren ble fylket, og de hadde stor lyst til å se kongens fylking. Dette likte følget deres godt, og så gav de seg på veg til kongen. Da de kom dit, gikk de framfor kongen med flokken sin, og hele følget var fullt væpnet. De hilste ham. Han spurte hva de var for karer. De sa hva de het, og at de hørte til der i landet. Så kom de fram med ærendet sitt og tilbød kongen at de skulle følge med ham. Kongen sa han syntes det så ut til å være god hjelp i slike karer. «Jeg vil gjerne ta imot slike menn,» sa han, «men er dere kristne?» Gaukatore svarte; han sa han var verken kristen eller hedning. «Vi karer har ingen annen tro enn at vi tror på oss sjøl og vår styrke og kamplykke, og det greier vi oss langt med.» Kongen

Kong Olavs møte med Gaukatore og Avrafaste.

svarte: «Det er stor synd at så kjekke menn ikke skal tro på Kristus, sin skaper.» Tore svarte: «Er det noen kristen mann i ditt følge, konge, som har vokst mer på en dag enn vi brødre?» Kongen bad dem la seg døpe og ta den rette tro. «Og så kan dere følge meg,» sa han. «Da skal jeg gjøre dere til store menn, men vil dere ikke det, så får dere gå tilbake til det yrket dere hadde.» Avrafaste svarte. Han sa han ville ikke ta imot kristendommen, og så gikk de sin veg. Da sa Gaukatore: «Det er stor skam dette at denne kongen skal vrake oss. Aldri før har jeg vært noe sted der jeg ikke var god nok til å gå i lag med andre menn. Jeg vil aldri vende hjem på denne måten.» Så slo de seg i lag med de andre skogsmennene og fulgte flokken. Kong Olav drog nå vest over Kjølen.

202. Da kong Olav kom østfra og over Kjølen og videre ned av fjellet i vest der en kan se landet senke seg vestover, så han derfra utover landet. Mye av hæren gikk foran kongen og mye etter ham. Der han rei, var det romt omkring ham. Han var stille og talte ikke med noen. Han rei slik en lang stund om dagen og så seg lite om. Da rei biskopen bort til ham og spurte hva han tenkte på, siden han var så stille, for kongen brukte ellers å være glad og pratsom mot sine menn på vegen og gledet alle de som kom nær ham.

Kongen svarte i dyp ettertanke: «Jeg har hatt et underlig syn nå for en stund siden. Jeg så utover Norge da jeg så vestover fra fjellet. Da kom jeg i hug at jeg har vært glad mang en dag i dette landet, og så fikk jeg et syn; jeg så utover hele Trondheimen og dernest over hele Norge. Og så lenge som synet holdt seg for øynene mine, så jeg alltid videre, helt til jeg så utover hele verden, både land og sjø. Jeg kjente nøye steder som jeg hadde vært og sett før, og jeg så like tydelig steder som jeg ikke har sett før; noen av dem hadde jeg hørt om, men det var også steder som jeg aldri hadde hørt snakk om før, både bygd og ubygd, så vidt som verden er.» Biskopen sa at dette synet var hellig og stort og merkelig.

203. Da kongen drog ned fra fjellet, kom han til en gard som heter Sul i den øverste bygda i Verdalen. Da de kom ned til garden, lå det åkrer langs vegen. Kongen bad sine folk fare varsomt og ikke ødelegge enga for bonden, og det gjorde folk også mens kongen var der. Men de flokkene som kom etterpå, enste ikke dette; folk løp utover åkeren, slik at den la seg helt ned på bakken. Den bonden som bodde der, het Torgeir Flekk. Han hadde to sønner som var godt og vel voksne. Torgeir tok godt imot kongen og hans menn og bød ham all den hjelp han rådde over. Kongen tok vel imot det og spurte Torgeir om nytt, hvorledes det stod til der i landet, om det hadde vært gjort noen samling der mot ham. Torgeir sa at det var dradd sammen en stor hær der i Trondheimen, og at det hadde kommet lendmenn dit både sørfra i landet og nord fra Hålogaland. «Men jeg vet ikke,» sa han, «om de tenker å gå mot Dem med denne hæren eller dra et annet sted.»

Så klagde han til kongen over den skade han hadde lidd ved at kongsmennene hadde vært uvørne og hadde brutt opp og tråkket ned alle åkrene hans. Kongen sa det var ille at de hadde gjort noe galt for ham. Så rei kongen bort der åkeren hadde stått, og så at hele åkeren lå nede på bakken. Han rei omkring den, og deretter sa han: «Jeg venter sikkert, bonde, at Gud vil rette på skaden for deg, og at denne åkeren blir bedre igjen om ei ukes tid.» Og det ble en riktig god åker, slik som kongen sa.

Kongen ble der natta over, og om morgenen tok han av sted. Han sa at Torgeir skulle følge med ham, men Torgeir bød ham sine to sønner til følge. Da sa kongen at de skulle ikke følge ham, men guttene ville av sted likevel. Kongen bad dem bli igjen, og da de ikke ville gi seg, ville kongens hirdmenn binde dem. Da kongen så det, sa han: «La dem fare, de kommer nok tilbake.» Det gikk som kongen sa også med guttene.

204. Nå førte de hæren sin ut til Stav*. Da kongen kom til Stavemyrene, holdt han hvil. Da fikk han vite at det var sant at bøndene gikk mot ham med en stor hær, og at nå ville han snart få strid. Da mønstret kongen hæren, og det ble holdt manntall, og da hadde han mer enn tretti hundre mann*.

Da fant de ni hundre hedninger i hæren. Men da kongen fikk vite det, sa han at de skulle la seg døpe. Han sa at han ville ikke ha hedninger med seg i striden. «Vi kan ikke stole på at vi har mange folk,» sa han, «Gud må vi stole på, for med hans kraft og miskunn skal vi seire. Og jeg vil ikke blande hedensk folk sammen med mine menn.» Da hedningene hørte dette, holdt de råd med hverandre, og til slutt lot fire hundre mann seg døpe, men fem hundre nektet å ta kristendommen, og den hæren drog tilbake til sitt eget land.

Stav, denne garden fins ikke lenger.
Tretti hundre, dvs. 3600.

Nå kom de fram med flokken sin, brødrene Gaukatore og Avrafaste, og tilbød kongen enda en gang å gå med ham. Han spurte om de hadde tatt dåpen nå. Gaukatore sa at det hadde de ikke. Kongen bad dem ta dåpen og den rette tro, ellers fikk de dra sin veg. Så gikk de bort litt og talte med hverandre og rådslo om hva de skulle gjøre. Da sa Avrafaste: «Skal jeg si hva jeg har lyst til, så vil jeg ikke vende tilbake. Jeg vil gå til kampen og hjelpe en av hærene, men det er det samme for meg hvilken flokk jeg er i.»

Da svarte Gaukatore: «Om jeg skal gå til kampen, så vil jeg hjelpe kongen, for han trenger det mest. Og om jeg skal tro på en gud, hvorfor skal det da være verre for meg å tro på Kvitekrist enn en annen gud? Derfor rår jeg til at vi lar oss døpe, siden det er så mye om å gjøre for kongen. Så kan vi siden følge ham i striden.» Dette var de enige i alle sammen. Så gikk de til kongen og sa at nå ville de ta dåpen, og så ble de døpt av prestene og konfirmert av biskopen. Kongen tok dem opp i hirden hos seg, og sa de skulle stå under hans merke i kampen.

205. Kong Olav hadde nå fått visshet for at det ikke var lenge til han ville få kamp med bøndene, og da han hadde mønstret hæren og holdt manntall, viste det seg at han hadde mer enn tretti hundre mann, og det syntes de var en stor hær på én voll. Så talte kongen til hæren og sa som så: «Vi har en stor hær og vakkert folk. Nå vil jeg si dere hvordan jeg vil stille opp hæren min. Jeg vil la mitt merke gå fram midt i hæren, og det skal hirden følge og gjestene og den flokken som kom til oss fra Opplanda, og likeså de som kom til oss her i Trondheimen. Til høyre for mitt merke skal Dag Ringsson stå, og med ham alt det folk han hadde med til oss. Han skal ha det andre merket. Til venstre for min fylking skal det folket stå som sveakongen gav oss, og alle de som kom til oss i Sveavelde. De skal ha det tredje merket. Jeg vil folk skal dele seg i flokker, og frender og kjenninger skal stå sammen, for da vil den ene best hjelpe den andre, og alle vil kjenne hverandre. Vi skal merke hele hæren vår, sette et hærmerke på hjelmene og skjoldene våre, tegne det hellige kors med hvitt på dem, og når vi kommer i kamp, skal vi alle ha ett ordtak: «Fram, fram, kristmenn, korsmenn, kongsmenn!» Vi får bruke tynne fylkinger, om vi har færre folk; for jeg vil ikke at de skal kringsette oss med hæren sin. La nå folk dele seg i flokker, og siden skal vi stille flokkene i fylkinger, og så må hver vite hvor han skal stå, og legge merke til hvor langt han er fra det merket han er satt under. Så vil vi holde oss fylket, og folk skal gå med våpen dag og natt til vi får vite hvor vi og bøndene skal møtes.» Da kongen hadde talt, fylkte de hæren sin og stilte den opp slik som kongen hadde sagt.

Etter dette holdt kongen stevne med flokkførerne; da var de menn kommet igjen som kongen hadde sendt ut i bygda for å kreve hjelp av bøndene. De kunne fortelle fra bygda at der hvor de hadde vært, var det overalt tomt for våpenføre menn. Alt folk hadde gått til bondesamlingen, og der de fant noen, ville få følge dem, og de fleste svarte at de satt hjemme av den grunn at de ville ikke følge noen av hærene; de ville verken slåss med kongen eller med sine frender. Derfor hadde sendemennene fått lite folk.

Da spurte kongen sine menn til råds, hva de syntes var best å gjøre. Finn svarte på kongens tale. «Jeg skal si hva som skulle bli gjort om jeg fikk rå,» sa han. «Da skulle vi fare med hærskjold over alle bygdene, rane alt gods og brenne bygda så aldeles av at det ikke stod et kott igjen, og på den måten straffe bøndene for at de har sveket sin herre. Jeg tenker at mang en ville bli løs i flokken om han så røyk og varme hjemme fra husene sine og ikke visste hvordan det stod til med barn og kvinner og gamle folk, far og mor eller andre frender. Og jeg skulle tro,» sa han, «at om noen først fant på å bryte samlingen, så ville snart fylkingene deres bli tynne, for bønder har det gjerne slik at alle synes best om nye råd.»

Da Finn sluttet å tale, gav mennene kraftig bifall; mange syntes det var bra å skaffe seg gods, og alle syntes bøndene hadde godt av å få skade, og at det dessuten var rimelig som Finn sa, at mange av bøndene ville løse seg ut av samlingen. Da kvad Tormod Kolbrunarskald en strofe:

Brenne bør vi alle
bol innenfor Hverbjorg*,*
hæren vil med våpen
verge landet for kongen.

Kalde kull blir alle
inntrøndernes huser,
og ild skal vi kveike
i klungren, om jeg får råde.

Da kong Olav hørte hvor oppsatt folket var, krevde han stillhet og sa: «Bøndene fortjente ikke bedre enn at det ble gjort slik som dere vil; de vet at jeg har gjort det før å brenne husene for dem og har straffet dem hardt på andre måter. Jeg gjorde det, jeg brente for dem da de først hadde gått fra troen sin og tatt til å blote og ikke ville holde opp igjen på mitt bud. Den gangen hadde vi Guds rett å forsvare. Men dette svik mot kongen at de ikke holder sin troskap mot meg, har mye mindre å si, likevel er ikke det heller sømmelig for dem som vil være menn av ære. Jeg har større rett til å vise skånsel nå som de gjør galt mot meg, enn da de satte seg opp mot Gud. Derfor vil jeg at folk skal fare fredelig fram og ikke gjøre noe hærverk. Jeg vil først møte bøndene, og kan vi bli forlikte, så er det godt, men om de går til kamp mot oss, da kan det hende ett av to: Om vi faller i kampen, da er det best ikke å gå dit med ranet gods, men om vi seirer, da skal dere ta arv etter dem som nå kjemper mot oss, for de kommer til å falle noen av dem, og andre flykter, og enten de gjør det ene eller det andre, har de forbrutt all sin eiendom. Og da er det godt å gå til store hus og gode garder, men ingen har nytte av det som er brent. Likeså med ranet gods, det går mye mer av det til spille enn det en har nytte av. Nå skal vi dra ut gjennom bygda i spredte flokker og ta med oss alle de våpenføre menn vi kan få tak på. Vi skal også hogge buskap og ta så mye annen mat som

Hverbjorg, usikkert om dette skal tolkes som et egennavn. Navnet er ellers ukjent.

folk trenger til å fø seg med, men ingen skal gjøre annet hærverk. Jeg ser gjerne at speiderne til bøndene blir drept, om dere får tak i dem. Dag og hans menn skal ta den nordre vegen ned gjennom dalen, og jeg vil ta allfarvegen, og så skal vi møtes til kvelds og være på samme sted om natta.»

206. Det fortelles at da kong Olav fylkte hæren sin, stilte han noen menn i en skjoldborg som skulle stå foran ham i slaget, og til det valgte han de menn som var de sterkeste og djerveste. Så ropte han på skaldene sine og bad dem gå inn i skjoldborgen. «Dere skal stå her,» sa han, «og se alt det som kommer til å hende her. Da trenger ingen å fortelle dere om det, for dere skal sjøl si sagaen og dikte om det siden.» Der var Tormod Kolbrunarskald og Gissur Gullbrå, fosterfar til Hovgarda-Rev, og den tredje var Torfinn Munn.

Da sa Tormod til Gissur: «La oss ikke stå så trangt da, mann, at ikke Sigvat skald får plass når han kommer. Han vil sikkert stå framfor kongen, og kongen vil heller ikke like annet.» Kongen hørte dette og svarte: «Du trenger ikke å komme med fantord om Sigvat fordi om han ikke er her. Han har ofte fulgt meg godt, og nå ber han nok for oss, og det kan vi ennå komme til å trenge svært godt.» Tormod sa: «Det kan jo være, konge, at du nå trenger mest til bønner. Men tynt ville det være om merkestanga dersom alle hirdmennene dine var på veg til Roma nå. Det har også vært sant når vi klagde over at når noen ville snakke med deg, så fikk han ikke plass for Sigvat.»

Så snakket de med hverandre og sa at nå ville det være bra om de diktet noen strofer til minne om de ting som snart skulle hende. Da kvad Gissur:

Ikke skal bondens datter
høre at jeg var uglad
på veg til våpentinget;
jeg venter meg trengsel.

Om væpnet skare sier
valkyrjer er i vente,
vi vil hjelpe kongen
i øst der kampen raser.

Da kvad Torfinn Munn en annen strofe:

Det mørkner mot stort uvær
og storm av harde våpen,
mot en modig konge
vil menn fra Verdal kjempe.

Vi verger gavmild herre,
gleder ravn med bloddrikk,
feller trønder i Odins
uvær! Til slikt jeg egger.

Da kvad Tormod:

Vikingers uvær tykner
om oss, pileskytter!
Nå vokser økstid, og bønder
ikke veikt må vingle.

Vi går til strid, den veike
får vokte seg for tale;
vi går glade i striden,
til spydting med Olav!

Disse strofene lærte folk straks.

Skaldene kveder for kong Olavs hær.

207. Så tok kongen av sted og drog ut gjennom dalen. Han fant seg et sted for natta, og der kom hele hæren hans sammen; de lå ute om natta under skjoldene sine. Straks det ble lyst, lot kongen hæren stå opp, og så flyttet de lenger ut etter dalen da de var ferdige til det. Da kom det mange bønder til kongen, og de fleste gikk inn i hæren hos ham, men alle kunne de fortelle det samme, at lendmennene hadde samlet en uovervinnelig hær, og de tenkte å gå til kamp mot kongen. Da tok kongen mange merker sølv og gav dem til en bonde og sa så: «Dette sølvet skal du ta vare på og dele det ut siden. Du skal gi noe til kirkene og noe til prestene og noe til de fattige, og du skal gi det for de menns liv og sjel som faller i kampen og kjemper mot oss.» Bonden svarte: «Jeg skal vel gi dette sølvet til sjelefrelse for Deres menn, konge?» Da svarte kongen: «Dette sølvet skal du gi for de menns sjeler som går med bøndene i kampen og faller for våpnene til våre menn, men de menn som følger oss i kampen og faller der, de og vi skal bli frelst alle sammen.»

208. Den natta lå kong Olav med hæren samlet, og som vi nå fortalte om, var han lenge våken og bad til Gud for seg og hæren sin og sov lite. Mot dag kom det litt søvn over ham, og da han våknet, rant dagen. Kongen syntes det var svært tidlig å vekke hæren; og så spurte han hvor Tormod skald var. Han var i nærheten og svarte; han spurte hva kongen ville ham. Kongen sa: «Si fram et kvede for oss.» Tormod satte seg opp og kvad så høyt at det hørtes over hele hæren. Han kvad det gamle Bjarkemål*, og dette er de første versene:

Bjarkemål, et gammelt, dansk heltekvad med navn etter Bodvar Bjarke, en av berserkene til Rolv Krake.

Dag er kommet og oppe,
hanens fjær suser,
tid er det for treller
å ta til arbeid.
Våk og vær våken,
venners høvding,
og alle de ypperste
i Adils'* følge!

Hår Hardgreipe,
Rolv Skytende,
ættgode menn
som aldri flykter!
Jeg vekker ikke til vin
eller til vivs hvisking
jeg vekker heller til Hilds*
harde leik!

Da våknet hæren, og da kvedet var slutt, takket folk ham for det
og likte det svært godt, og syntes han hadde funnet det rette, og de
kalte kvedet for Huskarlahvot*. Kongen takket ham fordi han kortet
tida for dem, og så tok kongen en gullring som veide ei halv mark,
og gav den til Tormod. Tormod takket kongen for gaven og sa: «Vi
har en god konge, men nå er det ikke lett å si om kongen får et langt
liv. Jeg har en bønn, konge, den at du ikke lar oss to skilles, verken
i liv eller død.» Kongen svarte: «Vi skal gå samme veg alle sammen
så lenge jeg rår for det, om ikke dere vil skilles fra meg.» Tormod
sa: «Jeg venter det, konge, at enten freden blir bedre eller verre, så
skal jeg få stå Dem nær så lenge jeg kan, hvor vi enn hører at Sigvat
farer med gullhjaltesverdet.» Så kvad Tormod:

Tingdjerve fyrste, ferdes
vil jeg for dine føtter
til du ser dine andre
skalder. Si, når de kommer!

Ett er visst, om vi ikke
unna kommer og lager
rov for griske ravner,
vi ligger her sjøl, konge!

209. Kong Olav førte hæren ut gjennom dalen. Dag tok igjen en
annen veg med sin hær. Kongen stanset ikke før han kom ut til
Stiklestad. Da fikk de se bondehæren; folket der gikk svært spredt,
men det var slike svære mengder at på hver sti dreiv det folk, og
mange steder var det store flokker som gikk sammen. De så en flokk
menn som kom ned fra Verdalen, de hadde vært ute for å speide og
hadde kommet like ved der kongens folk var, og de visste ikke av det
før det var så kort mellom dem at de kunne kjenne hverandre. Det
var Rut* fra Viggja med tretti mann. Da sa kongen at gjestene skulle
gå mot Rut og ta livet av ham. Det var de raske til. Så sa kongen til
islendingene: «Jeg har hørt si at det har vært skikk på Island at
bøndene skylder å gi huskarene sine en sau til slakt om høsten. Nå
vil jeg gi dere en bukk til slakt.» Islendingene var lette å få med på
dette; de gikk straks mot Rut sammen med de andre, og Rut ble
drept, og hele den flokken som fulgte ham.

Kongen ble stående og lot hæren også stanse da han kom til

Adils, sagnkonge i Uppsala.
Hild var ei valkyrje.
Huskarlahvot betyr egging av huskarene.
Rut (norr. *hrútr*) betyr bukk.

Stiklestad. Kongen bad folk stige av hestene og gjøre seg klare der, og de gjorde som kongen sa. Så tok de til å fylke og satte opp merkene. Da var ennå ikke Dag kommet med sin hær, så de saknet den fylkingarmen. Da sa kongen at opplendingene skulle gå fram der og ta opp merkene. «Jeg tror det er best,» sa kongen, «at Harald, bror min, ikke er med i kampen; for han er bare barnet ennå.» Harald svarte: «Sannelig skal jeg være med i kampen, og om jeg har så små krefter at jeg ikke kan holde sverdet, så vet jeg god råd med det. Vi skal binde handtaket fast til handa. Ingen skal ha bedre vilje enn jeg til å være i vegen for bøndene. Jeg vil følge flokken min.» Og folk sier at da kvad Harald denne strofen:

Jeg skal nok vite å verge
den plass de valgte å gi meg,
bedre enn ei kvinne;
i kamp vi farger skjoldet.

Den unge skalden stridsglad
ikke for spyd vil vike
der menns møte blir harde
mord, og våpen kviner.

Harald fikk det som han ville og var med i slaget.

210. Det var en mann som het Torgils Hålmuson; han var bonden som bodde på Stiklestad og far til Grim den gode. Torgils tilbød kongen sin hjelp og at han skulle være med ham i slaget. Kongen sa at han skulle ha takk for det, «men,» sa kongen, «jeg vil at du ikke skal være med i slaget, bonde. Gjør heller dette for oss, berg de av mennene våre som er såret etter slaget og gi ei grav til dem som faller i slaget. Og likeså, bonde, om det skulle hende at jeg falt i dette slaget, vis da mitt lik den siste tjeneste som trengs, om det da ikke blir nektet deg.» Torgils lovte kongen det han bad om.

211. Da kong Olav hadde fylket hæren sin, talte han til mennene.

På hver sti dreiv det folk.

Han sa at de måtte gjøre seg harde og gå djervt fram. «Om det blir kamp,» sa han, «har vi en stor og god hær, og enda bøndene kan ha noe mer folk, så er det likevel lykken som rår for seieren. Dette vil jeg dere skal vite: Jeg flykter ikke fra denne kampen; enten skal jeg seire over bøndene eller falle i slaget. Jeg vil be om at det må bli min lodd som Gud ser er det beste for meg. Vi skal trøste oss til det at vi har mer rett enn bøndene, og at Gud derfor også vil frelse eiendommene våre for oss etter denne kampen, eller også gi oss mye større lønn for det tap vi får her, enn vi sjøl kan ønske oss. Men om jeg får noe å si etter kampen, da skal jeg lønne hver av dere etter fortjeneste, og etter hvordan hver går fram i kampen. Om vi seirer, da blir det nok både av land og løsøre til deling mellom dere, det som uvennene våre eier nå. La oss gå på så hardt som mulig i førstningen, for slaget blir snart avgjort når overmakten er stor. Vi kan vente å få seier om vi handler fort, men det vil falle oss tungt, dersom vi kjemper til vi blir så trøtte at folk blir uskikket til å sláss av den grunn. Vi har mindre folk å skifte på med enn de som kan gå fram noen ad gangen mens andre bare verger seg og hviler. Men om vi går så hardt på at de som står fremst, viker unna, da kommer den ene til å falle over den andre, og så blir det verre for dem dess flere de er.» Da kongen sluttet talen, kom folk med høye tilrop til ham og egget hverandre opp.

212. Tord Folesson bar kong Olavs merke. Det sier Sigvat skald i den arvedråpa han diktet om kong Olav, og der omkvedet er tatt fra sagaen om Skapelsen:

Tord, vet jeg, dengang styrket
Olav med spyd i striden,
der gikk gode hjerter
jamsides. Kampen vokste.

Bror til Ogmund hevet
høyt det gylne merket
fram for Ringerikskongen,
det var fullgjort mannsverk.

213. Kong Olav var kledd slik at han hadde en forgylt hjelm på hodet og et hvitt skjold, der det hellige kors var innlagt med gull. I den ene handa hadde han den øksa som nå står i Kristkirken ved alteret; ved beltet hadde han det sverdet som heter Neite. Det var et veldig skarpt sverd, og handtaket var omviklet med gull. Han hadde ringbrynje. Det nevner Sigvat skald:

Olav felte stridsmenn,
seier vant ofte den digre,
senjoren*, vågal i kampen,
søkte fram i brynje.

Svear som østfra fulgte
fyrsten, den gavmilde,
vadde – jeg vet hva jeg sier –
i veger av blod som skinte.

214. Da kong Olav hadde fylket hæren, hadde bøndene ennå ikke kommet nær noen steder. Da sa kongen at hæren skulle sette seg ned

---

Senjoren (norr. *sinjórr,* fra g.fransk *seignor*) betyr herre. Sigvat hadde bl.a. vært i Frankrike og nok lært seg litt fransk.

og hvile. Så satte kongen sjøl seg ned og hele hæren hans, de satt
romt. Kongen lente seg ned og la hodet i fanget på Finn Arnesson.
Da kom søvnen over ham, og han sov en stund. Da så de bonde-
hæren, og nå kom hæren mot dem og hadde satt opp merkene sine,
og det var en svær folkemasse.

Da vekte Finn kongen og sa til ham at bøndene kom imot dem.
Da kongen våknet, sa han: «Hvorfor vekte du meg, Finn, og lot meg
ikke få drømme ferdig?» Finn svarte: «Du drømte vel ikke slik at du
ikke heller skylder å våke og gjøre deg ferdig til å ta imot den hæren
som kommer mot oss. Ser du ikke hvor nær bondemugen er kommet
nå.» Kongen svarte: «De er ikke så nær oss ennå at det ikke hadde
vært bedre om jeg hadde sovet.» Da sa Finn: «Hva drømte du da,
konge, siden du syntes det var så ille du ikke fikk våkne av deg sjøl?»
Da sa kongen hva han hadde drømt. Han syntes han så en høy stige,
og han gikk oppover den i lufta så langt at himmelen åpnet seg, og
så langt nådde stigen. «Jeg var kommet på det øverste trinnet,» sa
han, «da du vekte meg.» Finn svarte: «Jeg synes ikke denne drøm-
men er så god som du visst synes. Jeg tror dette varsler at du skal dø,
dersom det da var noe annet enn søvnørske som kom over deg.»

215. Enda en ting hendte da kong Olav hadde kommet til Stikle-
stad. Det kom en mann til ham, og det var ikke så merkelig, for det
kom mange menn til kongen fra bygdene, og når folk syntes dette
var noe nytt, så var det fordi denne mannen ikke liknet de andre som
hadde kommet til kongen der. Han var så høy at ingen rakk ham
lenger enn til akslene. Han var en svært vakker mann å se til og
hadde et fagert hår. Han var vel væpnet, hadde en vakker hjelm og
ringbrynje, rødt skjold og et staselig sverd ved beltet. I handa hadde
han et stort, gullslått spyd, og skaftet på det var så digert at det fylte
handa. Denne mannen gikk framfor kongen og hilste ham og spurte
om kongen ville ta imot hjelp av ham. Kongen spurte ham etter navn
og ætt og hvilket land han var fra. Han svarte: «Jeg har ætta mi i
Jemtland og Helsingland, og jeg blir kalt Arnljot Gelline. Jeg kan
ellers fortelle Dem det at jeg hjalp de mennene som De sendte til
Jemtland etter skatt. Jeg gav mennene et sølvfat som jeg sendte
Dem til tegn på at jeg ville være Deres venn.»

Da spurte kongen om Arnljot var kristen eller ikke. Han sa om sin
tro at han trodde på egen kraft og styrke; «og den troen har hjulpet
meg godt hittil. Men nå har jeg tenkt heller å tro på deg, konge.»
Kongen svarte: «Om du vil tro på meg, da skal du tro på det som jeg
lærer deg. Du skal tro at Jesus Krist har skapt himmelen og jorda og
alle mennesker, og til ham skal de komme etter døden alle de som
er gode og rettroende.» Arnljot svarte: «Jeg har hørt tale om Kvite-
krist, men jeg har ikke noe kjennskap til hva han gjør, eller hvor han
rår. Men nå vil jeg tro alt det du sier til meg, jeg vil legge hele min
sak i di hand.» Så ble Arnljot døpt. Kongen lærte ham det han syntes
var det nødvendigste av troen og stilte ham fremst i fylkingen og
foran merket. Der stod alt Gaukatore og Avrafaste og flokkene
deres også.

216. Nå skal vi fortelle videre der vi sluttet før. Lendmennene og bøndene hadde samlet en uovervinnelig hær så snart de hørte at kongen hadde reist øst fra Gardarike og hadde kommet til Svitjod. Og da de hørte at kongen hadde kommet østfra til Jemtland, og at han tenkte å dra vestover Kjølen til Verdalen, styrte de med hæren inn i Trondheimen og samlet sammen hele allmuen der, fri mann og trell, og så drog de inn til Verdalen, og da hadde de så stor hær at det var ingen mann der som hadde sett så stor hær komme sammen på én gang i Norge. Men det var der som det så ofte kan bli i en stor hær, folket var svært ujevnt. Det var mange lendmenn og en stor mengde mektige bønder, men hele massen var småfolk og arbeids- karer, og hele hovedstyrken av hæren var folk som hadde samlet seg sammen der i Trondheimen. Det folket raste i fiendskap mot kongen.

217. Knut den mektige hadde lagt under seg hele landet i Norge, som før skrevet, og han hadde satt Håkon jarl til å styre. Han gav jarlen en mann til hirdbiskop som het Sigurd; han var av dansk ætt og hadde vært hos kong Knut lenge. Denne biskopen var voldsom av sinn og veltalende i ord. Han støttet kong Knut alt det han kunne i sin tale, og var en farlig uvenn for kong Olav. Denne biskopen var med i hæren og talte ofte for bøndene og satte dem opp til å gjøre reisning mot kong Olav.

218. Biskop Sigurd talte på et husting der det var en mengde folk. Han tok slik til orde: «Her er det nå kommet sammen så mye folk at det ikke blir råd å få se en større innenlandsk hær i dette fattige landet. Nå kan den komme vel med for dere denne folkestyrken, dere kan nok komme til å trenge den om denne Olav ennå ikke tenker å holde opp å herje for dere. Alt da han var en ung mann, øvde han seg i å rane og drepe folk, og derfor drog han vidt omkring i landene; men til slutt vendte han seg hit, og han tok fatt på den måten at han gjorde seg uvenner med alle de som var de beste og rikeste, slike som kong Knut, som alle skylder å tjene når de kan, men *han* satte seg fast i Knuts skattland. Det samme gjorde han for Olav sveakonge, og jarlene Svein og Håkon dreiv han bort fra ætte- arven deres. Men verst var han likevel mot sine egne frender, for han jagde bort alle kongene fra Opplanda. Det var nå ellers på én måte godt, for de hadde i forvegen brutt tro og eder til kong Knut, og fulgt denne Olav i alle de gale ting han fant på.

Nå gikk vennskapet i stykker, og det var til pass for dem. Han lemlestet dem og tok under seg det riket de hadde. Slik ødela han alle menn av kongelig ætt i landet, og siden vet dere vel hvordan han har gått fram mot lendmennene, han drepte de beste, og mange er blitt landflyktige for ham. Han har også reist omkring i dette landet med flokker av ransmenn, brent bygdene og drept og ranet folk. Hvem er det her av stormennene som ikke har store saker å hevne på ham? Nå kommer han med en utenlandsk hær, og størstedelen av den er folk fra skogene og landevegsrøvere eller andre ransmenn. Tror dere at han blir mild mot dere nå som han kommer med dette

Den danske biskop Sigurd taler til bøndene.

fæle pakket, han som gjorde slikt hærverk dengang alle som fulgte ham, rådde ham fra det? Jeg mener det er best at dere nå minnes kong Knuts ord, og hva han rådde dere til, om Olav ennå skulle komme tilbake til landet, og hvordan dere da skulle få ha den friheten som kong Knut lovte dere. Han sa dere skulle stå imot og drive fra dere slike ugagnsflokker. Nå er det bare én ting å gjøre, og det er å gå mot dem og slå dette pakket ned for ørn og ulv, og la hver ligge der han ble hogd ned, med mindre dere da heller vil slepe likene deres ut i holt og røyser. Men ingen må være så frekk at han flytter dem til kirkene, for det er alt sammen vikinger og ugjerningsmenn.» Og da han sluttet talen, ropte folk høyt, og alle sa ja og lovte å gjøre som han sa.

219. De lendmennene som hadde kommet sammen der, holdt stevne og talte med hverandre og avgjorde hvordan de skulle fylke, og hvem som skulle være høvding for hæren. Da sa Kalv Arnesson at Hårek fra Tjøtta var den som var nærmest til å bli høvding for denne hæren, «for han er av Harald Hårfagres ætt. Kongen er særlig harm på ham fordi han har drept Grankjell, og han kommer til å få harde kår om Olav kommer til makten. Hårek er vel prøvd i strid og en ærgjerrig mann.» Hårek svarte at yngre folk var nærmere til dette enn han, «jeg er en gammel og avfeldig mann nå,» sa han, «og jeg duger lite til kamp. Dessuten er det frendskap mellom kong Olav og meg; om han ikke la stor vekt på det, så er det likevel ikke sømmelig for meg å gå lenger fram i denne ufreden mot ham enn enhver annen

i flokken vår. Du, Tore, høver godt til å være høvding og holde slag mot kong Olav. Du har også god grunn til det. Du har å hevne på ham både tap av frender, og så det at han dreiv deg fredløs fra all din eiendom. Du har også lovt kong Knut det, og du har lovt frendene dine at du skal hevne Asbjørn. Tror du kanskje at du noen gang får bedre høve enn nå til å hevne alle disse krenkelsene?»

Tore svarte på talen hans: «Jeg tør ikke ta på meg å bære merke mot kong Olav og bli høvding for denne hæren. Her har trønderne flest folk, og jeg kjenner til hvor store de er på det. De vil ikke lystre verken meg eller noen annen håløyg. Men dere trenger ikke å minne meg om den urett jeg har å hevne på kong Olav. Jeg minnes nok de menn jeg har mistet, kong Olav har tatt livet av fire menn som alle sammen var gjæve både i stilling og ætt; Asbjørn, brorsønn min, Tore og Grjotgard, søstersønnene mine, og Olve, far deres, og alle disse skylder jeg å hevne. Om meg er nå det å si at jeg har valgt ut elleve mann av huskarene mine, de djerveste som var, og jeg tenker at vi ikke skal overlate det til andre å skifte hogg med Olav, om vi kan komme til det.»

220. Nå tok Kalv Arnesson til orde: ««I denne saken som vi har tatt opp, må vi sørge for at det ikke bare løper ut i løst snakk når denne hæren har kommet sammen. Vi kan trenge til annet om vi skal holde kamp mot kong Olav, enn dette at alle drar seg unna og ikke vil ta på seg vanskeligheter, for vi kan være viss på at om Olav ikke har noen stor hær mot den vi har, så er føreren modig, og hele hæren følger ham trofast. Og om vi nå tar til å skjelve, vi som helst skulle være førere for hæren vår, og om vi ikke vil gi hæren mot og stramme den opp og gå først, da kommer det snart til å gå slik med hele hæren at hjertet synker i brystet på mennene, og så kommer hver til å sørge for seg sjøl. Om vi så har stor hær, vil vi likevel komme til å få merke når vi møter kong Olav og hans hær, at vi kan være visse på å tape, med mindre vi førere sjøl er kvasse som kniver, og hele mengden presser seg fram etter én plan. Kan det ikke bli slik, da er det bedre for oss at vi ikke legger til kamp; men det er lett å se hvordan det går om vi nå stoler på kong Olavs nåde, når han var så hard den gang han hadde mindre grunn til det enn han synes han har nå. Likevel vet jeg at det er folk i hæren hans som vil sørge for at jeg nok ville få grid om jeg bad om det. Dersom dere vil som jeg, så skal du, Tore måg, og du, Hårek, gå under det merket som vi alle skal reise og siden følge. La oss alle være djerve og harde i denne saken som vi har tatt på oss, og la oss gå fram med bondehæren slik at de ikke merker frykt hos oss. Det vil gjøre folk modige til å gå på at vi sjøl går glade for å fylke hæren og egge den til kamp.» Da Kalv hadde sluttet talen, var alle enige med ham og sa at de ville at alt skulle være slik som Kalv avgjorde for dem. Alle ville at Kalv skulle være høvding for hæren og sette hver mann i den flokken han ville.

221. Kalv satte opp merket og stilte huskarene sine der under merket og dessuten Hårek fra Tjøtta og hans folk. Tore Hund med sitt følge stod fremst i brystet på fylkingen framfor merkene. Der på

Bondehæren.

begge sider av Tore stod også utvalgte folk av bøndene, de som var hardest i strid og best væpnet. Denne fylkingen ble gjort både lang og tjukk, og der stod trøndere og håløyger. Til høyre for denne fylkingen var det en annen fylking, og til venstre for hovedfylkingen hadde ryger og horder, sogninger og fjordinger fylket seg, og der hadde de det tredje merket.

222. Det var en mann som het Torstein Knarresmed*. Han var kjøpmann og en god handverker, en stor og sterk mann som gjerne ville være den første i alle ting, en stor slåsskjempe. Han var blitt uforlikt med kongen, og kongen hadde tatt fra ham et stort nytt kjøpmannsskip som Torstein hadde bygd. Det var straff for vold som Torstein hadde gjort seg skyldig i, og drapsbøter som kongen skulle ha. Torstein var med i hæren. Han gikk fram foran fylkingen der Tore Hund stod. Han sa: «Her vil jeg være, Tore, i følge med deg; for jeg tenker å være den første til å bruke våpen på kong Olav om vi møtes, dersom jeg kan få stå nær nok til det. Slik vil jeg lønne ham for han tok fra meg det beste skipet som noen gang har gått i kjøpferd.» Tore og hans flokk tok imot Torstein, og han gikk inn i flokken hos dem.

223. Da bondefylkingen var stilt opp, talte lendmennene og bad folk legge merke til hvordan de stod, hvor hver mann var stilt opp, og under hvilket merke han skulle være, hvor langt fra, eller hvor nær merket han var stilt. De bad folk være våkne og snare til å stille seg i fylking når luren gikk, og det ble blåst hærblåst, og så gå fram i fylking, for de hadde ennå nokså lang veg å gå og flytte hæren, og det var fare for at fylkingen skulle gå i stykker under marsjen.

Knarresmed betyr skipsbygger. Alle handverkere ble på norrønt mål kalt smeder.

Så mannet de opp hæren. Kalv sa at alle som hadde sorger og fiendskap å hevne på kong Olav, skulle gå fram under de merkene som ble ført mot kong Olavs merke, og tenke på alt det vonde han hadde gjort dem. Han sa at de aldri ville få bedre høve til å hevne sine sorger og fri seg fra den tvang og trelldom Olav hadde lagt på dem. «Den som nå ikke kjemper så djervt han kan,» sa han, «er en blautfisk, for det er ikke sakesløse menn dere går mot, og de sparer ikke dere om de kan komme til.» Det ble høye tilrop etter talen hans. Over hele hæren ropte folk og egget hverandre opp.

224. Så førte bøndene hæren til Stiklestad. Der var kong Olav med sin hær. Fremst i hæren gikk Kalv og Hårek med merket. Da de møttes, tok ikke kampen til med én gang, for bøndene ventet med å gå på av den grunn at hæren deres ikke var like langt framme alle steder, og de ventet på den delen som kom sist. Tore Hund hadde gått sist med sin flokk, for han skulle sørge for at ikke folk holdt seg tilbake når hærropet hørtes, og hærene så hverandre, og Kalv og hans flokk ventet på Tore. Bøndene hadde dette ordtaket i hæren for å egge folk fram til kamp: «Fram, fram, bondemenn!»

Kong Olav gikk ikke på først, fordi han ventet på Dag og den hæren som fulgte ham. Da så kongen at Dags folk kom. Det er sagt at bøndene hadde en hær på ikke mindre enn hundre hundrer*, og Sigvat sier så:

Så er min sorg at fyrsten
for liten styrke hadde
østfra. Kongen knuget
kraftig gullprydet sverdgrep.

Bøndene måtte seire,
de var dobbelt så mange.
Dette ble stridsfyrstens
fall; jeg klandrer ingen.

225. Da begge hærene stod stille, og folk kjente hverandre, sa kongen: «Hvorfor er du der, Kalv? Vi skiltes jo som venner sør på Møre. Det er lite sømmelig for deg å kjempe mot oss nå og skyte fiendeskudd mot vår hær, for her er fire av brødrene dine.» Kalv svarte: «Det er mye nå som er annerledes enn det burde være, konge; De skiltes fra oss slik at vi var nødt til å søke fred med dem som var igjen. Nå får hver mann stå der han er, men om jeg fikk rå, skulle vi ennå forlikes.» Da svarte Finn: «Det skal en merke seg ved Kalv, at hvis han taler vel, da har han i sinne å gjøre vondt.» Kongen sa: «Det kan jo være at du vil ha forlik, Kalv, men jeg synes ikke bøndene ser fredelige ut.» Da svarte Torgeir fra Kvistad*: «Nå skal De få slik fred som mange har fått av Dem før, og nå skal De få unngjelde for det.» Kongen svarte: «Du trenger ikke å lengte så etter at vi skal møtes, det er ikke så laga at du skal få seier over oss i dag; for jeg har hevet deg til makt da du var en liten mann.»

226. Nå kom Tore Hund og gikk fram foran merket med sin flokk og ropte: «Fram, fram, bondemenn!» Så satte de i med hærropet og

Hundre hundrer, dvs. 14 400 mann.
Kvistad på Inderøya.

skjøt både piler og spyd. Nå ropte kongsmennene hærrop, og da ropet sluttet, skreik de til hverandre slik som de før hadde lært og sa: «Fram, fram, kristmenn, korsmenn, kongsmenn!» Men da de bøndene som stod ytterst i fylkingarmen hørte dette, ropte de det samme som de hørte de andre ropte, og da de andre bøndene hørte det, trodde de det var kongsmenn og brukte våpen på dem, og så sloss de med seg sjøl, og det falt mange før de kjente hverandre igjen. Det var vakkert vær, og sola skinte fra klar himmel; men da slaget tok til, la det seg ei rød sky over himmelen og over sola, og før slaget var slutt, var det mørkt som natta*. Kong Olav hadde fylket på en bakketopp, og de stupte seg nedover mot bondehæren og løp så hardt at bondefylkingen bøyde unna for dem, slik at brystet på kongens fylking kom til å stå der som de fremste i bondehæren hadde stått. Da var mye av bondehæren ferdig til å flykte, men lendmennene og huskarene deres stod fast, og det ble en hard strid. Så sier Sigvat:

Jorda langvegs drønte
under hærfolks føtter,
freden var slutt, nå stormet
brynjekledd folk til striden.

Bueskytterne dengang
med blanke hjelmer suste
nedover; stålføyket
på Stiklestad ble voldsomt.

Lendmennene egget hæren og presset dem til å gå på. Dette nevner Sigvat:

Midt i fylkingen deres
fór trøndernes merke;

djerve var de som møttes,
dette må bønder nå angre.

Nå gikk bondehæren fram fra alle kanter. De som stod fremst, hogg, og de som stod dernest, stakk med spyd, og alle de som gikk baketter, skjøt spyd og piler eller kastet stein og handøkser og kastespyd. Det ble snart en blodig kamp, og det falt mange folk på begge sider. I denne første ria falt Arnljot Gelline, Gaukatore og Avrafaste og hele følget deres, men hver av dem hadde drept en mann eller to før de falt, og noen hadde drept flere. Da ble fylkingen tynn framfor kongens merke. Kongen bad Tord bære merket framover, og kongen sjøl fulgte merket og likeså den flokken han hadde valgt ut til å stå nær ham i kampen. Det var de mest våpendjerve menn i hæren hans, og de som var best rustet. Dette nevner Sigvat:

Jeg vet at nærmest merket
mest min drotten fulgte.

Stanga skrei foran kongen,
og sterk nok ble striden.

. . . *mørkt som natta.* Denne solformørkelsen inntraff ikke under slaget, men over en måned seinere, 31. august 1030. Det er Snorre som, imot de gamle kildene, har satt denne solformørkelsen i forbindelse med slaget. Han rettet seg etter Sigvat skald, som ikke var med, og som først hørte om solformørkelsen etter at Olav var blitt helgen.

Da kong Olav gikk fram og ut av skjoldborgen i spissen for fylkingen, og bøndene fikk se ham i ansiktet, ble de redde og rent handfalne. Dette nevner Sigvat:

Fælslig var det for bønder
som blodig sverd førte,
å se i den kampglade
Olavs kvasse øyne,

trøndske menn ei torde
trosse ørneblikket
fra hans øye; farlig
fant de hersers herre.

Nå ble det en veldig strid. Kongen sjøl gikk hardt fram i nærkamp. Så sier Sigvat:

Blodige sverd farget
skjold og hærfolks hender
røde, dengang hæren
møtte den dyre kongen,

og i den jernleiken
lot den gjæve høvding
rødbrune sverd finne
inntrøndernes skaller.

227. Nå kjempet kong Olav djervt og modig. Han hogg til Torgeir fra Kvistad, den lendmannen som vi nevnte før, og hogg ham tvert over ansiktet så neseskjermen på hjelmen gikk i stykker, og hodet ble kløyvd nedenfor øynene så det nær gikk tvert av. Da Torgeir falt, sa kongen: «Ble det ikke sant som jeg sa deg, Torgeir, at du ikke ville seire når vi to møttes?» I samme stund satte Tord merkestanga ned så hardt at stanga ble stående. Da hadde Tord fått banesår, og han falt der under merket. Da falt Torfinn Munn og Gissur Gullbrå også. To mann hadde gått på Gissur, men han drepte den ene og såret den andre før han falt. Så sier Hovgarda-Rev:

Mot to tapre kjemper
tok stridbar hærmann
kampen opp alene.
Odins sverdild knitret.

Krigeren gav den ene
gulleier banehogget,
han rødfarget stålet,
og såret den andre.

Da gikk det slik som før fortalt, at himmelen var klar, men sola ble borte, og det ble mørkt. Det nevner Sigvat:

Ikke lite under
alle menn må kalle
at fra en skyløs himmel
sol ei varmet stridsmenn.

Et kraftig jærtegn hendte
for kongen den dagen.
Dagen fikk ikke sin farge.
Østfra jeg hørte om slaget.

Ved denne tid kom Dag Ringsson med den hæren han hadde med seg. Han tok nå til å fylke hæren og satte opp merket, men fordi det var så mørkt, gikk det ikke fort med å gå på, for de visste ikke sikkert hvem de hadde for seg. De vendte seg likevel mot det sted hvor rygene og hordene stod. Mye av dette hendte på en gang, men noe før og noe siden.

228. Kalv og Olav het to av frendene til Kalv Arnesson. De stod
på den ene sida av ham. Det var store, kjekke karer. Kalv var sønn
til Arnfinn Armodsson og brorsønn til Arne Armodsson. På den
andre sida av Kalv Arnesson gikk Tore Hund fram. Kong Olav hogg
til Tore Hund over akslene. Sverdet beit ikke, men det så ut som det
røyk noe støv opp fra reinskinnskufta. Dette nevner Sigvat:

Gavmild konge merket   *da gullets herre hamret*
hvordan kraftige galdrer   *«Hunden» over aksla*
fra trollkyndige finner   *med gullprydet klinge –*
fullt ut Tore berget;   *den beit ikke på ham.*

Tore hogg til kongen, og de skiftet noen hogg med hverandre,
men sverdet til kongen beit ikke når det kom på reinskinnskufta.
Men Tore ble likevel såret på handa. Sigvat kvad også:

Den tror feil som sier   *Kraftig skjoldkledd kjempe*
Tore fryktet, det vet jeg.   *søkte fram i striden,*
Hvem har sett en hugstor   *han vågde heve sverdet*
«Hund» gjøre større gjerning?   *til hogg mot sjølve kongen.*

Kongen sa til Bjørn stallare: «Slå du hunden som ikke jern biter
på!» Bjørn snudde øksa i handa og slo med hammeren. Hogget kom
i aksla på Tore. Det var et kraftig hogg, og Tore sjanglet under det.
I det samme vendte kongen seg mot Kalv og frendene hans, og Kalvs
frender gav Olav banesår. Da stakk Tore Hund til Bjørn stallare
med spydet og traff ham i livet, og gav ham banesår. Tore sa da:
«Slik spidder vi bjørnene.»
Torstein Knarresmed hogg til kong Olav med øksa, og det hogget
kom i venstre beinet ovenfor kneet. Finn Arnesson drepte straks
Torstein. Da kongen fikk det såret, lente han seg opp til en stein og
kastet sverdet og bad Gud hjelpe seg. Nå stakk Tore Hund til ham
med spydet. Stikket gikk inn nedenunder brynja og opp i magen. Da
hogg Kalv til ham, og det hogget kom utenpå halsen på venstre side.
Folk er ikke enige om hva det var for en Kalv som gav kongen det
såret. Disse tre sårene var det kong Olav døde av. Etter hans fall,
falt også nesten hele den flokken som hadde gått fram sammen med
kongen. Bjarne Gullbråskald kvad dette om Kalv Arnesson:

Landet ville du stridsglad   *Du gikk fram til stordåd*
verge imot Olav,   *på Stiklestad foran merket,*
du gjorde motstand, vet jeg,   *sannelig sloss du modig*
mot den beste konge.   *helt til falt var kongen.*

Sigvat skald kvad dette om Bjørn stallare:

Bjørn, har jeg spurt, lærte   *mot og hvordan en herre*
stallarer hos kongen   *bør holdes; fram gikk han.*

Kong Olavs fall.

Med trofaste hirdmenn   *slik død ved hedret konges*
falt han der i hæren,   *hode må folk rose.*

229. Dag Ringsson holdt nå striden gående, og han gikk først på så hardt at bøndene veik unna for ham, og noen tok flukten. Da falt det en mengde av bøndene og disse to lendmennene: Erlend fra Gjerde og Aslak fra Finnøy. Det merket som de hadde gått fram med, ble hogd ned. Da var striden på det verste, folk kalte dette Dags-ria. Så gikk de mot Dag, Kalv Arnesson, Hårek fra Tjøtta og Tore Hund, med den fylkingen som fulgte dem. Da lå Dag under for overmakten, og så tok de til å flykte, han og alt det folk som var igjen.

Det går en dal opp der som størstedelen av hæren flyktet. Der falt det også mange, og folket spredde seg nå til begge sider. Mange menn var hardt såret, og mange var så utkjørt at de ikke orket noen ting. Bøndene fulgte ikke lenge etter flyktningene, for høvdingene vendte snart tilbake der valplassen var; det var mange som hadde venner og frender som de ville leite etter der.

230. Tore Hund gikk dit kong Olavs lik var, og stelte med det, la liket ned og rettet det ut og bredde et klede over, og da han tørket blodet av ansiktet, sa han siden, var kongens ansikt så fagert, og han var rød i kinnene som om han sov, og ansiktet var mye lysere enn det var før mens han levde. Da kom det blod fra kongen på handa til Tore, og det rant opp på handflata der han hadde fått sår, og det såret trengte de ikke å binde om siden, så fort grodde det. Dette

vitnet Tore sjøl for alle mennesker da kong Olavs hellighet kom opp. Tore Hund var den første til å hevde at kongen var hellig, av de stormennene som hadde vært der i flokken hos hans motstandere.

231. Kalv Arnesson lette etter brødrene sine som hadde falt der. Han fant Torberg og Finn, og folk sier at Finn kastet et sverd etter ham og ville drepe ham og talte harde ord til ham og kalte ham en niding som hadde sveket sin konge. Kalv brydde seg ikke om det og lot Finn bære bort fra valplassen, og likeså Torberg. Så ble sårene deres undersøkt, og de hadde ingen farlige sår. De hadde falt om av trøtthet under alle de våpen som ble brukt på dem. Så sørget Kalv for å få flyttet brødrene sine ned til skipet og fulgte sjøl med dem. Straks han var borte, drog også hele den bondehæren bort som hadde hjemme der i nærheten, unntatt de som hadde sårede frender og venner å stelle med eller tok seg av likene etter dem som hadde falt. De som var såret, ble flyttet inn på garden, så der var hvert hus fullt av dem, og det var slått telt ute over noen. Men så merkelig mange folk det hadde samlet seg til bondehæren, så syntes folk ikke det var mindre rart hvor fort samlingen gikk fra hverandre, da den først tok til med det. Det kom mest av det at størsteparten av hæren hadde samlet seg fra bygdene der omkring, og disse folkene ville svært gjerne hjem igjen.

232. De bøndene som hadde hjemme i Verdalen, gikk til høvdingene Hårek og Tore og klagde sin nød for dem. De sa: «Disse flyktningene som har kommet seg unna her, kommer til å dra opp gjennom Verdalen og stelle det sørgelig til på gardene våre, og vi kan ikke reise hjem så lenge de er her i dalen. Gjør nå så vel at dere tar etter dem med en hær, og la ikke noen levende sjel komme unna, for slik ville de gjort mot oss om de hadde vunnet da vi møttes, og slik vil de gjøre ennå, om vi møtes igjen siden en gang når de har overmakten over oss. Kan hende de blir her i dalen, om de ikke tror de har noe å være redde for, og da vil de straks fare voldsomt fram i bygdene våre.» Dette talte bøndene mange ord om og var fælt oppsatt på at høvdingene skulle ta av sted og drepe det folket som hadde kommet seg unna.

Da høvdingene talte med hverandre om dette, mente de at det var mye sant i det bøndene hadde sagt. Så ble de enige om at Tore Hund og hans flokk skulle følge med verdølene, og han tok med seg de seks hundre mann som fulgte ham. De tok av sted; det lei mot natt. Tore stanset ikke før han kom til Sul om natta, der fikk han vite at Dag Ringsson og mange andre flokker av kong Olavs menn hadde hvilt og fått seg kveldsverd der, og siden hadde de tatt opp på fjellet. Da sa Tore at han ville ikke reke innover fjellet etter dem, og så vendte han tilbake ned i dalen, og de fikk ikke drept mange mann. Nå tok bøndene hjem til gardene sine, og Tore og hans folk drog dagen etter ned til skipene. De kongsmennene som kunne gå, kom seg unna og gjemte seg i skogene; noen fikk hjelp av folk.

233. Tormod Kolbrunarskald stod under kongens merke i kampen. Da kongen hadde falt, og kampen var på det villeste, falt kon-

gens menn den ene etter den andre, og de fleste som stod oppe, var såret. Tormod ble hardt såret. Han gjorde som alle de andre, drog seg unna der det var mest fare for livet, og noen rente.

Så tok den kampen til som blir kalt Dags-ria, og alle våpenføre menn av kongens hær gikk dit; Tormod kom ikke med i kampen, for han var ufør av sår og trøtthet, men han stod der hos kameratene sine, enda han ikke kunne gjøre noe annet. Da ble han truffet av ei pil i venstre side. Han brøt av seg pileskaftet og gikk bort fra kampen og hjem til husene og kom til ei løe. Det var et stort hus. Tormod hadde sverdet bart i handa, og da han gikk inn, kom det en mann ut mot ham som sa: «Svært så fæle låter det er her inne, gråt og gauling. Det er stor skam at kraftige karer ikke kan tåle å ha sår. Det kan være at disse kongsmennene gikk riktig godt fram, men de bærer sårene som noen stakkarer.» Tormod svarte: «Hva er navnet ditt?» Han kalte seg Kimbe*. «Var du med i kampen?» spurte Tormod. «Det var jeg,» sa han. «Jeg var med bøndene som var de beste.» «Er du såret?» sa Tormod. «Litt,» sa Kimbe. «Var du med i kampen?» Tormod sa: «Jeg var med dem som hadde det best.»

Kimbe så at Tormod hadde en gullring på armen. Han sa: «Du er visst kongsmann. Gi meg gullringen så skal jeg gjemme deg. Bøndene kommer til å drepe deg om du kommer på deres veg.» Tormod sa: «Ta ringen om du kan, jeg har nå mistet det som mer er.» Kimbe rakte fram handa og ville ta ringen. Tormod veivde til ham med sverdet og hogg av ham handa, og det blir sagt at Kimbe bar ikke på noen måte såret sitt bedre enn de som han før hadde gjort narr av. Kimbe gikk bort, men Tormod satte seg ned i løa og hørte på det folk sa. Det meste som ble sagt der, var at hver fortalte om det han hadde sett i kampen og det ble snakket om hvordan folk gikk fram. Noen roste mest kong Olavs tapperhet, men noen nevnte andre menn ikke mindre. Da sa Tormod:

Stolt var Olavs hjerte,	*Alle Odins kjemper,*
på Stiklestad fram steig han,	*uten kongen, så jeg*
blodige våpen fikk bite,	*stå i pileskuren*
hæren hilste kampen.	*bak skjold. Alle røyntes.*

234. Så gikk Tormod bort og til et lite hus, der gikk han inn. Der inne var det i forvegen mange andre menn som var hardt såret. Det var ei kone der som holdt på å binde om sårene. Det var en ild på golvet, og hun varmet vann til å vaske sårene i; Tormod satte seg ned ute ved døra. Der gikk den ene ut og den andre inn av de folkene som stelte med de sårede. En av dem vendte seg mot Tormod og så på ham og sa: «Hvorfor er du så bleik? Er du såret? Og hvorfor ber du da ikke om å få hjelp av legen?» Tormod kvad en strofe:

Jeg er ikke rød, ranke,	*Skogul med hvite armer!*
og rød gjør du ei mannen,	*ingen enser en såret.*

Kimbe betyr spottefugl.

Nå har Dags-ria　　　　　　*spor svidd i mannen*
og danske våpen dype　　　　*som før myrdet gullet.*

Så stod Tormod opp og gikk inn til varmen og stod der en stund. Da sa legekona til ham: «Du mann, gå ut og ta inn til meg de vedskiene som ligger der utenfor døra.» Han gikk ut og bar inn vedfanget og kastet det ned på golvet. Da så legekona ham inn i ansiktet og sa: «Det var fælt så bleik denne mannen er! Hvorfor er du slik?» Da kvad Tormod:

Undres du, armfagre,　　　　*Gjennom meg skarpe stålet,*
over at vi er bleike?　　　　*stukket med makt, trengte;*
Av sår blir få fagre;　　　　　*farlig jern har bitt meg*
de fant meg i pileskuren.　　*nær ved hjertet, tror jeg.*

Da sa legekona: «La meg få se på sårene dine, så skal jeg binde om dem.» Han satte seg ned og kastet av seg klærne. Da legekona fikk se sårene hans, kjente hun nøye på det såret han hadde i sida og merket at det stod jern i det, men hun kunne ikke bli klok på hvilken veg jernet hadde tatt. Hun hadde laget til noe i ei jerngryte der, stampet lauk og andre urter og kokt dette sammen, og så gav hun de sårede noe av det å spise, på den måten prøvde hun om de hadde sår som gikk inn i bukhulen, for hun kunne lukte lauken ut gjennom de sårene som gikk helt inn. Hun kom med noe av dette til Tormod og bad ham ete. Han svarte: «Ta det vekk. Ikke har jeg grautsott.»

Da tok hun ei knipetang og ville dra ut jernet; men det satt fast og rikket ikke på seg. Det var også lite som stod ut; for såret hadde trutnet. Da sa Tormod: «Skjær inn til jernet du, så en kan få godt tak med tanga, og gi så meg tanga og la meg nappe.» Hun gjorde som han sa. Så tok Tormod gullringen av handa og gav den til legekona; han sa hun kunne gjøre hva hun ville med den. «Men det er en god gave,» sa han, «kong Olav gav meg denne ringen i dag morges.» Så tok Tormod tanga og røsket ut pila. Det var kroker på den, og der lå det trevler av hjertet, noen røde og noen hvite, og da han så det, sa han: «Godt har kongen født oss; ennå er jeg feit om hjerterøttene,» så lente han seg tilbake og var død. Her slutter fortellingen om Tormod.

235. Kong Olav falt onsdag den 29. juli*. Det var bortimot middag da hærene møttes, før midmunde* tok kampen til, og kongen falt før non, men mørket holdt seg fra midmunde til non. Sigvat skald sier om hvordan slaget endte:

Hardt vi sakner anglers　　　*livet tok av en såret*
uvenn, siden hærmenn　　　　*konge. Kløyvd ble skjoldet.*

29. *juli,* i år 1030.
Midmunde, mellom kl. 12 og kl. 15.

Folkets høvding stormet
til våpenmøtet; hæren

kløyvde skjold og drepte
Olav. Dag kom unna.

Videre kvad han dette:

Aldri så folk som førte
skjold i striden større
hær av herser og bønder,
folket drepte sin høvding;

da sverdsvingerne felte
i striden slik en konge
som Olav var, i blodet
badet lå mang en kongsmann.

Bøndene rante ikke dem som lå på valplassen. Det var tvert imot slik at straks etter slaget ble mange av dem som hadde stått mot kongen, slått med redsel. Likevel holdt de fast ved sin vonde vilje og avgjorde seg imellom at alle de menn som hadde falt på kongens side, skulle ikke få jordeferd og grav som andre gode menn, og de reknet alle sammen for røvere og fredløse. Men de som var mektige og hadde frender der på valplassen, brydde seg ikke om det. De førte sine frender til kirkene og gav dem jordeferd.

236. Torgils Hålmuson og Grim, sønnen hans, gikk til valplassen da det var blitt mørkt. De tok kong Olavs lik og bar det bort til et

Torgils og Grim fører Olavs lik bort.

lite tomt skur på den andre sida av garden. De hadde med seg lys og vann; så tok de klærne av liket og vasket det og svøpte det inn i linduker og la det der i huset og skjulte det med ved, så ingen kunne se det, om det skulle komme noen inn i huset. Så gikk de bort og hjem til garden.

Med begge hærene hadde det fulgt mange stakkarer og fattigfolk som tigget om mat; og mye slikt folk hadde blitt igjen der om kvelden etter slaget. Da det ble natt, så de seg om etter herberge rundt i alle husene, både små og store. Det var en blind mann der som det blir fortalt om. Han var fattig, og gutten hans gikk med ham og leidde ham, de gikk omkring ute på garden og lette etter herberge. De kom til det samme skuret. Døra var så lav at de nesten måtte krype inn. Da den blinde mannen kom inn i huset, famlet han for seg omkring på golvet og lette etter et sted han kunne legge seg. Han hadde ei hette på hodet, og hetta glei ned foran ansiktet på ham da han bøyde seg ned. Han kjente med handa at det var en dam på golvet. Så tok han hendene opp av vannet og rettet på hetta, og så kom fingrene opp i øynene, og straks fikk han slik kløe i øyenbrynene at han strøk seg over sjølve øynene med de våte fingrene. Etterpå krøp han ut av huset igjen og sa at det gikk ikke an å ligge der inne, for det var vått alle steder.

Men da han kom ut av huset, kunne han straks tydelig se hendene sine og alt annet som var nær nok til at han kunne se det for nattemørket. Han gikk straks hjem til garden og inn i stua og sa til alle som var der, at han hadde fått synet sitt igjen, og nå kunne han se. Men det var mange der som visste at han hadde vært blind lenge; for han hadde vært der før og gått omkring i bygdene. Han sa at han så første gang da han kom ut av et lite usselt hus. «Og allting var vått der inne,» sa han. «Jeg tok i det med hendene og gnei meg i øynene med de våte hendene.» Han sa også hvor huset var. De som var der og så dette, undret seg svært over det som hadde hendt og talte med hverandre om hva det kunne være inne i det huset. Men Torgils bonde og Grim, sønnen hans, mente de visste hvordan det hang sammen med denne hendingen. De ble svært redde for at kongens uvenner skulle gå og ransake huset. Så listet de seg bort og kom til huset og tok liket og flyttet det ut i hagen og gjemte det der. Siden gikk de tilbake til garden og sov der natta over.

237. Torsdagen kom Tore Hund ned fra Verdalen og ut til Stiklestad, og en stor hær fulgte ham. Der var også mye av bondehæren i forvegen. Så tok de igjen til å rydde opp mellom de falne. Folk flyttet bort likene av frender og venner og hjalp de sårede som de ville lege, men en stor mengde var død etter at slaget var slutt.

Tore Hund gikk bort dit kongen hadde falt, og lette etter liket, og da han ikke fant det, spurte han seg for om det var noen som kunne si ham hvor liket var blitt av, men det var ingen som visste det. Så spurte han Torgils bonde om han visste noe om hvor kongens lik var. Torgils svarte slik: «Jeg var ikke med i slaget, og jeg vet ikke stort om det. De sier så mye nå. Det er noen som sier at kong Olav har vært sett oppe ved Stav i natt, og en flokk menn med ham. Og om han har falt, så har vel noen av flokken deres gjemt bort liket hans i holt eller røyser.»

Men enda Tore nok mente han visste sikkert at kongen hadde falt, så var det mange som gikk med på dette og tok til å mumle om at kongen visst hadde kommet seg unna fra kampen, og at det ikke ville vare lenge før han fikk seg hær og kom imot dem. Så drog Tore om bord på skipene sine og videre ut gjennom fjorden. Nå tok hele bondehæren til å spre seg, og de tok med seg bort alle de sårede som det gikk an å røre på.

238. Torgils Hålmuson og Grim, sønnen hans, tok vare på kong Olavs lik, og de fikk ingen ro på seg for hva de skulle finne på så ikke kongens uvenner skulle få tak i liket og mishandle det, for de hadde hørt bøndene snakke om at dersom de fant kongens lik, ville det være best å brenne det eller ta det med ut på sjøen og senke det ned. Far og sønn hadde sett at det var liksom det brente lys om natta over kong Olavs lik der det lå på valplassen, og siden også, da de hadde gjemt liket, så de stadig lys om natta der kongen hvilte. De var redde for at kongens uvenner skulle komme til å leite etter liket der det var, dersom de så disse tegnene, derfor var det Torgils om å gjøre å få flyttet liket bort til et sted der det var vel forvart. Torgils og sønnen gjorde ei kiste og la mye arbeid på den, og i den la de kongens lik. Siden gjorde de ei anna likkiste, og i den la de så mye halm og stein at det var som en manns vekt, og så lukket de denne kista godt til.

Og da hele bondehæren var borte fra Stiklestad, gav Torgils og sønnen seg på veg. Han fikk seg ei roferje og sju eller åtte mann på den, alle sammen frender eller venner til Torgils. De flyttet kongens lik om bord i all stillhet og satte kista ned under tiljene. Den kista steinen var i, hadde de også med seg. Den satte de slik i båten at alle kunne se den. Så drog de ut etter fjorden. De fikk god bør, og om kvelden da det tok til å mørkne, kom de ut til Nidaros og la til ved kongsbrygga. Så sendte Torgils noen menn opp i byen og bad dem si til biskop Sigurd at de kom der med kong Olavs lik. Da biskopen fikk høre dette, sendte han straks noen av sine menn ned til brygga. De tok en robåt og la inn til skipet til Torgils og bad om å få kongens lik. Torgils og sønnen hans tok den kista som stod oppe på tiljene, og løftet den over i båten. Så rodde biskopmennene ut på fjorden og senket kista ned der. Da var det mørk natt.

Torgils og de andre rodde opp gjennom elva til de kom ut av byen, og la til et sted som het Saurli, det var ovenfor byen. Der bar de liket opp og inn i et tomt hus som stod der ovenfor de andre husene. Der våkte de over liket om natta. Torgils gikk ned i byen og fikk tale med de menn som hadde vært kongens beste venner der. Han spurte dem om de ville ta imot kongens lik; det var det ingen mann som torde gjøre. Så flyttet Torgils og sønnen hans liket opp langsmed elva og grov det ned i en sandmel som er der. De gjorde pent i stand etter seg, så ingen skulle se at det nylig hadde vært gravd der. Alt det

hadde de gjort før det ble dag. Så gikk de om bord igjen og styrte
straks ut av elva og drog av sted til de kom hjem til Stiklestad.

239. Svein, sønn til kong Knut, og Alfiva, datter til Alfrin jarl,
hadde vært satt til å styre i Jomsborg* i Vendland, men nå hadde det
kommet bud til ham fra kong Knut, far hans, at han skulle reise til
Danmark og dessuten at han siden skulle reise til Norge og overta
styringen i Norges rike og dermed få kongsnavn over Norge. Svein
reiste til Danmark og fikk med seg en stor hær derfra. Harald jarl
og mange andre stormenn fulgte med ham. Dette nevner Torarin
Lovtunge i et kvede han gjorde om Svein Alfivuson, og som heter
Glælognskvida*:

Ingen dølger   *først av alle,*
at daner fór   *og ham fulgte*
dugelig ferd   *fullgode karer,*
med fyrstesønnen;   *den ene bedre*
der var jarlen   *enn den andre.*

Så reiste Svein til Norge, og Alfiva, mor hans, fulgte med ham, og
han ble tatt til konge der på alle lagtingene. Han hadde alt kommet
østfra til Viken da slaget stod på Stiklestad og kong Olav falt. Svein
stanset ikke før han kom nord til Trondheimen om høsten. Han ble
tatt til konge der som andre steder.

Kong Svein førte nye lover til landet om mange ting. De var satt
etter det som var lov i Danmark, men noen var mye hardere. Ingen
mann skulle fare ut av landet uten lov av kongen, og gjorde han det,
så tilfalt eiendommene hans kongen. Hver den som drepte en annen,
skulle ha forbrutt land og løsøre. Om en mann som var fredløs fikk
en arv, skulle kongen ha arven. Til jul skulle hver bonde gi kongen
en mæle* malt fra hvert ildsted og et lår av en tre års okse, det kaltes
vinjartodde*, og dessuten et spann smør. Hver husfrue skulle gi
rygjarto*, det var så mye uspunnet lin som en kunne ta om med de
lengste fingrene. Bøndene skulle ha plikt til å bygge alle de husene
kongen ville ha på gardene sine. Sju mann skulle ruste ut en mann
til leidang, alle over fem år skulle reknes med, og de skulle stille
hamle* etter samme rekningen. Hver mann som rodde fiske, skulle
svare kongen landtoll hvor han så rodde, og det var fem fisker. På
hvert skip som reiste fra landet, skulle kongen ha rett til ett rom tvert
over skipet. Hver mann som reiste til Island, skulle svare landøre
enten han var nordmann eller islending. Dessuten fulgte dette med,

---

Jomsborg, en by på øya Wollin i Pommern.
Glælognskvida betyr havblikkskvadet.
En mæle, mellom 15 og 20 liter.
Vinjartodde, ei slags jordavgift.
Rygjarto, skatt på en viss mengde lin, hamp og ull som hver husfrue måtte betale hver
jul.
Stille hamle, dvs. ha ansvar for utrustning og bemanning av en roplass i leidangsskipet.

at danske menn skulle ha så mye å si i Norge at vitnesbyrd fra én av dem skulle kunne velte vitnesbyrd fra ti nordmenn.

Da disse lovene ble kjent for allmuen, tok folk med én gang til å reise bust mot dem og talte truende med hverandre. Nå sa de som ikke hadde vært med på å gå mot kong Olav: «Nå inntrøndere, får dere vennskap og lønn av knytlingene* fordi dere kjempet mot kong Olav og drepte ham og tok landet fra ham. Det ble lovt dere fred og bedre rett, og nå har dere fått tvang og trelldom, og dertil har dere gjort stor synd og nidingsdåd.» Og det var det ikke godt å si noe imot. Nå så de alle at de hadde stelt seg ille. Likevel hadde folk ikke mot til å reise seg mot kong Svein. Grunnen var mest den at de hadde gitt sønner eller andre nære frender som gisler til kong Knut. Dertil kom at de hadde ingen fører for reisningen. Det varte ikke lenge før folk hadde mye å si på kong Svein, men de gav likevel mest Alfiva skylden for alt det de ikke likte. Men nå tok mange til å si sannheten når de talte om kong Olav.

240. Den vinteren var det mange der i Trondheimen som tok til å tale om at kong Olav var en virkelig hellig mann, og at det hendte mange jærtegn på grunn av hans hellighet. Mange tok til å be til kong Olav om slike ting som de syntes var viktige. Det var mange som fikk hjelp av disse bønnene, noen fikk helsebot, og noen reise-lykke eller andre ting som de mente de trengte.

241. Einar Tambarskjelve hadde kommet vestfra England og hjem til gardene sine. Han hadde de veitslene som kong Knut hadde gitt ham da de var sammen i Trondheimen, og det var nesten et jarlerike. Einar Tambarskjelve hadde ikke vært med på å gå mot kong Olav, og det skrøt han av sjøl. Einar mintes det at kong Knut hadde lovt ham jarledømme i Norge, men også det at kongen ikke hadde holdt sitt løfte. Einar var den første av stormennene som hevdet at kong Olav var hellig.

242. Finn Arnesson ble ikke lenge hos Kalv på Egge, for han kunne slett ikke glemme at Kalv hadde vært med i slaget mot kong Olav. Finn kom stadig med harde ord til Kalv av den grunn. Torberg Arnesson styrte ordene sine mye bedre enn Finn. Likevel lengtet Torberg også etter å komme bort og hjem til garden sin. Kalv gav brødrene sine et godt langskip med all slags redskap og annet utstyr og godt følge. Så reiste de hjem til gardene sine. Arne Arnesson lå lenge av sårene, men ble helt bra og fikk ingen mein av det. Han reiste sørover til garden sin seinere på vinteren. Alle brødrene fikk fred med kong Svein og slo seg til ro hjemme.

243. Sommeren etter ble det mye snakk om at kong Olav var hellig, og nå snudde det helt om med hva folk sa om kongen. Nå var det mange som mente det var sant at kongen var hellig, enda de før hadde gått mot ham i fullt fiendskap og ikke latt ham få rettferdig omtale på noen måte. Så tok folk til å snakke vondt om de menn som hadde vært de strieste til å gå mot kongen. Biskop Sigurd fikk

Knytlinger, kong Knuts etterkommere.

skylden for mye. Han fikk så mange bitre uvenner at han mente det var best han reiste bort og vest til England til kong Knut. Etter dette sendte trønderne menn med bud til Opplanda om at biskop Grimkjell skulle komme nord til Trondheimen. Kong Olav hadde sendt biskop Grimkjell tilbake til Norge da kongen drog øst til Gardarike, og siden hadde biskop Grimkjell vært på Opplanda. Da dette budet kom til biskopen, gjorde han seg straks ferdig til å reise. Når han reiste, var det også mye fordi biskopen trodde det var sant det som ble sagt om kong Olavs jærtegn, og at han var hellig.

244. Biskop Grimkjell reiste til Einar Tambarskjelve. Einar tok imot biskopen med glede, og siden talte de om mangt og mye, og om de store hendingene som hadde gått for seg der i landet. De ble enige om alt de talte om.

Så tok biskopen inn til kaupangen. Der tok allmuen godt imot ham. Han spurte nøye om de tegn folk sa hendte med kong Olav, og fikk høre bare godt om det. Så sendte biskopen bud inn på Stiklestad til Torgils og Grim, sønnen hans, og stevnte dem ut i byen til seg. De lot seg ikke be to ganger, men kom ut til byen og til biskopen. De fortalte ham alle de merker de visste om, og likeså hvor de hadde satt kongens lik. Så sendte biskopen bud etter Einar Tambarskjelve, og Einar kom til byen. Einar og biskopen gikk og talte med kongen og Alfiva og bad om at kongen skulle gi dem lov til å ta kong Olavs lik opp av jorda. Kongen gav dem lov til det og bad biskopen stelle med det som han ville. Det var mange mennesker der i byen da. Biskopen og Einar gikk med noen menn ut der kongens lik var jordet, og lot dem grave etter det. Da var kista kommet nesten opp av jorda.

Det var på manges råd at biskopen lot kongen grave ned i jorda ved Klemenskirken. Men da det hadde gått tolv måneder og fem netter etter kong Olavs død, ble hans hellige levninger tatt opp*; da var kista igjen kommet opp av jorda, og da så kong Olavs kiste så ny ut som om den var nyskavet. Biskop Grimkjell var til stede da kong Olavs kiste ble lukket opp; det var en herlig duft av den. Så blottet biskopen kongens ansikt, og hans utseende var ikke på noen måte forandret, han var rød i kinnene som om han nettopp hadde sovnet. Folk som hadde sett kong Olav da han falt, kunne tydelig se at hår og negler hadde vokst nesten så mye som om han hadde vært levende her i denne verden hele tida siden han falt.

Nå kom kong Svein og alle de høvdingene som var der og så på kong Olavs legeme. Da sa Alfiva: «Det er svært så seint folk råtner i sand. Slik ville det ikke ha vært om han hadde ligget i mold.» Så tok biskopen ei saks og skar kongens hår og stusset skjegget, han hadde hatt langt munnskjegg slik som folk brukte den gang. Da sa biskopen til kongen og Alfiva: «Nå er kongens hår og skjegg så langt som da han døde, men det hadde vokst så mye som dere ser er skåret av her.» Da svarte Alfiva: «Om dette håret ikke brenner i ild, da skal

levninger tatt opp, det skjedde 3.august 1031.

jeg tro på at det er en helligdom; men vi har ofte sett håret helt og uskadd på folk som har ligget lenger i jorda enn denne mannen her.» Da lot biskopen ha ild i et fyrfat og velsignet den og la røkelse på den. Så la han kong Olavs hår på ilden, og da all røkelsen hadde brent opp, tok biskopen håret opp fra ilden, og da var det ikke svidd. Biskopen lot kongen og de andre høvdingene se det. Da bad Alfiva dem legge håret i uvigd ild. Nå svarte Einar Tambarskjelve, han sa hun skulle tie stille og brukte mange harde ord mot henne. Så ble det avgjort etter biskopens utsagn og med kongens samtykke og hele folkets dom at kong Olav var virkelig hellig. Kongens legeme ble båret inn i Klemenskirken og ble bisatt over høyalteret. Kista ble trukket med pell* og det ble satt telt over den av gudvev*. Det hendte straks mange slags jærtegn ved kong Olavs helligdom.

245. På melen, der kong Olav hadde ligget i jorda, kom det opp ei fager kjelde, og folk fikk bot for sjukdommer av det vannet. Det ble stelt pent omkring den, og det vannet har alltid siden vært nøye varetatt. Først ble det bygd et kapell, og alteret ble satt på det stedet hvor kongens grav hadde vært, og nå står Kristkirken på det stedet. Øystein erkebiskop lot sette høyalteret på samme sted som kongens grav hadde vært, da han reiste den store katedralen som står der nå. På samme stedet hadde alteret vært i den gamle Kristkirken* også.

Det blir sagt at Olavskirken* nå står der som den gang det skuret stod, der kong Olavs lik ble satt om natta, og det heter Olavsli der hvor kongens helligdom ble båret opp fra skipet; det er nå midt i byen*. Biskopen tok vare på kong Olavs helligdom. Han skar også hår og negler på ham, for begge deler vokste som da han var et levende menneske her i verden. Så sier Sigvat skald:

Jeg lyver om ikke Olav
som levende menn eier
en hårvekst. Helst jeg gleder
kongens hirdmenn med kvadet.

Slik som håret vokste
lyst på hausen i Gardar
har det ennå holdt seg.
Han gav Valdemar* synet.

Torarin Lovtunge diktet et kvede om Svein Alfivuson, det heter Glælognskvida, og der er disse versene:

Nå har tjodkongen
i Trondheimen
reist for seg
et kongesete,
der vil evig
i all sin tid
ringbryteren
rå for landet.

Der som Olav
engang bodde
før han fór
til himmerike,
der ble nå,
som alle vet,
en helligdom
av kongemannen.

Pell og *gudvev* var kostbare stoffer.
Kristkirken ble bygd av Olav Kyrre.
Olavskirken ble bygd av Magnus den gode.
Midt i byen. Ved Kongens gate.
Han gav Valdemar synet. Dette jærtegnet er ellers ukjent.

Neppe hadde
Haralds sønn
fått sin plass
i himmerike
før den gavmilde
ble en mekler.

Så der ligger
med helt legeme
den rene konge,
rost av alle,
og der kan
som da han levde
hår og negler
vokse på ham.

Der kimer
kirkens klokker
av seg sjøl
over senga hans,
og hver dag
hører folket
klokkelyd
over kongen.

Der oppe
på alteret
til Krists ære

kjerter brenner,
slik har Olav
syndeløs
frelst sjelen
før sin død.

Dit den hellige
konge hviler,
kryper en hær
og ber om hjelp,
blinde søker
bedende dit
til fyrsten,
går friske derfra.

Be til Olav
at han deg unner
makt i sitt land,
Guds mann er han.

Han kan få
av Gud selv
år og fred
for alle menn
dersom du
dine bønner
vender til ham,
bokmålets* venn.

Torarin Lovtunge var hos kong Svein den gangen og hørte om disse store tegn på at kong Olav var hellig, og at man kunne høre klang fra himmelske makter over hans helligdom, som om de ringte med klokker, og lys tente av seg sjøl over alteret der av ild fra himmelen, slik som Torarin sier. Til den hellige kong Olav kom det så mange mennesker at det var som en hær, halte og blinde eller folk som var sjuke på andre måter, og de gikk friske derfra. Han sier ikke mer om det eller rekner dem opp, men det må ha vært en utallig

Bokmålet, dvs. latin, som var kirkens og bøkenes mål.

mengde mennesker som fikk helsebot den gang i førstningen da den hellige kong Olav gjorde jærtegn. Men de største jærtegn til kong Olav, og de som har hendt seinere, er skrevet ned, og det er holdt rekneskap med dem.

246. De som rekner nøye, sier at kong Olav den hellige var konge over Norge i femten år etter at Svein jarl hadde reist fra landet, men vinteren før det fikk han kongsnavn av opplendingene. Sigvat skald sier dette:

Olav, den herlige høvding,
rådde det øvre av landet
i fulle femten vintrer
før han falt fra landet.

Hvor har folk vel fremre
fyrste kjent i verdens
nordre ende? Kongen
døde altfor tidlig.

Kong Olav den hellige var 35 år da han falt, etter det som Are prest den frode sier. Han hadde vært med i tjue store slag. Så sier Sigvat skald:

Noen av mennene trodde
på Gud, delt var hæren;
tjue storslag kjempet
den framdjerve fyrste.

På høyre side stilte
den gjæve kristenfolket.
Gode Gud, jeg ber deg
ta godt imot far til Magnus!

Nå er fortalt en del av kong Olavs saga, om noen av de tingene som hendte mens han rådde for Norge, og om at han falt, og at det kom opp at han var hellig, men det skal heller ikke bli usagt det som han likevel har størst ære av, det som er å si om jærtegnene hans, det vil bli skrevet siden i denne boka.

247. Kong Svein Knutsson rådde for Norge i noen år. Han var et barn både i alder og forstand. Alfiva, mor hans, hadde mest styringen i landet, og landets menn var hennes bitre uvenner både da og alltid siden. Danske menn gjorde seg mye til herrer i Norge, og det likte ikke landets egne menn. Når det ble snakk om dette, gav de andre folkene i landet trønderne skylden for at de hadde vært de verste og sørget for at kong Olav den hellige ble drept, og landet tatt fra ham, og de hadde lagt Norges folk under dette vonde styret, så tvang og ufrihet rammet hele folket både storfolk og småfolk og hele allmuen. De sa at trønderne var skyldige til å gjøre oppstand, «og til å kaste av oss dette herredømmet.» Landets menn mente også at trønderne hadde størst makt i Norge den gangen på grunn av høvdingene sine, og det at det var så mange mennesker der. Da trønderne fikk vite at folk i landet klagde på dem, gikk de ved at det var sant, og at de hadde gjort en stor dumhet da de tok livet av og landet fra kong Olav, og de sa også at de fikk bøte dyrt for den ulykken de hadde gjort. Høvdingene holdt stevner og rådslo med hverandre, Einar Tambarskjelve var første mann i disse rådslagningene.

Det gikk på samme måten med Kalv Arnesson; nå merket han hva det var for ei felle han hadde gått i da kong Knut lokket ham; for alle de løfter han hadde gitt Kalv ble brutt. Kong Knut hadde lovt Kalv jarledømme og styringen over hele Norge, Kalv hadde vært fører og holdt slag med kong Olav og drept ham og tatt landet, men Kalv fikk ikke større navn enn før, og han syntes han var grundig narret. Så gikk det bud mellom brødrene Kalv og Finn og Torberg og Arne, og så ble det godt mellom frendene igjen.

248. Da Svein hadde vært konge i Norge i tre år, kom det rykter til Norge om at vest for havet hadde det samlet seg en flokk, og høvdingen for den var en mann som het Tryggve. Han sa han var sønn til Olav Tryggvason og Gyda den engelske. Da kong Svein fikk høre at det ville komme en utenlandsk hær til landet, bød han opp en hær nord fra landet, og de fleste lendmennene fra Trondheimen fulgte ham. Einar Tambarskjelve satt i ro hjemme og ville ikke følge kong Svein. Da kong Sveins bud kom til Kalv inne på Egge om at han skulle ro leidang med kongen, tok Kalv ei tjuesesse han eide, og gikk om bord med huskarene sine og tok av sted det forteste han kunne. Så styrte han ut gjennom fjorden og ventet ikke på kong Svein. Deretter styrte Kalv sør på Møre og stanset ikke på vegen før han kom til Torberg, bror sin, sør på Giske. Så satte de hverandre stevne alle brødrene, Arnessønnene, og rådslo med hverandre.

Etter dette tok Kalv nordover igjen, og da han kom i Frekøysund, da lå kong Svein der i sundet med hæren sin. Da Kalv rodde sørfra inn i sundet, ropte de til hverandre. Kongsmennene bad Kalv legge inntil og følge kongen og verge landet hans. Kalv svarte: «Jeg har gjort nok om ikke for mye av det å kjempe mot våre egne landsmenn for å vinne land til knytlingene.» Kalv og hans følge rodde sin veg nordover. Han drog videre til han kom hjem på Egge. Ingen av Arnessønnene var med på å ro denne leidangen for kongen. Kong Svein styrte med hæren sørover i landet, og da han ikke hørte noe om at hæren hadde kommet vestfra, styrte han sør til Rogaland og helt til Agder, for folk gjettet på at Tryggve først ville reise øst i Viken, for der hadde forfedrene hans holdt til og hatt mest støtte. Der hadde han mange frender til hjelp.

249. Da kong Tryggve kom vestfra, kom han inn til Hordaland med hæren sin. Der fikk han høre at kong Svein hadde seilt sørpå, og så styrte kong Tryggve sørover til Rogaland. Da kong Svein fikk høre hvor Tryggve var, og at han hadde kommet vestfra, snudde han nordover med hæren, og Tryggve og han møttes i Soknasundet* innenfor Bokn like ved det stedet Erling Skjalgsson falt. Der ble det en stor og hard strid. Folk sier at Tryggve kastet spyd med begge hender på én gang; han sa: «Slik lærte far meg å messe.» Uvennene hans har sagt at han visst var sønn av en prest, men han skrøt av det at han liknet da mer på kong Olav Tryggvason. Tryggve var også en svært dugelig mann. I denne kampen falt kong Tryggve og mye av hæren hans. Noen flyktet, og noen bad om fred. Det heter i Tryggve-flokken:

Soknasundet, mellom øyene Sokn og Bru.

Ærelysten seilte
Tryggve til slag nordfra,
og kong Svein til striden
søkte mot ham sørfra.

Jeg var med på skipet,
de gikk straks til kampen,
hærfolk mistet livet
der sverdene larmet.

Dette slaget blir nevnt i den flokken som ble laget om kong Svein:

Søndags morgen, jente,
var ei som møy bærer
øl og lauk til mannen;
mang en kar falt for øksa,

kong Svein bad sine drenger
binde skipenes stavner
sammen. Ravn fikk slite
i det råe kjøttet.

Kong Svein rådde for landet igjen etter dette slaget, da var det god fred igjen. Vinteren etter var kong Svein sør i landet.

250. Einar Tambarskjelve og Kalv Arnesson holdt møter og rådslagninger den vinteren, de møttes i kaupangen. Da kom kong Knuts sendemenn der til Kalv Arnesson og hadde bud med til ham fra kong Knut om at Kalv skulle sende ham tre tylvter økser, og la dem være av beste slaget. Kalv svarte: «Jeg sender ingen økser til kong Knut. Si ham at jeg skal gi Svein, sønnen hans, så mange økser at han ikke skal synes det skorter.»

251. Tidlig på våren tok Einar Tambarskjelve og Kalv Arnesson av sted og hadde med seg et stort følge av de beste menn som fantes i Trøndelag. De drog over Kjølen til Jemtland om våren, og så til Helsingland og kom fram i Svitjod, og der fikk de seg skip.

Om sommeren reiste de øst i Gardarike og kom om høsten til Aldeigjuborg. Så sendte de noen menn opp til Holmgard til kong Jarisleiv med det budskap at de tilbød å ta imot Magnus, sønn til kong Olav den hellige, og følge ham til Norge og hjelpe ham så han kunne få igjen farsarven sin, og gjøre ham til konge over landet.

Da dette budskapet kom til kong Jarisleiv, holdt han råd med dronninga og de andre høvdingene sine. De ble enige om dette at de sendte bud til nordmennene og stevnte dem dit for å møte kong Jarisleiv og Magnus. Det ble lovt dem fritt leide. Da de kom til Holmgard, ble de fullt og fast enige om at de nordmennene som hadde kommet, ble kong Magnus' handgangne menn, og Kalv og alle de menn som hadde stått mot kong Olav på Stiklestad, ble bundet med eder. Magnus gav sikkerhet og fullt forlik og svor eder på at han skulle være trygg og tro mot dem alle om han fikk makt og kongedømme i Norge. Han skulle bli Kalv Arnessons fostersønn, og Kalv skulle være skyldig å gjøre alt det som kunne gjøre riket til Magnus større og friere enn før.

Magnus den godes saga

AGNUS OLAVSSON gav seg etter jul på veg østfra Holmgard ned til Aldeigjuborg, og de tok til å gjøre ferdig skipene sine da isen gikk opp om våren. Dette nevner Arnor Jarlaskald i Magnusdråpa:

Fram jeg tenker å føre
frasagn om stridssnare kriger
fordi jeg kjenner dem nøye;
nå må mennene tie!

Ikke var gullets uvenn
elleve vintrer gammel

da gjæve horde-vennen
hærskip førte fra Gardar.

Om våren* styrte kong Magnus vest til Svitjod. Så sier Arnor:

Den unge djerve kriger
til kampferd folk bød samles.
Snart sin plass fant hirden
hærkledd da på tofta.

Med is om stavnen kongsskip
skar den salte sjøen;
østfra helt til Sigtun
stormvind førte fyrsten.

Her blir fortalt at da kong Magnus fór østfra Gardarike, seilte han først til Svitjod og opp til Sigtuna. Da var Emund Olavsson konge i Svitjod; der var da også dronning Astrid, som hadde vært gift med kong Olav den hellige. Hun tok særdeles vel imot Magnus, stesønnen sin, og lot straks stevne et mangment ting et sted som blir kalt Hangrar*. På det tinget talte Astrid og sa så: «Til oss er nå kommet kong Olav den helliges sønn, som heter Magnus. Han vil fare til Norge og kreve farsarven sin. Jeg har stor skyldighet til å hjelpe ham til denne ferden; for han er min stesønn, slik som det er kjent for alle, både svear og nordmenn. Jeg skal ikke spare på noe som jeg har i min makt for at hans styrke kan bli så stor som råd er, verken folkemakt, som jeg rår for, eller penger. Og alle de som gir seg i lag med ham på denne ferden, skal være visse på fullt vennskap av meg. Jeg vil òg kunngjøre at jeg vil gi meg i lag med ham på ferden. Da vil det være lett å se for alle at jeg heller ikke sparer på noe annet av det som jeg kan gi ham til hjelp.» Slik talte hun lenge og klokt; men da hun sluttet, svarte mange og sa at svearne hadde vunnet lite

Om våren, år 1035.
Hangrar, et ukjent sted nær Sigtuna.

ære av sin ferd til Norge da de fulgte kong Olav, far hans, «og ikke
er her bedre å vente med denne kongen,» sier de, «og derfor har folk
liten hug på denne ferden.» Astrid svarer: «Alle de som vil være
manndomsmenn, lar seg vel ikke skremme av slikt. Og har noen
mistet frender med den hellige kong Olav eller sjøl fått sår, så er det
nå manndomsverk å fare til Norge og hevne det.» Astrid fikk laget
det så med sine ord og sin hjelp, at hun fikk mye folk med seg til å
følge ham til Norge. Om det taler Sigvat skald:

Nå vil rikt jeg lønne
med lovkvad Olavs datter,
som digre kongen ektet,
for alle dyre gaver.
Til ting på Hangrar møtte
mannsterk sveahæren
den gang Astrid østpå
for Olavssønnen talte.

Hun tinget slik med svear
at større framgang ikke
hun ville hatt for Magnus,
om mor til ham hun sjøl var.

Nest mektige Kristus
mest til det hun virket
at Magnus Haralds ættland
vant helt og fullt tilbake.

Den milde Magnus skylder
Astrid for mektige hjelpen;
velde fikk seg vidlendt
mennenes venn ved dette.
Den kloke kvinna sin stesønn
støttet som ingen andre;
med sanningsord vil jeg hedre
henne, den fagre kvinne.

Så sier Tjodolv skald i Magnusflokken:

Ut skjøt du, høvding, di snekke,
og stolt skrei fram på havet
skipet med tretti benker,
i blåsten rærne knakte.

Stiveste masta, konge,
storstormen over deg bøyde.
Men djerve hirdmenn firte
først i Sigtuna seilet.

2. Magnus Olavsson gav seg på veg fra Sigtuna og hadde stort
følge, som svearne hadde gitt ham. De reiste til fots gjennom Svitjod
og så til Helsingland. Så sier Arnor Jarlaskald:

Som en krigsgud bar du siden
røde skjold i svenske bygder.
Ikke liten hærmakt fikk du,
landsfolk søkte deg til hånde.

Vidtberømte ulvemetter!
Østfra kom til hederstinget
utvalgt flokk med skjold så hvite
og med spyd innlagt med gullet.

Siden fór Magnus Olavsson vest gjennom Jemtland og over Kjø-
len og ned i Trondheimen, og straks tok alt landfolket vel imot ham.
Men så snart mennene til kong Svein spurte at Magnus, kong Olavs
sønn, var kommet dit til landet, rømte de alle i hop lange veger og
kom seg unna, og ingen motstand ble gjort mot Magnus. Kong Svein
var sør i landet. Så sier Arnor Jarlaskald:

Snart du satte, djerve kjempe,
skrekk omkring i trøndske bygder.

Det blir sagt om dine fiender
at de frykt fikk brått i barmen.

Dronning Astrid taler på tinget.

Dine fiender, fyrste, visste
at nå vokste vesaldommen;

for å redde livet rømte
i sin redsel alle sammen.

Straks om høsten bød kong Magnus leidang ut over hele Trondheimen.

3. Magnus Olavsson fór med hæren sin ut til kaupangen*, og der ble han godt mottatt. Siden lot han stevne til Øreting; og da bondefolket kom til tings, ble Magnus tatt til konge der over hele landet, så vidt som kong Olav, hans far, hadde hatt det. Siden tok kong Magnus seg hird og satte inn lendmenn; og han satte årmenn og sysselmenn overalt i bygdene. Straks om høsten bød kong Magnus ut leidang over hele Trondheimen; han hadde godt for å få folk. Så styrte han med hæren søretter langsmed landet.

4. Kong Svein Alfivuson var i Sunnhordland da han fikk denne hærmeldingen. Straks lot han skjære opp hærpil og sendte til alle fire kanter. Han stevnte bondefolket til seg med bud om at allmenning skulle være ute, både folk og skip, og verge landet med ham. Alt det mannskapet som var nær der kongen holdt til, kom til ham. Da hadde kongen ting og talte med bøndene og kom fram med den saken han ville fremme, og sa at han ville gå mot kong Magnus, sønn til kong Olav, og holde slag med ham dersom bøndene ville følge ham. Kongen talte i korteste laget, og bøndene gav lite fagningsrop til talen hans. Siden holdt de danske høvdingene som var med kongen, lange og fine taler, men bøndene svarte og talte imot. Mange sa at de ville følge kong Svein og kjempe sammen med ham, men noen nektet; noen tidde helt, noen sa at de ville gå til kong Magnus så snart de kunne få høve til det. Da svarer kong Svein: «For meg ser det ut som det er bare få av de bøndene vi hadde sendt bud til som er kommet hit. Og disse bøndene som er her, sier rett til oss at de vil følge kong Magnus. For meg ser det ut til at det er like stor

Kaupangen, dvs. Nidaros.

hjelp for oss i dem som i de andre som sier at de vil sitte i ro. Likeså med dem som tier still. Men av dem som sier at de vil følge oss, vil vel annenhver mann eller flere ikke være til noen nytte for oss om vi legger til slag med kong Magnus. Det er mitt råd at vi ikke setter lit til disse bøndene. La oss heller fare dit der alt folket er trygt og trofast mot oss; der har vi styrke nok til å vinne under oss dette landet.»

Så snart kongen hadde avgjort saken slik, fulgte alle mennene dette rådet, de snudde stavnene og drog opp seilene. Så seilte kong Svein østetter landet og gjorde ikke slutt på ferden før han kom til Danmark. Horda-Knut tok vel imot Svein, bror sin, og bød ham rike med seg i Danmark, og det tok Svein imot.

5. Kong Magnus fór om høsten helt øst til landsenden, og ble tatt til konge over hele landet, og hele landsfolket var glad over at Magnus var blitt konge. Samme høst døde kong Knut den mektige i England 13. november. Han ble jordet i Winchester. Da hadde han vært konge over Danmark i 27 år, og over både Danmark og England i 24 år*, og dertil over Norge i sju år. Da ble Knuts sønn Harald tatt til konge i England. Samme vinter døde Svein Alfivuson i Danmark. Tjodolv kvad så om kong Magnus:

Landevegen, kriger,
kom du hjem fra Svitjod!
Østfra fulgte, herre,
hæren deg til Norge.

Men Svein han rømte siden,
røvet var landet fra ham.
Alfivas sønn jeg hørte
hastig fra landet flyktet.

Bjarne Gullbråskald diktet om Kalv Arnesson:

Du lovte den unge kongen
arv som var hans med rette.
Svein fikk nøyes med Danmark;
sant er alt det jeg sier.

Kalv, du førte Magnus,
den modige fra Gardar;
at fyrsten sin jord fikk råde,
rekner vi deg til ære.

Denne vinteren rådde kong Magnus for Norge og Horda-Knut for Danmark.

6. Våren etter bød begge kongene ut leidang, og det ordet gikk at de ville legge til slag ved Göta älv. Men da begge hærene drog mot hverandre, sendte lendmennene i begge hærene melding til sine frender og venner, og det fulgte med ordsendingen fra begge sider, at de skulle gjøre fred mellom kongene. Da begge kongene var unge og ikke voksne ennå, ble riksstyringen ført for dem av stormenn, som var valgt til det i begge riker. Enden ble at forliksstevne ble avtalt mellom kongene. Deretter møttes de sjøl, og da ble det talt om forlik. Det kom til forlik på den måten at kongene svor hverandre brorskap, og satte fred seg imellom så lenge de levde begge to.

Riktigere er 16 og 19 år, siden Knut ble konge i England i 1016 og i Danmark i 1019. Snorre reknet ut fra det året Svein Tjugeskjegg døde, som han ukorrekt satte til 1008.

Magnus den gode og Horda-Knut møtes.

Om en av dem døde sønneløs, skulle den som levde lengst, ta land og folk etter ham. Tolv menn, de gjæveste fra hvert rike, svor med kongene på det at de skulle holde dette forliket så lenge noen av dem levde. Dermed skiltes kongene, og hver tok hjem til sitt rike, og de holdt dette forliket så lenge de levde.

7. Dronning Astrid, som hadde vært gift med kong Olav den hellige, kom til Norge med kong Magnus, sin stesønn, og var hos ham i akt og ære, som rett var. Da kom kong Magnus' mor Alvhild også til hirden. Kongen tok straks mot henne med stor kjærlighet og gav henne en gjæv plass. Men med Alvhild gikk det som det kan hende med så mange som får makt, at hennes overmot vokste ikke mindre fort, så hun lite likte det at dronning Astrid ble reknet noe gjævere enn hun både med sitteplass og med annen oppvartning. Alvhild ville sitte nærmest kongen, men Astrid reknet henne for tjenestejente, slik som det hadde vært før, da Astrid var dronning over Norge, og kong Olav rådde for landet. Ikke for noen pris ville Astrid ha sete sammen med Alvhild, så de kunne ikke være i hus med hverandre.

Sigvat skald hadde alt reist til Roma da slaget stod på Stiklestad; men da han var på vegen nordover, spurte han kong Olavs fall, og dette var en stor sorg for ham. Han kvad da:

Jeg stod på Mont* en morgen.
Da mintes jeg hvor mangt et
skjold ved borgene kløvdes,
og side brynjer sprengtes.

Jeg mintes ham som riket
rådde først så velnøyd.
Tord, min far den kloke,
før den kongen tjente.

En dag gikk Sigvat forbi en gard på landet og hørte at en mann bar
seg ille fordi han hadde mistet kona si. Han slo seg for brystet og
reiv av seg klærne, gråt høyt, og sa at han ville gjerne dø. Sigvat
kvad:

En mann seg ønsker døden
når han mister møyas favntak.
For dyrt kjøpt er elskov
om for den døde man gråter.

Men bitre tårer feller
for sin herre fluktredd gjæving.
Sorgen vi led, vi kongsmenn,
er større enn sorg for kvinner.

8. Sigvat kom hjem til Norge, han hadde gard og barn i Trond-
heimen. Han seilte nordover langs land på et handelsskip; men da
de lå i Hillarsund*, så de at mange ravner fløy der. Sigvat kvad:

Ravner flyr til havna,
husker lik der finnes,
der hvor skipet fordum
førte nordmannsætling.

Hver dag ved Hillar skriker
høyt de glupske ørner,
de som Olav fordum
gav føde mange ganger.

Men da Sigvat kom nord til kaupangen, var kong Svein der; han
innbød Sigvat til å komme til seg, for Sigvat hadde før vært hos Knut
den mektige, far til kong Svein. Sigvat svarer at han vil hjem til
garden sin. En dag da Sigvat gikk ut på stretet, fikk han se kongs-
mennene som holdt leik. Sigvat kvad:

Fra leik blant kongens hirdmenn
jeg hastig bort meg vender.
Min sorg vil sprenge brystet,
og bleik som bast jeg går her.

Jeg minnes må de dager
da min lovpriste herre
med oss så ofte leikte
omkring på odelsgarder.

Siden fór han til garden sin. Han hørte mange som gav ham last-
ord, og sa at han hadde rømt bort fra kong Olav. Sigvat kvad:

Gid Kvitekrist meg dømte
til heite ild i Helvet
om jeg har hatt den tanke
å komme bort fra Olav.

I det er jeg uskyldig.
Til Rom jeg fór, spør vitner,
for å fri min sjel fra fare;
jeg sannhet ikke dølger.

Sigvat likte seg ille hjemme; en dag gikk han ute og kvad:

Mont, dvs. fjellet. Det må enten være Alpene eller Apenninene.
Hillarsund, vel nåværende Hillesund ved øya Hille (Hilløy) vest for Mandal.

Når knarrer bar meg om landet
så lenge Olav levde,
smilte langs hele Norge
stupbratte fjell og kleiver.

Men fra jeg fikk sorgen i hjertet
og saknet kongens vennskap,
fant jeg at ublide var de,
alle lier i landet.

I førstningen av vinteren fór Sigvat øst over Kjølen til Jemtland og så til Helsingland og kom fram til Svitjod. Han gikk straks til dronning Astrid og var hos henne i akt og ære en lang stund. Han var også hos hennes bror, kong Anund, og fikk ti merker brent sølv av ham; så blir sagt i Knutsdråpa. Sigvat spurte ofte når han møtte kjøpmenn som seilte på Holmgard, hva de kunne si ham om Magnus Olavsson. Han kvad:

Enn vil jeg gjerne høre
om hendinger øst fra Gardar.
Der blir det ikke knuslet
på lovord om kongesønnen.

Lite og løgn jeg hører,
som løgnen at hit han reiser.
Men likevel mellom oss flyger
små smygende kjærlighetsfugler.

9. Men da kong Magnus Olavsson kom fra Gardarike til Svitjod, da var Sigvat der hos dronning Astrid, og de ble alle svært glade. Da kvad Sigvat:

Uredd hjem du vendte
til ditt rike, konge.
Land og folk deg hilser,
og din makt jeg støtter.

Gjerne jeg fór til Gardar
for vel jeg deg unner, herre;
du som er mitt gudbarn.
Din stemor òg deg venter.

Siden gav Sigvat seg på ferd med dronning Astrid for å følge Magnus til Norge. Sigvat kvad:

For menn som går til tings
min mening beint jeg sier,
at, Magnus, jeg er glad for
at Gud ditt liv har vernet.

Drotten ville eie
ære om sin fader
sønnen liknet; få da
fostret slik en konge.

Da Magnus var blitt konge over Norge, fulgte Sigvat skald ham, og han var kongen særlig kjær. Da dronning Astrid og Alvhild kongsmor hadde hatt en ordstrid med hverandre, kvad han dette:

Alvhild! Villig la sitte
Astrid på fremste plassen,
om du så sjøl med Guds vilje
har vokset stort i gjævhet.

10. Kong Magnus lot gjøre et skrin, og han lot det pryde med gull og sølv og sette kostbare steiner i det. Dette skrinet var gjort som ei likkiste både i størrelse og i utseende ellers, men det var en sval-

gang under, og oppå var det et lokk, som var laget som et tak med møne og hode på. Det er hengsler bak på lokket og hasper framme, og der er det låst med en nøkkel. Siden lot kong Magnus legge kong Olavs hellige legeme i det skrinet. Mange jærtegn hendte der ved kong Olavs hellige levninger. Om det taler Sigvat skald:

For drotten med godt hjerte
er gull-lagt skrin nå laget.
Hans hellighet jeg roser,
hos Gud i himmelen er han.

Fra rene konges gravsted,
med synet helt helbredet
går mang en mann tilbake
som blind dit var kommet.

Da ble det lovtatt for hele Norge å holde kong Olavs høytid hellig, og denne dagen ble straks holdt likså hellig der som de største høytidene. Om det taler Sigvat skald:

I mitt hus Olavs messe
etter far til Magnus
vi uten synd vil holde;
for Gud har gitt ham krefter.

Etter kongen som alle sakner,
det sømmer seg helg jeg holder,
han som har mine hender
hyllet med røde gullet.

11. Tore Hund fór bort fra landet kort tid etter kong Olavs fall. Tore fór ut til Jorsal, og mange har fortalt at han visst ikke kom tilbake. Tore Hunds sønn het Sigurd, far til Rannveig, som var gift med Joan, sønn til Arne Arnesson. Deres barn var Vidkunn i Bjarkøy og Sigurd Hund og Erling og Jartrud.

12. Hårek fra Tjøtta satt hjemme på gardene sine helt til Magnus Olavsson kom til landet og ble konge. Da fór Hårek sør til Trondheimen til kong Magnus. Da var Åsmund Grankjellsson hos kong Magnus. Da Hårek var kommet til Nidaros og gikk opp fra skipet, stod Åsmund på loftsvalgangen sammen med kongen. Da fikk de se Hårek og kjente ham. Åsmund sa til kongen: «Nå vil jeg lønne Hårek fordi han drepte min far.» Han hadde ei lita tynnslått breiøks i handa. Kongen så på ham og sa: «Ta heller mi øks!» Den var hamret som en blei og tykk. «Du kan nok tenke, Åsmund,» sa kongen, «at det er harde bein i den karen.»

Åsmund tok øksa og gikk ned fra garden, og da han kom ned i tverrstretet, kom Hårek og hans menn opp imot ham. Åsmund hogg i hodet på Hårek, så øksa stod ned i hjernen med en gang; det ble Håreks bane. Men Åsmund gikk opp igjen i garden til kongen; hele eggen hadde falt av øksa. Da sa kongen: «Hva hadde den tynne øksa nyttet til nå? Det ser ut som til og med denne er utskjemt.» Siden gav kong Magnus Åsmund len og syssel på Hålogaland, og det er mange store frasagn om stridene mellom Åsmund og Håreks sønner.

13. Kalv Arnesson hadde mest med landstyringen å gjøre hos kong Magnus en stund i førstningen. Men så var det noen som minte kongen om hvor Kalv hadde vært på Stiklestad. Da ble det noe vanskeligere for Kalv å gjøre kongen til lags. Det bar til en gang da det var fullt av folk hos kongen, og saker ble ført fram, at det kom

«Ta heller mi øks.»

til ham en mann som er nevnt før, Torgeir fra Sul i Verdalen, og han
hadde en sak som det var om å gjøre å få ført fram. Kongen gav ikke
akt på det han sa, men lydde på dem som stod nærmere. Da sa
Torgeir høyt til kongen, så alle de som var nær, hørte det:

Mæl du med meg,　　　*da over døde*
Magnus konge.　　　　*drotnen de steig.*
Jeg i følge　　　　　　*Men du elsker*
med far din var.　　　　*de usle menn*
Derfra med hogg　　　*som drotnen sveik*
i hausen jeg gikk,　　　*og djevelen gledet.*

　Da tok mennene til å bråke, og noen bad Torgeir gå ut. Men
kongen kalte ham til seg og avgjorde siden saken hans slik at Torgeir
var vel fornøyd, og kongen lovte ham vennskap.
　14. Kort tid etterpå var kong Magnus på veitsle på Haug i Ver-
dalen. Når kongen satt til bords, satt Kalv Arnesson på den ene sida
av ham, og Einar Tambarskjelve på den andre. Da var det alt kom-
met til det at kongen var kort mot Kalv, men vørte Einar mest.
Kongen sa til Einar: «Vi to skal ri til Stiklestad i dag; jeg vil se
merker etter det som har hendt der.» Einar svarer: «Jeg kan ikke si
deg noe om det; la din fosterfar Kalv fare, han kan nok fortelle om
det som der gikk for seg.» Da bordene var tatt bort, laget kongen seg
til å fare. Han sa til Kalv: «Du skal fare med meg til Stiklestad.»
Kalv sier at det var han ikke skyldig til. Da stod kongen opp og sa
i sinne: «Fare skal du, Kalv,» og så gikk kongen ut. Kalv kledde seg

raskt og sa til sveinen sin: «Du skal ri inn til Egge og be huskarene mine ha alt gods om bord før solefall.»

Kongen rei til Stiklestad, og Kalv var med ham; de steig av hestene og gikk dit slaget hadde vært. Da sa kongen til Kalv: «Hvor er det stedet kongen falt?» Kalv svarte og rettet fram spydskaftet: «Her lå han fallen,» sier han. Da sa kongen: «Hvor var du da, Kalv?» Han svarer: «Her jeg nå står.» Kongen ble rød som blod og svarte: «Da kunne nok di øks nå ham.» Kalv svarer: «Ikke nådde mi øks ham.» Så gikk han bort til hesten sin, sprang opp på ryggen til den og rei sin veg med alle mennene sine; men kongen rei tilbake til Haug.

Om kvelden kom Kalv inn til Egge, da lå skipet hans seilklart ved bryggene, alt løsøret hans var ført ut på det, og huskarene hans var mannskap på skipet. Straks om natta holdt de ut etter fjorden og siden seilte Kalv natt og dag, som det var bør til. Han seilte så vest over havet og gav seg til lenge der og herjet på Skottland og Irland og Suderøyene. Det taler Bjarne Gullbråskald om i Kalvsflokken:

Det jeg hørte fortelle　　　　　*Sladder og avind vakte*
at Haralds brorsønn med rette　　*idelig splid imellom*
gav bror til Torberg vennskap　　*deg og Olavs ætling*
som varte til andre det sprengte.　*i utrengsmål – jeg synes.*

15. Kong Magnus la under seg som eiendom Viggja, som Rut hadde eid, og Kvistad, som Torgeir hadde eid; likeså Egge og alt det

Kong Magnus og Kalv Arnesson på Stiklestad.

gods som Kalv reiste fra; han la inn under kongsgarden mange andre storgarder, som de hadde eid som hadde falt i bondehæren på Stiklestad. Han lot også streng straff gå over mange av de mennene som hadde vært med i det slaget mot kong Olav; somme jagde han fra landet, og somme tok han mye gods fra, og for somme lot han hogge ned buskapen. Da tok bøndene til å murre og sa seg imellom: «Hva mon denne kongen tenker på når han bryter for oss den loven som kong Håkon den gode satte? Minnes han ikke det at vi aldri har tålt urett? Han kommer til å fare samme ferd som hans far eller andre slike høvdinger som vi har tatt livet av når vi ble lei av deres overmot og lovløshet.»

Slik misnøye var det vidt om i landet. Sogningene samlet folk, og det ordet gikk at de ville holde slag mot kong Magnus om han kom der. Kong Magnus var i Hordaland da og hadde mange folk der, og det lot på ham som han ville fare nord til Sogn. Da kongens venner fikk greie på dette, gikk tolv mann til samråd, og de ble enige om å velge en mann ved loddkasting til å fortelle kongen om denne misnøyen. Det ble laget så at loddet falt på Sigvat skald.

16. Sigvat diktet en flokk, som ble kalt Bersoglisviser*. Han nevner først det at de synes kongen tenkte for lenge over rådene om å forlike seg med bøndene nå da de truet med å reise ufred mot ham. Sigvat kvad:

Fra strid mot folket sørpå
i Sogn rådde Sigvat kongen.
Men er fred og forlik ute,
følger jeg med til striden.

Ta til våpen, og kongen
verge med sverdet vil jeg.
Men hvor lenge skal, o herre,
landet være tvedelt?

I det samme kvadet er disse versene:

Håkon, som falt på Fitjar,
av folket ble kalt den gode.
Fienders herjing han refset,
men ham *mennene elsket.*
Lenge ble holdt i landet
de lover han gav folket
han som Adalstein fostret.
Bøndene seint ham glemmer.

Du skal ikke harmes på rådsmenn
som rent ut taler, herre.
Høvding, det vegen åpner
til ære siden for kongen.
Om ikke landshæren lyger,
har bøndene verre vilkår
og andre enn dem du lovte
dengang i Ulvesundet.

Jeg tror at i kongevalget
var kloke bønder og jarler.
De to Olaver gav siden
fred til mennenes eie.
Haralds allgode arving
og Tryggves sønn lot holde
nøye de rettvise lover
som navnebrødrene satte.

Hvem egger deg, stridsdjerve herre,
til å svike de gitte løfter
og prøve det tynne stålet?
Støe skal kongsord være.
Seiersæl høvding det høver
å holde det han har lovet.
Det sømmer seg ikke for deg
det ord du har gitt, å bryte.

Bersoglisviser betyr viser som sier sannheten rett ut, som taler «bert», uten omsvøp.

Hvem egger deg, gjæve herre,
til å hogge ned bøndenes buskap?
Overmot er det å gjøre
slik gjerning i eget rike.
Slike råd har ingen
før gitt den unge kongen.
Av ran dine menn er leie,
folket i landet er harmfullt.

Jeg tror vi er ille ute
når også gråhårsmannen
våpen vender mot kongen.
Verg deg mot slikt i tide.
Vondt det varsler når tingmenn
trykker hodene sammen
og stikker nesa i kappa.
Tie gjør alle tegner.

Du som sjøl tukter tjuver,
du bør ta deg i vare
ved ryktet som går blant mengden.
Med måte skal hender avhogges.
Venn er den som varsler.
Villig følg nå, konge,
det råd som her ble gitt deg,
hør hva bønder krever!

Én ting nevner de alle:
den odel som frimenn eier,
gir du deg sjøl, min konge!
Det gjærer blant gjæve bønder.
Mannen, som felles ved brå-dom,
må fedrearven til kongen
eller hans grever gi fra seg,
slik framferd for ran han rekner.

Etter denne påminningen ble det en god vending med kongen; også andre førte fram slike ord for kongen. Det førte da til det at kongen talte med de klokeste menn, og de ble enige om hvordan loven skulle være. Siden lot kong Magnus skrive den lovbok som ennå er i Trondheimen, og som blir kalt Grågås. Kong Magnus ble vennesæl, og alt landsfolket elsket ham. Derfor ble han kalt Magnus den gode.

17. Kong Harald i England døde fem år etter sin far*, Knut den mektige. Han ble jordet hos sin far i Winchester. Etter hans død tok Horda-Knut, Haralds bror, en annen sønn til Gamle-Knut, kongedømmet i England. Da var han konge over England og Danevelde, og han rådde over dette riket i to år. Han døde sottedøden i England og er jordet i Winchester hos sin far. Etter hans død ble Edvard den gode tatt til konge i England; han var sønn til Englandskongen Adalråd og dronning Emma, som var datter til Rikard Rudajarl. Kong Edvard var halvbror på morssida til Harald og Horda-Knut. Gunnhild het ei datter til Gamle-Knut og Emma; hun var gift med keiser Henrik i Saksland. Han ble kalt Henrik den milde. Gunnhild var tre år i Saksland, og så ble hun sjuk og døde to år etter sin far, kong Knut.

18. Da kong Magnus Olavsson spurte at Horda-Knut var død*, sendte han straks noen menn sør til Danmark med ordsending til de menn som hadde bundet seg til ham med ed, da det ble gjort forlik og avtale mellom Magnus og Horda-Knut. Han minte dem om deres ord, og la til at han sjøl tenkte å komme til Danmark straks om sommeren med hæren sin. Til slutt sa han at han ville ta under seg

fem år etter sin far, år 1040.
Horda-Knut var død, år 1042.

hele Danevelde etter ed og avtale, eller også falle sjøl med hæren sin i striden. Så sier Arnor Jarlaskald:

Mektig var kongens evne
til rette ord å finne.
På ord da fulgte handling,
som fyrsten hadde lovet.

Han enten ville stupe
i strid så kvass og farlig
og bli mat for ravner
– eller rå for hele Danmark.

19. Nå samlet kong Magnus sammen en hær, stevnte til seg lendmenn og storbønder og fikk tak i langskip. Da hæren kom sammen, var den vakker og vel rustet. Han hadde sytti skip da han seilte fra Norge. Så sier Tjodolv:

Du styrte, kampsterke konge,
så djervt skipene lange,
da mennene dine seilte
mot øst med sytti skuter.

Av sted mot sør suste ferden.
Seilene smalt mot staget.
Høymastet skute skar bølgen.
Med bøyning så fin lå Visund.

Her blir det fortalt at kong Magnus da hadde store Visund som kong Olav den hellige hadde latt bygge. Den hadde mer enn tretti rom; i framstavnen var et stort visundhode, og akterut en hale; hodet og halen og begge nakkene var forgylte. Om det taler Arnor Jarlaskald:

Stygt slo havskum inn på løfting,
og det lyse gull ble ristet;
kraftig vind lot jaget skute
og dens styre dypt seg duppe.

Nordfra styrte der de stive
stavner ut forbi Stavanger.
Havet bruste. Mastetopper
skinte blankt som ild i sola.

Kong Magnus seilte fra Agder og over til Jylland. Så sier Arnor:

Fortelle vil jeg om Visund,
hvordan den istyngd og stormbøyd
bar den seierrike
sogningers herre nordfra.

Høvdingen stavnen snudde
så mot breie Jylland.
Folket der nede hilste
da sin høvding med glede.

20. Da kong Magnus kom til Danmark, tok de godt imot ham der. Han holdt straks ting og møter med folket i landet og bad om å bli mottatt slik som avtalen var. Da nå de landshøvdinger som var gjævest i Danmark, var bundet med ed til kong Magnus og ville holde det de hadde lovt og svoret, la de dette sterkt fram for folket. Det kom også til at da var Knut den mektige død, og det var ute med alt hans avkom. For det tredje var nå kong Olavs hellighet og jærtegn kjent over alle land.

21. Så lot kong Magnus stevne ting i Viborg. Der har danene kåret seg konge både i gammel og ny tid. På dette tinget tok danene Magnus Olavsson til konge over hele Danevelde. Kong Magnus ble

værende i Danmark lenge om sommeren, og alt folket tok vel imot ham, hvor han så kom, og gav seg under ham. Han satte da menn til å styre i alle sysler og herreder over hele landet og gav len til stormennene. Da det lei på høsten, styrte han med hæren til Norge og lå en stund i Göta älv.

22. Svein het en mann, sønn til Ulv jarl, som var sønn til Torgils Sprakalegg. Sveins mor var Astrid, datter til kong Svein Tjugeskjegg. Hun var søster til Knut den mektige på farssida og til sveakongen Olav Eiriksson på morssida; deres mor var dronning Sigrid Storråde, datter til Skoglar-Toste. Svein Ulvsson hadde da lenge holdt seg hos sveakongene, frendene sine, helt siden Ulv jarl, hans far, falt, slik som det er fortalt i Knut den gamles saga at han lot drepe Ulv jarl, sin måg, i Roskilde; derfor hadde Svein ikke vært i Danmark siden.

Svein Ulvsson var en framifrå vakker mann; han var stor og sterk, en stor idrettsmann, ordhag og veltalende. Alle som kjente ham, sa at han hadde alle de egenskaper som pryder en god høvding. Svein Ulvsson kom til kong Magnus da han lå i Göta älv som før er skrevet. Kongen tok vel imot ham. Det var mange som talte hans sak, for Svein var en vennesæl mann. Han talte også sjøl sin sak for kongen, fagert og ordhagt, og det ble til det at Svein gikk i tjeneste hos kong Magnus og ble hans mann. Siden talte kongen og Svein om mange ting i enerom.

23. En dag da kong Magnus satt i høgsetet, og det var mange folk om ham, satt Svein Ulvsson på fotsteget nedenfor kongen. Da tok kongen til orde: «Nå vil jeg kunngjøre for høvdingene og hele allmuen det som jeg tenker å sette i verk. Hit til meg er det kommet en mann som er gjæv både i ætt og i seg sjøl, Svein Ulvsson. Nå har han gått i min tjeneste og har svoret meg troskapsed. Som dere vet, har alle daner i sommer gitt seg inn under meg, og landet er nå høvdingløst siden jeg har fart bort. Men som dere vet, er det ille ute for herjing av vender og kurer og andre folk fra austerveg eller også av sakser. Jeg lovte å gi dem en høvding til landvern og til landstyring; jeg ser ingen mann som høver bedre til det i alle måter enn Svein Ulvsson, og han har ætt til å være høvding. Nå vil jeg gjøre ham til min jarl, og gi ham styringen over Danevelde når jeg er i Norge, slik som Knut den mektige satte Ulv jarl, hans far, til høvding over Danmark når Knut var i England.»

Einar Tambarskjelve sier: «For stor jarl, for stor jarl, fostersønn!» Kongen ble harm og sa: «Lite mener dere jeg skjønner, og for meg ser det ut som om dere mener at somme er for store jarler, og andre ikke duger til noen ting.» Så stod kongen opp og tok et sverd og festet det i beltet på Svein, og deretter tok han et skjold og festet på aksla hans, satte en hjelm på hodet hans og gav ham jarlsnavn og slike len i Danmark som Ulv jarl, hans far, hadde hatt. Nå ble det båret fram et skrin med helligdommer. Svein la hendene på det og svor troskapsed til kong Magnus, og så førte kongen jarlen til høgsetet hos seg. Så sier Tjodolv:

Der øst ved Elv tvangfritt
la Ulvs sønn hand på skrinet
og fagre løfter gav han.
Svein la så ed til løftet.

Den gjæve Skåne-kongen,
Olavs-sønnen, rådde
for ed og gjorde forlik,
som fikk for kort tid vare.

Etter dette fór Svein til Danmark, og der tok hele allmuen vel imot ham. Han tok seg hird og ble snart en stor høvding. Om vinteren fór han vidt omkring i landet og gjorde seg mye til venns med stormennene; han var godt omtykt av allmuen også.

24. Kong Magnus seilte nord til Norge med hæren sin og var der om vinteren. Men da våren kom, hadde kong Magnus ute en stor hær og fór med den sør til Danmark. Da han kom dit, hørte han de tidender fra Vendland at venderne i Jomsborg hadde falt fra og ikke ville stå under ham. Der hadde danekongene hatt et stort jarlsrike; de hadde grunnlagt Jomsborg, og det var blitt en sterk festning. Da kong Magnus hørte slikt ble sagt, bød han ut en stor flåte fra Danmark og seilte om sommeren til Vendland med hele hæren og hadde en stor styrke. Så sier Arnor Jarlaskald:

Nå skal det bli sagt, høvding,
at du hærskjold bar mot Vendland.
Heldig fikk av glatte lunner
du de frosne skuter trukket.

Aldri førte noen konge
flere skip til vender-landet.
Havet krysset ble av hærskip.
Herre, vender sorg du volder.

Da kong Magnus kom til Vendland, styrte han inn til Jomsborg. Han vant straks borgen, drepte mange folk der og brente byen og bygdene vidt omkring og gjorde et stort hærverk. Så sier Arnor Jarlaskald:

Med ild du, konge, overveldet
venderpakket, drepte hærmenn.
Røver-tukter! Bål så høye
tente du der sør ved Jomsborg.

Hedninger der vågde ikke
verge sine hus i byen;
med den lyse ild, konge,
gav du bymenn skremte hjerter.

Mye folk i Vendland gav seg under kong Magnus, men mange flere var de som rømte unna. Så tok kong Magnus tilbake til Danmark og gjorde seg ferdig til å sitte der om vinteren. Men han sendte fra seg hæren, både den danske og mange av dem som hadde fulgt ham fra Norge.

25. Samme vinter som Svein Ulvsson hadde fått styringen over Danevelde, og han hadde vunnet vennskap med mange stormenn og et godt navn hos allmuen, lot han gi seg kongsnavn, og mange høvdinger var med på dette tiltaket. Men om våren da han spurte at kong Magnus var på ferd nordfra Norge med en stor hær, reiste Svein til Skåne og derifra opp i Götaland og så til Svitjod til sin frende kong Emund, og der ble han om sommeren, men han hadde speidere i Danmark for å få greie på kong Magnus' ferd, og på hvor stor hær han hadde. Da Svein fikk vite at kong Magnus hadde latt

Svein Ulvsson rei ned fra Svitjod.

en stor del av hæren sin fare bort, og at han var sør i Jylland, rei
Svein ned fra Svitjod med en stor hær som sveakongen gav ham. Da
Svein kom ned til Skåne, tok skåningene vel imot ham; de reknet
ham som konge der, og da dreiv det mange folk til ham. Siden satte
han over til Sjælland; der tok de også godt imot ham, og han la alt
under seg. Så tok han til Fyn og la under seg alle øyene, og folket
gav seg under ham. Svein hadde en stor hær og mange skip.

26. Kong Magnus fikk høre om dette og om det med at venderne
hadde ute en hær. Da stevnte kong Magnus folk til seg, og han fikk
snart en stor hær samlet fra hele Jylland. Der kom også hertug
Otta* fra Brunsvik* i Saksland til ham. Han var gift med Ulvhild,
datter til Olav den hellige og søster til kong Magnus. Hertugen
hadde en stor flokk menn med seg. Danehøvdingene egget kong
Magnus til å fare mot venderhæren og ikke la hedningene velte inn
over landet og legge det øde, og det ble avgjort at kongen skulle
vende seg med hæren mot sør og gå til Heidaby*. Da kong Magnus
lå ved Skotborgå på Lyrskogshede*, fikk han melding om vender-
hæren, og det med at den var så stor at ingen kunne telle den, og at
kong Magnus ingen ting kunne gjøre mot denne store hæren, og at
han ikke hadde annet å gjøre enn å flykte unna. Likevel ville kong
Magnus gå til strid dersom folk mente at det var noen utsikt til at han
kunne vinne. De fleste rådde fra, og alle sa ett og det samme, at

Otta, i andre kilder kalt Ordulf.
Brunsvik, Braunschweig i Tyskland.
Heidaby (Hedeby el. Sliaswich), kjent handelsplass innerst i Slien i Østersjøen.
Lyrskogshede. Slaget stod på Lyrskogshede vest for Schleswig; Skotborgå er det
samme som Kongeå, som renner i havet nord for Ribe. Sagaens stedsangivelse av
Skotborgå er derfor uriktig.

venderne hadde en hær som det var uråd å greie seg mot. Bare hertug Otta ville heller kjempe. Kongen lot så blåse sammen hele hæren, og han lot alle menn ta på hærklær, og de lå ute om natta under skjoldene, fordi de hadde fått høre at venderhæren var nær ved. Kongen var tung i hugen. Han syntes det var ille om han skulle bli nødt til å flykte, for det hadde han aldri prøvd før. Han sov lite om natta og sang bønnene sine.

27. Dagen etter var mikkelsmessaften*. Mot dag sovnet kongen, og drømte at han så sin far, den hellige kong Olav, som sa til ham: «Nå er du tung i hug og full av uro fordi venderne drar mot deg med en stor hær. Ikke skal du være redd for en hedensk hær, om det så er mange som går imot deg. Jeg skal følge deg i dette slaget. Gå til kamp mot venderne når dere hører luren min.» Da kongen våknet, fortalte han om drømmen; da tok det til å lysne av dag. Da hørte hele folket en klokkelyd oppe i lufta, og de av kong Magnus' menn som hadde vært i Nidaros, syntes at det var som det ble ringt med Glad, en klokke kong Olav hadde gitt til Klemenskirken i kaupangen.

28. Nå stod kong Magnus opp og ropte at de skulle blåse til slag. Da drog venderhæren mot dem sørfra over åa, og hele kongshæren sprang opp og gikk fram mot hedningene. Kong Magnus kastet av seg ringbrynja og hadde ei rød silkeskjorte ytterst; i handa tok han øksa Hel, som kong Olav hadde eid. Kong Magnus sprang føre alle de andre mennene imot hæren og hogg straks med begge hendene den ene etter den andre. Så sier Arnor Jarlaskald:

Fram med øks så brei,
utrøtt trengte kongen,
brynja kastet; sverdlarm
steig om hordekongen.

Han begge hender klemte
hardt om økseskaftet.
For seieren Herren rådde.
Hel fikk kløyve hauser.

Dette slaget varte ikke lenge. Kongsmennene var ville og hissige. Der de kom sammen, falt venderne så tjukt som havrekster på stranda. De som stod lengst tilbake, gav seg til å rømme, og da ble de hogd ned som bu-fe. Kongen forfulgte sjøl dem som flyktet, øst over heden, og de falt i flokker over hele heden. Så sier Tjodolv:

Jeg tenker at brorsønn til Harald
i hæren fremst seg stilte
blant hærmenn; den sultne ravnen
rikelig ventet seg mette.

Vender av vegen rømte
vide omkring, de falne
skjulte milevidt heden
der Magnus hadde kjempet.

Det sier folk at det aldri har vært så stort mannefall i Norderlanda i kristen tid som det venderne hadde på Lyrskogshede. Av hæren til kong Magnus falt det ikke mange, men en mengde ble såret. Etter slaget lot kong Magnus binde om sårene på sine menn; men det var

---

Mikkelsmessaften, 28. september.

Slaget på Lyrskogshede.

ikke så mange leger i hæren som det trengtes. Da gikk kongen til de menn som han syntes kunne høve, og kjente på hendene deres. Han strøk dem over handflata og valgte på den måten ut tolv menn som han syntes var de mest mykhendte. Han sa at de skulle binde om sårene på mennene, ingen av dem hadde før forbundet sår; men alle disse ble leger så gode som noen. Det var to islandske menn blant dem; den ene var Torkjell Geirason fra Lyngar*, den andre var Atle, far til Bård Svarte i Selårdal*, fra dem er mange leger ættet siden.

Etter dette slaget ble det jærtegnet som kong Olav den hellige hadde gjort, vidspurt i mange land. Og det ordet gikk mann og mann imellom at ingen mann skulle kunne kjempe mot kong Magnus Olavsson, og at kong Olav, hans far, var så nær ham at uvennene hans ikke kunne stå seg mot ham.

29. Kong Magnus snudde straks med hæren mot Svein, som han reknet for sin jarl, enda danene reknet ham for konge. Kong Magnus fikk tak i skip og sørget for å få hæren rustet; begge to fikk tak i mye folk. Det var mange høvdinger i hæren til Svein, skåninger, hallendinger, fynboer; men kong Magnus hadde mest nordmenn og jyder. Han styrte nå med hæren sin mot Svein. De møttes utenfor Vestlandet på Re*, og der ble det et stort slag, som endte slik at kong Magnus vant seier, men Svein måtte rømme og mistet mye

Lyngar, i Vestur-Skaftafellssýsla på Sør-Island.
Selárdalr, i Barðastrandarsýsla på Nordvest-Island.
Re, navn på øya Rügen. *Vestlandet* kan derfor være et sted på kysten av det nåværende ·
Øst-Tyskland.

folk. Han rømte da tilbake til Skåne fordi han hadde sikkert tilholds-
sted i Götaland om han skulle bli nødt til å ta til det. Men kong
Magnus tok så tilbake til Jylland og satt der om vinteren med mange
menn og hadde vaktmannskap på skipene sine. Dette taler Arnor
Jarlaskald om:

Siden på Re holdt kongen   *velske sverd ble farget*
kamping med lyst og glede;   *i blod ved breie Vestland.*

30. Så snart Svein Ulvsson fikk vite at kong Magnus hadde gått i
land, gikk han om bord på skipene sine. Svein drog til seg alt det folk
han kunne få, og om vinteren fór han omkring på Sjælland og Fyn
og småøyene. Da det lei mot jul, seilte han sør til Jylland og gikk
først i land i Limfjorden. Der gikk mange folk under ham, og han
fikk skatt av noen, men andre gikk til kong Magnus. Da kong Mag-
nus fikk vite hva Svein tok seg til, reiste han til skipene sine og hadde
med seg den norske hæren som da var i Danmark, og noe av den
danske hæren. Han styrte nordetter langsmed land. Da var Svein i
Århus med en stor hær. Da han fikk melding om hæren til kong
Magnus, førte han flåten sin ut av byen og gjorde seg i stand til slag.

Da kong Magnus hadde fått greie på hvor Svein var, og han visste
at det nå bare var et kort stykke mellom dem, holdt han husting og
talte til hæren sin og sa: «Nå har vi spurt at jarlen ligger her framfor
oss med hæren sin; jeg har fått høre det at de har en stor hær. Nå
vil jeg la dere vite min mening. Jeg vil fare mot jarlen og kjempe mot
ham, enda vi har noe færre folk. Nå som før vil vi sette lit til Gud
selv og til den hellige kong Olav, min far. Han har gitt oss seier noen
ganger før når vi var i strid, og vi har ofte hatt mindre folk enn våre
uvenner. Nå vil jeg at vi skal gjøre oss i stand og leite dem opp; så
snart vi møtes, skal vi ro mot dem og straks gå til kamp. Da skal alle
mine menn være ferdige til å kjempe.» Så tok de på hærklærne, og
hver og en gjorde seg i stand og tok sin plass. Så rodde kong Magnus
og hæren hans fram helt til de fikk se flåten til jarlen, som de så
straks rodde imot.

Men Sveins menn væpnet seg og bandt sammen skipene sine, og
straks ble det et hardt slag. Så sier Tjodolv:

Kongen og jarlen førte   *for begges menn den gangen,*
skjold for kort tid siden   *så de modige stridsmenn*
sammen imot hinannen;   *større slag ikke husket.*
hard var våpenleiken   *Høgt løg gny av spydkamp.*

De kjempet framme ved stavnene, og ikke andre enn de som var
i stavnen, kunne komme til med hoggvåpen. De som var i forrom-
met, stakk med spyd, og alle de som var lenger akter, skjøt med
snørespyd eller kastespyd eller kastepiler. Noen kastet stein eller
skjeftefletter*; de som var akter om masta, skjøt med bue. Dette
taler Tjodolv om:

Skjeftefletter var tunge kastevåpen.

Som regn på breie skjolder
styrtet spyd og piler;
der vi kjempet, fikk ravnen
rikelig mat å ete.
Menn, som best de kunne,
kastet stein og piler
i våpenkampen, men såret
sank de sammen på dekket.

Flere piler enn nå fra strengen
skjøt bueskytter aldri.
Den dag ble ikke trønder
trøtte av å skyte.
Snørespydene tunge
fløy så tett i kampen
at knapt du så imellom.
Som snøfokk det yrte av piler.

Her blir det fortalt hvor heit striden med skuddvåpen var. I først-ningen av striden var kong Magnus i skjoldborg, men da han syntes det gikk smått, sprang han ut av skjoldborgen og langsetter skipet og ropte høyt og egget mennene sine og gikk helt fram i stavnen i hoggstriden. Men da mennene hans så det, da egget de hverandre; da ble det et stort rop over hele hæren. Så sier Tjodolv:

Magnus' hærmenn alle
egget ivrig hverandre

til å gå fram; der de kjempet,
tok fienden hardt om skjoldet.

Da ble striden hard og kvass. I denne striden ble Sveins skip ryddet i framstavnen og saksene*. Da gikk kong Magnus sjøl med følget sitt opp på skipet til Svein, og siden hans menn, den ene etter den andre. Da gikk de så hardt på at Sveins menn drog seg unna, og kong Magnus ryddet det skipet og etterpå det ene etter det andre. Da flyktet Svein og en stor del av hans folk. En mengde av hans menn falt, og mange fikk grid. Så sier Tjodolv:

Skipenes herre, Magnus,
modig gikk i kampen
fram helt i den fagre
framstavn; det ble vidspurt.
Stor mink på menn hos jarlen
han gjorde; økte hærfang,
da han og hele hæren
hærskip tok til å rydde.

Til flukt seg jarlen vendte
før den gjæve fyrste
fikk gitt de glupe stridsmenn
fullt grid for liv og lemmer.

Dette slaget stod søndag like før jul*. Så sier Tjodolv:

Den strid som hærmenn førte
hardt imot hinannen,
ble kjempet på en søndag,
snøgt gikk folk til striden.

Da krigsmenn mistet livet,
fløt lik på hver en bølge,
det ble visse døden,
og derpå sank de alle.

Der tok kong Magnus sju skip fra Sveins menn. Så sier Tjodolv:

Sju langskip Magnus ryddet,
sønn til Olav Digre;

med glede Sogne-kvinner
fikk spurt om kongens seier.

Saksene, relingene og rommet mellom framstavnen og masta.
Søndag like før jul, dvs. 18. desember 1043.

Kong Magnus farer med hærskjold over Sjælland.

Og dessuten kvad han:

Mistet har Sveins hærmenn
sin hjemferd, gjæve kriger.
Hard ble hærmannsferden
for hær som drog mot Magnus.

Nå bølgen reist av stormen
bein og skaller ruller
på havsens bunn. Og sjøen
bruser vilt om hærmenn.

Straks om natta rømte Svein til Sjælland med de menn som hadde kommet seg unna og ville følge ham, men kong Magnus la til lands med skipene sine og lot straks om natta mannskapet gå i land. Tidlig morgenen etter kom de ned med stort strandhogg. Det forteller Tjodolv skald:

I går så jeg store steiner
med sterke hender kastet;
av steinsår gapte hauser.
Ustøtt stod deres fylking.

Skipet midt i landet
la vi og gjorde strandhogg.
Svein med ord alene
ikke kan verje landet.

31. Kong Magnus styrte straks med hæren nordover til Sjælland etter Svein. Så snart hæren til Magnus kom dit, flyktet Svein opp på land og hele mannskapet hans. Men kong Magnus satte etter dem og forfulgte dem og drepte alle dem de fikk tak i. Så sier Tjodolv:

Sjællandske møyer spurte
hvem som merket førte.
Sant det var at mange
hadde farget skjold i blodet.

Kvinner måtte rømme
redde gjennom skogen.
Talløse flokker rente
på rappe føtter til Ringsted.

På Skånes raske konge*
kom søleskvett til nakken.
Men gjæve Lundekongen*
i fred får ha landet.

I går over mold og myrer
fløy mange spyd i lufta.
Den sterke jarlens merker
ble slept bortover hauger.

Da flyktet Svein over til Fyn; men kong Magnus fór da med hær-skjold over Sjælland og brente vidt og bredt for dem som hadde slått seg i flokk med Svein om høsten. Så sier Tjodolv:

Jarlen måtte vike
i vinter fra kongesetet.
Det var ikke lite
landvern som du stilte.
Du fikk, gjæve Magnus,
mang en kamp under skjoldet.
Det nesten da var slutt,
på søstersønn til Knut.

Du lot ilden herje
hus, trønders herre!
Du la garder øde,
med ild du harm dem brente!
Høvding-venn! Du ville
med velde hevne på jarlens
følgesvein det farlige
fiendskap! Unna de rente.

32. Så snart kong Magnus fikk greie på hvor Svein var, seilte han med hæren sin over til Fyn. Men straks Svein spurte det, gikk han om bord og seilte av sted og kom fram til Skåne. Derfra fór han til Götaland og siden til sveakongen. Men kong Magnus gikk opp på Fyn, og lot rane og brenne der for mange. Alle de av Sveins menn som var der, rømte bort til alle kanter. Så sier Tjodolv:

Storm fra havet jager
høyt i lufta gnister
fra tjukke eikevegger;
vilt ildebrann freser;
så hus på Fyn brenner
med flammer dobbelt høye.
Tak og never brenner,
nordmenn svir av garder.

Glem ikke, karer, å gjeste
jenter som hører til Sveins menn,
når dere i kamp tre ganger
har gått som seierhelter!
Vi finner nok fagre kvinner
på Fyn; der vi farger våpen.
Fremdeles må i fylking
vi fram i våpenbraket.

Etter dette gav alt folket i Danmark seg under kong Magnus. Det var god fred der resten av vinteren. Da satte kong Magnus sine menn til å styre over alt land der i Danmark. Da det lei utpå våren, fór han med hæren sin nord til Norge og ble værende lenge der om sommeren.

33. Da Svein spurte det, rei han straks ut til Skåne og hadde med seg en stor hær fra Sveavelde. Skåningene tok vel imot ham, og han fikk enda mer folkestyrke hos dem. Så fór han ut til Sjælland, som han la under seg, likeså Fyn og alle smååyene. Men da kong Magnus fikk høre det, samlet han folk og skip og seilte sør til Danmark. Han fikk greie på hvor Svein lå med hæren sin, og da styrte kong Magnus

Skånes konge og *Lundekongen*, d.e. kong Magnus.

imot ham. De møttes en dag i kveldingen på et sted som heter Helganes*. Da slaget tok til, hadde kong Magnus mindre flåte, men skipene var større og hadde bedre mannskap. Så sier Arnor Jarlaskald:

Vidt har jeg hørt at det heter
Helganes der hvor kongen,
den vidkjente ulvemetter,
vant så mange hærskip.

Tusmørket falt da kongen
bad føre skjoldene sammen.
Hele høstnatta gjennom
rygene holdt på med striden.

Striden ble kvass, og da det lei på natta, ble mannefallet stort. Kong Magnus skjøt hele natta med kastevåpen. Det forteller Tjodolv:

Ved stedet som Helganes heter
falt hæren til Svein for spydkast.
Menn som slikt fortjente,
såret sank i døden.

Mørenes herlige konge
mangt et snørespyd sendte.
Landsherren asketre-spydet
på odden farget med blod.

Det er snart å si om dette slaget at kong Magnus fikk seier, men Svein rømte. Skipet hans ble ryddet fra stavn til stavn; alle de andre skipene til Svein ble også ryddet. Så sier Tjodolv:

Redd var ikke jarlen
som rømte ifra hærskipet,
da Magnus slemt det gjorde
for Svein å slippe unna.

Hærkongen farget skarpe
sverdegg rød i blodet;
sverdet ble blodvætet.
Kongen vant seg landet.

Likeså forteller Arnor:

Den djerve Skåning-kongen
skip fra bror til Bjørn tok,*

så mange som han hadde.
Heldig ble den roferd.

Der falt mange av Sveins menn. Kong Magnus og hans menn fikk stort hærfang. Så sier Tjodolv:

Et gøtisk skjold og ei brynje
bar jeg hjem fra striden;
det var min del; i sommer
var sverddønnet sterkt sørpå.

Fine våpen fikk jeg;
jeg sa det forut til kvinna.
Der vant jeg en hjelm, da harde
hærkonge banket daner.

Nå rømte Svein over til Skåne med alt det mannskap som kom seg unna. Kong Magnus og hans hær satte etter og dreiv dem langt opp

---

Helganes, nå Helgenæs sørøst for Århus.
Bjørn, bror til Svein Ulvsson, var jarl i England (død 1049).

i landet, og det ble bare gjort liten motstand av Sveins menn eller av bøndene. Så sier Tjodolv:

Olavs sønn lot hærmenn
inn i landet rykke.
Stridslysten gikk så Magnus
med mannskap gjævt fra skipet.

Djerve høvding i Danmark
herjet; her braker våpen.
Hesten stormer vestfra
over hauger i Skåne.

Siden lot kong Magnus fare med hærskjold over hele bygda. Så sier Tjodolv:

Fram med fart nå merket
til Magnus nordmenn fører.
Tett ved merket går vi;
titt henger skjold ved sida.

Unggutten fram tramper
med fot som ikke glider,
fram til Lund gjennom Skåne,
fagrere veg så jeg aldri.

Siden tok de til å brenne bygda, og alle folk rømte unna lange veger. Så sier Tjodolv:

På jarlens hær vi prøvde
godt nok kalde jernet,
og skåningenes seiersvon
fikk synke brått sammen.
Den røde ilden leiker
overalt i breie bygder;
vi tente ild; men mange
har blåst til og skapt møye.

Den lyse ilden herjer
hvert hus i Danevelde,
med stor fylking brenner
fyrsten breie bygda.

Trøtt av strid jeg bærer
skjold over Danmarks heier.
Vi vinner seier, og såret
Sveins menn renner unna.

Det gamle fynske landet
i fjor lot kongen trampe.
Jeg kryper ikke unna
midt blant kongens hærfolk.
Sveins menn, som nå renner,
kan ikke nekte storverk
gjort av Magnus. I morgen
vi mange merker reiser.

Svein rømte da øst i Skåne. Kong Magnus gikk så til skipene sine og styrte siden mot øst langs Skånesida. Han hadde gjort seg ferdig i en snarvending. Da kvad Tjodolv dette:

Jeg har ikke annet å drikke
når her jeg er med kongen,
enn havets salte bølge,
en slurk av den jeg suger.

Her framfor oss nå ser vi
den store Skånesida.
For svearne reddes vi ikke.
Stort slit vi tåler for kongen.

Svein rømte opp i Götaland og drog siden til sveakongen og var der om vinteren i akt og ære.

34. Kong Magnus snudde da han hadde lagt under seg Skåne. Han seilte først til Falster, gikk opp der og herjet. Han drepte mange folk som før hadde gått under Svein. Det forteller Arnor:

Kongen nå lot hevne
helt ut svik av daner.
Den djerve kongen felte
Falsterhæren i harme.

Den unge kriger samlet
til ørnene tunge dynger
av lik; men hirdmenn gjerne
hjalp da ørnevennen.

Siden seilte kong Magnus med hæren sin til Fyn og herjet og vant stort hærfang der. Så sier Arnor Jarlaskald:

Så på Fyn den djerve
farget merkene røde
da for sitt land han stridde;
for svik måtte folket bøte.

Folk kan tenke etter,
hvilken tjueårs konge
har mettet ravnen så rikt.
Fyrsten har gavmildt hjerte.

35. Den vinteren satt kong Magnus i Danmark, og da var det god fred. Han hadde hatt mange slag i Danmark og hadde fått seier i alle. Odd Kikinaskald sier så:

Kort før mikkelsmesse
striden malmhard vaktes.
Vender falt; og mange
ble vant til våpenlarmen.

Men litt før jul et annet
voldsomt larmende kampting
ble holdt der sør ved Århus;
hard ble strid for hærmenn.

Likeså sier Arnor:

Olavs sønn! Du gir meg emne
når ord jeg bruke vil i sanger.
Blodet lar du ravner drikke.
Herre, rett nå kvedet vokser.

Djerve konge, du som modig
kløyver skjolder; fire strider
har du kjempet samme vinter;
seierrik med rett du kalles.

Tre slag holdt kong Magnus med Svein Ulvsson. Så sier Tjodolv:

Med lykke førtes striden
til slutt, som Magnus ville.
Og meg gir kongen emne
til kvad om seiervinning.

Sverdet trøndernes fyrste
farget rødt, og stadig
siden i tre slag han
seier vant fullstendig.

36. Nå rådde kong Magnus over både Danmark og Norge. Da han hadde lagt under seg Danmark, skikket han sendemenn vest til England. De drog til kong Edvard og gav ham brev med segl under fra kong Magnus. I brevet stod det med hilsen fra kong Magnus: «De har sikkert hørt om den avtalen som jeg og Horda-Knut gjorde oss imellom, at når den ene av oss døde sønneløs, skulle den som levde lengst, ta i arv land og folk etter den andre. Nå har det båret så til, som jeg vet De har hørt, at jeg har tatt hele Danevelde i arv etter Horda-Knut. Da han døde, hadde han England likeså vel som Dan-

Svein flykter opp i Skåne.

mark. Nå gjør jeg krav på å eie England etter rette avtaler. Jeg vil at du skal gi opp riket til meg, men i annet fall skal jeg komme dit med hærmakt både fra Danevelde og fra Norge. Da får den rå over landene som skjebnen vil unne seier.»

37. Da kong Edvard hadde lest dette brevet, svarte han slik: «Det er kjent for alle her i landet at kong Adalråd, min far, var odelsbåren til dette riket, både etter gammel og etter ny lov. Vi var fire sønner etter ham. Da han hadde falt ifra, tok min bror Edmund riket og kongedømmet, fordi han var den eldste av oss brødrene. Det var jeg vel nøyd med så lenge han levde. Men etter ham tok min stefar, kong Knut, riket. Det var ikke lett å kreve det så lenge han levde. Men etter ham var min bror Harald konge så lenge han fikk lov til å leve. Men da han døde, rådde min bror Horda-Knut for Danevelde; den gang syntes det å være det eneste rettferdige brorskifte mellom oss, at han skulle bli konge både over England og over Danmark; men jeg fikk ikke noe rike å rå for. Så døde han, og alt folket her gjorde da vedtak om å ta meg til konge her i England.

Så lenge jeg ikke bar kongsnavn, gjorde jeg ikke mine høvdinger tjeneste på noen mer storslått måte enn de menn som ikke var ættbårne til riket her. Nå har jeg tatt kongsvigsel her og kongedømmet fullt ut slik som min far hadde før meg; og nå vil jeg ikke gi opp dette navnet så lenge jeg er i live. Men om kong Magnus kommer hit til landet med hæren sin, da vil jeg ikke samle en hær mot ham, og det skal stå ham fritt å legge under seg England når han først har tatt meg av dage. Si ham mine ord slik.» Så fór sendemennene tilbake og kom til kong Magnus og sa hvordan alt hadde gått. Kongen svarte langsomt og sa så: «Jeg tror det er rettest og høveligst å la kong Edvard ha sitt rike i ro for meg, men holde fast ved det riket som Gud har latt meg få.»

Harald Hardrådes saga

IGURD SYRS SØNN Harald, bror til Olav den hellige på morssida, var med i slaget på Stiklestad da kong Olav den hellige falt. Da ble Harald såret, og han kom seg bort med andre som flyktet. Så sier Tjodolv:

Nær Haug den harde kampstorm
jeg hørte dreiv mot kongen.
Men djerve bulgar-brenner*
broren gav god støtte.

Fra døde Olav fyrsten   da han femtenårig
ikke gjerne skiltes   flyktet og seg skjulte.

Ragnvald Brusason fikk Harald ut av slaget og tok ham med til en bonde i skogen langt fra andre folk. Der fikk Harald pleie til han ble frisk. Siden fulgte sønn til bonden ham østover Kjølen, og de fór skogsvegene overalt der de kunne, og ikke allmannsvegen. Bondesønnen visste ikke hvem han fulgte; og da de rei mellom noen ødeskoger, kvad Harald dette:

Fra skog til skog jeg rømmer;   Hvem vet om jeg ikke vinner
med skam jeg fram meg lurer.   et navn i den vide verden?

Han fór øst igjennom Jemtland og Helsingland og så til Svitjod; der fant han Ragnvald Brusason og mange andre av kong Olavs menn, som hadde kommet seg unna fra slaget på Stiklestad.

2. Våren etter fikk de seg skip og reiste om sommeren øst til Gardarike til kong Jarisleiv og var der om vinteren. Så sier Bolverk:

Høvding, sverdegg strøk du   Men året etter var du
da striden du gikk bort fra.   øst i Gardarike;
Rått kjøtt gav du ravnen;   ingen fredens fiende
rundt om tutet ulven.   fremre enn deg jeg kjenner.

Kong Jarisleiv tok vel imot Harald og hans følge. Nå ble Harald høvding over kongens landvernsmenn, og nest ham stod Eiliv, sønn til Ragnvald jarl. Så sier Tjodolv:

Bulgar-brenner ble Harald kalt fordi han i 1041 deltok i kamp mot bulgarerne, for den greske keiser.

Da de rei mellom noen ødeskoger, kvad Harald.

Hvor Eiliv var,
høvdingpar
i svinfylking* god
sammen stod.

De østvender tvang
i krok så trang;
for læser* ei lett
falt hærmannsrett.

Harald var i Gardarike noen år og fór vidt omkring i austerveg. Siden gav han seg på veg ut til Grekenland og hadde stort følge med. Da drog han til Miklagard*. Så sier Bolverk:

Snøgt førte svale vinden
svarte hærskip langs landet;
de seilte stolt av gårde
med fagre seil og panser.

Miklagards gjæve fyrste
så stavnens jernband skinne.
Mange barmfagre langskip
la til brygga i byen.

3. Den tid rådde dronning Zoe den mektige for Grekenland, og med henne Mikael Katalaktes*. Da Harald kom til Miklagard til dronninga, tok han tjeneste i hæren der og fór straks om høsten ut på galeiene sammen med de hærmenn som skulle ut i Grekenlandshavet. Harald hadde et følge med seg av sine egne menn. Da var det en høvding over hæren som het Gyrge*; han var frende til dronninga. Men Harald hadde bare vært en kort stund i hæren, før væringene* tok til å holde seg mye hos ham, og når det var kamp, stod de alle i én flokk. Det ble da til det at Harald ble høvding over

Svinfylking var en hæravdeling oppstilt i kile.
Læserne var et polsk folk ved Weichsel.
Miklagard er det norrøne navnet på Bysants (Konstantinopel).
Mikael Katalaktes styrte sammen med Zoe 1034-1041.
Gyrge, dvs. Georgios Maniakes, kjent bysantinsk hærfører i tida 1033-1040.
Væringene var de nordiske leiesoldatene i livgarden til den greske keiseren.

alle væringene. Gyrge og hans folk fór rundt omkring mellom de greske øyene og herjet mye der med hærskipene sine.

4. Det var en gang som de hadde reist over land og skulle ta seg natteleie ved noen skoger, og væringene kom først til nattstedet og valgte for seg de teltplasser som de så var best, og som lå høyest til. For det er slik der at landet er bløtt, og så snart det kommer regn, er det vondt å holde til på de steder som ligger lavt til. Da kom Gyrge, høvdingen for hæren, og da han fikk se hvor væringene hadde slått telt, bad han dem gå bort og telte et annet sted, og sa at han ville telte der. Da svarte Harald: «Når dere kommer først dit vi skal ligge natta over, så tar dere ut nattsted, og så får vi slå telt på et annet sted, som vi liker. Gjør nå dere også slik, slå telt der dere vil, på et annet sted. Jeg har trodd at væringene hadde den rett her i riket til grekerkongen, at de skulle rå seg sjøl og være frie i alle ting for alle menn, og bare være skyldige til å tjene kongen og dronninga.» Dette trettet de hissig om, helt til de væpnet seg på begge sider, og det var ikke langt ifra at de hadde tatt til å slåss. Da kom noen av de klokeste mennene til og skilte dem. De sa at det var høveligst at de ble forlikt om dette, og at de gjorde en grei avtale seg imellom, så de ikke skulle få slik krangel om dette oftere. Det kom så til et tingingsmøte mellom dem, og de beste og klokeste menn styrte møtet.

På dette møtet ble etter deres råd alle enige om at de skulle kaste lodder i et klede, og så skulle loddet avgjøre mellom grekere og væringer, hvem som skulle ri og ro først eller først legge i havn eller velge teltplass. Hver av partene skulle så være fornøyd med det som loddet gav. Så ble det gjort lodder, og de ble merket. Da sa Harald til Gyrge: «Jeg vil se hvordan du merker ditt lodd, så vi ikke merker loddene på samme måten.» Han gjorde så. Etterpå merket Harald sitt lodd og kastet det i klesplagget, og det samme gjorde Gyrge.

Den mannen som skulle ta opp loddet, tok opp et og holdt det mellom fingrene, løftet opp handa og sa: «Disse skal ri og ro først, og først velge seg havneplass og teltplass.» Harald greip ham i handa, tok loddet og kastet det i sjøen, og så sa han: «Dette var vårt lodd.» «Hvorfor lot du ikke flere se det?» sa Gyrge. «Se nå,» sa Harald, «på det som er igjen. Der vil du nok kjenne igjen merket ditt.» Så så de etter på det loddet, og alle kjente merket til Gyrge. På den måten ble det avgjort at væringene skulle ha rett til å velge i alt de kom til å trette om. Det var flere ting som de ikke var forlikt om, men det gikk støtt slik at Harald fikk sin vilje.

5. Om sommeren fór de alle i lag og herjet. Når hele hæren var samlet, lot Harald sine menn være utenfor slaget eller der det var minst fare; og han sa at han ville vare seg, så han ikke mistet mannskapet sitt. Men når han var alene med folkene sine, la han seg så hardt i kampen at han måtte få enten seier eller bane. Det bar ofte til slik når Harald var høvding over hæren, at han vant seier, men at Gyrge ikke vant. Dette la hærmennene merke til, og de sa at det skulle gå bedre for dem dersom Harald alene var høvding over hele

hæren. De klandret hærføreren fordi det ikke ble noe av med ham eller hans folk. Gyrge sa at væringene ikke ville hjelpe ham, og han bad dem reise til et annet sted og utrette det de kunne, så skulle han fare med resten av hæren. Da tok Harald bort fra hæren og med ham væringene og latinmennene*. Gyrge fór så med grekerhæren. Det viste seg da hva hver av dem kunne makte. Harald fikk støtt seier og hærfang, men hjem til Miklagard fór grekerne så nær som ungguttene, som gjerne ville vinne gods. De samlet seg om Harald og tok ham til fører. Da drog han med hæren sin vest til Afrika, som væringene kaller Serkland, og da økte flokken sterkt. I Serkland vant han åtti byer; noen overgav seg, og andre tok han med storm. Siden drog han til Sikiløy*. Så sier Tjodolv:

Den unge gavmilde fyrsten   *før den unge stridsmann,*
kastet seg ut i faren.   *han som skremte serker,*
Åtti byer tok han   *skjolddekt tok opp striden*
på sitt tog i Serkland,   *på Sikiløys flate sletter.*

Så sier Illuge Bryndølaskald*:

Med våpen for gjæve Mikael   Vi vet at sønn til Budle*
vant du Sørlanda, Harald.   bad til seg sine måger.

Her er det sagt at den tid var Mikael konge over grekerne. Harald var mange år i Afrika og fikk mye løsøre, gull og allslags kostbarheter. Og alt det gods som han fikk, og ikke trengte til å greie utleggene sine med, sendte han med folk han kunne lite på, nord til Holmgard til kong Jarisleiv, som skulle styre og stelle med det; og der samlet det seg sammen en uendelig rikdom, som ventelig var, når han herjet på den del av verden som var rikest på gull og kostbarheter, og når han gjorde så store ting som det at han vant åtti byer, slik som vi alt har fortalt, og som er sikkert og visst.

6. Da Harald kom til Sikiløy, herjet han der og la seg der med hæren sin ved en stor og folkerik by. Han kringsatte byen, for den hadde sterke murer, så han fant det ikke rimelig at han kunne ta den med storm. Bymennene hadde nok av mat og andre ting som de trengte til forsvar. Da fant han på det at fuglefangerne hans tok noen småfugler, som hadde reir i byen, når de fløy ut i skogen om dagen etter mat. På ryggen til fuglene lot Harald binde høvelsponer av tyrived, smurte på voks og svovel, og så tente han ild på. Så snart fulgene slapp løs, fløy de alle på en gang inn i byen til ungene sine og reirene, som de hadde i hustakene; de var tekt med siv eller halm. Da tok ilden fra fuglene fatt i hustakene, og enda hver fugl hadde

Latinmennene, krigere fra Italia og Frankrike.
Sikiløy, dvs. Sicilia.
Illuge Bryndølaskald, dvs. skalden fra Brynjudalr (på Sørvest-Island?).
Sønn til Budle er i Edda-diktningen kong Atle, som bad til seg Gunnar og Hogne for å drepe dem. – De to siste linjene hører med til diktets omkved.

Haralds menn fanger småfugler fra borgen.

bare lite ild med seg, ble det snart til en stor brann, fordi det var mange fugler som bar den med seg til hustakene i byen. Snart brant det ene huset etter det andre, like til hele byen stod i lys lue. Da gikk alt folket ut av byen og bad om miskunn, de samme som i forvegen mang en gang hadde skrytt og hånet grekerhæren og høvdingene over den. Harald gav grid til alle menn som bad om det, og byen kom så under hans makt.

7. Det var en annen by som Harald la seg ved med hæren sin. Den var både folkerik og hadde sterke festningsverker, så det var ingen utsikt til at de kunne ta den med storm. Det var harde og slette marker omkring byen. Da satte Harald folk til å grave ei grøft fra et sted det rant en bekk; der var det et dypt gjel, så de ikke kunne se det fra byen. De kastet jorda ut i vannet og lot strømmen føre den bort. Med dette arbeidet holdt de på både dag og natt, i flere skift. Men hæren gikk hver dag inn mot byen; bymennene gikk til skyte-gluggene, og partene skjøt på hverandre. Da Harald skjønte at gangen under jorda var så lang at den gikk inn under bymuren, lot han hæren væpne seg. Det var mot dag da de gikk inn i jordgangen. Da de kom til enden, grov de opp over hodet på seg til de støtte på steiner som var murt sammen med kalk; det var golvet i en steinhall. Så brøt de opp golvet og gikk opp i hallen. Der var det mange av bymennene, som satt og åt og drakk. Og dem kom ulykken brått og uventet over, for væringene gikk på med dragne sverd; der drepte de noen med én gang, men de rømte, de som kunne. Væringene satte etter dem, men noen tok og lukket opp byporten, og der gikk hele stormengden av hæren inn. Da de kom inn i byen, rømte byfolket,

men mange bad om grid, og det fikk alle som overgav seg. På denne måten la Harald under seg byen og med den en endeløs mengde gods.

8. Den tredje byen de kom til, var den største og sterkeste av alle byene både på gods og på folk. Omkring denne byen var det store diker, så de skjønte at de ikke kunne vinne den med slike knep som de hadde vunnet de andre byene med. Lenge lå de der, men kom ingen veg. Da bymennene skjønte det, ble de djervere. De satte fylkingene sine opp på bymurene; så lukket de opp byportene og ropte til væringene, egget dem og bad dem gå inn i byen; men de var ikke modige nok, sa de, og de var ikke bedre til å slåss enn høns.

Harald bad mennene sine late som de ikke skjønte det de sa. «Vi vinner ingenting,» sa han, «om vi så renner inn i byen. De kan kaste ned på oss under føttene på seg sjøl. Og om så vi kommer inn i byen med en flokk, så er det ingen sak for dem å stenge inne så mange de vil, og stenge de andre ute, for de har satt vakt ved alle byportene. Vi skal gjøre likså mye narr av dem, og la dem se at vi ikke er redde for dem. Våre menn skal gå fram på markene så nær byen som råd er, men ta seg i vare for å komme innen skuddmål for dem. Alle våre menn skal gå våpenløse og drive på med leik, og la bymennene se at vi ikke vører fylkingene deres.» Og så gikk det på den måten i noen dager.

9. Det er nevnt noen islandske menn som var med kong Harald der. Den ene var Halldor, sønn til Snorre gode, det var han som tok med seg disse frasagnene hit til landet. Den andre var Ulv, sønn til Ospak, som igjen var sønn til Osviv den spake. Begge to var framifrå sterke og våpendjerve menn, og de var gode venner med Harald. Begge to var med i leiken. Da de hadde holdt på slik noen dager, ville bymennene vise at de torde våge seg til å gjøre enda mer, og så gikk de våpenløse opp på bymurene, men lot likevel portene stå åpne. Da væringene så det, gikk de en dag til leiken med sverd under kappene og hjelm under hattene. Da de så hadde holdt leik en stund, skjønte de at bymennene ikke hadde noen mistanke, og så tok de fort våpnene og stormet mot byporten.

Men da bymennene fikk se det, gikk de modig imot dem, og de også var fullt væpnet. Så kom det til kamp i byporten. Væringene hadde ingen skjold, men de tullet kappene om venstre arm. De ble såret, og noen falt, og alle var i stor nød. Harald og de menn som var med ham i leiren, kom til for å hjelpe sine folk. Men da hadde bymennene kommet seg opp på bymurene, og de skjøt og kastet stein på dem. Det ble en hard strid. De som var i byporten, syntes at det ikke gikk så fort med hjelpen som de kunne ønske. Da Harald kom til byporten, falt merkesmannen hans. Da sa han: «Halldor, ta opp merket!» Halldor tok opp merkesstanga og svarte vettløst: «Hvem vil bære merket for deg, når du følger det så stakkarslig som nå en stund?» Dette var mer sagt i sinne enn sant, for Harald var så våpendjerv som noen. Så trengte de inn i byen, og der ble det et hardt slag; men enden på det ble at Harald fikk seier og tok byen.

Så kom det til kamp i byporten mellom væringene og bymennene.

Halldor ble stygt såret, han fikk et stort sår i ansiktet, og det skjemte ham alle hans levedager.

10. Den fjerde byen Harald kom til med hæren sin, var større enn alle de vi nå har fortalt om; den hadde så sterke festningsverker at de skjønte det ikke var noen utsikt til at de kunne ta den med storm. Da la de seg om byen og kringsatte den slik at det ikke kunne komme noen tilførsel til den. Da de hadde vært der en liten stund, ble Harald sjuk, så han måtte gå til sengs. Han lot sette teltet sitt et stykke borte fra de andre teltene, for han syntes han trengte ro, så han ikke hørte gny og ståk fra hæren. Mennene hans kom ofte flokkevis til ham og spurte om råd. Bymennene skjønte at noe gikk for seg blant væringene. De sendte ut speidere for å få greie på hva dette kunne være. Men da speiderne kom tilbake til byen, kunne de fortelle at høvdingen for væringene var sjuk, og derfor gikk de ikke til angrep på byen. Da det hadde gått en stund slik, minket Haralds krefter, så mennene hans ble rent hugsjuke og sørgmodige. Alt dette fikk bymennene greie på. Til slutt tok sjukdommen Harald så hardt at det ble sagt over hele hæren at han var død. Da gikk væringene av sted og talte med bymennene, og sa dem at høvdingen var død, og de bad prestene gi ham ei grav i byen.

Da bymennene fikk greie på dette, var det mange der som rådde for kloster og andre store kirkelige stiftelser i byen, og hver av dem ville gjerne ha dette liket til sin kirke, for de visste at det ville følge stort offer med. Hele mengden av prester kledde seg i sitt skrud og gikk ut av byen med skrin og helligdommer og gjorde en fager prosesjon. Væringene gjorde også en stor likferd. Likkista ble båret høyt, den var kledd med pell, og over den ble båret mange faner. Men da den ble båret slik inn gjennom byporten, satte de ned kista på tvers av portåpningen. Så blåste væringene hærblåst i alle lurene sine og drog sverdene, og hele væringhæren stormet ut av leiren med full væpning og sprang til byen med skrik og rop. Munkene og de andre geistlige som hadde gått ut i denne likferden, og som hadde kappes med hverandre om å komme først ut og ta imot offeret, de fikk nå kappes dobbelt så mye om å komme lengst bort fra væringene, som drepte hver den som stod dem nærmest, enten han var klerk eller uvigd mann. Slik fór væringene omkring i hele denne byen, at de drepte folket og plyndret alle kirker i byen og tok en umåtelig mengde gods.

11. Harald var mange år på denne hærferden som vi nå har fortalt om, både i Serkland og på Sikiløy. Siden fór han tilbake til Miklagard med hæren og var der en stund før han gav seg på ferd til Jorsalaheim. Både han og alle væringer som slo følge med ham, lot bli igjen det gull som de hadde fått i lønn av grekerkongen. Det blir fortalt at Harald på disse ferdene hadde atten store slag. Så sier Tjodolv:

Alle vet det at Harald   *Navngjetne konge, du farget,*
har atten harde strider   *før du fór hit til landet,*
kjempet; høvdingen ofte   *ørneklørne røde.*
har brutt fred og forlik.   *Ulven får mat der du ferdes.*

12. Harald fór med hæren sin ut til Jorsalaland, og siden over til Jorsalaborg. Hvor han kom i Jorsalaland, gav alle byer og kasteller seg under hans makt. Så sier Stuv skald, som hadde hørt kongen sjøl fortelle om disse hendingene:

Den sverddjerve modige fyrsten   *Uten motstand og ubrent*
fór så bort fra greker   *gav landet snart seg under*
for å legge under seg Jorsal;   *den mektige hærmanns velde.*
folket lovte å lyde.   *Må ha hvor det er godt å være!**

Her er det sagt at dette landet kom ubrent og uherjet i Haralds makt. Så gikk han til Jordan og lauget seg der, slik som andre pilegrimer hadde for skikk. Harald gav store gaver til Herrens grav og til det hellige kors og til andre helligdommer i Jorsalaland. Han fredet vegen helt ut til Jordan og drepte røvere og annet ufredsfolk. Så sier Stuv:

Egdekongen virket   *på begge sider av Jordan,*
med råd og ord så vrede   *gjorde slutt på svik og voldsdåd.*

Denne siste linja hører som omkved sammen med siste linje av neste vers og av tredje vers i kap. 34 (s. 502) slik: Gid Haralds sjel må ha i himmelen evig opphold hos Kristus, hvor det er godt å være.

Harald og væringene kommer til Jordans bredd.

For brottsverk de var skyld i,   straffet ble de av kongen.
bøte hardt de måtte,   Hos Kristus evig opphold!

Så reiste han tilbake til Miklagard.

13. Da Harald var kommet til Miklagard fra Jorsalaland, lengtet han etter å fare til Norderlanda til odelseiendommene sine. Da hadde han fått vite at Magnus Olavsson, brorsønn hans, var blitt konge i Norge og dessuten i Danmark; så sa han opp tjenesten hos den greske kongen. Men da dronning Zoe fikk greie på dette, ble hun svært harm og reiste klagemål mot Harald, og sa at han nok hadde gjort svik med det godset til den greske kongen som de hadde vunnet på hærferd da Harald hadde vært høvding over hæren.

Det var ei ung og vakker møy som het Maria og var brordatter til dronning Zoe. Til denne møya hadde Harald fridd, men dronninga hadde sagt nei. Så har væringene fortalt her nord, de som har vært og gjort tjeneste i Miklagard, at det ordet gikk der blant folk som kjente til det, at dronning Zoe sjøl ville ha ham til mann, og at den rette grunnen til klagemålet mot Harald var den at han ville fare bort fra Miklagard, enda det ble hevdet noe annet til folket. Da var han grekerkonge som het Konstantinus Monomakus*; han styrte riket sammen med dronning Zoe. På grunn av disse klagemålene lot grekerkongen gripe Harald og føre ham til et fengsel.

14. Da Harald var kommet nesten fram til fengslet, viste den hellige Olav seg for ham og sa at han ville hjelpe ham. Der i stretet ble seinere bygd et kapell*, som ble innvigd til kong Olav, og dette kapellet har stått der siden. Fengslet var bygd slik at det var et høyt tårn der som var åpent oventil, og ei dør til å gå inn fra bystretet. Der ble Harald satt inn og sammen med ham Halldor og Ulv. Natta

Konstantin Monomachos var keiser 1042-1054.
Kapell til kong Olav. Et slikt kapell er ukjent.

etter kom det ei fornem kvinne opp i fengslet; hun hadde gått opp på noen stiger sammen med to tjenere. De firte ned et tau i fengslet og drog dem opp. Denne kvinna hadde den hellige Olav en gang gitt hjelp, og nå hadde han vist seg for henne og sagt at hun skulle fri hans bror ut av fengslet. Harald gikk med én gang til væringene, og alle stod opp da han kom, og tok imot ham med glede. Så væpnet hele hæren seg og gikk dit kongen lå og sov. De greip kongen og stakk ut begge øynene på ham. Så sier Torarin Skeggjason i sin dråpa:

Gull vant gjæve høvding,
men Grekenlands store konge

fikk mein for hele livet;
han leve måtte steinblind.

Så sier også Tjodolv skald:

Ut lot krigerhøvding
begge øyne stikke
på Grekenlands stolkonge.
Stridens tid var inne.

Egdefyrsten merket
østpå djerve kongen
med et grusomt lyte.
Leit det gikk med kongen.

I disse to dråpaene om Harald og i mange andre kveder om ham er det fortalt at Harald blindet sjølve grekerkongen; og de hadde vel sagt at den som blindet ham, var en hertug eller en greve eller en annen fyrstelig mann, om de hadde visst at dette var rettere; for det er Harald sjøl og de andre mennene som var med ham der, som har fortalt om dette.

15. Samme natt gikk Harald og mennene hans til det huset Maria sov i, og tok henne bort med makt. Så gikk de ned til væringenes galeier og tok to galeier og rodde inn i Sjåvidarsund*. Da de kom der det lå jernlenker tvert over sundet, sa Harald at mennene skulle sette seg til årene på begge galeiene, og at alle de menn som ikke rodde, skulle springe akterut på galeiene, og hver skulle holde sin skinnsekk i fanget. Slik rente galeiene opp på jernlenka. Så snart de stod fast, og farten tok av, bad han alle sammen springe forut. Da stupte den forover den galeien som Harald var på, og ved overvekta forut glei den av jernlenka; men den andre galeien sprang lekk da den ble hengende på jernlenka; mange folk druknet der, men noen som lå og svømte, ble tatt opp.

På denne måten kom Harald seg ut av Miklagard, og så seilte han inn i Svartehavet. Men før han seilte ut, satte han jomfrua i land og gav henne godt følge tilbake til Miklagard. Han bad henne spørre Zoe, sin frende, hvor stor makt hun hadde over Harald, og om dronninga hadde makt til å hindre ham i å få tak i jomfrua. Dermed seilte Harald nord til Ellipaltar* og fór derfra gjennom hele Russ-

---

Sjåvidarsund, dvs. «Det gylne horn» mellom Konstantinopel og Galata.
Ellipaltar, munningen av elva Dnjepr.

land. På disse ferdene diktet Harald noen skjemteviser, seksten i alt, og alle med samme omkved. Den ene lyder så:

Langs Sikiløy skar snekka,
stolt seilte vengebåten,
om bord var menn så djerve,
vi byrge var med rette.

Og sikkert ingen stakkar
på slik hærferd seg våger.
Men møya i Gardarike
meg likevel vil vrake*.

Med dette siktet han til Ellisiv, datter til kong Jarisleiv i Holmgard.

16. Da Harald kom til Holmgard, tok kong Jarisleiv særlig godt imot ham, og han var der om vinteren. Han overtok da sjøl alt det gullet og de mange slags kostbarheter som han hadde sendt dit fra Miklagard. Det var så mye gods at ingen mann nord i landene hadde sett slikt i én manns eie. Tre ganger hadde Harald tatt del i polutasvarv* mens han var i Miklagard. Det er lov der at hver gang grekerkongen dør, skal væringene ha polutasvarv. Da skal de gå gjennom alle palassene til kongen, der hans skattkammer er, og hver og en får da fritt ta det som han kan få fatt i med hendene.

17. Den vinteren giftet kong Jarisleiv sin datter med Harald; hun het Elisabet, og nordmennene kaller henne Ellisiv. Dette omtaler Stuv den blinde:

Egdenes stridsglade høvding
fikk svogerskap som han ville.

Mennenes venn fikk gullet
i mengde og datter til kongen.

Mot våren gav han seg på veg fra Holmgard og fór om våren til Aldeigjuborg. Der fikk han seg skip og seilte vestover om sommeren. Først reiste han til Svitjod og la inn til Sigtuna. Så sier Valgard fra Voll*:

Fagrest last du hadde
fått med på skipet, Harald.
Gull du førte fra Gardar.
Fullt av heder du høster.

Herlige konge, du styrte
snøgt i den harde stormen.
Skipene duvde, og Sigtun
så du da sjøsprøyten sluttet.

18. Der møtte Harald Svein Ulvsson; den høsten hadde han flyktet for kong Magnus ved Helganes. Da de møttes, hilste de glade på hverandre. Sveakongen Olav Svenske var morfar til Ellisiv, Haralds hustru, og Sveins mor Astrid, var søster til kong Olav. Harald og Svein sluttet forbund og bandt det med faste avtaler. Alle svearne var Sveins venner, for han hadde den gjæveste ætt der i landet. Derfor ble alle svear venner og hjelpesmenn for Harald også. Mange stormenn der var bundet til ham ved svogerskap. Så sier Tjodolv:

Men møya . . .vil vrake; dette er omkvedet som blir gjentatt ved hvert vers.
Polutasvarv, dvs. ferd gjennom palasset og skattkamrene til keiseren av Konstantinopel.
Voll, garden Völlur i Rangárvallasýsla på Sør-Island.

Øst fra Gardar pløyde
eikekjølen bølgen.
Djerve konge, siden
svearne deg støttet.

Haralds skip fikk lute,
tyngd i le av gullet,
under breie seilet.
Storm om høvding suste.

19. Siden rådde de seg hærskip, Harald og Svein, og det samlet seg snart en stor hær hos dem. Da hæren var rustet, seilte de vestover til Danmark. Så sier Valgard:

Kampglade konge! Skipet
suste under deg siden
bort fra Svitjod. Din odel
var deg eslet med rette.

I topp var seilet heist opp,
hen langs det flate Skåne
du seilte. Danske kvinner
du satte skrekk i barmen.

De la først til Sjælland og herjet og brente vidt og bredt der. Så satte de over til Fyn; der gikk de opp og herjet. Så sier Valgard:

Harald! Hele Sjælland
herjet du. Da ulven
fort fant veg til valplass.
Kongen fienden knuser.
Mannsterk fyrsten siden
gikk til Fyn, gav hjelmer
brått en mengde arbeid.
Med brak brast skjold i stykker.

Sør for Roskilde bygder
den bjarte ilden brente.
Til grunn lot kongen rive
røyk-omspente garder.

Landets menn i mengde
lå liv og frihet røvet.
Med sorg i sinn da folket
stilt flyktet inn i skogen.

Flokken måtte spredes,
og sinket ble da somme.
De menn som levde etter,
liv ved flukten berget.

Da ble fagre kvinner
til fange tatt og bundet;
på veg til fartøy lenker
gnog fagre kvinnekroppen.

20. Kong Magnus Olavsson styrte høsten etter Helganesslaget nord til Norge. Da hørte han de tidender at Harald Sigurdsson, frenden hans, hadde kommet til Svitjod, og likeså det at han og Svein Ulvsson hadde sluttet forbund og hadde ute en stor hær, og eslet seg til å legge under seg Danevelde og siden Norge. Kong Magnus bød ut leidang fra Norge, og det samlet seg snart en stor hær hos ham. Da fikk han greie på at Harald og Svein hadde kommet til Danmark og brente og svidde av overalt, og at folket i landet mange steder gav seg under dem. Det ble også sagt at Harald var større og sterkere enn andre menn, og så klok at han kunne greie alt, og at han alltid fikk seier når han kom i slag. Han var også så rik på gull at ingen kjente maken til det. Så sier Tjodolv:

At freden vil vare lenger
venter mennene neppe.
Folk med grunn kan frykte
når flåter er utfor landet.

I strid går Magnus gjerne;
han styrer med flåten nordfra.
Og sørfra gjæve Harald
hærskip ruster til kampen.

Harald og Svein herjer i Sjælland.

21. Mennene til kong Magnus, de som han var vant til å rådslå med, sa at de syntes det ville se ille ut om han og hans frende Harald skulle stå hverandre etter livet. Mange bød seg til å fare og prøve på å få forlik mellom dem. Og de fikk overtalt kongen til å samtykke i det. Da sendte de noen menn på ei snarseilende skute, og de seilte så fort de kunne, sør til Danmark. Der fikk de noen danske menn som fullt ut var venner til kong Magnus, til å bære fram dette ærendet for Harald. Denne saken ble fremmet så stilt som mulig. Da nå Harald hørte at kong Magnus, hans frende, ville by ham forlik og forbund, slik at Harald skulle få halve Norge med Magnus, og at de skulle skifte løsøret likt seg imellom, da sa Harald for sin part ja til dette forlikstilbudet. Bud om denne avtalen gikk så tilbake til kong Magnus.

22. Kort tid etterpå var det at Harald og Svein satt og talte sammen en kveld ved drikken. Svein spurte hvilken kostbarhet Harald syntes mest monn i av dem han hadde. Han svarte så at det var merket hans Landøydan. Da spurte Svein hva det var for noe med dette merket siden det var slik en dyrverdig ting. Harald svarte at det var sagt at den alltid skulle få seier som dette merket ble båret for, og han sa at det hadde gått slik fra den tid han fikk det. Svein svarer: «Dersom du holder tre slag mot kong Magnus, frenden din, og vinner i alle tre, da skal jeg tro at merket har denne natur.»

Da svarte Harald i sinne: «Jeg kjenner vel til frendskapen min med kong Magnus, uten at du minner meg om den. Og om vi nå farer mot hverandre med hærskjold, så er det ikke derfor sagt at vi ikke skal møtes siden på en høveligere måte.» Da skiftet Svein farge og sa: «Det er noen som sier det, Harald, at du har gjort slik før, at du bare holder det av avtalene dine, som du synes kan nytte deg sjøl best.» Harald svarte: «Mindre ofte torde *du* vite at jeg ikke har holdt

Harald og Svein talte sammen en kveld ved drikken.

avtaler, enn *jeg* vet at kong Magnus ville si at *du* ikke har holdt avtaler med ham.» Og så gikk de til hver sin kant.

Om kvelden da Harald gikk og skulle sove i løftingen på skipet sitt, sa han til skosveinen: «Nå vil jeg ikke ligge på soveplassen min i natt, for jeg har mistanke om at ikke alt her er uten svik. I kveld merket jeg at Svein, mågen min, ble ikke lite harm over at jeg talte fritt ut. Du skal holde vakt, om det hender noe i natt.» Så gikk Harald et annet sted og la seg, men la en trestabbe der han sjøl skulle ha hvilt. Om natta rodde det en båt inn til løftingen, og det gikk en mann opp og sprettet opp tjeldet over løftingen; og så gikk han opp og hogg med ei stor øks i soveplassen til Harald, så den stod fast i trestabben. Så sprang mannen med én gang ut i båten – det var belgmørkt – og rodde straks bort. Men den øksa mannen hadde brukt, var et sikkert bevis, for den stod fast i treet. Så vekte Harald mennene sine og lot dem vite hva svik de hadde vært ute for. «Det kan vi se,» sa han, «at vi ikke har mannskap nok her mot Svein når han slår seg på svik imot oss. Det er nok det beste for oss at vi kommer oss bort herfra mens vi ennå har høve til det. La oss løse skipene våre og ro lønnlig bort.» Det gjorde de så og rodde om natta nordetter langs land. De fór dag og natt like til de møtte kong Magnus der han lå med hæren sin. Så gikk Harald til kong Magnus, frenden sin, og det var stor glede på begge sider over dette møtet, så som Tjodolv sier:

Vidkjente høvding, bølgen
fikk brytes mot skipssida
da du fra øst mot Danmark
de dyre hærskip styrte.

Men halvt med seg å dele
bød Olavs sønn deg siden
sitt folk og hele riket.
To frender glade møttes.

Siden talte frendene seg imellom, og alt gikk fredelig for seg.
23. Kong Magnus lå ved stranda og hadde telt oppe på land. Han
bød da Harald, sin frende til bordet sitt, og Harald gikk til gjeste-
budet med seksti mann. Det var et prektig gilde. Men da det lei på
dagen, gikk kong Magnus inn i teltet der Harald satt. Menn gikk
med ham og bar bører; det var våpen og klær. Så gikk kongen til den
ytterste mannen og gav ham et godt sverd; den neste gav han et
skjold, og de andre gav han klær eller våpen eller gull, større gaver
dess fornemmere de var. Til sist kom han til Harald, frenden sin, og
han hadde to rørkjepper i handa, og så sa han: «Hvilken av disse to
kjeppene vil du ha?» Da svarte Harald: «Den som er nærmest meg.»
Så sa kong Magnus: «Med denne rørkjeppen gir jeg deg halve
Norges rike med all skatt og skyld og all eiendom som hører til, med
den avtalen at du skal være konge allesteds i Norge med samme rett
som jeg. Men når vi to er sammen, skal jeg være førstemann i hilsen,
tjeneste og sete. Er det tre fyrstelige menn til stede, skal jeg sitte i
midten; jeg skal ha rett til kongsplass i havn og ved brygge. De skal
også stø og styrke Vår makt til gjengjeld for at Vi har gjort Dem til
en så stor mann i Norge at Vi trodde ingen skulle bli så stor så lenge
hodet Vårt var over molda.» Da stod Harald opp og takket ham vel
for den høye verdighet og for æren, og dermed satte de seg ned
begge to og var lystige og glade. Om kvelden gikk Harald og men-
nene hans til skipet sitt.
24. Morgenen etter lot kong Magnus blåse hele hæren til tings. Da
tinget var satt, kunngjorde kong Magnus for alle mennene den gava
han hadde gitt Harald, sin frende. Tore fra Steig gav Harald kongs-
navn der på tinget. Den dagen bød kong Harald kong Magnus til
bords hos seg, og Magnus gikk samme dagen med seksti mann til
teltene til kong Harald, der hvor han hadde stelt til gjestebud. Der
satt da begge kongene i samme sete, og det ble et vakkert gjestebud
med rikelig mat og drikk, og kongene var både lystige og glade. Da
det lei utpå dagen, lot kong Harald bære inn i teltet en stor mengde
tasker, og noen bar inn klær og våpen og andre kostbarheter. Alt
dette delte han ut, og gav og skiftet det mellom mennene til kong
Magnus, de som var i gjestebudet.
Så lot han løse opp taskene og sa til Magnus: «I går gav De oss et
stort rike, som De hadde vunnet fra Deres og våre uvenner og tok
oss til forbund med Dem. Det var vel gjort, for De har stridd mye
for det. Men når det gjelder oss, så har vi vært utenlands, og vi har
også vært i livsfare noen ganger før jeg har samlet i hop dette gullet
som De nå skal få se. Dette vil jeg nå dele med Dem. Løsøre skal
vi to ta like mye av, slik som hver av oss eier halve riket i Norge. Jeg
vet at vårt huglynne er ulikt; du er mye mer gavmild enn jeg; vi vil
derfor dele dette likt mellom oss; så kan hver gjøre med sin del som
han vil.»
Så lot Harald breie ut ei stor nautehud og helle gullet fra taskene
på den; og nå tok de fram vektskåler og lodd, delte gullet og skiftet
alt etter vekt, og alle som så på, syntes det var et under at så mye

gull skulle ha blitt samlet på ett sted i Norderlanda. Dette var nå også i virkeligheten grekerkongens eiendom og rikdom, for alle sier at der er hus fulle med røde gullet. Da var kongene lystige og glade. Så kom det fram et staup, det var så stort som et mannshode. Kong Harald tok opp staupet og sa: «Hvor er nå det gullet, Magnus frende, som du kan sette opp mot denne hodeknappen?» Da svarte kong Magnus: «Det har vært så mye ufred og så store leidanger at nesten alt det gull og sølv som jeg har hatt hos meg, har gått med. Nå har jeg ikke mer gull igjen enn denne ringen.» Dermed tok han ringen og rakte den til Harald.

Harald så på den og sa: «Det er lite gull, frende, for en konge som har to kongeriker, og enda er det nok noen som tviler på om denne ringen er din.» Da sa kong Magnus alvorlig: «Eier jeg ikke denne ringen med rette, så vet jeg ikke hva jeg har fått med rette, for kong Olav den hellige, min far gav meg denne ringen da vi skiltes siste gangen.» Da svarte kong Harald leende: «Det er sant som du sier, kong Magnus, at din far gav deg ringen. Den ringen tok han fra min far for en liten sak. Det er også sant at den gang var det ikke godt for småkongene i Norge da din far var som mektigst.»

I dette gjestebudet gav kong Harald Steigar-Tore en bolle av valbjørk med sølvgjord omkring og sølvhank over, begge to forgylte; og den var helt full av skjære sølvpenger. Det fulgte også to gullringer som veide ei mark til sammen. Han gav ham også kappa si, den var av mørk purpur med hvitt skinn, og han lovte ham stor ære og sitt vennskap. Torgils Snorrason* sa at han hadde sett et alterklede som var gjort av denne kappa, og Gudrid, datter til Guttorm Steigar-Toresson, sa at hun så at Guttorm, hennes far, hadde bollen. Så sier Bolverk:

Til gave fikk, som jeg hørte,
du det grønne landet;
og du bød så kong Magnus
av ditt gull ved møtet.

Forliket mellom frender
ble fredelig nok sluttet;
men Svein, han måtte siden
striden hard seg vente.

25. Kong Magnus og kong Harald rådde begge for Norge vinteren etter dette forliket, og hver av dem hadde sin hird. Om vinteren var de omkring på Opplanda på gjestebud; stundom holdt de seg sammen og stundom hver for seg. De fór helt nord til Trondheimen og til Nidaros. Kong Magnus hadde tatt vare på kong Olavs legeme fra den tid han kom til landet, klipte håret hans og neglene hver tolvte måned og hadde sjøl den nøkkelen som de kunne låse opp skrinet med. Da hendte det mange slags jærtegn ved kong Olavs helligdom. Snart ble det til at kongene ble usams, og mange var så illtenkte at de gikk med vondt imellom dem.

26. Svein Ulvsson lå igjen og sov da Harald hadde reist bort. Siden

---

Torgils Snorrason (d. 1201) var prest og bodde på Skarð ved Breiðafjörður på Vest-Island.

spurte Svein etter hvor Harald hadde tatt vegen. Da han fikk vite at Harald og Magnus var blitt forlikte, og at de nå hadde en hær sammen, styrte han med hæren sin øst langs Skåne-sida, og der holdt han seg til han om vinteren hadde fått vite at Magnus og Harald hadde styrt med sin hær til Norge. Da holdt Svein sør til Danmark med hæren sin, og der tok han alle kongelige inntekter den vinteren.

27. Da det tok til å våres, bød kong Magnus og kong Harald ut leidang fra Norge. En gang hendte det at kong Magnus og kong Harald lå i samme havn; dagen etter var Harald først ferdig, og han seilte straks. Om kvelden la han til havn der han og Magnus hadde tenkt å være den natta. Harald la skipet sitt i kongsleiet og tjeldet der. Kong Magnus seilte av sted lenger utpå dagen, og da de kom til havna, hadde Haralds menn alt satt opp tjeld. Da fikk de se at Harald hadde lagt seg i kongsleiet, og at han hadde tenkt å bli liggende der. Da kong Magnus og hans folk hadde tatt ned seilene, sa kong Magnus: «Nå skal mennene få ut årene, og sette seg langs skipsbordene, og noen skal ta fram våpnene og væpne seg; om de ikke vil ro unna, skal vi slåss.»

Da kong Harald så at kong Magnus ville legge til strid med dem, talte han til sine menn: «Kapp landtauene og legg skipene ut av leiet; nå er han vond, Magnus frende.» Så gjorde de, og de la skipene ut av leiet. Kong Magnus la inn i leiet med skipene sine. Da begge hadde gjort seg ferdige, gikk kong Harald med noen menn bort på skipet til kong Magnus. Kongen tok godt imot ham og ønsket ham velkommen. Da svarte kong Harald: «Jeg tenkte at vi var kommet blant venner; men for en liten stund siden måtte jeg tvile litt på om De vil at det skal være så. Men det er sant som det er sagt, at brå er barnehugen; jeg vil ikke vøre dette annerledes enn som unge-framferd.» Da sa kong Magnus: «Det var slik framferd som ligger til ætta, ikke unge-framferd, for jeg kan nok minnes hva jeg gav, og hva jeg nektet. Om nå denne lille tingen hadde kunnet gå for seg mot min vilje, så ville det snart kommet én ting til. Hele dette forliket som er gjort, vil jeg holde, men da vil jeg også at De på samme måte skal holde det som er avtalt.» Da svarte kong Harald: «Det er også gammel skikk at den klokeste gir etter.» Så gikk han tilbake til skipet sitt.

I slike sammenstøt mellom kongene kunne det merkes at det var vanskelig å være varsom nok. Mennene til kong Magnus mente at han hadde rett; men de som var uvettige, mente at Harald i noen monn ble svivørt. Men Haralds menn sa det ikke var gjort annen avtale enn at kong Magnus skulle ha rett til leiet når de kom på samme tid, men at Harald ikke var skyldig til å legge ut av leiet når han lå der i forvegen; de sa at Harald hadde gått fram viselig og vel. De som ville legge det ut til det verste, sa at kong Magnus ville bryte forliket, og de sa at det var urett og skammelig gjort av ham mot kong Harald. Uvettige folk talte så lenge om slikt krangel til det ble uvennskap mellom kongene. Det gikk også mangt for seg som kongene hadde hver sin mening om, enda det er lite skrevet om det her.

28. Kong Magnus og kong Harald seilte sør til Danmark med denne hæren. Men da Svein fikk høre det, flyktet han unna øst til Skåne. Kong Magnus og kong Harald ble lenge i Danmark om sommeren, og da la de under seg hele landet. De var i Jylland om høsten. Ei natt da kong Magnus lå i senga si, drømte han og syntes han var hos sin far, den hellige kong Olav. Og han syntes at Olav sa til ham: «Hva vil du helst nå, sønn min, enten fare med meg eller bli den mektigste av alle konger og leve lenge, men gjøre en slik synd at du knapt eller ikke kan få sonet den.» Han syntes at han svarte: «Jeg vil at du skal velge for meg.» Da syntes han at kong Olav svarte: «Da skal du fare med meg.»

Kong Magnus fortalte denne drømmen til mennene sine. Kort etter ble han sjuk og ble liggende der det heter Sudatorp*. Da han var nær døden, sendte han sin bror Tore til Svein Ulvsson, og bad ham at han skulle gi Tore den hjelp han trengte. Det fulgte med ordsendingen at kong Magnus gav Svein Danevelde etter sin død. Han fant det rimelig at Harald rådde for Norge og Svein for Danmark. Så døde kong Magnus den gode, og hans død var til stor sorg for hele folket. Så sier Odd Kikinaskald:

Menn felte mange tårer
da den milde de bar til grava.
Tung var børen for dem
som titt han gull hadde skjenket.

Huskarer, tunge i hugen,
holdt ikke tårer tilbake.
Med sorg i sinnet så ofte
satt alle kongsmenn siden.

29. Etter disse hendingene holdt kong Harald ting med hæren, og sa til mennene det han tenkte å gjøre; han ville fare med hæren til Viborgting og la seg ta til konge over Danevelde, og så vinne landet. Han sa at dette var en arv etter kong Magnus, frenden hans, likeså vel som Norge var det. Han bad hæren om hjelp, og sier at da skulle nordmenn til alle tider være herrer over danene. Da svarte Einar Tambarskjelve at han var mer skyldig til å føre kong Magnus, sin fostersønn til grava og føre ham til hans far, kong Olav, enn å slåss utenlands og streve etter rike og eiendom til en annen konge. Han sluttet talen sin slik at han syntes det var bedre å følge kong Magnus død enn noen annen konge levende.

Så lot han ta liket og stelle om det på ærefull måte, så de kunne se tilstellingen på kongsskipet. Så gjorde alle trøndere og nordmenn seg ferdige til å reise hjem med liket av kong Magnus, og leidangshæren løste seg opp. Da skjønte kong Harald at det var best å fare tilbake til Norge og først legge under seg det riket og derifra få seg større styrke. Nå fór kong Harald tilbake til Norge med hele hæren. Så snart han kom til Norge, holdt han ting med folket og lot seg ta til konge over hele landet. Han fór slik helt øst fra Viken at han ble tatt til konge i hvert fylke i Norge.

30. Einar Tambarskjelve fór med liket av kong Magnus og med

Sudatorp, Suderup ved Åbenrå.

Einar Tambarskjelve steller med kong Magnus' lik.

ham hele trønderhæren; de førte det til Nidaros, og han ble jordet i Klemenskirken; den gang var den hellige kong Olavs skrin der. Kong Magnus hadde vært middels stor på vokster, med rettskåret ansikt, lyslett og lyshåret, veltalende og snarrådig, mandig, så raus som noen, stor krigsmann og framifrå våpendjerv. Han var den vennesæleste av alle konger, og både venner og uvenner gav ham lovord.

31. Den høsten var Svein Ulvsson i Skåne, og han tenkte seg til å fare øst til Sveavelde og ville gi opp det kongsnavnet som han hadde tatt i Danmark. Men med det samme han skulle stige til hest, kom noen av hans menn ridende og fortalte ham nytt, for det første det at kong Magnus Olavsson var død, og så at hele nordmannshæren hadde fart bort fra Danmark. Svein svarte raskt og sa: «Det tar jeg Gud til vitne på at jeg aldri mer skal rømme fra Danevelde så lenge jeg lever.» Så steig han på hesten og rei sør til Skåne; da kom det straks mye folk til ham. Den vinteren la han hele Danevelde under seg, og alle daner tok ham til konge. Tore, bror til kong Magnus, kom til Svein om høsten med ordsendingene fra kong Magnus, som før er skrevet. Svein tok godt imot ham, og Tore var lenge hos ham i akt og ære.

32. Kong Harald Sigurdsson tok kongedømme over hele Norge etter kong Magnus Olavssons død. Da han hadde rådd for Norge en vinter, og da våren kom, bød han ut leidang av hele landet, halv allmenning av mannskap og hærskip, og seilte sør til Jylland. Om sommeren herjet og brente han vidt og bredt og la til i Godnarfjorden*. Da diktet kong Harald dette verset:

Godnarfjorden, Randers Fjord.

La oss ligge her for anker
uti Godnarfjorden

mens den linkledde kvinna
luller sin sang for mannen.

Så sa han til Tjodolv skald at han skulle dikte slutten. Han kvad:

Neste sommer, det spår jeg
sønnafor fester vi anker.

Ofte kommer vi til å
kaste kroken i dypet.

Det taler Bolverk også om i sin dråpa at Harald fór til Danmark sommeren etter kong Magnus' død:

Neste år du leidang
fra landet det fagre bød ut.
Du pløyde havet i stormen
med praktfulle store hærskip.

Sjøen slo inn over skipene,
som svømte på mørke bølge.
Ved land lå skip fylt med mannskap,
da mistet danene motet.

Da brente de garden til Torkjell Gøysa; han var en stor høvding. Hans døtre ble ført bundet til skipene. Vinteren før hadde de drevet mye spott med at kong Harald ville fare til Danmark med hærskip. De skar anker av ost, og sa at slike nok kunne greie å holde skipene til Norges konge. Da ble dette diktet:

Kong Sveins menn kommer til Svein ved grensa med bud om at kong Magnus er død.

Sjødaners vakre jenter
gjorde av ost et anker.
Kongen seg mektig ergret
over de ting de laget.

Men nå i morgenstunden
mang ei møy får se hærskip
for 'sterke jernkrok ligge;
le gjør nå ikke mange.

Det blir fortalt at en vaktmann som hadde sett kong Haralds flåte, sa til Torkjell Gøysas døtre: «Det sa dere, Gøysadøtre, at kong Harald ikke ville komme til Danmark.» Dotta svarte: «Det var i går, det!» Torkjell løste ut døtrene sine med en umåtelig pengesum. Så sier Grane:

Umild lot han aldri
kvinnenes øyne bli tørre
da han førte dem fangne
fram gjennom tjukke Hornskog*.

Filenes* konge forfulgte
fiendeflokken til stranda.
Far til Dotta måtte
fort med sin rikdom bøte.

Kong Harald herjet hele den sommeren i Danevelde, og det var ikke ende på det gods han vant. Men han fikk ikke fast fot i Danmark den sommeren. Om høsten reiste han tilbake til Norge og var der om vinteren.

33. Kong Harald giftet seg med Tora, datter til Torberg Arnesson vinteren etter at kong Magnus den gode var død. De hadde to sønner; den eldste het Magnus og den andre Olav. Kong Harald og dronning Ellisiv hadde to døtre; den ene het Maria, den andre Ingegjerd. Våren etter den hærferden som vi nå har fortalt om, bød kong Harald ut en hær og reiste om sommeren til Danmark og herjet. Og det gjorde han sommer etter sommer. Så sier Stuv skald:

Hardt ble Falster herjet,
har jeg hørt fortelle.

Ravnen fikk da føde,
og folket der ble vettskremt.

34. Kong Svein rådde for hele Danevelde etter at kong Magnus var død. Han satt rolig om vintrene, men om somrene lå han ute med full leidang. Han truet med å fare nord til Norge med danehæren, og gjøre ikke mindre vondt der enn kong Harald hadde gjort i Danmark. Kong Svein bød kong Harald om vinteren at de sommeren etter skulle møtes ved Elv, og enten kjempe så det ble ende på striden, eller forlikes. Begge to holdt på hele vinteren å ruste skipene sine og hadde halv leidang ute om sommeren. Den sommeren kom Torleik Fagre fra Island og tok til å dikte en flokk om kong Svein Ulvsson. Da han kom nord til Norge, fikk han vite at kong Harald hadde fart sør til Elv mot kong Svein. Da diktet Torleik dette:

Den vakre inntrønderhæren
ventelig finner der ute

stridsglade konge på sjøen
i spydværet djerv og vågal.

Hornskog er kanskje det stedet som nå heter Hornslet, nord for Århus.
Filene er innbyggerne i Fjaler i Sunnfjord. Her blir ordet brukt om nordmenn.

Råde skal Gud alene   *fra den andre. Men Svein vil ikke*
hvem riket og livet vil røve *usikkert forlik slutte.*

Og dessuten kvad han dette:

Harald, han som ofte   *Sørfra over sjøen*
i hærferd fór langs landet,   *kong Svein, den djerve krigsmann,*
de breie langskip nordfra   *fører gylne draker*
på bølgen med kamplyst fører. *med farger vakkert prydet.*

Kong Harald kom med hæren til det stevnet som var avtalt. Da
fikk han vite at kong Svein lå sør ved Sjælland med flåten sin. Da
delte kong Harald hæren. Størstedelen av bondehæren lot han fare
hjem; så tok han med seg hirden og lendmennene, sine venner, og
den del av bondehæren som bodde nærmest danene. De fór sør til
Jylland sør for Vendelskage* og så sør om Tjoda*. Overalt fór de
med hærskjold; så sier Stuv skald:

Folket i Tjoda forskrekket   *Seier vant hugstore hjertet.*
flyktet fra møte med kongen. Haralds sjel i himlen*.

Så fór de sørover helt til Heidaby, tok og brente kjøpstaden. Da
diktet kong Haralds menn dette:

Fra ende til annen hele   *Svein vi ventelig volder*
Heidaby vi brente.   *sorg. I natt før otta*
Et storverk der vi gjorde,   *så jeg i byen ilden*
det sanner sikkert alle.   *høyt ifra husene raste.*

Dette forteller Torleik også i sin flokk, da han hadde fått vite at
det ikke var blitt noe av med slaget ved Elv:

Hos kongens gjæve skare   *den gang da Harald østfra*
spør de som ikke vet det,   *i utrengsmål til kongsbyen*
hvordan med kamplyst fyrsten *lot sine hærskip seile;*
til Heidaby kursen styrte   *slikt var bedre ugjort.*

35. Så seilte Harald nordetter med seksti skip, og de fleste var
store og tunglastet med hærfang som de hadde tatt om sommeren.
Da de kom nord for Tjoda, kom kong Svein ned fra landet med en
stor hær. Han bød seg til å kjempe mot Harald om han ville gå i land.
Kong Harald hadde mindre enn halvparten så mange folk; han bød
seg til å kjempe med kong Svein på skipene. Så sier Torleik Fagre:

Svein, som i heldigste time   *kalte de mektige kjemper*
her på jorda så dagslys,   *til kamp så blodig på stranda.*

Vendelskage, dvs. Skagen i Vendsyssel.
Tjoda, Ty på nordvestsida av Jylland.
Haralds sjel i himlen, linja hører med til omkvedet, se s. 488.

Men Harald, som hater å vente, *dersom den rådsnare konge*
på hærskipet valgte sin valplass *nektet å gi ham riket.*

Deretter seilte Harald nord om Vendelskage. Så fikk de motvind,
og de la til under Læsø og lå der om natta. Da la det seg mørke-
skodde over sjøen. Men om morgenen ved solrenning så de at det
var som ilder brant på den andre sida av havet. Det ble sagt til kong
Harald; da så han etter og sa straks: «Kast tjeldene av skipene og ta
til å ro! Danehæren er kommet over oss. Skodda har nok lettet der
de er, og det er sikkert sola som skinner på de gull-lagte drakeho-
dene deres.» Det var slik som kong Harald sa. Svein danekonge var
kommet med en uovervinnelig hær. Nå rodde de på begge sider alt
det de kunne. Danene hadde skip som fløt lettere under årene; men
skipene til nordmennene var både vasstrukne og tungt lastet, så
avstanden mellom begge parter støtt ble mindre. Da skjønte kong
Harald at det ikke kunne nytte på den måten. Haralds drake gikk
sist av alle skipene hans. Da sa kong Harald at de skulle kaste over
bord noen stokker og legge klær og gode kostbarheter oppå. Det var
så stilt at alt dette dreiv for strømmen. Men da danene fikk se at
deres eiendom dreiv på havet, vendte de som kom først, seg dit; de
syntes det var lettere å ta det som fløt løst, enn å hente det om bord
hos nordmennene. De ble da sinket i å ro etter.

Da kong Svein kom etter dem med skipene sine, egget han dem
og sa det var stor skam, så stor hær som de hadde, om de ikke skulle
få tatt dem og få dem i sin makt som hadde så liten hær. Da tok
danene på ny til å ro så sterkt de kunne. Da kong Harald så at
skipene til danene gikk fortere, bad han sine menn å lette båtene og
kaste over bord malt, hvete og flesk og hogge hull på drikkekjøre-
lene og tømme ut drikken; på den måten greidde de seg en stund.
Så lot kong Harald ta skanskledninger og fat og tomme tønner og
kaste over bord sammen med menn som de hadde fanget. Da alt
dette lå og rak på sjøen, bad kong Svein at de skulle hjelpe disse
mennene, og det ble gjort. Mens de holdt på med det, kom flåtene
fra hverandre. Danene snudde og vendte tilbake, og nordmennene
fór sin veg. Så sier Torleik Fagre:

At snarlynte Svein satte etter *På det brusende Jyllandshavet*
på sjøen de flyktende nordmenn, *byttet til trønderkongen*
har jeg hørt, og at dessuten unna *fritt måtte ligge og flyte;*
den andre høvdingen styrte. *flere hærskip de mistet.*

Kong Svein vendte tilbake med flåten og styrte inn under Læsø.
Der fant han sju av skipene til nordmennene, det var leidangsfolk og
bare bønder. Da kong Svein kom på dem, bad de om grid og bød
løsepenger for seg. Så sier Torleik Fagre:

For fred bød Haralds venner *da mindre folk de hadde*
fyrsten mange penger; *de modig* stoppet kampen.*
Modig, ironisk ment.

Da det ble morgen, og sol rant opp, så de danenes skip.

> *De kloke bønder drygde*   *til de i ord fikk tinget.*
> *med blodig kamp å åpne*   *De ønsket ikke døden.*

36. Kong Harald var en mektig mann og en sterk styrer innen-
lands. Han var så klok at det blir vanlig sagt at det ikke har vært
noen høvding i Norderlanda som har vært så dyptenkt eller rådsnar
som han. Han var en stor krigsmann og så våpendjerv som noen.
Han var sterkere og mer våpenfør enn noen annen mann, som før
er skrevet. Likevel er det mange flere av hans navngjetne storverk
som vi ikke har skrevet noe om. For en del kommer det av at vi ikke
har kunnskap om dem; dessuten vil vi ikke sette inn i bøker fortel-
linger som ikke er vitnefaste. Enda vi har hørt fortalt eller nevnt
flere ting, synes vi det er bedre at det siden blir lagt noe til, enn at
det skulle vise seg nødvendig å ta ut noe. En stor del av sagaen om
kong Harald er satt inn i de vers som islandske menn førte fram for
ham sjøl eller for sønnene hans; derfor var han en god venn for dem.
Han var også så god venn som noen for alle folk her i landet. En
gang da det var stort uår på Island, gav kong Harald fire skip lov til
å fare til Island med mjøl, og han fastsatte at et skippund ikke skulle
være dyrere enn hundre alen vadmel. Han gav alle fattigfolk som sjøl
kunne koste seg over havet, lov til å fare til Norge, og derav kom
landet til makt igjen, og det ble bedre med åringen. Kong Harald
sendte hit ut ei klokke til den kirken som den hellige kong Olav
hadde sendt tømmer til, og som ble bygd på Alltinget. Slike minner
har folk her i landet om kong Harald, og mange andre i de store
gavene som han gav dem som kom til ham.

Halldor Snorrason og Ulv Ospaksson, som vi før har fortalt om,
kom til Norge sammen med kong Harald. De var på mange måter
ulike. Halldor var en stor mann, sterk og vakker som noen. Kong
Harald gav ham det vitnesbyrd, at han var den av mennene hans som
en minst kunne se noe skifte på om noe uventet kom på; enten det
så var livsfare eller gode tidender eller hva det så var som hendte når

det var fare på ferde, var han verken mer eller mindre glad for det. Ikke sov han mer eller mindre eller drakk eller åt annerledes enn hans vane var. Halldor var en fåmælt mann, stiv i ord, han talte fritt ut, var stridlynt og ubøyelig; det likte ikke kongen, som hadde nok av andre gjæve og tjenestvillige menn. Bare en kort stund kom Halldor til å være hos kongen; så reiste han til Island og satte bo i Hjardarholt*. Der bodde han til sin alderdom, og han ble en gammel mann.

37. Ulv Ospaksson var hos kong Harald, og Harald og han ble gode venner. Han var så klok som noen, veltalende, mandig, trofast og ærlig. Kong Harald gjorde Ulv til sin stallare og lot ham gifte seg med Jorunn Torbergsdotter, søster til Tora som kong Harald var gift med. Ulv og Jorunn hadde flere barn: Joan Sterke på Rosvoll* og Brigida, mor til Sauda-Ulv som var far til Peter Byrdesvein, som var far til Ulv Fly og hans søsken. Sønn til Joan Sterke var Erlend Himalde, far til Øystein erkebiskop og brødrene hans. Kong Harald gav Ulv stallare lendmannsrett og tolv marks veitsler og omframt et halvt fylke i Trondheimen. Det forteller Stein Herdisson i Ulvs-flokken.

38. Kong Magnus Olavsson lot bygge kirke i kaupangen på det sted hvor kong Olavs lik hadde vært satt natta over; da var det ovenfor byen. Der lot han reise kongsgården også. Kirken var ikke helt ferdig da kongen døde. Kong Harald lot fullføre det som stod igjen. Han tok til med å bygge en steinhall der i gården også, men den ble ikke ferdig før han døde. Kong Harald lot reise fra grunnen av Mariakirken oppe på melen, nær det sted hvor kong Olavs hellige legeme lå i jorda den første vinteren etter hans fall. Det var en stor kirkebygning, og den var murt så sterkt med kalk, så det var knapt en fikk revet den ned da erkebiskop Øystein lot rive den*. Så lenge Mariakirken var under bygging, ble kong Olavs legeme forvart i Olavskirken*. Kong Harald lot bygge en kongsgård nedenfor Maria-kirken ved elva der den nå ligger. Den hallen som han hadde latt bygge, lot han vie til Gregorius-kirke*.

39. Ivar Kvite het en mann som var en gjæv lendmann. Han bodde på Opplanda; han var dattersønn til Håkon jarl den mektige. Ivar var den vakreste mann som noen kunne se. Sønn til Ivar het Håkon; om ham er det sagt at han stod over alle de menn som var i Norge den tid, i djervhet, styrke og dyktighet. Alt i unge år var han på hærferder og vant seg stor ære, og Håkon ble en mann med et stort navn.

40. Einar Tambarskjelve var den mektigste av lendmennene i Trondheimen. Det var ikke særlig godt mellom ham og kong Harald,

---

Hjardarholt ligger i Dalasýsla på Vest-Island.

Rosvoll i Verdalen.

Erkebisp Øystein (1161-1188) flyttet Mariakirken over til Elgeseter og gjorde den til klosterkirke omkring 1178.

Olavskirken. Hit ble Olavs legeme flyttet fra Klemenskirken.

Gregoriuskirken lå vestafor Olavskirken på nordsida av der Kongens gate er nå.

men Einar hadde likevel de landinntektene som han hadde hatt så
lenge kong Magnus levde. Einar var en grunnrik mann; han var gift
med Bergljot, datter til Håkon jarl, som før er skrevet. Eindride,
deres sønn, var nå fullvoksen. Han var gift med Sigrid, datter til
Kjetil Kalv og Gunnhild, som var ei søsterdatter til kong Harald.
Eindride var vakker som morsfrendene sine, Håkon jarl og sønnene
hans, men etter sin far Einar hadde han vekst og styrke og all den
dyktighet som Einar hadde framfor andre menn. Han var en svært
vennesæl mann.

41. Orm het på den tid en jarl på Opplanda. Hans mor var Ragn-
hild, datter til Håkon jarl den mektige. Orm var en navngjeten
mann. På Jæren bodde den gang Aslak Erlingsson øst på Sola. Han
var gift med Sigrid, datter til Svein jarl Håkonsson. Gunnhild, den
andre dattera til Svein jarl, var gift med danekongen Svein Ulvsson.
Slike menn var Håkon jarls avkom i Norge på den tid, og dessuten
mange andre gjæve folk. Hele denne ætta var mye vakrere enn andre
folk, og de fleste var særlig dugelige menn, og alle var gjæve menn.

42. Kong Harald ville gjerne rå, og det økte på med det etter som
han fikk fast fot i landet. Det kom så vidt at det nyttet lite for de
fleste å tale imot ham eller komme fram med noe annet enn han
ville. Så sier Tjodolv skald:

Krigerens trofaste hærfolk
hører det kongen befaler.
Sitte og stå gjør de bare
som høvdingen gjæv av dem ønsker.

For ravnemetteren faller
hele folket til fote.
Det nytter ikke for noen
å nekte å lystre kongen.

43. Einar Tambarskjelve var det som mest var formann for bøn-
dene i hele Trondheimen. Han svarte for dem på tingene når kongs-
mennene gjorde søksmål. Einar hadde godt kjennskap til lovene; og
det skortet ham ikke på djervhet til å føre det fram på tingene om
så kongen sjøl var der. Alle bønder støttet ham. Kongen harmet seg
sterkt over dette, og til slutt kom det til det at de hele tida dreiv på
med ordstrid. Einar sa at bøndene ville ikke tåle ulov av ham dersom
han brøt landsretten for dem. På denne måten gikk det noen ganger
mellom dem. Da tok Einar til å ha stor folkestyrke om seg hjemme,
men enda mange flere folk når han fór til byen og kongen var der.
Det var en gang at Einar fór inn til byen og hadde mye folk med, åtte
eller ni langskip og nær fem hundre mann. Da han kom til byen, gikk
han i land med dette mannskapet. Kong Harald var da i gården sin
og stod ute i svalgangen og så at Einars folk gikk i land fra skipene.
Det blir sagt at Harald da kvad:

Her ser jeg at den djerve
Einar Tambarskjelve,
som mang en gang sjøen pløyer
går i land så mannsterk.

Han full av styrke venter
å vinne kongens sete.
Ofte huskarer færre
fant jeg i følge til jarlen.

Kong Harald ser fra svalgangen Einars folk gå opp fra skipene.

Han, som gjør sverdet blodig,   *oss, om Einar ei kysser*
bort vil drive fra landet   *øksemunn den tynne.*

Einar ble i byen noen dager.

44. En dag ble det holdt tingmøte i byen, og kongen sjøl var på møtet. De hadde tatt en tjuv i byen, og han ble ført til tingmøtet. Mannen hadde før vært hos Einar, og han hadde vært vel nøyd med ham. Dette ble meldt til Einar, og han mente å vite at kongen ikke ville la mannen slippe unna om så Einar gjerne ville det. Da lot Einar sine menn væpne seg og gå til tingmøtet. Der tok Einar mannen fra tinget med makt. Etter dette la vennene til begge seg imellom og prøvde å få i stand forlik. Det ble da til at det ble avtalt et møte, og at de skulle møtes sjøl.

Det var ei målstue* i kongsgården nede ved Nidelva; kongen gikk inn i den med noen få menn, men resten av folket hans stod ute i gården. Kongen lot dra fjøla over ljoren, så det bare var en liten åpning igjen. Da kom Einar inn i gården med sine folk; han sa til

Målstue, stue som ble benyttet til samtaler.

Eindride, sønnen sin: «Vær du ute med folkene, så er det ingen fare for meg.» Eindride ble stående ute ved inngangen. Da Einar kom inn i stua, sa han: «Mørkt er det i kongens målstue.» Med det samme løp folk på ham, noen stakk og noen hogg. Da Eindride hørte det, drog han sverdet og løp inn i stua. Han ble straks felt liksom faren. Da sprang kongsmennene til stua og stilte seg framfor inngangen, men bøndene stod handfalne, fordi de ikke hadde noen formann mer. De egget nok hverandre, og sa at det var en skam at de ikke skulle hevne høvdingen sin; men likevel ble det ikke til det at de gikk på. Kongen gikk ut til mannskapet sitt, stilte mennene opp i fylking og satte opp merket sitt, men det ble ingenting av at bøndene gikk på. Kongen gikk ut på skipet med hele mannskapet. Så rodde de ut etter elva og fór sin veg ut på fjorden.

Bergljot, Einars kone, fikk vite om hans fall. Da var hun i det herberget som hun og Einar før hadde hatt ute i byen. Hun gikk straks opp i kongsgården der bondehæren var. Hun egget dem sterkt til kamp; men nettopp da rodde kongen ut etter elva. Da sa Bergljot: «Nå sakner vi Håkon Ivarsson, frenden min. Ikke ville Eindrides banemenn ro her ut etter elva dersom Håkon stod her på elvebakken.» Så lot Bergljot stelle om likene til Einar og Eindride, og de ble jordet i Olavskirken ved grava til kong Magnus Olavsson*. Etter Einars fall ble kong Harald så forhatt for denne gjerningen at den eneste grunn til at lendmenn og bønder ikke gikk imot ham og holdt slag med ham, var den at det ikke var noen formann til å reise merket for bondehæren.

45. Den gang bodde Finn Arnesson på Austrått på Ørlandet; han var nå lendmann til kong Harald. Finn var gift med Bergljot, datter til Halvdan, som var Sigurd Syrs sønn. Halvdan var bror til kong Olav den hellige og til kong Harald. Tora, kong Haralds hustru, var brordatter til Finn Arnesson. Finn og alle brødrene hans var kjære venner til kongen. Finn Arnesson hadde vært noen somrer i vesterviking; da hadde Finn og Guttorm Gunnhildsson og Håkon Ivarsson vært sammen på hærferd alle tre.

Kong Harald fór ut etter Trondheimsfjorden og ut til Austrått. Her ble han vel mottatt. Siden taltes de ved, kongen og Finn, og drøftet seg imellom det som nyss hadde hendt, at Einar og hans sønn var drept, og likeså den murringen og det bråket som trønderne gjorde mot kongen. Finn sier hastig: «Du farer ille åt i alt. Først gjør du all slags vondt, og etterpå er du så redd at du ikke vet hvor du skal gjøre av deg.» Kongen svarte leende: «Måg, nå vil jeg sende deg inn til byen; jeg ønsker at du skal forlike bøndene med meg; men om dette ikke skulle gå, vil jeg at du farer til Opplanda og får Håkon Ivarsson til at han ikke går imot meg.» Finn svarte: «Hva vil du love meg om jeg farer denne vågelige ferden. For både trøndere og opplendinger er dine fiender så sterkt, at ingen sendemann fra deg kan

---

* På s. 499 er det fortalt at *Magnus* ble begravd i Klemenskirken, men liket hans var i mellomtida flyttet til Olavskirken.

komme dit dersom han ikke har seg sjøl å lite på.» Kongen svarte: «Far du, måg, denne sendeferden; for jeg vet at om noen kan få forlikt oss, så er det du, og be så sjøl om det du vil av Oss.» Finn sa: «Hold da ditt ord, så skal jeg be om det jeg ønsker. Jeg ber om fred og landsvist* for Kalv, min bror, og alle eiendommene hans, og det med at han skal ha samme rang og samme makt som han hadde før han fór fra landet.» Kongen sa ja til alt det Finn sa, og de tok vitner på det og gjorde handslag. Så sa Finn: «Hva skal jeg by Håkon for at han skal gå med på fred med deg. Han er den som har mest å si blant de frendene.» Kongen sa: «Først skal du høre hva Håkon krever for sin part for å gå med på forlik. Så får du fremme min sak så godt du kan; men til slutt skal du ikke nekte ham annet enn kongedømmet.» Siden fór kong Harald sør til Møre og drog til seg folk og ble mannsterk.

46. Finn Arnesson fór inn til byen og hadde med seg huskarene sine, nær på åtti mann. Da han kom inn til byen, holdt han ting med bymennene. Finn talte på tinget lenge og veltalende og bad bymenn og bønder gjøre alle andre vedtak heller enn det å leve i ufred med kongen sin eller jage ham bort. Han minte dem om hvor mye vondt det hadde kommet over dem etter det de hadde gjort mot den hellige kong Olav. Han sa også at kongen ville bøte for disse drapene slik som de beste og klokeste menn ville dømme. Finn fikk satt det gjennom med talen sin at mennene lovte å la denne saken hvile til de sendemennene kom tilbake som Bergljot hadde sendt til Opplanda til Håkon Ivarsson. Så reiste Finn ut til Orkdalen med de menn som hadde fulgt ham til byen; deretter fór han opp til Dovrefjell og østover fjellet. Finn fór først til sin måg, Orm jarl – jarlen var gift med Sigrid, datter til Finn – og fortalte ham om ærendet sitt.

47. Siden avtalte de møte med Håkon Ivarsson. Da de møttes, kom Finn fram med ærendet sitt for Håkon, det som kong Harald hadde gitt ham. Det var snart å skjønne på Håkons tale at han syntes han hadde stor plikt på seg til å hevne Eindride, frenden sin. Han sa at han hadde fått melding fra Trondheimen om at han ville få nok hjelp der til å gjøre oppstand mot kongen. Så la Finn fram for Håkon, hvor mye bedre det var for ham å få så stor heder av kongen som han sjøl ville kreve, enn å ta det vågespillet å reise strid mot den kongen som han i forvegen var pliktig til å tjene. Han sa at han nok ville få useier, «og da har du forbrutt både gods og fred. Men om du vinner over kongen, da vil du hete drottensviker.» Jarlen støttet Finn i denne talen.

Da Håkon hadde tenkt over dette, kom han fram med det han hadde tenkt ut, og han sa: «Jeg vil forlike meg med kong Harald dersom han vil gi meg til ekte sin frenke Ragnhild, datter til kong Magnus Olavsson, med slik medgift som det er sømmelig for henne, og som hun vil ha.» Finn sa at han ville gå med på dette på kongens vegne, og de stadfestet så denne saken seg imellom. Så farer Finn

---

Landsvist, rett til å oppholde seg i landet.

Håkon gikk til Ragnhild og førte fram sitt frieri.

nord igjen til Trondheimen, og da la den seg denne ufreden og uroen, så kongen fikk ha riket sitt i fred innenlands; for nå var hele det forbund knekt som Eindrides frender hadde fått sammen til motstand mot kong Harald.

48. Da den tid kom da Håkon skulle kreve denne avtalen oppfylt, fór han til kong Harald. Da de tok til å tale sammen, sa kongen at han for sin part ville holde alt det som Finn og Håkon hadde avtalt i forliket. «Sjøl må du, Håkon,» sa kongen, «tale om denne saken med Ragnhild, om hun vil samtykke i dette giftermålet. Men det er ikke rådelig for deg eller for noen annen å få Ragnhild dersom hun ikke sjøl samtykker i det.» Så gikk Håkon til Ragnhild og førte fram frieriet. Hun svarte så: «Titt merker jeg det at kong Magnus, min

far, er død og borte, om jeg nå skal gifte meg med en bonde, enda du er en vakker mann og framifrå dugelig i idretter. Dersom kong Magnus hadde levd, ville han nok ikke ha giftet meg bort til noen mindre mann enn til en konge. Nå er det ikke å vente at jeg vil gifte meg med en mann som ikke har høy verdighet.» Da gikk Håkon til kong Harald og fortalte om samtalen mellom ham og Ragnhild og minte om avtalen mellom ham og Finn. Da var også Finn til stede og flere menn som hadde vært med ved samtalen mellom ham og Finn. Håkon tok da alle dem til vitne på at avtalen var slik at kongen skulle gi Ragnhild slik medgift som hun ville ha – «nå vil hun ikke gifte seg med en mann uten verdighet; da får De gi meg jarlsnavn. Jeg har ætt til det å hete jarl, og andre ting med, etter det som folk sier.» Kongen svarte: «Kong Olav, min bror, og kong Magnus, hans sønn, da de rådde for riket, lot de det være én jarl om gangen i landet. Jeg har også gjort det slik siden jeg ble konge, og jeg vil ikke ta fra Orm jarl den verdighet som jeg før har gitt ham.»

Håkon skjønte da at hans sak ikke ville få framgang; det likte han på ingen måte. Finn var også sint og harm. De sa at kongen ikke holdt ord, og så skiltes de. Håkon reiste da straks fra landet med et langskip som hadde godt mannskap. Han kom sør til Danmark og fór straks til kong Svein, mågen sin. Kongen tok med glede mot ham og gav ham store landinntekter der. Håkon ble kong Sveins landvernsmann mot vikinger, som ofte herjet i Danevelde, vender og kurer og andre austervegsmenn. Han lå ute med hærskip både vinter og sommer.

49. Åsmund het en mann, som det blir sagt var søstersønn og fostersønn til kong Svein. Åsmund hadde vært så dugelig som noen, og kongen holdt mye av ham. Men da Åsmund ble voksen, ble han snart en stor villstyring og en drapsmann. Dette likte kongen ille og sendte ham ifra seg og gav ham et godt len, så han godt kunne holde seg og sine folk. Men så snart Åsmund hadde tatt imot kongens gods, drog han mange menn til seg. Da det godset han hadde fått, ikke strakk til for utgiftene hans, tok han mye mer gods som tilhørte kongen. Da kongen fikk greie på dette, stevnte han Åsmund til seg, og da de møttes, sa kongen at Åsmund skulle være i hirden hans, og ikke ha noe følge, og det ble som kongen ville. Da Åsmund hadde vært en liten stund hos kongen, likte han seg ikke der, men rømte derfra ei natt og kom tilbake til sine menn og gjorde enda mer vondt enn før.

Da kongen en gang rei omkring i landet og kom tett ved det sted hvor Åsmund var, sendte han folk som skulle ta Åsmund med makt. Og så lot kongen ham sette i jern og holdt ham slik en stund, og tenkte at på den måten skulle han spakne. Men da Åsmund slapp ut av jernet, rømte han med det samme igjen og fikk tak i folk og hærskip og tok til å herje både utenlands og innenlands; han gjorde et svært hærverk, drepte mange folk og plyndret vidt og bredt. De som var ute for denne ufreden, kom til kongen og klagde for ham over den skade de hadde lidd. Men han svarte: «Hvorfor sier dere

Da kongen en gang rei omkring i landet, sendte han folk som skulle ta Åsmund med makt.

dette til meg? Hvorfor går dere ikke til Håkon Ivarsson? Han er min landvernsmann her, og han er satt til det å skaffe fred for dere bønder og til å holde vikinger i age. Det ble sagt meg at Håkon var en djerv og modig mann, men nå ser det ut til at han ikke vil komme noen steder hvor det synes å være noen fare på ferde.» Disse kongens ord ble båret til Håkon med mange tillegg.

Da fór Håkon med sine folk for å finne Åsmund, og de møttes med skip. Håkon la straks til kamp, og det ble et hardt og et stort slag. Håkon gikk opp på skipet til Åsmund og ryddet det. Her kom Håkon og Åsmund sjøl til å skifte hogg med hverandre, og der falt Åsmund; Håkon hogg hodet av ham. Så skyndte Håkon seg til kong Svein og kom til ham nettopp som han satt til bords. Håkon gikk fram for bordet og la hodet på bordet foran kongen, og spurte om han kjente det. Kongen svarte ingenting, men ble blodrød å se på. Så gikk Håkon bort. Kort etter sendte kongen menn til ham og bad ham fare bort fra hans tjeneste. «Jeg vil ikke gjøre ham noe vondt,» sa han, «men ikke kan jeg passe på alle frendene våre.»

50. Deretter fór Håkon bort fra Danmark og nord til Norge til eiendommene sine. Da var hans frende, Orm jarl, død. Håkons frender og venner ble svært glade over at han kom, og mange gjæve menn gav seg til å arbeide for forlik mellom ham og kong Harald. Enden ble at de forliktes på den måten at Håkon fikk Ragnhild kongsdatter, og kong Harald gav Håkon jarledømme og slik makt som Orm hadde hatt. Håkon svor kong Harald troskapsed til den tjeneste han var skyldig til.

51. Kalv Arnesson hadde vært i vesterviking siden han fór fra Norge. Om vintrene var han ofte på Orknøyene hos mågen sin, Torfinn jarl. Finn Arnesson, bror hans, sendte bud til Kalv og lot ham få greie på den avtalen som han og kong Harald hadde gjort, at Kalv skulle ha landsvist i Norge og sine eiendommer og slike landinntekter som han hadde hatt av kong Magnus. Da denne ordsendingen kom til Kalv, gjorde han seg ferdig til å reise med én gang. Han seilte øst til Norge og kom først til sin bror Finn. Så fikk Finn grid for Kalv, og kongen og Kalv møttes sjøl og gjorde forlik etter

det som kongen og Finn før hadde avtalt seg imellom. Kalv gav kongen sikkerhet for at han ville tjene kongen på de samme vilkår som han før hadde bundet seg til med kong Magnus, slik at Kalv var pliktig til å gjøre alt det kong Harald ville, og som han mente kunne være til gagn for hans rike. Kalv tok da til seg alle eiendommer og landinntekter som han før hadde hatt.

52. Sommeren etter hadde kong Harald leidang ute; han fór sør til Danmark og herjet der om sommeren. Da han kom sør til Fyn, var det en stor hærsamling imot dem der. Da lot kongen folket sitt gå fra skipene og gjorde seg ferdig til å gå i land. Han delte hæren og lot Kalv Arnesson føre en flokk og bad dem gå i land først, og sa hvor de skulle ta vegen; han sa at han ville gå opp etter dem og komme dem til hjelp. Kalv og hans flokk gikk i land, og brått kom det folk imot dem. Kalv tok straks til å kjempe, men denne striden ble ikke lang, for Kalv kom snart ut for stor overmakt og kom på flukt med sine folk; men danene fulgte etter, og mange av nordmennene falt. Der falt Kalv Arnesson. Kong Harald gikk i land med sin fylking. De hadde ikke kommet langt før de så de falne framfor seg, og de fant snart Kalvs lik. Men kongen gikk opp i landet og herjet og drepte mange folk der. Så sier Arnor:

I blodet kongen farget   *Fynbygg-hæren minket;*
på Fyn den skarpe sverdegg.   *mennenes hus brente.*

53. Etter dette kjente Finn Arnesson seg i fiendskap med kongen, fordi Kalv, hans bror, var falt. Han påstod at kongen var opphavsmann til Kalvs død, og at det var bare svik imot Finn, da han fikk ham til å lokke Kalv, sin bror, til å stole på kong Harald og komme østover havet i hans vold. Da denne talen kom ut, sa mange menn at de syntes det var kortsynt når Finn hadde trodd det at Harald ville vise troskap mot Kalv. De syntes at kongen brukte å hevne seg for mindre ting enn dem som Kalv hadde gjort mot kong Harald. Kongen lot hver tale om dette som han ville; han sannet det ikke, men nektet det heller ikke. Bare det var lett å skjønne at kongen syntes det var velgjort. Kong Harald kvad denne strofen:

Død har jeg tenkt og iverksatt   *Til lønn for svik får man*
for tretten mann i det hele.   *hardt fiendskap av folket.*
Drapene må jeg minnes;   *Løken, som de sier,*
til mord blir jeg egget.   *vokser lett av lite.*

Finn Arnesson tok dette så tungt at han fór bort fra landet og kom sør til Danmark. Han drog til kong Svein og ble godt mottatt der. De talte lenge i enerom, og enden ble at Finn gikk kong Svein til hånde og ble hans mann; Svein gav ham jarledømme og Halland å styre, og der var han til landvern mot nordmennene.

54. Guttorm het en sønn til Kjetil Kalv og Gunnhild på Ringnes, søstersønn til kong Olav og kong Harald. Guttorm var en dugelig

Kong Svein og
Finn taler sammen
i enerom.

mann og tidlig voksen. Guttorm var ofte hos kong Harald, som var
svært glad i ham og ofte hørte hans råd, for Guttorm var en klok
mann; han var også vennesæl. Guttorm var ofte i hærferd og herjet
mye i Vesterlanda; han hadde mange folk. Han hadde fredland* og
vintersete i Dublin i Irland og var i stort vennskap med kong
Margad*.

55. Sommeren etter fór kong Margad og Guttorm sammen og
herjet på Bretland og fikk uendelig mye gods der. Siden la de inn i
Ongulsøysundet*, der ville de dele hærfanget mellom seg. Da all den
mengde sølv ble båret fram, og kongen fikk se det, ville han ha alt
godset alene og vørte da lite sitt vennskap med Guttorm. Det likte
Guttorm ille at han og hans menn skulle miste sin del. Men kongen
sa at han skulle få to vilkår å velge mellom: «Det ene er det at du
skal finne deg i det som vi vil, og det andre er det at du skal holde
slag med oss, og så kan den ha godset som får seier. Dessuten skal
du gå fra skipene dine, dem vil jeg ha.» Guttorm syntes at begge
vilkårene var harde; han syntes ikke at han med ære kunne gi fra seg
skip og gods uten noen skyld. Det var også et stort vågestykke å
kjempe med kongen og den store hæren som fulgte ham, og det var

---

Fredland var et land der vikingene etter avtale hadde rett til å oppholde seg i fred.
Margad, dvs. Eachmargach, konge i Dublin 1035-38 og 1046-52.
Ongulsøysundet, nå Menai Strait.

også så stor forskjell i deres styrke at kongen hadde seksten lang-skip, men Guttorm bare fem. Da bad Guttorm om å få tre døgns frist i denne saken så han kunne rådføre seg med sine menn. Han tenkte seg at han på den tida nok kunne få kongen blidere, og at han skulle få saken til å stå bedre hos kongen når hans menn talte om den hos ham. Men kongen ville ikke gå med på det han bad om. Det var olsokkvelden*. Nå valgte Guttorm heller å dø med manndom eller å vinne seier enn det å tåle skam og sivøring og hånsord når han mistet så mye. Da kalte han på Gud og på den hellige kong Olav, frenden sin, bad dem om hjelp og støtte og lovte å gi til den hellige manns hus tiende av alt det hærfang som de ville få om de vant seier. Siden stilte han opp mannskapet sitt og fylkte det mot den store hæren og tok til å kjempe mot den. Og med Guds og den hellige kong Olavs hjelp fikk Guttorm seier. Der falt kong Margad og hver mann som fulgte ham, ung og gammel.

Etter denne herlige seieren vendte Guttorm glad hjem med alt det gods som de hadde fått i striden. Da tok de hver tiende penning av det sølvet de hadde fått, slik som de hadde lovt den hellige kong Olav; og dette var slik en mengde penger, at Guttorm av dette sølvet lot gjøre et krusifiks etter sin egen eller sin stavnbus vekst, og dette bildet er sju alen høyt. Dette krusifikset gav Guttorm til den hellige Olavs kirke, og der har det vært siden til minne om Guttorms seier og om den hellige kong Olavs jærtegn.

56. Det var en greve i Danmark, ond og full av avund. Han hadde ei norsk tjenestekvinne, ættet fra Trøndelag. Hun dyrket den hellige Olav og trodde fast på hans helligdom. Men denne greven som jeg nyss nevnte, tvilte på alt det som ble fortalt ham om den hellige manns jærtegn. Han sa at det var ikke annet enn snakk og sladder, og han dreiv gjøn og moro med all den lov og dyrking som folket i landet viste den gode kongen. Men nå kom den høytidsdag da den gode kongen lot sitt liv, og som alle nordmenn holdt hellig; da ville denne uvettige greven ikke holde helg, og han sa til sin tjeneste-kvinne at hun skulle bake og ilde ovn til brød på den dagen.

Hun visste med seg sjøl at greven var rasende, og at han ville straffe henne hardt om hun ikke gjorde det som han sa til henne. Hun måtte til så nødig hun ville og fyrte på i ovnen, men hun jamret sårt mens hun arbeidet. Hun kalte på kong Olav og sa at hun aldri mer ville tro på ham om han ikke med et eller annet tegn ville hevne denne skjenselsgjerning. Nå skal dere få høre en høvelig straff og sanne jærtegn: Det hendte på én gang i samme stund at greven ble blind på begge øynene, og at det brødet ble til stein som hun hadde satt inn i ovnen. Noen av disse steinene er kommet til den hellige kong Olavs kirke og mange andre steder. Fra den tid av har Olavs-messen alltid vært holdt hellig i Danmark.

57. Vest i Valland var det en vanfør mann, som var krøpling, han gikk på knærne og knuene. En dag var han ute på vegen og hadde

Så gikk de over
Londons bru.

sovnet. Da drømte han at det kom en gjæv mann til ham og spurte
hvor han skulle hen, og han nevnte en by. Men denne gjæve mannen
sa til ham: «Far du til den Olavskirken som står i London, da skal
du bli frisk.» Da våknet han og gikk og ville finne seg fram til
Olavskirken. Til slutt kom han til Londons bru, og der spurte han
bymennene om de kunne si ham hvor Olavskirken var. Men de
svarte og sa at det var for mange kirker der til at de kunne vite
hvilken mann hver av dem var vigd til. Men kort etterpå kom det en
mann til ham og spurte hvor han skulle hen. Han sa fra om det. Da
sa mannen: «Vi to skal fare sammen til Olavs kirke, og jeg kan vegen
dit.» Så gikk de over Londons bru og gjennom det stretet som førte
til Olavskirken. Da de kom til kirkegårdsporten, steig han over den
treskelen som er i porten, men krøplingen veltet seg inn over den og
stod straks frisk opp igjen. Da han så seg om, var den mannen han
hadde hatt følge med, borte.

58. Kong Harald lot reise en kjøpstad øst i Oslo, og der holdt han
ofte til, for det var godt for tilførsel der og rik landsbygd omkring.
Der satt han godt til for å verge landet mot danene og likeså for å
gjøre hærferd i Danmark. Han hadde ofte det for vane, om han så
ikke hadde stor hær ute. Det hendte en sommer at kong Harald la
ut med noen lette skip og lite mannskap. Han styrte sør i Viken, og

da han fikk god bør, seilte han over havet og under Jylland. Her tok han på å herje, og folket i landet samlet seg og verget landet sitt. Da styrte kong Harald til Limfjorden og la inn i fjorden. Limfjorden er slik at innløpet er som ei smal elverenne, men når en kommer inn i fjorden, er det som et stort hav. Harald herjet der på begge sider, men overalt hadde danene samlet folk imot ham. Da la kong Harald til med skipene sine ved ei lita øy som det ikke bodde folk på. Da de lette etter vann fant de ingenting. Han bad dem leite om det skulle finnes en lyngorm der; da de fant en, kom de til kongen med den. Han lot dem føre ormen til en ild og varme og mase den ut for at den skulle tørste så mye som råd var. Så ble en tråd bundet om halen på ormen, og den ble sloppet løs. Den rente da av sted med én gang, og tråden rekte seg av nøstet. Så gikk de etter ormen helt til den krøp ned i jorda. Der bad kongen dem grave etter vann. Så ble gjort, og de fant vann så det ikke skortet.

Kong Harald fikk vite det av sine speidere at kong Svein var kommet med en stor flåte til fjordmunningen; men det gikk seint for ham å komme inn, for bare ett skip kunne fare om gangen. Kong Harald styrte med skipene sine lenger inn i fjorden; der den er breiest, heter det Lusbrei*. Der er det et smalt eid lengst inne i vika vest i havet. Dit rodde Harald og hans folk om kvelden. Om natta da det var blitt mørkt, losset de skipene og drog dem over eidet, og alt det hadde de greidd før dag, og de hadde gjort skipene i stand for annen gang. Så styrte de nordetter langs Jylland. Da sa de:

Av danenes hender
Harald smatt.

Da sa kongen at neste gang han kom til Danmark, skulle han ha mer folk og større skip. Så seilte kongen nord til Trondheimen.

59. Om vinteren satt kong Harald i Nidaros. Han lot bygge et skip den vinteren ute på Ørene. Det var et busseskip*. Dette skipet ble gjort etter mønster av Ormen lange og utført på alle måter så omhyggelig som mulig. Det var et drakehode forut og krok akter, og nakkene var helt gull-lagte. Det hadde 35 rom og var stort i forhold til det, og det var framifrå vakkert. Kongen lot gjøre all redskapen til skipet av beste slag, både seil og rigg, anker og ankertau. Kong Harald sendte bud om vinteren sør til Danmark til kong Svein at han skulle komme nord til Elv våren etter og møte ham der og slåss, så kunne de siden skifte landene slik at én av dem fikk begge kongerikene.

60. Den vinteren bød kong Harald ut full leidang fra Norge. Da det ble vår, samlet det seg en stor hær. Da lot kong Harald sette ut det store skipet på Nidelva; så lot han sette på drakehodene. Da kvad Tjodolv skald:

Lusbrei, Løgstør Bredning.
Busseskip var store, breie skip.

Fagre møy! Jeg skipet
så ført fra elv til havet.
Se hvor den ligger for landet
den lange, herlige draken.

Fakset på skinnende ormen
stråler ut over lasta
siden den glei av lunnen.
Gullet på nakkene glimrer.

Så rustet kong Harald skipet og gjorde seg i stand. Da han var ferdig, styrte han ut av elva med skipet. Roingen ble gjort på den aller fineste måten. Så sier Tjodolv:

Hærføreren kaster lørdag
det lange tjeldet av seg.
Fra byen de fagre kvinner
kunne se ormens side.
Fra Nid den unge kongen
det nye hærskip styrte
vestover, og i sjøen
sveiner med årer plasker.

De sterke tjærede årer
ikke går lett i stykker;
i fred kan vi ro skipet.
Slikt roser gjerne kvinner.

Kongens hærmenn fører
fast årer i sjøen.
Kvinner som et under
den åreføring finner.

Sorg vil mange kjenne
før menn tilbake vender
og løfter sytti årer
i keipene opp av sjøen.
På draken med jernnagler
nordmenn ror på sjøen
i haglvær; der ute var det
som så du en ørnevinge.

Kong Harald styrte med hæren søretter langs land, og han hadde ute full leidang både av mannskap og av skip. Da de vendte øst mot Viken, fikk de sterk motvind, og flåten lå omkring i havnene både ved utøyer og inne i fjordene. Så sier Tjodolv:

Le og ly av skogen
søker skipets glatte stavner.
Med hærskip rundt om landet
leidangs høvding det stenger.

I hver vik bak skjær og øyer
skip fra flåten ligger.
Ly må høybrynjet skipsstavn
bak lave eidene søke.

Kvinner fra Nidaros står og ser på at skipet blir drevet fram med sytti årer.

I disse sterke stormene som kom på dem, trengte det store skipet gode ankergreier. Så sier Tjodolv:

Kongen lar stavnen bryte
mot høye bølger ved Læsø.
Han nytter ut skipets trosser
til de ikke mer det klarer.

Ankerne lider i stormen;
aldri så stor en jernkrok
blir gnagd opp av harde steiner;
stygge uvær den tærer.

Da de så fikk bør, styrte kong Harald med hæren øst til Elv og kom dit mot kvelden. Så sier Tjodolv:

Djervt til Gautelv Harald
haster fram å komme.
Om natta nær ved grensa
Norges konge ligger.

Ved Tumla* kongen holder
et ting; der Svein og Harald
til glede for ravnen skal møtes,
med mindre danene svikter.

61. Da danene fikk vite at nordmannshæren var kommet, rømte de alle som kunne komme til. Nordmennene fikk høre at danekongen også hadde en hær ute, og at han lå sør ved Fyn og Smålanda*. Da kong Harald spurte at kong Svein ikke ville møtes med ham eller holde kamp med ham slik det var avtalt, gjorde han på samme måte som før, lot bondehæren fare hjem, men hadde mannskap på halvannet hundre skip; med denne hæren seilte han sør langs Halland og herjet vidt omkring. Han la med hæren sin inn i Lovefjorden* og herjet oppe i landet der. Kort etter kom kong Svein mot dem med daneflåten, han hadde tre hundre skip. Da nordmennene så hæren, lot kong Harald blåse sammen sin hær. Mange sa det at de skulle rømme unna, og at det var uråd å slåss. Da svarte kongen: «Før skal vi falle alle sammen, den ene oppå den andre, før vi skal rømme.» Så sier Stein Herdisson:

Høvding med haukemotet
høyt sa det han tenkte.
«Her kan vi ikke vente
videre skånsel,» sa kongen.

«Så,» ropte navngjetne høvding,
«heller enn gi oss vi faller
den ene oppå den andre.»
Alle mann greip til våpen.

Siden lot kong Harald ordne flåten til å gå mot fienden; og han la fram den store draken midt i flåten. Så sier Tjodolv:

Vennegavenes giver
som gjerne gav ulven føde,

fram lot føre draken
fremst i spissen for hæren.

Tumla er egentlig et folkenavn som ennå fins i stedsnavnet Tumlahed, sørvest på Hisingen i Göta älv.
Smålanda, dvs. øyene sør for Sjælland og Fyn, i Smålands Farvandet.
Lovefjorden, nå Laholmsbukten.

Dette skipet hadde et stort og ypperlig mannskap. Så sier Tjodolv:

Fyrsten, vyrk om trygghet,	*Manndåds modige leder*
bad fylkingen stå modig.	*lukket den sterke draken*
Hærmenn skjold langs sida	*med skjold der utenfor Nissan*;*
som i skjoldborg stilte.	*det ene tok i det andre.*

Ulv stallare la skipet sitt på den ene sida av kongsskipet; han sa til mennene sine at de skulle legge skipet vel fram. Stein Herdisson var på skipet til Ulv. Han kvad:

Ulv, stallar hos kongen,	*Da bad den uredde vennen*
egget oss alle kraftig	*til vise kongen oss legge*
da langspyd ristet der ute,	*skipet hans godt fram med kongen;*
og hærskip rodde til striden.	*karene svarte med jarop.*

Håkon Ivarsson jarl lå ytterst i den ene fylkingarmen, og mange skip fulgte ham, og mannskapet der var vel rustet. Ytterst i den andre armen lå trønderhøvdingene; det var også en stor og vakker hær.

62. Kong Svein ordnet også sin flåte. Han la skipet sitt imot kong Haralds skip midt i flåten, og nærmest ham la Finn jarl fram skipet sitt. Nærmest ham satte danene alt det mannskap som var modigst og best væpnet. Siden bandt de sammen skipene midt i flåten på begge sider. Men fordi flåten var så stor, var det en mengde skip som fór løse, og da la hver og en fram sitt skip som han hadde mot til; og dette var svært ujamt. Enda forskjellen i folkestyrke var svært stor, hadde likevel begge parter en veldig hær. Kong Svein hadde seks jarler i sin hær. Stein Herdisson sier så:

I fare hersedrotten	*Og så kom Lejre-kongen**
hugsterk ut seg kastet,	*lysten etter striden,*
med halvannet hundre langskip	*tre hundre hærskip fulgte*
han på danene ventet.	*ham over sjøen til slaget.*

63. Kong Harald lot blåse hærblåst så snart han hadde gjort ferdig skipene, og så lot han mennene sine ro fram til strid. Så sier Stein Herdisson:

For Svein la Harald	*Med sverd ved side kongsmenn*
en hindring ved elveosen.	*til kamp ved Halland rodde.*
Motstand gjorde fyrsten,	*Fra heite sår fikk blodet*
om fred bad han ikke.	*fosse ut i sjøen.*

Nissan, elv som renner i sjøen ved Halmstad.
Lejrekongen er den danske kongen. Lejre var det gamle danske kongssetet, nær Roskilde.

Så tok kampen* til, og den ble hard og kvass. Begge konger egget folkene sine. Så sier Stein Herdisson:

Begge de djerve konger
brydde seg ikke om skjoldvern,
de bad hærmenn skyte
og hogge;
hær tett ved hær var fylket.

I lufta fløy piler og steiner,
og sverdet av blod dryppet.
For menn som var kåret
til døden,
gjorde dette ende på livet.

Det var seint på dag slaget tok til, og det holdt på hele natta. Kong Harald skjøt lenge med bue. Så sier Tjodolv:

Almbuen natta igjennom
opplandske kongen spente.
Piler lot djerve kongen
drive mot skjoldene hvite.

Dødssår gav der til bønder
den blodige odden på pila.
Der piler stod fast i skjoldet,
spydkast fra kongen fort økte.

Håkon jarl og den styrke som fulgte ham, bandt ikke sammen skipene sine, men rodde imot de danske skipene som lå løse. Han ryddet hvert skip som han hengte seg fast ved. Da danene skjønte det, drog hver av dem sitt skip bort derifra hvor jarlen kom, men han fulgte etter danene når de veik unna, og det var nær ved at de ville ta flukten. Da rodde det ei skute bort til jarlsskipet, og fra den ble det ropt på jarlen og sagt at den ene fylkingen til kong Harald holdt på å gi seg, og at mange av deres folk hadde falt. Da rodde jarlen dit og gikk hardt på, så danene måtte dra seg tilbake. Slik fór jarlen hele natta og var med der det trengtes mest, og hvor han så kom, kunne ingenting stå seg mot ham. Håkon rodde ytterst mens slaget stod på. Mot slutten av natta tok hovedmengden av danene til å flykte; for da hadde kong Harald med sitt følge gått opp på skipet til kong Svein, og han ryddet skipet så fullstendig at alle mann falt unntatt de som hoppet over bord. Så sier Arnor Jarlaskald:

Den uredde Svein gikk ikke
uten grunn ifra snekka:
på hjelmen kom harde malmen;
slik mener jeg at det gikk til.

Ordsnare jute-venns farkost
folketom først måtte flyte,
før høvdingen tok til å flykte
fra sine falne hirdmenn.

Da kong Sveins merke hadde falt, og skipet var tomt for folk, flyktet alle hans menn, og noen falt. Men på de skipene som var bundet sammen, hoppet mannskapet over bord. Somme kom seg over på andre skip, som var løse. Da rodde de bort alle de av Sveins menn som kunne. Det ble et forferdelig mannefall. Der kongene sjøl hadde kjempet, og de fleste skipene var bundet i hop, der lå det igjen mer enn sytti av skipene til kong Svein. Så sier Tjodolv:

Den gjæve Sognekongen
skal i en snartur på én gang

Sveins menns herlige langskip
sytti i tallet ha ryddet.

Kampen stod i år 1062.

Jarlen taler med Vandråd.

Kong Harald rodde etter danene og forfulgte dem. Men det var ikke lett, for båtene lå så tett at det var så vidt en kunne komme fram. Finn jarl ville ikke flykte, og han ble tatt til fange. Han hadde svakt syn. Så sier Tjodolv:

Svein vant ikke seier
skjønt seks danske jarler
i én og samme kampen
kraftig kjempet for ham.

Finn Arnesson, kampsterk,
midt i fylkingen fanget
ble, fordi han uredd
ikke sitt liv ville berge.

64. Håkon jarl lå etter med skipet sitt mens kongen og resten av hæren dreiv på å forfølge fienden, for jarlsskipet kunne ikke komme fram for de skipene som lå i vegen. Da kom det roende en mann med en vid hatt. Han ropte opp på skipet: «Hvor er jarlen?» Jarlen var i forrommet og stoppet blodet på en mann. Jarlen så på mannen med hatten og spurte ham hva han het. «Vandråd* er her; tal du med meg, jarl.» Jarlen bøyde seg utover relinga til ham. Da sa mannen i båten: «Jeg vil ta imot livet av deg om du vil gi meg det.» Jarlen reiste seg opp og ropte på to av sine menn, som begge var hans kjære venner, og sa: «Gå i båten og før Vandråd til lands; følg ham så til Karl bonde, min venn. Si ham det til kjenningstegn at han skal la Vandråd få den hesten som jeg gav Karl i forgårs, og han skal gi ham sin egen sal og sin sønn til følge.» Så gikk de ned i båten og tok til årene, Vandråd styrte.

Dette var i grålysningen. Da var også ferdselen størst av skip, som rodde til lands, og somme ut på havet, både små og store skip.

Vandråd betyr «han som er i knipe».

Vandråd styrte der han syntes det var rommeligst mellom båtene. Når et av nordmennenes skip rodde nær dem, sa jarlsmennene hvem de var, og alle lot dem da fare dit de ville. Vandråd styrte fram langs med stranda og la ikke til lands før de kom forbi den store mengden av skip. Så gikk de opp til Karls gard, og da tok det til å lysne. De gikk inn i stua; der var Karl nettopp påkledd. Jarlsmennene fortalte ham ærendet sitt. Karl sa at de først skulle få seg mat, han lot sette bord fram til dem og gav dem vann til å vaske seg. Da kom kona inn i stua og sa straks: «Det er da underlig også at vi aldri skal få søvn eller ro i natt for skrik og ståk.» Karl svarte: «Vet du ikke at kongene har holdt slag i natt?» Hun spurte: «Hvem har vunnet?» Karl svarte: «Nordmennene har fått seier.» «Da har han nok flyktet, kongen vår,» sier hun. Karl svarte: «Folk vet ikke om han har flyktet eller falt.» Hun sa: «Det er en stakkar til konge vi har; han er både halt og redd.» Da sa Vandråd: «Kongen er nok ikke redd, men han er ikke seiersæl.»

Vandråd vasket seg sist; og da han tok handkledet, tørket han seg midt på det. Kona i huset tok handkledet og reiv det fra ham og sa: «Lite folkeskikk har du; det er bare en bondetamp som væter hele duken på én gang.» Vandråd svarte: «Slik får jeg det nok en gang igjen, at jeg kan tørke meg midt på handkledet.» Så satte Karl et bord for dem, og Vandråd satte seg i midten. De spiste en stund, og så gikk de ut. Da var hesten ferdig, og sønn til Karl skulle følge med, og han hadde en annen hest. Så rei de bort til skogen, men jarlsmennene gikk til båten sin og rodde ut til jarlsskipet.

65. Kong Harald og hans folk forfulgte ikke langt, men rodde tilbake til skipene som lå der uten folk. Da undersøkte de alle som hadde falt. På kongsskipet var det en mengde døde menn, men ikke fant de liket til kongen, enda de mente å vite at han hadde falt. Kong Harald lot stelle om likene til mennene sine, og binde om sårene hos dem som trengte det. Etterpå lot han føre til lands likene til Sveins menn, og han sendte bud til bøndene at de skulle jorde likene. Så lot han skifte hærfanget; han ble der ei tid. Så fikk han høre at kong Svein var kommet til Sjælland, og at hele den hæren som hadde flyktet fra slaget, var kommet til ham, og mye annet folk, så han hadde fått en veldig stor hær.

66. Finn Arnesson jarl ble tatt til fange i slaget, som før er skrevet. Han ble ført til kongen. Kong Harald var riktig lystig og sa: «Her skulle vi møtes nå, vi to, Finn, men sist var det i Norge. Den danske hirden har ikke stått riktig fast om deg, og nordmennene får nå et leit arbeid, å dra deg med seg, blind som du er, og holde liv i deg.» Da svarte jarlen: «Mye leit arbeid må nordmennene gjøre, men det verste er alt det du setter dem til.» Da sa kong Harald: «Vil du ha grid, enda du ikke har fortjent det?» Da svarte jarlen: «Ikke av deg, din hund!» Kongen sa: «Vil du at Magnus, frenden din, skal gi deg grid?» Magnus, sønn til kong Harald, styrte et av skipene. Da svarte jarlen: «Hva kan den valpen rå for grid?» Da lo kongen og hadde moro av å erte ham og sa: «Vil du ta imot grid av Tora,

frenka di?» Jarten svarte: «Er hun her?» «Her er hun,» sa kongen. Da sa Finn jarl noen grove ord som ennå blir husket, for de viser hvor harm han var, så han ikke kunne styre ordene sine: «Ikke er det underlig at du har bitt godt ifra deg når merra fulgte med deg.» Finn jarl fikk grid, og kong Harald hadde ham hos seg ei tid. Finn var lite glad og ikke videre «mjuk» i ord. Da sa kong Harald: «Jeg ser det, Finn, at du nå ikke vil bli til venns med meg eller frendene dine. Jeg vil gi deg lov til å fare til Svein, kongen din.» Jarlen svarte: «Det tar jeg imot, og dess før jeg kommer bort herifra, dess mer skal jeg takke deg.» Så lot kongen jarlen sette i land; hallendingene tok vel imot ham. Etterpå styrte kong Harald nord til Norge med hæren sin, han reiste først til Oslo, og så lot han alt det mannskap som ville, få hjemlov.

67. Det blir fortalt at kong Svein satt i Danmark den vinteren og styrte riket sitt som før. Om vinteren sendte han folk nord til Halland etter Karl og kona hans. Da de kom til kongen, kalte han Karl til seg, og så spurte kongen Karl om han kjente ham eller syntes han hadde sett ham før. Karl svarte: «Jeg kjenner deg nå, konge, og jeg kjente deg før, straks jeg så deg. Det er Gud å takke at den vesle hjelpa jeg gav deg, kom deg til nytte.» Kongen svarte: «For alle de dager jeg kommer til å leve heretter, har jeg deg å takke. Nå vil jeg først lønne deg slik at jeg gir deg en gard på Sjælland som du kan velge deg, og så vil jeg gjøre deg til en stor mann om du høver til det.»

Karl takket kongen vel for hans ord, og så sa han at han hadde enda en ting han ville be om. Kongen spurte hva det var. Karl sa: «Jeg vil be om det, konge, at du lar meg få med kona mi.» Kongen sa da: «Det vil jeg ikke gi deg lov til, for jeg skal gi deg ei kone som er mye bedre og klokere. Men kona di kan få ha den vesle garden som dere før har hatt. Den kan hun greie å leve av.» Kongen gav Karl en stor og gjæv gard og fikk i stand et godt giftermål for ham, og han ble siden en stor og mektig mann. Dette ble kjent vidt og bredt, og det kom også nord til Norge.

68. Kong Harald satt i Oslo vinteren etter Nissan-slaget. Om høsten da flåten kom. sør fra, ble det snakket og fortalt mye om det slaget som hadde vært ved Nissan om høsten. Hver og en som hadde vært med, syntes at han hadde noe å fortelle. Det var en gang at det satt noen menn i ei lita stue og drakk og var svært pratsomme. De talte om Nissan-slaget og om hvem som hadde vunnet størst ære der. Alle var enige om det at ingen mann hadde vært slik der som Håkon jarl, «han var våpendjervest, og han var modigst, han hadde mest lykke med seg, og det ble til størst hjelp det han gjorde, og han vant seieren!» Kong Harald var der ute i gården og talte med noen menn. Da gikk han bort i stuedøra og sa: «Her ville nok noen hver hete Håkon,» og så gikk han sin veg.

69. Om høsten fór Håkon jarl til Opplanda og var der om vinteren i riket sitt. Han var meget vennesæl blant opplendingene. Da det lei utpå våren, satt det en gang noen menn og drakk, og talen gikk på

Det var en gang at det satt noen menn i ei lita stue og drakk.

ny om Nissan-slaget; noen roste Håkon jarl svært, men noen drog fram andre ikke mindre. Da de hadde talt sammen en stund, var det en mann som svarte: «Det kan nok være at flere menn har kjempet djervere ved Nissan enn Håkon jarl; men likevel har det ikke vært noen der som har hatt lykken med seg slik som han, etter det jeg forstår.» De sa at det største hell han hadde, var det at han hadde fått jagd på flukt så mange av danene. Da svarte den samme mannen: «Enda større hell hadde han i det at han gav kong Svein livet.» Da svarte en: «Det vet du ikke noe visst om, det du der sier.» Han svarte: «Det har jeg god greie på, for han har fortalt meg det sjøl, han som satte kongen i land.» Men da var det som det ofte er sagt, at mange er kongens ører.

Dette ble fortalt til kongen, og med en eneste gang lot kongen ta mange hester og rei straks om natta med to hundre mann. Han rei hele natta og dagen etterpå. Da kom det ridende mot dem noen menn som skulle til Oslo med mjøl og malt. Det var en mann som het Gamal som var i følget til kongen. Han rei bort til en bonde som han kjente. De talte sammen alene, og Gamal sa: «Jeg skal betale deg for at du rir så hardt du kan på de korteste lønnvegene som du kjenner, like til Håkon jarl. Si til ham at kongen vil drepe ham, fordi kongen nå har greie på at jarlen har hjulpet kong Svein i land ved Nissan.» De gjorde avtale om dette.

Denne bonden rei og kom til jarlen, som satt og drakk og ikke hadde gått til sengs. Da bonden hadde sagt ærendet sitt, stod jarlen straks opp med alle sine menn. Jarlen lot føre bort alt løsøre fra garden til skogen; alle mennene var også borte fra garden da kongen kom. Han ble der om natta. Men Håkon jarl rei sin veg og kom fram øst i Sveavelde til kong Steinkjell* og var hos ham om sommeren. Siden vendte kong Harald tilbake til byen. Om sommeren fór han nord til Trondheimen og var der sommeren ut, men om høsten fór han øst i Viken igjen.

Steinkjell var konge i Sverige omkring 1056-1066.

70. Håkon jarl reiste straks om sommeren tilbake til Opplanda da han hadde fått greie på at kongen hadde reist nordover. Han ble der helt til kongen kom sørover. Så fór jarlen øst til Värmland og var lenge der om vinteren. Kong Steinkjell gav jarlen styringen der. Da det lei utpå vinteren, fór han vest til Romerike, og han hadde en stor hær som gøter og vermer hadde gitt ham. Da tok han inn sine landskylder og de skatter av opplendingene som han hadde rett til. Så tok han øst igjen til Götaland og var der om våren. Kong Harald satt i Oslo om vinteren og sendte menn til Opplanda for at de skulle kreve inn skatter og landskyld og bøter til kongen. Men opplendingene sa at all den skyld som de hadde til plikt å betale, ville de betale og gi til Håkon jarl så lenge han var i live, og han ikke hadde forbrutt liv eller rike, og kongen fikk ingen landskyld derfra den vinteren.

71. Denne vinteren gikk det bud og sendemenn mellom Norge og Danmark; både nordmenn og daner ville gjerne få fred og forlik mellom landene, og ønsker om det ble ført fram for kongene. Det så ut til at dette skulle føre til fred, og til slutt ble det avgjort at et forliksmøte skulle bli holdt ved Elv mellom kong Harald og kong Svein. Da det ble vår, samlet begge kongene en stor hær og mange skip til denne ferden. Det sier en skald i en flokk* om deres ferd:

Kongen til vern for landet
lot legge av skip et gjerde
nordover helt fra Øresund;
inn i havna han styrer.
Hærskip med gull på stavnen
stryker fram på havet
kvast der vest for Halland
med hæren; skvettbord skalv.

Edfaste Harald! Du ofte
med hærskip gjerdet om landet.
Også Svein gjennom sundet
seilte til møte med kongen.
Den lovsæle ravnemetter,
som lukker hver våg sørfra
med hærskip, av alle daner
en yrende hær har med seg.

Her blir det sagt at disse kongene holdt det møte som var avtalt mellom dem, og begge kom til landegrensa. Så som her blir sagt:

Djerve konge sørpå
du seilte av sted til møtet
som alle daner ønsket
av ikke liten årsak.

Svein nå nordover seiler
nær til landegrensa
for Harald å møte; de seilte
med slit langs vidstrakte landet.

Da kongene møttes, tok folk til å tale om forlik mellom dem. Men så snart dette var kommet på tale, tok mange til å klage over den skade de hadde fått av hærferd, herjing og mannefall. Dette stod på en lang stund slik som det her er sagt:

De kloke bøndene sier
når karene møtes, høylytt
ord på begge sider
som sterkt harmer de andre.

Menn som tretter om allting
er ikke snare, det vet vi,
når forlik det gjelder å finne.
Hos fyrstene svulmer motet.

Flokk er et slags æresdikt.

Kong Harald gjør landgang ved Vänern.

Kongens harme blir farlig;
om forlik vi her skal vinne,
de menn som vet å mekle,
må veie allting på vekta.

Til kongene bør nå saken
bli sagt som folket den ønsker.
Om mennene uforlikt skilles,
er det maktlyst som ligger bakom.

Seinere la de beste og klokeste menn seg imellom, og det kom da
til forlik mellom kongene på den måten at Harald skulle ha Norge
og Svein Danmark til den landegrensa som fra gammel tid hadde
vært mellom Norge og Danmark. Ingen av dem skulle bøte til den
andre. Der det var herjet, skulle man finne seg i det; og den som
hadde fått hærfang, skulle ha det. Denne freden skulle stå så lenge
de var konger; dette forliket ble bundet med eder. Så gav kongene
hverandre gisler, slik som her er sagt:

Hørt jeg har at både
Harald og Svein glade
gav hverandre gisler,
gjerning god var dette.

Gid de ed må holde
og hele freden fullt ut,
så ingen forliket bryter.
Freden ble sluttet med vitner.

Kong Harald styrte med hæren sin nord til Norge, kong Svein
reiste sør til Danmark.

72. Kong Harald var i Viken om sommeren, men han sendte menn
til Opplanda etter skatt og skyld som han skulle ha der. Bøndene
ville ikke betale, men sa at de ville la alt vente til Håkon jarl kom
til dem. Da var Håkon jarl oppe i Götaland og hadde en stor hær.
Da det lei på sommeren, styrte kong Harald sør til Konghelle. Der
tok han alle de lette skipene han kunne få tak i, og styrte opp etter

Göta älv. Han lot dra skipene over land ved fossene og førte dem opp i innsjøen Vänern. Siden rodde han øst over innsjøen dit han hadde fått greie på at Håkon jarl var. Men da jarlen hadde fått nyss om kongens ferd, drog han nedover fra landet, og ville ikke at kongen skulle herje der. Håkon jarl hadde en stor hær som gøtene hadde gitt ham. Kong Harald la opp i ei elv med skipene sine, og så gjorde han landgang, men han lot noe av hæren bli igjen til å holde vakt ved skipene. Kongen sjøl rei og noen til, men mange flere gikk. De måtte fare over en skog, og så var det noen myrer fulle av kratt, og så et holt. Da de kom opp i holtet, fikk de se hæren til jarlen. Da var det ei myr imellom dem. De fylkte da hæren på begge sider. Da sa kongen at hans hær skulle bli oppe på bakken. «La oss først prøve om de vil falle over oss. Håkon har ikke lyst til å vente,» sier han. Det var frost i været og noe snødrev. Harald og hans folk satt under skjoldene sine, men gøtene hadde tatt lite klær på, og det ble kaldt for dem. Jarlen bad dem vente til kongen gikk på, og de alle stod jevnhøyt. Håkon jarl hadde de merker som kong Magnus Olavsson hadde hatt.

Lagmannen hos gøtene het Torvid; han satt til hest, og tømmen var bundet til en påle som stod i myra. Han talte og sa: «Det vet Gud at vi har en stor hær og djerve karer. La kong Steinkjell få høre at vi har hjulpet den gode jarlen vel. Det vet jeg at om nordmennene går på oss, vil vi ta traust imot dem. Men om ungguttene murrer og ikke vil bli stående, så la oss ikke renne lenger enn hit til bekken. Om ungguttene skulle murre enda mer, som jeg vet at de nok ikke gjør, la oss da ikke renne lenger enn til haugen her.» I det samme sprang nordmannshæren opp og satte i hærrop og slo på skjoldene sine. Da tok gøtehæren til å rope. Men hesten til lagmannen ble skremt av hærropet, og rykte til så hardt at pålen røk opp og fór forbi hodet til lagmannen. Han ropte: «Måtte du få ei ulykke slik du skyter, nordmann!» Og dermed rei lagmannen av sted i trav.

Kong Harald hadde før talt til mennene sine slik: «Vi skal nok gjøre bråk og skrik om oss, men likevel skal vi ikke gå utfor bakken før de kommer hit til oss,» og slik gjorde de. Men så snart hærropet tok til, lot jarlen bære fram merket sitt. Da de kom under bakken, veltet kongsmennene seg ned på dem. Da falt med én gang en del av jarlens hær, og en del flyktet. Nordmennene forfulgte dem ikke langt fordi det var i kveldinga. Der tok de Håkon jarls merke og så mye våpen og klær som de kunne få tak i. Kongen lot bære framfor seg begge merkene da han gikk ned bakken. De talte seg imellom om jarlen kanskje hadde falt; men da de rei gjennom skogen, kunne de bare ri en og en. Da kom det en mann ridende over vegen og kjørte et kastespyd gjennom ham som bar merket til jarlen. Han greip merkestanga og rei av sted med merket i fullt trav den andre vegen i skogen. Da dette ble meldt til kongen, sa han: «Jarlen lever; gi meg brynja mi.» Kongen rei om natta til skipene sine; mange sa at jarlen hadde hevnet seg. Da kvad Tjodolv:

Tormod Eindridason gir Hall Otryggsson banehogg.

Steinkjells menn som skulle
den stridsglade jarlen hjelpe,
til Hel er gitt; det voldte
den veldige, sterke kongen.

Da Håkon helt måtte gi opp
håpet om hjelpen derfra,
drog han seg fort tilbake,
sier de som vil pynte på saken.

Resten av natta var kong Harald om bord på skipene sine, men om morgenen da det ble lyst, hadde isen lagt seg så tjukk alle steder omkring skipene at en kunne gå rundt omkring dem. Da bad kongen mennene sine at de skulle hogge i stykker isen fra båtene og ut til vannet. Det gikk da noen og tok til med å hogge i stykker isen. Magnus, sønn til kong Harald, styrte det skipet som lå nederst i elveosen og nærmest ut til vannet. Da de hadde hogd i stykker isen nesten helt ut, sprang det en mann ut etter isen der som de skulle hogge, og han tok til å hogge i isen som han skulle være vill eller gal. Da sa en mann: «Det er nå som så ofte før at det er ingen det er så god hjelp i, hva han så tar seg til, som Hall Kodrånsbane; se bare hvordan han hogger isen.»

På skipet til Magnus var det en mann som het Tormod Eindridason. Da han hørte nevne Kodrånsbane, sprang han på Hall og hogg ham banehogg. Kodrån var sønn til Gudmund Eyjolvsson, og Valgjerd, søster til Gudmund, var mor til Jorunn, som igjen var mor til Tormod. Tormod var årsgammel da Kodrån ble drept, og han hadde aldri sett Hall Otryggsson før da*. Da var isen hogd opp ut til vannet,

---

Hall Otryggssons drap på Kodrån Gudmundsson er en sentral episode i Ljósvetninga saga.

og Magnus la ut til skipet sitt og satte straks seil vestover vannet, men kongsskipet lå innerst i råka og kom sist ut. Hall hadde vært i kongens følge, og kongen holdt mye av ham; nå var han svært harm. Det varte lenge før kongen kom til havn; da hadde Magnus sloppet drapsmannen til skogs og bød bøter for ham. Det var nær ved at kongen hadde gått imot Magnus og hans menn, før vennene deres kom og fikk dem forlikt.

73. Denne vinteren fór kong Harald opp på Romerike med en stor hær. Han klagde på bøndene over at de hadde nektet ham skatter og skylder, og at de hadde hjulpet hans fiender til ufred imot ham. Han lot gripe bøndene, noen lot han lemleste, noen lot han drepe, og fra mange tok han hele eiendommen deres. Da rømte de som kunne komme til; vidt og bredt lot han bygdene brenne og la dem helt øde. Så sier Tjodolv:

Han som tvang holmbuer,
hard dom la på raumer.
Jeg tror at Haralds fylking
fast gikk fram i kampen.

Med ild kongen seg hevnet;
nå var det han som rådde.
Flammende branner førte
til fred elendige bønder.

Siden reiste kong Harald opp på Hedmark og brente der og gjorde ikke mindre hærverk der enn på Romerike. Så fór han til Hadeland og ut på Ringerike, brente der og fór overalt med hærskjold. Så sier Tjodolv:

Det som trossige tegner eide,
brant opp; ild stod i taket.
Høvdingers herre slo til
heiner* med leie steiner.

Mennene bad for livet.
Brannen gav ringerikinger
dom som var lei å bære
før luene sluttet å brenne.

Etter dette la bøndene hele saken inn under kongen.

74. Etter at kong Magnus var død, gikk femten år før Nissan-slaget, og siden to år før Harald og Svein ble forlikt. Så sier Tjodolv:

Endelig hordekongen
harde strid kunne slutte.

Fred fikk han tredje året.
Utfor stranda beit sverdet.

Etter dette forliket stod striden mellom kongen og opplendingene på i tre halvår. Så sier Tjodolv:

Lett er det ikke å finne
ord som seg høver om kongen,
da opplendinger han lærte
å legge åker øde.

Den kloke høvding har vunnet
så stor heder og ære
i disse tre halvår
at alltid det vil minnes.

Heiner, d.e. hedmarkinger.

75. Edvard Adalrådsson var konge i England etter Horda-Knut, sin bror. Han ble kalt Edvard den gode*, og det var han også. Mor til kong Edvard var dronning Emma, datter til Rikard Rudajarl. Hennes bror var Robert jarl, far til Vilhjalm Bastard, som da var hertug i Ruda i Normandi. Kong Edvard var gift med dronning Gyda, datter til jarlen Gudine Ulvnadsson. Brødrene til Gyda var Toste jarl, han var eldst, den andre var Morukåre jarl, den tredje Valtjov jarl, den fjerde Svein jarl, den femte Harald, han var yngst*. Han vokste opp i kong Edvards hird og var hans fostersønn; kongen elsket ham overmåte høyt og reknet ham som sin egen sønn, for kongen hadde ikke barn sjøl.

76. Det var en sommer at Harald Gudinesson skulle fare til Bretland og fór til skips. Da de kom ut på sjøen, fikk de motvind og dreiv til havs. De tok land vest i Normandi og hadde hatt en farlig storm. De kom inn til byen Ruda og fant der Vilhjalm jarl. Han tok med glede imot Harald og følget hans, og Harald var der som gjest lenge om høsten, for stormene varte ved, og det var ikke til å komme ut på havet.

Da det lei mot vinteren, talte jarlen og Harald om at Harald skulle slå seg til der om vinteren. Harald satt i høgsetet på den ene sida av jarlen, og på den andre sida satt jarlens hustru; hun var den vakreste kvinne noen kunne se. Disse tre satt gjerne og snakket sammen ved drikken og hygget seg. Jarlen gikk oftest tidlig til sengs, men Harald satt lenge om kveldene og talte med jarlens hustru; slik gikk det lenge om vinteren.

En gang de talte sammen, sa hun: «Nå har jarlen talt med meg og spurt hva vi snakker om så ofte, og nå er han harm.» Harald svarte: «Vi skal la ham vite snarest mulig alt det vi har pratet om.» Dagen etter bad Harald jarlen om å få tale med ham, og de gikk inn i målstua. Der var også jarlens hustru og deres rådgivere. Da tok Harald til orde: «Det har jeg å si deg, jarl, at det ligger mer under det at jeg kom hit, enn det jeg hittil har kommet fram med. Jeg tenker å be om din datter til hustru. Dette har jeg ofte talt om for hennes mor, og hun har lovt meg at hun skal støtte denne saken hos deg.» Men så snart Harald hadde sagt dette, tok alle de som var til stede, det godt opp og støttet det hos jarlen. Til slutt ble det slik at jarledattera ble festet til Harald. Men da hun var ung, ble det avtalt å vente med bryllupet i noen år.

77. Da våren kom, gjorde Harald ferdig skipet sitt og tok bort. Han og jarlen skiltes i stort vennskap. Harald satte over til England til kong Edvard, men kom ikke til Valland siden for å holde bryllup. Kong Edvard styrte over England i 23 år; han døde sottedøden i London 5. januar* og ble jordet i Pålskirken, og engelskmennene rekner ham for hellig. Sønnene til Gudine jarl var på den tid de

Edvard den gode, dvs. Edward Confessor, 1042-1066.
Om jarlene *Morukåre* og *Valtjov,* se Olav den helliges saga kap. 152.
5. januar i år 1066.

Da det lei mot døden med kongen, var Harald og noen få andre til stede.

mektigste menn i England. Toste var satt til høvding over hæren til den engelske kongen, og han var landvernsmann da kongen tok til å eldes. Han var satt over alle andre jarler. Harald, hans bror, var støtt den mann i hirden som stod kongen nærmest i all tjeneste, og han hadde tilsyn med alle skattkamrene til kongen.

Det er fortalt at da det lei mot døden med kongen, var Harald og noen få andre menn til stede. Da bøyde Harald seg over kongen og sa: «Det tar jeg dere alle til vitne på at kongen nå gav meg kongedømmet og all makten i England.» Kort etter ble kongen båret død ut av senga si. Samme dag var det høvdingmøte, og det ble talt om kongevalget. Da lot Harald føre fram sine vitner på at kong Edvard gav ham riket på sin dødsdag. Møtet sluttet slik at Harald ble tatt til konge, og han fikk kongsvigsel trettendedagen* i Pålskirken; da gav alle høvdinger og alt folket seg under ham.

Da Toste jarl, bror hans, fikk greie på det, likte han det ille. Han syntes at han var likså nær til å være konge. «Jeg vil,» sa han, «at landshøvdingene skal velge den til konge som de synes høver best til det» – og om dette gikk det ordsendinger mellom brødrene. Kong Harald sa da at han ville ikke gi opp kongedømmet, for han var blitt satt på den trone som kongen hadde, og var siden salvet og hadde fått kongsvigsel. Hele folkemengden sluttet seg også til ham, og han hadde også alle kongens inntekter.

78. Da Harald merket at hans bror Toste ville ta fra ham kongedømmet, trodde han ham ille, for Toste var en klok mann og en gjæv mann og godt til venns med landshøvdingene. Da tok Harald fra Toste hærstyringen og all den makt som han før hadde hatt framfor de andre jarlene der i landet. Toste jarl ville ikke på noen måte finne seg i å være tjener for sin sambårne bror. Han fór da bort med sine folk mot sør over sjøen til Flandern og ble der en kort stund. Så

Trettendedagen, d.e. 6. januar.

reiste han til Frisland og derfra til Danmark til kong Svein, som var hans frende. De var søsken Ulv jarl, far til kong Svein, og Gyda, mor til Toste jarl. Jarlen bad kong Svein om støtte og folkehjelp. Kong Svein bød ham å være hos seg, og sa han skulle få et slikt jarledømme i Danmark at han kunne være en gjæv høvding der. Jarlen sa da: «Det er det jeg ønsker, å få fare tilbake til England, til odelen min. Men om jeg ikke får noen hjelp til det av Dem, konge, vil jeg heller by Dem det at jeg vil gi Dem all den hjelp som jeg har høve til i England, om De vil fare med danehæren til England og vinne landet slik som Knut, Deres morbror.»

Kongen svarte: «Så mye mindre mann er jeg enn min frende, kong Knut, at jeg knapt kan verge Danevelde mot nordmennene. Gamle Knut fikk Dane-riket ved arv, men vant England i hærferd og strid; likevel så det ei tid ut til at han skulle miste livet sitt der. Norge fikk han uten kamp. Nå kan jeg holde så vidt måte at jeg heller retter meg etter mine egne små vilkår enn etter den framgang min frende Knut hadde.» Da sa jarlen: «Mindre blir det jeg oppnår ved ærendet mitt hit enn jeg tenkte, når du som er så gjæv en mann lar meg være i slik knipe. Det kan nå være at jeg søker vennskap der det er mindre rimelig. Men likevel kan det hende jeg finner en høvding som er mindre redd for å legge store planer enn De, konge.» Så skiltes de, kongen og jarlen, og var ikke svært gode venner.

79. Nå vendte Toste ferden til en annen kant, og han kom fram til Norge og reiste til kong Harald, som var i Viken. Da de møttes, bar jarlen fram ærendet sitt for kongen; han fortalte ham alt om sin ferd fra da han fór fra England; han bad kongen om å få hjelp til å vinne riket sitt i England. Kongen sa da at nordmennene ikke hadde noen lyst til å fare til England og herje når de hadde en engelsk høvding over seg. «Folk sier det,» sa han, «at disse engelskmennene er ikke altfor mye å lite på.» Jarlen svarte: «Mon det er sant det jeg hørte si i England? At kong Magnus, din frende, sendte menn til kong Edvard med den ordsending at kong Magnus eide England med samme rett som Danmark, og dette landet hadde han tatt i arv etter Horda-Knut, slik som de med ed hadde lovt hverandre?»

Kongen svarte: «Hvorfor hadde han det ikke da, når han eide det?» Jarlen sier: «Hvorfor har ikke du Danmark slik som kong Magnus hadde det før deg?» Kongen svarte: «Ikke trenger danene å briske seg for oss nordmenn. Stor skade har vi gitt dem, disse frendene dine.» Da sa jarlen: «Vil ikke du si meg det, så skal jeg si deg det. Derfor la kong Magnus Danmark under seg, fordi høvdingene der gav ham hjelp og derfor fikk du det ikke, fordi hele landsfolket stod imot deg. Derfor kjempet ikke kong Magnus for å vinne England, fordi alt folket i landet ville ha Edvard til konge. Vil du få makt over England, kan jeg lage det slik at størsteparten av høvdingene i England blir dine venner og hjelpesmenn. Det er bare i kongsnavn jeg står tilbake for Harald, min bror. Det vet alle menn at det ikke har vært født noen slik hærmann som du i Norderlanda; det synes jeg er underlig at du kjempet i femten år for å vinne Danmark, men England vil du ikke ha når det ligger åpent for deg.» Kong Harald tenkte nøye over det jarlen sa, og skjønte at det var mye sant i det, og dessuten fikk han også lyst til å vinne riket. Siden talte de sammen, kongen og jarlen, lenge og ofte, og de avtalte da at om sommeren skulle de fare til England og vinne landet.

Kong Harald sendte bud over hele Norge og bød ut leidang, halv allmenning. Overalt ble det nå talt om dette, og det var mange slags gjetninger om hvorledes det vel ville gå på denne ferden. Noen reknet opp storverkene til Harald, og sa at ingenting ville være umulig for ham; noen sa at England ville det ikke være lett å vinne, der var mange folk, og så var det en hær der som ble kalt Tingmannalid; i den hæren var mennene så djerve, at én av dem var bedre enn to av de beste hos Harald. Da svarte Ulv stallare:

Kongens stallare trenger
ei ferdes i Haralds stavnrom
– rikdom vant jeg alltid
uten at jeg ble tvunget –

om for én tingmann alene
to av våre skal vike.
Annen vane fikk jeg
i ungdommen, lyse kvinne.

Den våren døde Ulv stallare. Kong Harald stod ved hans grav og sa da han gikk derifra: «Der ligger nå han som var traustest og mest trofast mot kongen sin.» Om våren seilte Toste jarl vest til Flandern til møte med de menn som hadde fulgt ham fra England, og med de andre som samlet seg hos ham både fra England og der i Flandern.

80. Hæren til kong Harald samlet seg ved Solund*. Da kong Harald var ferdig til å legge ut av Nidaros, gikk han først til kong Olavs skrin og lukket det opp og klipte hans hår og negler og låste så skrinet, men nøklene kastet han ut i Nidelva, og siden har ikke den hellige Olavs skrin vært lukket opp. Da hadde det gått 35 år fra hans fall. Han levde også 35 år her i verden. Kong Harald styrte sørover med den hæren som fulgte ham, til møte med den andre hæren. Der kom det sammen en veldig hær, så det blir sagt at kong Harald hadde nær to hundre skip, og dertil proviantskip og småskuter.

Da de lå ved Solund, var det en mann på kongsskipet som het Gyrd, som hadde en drøm. Han syntes han stod på kongsskipet og så at det stod ei svær trollkjerring oppe på øya; i den ene handa hadde hun et sverd og i den andre et trau. Han syntes også at han så ut over alle skipene deres, og at det satt en fugl på hver skipsstavn. Det var alt sammen ørner og ravner. Trollkjerringa kvad:

Visst er det at kongen østfra
blir egget mot vest å fare
til møte med lik-knokler mange,
for meg er det til nytte.

Der kan ravnen finne
føde på skipene til seg;
den vet den får nok å ete.
Alltid slikt jeg støtter.

Solund, øyer utenfor Sognefjorden.

Kong Harald ved Ulv stallares grav.

81. Tord het en mann som var på et skip som lå tett ved kongs-skipet. Han drømte ei natt at han syntes han så kong Haralds flåte fare mot et land; han mente seg å vite at det var England. Han så en stor fylking der i landet, og det så ut som begge hærer gjorde seg ferdige til slag og hadde mange merker oppe. Men framfor hæren til mennene i landet rei ei svær trollkjerring; og hun satt på en varg, og vargen hadde liket av en mann i munnen, og det rant blod av kjeften på den. Men da den hadde ett opp én, kastet hun en annen i munnen på den, og siden den ene etter den andre, og den slukte dem alle sammen. Hun kvad:

Trollet lar røde skjoldet
skinne når kamp seg nærmer.
At kongen uferd farer
ser framsynt jotnebrura.

Kvinna med kjeven flenger
kjøttet av falne hærmenn.
Farger i villskap ulven
inni munnen med blodet.

82. Nå drømte kong Harald ei natt at han var i Nidaros og møtte sin bror, kong Olav, som kvad et vers for ham:

Den digre kongen i mange
kamper seiret med ære.
Hellig fall i kampen
fikk jeg fordi jeg ble hjemme.

Det reddes jeg for, konge,
at kampdøden nå deg venter.
Mat du vil bli for varger;
slikt volder nok Gud ikke.

Mange andre drømmer og andre slags varsler ble fortalt, og de fleste varslet vondt. Før kong Harald tok av sted fra Trondheimen, hadde han latt sin sønn Magnus ta til konge der, og satte ham til å styre i Norge når han sjøl fór bort. Tora Torbergsdatter ble også igjen, men dronning Ellisiv og døtrene hennes, Maria og Ingegjerd reiste med ham. Olav, sønn til kong Harald, fór også med ham ut av landet.

83. Da kong Harald var ferdig, og han fikk bør, seilte han ut på havet og kom inn ved Hjaltland*; men noen av skipene hans kom til Orknøyene. Kong Harald lå bare ei kort tid før han seilte til Orknøyene, og derifra fikk han med seg en stor styrke og jarlene Pål og Erlend, sønnene til Torfinn jarl. Men han lot etter seg der dronning Ellisiv og døtrene deres Maria og Ingegjerd. Derifra seilte han sør langs Skottland og så langs England og kom til land der det heter Klevland*. Der gikk han i land og herjet straks og la under seg landet; han fikk ingen motstand. Siden styrte kong Harald inn til Skardaborg* og kjempet med bymennene der. Han gikk opp på berget som er der, og lot gjøre et stort bål, som han satte ild på. Da bålet flammet opp, tok de noen store staker og skubbet bålet ned i byen. Så tok det ene huset etter det andre til å brenne, og hele byen gav seg. Nå drepte nordmennene mange menn der, og tok alt det gods som de fikk tak i. Engelskmennene hadde da ikke annet vilkår enn å gi seg under kong Harald, om de ville berge livet. Da la han under seg alt land der han fór. Så styrte kong Harald med hele hæren sør langs landet og la til ved Hellornes*. Der kom det en flokk imot ham, og der holdt kong Harald slag og vant seier.

84. Etterpå fór kong Harald til Humber og oppetter elva og la til land der. Da var jarlene Morukåre og Valtjov oppe i Jorvik*, og de hadde en veldig hær. Kong Harald lå i Usa* da jarlehæren drog ned imot ham. Da gikk kong Harald på land og tok til å fylke hæren sin. Den ene fylkingarmen stod frampå elvebakken, og den andre vendte opp mot landet mot et dike. Der var det ei dyp og brei myr, full av vann. Jarlene lot sin fylking først dra seg ned langsmed elva med hele mengden. Kongsmerket var nær elva; der var fylkingen tjukk overalt, men ved diket var den tynn, og der stod det mannskap som var minst å lite på. Da rykte jarlene ned langsmed diket; den norske fylkingarmen som vendte mot diket, drog seg da tilbake, og engelskmennene satte etter dem og trodde at nordmennene ville flykte. Det var merket til Morukåre som fór fram der.

85. Da kong Harald fikk se at fylkingen til engelskmennene hadde kommet ned langsmed diket rett imot dem, lot han blåse hærblåst og egget hæren av all kraft. Han lot bære fram merket Landøydan. Hæren gikk på så hardt at alt rømte unna for den, og det ble et veldig mannefall i jarlehæren. Snart vendte hele hæren seg på flukt; somme

Hjaltland, dvs. Shetland.
Klevland, Cleveland i Yorkshire.
Skardaborg, Scarborough.
Hellornes, Holderness, ei halvøy mellom Humber og Nordsjøen.
Jorvik, York.
Usa, Ouse; slaget stod ved Fulford.

På berget lot de gjøre et stort bål og satte ild på det.

flyktet opp med elva eller nedover, og de fleste sprang ut i diket. Der lå de falne så tjukt at nordmennene kunne gå tørrføtt over. Der satte Morukåre livet til. Så sier Stein Herdisson:

I elva strøk med mange,　　　*Fjalerkongen på flukten*
mennene sank og druknet.　　*fienden dreiv, og hæren*
Om unge Morukåre　　　　　*rente alt det den maktet.*
mange menn falt tidlig.　　　*Den mektige Olav vet seg*.*

Denne dråpa diktet Stein Herdisson om Olav, sønn til kong Harald, og nevner her at kong Olav var med kong Harald, sin far, i slaget. Om det blir det også talt i Haralds-stikken*:

Falne menn　　　　　　　*så at de kunne,*
i myra lå;　　　　　　　　*de kampvante nordmenn,*
hærmenn til Valtjov　　　　*gå over diket*
med våpen felt,　　　　　　*på dynger av lik.*

Den mektige Olav vet seg, del av omkvedet, som lyder: Den mektige Olav vet seg født som den aller beste kongen under sola (sml. s. 549).
Haralds-stikken er et anonymt dikt om Harald Hardråde; bare dette verset er bevart. Stikke er et versemål med korte verselinjer.

Valtjov jarl og de menn som kom seg unna, flyktet opp til byen Jorvik, og der ble det et veldig mannefall. Dette slaget var onsdag før matteusmesse*.

86. Toste jarl hadde kommet vestfra Flandern til kong Harald så snart han kom til England, og jarlen var med i alle disse slagene. Da gikk det som han hadde sagt til Harald da de møttes forrige gang, at en mengde menn dreiv til dem i England; det var frender og venner til Toste jarl, og det ble til stor folkehjelp for kongen. Etter det slaget som det nyss er fortalt om, gikk alt folket i de nærmeste bygdene under kong Harald, men noen rømte. Nå drog kong Harald av sted for å vinne byen og la hæren ved Stamford bru. Men fordi kongen hadde vunnet så stor seier mot store høvdinger og en veldig hær, var alle folk redde og tvilte på om de kunne gjøre motstand. Da tok bymennene den utveg at de sendte bud til kong Harald og bød seg til å overgi både seg sjøl og byen til ham. Det gikk budsending om dette slik at søndag* fór kong Harald med hele hæren til byen; kongen og hans menn satte ting utenfor byen, og bymennene kom til tinget. Her samtykte hele folket i å gå inn under kong Harald og gav stormannssønner til gisler etter det kjennskap som Toste jarl hadde til alle i denne byen.

Om kvelden fór kongen til skipene med en seier som hadde gjort seg sjøl, og han var lystig og glad. Det ble fastsatt ting i byen til tidlig om mandagen; da skulle kong Harald sette styresmenn i byen og gi len og rettigheter. Samme kvelden etter solnedgang kom kong Harald Gudinesson sørfra til byen med en veldig hær. Han rei inn i byen med alle bymennenes vilje og samtykke. Det ble satt mannskap ved alle byportene og på alle veger, så nordmennene ikke skulle få nyss om det. Denne hæren var i byen om natta.

87. Om mandagen da Harald Sigurdsson hadde fått seg dugurd, lot han blåse til landgang. Han gjorde hæren i stand og skiftet mannskapet og avgjorde hvem som skulle fare, og hvem som skulle bli igjen. I hver avdeling lot han to mann gå opp, mens én ble igjen. Toste jarl gjorde seg ferdig til å gå i land med sin flokk sammen med Harald; men for å holde vakt ved skipene ble tilbake Olav kongssønn og Orknøyjarlene Pål og Erlend og Øystein Orre, sønn til Torberg Arnesson. Han var den gjæveste og den kongen var mest glad i av alle lendmennene, og da hadde kong Harald lovt ham Maria, sin datter.

Det ble framifrå godt vær og hett solskinn. Mennene lot brynjene bli tilbake og gikk i land med skjold og hjelm og spyd, med sverd i beltet, og mange hadde piler og bue, og de var lystige og glade. Men da de kom nær byen, rei en stor hær imot dem; de så støvrøyken av hestene og innimellom vakre skjold og hvite brynjer. Da stoppet kongen hæren, lot kalle til seg Toste jarl, og spurte hva det vel kunne

Onsdag før matteusmesse, 20. september 1066.
Søndag, 24. september.

Kong Harald lot sine folk stanse.

være for en hær. Jarlen svarte at det så mest ut til at det kunne være ufredsmenn; men det kunne også være noen av hans frender som kom og bad om nåde og vennskap og til gjengjeld ville stille seg under kongens vern og trygd. Da sa kongen at de først skulle gjøre holdt og se å få bedre greie på hæren. De gjorde så, og hæren ble større dess nærmere den kom, og overalt var det å se på som isstykker når det skinte av våpnene.

88. Kong Harald Sigurdsson sa da: «La oss nå finne på et godt og klokt råd; for det er ikke til å dølge at det er ufred, og det er visst kongen sjøl.» Da sa jarlen: «En utveg har vi, og det er å vende tilbake til skipene så fort vi kan etter mannskapet vårt og våpnene, og at vi gjør motstand så godt vi kan; eller i annet fall kan vi la skipene verge oss, da kan hestfolk ikke få noen makt over oss.» Da sa kong Harald: «Noe annet vil jeg gjøre: Sette tre spreke karer på de raskeste hestene og la dem ri så fort de kan, og si dette til mannskapet vårt, og da vil de fort komme oss til hjelp, og engelskmennene kan nok vente å få en hard strid før vi ligger under.» Da sa jarlen at han ville la kongen rå i dette som i alt annet, og han sa at heller ikke han hadde lyst på å flykte. Så lot kong Harald sette opp merket sitt, Landøydan. Frirek het den mannen som bar merket.

89. Nå fylkte kong Harald hæren og lot fylkingen være lang og ikke tjukk; og så bøyde han fylkingarmene tilbake, så de nådde sammen. Da var det en vid ring, tjukk og jevn på alle sider utenpå, skjold ved skjold, og likeså oventil. Kongens avdeling stod utenfor ringen, og der var merket. Det var utvalgte hærfolk. På et annet sted

var Toste jarl med sin avdeling; han hadde et annet merke. Slik hadde kongen latt fylke fordi han visste at hestfolket var vant til å gjøre anfall i småflokker og straks dra seg tilbake igjen. Nå sa kongen at hans avdeling og jarlens avdeling skulle gå fram der det mest trengtes, «men buemennene våre skal også være med oss, og de som står fremst, skal sette spydskaftene i jorda og vende oddene mot brystet til rytterne, dersom de rir inn på oss. Men de som står i neste rekke skal sette spydoddene mot brystet på hestene.»

90. Kong Harald Gudinesson var kommet der med en veldig hær, både hestfolk og fotfolk. Kong Harald Sigurdsson rei omkring fylkingen og mønstret den. Han satt på en svart blesset hest. Hesten falt under ham så kongen stupte framover og falt av. Han stod fort opp og sa: «Fall er hell på ferden.» Da sa den engelske kongen Harald til de nordmennene som var sammen med ham: «Kjente dere den store mannen som falt av hesten der, med den blå kjortelen og den vakre hjelmen?» «Det er kongen sjøl,» sier de. Den engelske kongen sa da: «En stor og mektig mann; men nå er det rimeligst at det er ute med lykken hans.»

91. Nå rei tjue ryttere av Tingmannalid fram for fylkingen til nordmennene, de var helt brynjekledde, både de sjøl og hestene deres. Da sa en rytter: «Er Toste jarl i hæren?» Han svarte: «Ikke er det noen grunn til å dølge det; her kan dere finne ham.» Da sa en rytter: «Harald, din bror, sender deg hilsen og de ord at du skal få grid og hele Nordimbraland*, og heller enn at du skulle la være å slutte deg til ham, vil han gi deg tredjedelen av hele riket med seg.» Da svarte jarlen: «Det er et annet tilbud enn ufred og sivøring slik som i vinter. Hadde dette tilbudet vært satt fram den gang, ville mang en mann ha vært i live, som nå er død, og da ville det ha stått bedre til med Englands rike. Om jeg nå tar imot dette vilkåret, hva vil han da by kong Harald Sigurdsson for hans arbeid?» Da sa rytteren: «Han har sagt noe om det som han vil unne ham av England: Sju fot rom eller så mye lenger som han er høyere enn andre menn.» Da sa jarlen: «Far nå tilbake og si til kong Harald at han skal gjøre seg klar til slag. Annet skal nordmennene si med sannhet enn at Toste jarl gikk fra kong Harald Sigurdsson og til fiendeflokken hans da han skulle kjempe vest i England. Heller skal vi alle gjøre én ting, dø med ære eller få England med seier.» Så rei rytterne tilbake. Da sa kong Harald Sigurdsson til jarlen: «Hvem var han, denne ordhage mannen?» Jarlen svarte: «Det var kong Harald Gudinesson.» Da sa kong Harald Sigurdsson: «Altfor lenge var dette skjult for oss; de var kommet så nær hæren vår at ikke skulle denne Harald ha kunnet fortelle om våre menns død.» Da sa jarlen: «Sant er det herre; uvarlig fór en slik høvding, og det kunne ha gått så som De sier. Jeg skjønte at han ville by meg grid og et stort rike, men at jeg ville bli hans banemann om jeg hadde sagt hvem han var. Jeg vil heller at han skal være min banemann enn jeg hans.» Da sa kong Harald Sigurds-

---

Nordimbraland, Northumberland.

son til sine menn: «En liten mann var dette, men han stod fast i stigbøylen.» Så blir det fortalt at kong Harald Sigurdsson kvad dette verset:

Fram la oss gå
i fylkingen
brynjeløse
mot blåsvart egg.

Hjelmer skinner,
jeg er brynjeløs,
nå ligger vår rustning
nede på skipene.

Emma het brynja hans; den var så sid at den rakk ned midt på beinet, og så sterk at våpen aldri hadde bitt på den. Da sa kong Harald Sigurdsson: «Dette var dårlig diktet, og jeg får gjøre et annet vers som er bedre.» Så kvad han dette:

Ikke vi i kampen
kryper sammen bak skjoldet
av frykt for våpenbraket,
så bød den ordfaste kvinne.

Hun som bar halsband, bad meg
hodet høyt å bære
i kampen der hvor sverdet
og hjerne-skallene møtes.

Da kvad Tjodolv også:

Ikke skal jeg kongens
unge arvinger svike,
om kongen faller i striden;
slikt skjer som Gud vil det.

Sol ei på kongsemner bedre
enn begge disse skinner.
Rådsnare Haralds hevnmenn
er fullvoksne hauker.

92. Nå begynte slaget, og engelskmennene rei mot nordmennene. Motstanden var hard, og det var ikke lett for engelskmennene å ri inn på nordmennene for skytingen, og de rei i ring omkring dem. I førstningen var slaget bare løst så lenge nordmennene holdt sammen fylkingen. Engelskmennene rei hardt på, og straks fra igjen når de ikke fikk gjort noen ting. Da nordmennene så det, og syntes at de rei mot dem uten kraft, satte de inn på dem og ville forfølge. Men da de hadde brutt skjoldborgen, rei engelskmennene mot dem fra alle kanter og gikk løs på dem med spyd og skyting. Da kong Harald Sigurdsson fikk se det, gikk han fram i slaget der våpenregnet var tettest. Der ble da kampen hardest, og det falt mange folk på begge sider. Da ble kong Harald Sigurdsson så vill at han sprang helt fram av fylkingen og hogg med begge hender. Da stod verken hjelm eller brynje for ham. Alle de som stod nærmest, drog seg unna; da var det nær ved at engelskmennene måtte flykte. Så sier Arnor Jarlaskald:

Den hugstore kongen hadde
stort mot til vern i kampen;
stridssnar var kongen og uredd,
aldri han visste av reddhug.

Der hos hersers høvding
hæren ble vitne til dette
at hans blodige sverdegg
såret fiender til døden.

Kong Harald Sigurdsson ble såret av ei pil i strupen, og det ble hans banesår. Han falt da, og hele den flokken som gikk fram sammen med ham, så nær som de som veik tilbake, og de berget merket. Da ble det en hard strid igjen, og nå gikk Toste jarl under kongsmerket. På begge sider tok de nå til å fylke for annen gang, og da ble det en lang stans i slaget. Da kvad Tjodolv:

Ille svi vi måtte;
stedt i fare er hæren.
Uten grunn har Harald
østfra bydd oss hærferd.

Slik måtte den djerve høvding
dagene sine ende,
så alle vi kom i fare;
han falt, den lovpriste kongen.

Men før slaget tok til igjen, bød Harald Gudinesson grid til Toste jarl, sin bror, og til de andre menn som da levde igjen av nordmannshæren. Men nordmennene ropte alle på én gang, og sa at før skulle de falle den ene oppå den andre, før de tok imot grid av engelskmennene, og de satte i hærrop, og så tok slaget til på nytt lag. Så sier Arnor Jarlaskald:

Kongen som otte vakte,
i en ulykkesstund fant døden.
Skinnende gylne piler
sparte ei røverfienden.

Den gavmilde konges venner
valgte alle å falle
om sin hærvante høvding
heller enn grid å få.

93. Øystein Orre kom nettopp i det samme fra skipene med de menn som fulgte ham. De var helt brynjekledde. Øystein fikk da kong Haralds merke, Landøydan. Nå ble det slag for tredje gang, og dette slaget ble så hardt som noe før. Da falt mange engelskmenn, og det var nær ved at de hadde tatt flukten. Denne striden fikk navnet Orre-ria. Øystein og hans menn hadde fart fra skipene med slik hast at de var så trøtte i forvegen at de nesten var blitt uføre til kamp før de kom til slaget, men siden ble de så ville at de ikke vernet seg med skjoldene så lenge de kunne stå på føttene. Til slutt kastet de av seg ringbrynjene. Da var det lett for engelskmennene å finne hoggested på dem; noen sprengte seg reint og døde usåret. Nesten alle stormenn blant nordmennene falt. Dette var på slutten av dagen. Det gikk her som rimelig var, at ikke alle var like gode; mange flyktet, og det var mange som kom seg unna på annen måte. Det ble mørkt om kvelden før det var slutt på alle manndrap.

94. Styrkår, stallare hos kong Harald Sigurdsson, en gjæv mann, kom seg unna. Han fikk seg hest og rei så bort. Om kvelden ble det vind og temmelig kaldt, og Styrkår hadde ikke flere klær enn bare skjorte og hjelm på hodet og et nakent sverd i handa. Han tok til å fryse da trøttheten gikk av ham. Da kom en mann i ei vogn kjørende imot ham, og han hadde på seg en fôret skinntrøye uten ermer. Da sa Styrkår: «Vil du selge trøya, bonde?» «Ikke til deg,» sa han; «du er nok en nordmann, jeg kjenner deg på målet.» Da sa Styrkår: «Om

Kong Harald Sigurdsson ble såret av ei pil i strupen.

jeg er en nordmann, hva vil du da?» Bonden svarte: «Jeg ville gjerne drepe deg, men nå er det så ille at jeg ikke har noe våpen som duger.» Da sa Styrkår: «Om du ikke kan drepe meg, bonde, så skal jeg friste om jeg kan drepe deg,» og dermed svinger han sverdet og setter det i halsen på ham, så hodet gikk av. Så tok han skinntrøya, sprang opp på hesten og rei ned til stranda.

95. Ruda-jarlen Vilhjalm Bastard fikk høre at kong Edvard hans frende var død, og det med, at da var Harald Gudinesson tatt til konge i England, og at han hadde fått kongsvigsel. Men Vilhjalm mente at han hadde større rett til riket i England enn Harald på grunn av frendskap mellom ham og kong Edvard. Det var også en grunn at han syntes han burde betale Harald for den sivøring han hadde vist ved at han hadde brutt festemålet med hans datter. På grunn av alt dette drog Vilhjalm sammen en hær i Normandi og hadde en stor mengde menn og nok av skip. Den dagen han skulle ri ut av byen til skipene sine, og han var kommet opp på hesten, gikk hans hustru til ham og ville tale med ham. Men da han så det, sparket han til henne med hælen og satte sporen for brystet på henne, så den stod dypt inn. Hun falt og fikk straks sin død. Men jarlen rei til skipet og fór med hæren til England. Der var hans bror, biskop Otta òg med. Da jarlen kom til England, herjet han og la under seg landet hvor han kom. Vilhjalm jarl var større og sterkere enn andre, en god rytter, en stor hærmann. Han var svært hard av seg, men en klok mann. Det ble sagt at han ikke var til å lite på.

96. Harald Gudinesson gav Olav, sønn til kong Harald Sigurds-son, lov til å fare bort med det mannskapet som var der hos ham og

Da kom en mann kjørende imot ham i ei vogn.

ikke hadde falt i kampen. Men kong Harald vendte seg så med hæren sin sør i England, fordi han hadde fått vite at Vilhjalm Bastard fór nordover i England og la under seg landet. Med kong Harald var da brødrene hans Svein, Gyrd og Valtjov. Harald og Vilhjalm jarl møttes sør i England ved Hastings. Der ble det et stort slag; og der falt kong Harald og Gyrd jarl, bror hans, og en stor del av hæren deres. Det var nitten dager etter* at kong Harald Sigurdsson falt. Valtjov jarl kom seg unna på flukt; seint en kveld møtte jarlen en avdeling av Vilhjalms menn. Da de fikk se Valtjov jarls folk, flyktet de unna til en eikeskog; det var hundre mann. Valtjov jarl satte ild på skogen og brente opp alt sammen. Så sier Torkjell Skallason i Valtjovsflokken:

Kongens hundre hirdmenn   *Mennene måtte – det vet jeg –*
hærmannen lot brenne   *under vargeklo ligge.*
i heite ild; for krigsfolk   *Spydet rikelig føde*
kvelden ble en «svi-kveld».   *skaffet den mørke ulven.*

97. Vilhjalm lot seg ta til konge i England. Han sendte bud til Valtjov jarl at de skulle forlikes og gav ham grid til et møte. Jarlen fór med noen få mann; men da han kom på heia nord for Kastalabru, kom det to årmenn mot ham med en flokk og tok ham og la ham i lenker, og siden ble han halshogd, og engelskmennene rekner ham for hellig. Så sier Torkjell:

Nitten dager etter, dvs. 14. oktober 1066.

Visst er det at Vilhjalm,	Sant er at seint vil manndrap
våpenfargeren sørfra,	stanse nå i England.
som kom over kalde havet,	Djerv og snar var min herre,
den kampdjerve Valtjov har sveket.	det dør ikke gjævere fyrste.

Vilhjalm var siden konge i England i 21 år, og etterkommerne hans hele tida etterpå.

98. Olav, sønn til kong Harald, styrte bort fra England med hæren sin. De seilte ut fra Ravnsør* og kom om høsten til Orknøyene. Der fikk de høre at Maria, datter til kong Harald Sigurdsson, hadde fått brådød samme dag og samme stund som hennes far kong Harald falt. Olav ble der om vinteren. Men sommeren etter fór kong Olav øst til Norge; der ble han så tatt til konge sammen med Magnus, sin bror. Dronning Ellisiv drog østover sammen med Olav, sin stesønn, og Ingegjerd hennes datter fulgte også med. Da kom også Skule sammen med Olav vestfra over havet, han som siden ble kalt Kongsfostre, og Kjetil Krok, hans bror. De var begge gjæve og ættstore menn fra England, og begge var uvanlig kloke, og kjære venner av kongen. Kjetil Krok fór nord til Hålogaland; kong Olav fikk et godt giftermål i stand for ham, og fra ham er det kommet mye storfolk. Skule Kongsfostre var en klok og kraftig mann og så vakker som noen. Han ble styresmann i hirden til kong Olav og talte på tingene; sammen med kongen greide han med hele landsstyringen.

Kong Olav ville gi Skule et fylke i Norge, det som han syntes var best, med alle de inntekter og skylder som kongen hadde rett til. Skule takket ham for tilbudet, men sa at han heller ville be om noe annet. «Om det blir kongsskifte, da kan det være at gaven blir tatt tilbake. Jeg vil heller,» sa han, «ta imot noen eiendommer, som ligger nær de kjøpsteder hvor De, herre, er vant til å sitte og ta juleveitsler.» Kongen sa ja til dette og skjøtet til ham jordeiendommer øst ved Konghelle og ved Oslo, ved Tønsberg, ved Borg, ved Bergen og nord ved Nidaros. De var nesten de beste eiendommene på hvert sted, og de eiendommene har siden ligget under ættmenn som er kommet av Skules ætt. Kong Olav giftet ham med sin frenke, Gudrun Nevsteinsdotter; hennes mor var Ingerid, datter til kong Sigurd Syr og Åsta; hun var søster til kong Olav den hellige og kong Harald. Sønn til Skule og Gudrun var Åsolv på Rein*. Han var gift med Tora, datter til Skofte Ogmundsson. Hennes og Åsolvs sønn var Guttorm på Rein, far til Bård, som var far til kong Inge* og hertug Skule*.

99. Året etter kong Haralds fall ble liket hans ført vestfra England og nord til Nidaros, og det ble jordet i Mariakirken, som han hadde latt bygge. Det sa alle at kong Harald hadde stått over alle andre menn i klokskap og i å finne på råd, enten han skulle ta en rask

---

Ravnsør, nå Ravenseer, den ytterste odden av Holderness.
Rein i Rissa i Sør-Trøndelag.
Kong Inge Bårdsson 1204-1217.
Skule Bårdsson var hertug fra 1237 til 1240.

avgjørelse, eller han skulle tenke seg om lenge – for seg sjøl eller andre. Han var mer våpendjerv enn noen annen; han var også seiersæl som nå nylig ble skrevet. Så sier Tjodolv:

Sjællendingers øder　　　　　　*Hugen er halve seieren,*
aldri manglet motet.　　　　　　*Harald dette sanner.*

Kong Harald var en vakker mann, og han så verdig ut. Han hadde lyst hår og skjegg og langt overskjegg. Det ene øyebrynet satt noe høyere enn det andre. Han hadde store hender og føtter, men de var velskapte. Han var fem alen høy. Han var hard mot uvenner og refste alltid strengt når noen gjorde ham imot. Så sier Tjodolv:

Overmot rådvise Harald　　　　*Slik byrde får de å bære*
refser hos sine tegner.　　　　　*som sjøl de har bundet.*
Jeg tror at kongens sveiner　　　*På tvist gjør Harald ende,*
får straff for det de volder.　　　*gjør rett og skjel mot alle.*

Kong Harald var urimelig kjær etter makt og all slags vinning. Han var raus mot vennene sine, dem som han likte godt. Så sier Tjodolv:

Ei mark jeg fikk av høvding　　　*Når en har vist seg verdig,*
på hærskip for mitt kvede.　　　　*med vennskap lønner kongen.*

Kong Harald var femti år gammel da han falt. Ingen pålitelige frasagn har vi om hans oppvekst, før han var 15 år, da han var med på Stiklestad i slaget, med kong Olav, bror sin. Siden levde han i 35 år, og i all den tida var det aldri stans med uro og ufred. Kong Harald flyktet aldri fra noe slag, men han fant ofte på en utveg når han kom ut for overmakt. Alle menn som fulgte ham i slag eller hærferd, sa at når han var i stor fare, og det gjaldt å handle raskt, da valgte han den utveg som alle etterpå kunne se hadde vært den som rimeligst kunne bli til hjelp.

100. Halldor, sønn til Brynjolv Ulvalde den gamle, var en klok mann og en stor høvding. Når han hørte folk talte om at de to brødrene kong Olav den hellige og Harald var så ulike i lynne, sa han: «Jeg var hos begge disse brødrene, og det var godt vennskap mellom oss, og jeg kjente lynnet til begge to. Men aldri har jeg funnet to menn som var likere i sinn. De var begge svært kloke og våpendjerve menn; de ville gjerne ha rikdom og makt, stolte, ikke folkelige; de ville gjerne styre, og de var strenge til å refse. Kong Olav tvang landsfolket til kristendom og rette seder, men straffet hardt dem som ikke ville høre på det. Landshøvdingene tålte ikke at han dømte rettferdig og likt for alle, og reiste en hær imot ham og felte ham på hans egen grunn, og derfor ble han hellig. Men Harald herjet for å få ære og makt og tvang under seg alt det folk som han kunne, og han falt på andre kongers grunn. Til daglig viste begge

brødrene fin framferd, og de var vyrke om sin ære. De var vid-
farende og viste stort tiltak; derfor ble de også navngjetne vidt
omkring.»

101. Kong Magnus Haraldsson rådde for Norge den første vinte-
ren etter kong Haralds fall, og siden styrte han landet i to år sammen
med sin bror Olav. Da var det to konger; Magnus hadde nord-delen
av landet, og Olav øst-delen. Kong Magnus hadde en sønn som het
Håkon. Steigar-Tore fostret ham; han var en uvanlig lovende ung
mann. Etter kong Harald Sigurdssons fall mente og sa Svein dane-
konge, at nå var freden til ende mellom nordmenn og daner, og at
freden ikke hadde vært satt for lengre tid enn de begge levde, Harald
og Svein. Det var da hæroppbud i begge riker. Haralds sønner hadde
allmenning av folk og skip ute for Norge, men kong Svein fór sørfra
med danehæren. Det fór da sendemenn mellom dem og bar forliks-
bud. Nordmennene sa at de ville enten holde det samme forlik som
var gjort før, eller også kjempe. Derfor ble dette kvedet:

Med fredsord og trusler　　　　　*Det vågde ingen konger*
trygde Olav landet.　　　　　　*å kreve riket.*

Så sier Stein Herdisson i Olavsdråpa:

Den stridsdjerve kongen i kaupangen*,　*Olav konge vil unne*
mot Svein vil verge sin odel　　　　　*ætta si hele Norge,*
hvor den hellige kongen hviler;　　　　*krav på landet bør ikke*
en høvding mektig er han.　　　　　　*Ulvs arving reise.*

I denne stevneleidang ble det gjort forlik mellom kongene og fred
mellom landene. Kong Magnus fikk en sjukdom, revormsott*, og lå
ei tid. Han døde i Nidaros og ble jordet der. Han var en konge som
ble elsket av hele folket.

Kongen i kaupangen, dvs. Olav den hellige.
Revormsott, ergotisme, en kronisk forgiftning pga. mjøldrygesopp i brødkorn.

Olav Kyrres saga

LAV var konge alene over Norge etter at hans bror Magnus var død. Olav var en storvokst og velskapt mann. Det sier alle folk at ingen har sett en mann med et fagrere eller verdigere utseende. Han hadde silkegult hår som falt riktig vakkert, lyslett, vakre øyne og velvokste lemmer; han var for det meste fåmælt og ingen taler på tingene; i drikkelag var han glad, drakk gjerne, pratsom og blidmælt, fredsommelig så lenge han styrte riket. Det nevner Stein Herdisson:

Trønders sverddjerve fyrste
tenker med klokskap å legge
fred i landene sine.
Godt liker mennene dette.

Folket gleder seg over
at anglers fiende tvinger
til fred sine tegner med fasthet.
Født under sola*.

2. Det var gammel skikk i Norge at høgsetet til kongen var midt på langpallen, og øl ble båret omkring ilden. Men kong Olav var den første som lot gjøre høgsetet på høgpallen, som gikk tvert over stua. Han var også den første som lot gjøre ovnstuer og strødde golvet både vinter og sommer. I kong Olavs dager vokste kjøpstedene sterkt i Norge, og noen ble grunnlagt da. Kong Olav grunnla kjøpstaden Bergen. Der var det snart mange rike menn som slo seg ned, og kjøpmenn fra andre land seilte dit. Der la han grunnvollen til Kristkirken, den store steinkirken; av den ble det bare lite ferdig, men han bygde ferdig trekirken. Kong Olav lot sette Miklagildet i Nidaros, og mange andre gilder* i kjøpstedene, før var det omgangsdrikkelag der. Da var Bøjarbot* den store gildeklokka i Nidaros. Gildebrødrene lot bygge Margretakirken der, en steinkirke.

I kong Olavs dager ble sammenskuddslag og gravøl vanlige i kjøpstedene, og da tok folk til med nye klesskikker; de hadde staselige bukser som ble snørt til beinet. Noen spente gullringer om leggene på seg. Da brukte folk lange kjortler med snøring på sidene og ermer

---

Født under sola. Denne linja hører til omkvedet (se s. 537).
Gilder var foreninger eller selskap på kristelig grunnlag som holdt sammenskuddslag til nytte og glede for medlemmene.
Bøjarbot, «byens hjelp», ble brukt som stormklokke; den hang i tårnet i Margretakirken.

som var fem alen lange, og så trange at de måtte dra dem på med et band og legge dem i rynker helt opp til akslene. De hadde høye sko, som alle var silkesømmet og stundom gull-lagt. Mange andre underlige moter var det også da.

3. Kong Olav hadde de hirdskikkene at han lot skutelsveiner stå for bordet sitt og skjenke i av bordkar for seg og for alle menn av rang som satt ved bordet. Han hadde også kjertesveiner, som holdt kjerter ved bordet, og likså mange som det satt menn av rang. Der var en stallarestol også på utsida av skjenkebordet; der satt stallarer og andre høvdinger og vendte ansiktet inn mot høgsetet. Kong Harald og andre konger før ham brukte å drikke av dyrehorn og bære ølet fra høgsetet omkring ilden og drikke skål med dem de ville drikke med. Så sier Stuv skald:

Det kom jeg til å skjønne   *den gang da gavmilde kriger*
at seiersæl krigsmann vennlig   *kom med det gull-lagte hornet*
meg hilste og tok imot meg –   *og ville til meg drikke*
han var god å kjenne –   *da hos ham på Haug jeg bodde.*

4. Kong Olav hadde hundre hirdmenn og seksti gjester* og seksti huskarer, som skulle føre til kongsgården det som trengtes, og gjøre andre ting som kongen ville. Da bøndene spurte kongen hvorfor han hadde mer folk enn loven sa, og kongene før ham hadde hatt, når han reiste omkring i de veitsler som bøndene gjorde for ham, svarte kongen så: «Jeg får ikke styrt riket bedre enn min far, og det står ikke større age av meg enn av ham, enda jeg har dobbelt så mange menn som han hadde. Men ikke vil jeg med dette gjøre noen tvang mot dere eller gjøre det tyngre for dere.»

5. Kong Svein Ulvsson døde sottedød ti år etter at begge Haraldene hadde falt. Dernest var Harald Hein, hans sønn, konge i Danmark i fire år, og så Knut, Sveins sønn, åtte år, og han er i sanning hellig. Så kom Olav, den tredje sønn til Svein, åtte år, så Eirik Gode, fjerde sønn til Svein, også i åtte år. Olav, Norges konge, ble gift med Ingerid, datter til Svein danekonge. Og Olav Sveinsson danekonge ble gift med Ingegjerd, datter til kong Harald, søster til Olav, Norges konge. Olav Haraldsson, som noen kalte Olav Kyrre*, og mange Olav bonde, fikk en sønn med Tora Joansdotter. Han fikk navnet Magnus. Han var en vakker gutt og lovte godt; han vokste opp i hirden hos kongen.

6. Kong Olav lot bygge en steinkirke i Nidaros, og satte den der som kong Olavs lik først hadde vært jordet, og alteret ble satt beint over der som grava til kongen hadde vært. Denne kirken ble vigd til Kristkirke. Da ble også kong Olavs skrin flyttet dit og satt der over

---

Gjester var en korporasjon av kongens huskarer. De stod utenfor hirden og var mindre ansett enn hirdmennene, men mer enn de vanlige huskarene. Gjestene ble brukt i farlige ærender, især ved utøvelse av straffer eller i andre saker som nå ville sortere under politiet.
Kyrre betyr den rolige, fredelige.

alteret. Der skjedde det da straks mange jærtegn. Sommeren etter årsdagen etter at kirken var vigd, var det mye folk der. Det hendte olsokaften at en blind mann fikk igjen synet sitt der. Men sjølve messedagen, da skrinet og helligdommene ble båret ut, og skrinet ble satt ned på kirkegården som skikk var, da fikk en mann som lenge hadde vært målløs, igjen målet sitt, og han lovpriste da Gud og den hellige kong Olav med mykt tungelag. Det tredje var ei kone som hadde kommet dit øst fra Svitjod, og som hadde lidd mye vondt på denne ferden fordi hun ikke kunne se. Men likevel satte hun sin lit til Guds miskunn og kom reisende dit ved denne høytiden. Hun ble ført blind inn i kirken til messe om dagen; men før gudstjenesten var over, så hun med begge øyne, og da var hun skarpsynt og klarøyd, men før hadde hun vært blind i fjorten år. Hun drog derfra med høytidelig glede.

7. Det hendte i Nidaros da kong Olavs skrin ble båret gjennom stretet, at det ble så tungt at folk ikke kunne få det av flekken. Da satte de skrinet ned og brøt opp stretet, og de så etter hva som var under der, og de fant liket av et barn, som var blitt drept og gjemt der. Da ble liket båret bort og stretet gjort i stand igjen som det hadde vært før; og nå ble skrinet båret bort som vanlig.

8. Kong Olav satt ofte på landet på de storgardene som han eide. Da han var øst i Ranrike på garden sin Haukbø*, fikk han en sjukdom som førte ham til døden. Da hadde han vært konge i Norge i 26 år, han ble tatt til konge ett år etter at kong Harald hadde falt. Kong Olavs lik ble flyttet nord til Nidaros og jordet i Kristkirken, som han sjøl hadde latt bygge. Han var en særlig vennesæl konge, og Norge hadde steget mye i rikdom og glans i hans styretid.

Haukbø, nå Håkeby i Tanum nord i Bohuslän.

Magnus Berrføtts saga

 AGNUS, sønn til kong Olav, ble like etter kong Olavs død tatt til konge* over hele Norge. Da opplendingene fikk vite at Olav var død, tok de Håkon Toresfostre til konge, søskenbarn til Magnus. Siden tok Håkon og Tore og deres folk nord til Trondheimen, og da de kom til Nidaros, stevnte han Øreting, og på det tinget krevde Håkon kongsnavn, og bøndene gikk med på å ta ham til konge over halve landet, slik som kong Magnus, hans far, hadde hatt det. Håkon tok bort landøreavgiften for trønderne og gav dem mange andre retterbøter. Han tok også bort for dem plikten til å gi kongen julegaver. Da sluttet alle trøndere seg til kong Håkon med vennskap. Så tok kong Håkon seg en hird og reiste siden tilbake til Opplanda. Han gav opplendingene alle de samme retterbøter som trønderne, og de sluttet seg helt til ham. Da ble dette kvedet i Trondheimen:

Hit kom Håkon den unge,
han er gjævest av fødsel,
fremst i ry over landet;
ham fulgte Steigar-Tore.

Gavmild sjøl bød han Olavs
arving halve Norge,
men Magnus, som vel kunne tale,
ei mindre enn alt ville eie.

2. Kong Magnus reiste nord til kaupangen om høsten. Da han kom dit, drog han til kongsgården og tok herberge der og ble der i førstningen av vinteren. Han holdt sju langskip i åpen våk i Nidelv like ved kongsgården. Da kong Håkon fikk vite at kong Magnus var kommet til Trondheimen, fór han østfra over Dovrefjell til Trondheimen og til kaupangen, og han tok herberge i Skulegården nedenfor Klemenskirken. Der var den gamle kongsgården. Kong Magnus syntes ille om de store gaver som kong Håkon hadde gitt bøndene for å vinne deres vennskap, Magnus syntes at det som var gitt bort, var likså mye hans eiendom. Han var svært harm over dette, og han syntes han hadde lidd urett av sin frende, når han skulle ha så mye mindre inntekter enn hans far og hans forfedre hadde hatt, og han gav Tore skylden for det. Kong Håkon og Tore merket dette, og de var redde for hva Magnus ville ta seg til. Det syntes de var ikke lite

Magnus ble tatt til konge i år 1093.

mistenkelig at Magnus hadde på vannet langskip som var tjeldet og rustet.

Om våren ved kyndelsmess* la kong Magnus ut midt på mørkeste natta med tjeldede skip og lys under tjeldene og styrte ut til Høvringen*. De slo seg ned der for natta og tente store bål oppe på land. Da tenkte kong Håkon og de menn som var med ham i byen, at det lå svik bakom. Han lot blåse mannskapet ut, og hele kaupangfolket kom også til og holdt seg samlet om natta. Men om morgenen da det tok til å bli lyst, og kong Magnus fikk se hele hærmengden på Ørene, holdt han ut av fjorden og så sør til Gulatingslag. Da gav kong Håkon seg også på ferd og tenkte seg øst i Viken. Først hadde han holdt tingmøte i byen; her hadde han talt og bedt folk om å slutte seg om ham, og han hadde lovt alle folk sitt vennskap igjen. Han sa at han var ikke riktig trygg på hva Magnus, hans frende, ville gjøre. Kong Håkon satt på hesten og var ferdig til å reise. Alle mann lovte ham vennskap og god vilje og hjelp, om han trengte det, og hele mengden fulgte ham ut under Steinberget.

Kong Håkon fór opp til Dovrefjell; da han drog over fjellet, rei han en dag etter ei rype, som fløy bort fra ham. Da ble han sjuk og fikk banesott og døde der på fjellet. Liket hans ble ført nordover igjen, og det kom til kaupangen en halv måned etter at han hadde reist av sted. Da gikk alt byfolket imot liket til kongen, og de fleste gråtende, fordi alle holdt så inderlig av ham. Kong Håkons lik ble satt ned i Kristkirken. Kong Håkon ble en mann på godt og vel 25 år. Han er av de høvdinger i Norge som folket har elsket mest. Han hadde vært på ferd til Bjarmeland, der hadde han holdt slag og vunnet seier.

3. Om vinteren seilte kong Magnus øst i Viken. Da det ble vår, seilte han sør til Halland og herjet vidt og bredt. Der brente han Viskadalen* og flere andre bygder. Han vant mye gods der og fór siden tilbake til sitt rike. Så sier Bjørn Krepphendt* i Magnusdråpa:

Vossingers konge med sverdet   *Trøndernes høvding brente*
vidt fór over Halland.   *bygder i mengde siden.*
Fienden i hast ble jaget;   *Høyt steig flammer i vinden.*
hordekongen svidde av hus.   *Viskdalske enker fikk våke.*

Her blir det omtalt at kong Magnus gjorde et stort hærverk i Halland.

4. Svein het en mann, sønn til Harald Flette, dansk av ætt. Han var en veldig viking og en stor stridsmann, djerv som noen, en ættstor mann i sitt land. Han hadde vært med kong Håkon. Da Håkon var død, hadde Steigar-Tore ingen tro på at han kunne komme til forlik og vennskap med kong Magnus, om han fikk makt

---

Kyndelsmess, 2. februar 1094.
Høvringen, en fjellknaus vest for Nidaros.
Viskadalen, i det nordlige Halland.
Krepphendt betyr han som er sammenbøyd i hendene.

Opplendingene farer til ting.

over hele landet, på grunn av det han hadde gjort, og den motstand han hadde satt i verk mot kong Magnus. Så la Tore og Svein og deres venner opp råd, som etterpå fikk framgang, de reiste en flokk med den hjelp og det store mannskapet Tore hadde. Men fordi Tore da var en gammel og tungfør mann, tok Svein styringen over flokken og høvdingnavn. Denne planen var flere høvdinger med på. Den gjæveste av dem var Egil, sønn til Aslak fra Folland*. Egil var lendmann, han var gift med Ingebjørg, datter til Ogmund Torbergsson og søster til Skofte fra Giske. Skjalg het en rik og mektig mann, som også kom med i flokken. Dette nevner Torkjell Hamarskald i Magnus-dråpa:

Stor i hugen Tore
samlet i lag med Egil
vidt og bredt sine flokker;
noen fordel vant de ikke.

Om venner til Skjalg jeg spurte
at skade lei de en gang
da lendmenn mot krigerfyrsten
løftet stein de ikke klarte.

Tore og de andre samlet flokken på Opplanda, og kom ned til Romsdal og Sunnmøre og fikk seg skip der. Og så seilte de nord til Trondheimen.

5. Sigurd Ullstreng het en lendmann; han var sønn til Lodin Viggjarskalle*. Han samlet folk med hærpil da han fikk vite om flokken til Tore og de andre, og stevnte alt det folk han fikk, til å møte på Viggja. Men Svein og Tore seilte også dit med sin hær og kjempet

Folland på Averøya, Nordmøre.
Viggjarskalle, mann fra Viggja ved Orkdalsfjorden.

med Sigurd og hans mannskap, og de fikk seier og felte mange menn. Sigurd rømte og kom til kong Magnus. Tore og hans flokk tok til kaupangen og ble en stund der i fjorden, og dit kom det mange menn til dem. Kong Magnus fikk høre om dette og samlet straks en hær og seilte nord til Trondheimen. Da han kom inn i fjorden, og Tore og de som var med ham, fikk høre det, de lå da ved Høvringen og skulle til å seile ut av fjorden, rodde de til Vagnvikstrand* og gikk i land der og kom nord i Teksdal i Seljekverve*, og Tore ble båret over fjellet på ei båre. Så fikk de tak i noen skip og fór nord til Hålogaland.. Kong Magnus tok etter dem så snart han var ferdig i Trondheimen. Tore og de andre reiste helt nord til Bjarkøy. Jon og hans sønn Vidkunn rømte. Tore-flokken røvet alt løsøre og brente garden og et godt langskip som Vidkunn eide. Da skipet brant og veltet til siden, sa Tore: «Mer til styrbord, Vidkunn.» Da ble dette diktet:

Midt på Bjarkøy brenner	*Ikke kan Jon når det kvelder,*
beste garden jeg vet om.	*klage at ild og ran manglet.*
Ilden spraker. Nei, Tore	*I flammer står nå garden,*
aldri gjør noe nyttig.	*og røyken farer mot himmelen.*

6. Jon og Vidkunn reiste dag og natt like til de møtte kong Magnus. Svein og Tore styrte også sørover og herjet vidt og bredt på Hålogaland. Da de lå i den fjorden som heter Harm*, fikk de se kong Magnus kom seilende. Tore-flokken syntes ikke de hadde mannskap nok til å kjempe, og de rodde unna og rømte. Tore og Egil rodde til Hesstun*, men Svein rodde ut til havs, og noen av flokken rodde inn i fjorden. Kong Magnus styrte etter Tore og Egil. Da skipene rente mot hverandre ved landingen, stod Tore i framrommet på skipet. Da ropte Sigurd Ullstreng til ham: «Er du rask, Tore?» Tore svarte: «Rask i hendene, men skrøpelig i føttene.» Da tok flokken til Tore og Egil til å rømme helt opp på land, men Tore ble fanget. Egil ble også tatt til fange, fordi han ikke ville renne fra kona si. Kong Magnus lot føre begge to ut på Vambarholm*. Da Tore ble leidd opp, sjanglet han på føttene. Da sa Vidkunn: «Mer til babord, Tore!» Så ble Tore ført til galgen; da sa han:

Fire feller var vi
fordum; én ved styret.

Og da han gikk til galgen, sa han: «Vonde er vonde råd.» Så ble han hengt; da galgetreet slo opp, var Tore så tung at halsen ble slitt av, og kroppen falt til jorda. Tore var en svært tung mann, både høy

Vagnvikstrand, nå Vanvikan i Leksvik herred, Nord-Trøndelag.
Seljekverve, ei bygd i Jøssund i Åfjorden.
Harm, nå Velfjorden? eller Harmfjorden? innenfor Brønnøy.
Hesstun, på Hamnøya i Vevelstad herred, Nordland.
Vambarholm, nå Vomma utenfor Hamnøya.

Egil blir hengt.

og diger. Egil ble også ført til galgen; men da kongens treller skulle henge ham, sa han: «Ikke skulle dere henge meg, for hver og en av dere fortjener mer å bli hengt,» slik som det ble kvedet:

Hørt har jeg, herlige kvinne,   *Han sa at svinge i galgen*
at Egil fikk høve å nevne   *sikkert hver en av dem bedre*
til kongens uærlige treller   *enn han hadde gjort seg fortjent til.*
et sanningsord, skulle jeg mene.   *For hardt ble en krigsmann rammet.*

Kong Magnus satt ved sida av da de ble hengt, og han var så harm at ingen av mennene hans var så djerv at han torde be om fred for dem. Da Egil dinglet i galgen, sa kongen: «Ille hjelper gode frender deg i nød.» Av dette kunne en se at kongen gjerne ville de skulle ha bedt ham om at Egil skulle få leve. Så sier Bjørn Krepphendt:

Sogningers snare herre   *Du har hørt på hva måte kongen*
sverdet på Harmfjorden farget   *tok hevn for drottensviket.*
i blodet til opprørsflokken.   *Slik gikk det at hengt ble Tore.*
Ulven fikk varmt kjøtt å ete.   *For hærkongen lyktes ferden.*

7. Så seilte kong Magnus sør til Trondheimen; der refste han strengt de menn som hadde gjort seg skyldige i forræderi mot ham. Han drepte noen og brente for andre. Så sier Bjørn Krepphendt:

Den djerve ravnemetter   *da de merket at bålene herjet*
redd gjorde trønderflokken   *i bygdene deres vidt om.*

Jeg vet at kongen på én gang　　*Ulven ble ikke sulten.*
tok livet av to herser.　　　　 *Ørnen fløy til galgen.*

Svein Haraldsson rømte først til havs og så til Danmark, og var der
så lenge til han fikk forlik med kong Øystein Magnusson. Han
gjorde forlik med Svein og gjorde ham til skutelsvein hos seg og
holdt ham i vennskap og ære. Nå hadde kong Magnus riket alene;
han fredet godt for landet og ødela alle vikinger og ransmenn. Han
var en rask mann, glad i hærferd og full av tiltak. I alle ting var han
mer lik kong Harald sin farfar i lynne enn sin far.

8. Kong Magnus gav seg på ferd ut av landet* og hadde med seg
en stor og vakker hær og gode skip. Med denne hæren styrte han vest
over havet og først til Orknøyene. Han tok jarlene Pål og Erlend til
fange og sendte begge øst til Norge, men satte sin sønn Sigurd etter
til høvding over øyene og gav ham rådgivere. Så seilte kong Magnus
med hæren sin til Suderøyene*. Da han kom dit, tok han straks på
å herje og brenne bygdene og drepe folket og røvet overalt der han
fór. Landsfolket rømte unna til alle kanter, somme inn i Skottlands-
fjordene og somme sør til Saltire* eller ut til Irland. Noen fikk grid
og lovte ham lydighet. Så sier Bjørn Krepphendt:

*Ilden over Ljodhus**　　　　　　　*Ravnemetteren kom så*
leikte høyt mot himmelen.　　　　　*til Skid* og skjente og brente.*
Vidt om flyktet folket,　　　　　　*Vargen glad sine tenner*
av husene steig flammen.　　　　　 *på Tyrvist* farget røde.*
*Kongen fór over Ivist**　　　　　　 *Grenlandskongen fikk mange*
med ild og farget sverdet　　　　　*møyer i sør til å gråte.*
i blod, bøndene måtte　　　　　　　*Hell skotteskremmeren fulgte.*
miste liv og rikdom.　　　　　　　*Folket på Myl* flyktet.*

9. Kong Magnus kom med hæren sin til Den hellige øya*; der gav
han grid og fred til alle menn og all deres eiendom. Folk forteller at
han ville lukke opp den lille Kolumkillekirken. Kongen gikk ikke
inn, men lukket straks igjen kirkedøra og låste den, og sa at ingen
siden skulle være så djerv å gå inn i kirken, og slik har det vært siden.
Så seilte kong Magnus med hæren sin sør til Il* og herjet og brente
der. Da han hadde vunnet det landet, tok han til å seile sør om
Saltire og herjet på begge sider, på Irland og på Skottland; slik fór

Ut av landet, det var i år 1098.
Suderøyene, nå Hebridene.
Saltire, nå Kintyre sørvest i Skottland.
Ljodhus, nå Lewis.
Ivist, nå North Uist.
Skid, nå øya Skye.
Tyrvist, nå Tiree.
Myl, nå Mull.
Den hellige øya, dvs. Iona eller Ikolmkill, der den hellige Columba bodde.
Il, nå Islay.

han med hærskjold overalt sør til Man og herjet der som andre steder. Så sier Bjørn Krepphendt:

På slette Sandøy* førte
den snare konge skjoldet.
Over Il stod røyk mot himmelen
da kongsmenn økte brannen.

Sønnafor Santire*
sank folket under sverdegg.
På Man lot djerve krigsmann
mange falle siden.

Logmann het en sønn til Gudrød Suderøykonge. Logmann var satt til å verge landet på Nordøyene*. Men da kong Magnus kom til Suderøyene med hæren sin, rømte Logmann unna for hæren, men ble på øyene. Til slutt tok kong Magnus' menn ham og skipsmannskapet hans da han ville rømme til Irland. Kongen lot ham sette i jern og satte vakt over ham. Så sier Bjørn Krepphendt:

I ingen krok var sikker
sønn til Gudrød lenger.
Trønderkongen fra landet
bort fikk Logmann drevet.

Den unge egdekongen
utfor nesene fanget
den rause kongesønnen,
da sverdene suste kraftig.

10. Siden styrte kong Magnus med hæren til Bretland. Da han kom til Ongulsøysundet, kom det imot ham en hær fra Bretland, og to jarler var høvdinger over den, Huge Prude* og Huge Digre*. De la straks til slag, og det ble en hard strid. Kong Magnus skjøt med bue, men Huge Prude var brynjekledd overalt, så ikke noe annet var bart på ham enn øynene. Kong Magnus skjøt ei pil mot ham, og det gjorde også en håløygsk mann som stod ved sida av kongen. De skjøt begge på en gang. Den ene pila kom i neseskjermen på hjelmen, så den ble bøyd ut til den ene sida. Men den andre pila kom i øyet på jarlen og fløy tvert igjennom hodet, og den pila ble reknet for å komme fra kongen. Der falt Huge jarl, og så flyktet bretene; de hadde mistet mange folk. Så sier Bjørn Krepphendt:

I Ongulsund* høvdingen voldte
at Huge Prude lot livet;

der våpen fór fram og tilbake,
fort fløy pila fra buen.

Dessuten ble dette kvedet:

På brynjene pilene klirret,
kongen skjøt med styrke.
Egdekongen buen spente;
blod skvatt på hjelmen.

Mot skjoldene fór piler,
og fiender falt i kampen.
Men hordekongen drepte
i harde striden jarlen.

Sandøy, dvs. Sanda sønnafor Kintyre.
Santire er det samme som Saltire.
Nordøyene, dvs. de nordlige Hebridene.
Huge Prude, dvs. Hugo av Montgomery.
Huge Digre, dvs. Hugo av Avranches.
Ongulsund, d.s.s. Ongulsøysundet, nå Menai Strait.

Kong Magnus fikk seier i dette slaget; og da la han under seg Ongulsøy*, slik som konger i Norge før hadde vunnet seg rike mot sør. Ongulsøy er tredjeparten av Bretland. Etter dette slaget snudde kong Magnus med hæren og seilte først til Skottland. Da fór det menn mellom ham og Melkolm* skottekonge, og de gjorde forlik seg imellom. Kong Magnus skulle ha under seg alle de øyene vest for Skottland som lå slik at en kunne fare mellom dem og fastlandet med roret fast på skipet. Men da kong Magnus kom nord til Saltire, lot han dra ei skute over Saltire-eidet*, og seilte så av sted. Kongen sjøl satte seg i løftingen og holdt om styrestanga, og la på den måten under seg alt det land som da lå på babord. Saltire er et stort land og bedre enn den beste av Suderøyene så nær som Man. Det er et smalt eid mellom Saltire og sjølve Skottland; der blir ofte langskip dradd over.

11. Kong Magnus var på Suderøyene om vinteren; da reiste mennene hans omkring i alle Skottlands-fjordene, innenfor alle øyer både bygde og ubygde, og la alt øyland under Norges konge. Magnus fikk Bjadmynja til sin sønn Sigurd, hun var datter til kong Myrkjartan* Tjalvason, irekongen; han rådde for Kunnakter*. Sommeren etter reiste kong Magnus med hæren sin øst til Norge. Erlend jarl døde sottedød i Nidaros og er jordet der, og Pål jarl i Bergen. Skofte, sønn til Ogmund Torbergsson, var en gjæv lendmann. Han bodde på Giske på Sunnmøre; han var gift med Gudrun, datter til Tord Folesson. Deres barn var Ogmund, Finn, Tord og Tora, som var gift med Åsolv Skulesson. Sønnene til Skofte lovte godt i ungdommen.

12. Steinkjell sveakonge døde omtrent på den tida de to Haraldene falt. Håkon het den kongen som rådde for Svitjod etter ham. Siden var Inge, sønn til Steinkjell, konge; han var en god og mektig konge, større og sterkere enn andre menn; han var konge i Svitjod da Magnus var konge i Norge. Kong Magnus sa at grensa mellom landene fra gammelt av hadde gått slik at Göta älv hadde skilt mellom riket til sveakongen og riket til Norgeskongen, og siden Vänern til Värmland. Kong Magnus gjorde derfor krav på å eie alt det land som var vest for Vänern, det er Sunndal og Norddal, Vear* og Vardynjar* og alle Marker* som hører til dem. Men da hadde det ligget under herredømmet til sveakongen i lang tid, og ble reknet til Västergötland i skatter. Og markmennene ville være under sveakon-

---

Ongulsøy, nå Anglesey.
Melkolm døde i 1093, men sønnen Eadgar ble konge i 1098. Det må ha vært han som sluttet fred med kong Magnus.
Saltire-eidet, dvs. eidet mellom East Loch Tarbert og West Loch Tarbert.
Myrkjartan Tjalvason, dvs. Muircheartach, sønn av Tirdelvagh, var konge i Munster 1086–1119 og til dels overkonge over Irland.
Kunnakter, nå Connacht i Vest-Irland.
Vear, nå Vedbo.
Vardynjar, nå Valbo.
Marker er et gammelt navn på grensebygdene; her Nordmarka herred, nå i Värmland.

Kongen sjøl satte seg i løftingen og holdt om styrestanga.

gens herredømme som før. Kong Magnus rei fra Viken opp til Götaland med en stor og vakker hær; da han kom til markbygdene, herjet han og brente, og slik fór han omkring i alle bygder. Folk gav seg under ham og svor landet til ham. Men da han hadde nådd opp til innsjøen Vänern, lei det utpå høsten. Da tok de ut på Kvaldensøy*, og der gjorde de en borg av torv og tømmer og grov et dike omkring. Da denne festningen var ferdigbygd, førte de mat og andre ting de kunne trenge, inn i den. Kongen satte tre hundre mann der, og høvdinger for dem var Finn Skoftesson og Sigurd Ullstreng, og de hadde mannskap av beste slag. Så snudde kongen og drog tilbake til Viken.

13. Da sveakongen fikk greie på dette, samlet han en hær, og det ordet gikk at han ville ri ned mot nordmennene; men det drøyde med det. Da diktet nordmennene dette:

> *Altfor lenge somler*
> *Inge Bakbrei å ri ut.*

Men da isen la seg på Vänern, rei kong Inge med nesten tretti hundre mann. Han sendte bud til de nordmenn som satt i borgen, og bad dem fare bort med det hærfang de hadde, og tilbake til Norge. Men da sendemennene bar fram kongens ord, svarte Sigurd Ullstreng at Inge nok fikk finne på noe annet enn å vise dem bort som en bøling til hagen, og at han vel først fikk komme litt nærmere. Sendemennene bar disse ordene tilbake til kongen. Så fór Inge ut til øya med hele hæren. Da sendte han for andre gangen noen menn til nordmennene og bad dem fare bort; de skulle få ta med seg våpen, klær og hester, men la bli tilbake alt det gods de hadde røvet. De sa nei; og så gikk de på og skjøt på hverandre. Kongen lot bære fram stein og stokker og fylle diket; så lot han ta anker og binde fast til

Kvaldensøy, nå Kållandsö på sørsida av Vänern.

lange bjelker og føre det opp på tømmerveggen; så kom det mange menn til og drog sund veggen. Etterpå bad nordmennene om grid, men kongen sa at de skulle gå ut våpenløse og uten ytterklær. Da de gikk ut, fikk hver av dem et slag med en lime. Med så gjort fór de bort og hjem igjen til Norge; men alle markmennene gav seg nå under kong Inge igjen. Sigurd og Finn og deres folk drog til kong Magnus og fortalte ham om sin uferd.

14. Straks om våren da isen gikk opp, tok kong Magnus med en stor hær øst til Elv og styrte opp etter den østre elvegrein og herjet alle steder i riket til sveakongen. Da han kom opp til Foksene*, gikk de opp på land fra skipene. Da de kom over ei elv som er der, kom det imot dem en hær av gøter, og det ble et slag. Nordmennene lå under og kom på flukt, og mange av dem ble drept ved en foss. Kong Magnus flyktet, men gøtene fulgte etter og drepte så mange de kunne komme over. Kong Magnus var lett å kjenne, stor som han var. Han hadde en rød våpenkjole over brynja, silkegult hår som falt ned over akslene. Ogmund Skoftesson rei på den andre sida av kongen; han var også en stor og vakker mann. Han sa: «Gi meg kjolen, konge.» Kongen svarte: «Hva skal du med kjolen?» «Jeg vil ha den,» sa han, «du har gitt meg større gaver.» Det var slikt lende der at det var store, slette voller, så gøter og nordmenn hele tida så hverandre. Men så kom det kleiver og skogkratt som tok bort utsikten. Da gav kongen Ogmund kjolen, og han tok den på seg. Etterpå rei de fram på vollene, og da tok Ogmund og mennene hans av på en tverrveg. Da gøtene så det, trodde de at det var kongen, og så rei de alle etter dit. Da rei kongen sin veg til skipet, men Ogmund kom med nød og neppe unna; likevel kom han uskadd til skipene. Så styrte kong Magnus nedover Göta älv og så nord til Viken.

15. Sommeren etter ble det avtalt kongsstevne ved Konghelle i Elv, og dit kom Magnus, Norges konge, og Inge sveakonge og Eirik Sveinsson danekonge; til stevnet hadde de avtalt trygd for hverandre. Da tinget var satt, gikk kongene fram på vollen fra de andre og taltes ved en liten stund. Så gikk de tilbake til mennene sine, og da ble det gjort det forlik at hver av dem skulle ha det riket som deres fedre hadde hatt før dem. Hver av kongene skulle godtgjøre sine egne menn det de hadde lidd ved krigsran og mannskade; siden skulle kongene jamne ut dette seg imellom. Kong Magnus skulle få Margret, datter til kong Inge. Hun ble siden kalt Fredkolla*. Det sa folk at ingen hadde sett gjævere høvdinger enn alle disse tre. Kong Inge var størst og sterkest, og han så mest høvdingslig ut. Kong Magnus så djervest og raskest ut, men kong Eirik var den vakreste. Alle var de vakre menn og store og gjæve og talte godt. Da de var ferdige, skiltes de.

16. Kong Magnus fikk Margret til dronning. Hun ble sendt østfra Svitjod til Norge med et gjævt følge. Kong Magnus hadde i forvegen

Foksene, nå Fuxerna i Flundre herred på østsida av Göta älv.
Fredkolla betyr fredskvinne.

noen barn, som blir nevnt: Øystein het en av sønnene hans; hans morsætt var lite gjæv. Den andre het Sigurd; han var ett år yngre, Tora het hans mor. Den tredje het Olav og var mye yngre. Hans mor var Sigrid, datter til Sakse i Vik*, en gjæv mann i Trondheimen; hun var kongens frille.

Så sier folk at da kong Magnus kom fra vesterviking, hadde han og mange av hans menn de skikker og den klesdrakt som var blitt brukt i vesterlandene. De gikk med bare legger på gata og hadde korte trøyer og kapper. Da kalte folk ham Magnus Berrføtt eller Berrbein. Somme kalte ham Magnus den høye, og somme Styrjaldar-Magnus*. Han var høyere enn andre menn. Det ble gjort et merke etter høyden hans på Mariakirken i kaupangen, den kirken som kong Harald hadde latt bygge. Ved norddøra der er det hogd inn tre kors i steinveggen; det ene viste høyden til Harald, det andre til Olav, og det tredje til Magnus; merket ble satt der de hadde lettest for å kysse. Øverst var Haralds kors, lengst nede var korset til Magnus, men Olavs var like nær begge.

17. Skofte Ogmundsson ble uforlikt med kong Magnus; de trettet om arven etter en mann som var død. Skofte hadde den, og kongen krevde den så hardt og trått at det så stygt ut. Det ble holdt mange møter om denne saken, og Skofte avgjorde at han og sønnene hans aldri på en gang skulle være i kongens vold; han sa at da var de tryggest. Da Skofte var hos kongen, minte han om det nære frendskap som var mellom ham og kongen, og det med at Skofte støtt hadde vært god venn til kongen, og at det aldri hadde vært noe skifte i deres vennskap. Han sa at det var klart han var så pass klok, at, sier han, «jeg ikke vil trette med deg om den saken, konge, dersom jeg har urett. Men i det slekter jeg på forfedrene mine at jeg holder på min rett mot hver mann, og i det gjør jeg ingen forskjell på folk.» Kongen holdt på sitt, og han ble ikke mykere i sinn ved slike taler. Skofte reiste hjem.

18. Siden kom Finn til kongen og talte med ham og bad ham om at han skulle la ham og hans far få rett i denne saken. Kongen svarte bare sint og stutt. Da sa Finn: «Annet ventet jeg av Dem, konge, enn at De ville nekte meg lov og rett den gang jeg ble sittende på Kvaldensøy, og få av de andre vennene Deres ville, men sa som sant var, at de som satt der, var solgt og dødsdømt, om ikke kong Inge skulle ha vist større høvdingskap mot oss enn du hadde vist omtanke for oss. Likevel vil mange synes at vi bar skam derifra, om det var noe å bry seg om.» Kongen ble ikke mer medgjørlig ved slike taler, og Finn reiste hjem.

19. Da kom Ogmund Skoftesson til kongen. Da han kom inn til kongen, sa han ærendet sitt og bad kongen gjøre rett og skjel mot dem og deres far. Kongen svarte at det var rett som han sa, og at de var urimelig djerve. Da sa Ogmund: «Du kan få det til, konge, å

gjøre oss urett, for du har makten; her vil det sanne seg det som blir sagt, at de fleste som får sitt liv i gave, lønner enten ille eller slett ikke. Det vil jeg også ha sagt deg at aldri skal jeg komme i din tjeneste mer, og heller ikke far min eller noen av brødrene mine, dersom jeg får rå.» Så tok Ogmund hjem, og de så hverandre aldri mer, han og kong Magnus.

20. Våren etter gjorde Skofte Ogmundsson seg klar til å fare bort fra landet. Han hadde fem langskip, som alle var vel utrustet. Sønnene hans, Ogmund, Finn og Tord, ble med på ferden. De ble temmelig seint ferdige; om høsten seilte de til Flandern og var der om vinteren. Tidlig om våren seilte de vest til Valland, og om sommeren seilte de ut gjennom Norvasund og om høsten til Romaborg. Der døde Skofte; alle sønnene døde også på denne ferden. Tord levde lengst av dem; han døde på Sikiløy. Det sier folk at Skofte har seilt gjennom Norvasund først av alle nordmenn; denne ferden ble kjent vidt og bredt.

21. Det hendte i kaupangen der kong Olav hviler, at det kom ild opp i et hus i byen, og brannen bredte seg vidt omkring. Da ble kong Olavs skrin båret ut av kirken og satt imot ilden. Da kom det springende en tankeløs og uklok mann; han slo til skrinet og truet den hellige mannen. Han sa da at nå ville nok alt brenne opp, både kirken og andre hus dersom han ikke hjalp dem med sine bønner. Nå lot den allmektige Gud kirken bli ubrent, men til den ukloke mann sendte han øyeverk natta etter, og han ble nå liggende der, like til den hellige kong Olav bad om miskunn for ham hos den allmektige Gud, og han ble helbredet i den samme kirken.

22. Det hendte også i kaupangen at ei kvinne ble ført dit til kirken der kong Olav hviler. Hun var så vanskapt at hun var sammenkrøkt slik at begge føttene lå bøyd opp mot setet. Da hun ustanselig holdt på med bønner og hadde kalt gråtende på ham, så helbredet han henne da for den store vanhelse, så føtter og legger og andre lemmer rettet seg ut av bøyningen, og hvert ledd og lem kunne siden bli brukt på rette måten. Før hadde hun ikke kunnet krype dit, men derifra gikk hun frisk og glad til heimen sin.

23. Kong Magnus rustet seg til å fare fra landet med en stor hær. Da hadde han vært konge i Norge i ni år. Så fór han vestover havet* med den vakreste hær som til var i Norge. Med ham fulgte alle stormenn som var i landet: Sigurd Ranesson, Vidkunn Jonsson, Dag Eilivsson, Serk fra Sogn, Øyvind Olboge, kongens stallare, Ulv Ranesson, bror til Sigurd, og mange andre stormenn. Med hele denne hæren tok kongen vest til Orknøyene og hadde med seg derifra sønnene til Erlend jarl, Magnus og Erling. Så seilte han til Suderøyene. Da han lå ved Skottland, sprang Magnus Erlendsson over bord fra kongsskipet om natta og svømte til lands, kom seg siden opp i skogen og kom fram til skottekongens hird. Kong Magnus styrte med hæren til Irland og herjet der. Da kom kong Myrkjar-

Vestover havet; ferden skjedde i år 1102.

Da sola rant, gikk Magnus og hans menn i land.

tan ham til hjelp med en stor hær, og de vant mye av landet, Dublin og Dublinskir*. Om vinteren var kong Magnus oppe i Kunnakter hos kong Myrkjartan. Han satte menn til å styre det landet han hadde vunnet. Da det ble vår, tok kongene med hæren sin vest til Ulster og holdt mange slag der, og vant landet. De hadde vunnet mesteparten av Ulster. Da fór Myrkjartan hjem til Kunnakter.

24. Kong Magnus gjorde i stand skipene sine og tenkte å reise øst til Norge. Han satte sine menn til å styre landet i Dublin. Han lå ved Ulster med hele hæren sin, og de var seilklare. De syntes de trengte til slaktefe, og kong Magnus sendte noen menn til kong Myrkjartan med bud om at han skulle sende ham slaktefe, og han fastsatte en dag da det skulle komme, og det var dagen før bartolomeusmesse*, dersom sendemennene kom uskadd fram. Men aftenen før messedagen var de ikke kommet; messedagen da sola rant, gikk kong

Dublinskir, landet omkring Dublin.
Bartolomeumsmesse, 23. august 1103.

Magnus på land med størstedelen av hæren, og gikk opp fra skipene og ville leite etter mennene sine og slaktefeet. Det var vindstille og solskinn; vegen gikk over myrer og sumper; det var lagt klopper over, og på begge sider var det småskog. Da de kom lenger fram, kom de til en høy bakke, og derfra kunne de se langt. Da fikk de se en stor støvsky oppe i landet; de talte seg imellom om dette kanskje kunne være irehæren, men noen sa at det nok var mennene deres med slaktefe. Nå gjorde de holdt der.

Da sa Øyvind Olboge: «Konge,» sa han, «hva mening har du med denne ferden? Uvarsomt synes jeg du farer fram; du vet at irerne er svikfulle. Tenk nå ut et godt råd for hæren.» Da sa kongen: «La oss fylke mannskapet vårt, og være rede om dette er svik.» Så ble hæren fylket; kongen og Øyvind gikk fram for fylkingen. Kong Magnus hadde hjelm på hodet og rødt skjold, og på det var innlagt en løve i gull. Han hadde spent på seg et sverd som het Leggbit; det hadde hjalt av hvalrosstann, og handtaket var viklet med gulltråd, et ypperlig våpen. Han hadde spyd i handa; over skjorta hadde han ei rød silketrøye; i den var en løve innsydd foran og bak med gul silke. Det sa folk at de ikke hadde sett djervere eller kjekkere mann. Øyvind hadde også rød silketrøye helt på samme måte som kongen. Han var også en stor og vakker mann og en stor hærmann.

25. Da støvskya kom nærmere, kjente de sine egne menn, og de kom med mye slaktefe som irekongen hadde sendt dem, og han holdt helt ut sitt ord til kong Magnus. Så snudde de ned igjen til skipene, og da var det middagstid. Men da de kom ut på myrene, gikk det smått for dem i blautmyra. Da stormet en hær av irer fram fra hver skogsnipp og gav seg straks i kamp; nordmennene fór spredt, og det falt snart mange av dem. Da sa Øyvind: «Konge,» sa han, «det går uheldig med hæren vår, la oss nå fort finne på et godt råd.» Kongen sa: «La blåse med hærblåst hele hæren under merkene, og det mannskapet som er her, skal stille seg i skjoldborg, og så får vi dra oss baklengs ut over myrene. Siden har det ingen nød når vi kommer på slettelandet.»

Irerne skjøt djervt, likevel falt det tjukt av dem; men alltid kom det en mann i manns sted. Da kongen var kommet til det nederste diket, var det stort uføre, og bare få steder var det til å komme over; der falt det en mengde nordmenn. Da ropte kongen på Torgrim Skinnlue, som var hans lendmann fra Opplanda. Han bad ham fare over diket med sin flokk, «så skal vi verge dere så lenge, så dere ikke skal li noen skade. Etterpå skal dere gå ut på den holmen som ligger der, og skyte på dem mens vi går over diket! For dere er gode buemenn.» Da Torgrim og mennene hans hadde kommet over diket, kastet de skjoldene på ryggen og rente ned til skipene. Da kongen så det, sa han: «Umandig skilles du fra kongen din. Uklok var jeg da jeg gjorde deg til lendmann og gjorde Sigurd Hund* utleg. Aldri

---

Sigurd Hund var en eldre bror av Vidkunn Jonsson på Bjarkøy. Tilnavnet hadde han arvet etter sin mors farfar, Tore Hund.

ville han ha fart slik at.» Kong Magnus fikk et sår; det var en som stakk et spyd gjennom begge lårene like over knærne. Han greip skaftet mellom føttene, brøt det av og sa: «Slik bryter vi hver leggsperre, karer.»
Kong Magnus fikk et hogg på halsen av ei øks, og det ble banesåret hans. Da flyktet de som var tilbake. Vidkunn Jonsson bar sverdet Leggbit og kongens merke til skipene. De som sist flyktet, var han og Sigurd Ranesson og Dag Eilivsson. Sammen med kong Magnus falt der Øyvind Olboge, Ulv Ranesson og mange andre stormenn. Det falt mange nordmenn der, likevel mange flere av irerne. De nordmenn som kom seg unna, reiste bort straks om høsten. Erling, sønn til Erlend jarl, falt i Irland sammen med kong Magnus. Da den hæren som hadde flyktet fra Irland, kom til Orknøyene, og Sigurd fikk vite at hans far kong Magnus hadde falt, bestemte han seg straks til å reise med dem, og om høsten seilte de øst til Norge.

26. Magnus var konge over Norge i ti år; i hans dager var det god fred innenlands, men folk hadde det slitsomt, og de hadde mange utlegg på grunn av leidangsferdene hans. Kong Magnus var så vennesæl blant sine menn som noen kunne bli; bøndene derimot syntes han var hard. Folk hermer et ord etter ham når vennene hans sa at han ofte fór uvarlig når han herjet utenlands. Da sa han så: «Konge skal en ha til ære og ikke til langt liv.» Kong Magnus var bortimot tretti år da han falt*. Vidkunn drepte den mann i slaget som var banemann til kong Magnus. Da flyktet Vidkunn, og han hadde fått tre sår. Derfor viste sønnene til kong Magnus ham stort vennskap.

Magnus falt i år 1103.

Magnussønnenes saga

TTER KONG MAGNUS BERRFØTTS fall tok sønnene hans kongedømme i Norge, Øystein, Sigurd og Olav. Øystein fikk norddelen av landet og Sigurd sørdelen. Da var kong Olav bare fire eller fem år; og den tredjeparten som han fikk, styrte de to andre sammen. Sigurd var tretten eller fjorten år da han ble tatt til konge, og Øystein var ett år eldre. Kong Sigurd lot datter til irekongen bli igjen vest for havet. Da Magnussønnene ble tatt til konger, kom de hjem igjen de menn som hadde reist ut med Skofte Ogmundsson, noen fra Jorsalaheim og noen fra Miklagard. De ble navngjetne vidt og bredt og hadde all slags nytt å fortelle. På grunn av disse nyhendingene fikk en mengde mennesker i Norge lyst på en slik ferd. Det ble fortalt at i Miklagard fikk nordmenn som ville ta tjeneste i hæren, en mengde penger. De bad kongene at en av dem, Øystein eller Sigurd, skulle være med og være høvding for de menn som ville med i utferden. Kongene sa ja til dette, og sammen kostet de alt i stand til ferden. Mange stormenn, både lendmenn og mektige bønder, rådde seg til å være med på ferden. Da alt var ferdig, ble det avgjort at Sigurd skulle fare, men Øystein skulle styre landet for dem begge.

2. Ett år eller to etter kong Magnus Berrføtts fall, kom Håkon, sønn til Pål jarl, vest fra Orknøyene. Kongene gav ham jarledømme og styring på Orknøyene, slik som jarlene hadde hatt før ham, Pål, hans far, og Erlend, hans farbror. Håkon fór vestover igjen til Orknøyene.

3. Fire år etter kong Magnus' fall* drog kong Sigurd med hæren sin fra Norge; da hadde han seksti skip. Så sier Torarin Stuttfell:

> Så mange talte
> det modige mannskap
> som kom sammen,
> mot kongen trofast,
>
> at seksti hærskip,
> herlig bygd,
> etter Guds vilje
> glei ut herfra.

Kong Sigurd seilte om høsten til England; da var Henrik*, sønn til Vilhjalm Bastard, konge der. Kong Sigurd var der om vinteren. Så sier Einar Skulason:

Fire år etter kong Magnus' fall. Snorre rekner korstoget ett år for tidlig; det fant sted i åra 1108–1111.
Henrik I, konge 1100–1135.

Mot vest med den store hæren
den hardføre kongen styrte.
Så bar da skipet høvdingen
på bølgen fram til England.

Der lot den stridsglade kongen
stavnene hvile om vinteren.
Aldri kan av hærskip
bedre høvding stige.

4. Våren etter seilte kong Sigurd med hæren vest til Valland og kom fram om høsten til Galizeland* og var der den neste vinteren. Så sier Einar Skulason:

Folkekongen som rådde
for rike gjævest på jorden,
i Jakobsland sitt tilhold*
tok så neste vinter.

Jeg hørte at hærkongen straffet
svikferd fra frekke jarlen.
Blod den raske høvding
hærfuglen gav å drikke.*

Dette gikk slik for seg at den jarlen som rådde for landet, gjorde avtale med kong Sigurd at jarlen skulle la Sigurd få kjøpe mat hele vinteren; dette førte han ikke fram lenger enn til jul, men da ble det vondt for mat, for landet er magert og et dårlig matland. Da fór kong Sigurd med en stor hær til det kastellet som jarlen hadde, men jarlen flyktet unna, for han hadde få folk. Kong Sigurd tok en mengde mat og mye annet hærfang og førte det til skipene sine. Så gjorde han seg ferdig til å reise derifra og seilte langs med Spania*. Da kong Sigurd seilte langs Spania, hendte det at noen vikinger som var ute etter hærfang, kom imot ham med en galeiflåte. Men kong Sigurd la til strid med dem, og dette var det første slaget mot hedninger, og han tok åtte galeier fra dem. Så sier Halldor Skvaldre:

Elendige vikinger styrte
mot veldige kongen til møte.
Men i striden høvdingen felte
for fote fiender mange.

Hæren greide å rydde
raskt åtte galeier.
Stor var haugen av falne.
Hærfang vant vennesæl høvding.

Siden styrte kong Sigurd til et kastell som heter Sintra*, og der kjempet han det andre slaget. Det er i Spania. Der satt hedenske folk og herjet på kristne. Han tok kastellet og drepte alle sammen der fordi de ikke ville la seg kristne. Han tok gods der også. Så sier Halldor Skvaldre:

Nå nevner jeg kongens storverk,
som han i Spania gjorde.
Djervt mot Sintra-kastellet
stormet den storgjæve høvding.

Her av den harde kongen
hærmenn fikk stor skade,
fordi de nektet å ta mot
den rette tro, som han bød dem.

Galizeland, Galicia i Spania.
Jakobsland er det samme som Galizeland; etter apostelen Jakob som hadde et berømt valfartssted der, Santiago de Compostela.
Hærfuglen er ravnen.
Spania, nå Portugal.
Sintra, på halvøya nordvest for Lisboa, som i 1109 ble tatt av maurerne. Sigurd har hjulpet grev Henrik av Portugal, som i 1110 vant tilbake Sintra.

Sigurds ferd fra landet.

5. Etter det seilte kong Sigurd med hæren til Lisboa; det er en stor by i Spania, halvt kristen og halvt hedensk. Der er skillet mellom det kristne Spania og det hedenske Spania. Hedenske er alle de bygder som ligger vest* for den. Der hadde kong Sigurd det tredje slaget med hedninger, og han fikk seier. Han vant også stort hærfang. Så sier Halldor Skvaldre:

Den tredje seier vant du,   *da til land du styrte*
tapre kongeætling   *der byen Lisboa ligger.*

Så styrte kong Sigurd med hæren vest for det hedenske Spania og la til ved en borg som heter Alkasse*, og der hadde han det fjerde slaget med hedenske menn. Han vant borgen og drepte mange folk der, da han ødela borgen. Der fikk de en umåtelig mengde gods. Så sier Halldor Skvaldre:

Ute ved Alkasse   *hærfører, fjerde gangen*
ønsket du – så jeg hørte –   *å gå i harde striden.*

Og likeens dette:

Jeg har hørt at sorgen rammet   *da mennene måtte flykte*
de hedenske kvinner i borgen   *for den djerve fiendehæren.*

6. Så holdt kong Sigurd fram med ferden og seilte til Norvasund. I sundet møtte han en stor vikingflåte, og kongen la til slag mot dem. Der hadde han det femte slaget og vant seier. Så sier Halldor Skvaldre:

I blod å farge du vågde   *Hjelp sendte Gud; til friske*
øst for Norvasund våpen.   *sår fikk ravnen flyge.*

Siden seilte kong Sigurd på sørsida langs Serkland*, og kom til

vest; riktigere: sør. Elva Tajo var lenge ei grense mellom de kristne i nord og muhammedanerne sønnafor.
Alkasse, Alcacer do Sal, en borg ved elva Sado sør for Setubal.
Serkland, her brukt om Marokko.

den øya som blir kalt Forminterra*. Der hadde en stor flokk heden-
ske blåmenn slått seg ned i en heller, og de hadde satt en stor
steinvegg for helleråpningen. De herjet vidt og bredt i landet og
førte alt hærfang til helleren. Kong Sigurd gjorde landgang på denne
øya og gikk til helleren, men den var i et berg, og det var høyt å gå
opp til steinveggen ved helleren, og berget lutet fram over steinveg-
gen. Hedningene verget steinveggen, og var ikke redde for våpnene
til nordmennene, for de kunne kaste stein og våpen ned på nord-
mennene under føttene sine. Nordmennene ville heller ikke gå opp
når det var slik. Så tok hedningene pell og andre dyre ting og bar ut
på veggen og svingte med dem mot nordmennene. De ropte til dem
og egget dem, og sa de hadde ikke mot i livet.

Da fant kong Sigurd på råd. Han lot ta to skipsbåter, slike som blir
kalt barker, og han lot dem dra opp på berget og over helleråpnin-
gen; han lot binde digre tau under alle spantene og om stavnene. Så
gikk det så mange mann opp i dem som det var rom til, og så firte
de båtene ned framfor helleren med reip. Så skjøt de som var i
båtene og kastet stein, så hedningene måtte dra seg tilbake fra stein-
veggen. Så gikk kong Sigurd opp i berget under steinveggen med
hæren sin, de brøt i stykker veggen og kom på den måten opp i
helleren. Men hedningene rømte inn bak en steinvegg som var satt
tvert over helleren. Da lot kongen bære inn i helleren store stokker
og gjøre et stort bål i helleråpningen, som de tente ild på. Da ilden
og røyken nådde hedningene, lot noen av dem livet, og noen gikk
imot våpnene til nordmennene, og alle sammen ble drept eller brent.
Der fikk nordmennene det største hærfang som de hadde tatt på
denne ferden. Så sier Halldor Skvaldre:

Stridslystne fredsbryter
snart fikk se
framfor stavnen
Forminterra.

Der hær av blåmenn
før bane de fikk,
måtte egg
og ild tåle.

Og likeens dette:

Hærkonge, du lot barker
ned for berget fire.
Høvdingens verk mot serker
er blitt spurt så vide.

Oppover bratte berget
brøt du deg fram, kriger.
Mot folkefylte heller
med følget ditt du trengte.

Dessuten sier Torarin Stuttfell:

Stridsklok kongen
bad karene
dra opp på berget
to beksvarte båter.

Ved reip ble de firet
nedover fjellet
fulle av hærmenn
for helleråpning.

Forminterra, Formentera sørvestligst i Balearene.

7. Siden fór kong Sigurd lenger fram og kom til ei øy som heter Iviza*. Der holdt han slag og vant seier. Det var det sjuende slaget. Så sier Halldor Skvaldre:

Hederomkranset høvding	*Den gjæve kongen hadde*
med hærskip kom til Iviza.	*stor hug til i kamp å komme.*

Etter dette kom kong Sigurd til ei øy som heter Manork*. Der hadde han det åttende slaget med hedenske menn, og fikk seier. Så sier Halldor Skvaldre:

Åttende slag ble siden	*Den prektige kongehæren*
utstridd på grønne Manork.	*pilene farget røde.*

8. Om våren kom kong Sigurd til Sikiløy og slo seg til lenge der. Da var Rodgeir* hertug der. Han tok vel imot kongen og bad ham til gjestebud. Kong Sigurd kom dit og mange mann med ham. Der fikk han herlig mottakelse, og hver dag ved gjestebudet stod hertug Rodgeir og vartet opp ved bordet til kong Sigurd. Da de hadde tatt bad sjuende gjestebudsdagen, tok kong Sigurd hertugen i handa og førte ham opp i høgsetet og gav ham kongsnavn og rett til å være konge over Sikiløy-riket; før hadde det vært jarler over det riket.

9. Rodgeir, konge over Sikiløy, var en svært mektig konge. Han vant hele Pul* og la også under seg mange storøyer i Grekenlandshavet. Han ble kalt Rodgeir den mektige. Hans sønn var Vilhjalm, konge på Sikiløy; han hadde lenge hatt stor ufred med keiseren i Miklagard. Kong Vilhjalm hadde tre døtre, men ingen sønn. Han giftet den ene dattera si med keiser Henrik*, sønn til keiser Fredrik*. Deres sønn var Fredrik*, som nå er keiser i Roma. Den andre dattera til kong Vilhjalm ble gift med hertugen av Kipr*, og den tredje ble gift med flåtehøvdingen Margrit. Keiser Henrik drepte dem begge to. Datter til Rodgeir, konge på Sikiløy, ble gift med Manule*, keiser i Miklagard. Deres sønn var keiser Kirjalaks*.

10. Om sommeren seilte kong Sigurd ut over Grekenlandshavet til Jorsalaland. Så drog han opp til Jorsalaborg og møtte der jorsalakongen Baldvine. Kong Baldvine tok overmåte vel imot kong Sigurd og rei med ham ut til elva Jordan og tilbake til Jorsalaborg. Så sier Einar Skulason:

Iviza, nå Ibiza.
Manork, nå Menorca.
Rodgeir, Roger II (1095–1154), greve og hertug av Sicilia, ble konge først i 1130.
Pul, dvs. Apulia i Sør-Italia.
Henrik VI, tysk-romersk keiser 1191–1197.
Fredrik I (Barbarossa), keiser 1155–1190.
Fredrik II, keiser 1220–1250.
Kipr, nå Kypros.
Manule, Manuel Komnenos, keiser 1143–1180.
Kirjalaks, Alexios II 1180–1183.

Kong Sigurd og kong Baldvine rir fra Jorsalaborg til Jordan.

I Grekenlandshavet høvding
lot havkalde skipet duve –
det er ikke småting som skalden
kan synge om kongens storferd
til han fikk landfestet skipet
ved store og vide Akersborg*.
Hele hæren med kongen
hilste den morgen med glede.

Jeg nevner at kampglade konge
kom til Jorsala-byen;
under den vide himmel
hævere høvding fins ei.
I Jordans rene bølger
badet den gavmilde fyrsten.
Alle som hørte om det,
høyt måtte prise dåden.

Kong Sigurd oppholdt seg lenge i Jorsalaland utover høsten og førstningen av vinteren.

11. Kong Baldvine gjorde et flott gjestebud for kong Sigurd og mange av mennene hans. Da gav kong Baldvine kong Sigurd mange helligdommer, og med samtykke av Baldvine og av patriarken ble det da tatt en spon av det hellige kors, og begge to svor ved helligdommen at dette tre var av det hellige kors som Gud sjøl var pint på. Etterpå ble denne helligdommen gitt til kong Sigurd på det vilkår at han og tolv andre menn med ham svor på at han skulle fremme kristendommen av all sin makt, og reise en erkebispestol i landet om han kunne, og at korset skulle være der den hellige kong Olav hvilte, og han skulle innføre tiende, og sjøl gi tiende.

Kong Sigurd fór siden til skipene sine i Akersborg. Da rustet også kong Baldvine hæren sin for å fare til Syrland* til en by som heter Sætt*; den borgen var hedensk. Kong Sigurd fulgte med ham på den

Akersborg er festningen Akko (Acre); Sigurd landet ikke der, men ved Jaffa.
Syrland, dvs. Syria.
Sætt, dvs. Sidon, nå Saida.

ferden. Da kongene hadde holdt byen kringsatt ei kort tid, gav de hedenske menn seg, og kongene vant byen*, men hærmennene fikk alt det andre hærfanget. Kong Sigurd gav kong Baldvine hele borgen. Så sier Halldor Skvaldre:

*Den hedenske byen vant du
med velde, men bort du gav den,*

*gavmilde kriger! Alltid
du ære vant i kampen.*

Einar Skulason sier også om dette:

*Dølenes konge tok Sidon,
slikt kan nok karene minnes.
Slynger tok da sterkt til
å svinge seg i striden.*

*Stridsmannen brøt en festning
som faretruende stod der.
Sverdene ble farget røde,
fyrsten fikk gledelig seier.*

Deretter fór kong Sigurd til skipene sine og laget seg til å fare bort fra Jorsalaland. De seilte nordover til øya som heter Kipr, og kong Sigurd slo seg ned der en stund. Siden fór han til Grekenland og la seg med hele flåten ute ved Engelsnes*, og der lå han en halv måned. Hver dag var det rask bør til å seile nordover havet med, men han ville bie på sidevind, så de kunne strekke seilene langs etter skipet, fordi alle seilene hans var kledd med pell både på den sida som snudde fram, og den som snudde bak, for verken de som var forut, eller de som var akter på skipet, ville se det som var minst vakkert på seilene.

12. Da kong Sigurd seilte inn til Miklagard, seilte han nær land. Overalt oppe i land der er det byer, kasteller og landsbyer, så det ikke noe sted er slutt på dem. Fra land så de alle de spente seilene som fulgte tett på hverandre, så det så ut som et gjerde. Alle folk stod ute, så de kunne se på kong Sigurds seiling. Også keiser Kirjalaks* hadde fått vite om kong Sigurds ferd, og han lot åpne den byporten i Miklagard som heter Gullvarta*. Den porten skal keiseren ri inn gjennom når han har vært lenge borte fra Miklagard og har vunnet stor seier. Keiseren lot breie ut pell på alle gatene i byen fra Gullvarta og til Laktjarner*; der er den gjæveste hallen til keiseren. Kong Sigurd sa til mennene sine at de skulle ri kaute inn i byen, og de skulle vise seg lite forundret over alt det nye som de fikk se; og så gjorde de. Med slik prakt rei kong Sigurd og alle mennene hans til Miklagard og så til den gjæveste kongshallen, og der var alt gjort i stand til dem. Kong Sigurd slo seg ned der ei tid.

Da sendte kong Kirjalaks noen av sine menn til ham, og spurte om han ville ta imot seks skippund gull av keiseren, eller om han ville at keiseren skulle få i stand den leiken som keiseren brukte å la

---

Kongene vant byen 19. desember 1110.
Engelsnes, Kapp St. Angelo (eller Malea) lengst sørøst i Hellas.
Kirjalaks må være Alexios I Komnenos, keiser 1081–1118.
Gullvarta, dvs. den gylne porten i Miklagard.
Laktjarner, palasset Blachernæ nord i byen.

Kong Sigurd og hans menn rir inn i Miklagard.

holde på Padreimen*. Kong Sigurd valgte leiken, men sendemennene sa at leiken kostet ikke keiseren mindre enn dette gullet. Da lot keiseren stelle til leiken, og den gikk for seg som det var vanlig. I alle leiker gikk det denne gangen best for kongen. Dronninga har halvparten av leiken, og hennes og kongens menn kappes i alle leikene. Grekerne sier at når kongen vinner flere leiker enn dronninga, da skal kongen vinne seier når han farer i hærferd.

13. Deretter laget kong Sigurd seg til hjemferden. Han gav keiseren alle skipene sine; det var gull-lagte hoder på det skipet som kongen hadde styrt; de ble satt på Peterskirken. Keiser Kirjalaks gav kong Sigurd mange hester og gav ham vegvisere gjennom hele riket sitt. Så reiste kong Sigurd bort fra Miklagard; men en hel mengde menn ble igjen og tok tjeneste i hæren. Kong Sigurd fór først til Bulgaraland og derfra gjennom Ungarariket, Pannonia*, Svåva* og Byjaraland*. Der møtte han Lozarius*, keiser av Rom, som tok overmåte vel imot ham og gav vegvisere gjennom hele riket sitt og lot ham og hans folk kjøpe alt det de trengte. Da kong Sigurd kom til Slesvig i Danmark, holdt Eiliv jarl et kostbart gjestebud for ham; det var ved midtsommerstid. I Heidaby møtte han Nikolas danekonge*, som tok særdeles godt imot ham og sjøl fulgte ham nord til Jylland og gav ham et skip i full stand, som han reiste over til Norge

Padreimen, dvs. Hippodromen eller veddeløpsbanen.
Pannonia, Vest-Ungarn.
Svåva, Schwaben.
Byjaraland, Bayern.
Lozarius, dvs. Lothar, hertug av Sachsen, som først i 1125 ble tysk-romersk keiser etter Henrik V.
Nikolas (Niels), konge i Danmark 1104–1134.

med. Så kom Sigurd hjem til riket sitt, og han ble vel mottatt. Det sa folk at ingen hadde fart en større hedersferd fra Norge enn den; da var han tjue år gammel og hadde vært tre år på denne ferden. Hans bror Olav var da tolv år gammel.

14. Kong Øystein hadde gjort mye nyttig i landet mens kong Sigurd var på ferd. Han grunnla Munkeliv på Nordnes i Bergen og la mye gods til det. Han lot bygge Mikaelskirken, en herlig steinkirke. Han lot også bygge Apostelkirken på kongsgården, en trekirke, og der lot han bygge den store hallen, det staseligste trehus som har vært bygd i Norge. Han lot også bygge kirke på Agdenes, og ved sida en skansevoll og ei havn der det før hadde vært havneløst. Han lot også bygge Nikolaskirken i kongsgården i Nidaros, og dette huset ble svært omsorgsfullt utført med utskjæringer og allslags arbeid. Han lot også bygge en kirke i Vågan på Hålogaland og la inntekter til den.

15. Kong Øystein sendte bud til de klokeste og mektigste menn i Jemtland og bød dem til seg, og han tok imot alle som kom, med stor

Kong Øystein bygger.

vennlighet, og ved avskjeden gav han dem vennegaver; på den måten førte han dem til vennskap med seg. Da mange av dem nå fikk til vane å fare til ham og tok imot gaver av ham, og da flere som ikke kom dit, fikk sendende gaver fra ham, vant han fullt vennskap med alle de menn som rådde for landet. Siden talte han for dem, og sa at jemtene hadde gjort ille da de hadde vendt seg bort fra kongene i Norge og ikke ville stå under dem eller betale skatt til dem. Først talte han om det at jemtene hadde gitt seg under kong Håkon Adalsteinsfostre og siden vært lenge under Norges konger. Han nevnte også det hvor mange nødvendige ting de kunne få fra Norge, eller hvor tungvint det ville være for dem å søke til sveakongen om det de trengte til. Han kom så langt med sine taler at jemtene sjøl bød seg til å gå under kong Øystein, og sa at det var aldeles nødvendig for dem. Og så gjorde de forbund på den måten at jemtene gav hele landet under kong Øystein. Først tok stormennene der troskapsed av hele folket; så drog de til kong Øystein og tilsvor ham landet, og dette har holdt seg hele tida siden. Kong Øystein vant Jemtland med klokskap og ikke ved å gå på med makt som noen av forfedrene hans.

16. Kong Øystein var vakker som få å se til, blåøyd og noe storøyd, med lyst krøllet hår. Han var knapt middels høy, en klok mann som hadde gode kunnskaper om alt, om lover og lærerike fortellinger om mennesker, han var rådklok og veltalende, gladlynt og vennlig i omgang, omtykt og elsket av alle mennesker. Han var gift med Ingebjørg, datter til Guttorm Steigar-Toresson; de hadde ei datter som het Maria, og som siden ble gift med Gudbrand Skavhoggsson.

17. Kong Sigurd var stor av vekst; og han hadde brunt hår. Han var mandig, men ikke vakker. Han var velvoksen og snar i vendingen, fåmælt og oftest ikke vennlig; han var vennegod og trofast; han hadde ikke lyst til å tale mye, holdt på formene og var verdig. Kong Sigurd ville gjerne styre og var streng til å straffe, han holdt godt loven, var gavmild, mektig og gjæv. Kong Olav var høy og slank, vakker å se til, gladlynt, omgjengelig og vennesæl. Da disse brødrene var konger i Norge, tok de bort mange av de pålegg som danene hadde lagt på folket da Svein Alfivuson styrte landet, og derfor ble de likt særlig godt både av allmuen og av stormennene.

18. Kong Olav fikk en sjukdom som førte til døden. Han er gravlagt ved Kristkirken i Nidaros, og det var stor sorg etter ham. Siden rådde de to kongene, Øystein og Sigurd, for landet, men først hadde de tre brødrene vært konger i tolv år, fem år etter at kong Sigurd kom hjem til landet, og sju år før. Kong Olav var sytten år da han døde, og det var den 22. desember*, da kong Øystein hadde vært ett år øst i landet og Sigurd var nordpå. Da satt kong Øystein lenge om vinteren i Sarpsborg.

19. Det var en mektig bonde som het Olav i Dal, en rik mann. Han bodde på Store-Dal i Åmord* og hadde to barn. Sønnen het

22. desember år 1115.
Åmord, nå Borge i Østfold.

Borghild Olavsdotter
faster til jernbyrd i Borg.

Håkon Fauk, og dattera var Borghild. Hun var ei framifrå vakker kvinne, og så var hun klok og hadde mange kunnskaper. Olav og hans kone og hans barn var lenge i Borg om vinteren, og Borghild var støtt og talte med kongen, og folk sa både det ene og det andre om deres vennskap. Men sommeren etter drog kong Øystein nord i landet, og Sigurd kom østpå, og vinteren etter var kong Sigurd øst i landet. Han satt lenge i Konghelle og hjalp opp denne kjøpstaden mye. Der gjorde han et stort kastell og lot grave et stort dike omkring. Kastellet var bygd av torv og stein. Han gjorde dette kastellet til bolig for fast besetning og han bygde kirke der.

Det hellige kors lot han være i Konghelle, og i det stykket holdt han ikke den eden han svor i Jorsalaland. Men han innførte tiende og gjorde det meste av det han hadde svoret. Når han satte korset øst ved landsenden, tenkte han at dette skulle være til vern for hele landet. Men det ble til stor ulykke å sette denne helligdommen slik at hedninger så lett kunne komme til, som det siden viste seg.

Borghild Olavsdotter fikk høre det rykte som gikk, at folk talte ille om henne og kong Øystein for deres samtaler og vennskap. Da drog hun til Borg og fastet til jernbyrd der og bar jern for denne saken og ble helt renset. Da kong Sigurd fikk høre dette, rei han på én dag så langt som to store dagsreiser ellers, og kom fram til Olav i Dal og var der om natta. Da tok han Borghild til frille og førte henne bort med seg. Deres sønn var Magnus; han ble straks sendt bort til oppfostring nord på Hålogaland til Vidkunn Jonsson på Bjarkøy, og der vokste han opp. Magnus var vakker som få, og han ble tidlig stor og sterk.

20. Kong Sigurd ble gift med Malmfrid, datter til kong Harald Valdemarsson* øst fra Holmgard. Mor til kong Harald var Gyda den gamle, datter til den engelske kongen Harald Gudinesson. Mor til Malmfrid var Kristin, datter til sveakongen Inge Steinkjellsson*. Søster til Malmfrid var Ingelborg, som var gift med Knut Lavard, sønn til danekongen Eirik den gode*, som var sønn til Svein Ulvsson. Knuts og Ingelborgs barn var Valdemar*, som tok kongedømme i Danmark etter Svein Eiriksson*, Margret, Kristin og Katrin. Margret var gift med Stig Kvitlær, og de hadde ei datter Kristin, som var gift med sveakongen Karl Sørkvesson*. Deres sønn var kong Sørkve*.

21. En vinter var kong Øystein og kong Sigurd begge to på veitsle på Opplanda, og de hadde hver sin gard. Men da det bare var et kort stykke mellom de gardene hvor kongene skulle ta veitsle, ble det avtalt at de skulle være sammen i gjestebud og skiftevis på garden til den andre. Først var de sammen på den garden som kong Øystein eide. Men om kvelden da folk tok til å drikke, var ølet ikke godt, og mennene tidde still. Da sa kong Øystein: «Det er svært som folk tier still. Det er da bedre skikk ved drikkebordet at folk er glade. La oss få noe moro ved drikkebordet, så skal det ennå bli gammen i laget. Bror Sigurd, alle vil synes det høver best om vi tar til med skjemtsom tale.» Kong Sigurd svarte noe kort: «Snakk så mye du vil, men la meg få lov til å tie for deg.»

Da sa kong Øystein: «Det har ofte vært skikk i drikkelag at en velger seg en mann til jamføring. Nå vil jeg at vi skal gjøre så her.» Da tidde kong Sigurd. «Jeg ser,» sa kong Øystein, «at jeg får ta til med denne moroa. Jeg vil ta deg, bror, til min jamføringsmann. Jeg nevner først at vi begge to har lik rang og lik eiendom, og jeg gjør ingen forskjell på vår ætt og oppfostring.» Da svarte kong Sigurd: «Minnes du ikke det at jeg la deg på ryggen når jeg ville, enda du

---

Harald Valdemarsson, dvs. Mstislav, sønn av Vladimir Monomach, russisk storfyrste 1125–1132.
Inge Steinkjellsson (Stenkilsson), død ca. 1110.
Eirik den gode (Erik Egod), konge 1095–1103.
Valdemar den store, konge 1157–1182.
Svein Eiriksson (Svend Erikssøn), konge 1146–1157.
Karl var svensk konge 1161–1167.
Sørkve (Sverker) var svensk konge 1196–1210.

«På dem knyttet jeg en knute.»

var ett år eldre.» Da sa kong Øystein: «Jeg minnes ikke det mindre at du ikke kunne være med i slike leiker som det skulle mykhet til.» Da sa kong Sigurd: «Minnes du hvordan det gikk når vi skulle svømme; jeg kunne dukke deg under når jeg ville.» Kong Øystein svarte: «Jeg svømte ikke kortere enn du, heller ikke var jeg dårligere til å svømme under vannet enn du. Jeg kunne også gå på islegger*, så jeg ikke kjente noen som kunne kappes med meg i det; men det kunne ikke du bedre enn et naut.»

Kong Sigurd sa: «Jeg synes det er nyttigere idrett, som høver bedre for en høvding, å skyte godt med bue. Jeg antar at du greide ikke å spenne buen min om du så brukte foten.» Kong Øystein svarer: «Jeg er ikke så buesterk som du, men mindre forskjell er det når det gjelder å skyte beint, og så kan jeg stå mye bedre på ski enn du, og det ble også reknet for en god idrett før i tida.» Kong Sigurd sa: «Jeg synes det er mye mer høvdingslig at han som skal være overmann over andre, er stor i flokken og sterk og mer våpenfør enn andre, og at han er lett å se og kjenne når det er mange folk sammen.» Kong Øystein sa: «Ikke har det mindre å si at en mann er vakker, og han også er lett å kjenne i mengden. Det synes jeg også høver en høvding, for de beste klærne og vakkerhet høver sammen. Jeg kjenner også mye bedre til lovene enn du, og når vi skal tale, har jeg lettere for å finne ord.»

Kong Sigurd sier: «Det kan nok være at du har lært flere lovknep, for jeg har hatt annet å gjøre. Og det er ikke noen som nekter at du kan ordlegge deg godt, men det sier mange at du ikke er helt ordfast, og at du legger liten vekt på det du lover, og at du taler den etter munnen som er hos deg; og det er ikke kongelig.» Kong Øystein

Islegger, skøyter laget av dyrebein (leggbein).

sier: «Det kommer av det at når folk bærer fram sakene sine for meg, så tenker jeg først og fremst på å få avgjort hver manns sak som han best kunne ønske det. Så kommer ofte også den andre, han som har sak med ham, og da blir det ofte til at det blir lempet slik at begge skal like det. Det hender også titt at jeg lover det som jeg er bedt om, for jeg vil at alle skal gå glade fra meg. Jeg ser nok også den måten å greie det på som du bruker: å love alle vondt; men jeg hører ikke noen klager over at du ikke holder det du lover.» Kong Sigurd sier: «Det har folk sagt at den ferd som jeg fór fra landet, var høvelig for en høvding, men da satt du hjemme som datter til far din.» Kong Øystein svarte: «Nå tok du på byllen. Ikke hadde jeg fått denne samtalen i gang om jeg ikke kunne svare noe her. Snarere synes det som at det var jeg som utstyrte deg som ei søster, før du kunne bli i stand til ferden.» Kong Sigurd sier: «Du har nok hørt tale om det at jeg holdt mange slag i Serkland, og jeg vant seier i alle og fikk mange slags kostbarheter, som det ikke før har kommet maken til hit til lands. Der ble jeg mest vørt når jeg kom sammen med de gjæveste menn, men jeg mener at du er en heimføding ennå.» Kong Øystein sa: «Det har jeg hørt at du holdt noen slag utenlands, men nyttigere var det for landet vårt at jeg i den tida bygde fem nye kirker, og at jeg gjorde ei havn ved Agdenes der det før var havneløst, og hvor alle menn må fare som skal nordover eller sørover langs landet. Jeg bygde også tårnet i Senholmssund* og hallen i Bergen, mens du i Serkland slaktet blåmenn til fanden, og det tenker jeg var til lite gagn for riket vårt.»

Kong Sigurd sa: «På denne ferden reiste jeg helt ut til Jòrdan og svømte over elva; men utpå elvebakken er det noen busker, og på dem knyttet jeg en knute, og sa da at du skulle løse den, bror, eller også finne deg i det som var sagt over knuten.» Kong Øystein sa: «Ikke vil jeg løse den knuten som du knyttet til meg, men jeg kunne ha knyttet en slik knute for deg, som du mye mindre skulle fått løst da du kom seilende med ett skip inn i flåten min den gang du kom til landet.» Etter det tidde de still, og begge to var harme. Det hendte flere ting mellom brødrene, så en kunne se at hver av dem drog fram seg sjøl og sin sak, og den ene ville være større enn den andre. Men freden holdt seg likevel mellom dem så lenge de levde.

22. Kong Sigurd var på veitsle et sted på Opplanda, og der var gjort i stand til ham. Da kongen var i badet, og det var satt tjeld over karet, syntes han at en fisk svømte i karet hos ham, og da kom han i slik stor latter at han var rent fra seg sjøl, og dette kom ofte på ham siden. Ragnhild, datter til kong Magnus Berrføtt, giftet brødrene hennes bort til Harald Kesja. Han var sønn til danekongen Eirik den gode. Sønnene deres var Magnus, Olav, Knut og Harald.

23. Kong Øystein lot gjøre et skip i Nidaros; i storleik og i utseende ble det gjort slik som Ormen lange hadde vært, som Olav Tryggvason hadde latt bygge. Det hadde også drakehode forut, men

---

Senholmssund, sundet mellom Senholmen og fastlandet i Askvoll i Sunnfjord.

Kong Øysteins likferd.

akter var det en stjert, og begge var forgylt; skipet var høybordet, men stavnene syntes noe mindre enn de burde være. Der i Nidaros lot han også bygge naust, som var så store at det var som et under, og som dessuten var gjort av beste trevirke og framifrå godt tømret.

Kong Øystein var en gang på veitsle på Stim på Hustad*; der fikk han brått en sjukdom som førte ham til døden. Han døde 29. august*, og hans lik ble flyttet nord til kaupangen, og han er jordet der i Kristkirken. Det sier folk at over ingen manns lik har så mange menn i Norge stått så sorgfulle, siden kong Magnus, kong Olav den helliges sønn, døde. Øystein var konge i Norge i tjue år; etter kong Øysteins død var Sigurd alene konge i landet så lenge han levde.

24. Danekongen Nikolas, sønn til Svein Ulvsson, ble siden gift med Margret Ingesdotter, som før hadde vært gift med Magnus Berrføtt. Hennes sønn med Nikolas het Magnus den sterke. Kong Nikolas sendte bud til kong Sigurd Jorsalfare og bad at han skulle gi ham folk og hjelp fra sitt rike for å fare sammen med kong Nikolas øst til Småland i Sveavelde og kristne folket der; for de som bodde der, holdt ikke på den kristne tro, enda noen hadde tatt ved kristendommen. På den tida var mange folk hedninger omkring i Sveavelde, og mange var bare dårlig kristnet; for det var noen av kongene da som vraket kristendommen og holdt ved lag blotene, så som Blotsvein og siden Eirik den årsæle gjorde. Kong Sigurd lovte å fare med, og kongene avtalte å møtes i Øresund. Så bød kong Sigurd ut allmenning fra hele Norge, både mannskap og skip. Da denne hæren kom sammen, hadde han vel tre hundre skip. Kong Nikolas kom i god tid til møtestedet og ventet lenge der. Da murret danene stygt, og sa at nordmennene nok ikke kom.

Så løste de opp leidangshæren, og kongen og hele hæren fór bort. Etterpå kom kong Sigurd dit og likte ille dette. De styrte da mot øst

Hustad i Romsdalen. *Stim,* ukjent gard, men jfr. grendenavnet Stemmet og fjellnavnet Stemshesten.
29. august år 1123.

til Svimrar-os* og holdt husting der, og kong Sigurd talte om hvor upålitelig kong Nikolas var, og så la de over at de skulle gjøre noe hærverk i hans land for dette. De tok en landsby som heter Tumatorp*, og som ligger ikke langt fra Lund, og siden styrte de øst til den kjøpstaden som heter Kalmar, og herjet der og likeså i Småland. De påla Småland å gi femten hundre naut til opphold for hæren, og smålendingene tok ved kristendommen. Så vendte kong Sigurd tilbake med hæren og kom til sitt rike med mange store kostbarheter og med hærfang som han hadde vunnet på denne ferden, og denne leidangen ble kalt Kalmar-leidangen. Det var sommeren før Det store mørket*. Dette var den eneste leidangen kong Sigurd rodde så lenge han var konge.

25. Kong Sigurd var en gang på en av gardene sine. Om morgenen da han var kledd, var han fåmælt og uglad, og vennene hans var redde at ustyrligheten hadde kommet over ham igjen. Men årmannen var en klok og djerv mann, og han gav seg i samtale med kongen og spurte om han hadde fått noen viktige tidender som gjorde ham uglad, eller om det kanskje var så at han ikke var fornøyd med gjestingen, eller om det var noen andre ting som folk kunne rå bot på. Kong Sigurd sa at ikke noe av det han talte om, var skyld i dette; «men grunnen er,» sa han, «at jeg tenker på en drøm som jeg hadde i natt.» «Herre,» sa årmannen, «måtte det være en god drøm, men vi skulle gjerne ville høre den.»

Kongen sa: «Jeg syntes jeg stod her ute på Jæren, og jeg så ut over havet, og der så jeg noe stort svart som kom farende, og det nærmet seg hit. Da så det ut for meg som det var et stort tre, og greinene stod opp, men røttene gikk ned i sjøen. Da treet kom til land, gikk det i stykker, og stumper av treet rak vidt og bredt om landet, både om fastlandet og om utøyer, skjær og strender. Da hadde jeg et syn, så jeg syntes å se over hele Norge langs med sjøen, og jeg så at stumper av dette treet hadde reket inn i hver vik, og de fleste var små, men noen var større.» Da svarte årmannen: «Denne drømmen er det rimeligst De tyder best sjøl, og vi skulle gjerne ville høre at De tydet den.» Da sa kongen: «Det synes meg rimeligst at det varsler om at det vil komme en mann til landet. Han vil slå seg ned her, og hans avkom vil spre seg vidt og bredt i dette landet, og det vil bli stor skilnad på den stilling de får.»

26. Hallkjell Huk, sønn til Joan Smørbalte, var lendmann på Møre. Han fór vest over havet og helt til Suderøyene. Dit kom det en mann til ham fra Irland; han het Gillekrist*, og sa at han var sønn til kong Magnus Berrføtt. Mor hans fulgte med ham, og sa at han het Harald med et annet navn. Hallkjell tok imot disse to og førte dem med seg til Norge, og straks drog han til kong Sigurd med Harald og

---

Svimrar-os, Simrishamn.
Tumatorp, Östra Tommarp sør for Simrishamn.
Det store mørket, dvs. solformørkelsen 11. august 1124.
Gillekrist betyr Kristi tjener, i Norge ofte forkortet til Gille.

Harald Gilles jernprøve.

hans mor. De bar fram ærendet sitt for kongen. Kong Sigurd talte
om saken med høvdingene, og sa at hver skulle si det han mente om
denne saken; men alle bad ham rå sjøl. Da lot kong Sigurd kalle til
seg Harald, og han sa til ham at han ikke ville nekte Harald å føre
bevis for hvem hans far var ved gudsdom, dersom han ville la det
være fast avtale at om han så fikk godtgjort at faren var den han sa,
skulle han ikke kreve kongedømmet så lenge kong Sigurd eller
Magnus kongssønn levde. Og dette avtalte de og gjorde ed på.

Kong Sigurd sa at Harald skulle trå på glødende jern for å bevise
farskapen for seg; men denne gudsdom syntes folk var i hardeste
laget, siden han skulle la gudsdommen fullføre bare for å vise hvem
hans far var, men ikke for å vinne kongedømmet, som han i forvegen
hadde fraskrevet seg. Men Harald gikk med på dette. Han fastet til
jernprøven, og så ble den fullført den gudsdom som er den største
som noen gang har gått for seg i Norge; ni gloende plogjern ble lagt
ned, og Harald gikk over dem med bare føtter, og to bisper leide
ham. Tre dager etterpå ble utfallet av prøven undersøkt; da var
føttene ubrente. Etter dette tok Sigurd vel imot frendskapet med
Harald. Men hans sønn Magnus var meget uvennlig imot ham, og
mange av stormennene gjorde som Magnus. Kong Sigurd stolte så
på den vennesælhet han hadde vunnet hos hele folket, at han bad om

at alle skulle sverge på at Magnus, sønn til kong Sigurd, skulle være konge etter ham. Og denne eden fikk han så av hele folket.

27. Harald Gille var en høy og grannvokst mann, med lang hals og noe lang i ansiktet, svartøyd, mørkhåret, rask og sprek. Han gikk mye med irsk klesdrakt, korte og lette klær. Han hadde tungt for å tale norsk, og han fomlet ofte etter ordene; mange gjorde narr av ham for det.

Harald satt en gang i et drikkelag og talte med en annen mann, og fortalte ham om hvordan det var vest i Irland. Da fortalte han også det, at det var noen menn i Irland som var så rappe på foten at ingen hest tok dem på spranget. Magnus kongssønn hørte på dette og sa: «Nå lyger han igjen som han bruker.» Harald svarte: «Det er sant at det fins menn i Irland som ingen hest i Norge greier å springe forbi.» Så talte de noen ord om dette, og de var drukne begge to. Da sa Magnus: «Nå skal du vedde med meg og våge hodet ditt på at du kan springe så fort som jeg rir på hesten min; og jeg skal sette gullringen min imot.» Harald svarte: «Jeg sier ikke at *jeg* kan springe så fort; men i Irland skal jeg kunne finne slike menn, som kan springe så fort, og det skal jeg vedde om.» Magnus kongssønn svarte: «Ikke vil jeg reise til Irland; her skal vi vedde og ikke der.» Harald gikk så for å sove og ville ikke ha mer med ham å gjøre. Dette hendte i Oslo.

Men morgenen etterpå, da det var slutt med formessen*, rei Magnus opp i Gatene*, og han sendte bud til Harald at han skulle komme dit. Da han kom, var han kledd slik: Han hadde skjorte og bukser med fotband, kort kappe, en irsk hatt på hodet og et spyd-skaft i handa. Magnus satte merker for skeiet. Harald sa: «Altfor langt gjør du skeiet.» Straks gjorde Magnus det mye lengre og sa at det likevel var altfor kort. Mange folk var til stede. De tok til med skeiet, og Harald fulgte hele tida hestebogen. Da de kom til enden av skeiet, sa Magnus: «Du holdt i salreima, og hesten drog deg.» Magnus hadde en svært rask gautsk hest. Så tok de skeiet tilbake igjen, da sprang Harald hele vegen framfor hesten. Da de nå kom til enden av skeiet, spurte Harald: «Holdt jeg nå i salreima?» Magnus svarte: «Nå hadde du forsprang.» Så lot Magnus hesten puste ut en stund; da han var ferdig, kjørte han til hesten med sporene og fikk den straks i fart. Harald stod ennå stille. Da så Magnus seg tilbake og ropte: «Spring nå!» sa han. Da sprang Harald og kom fort framom hesten og langt framfor den helt til enden av skeiet. Han kom dit lenge før, så han la seg ned og spratt opp og hilste på Magnus da han kom. Så gikk de hjem til byen.

Kong Sigurd hadde vært i messe i mellomtida, og han fikk ikke vite noe om dette før etter måltidet om dagen. Da ble han harm og sa til Magnus: «Dere sier Harald er dum, men jeg synes du er en tosk; ikke kjenner du skikken utenlands. Visste du ikke det før at

---

Formessen, dvs. like etter ottesang.
Gatene ble den vegen kalt som gikk fra Hallvardskirken nordover mot Martestokker (Galgeberg).

«Skal vi la kongen drepe mannen?»

menn i utlandet øver seg i andre idretter enn å fylle seg med drikk og gjøre seg øre og uføre, så de ikke har vett eller sans. Gi Harald ringen hans, og driv ikke mer gjøn med ham så lenge mitt hode er over molda.»

28. Da kong Sigurd en gang var ute på skipene, la de til i ei havn, og et kjøpskip lå ved sida av dem, en islandsfarer. Harald Gille var i forrommet på kongsskipet, men nærmest framfor ham lå Svein Rimhildsson; han var sønn til Knut fra Jæren. Sigurd Sigurdsson var en gjæv lendmann; han var der og styrte sjøl et skip. En dag det var vakkert vær med hett solskinn, gikk mange ut for å svømme både fra langskipene og fra kjøpskipet. En islending som lå og svømte, hadde moro av å dukke dem under som ikke var så gode til å svømme. Mennene lo av dette. Kong Sigurd så og hørte det. Så kastet han av seg klærne og sprang ut i vannet og la bort til islendingen, greip ham og dukket ham under og holdt ham nede. Og straks islendingen kom opp, dukket kongen ham under for andre gangen, og slik den ene gangen etter den andre. Da sa Sigurd Sigurdsson: «Skal vi la kongen drepe mannen?» En mann svarte at ingen hadde stor lyst til å legge ut. Sigurd sa: «Det hadde nok vært en mann som torde om Dag Eilivsson hadde vært her.»

Sigurd løp siden over bord og svømte bort til kongen, tok i ham og sa: «Tyn ikke mannen; nå ser alle at du er mye bedre til å svømme.» Kongen svarte: «La meg komme løs, Sigurd; jeg vil drepe ham; han vil drukne mennene våre.» Sigurd svarte: «Vi to skal nå først leike litt sammen, men du, islending, kom deg i land!» Han gjorde så, men kongen lot Sigurd komme løs og svømte til skipet; det gjorde Sigurd også. Men kongen sa Sigurd måtte ikke være så djerv at han kom for øynene på ham. Det ble sagt til Sigurd, og han gikk opp på land.

29. Om kvelden da mennene gikk for å sove, var det noen som holdt leik oppe på land. Harald var med i leiken, og han bad sveinen sin å ta ut på skipet og gjøre i stand soveplassen hans og vente på ham der. Sveinen så gjorde. Kongen hadde gått for å sove. Men da sveinen syntes det tok lang tid, la han seg opp på Haralds plass. Svein Rimhildsson sa: «Det er stor skam for gjæve karer å fare hjemmefra gardene sine, bare for å se en tjenestedreng jamhøgt med seg sjøl.» Sveinen svarte at Harald hadde vist ham dit. Svein Rimhildsson svarte: «Vi synes ikke det er altfor godt for oss at Harald ligger her, om han ikke skal dra med seg treller og stavkarer også.» Og så tok han opp en liten stokk og slo til sveinen i hodet, så blodet rant nedover ham.

Sveinen sprang straks opp på land, og sa til Harald hva som hadde hendt. Harald gikk straks om bord og akter i forrommet; han hogg til Svein med ei handøks og gav ham et stort sår på handa. Harald gikk straks opp på land igjen. Svein sprang opp på land etter ham, og frendene til Svein kom til og tok fatt på Harald og ville henge ham. Men da de laget seg til med det, gikk Sigurd Sigurdsson ut på skipet til kong Sigurd og vekte ham. Da kongen åpnet øynene og kjente Sigurd, sa han: «For det skal du dø at du kom for mitt åsyn, jeg hadde jo nektet deg det.» Dermed sprang kongen opp, men Sigurd sa: «Det blir det alltid høve til, konge, når du vil; men andre ting er det først viktigere for deg å gjøre. Far så fort du kan opp på land og hjelp Harald bror din; nå vil rygene henge ham.» Da sa kongen: «Gud hjelpe oss nå! Sigurd, rop på lursveinen; la ham blåse mannskapet opp etter meg.»

Kongen sprang på land, men alle som kjente ham, fulgte ham, og de gikk dit hvor galgen var gjort i stand. Han tok straks Harald til seg, og alle folk styrtet straks fullt væpnet til kongen da luren hadde lydt. Da sa kongen at Svein og alle hans hjelpesmenn skulle være utlege. Men da alle mann bad for dem, gikk kongen med på at de skulle ha lov til å være i landet og ha eiendommene sine, men for såret skulle det ikke bli gitt bøter. Da spurte Sigurd Sigurdsson om kongen ville at han skulle fare bort. «Det vil jeg ikke,» sa kongen, «aldri kan jeg være deg foruten.»

30. Kolbein het en mann som var ung og fattig. Tora, mor til kong Sigurd Jorsalfare, lot skjære tunga ut av ham, og det var ikke større grunn til det enn at denne unge mannen Kolbein hadde ett et halvt stykke av fatet til kongsmora, og sa at steikeren hadde gitt ham det; men steikeren torde ikke stå ved det for henne. Siden gikk denne mannen målløs lang tid. Det taler Einar Skulason om i Olavsdråpa:

Til straff for liten gjerning *skjære ut av hodet*
lot gjæve kvinne tunga *på stakkars unge mannen.*

*Denne mannen så jeg
sannelig røvet for mælet*

*da jeg få uker etter
kom til garden Lia*.*

Han drog siden til Trondheimen og til Nidaros og våket i Krist-kirken. Men under ottesangen på den seinere olavsmesse* sovnet han og syntes han så at Olav den hellige kom til ham og tok med handa i tungestumpen og drog. Da han våknet, var han helbredet, og han takket glad Vårherre og kong Olav, som han hadde fått helse og miskunn av. Han hadde kommet dit målløs og hadde søkt det hellige skrinet hans; men han gikk derfra helbredet og med talende tunge.

31. Det var en ung mann av dansk ætt, som hedningene tok og førte til Vendland, og der holdt de ham fanget sammen med andre fanger. Om dagene var han alene i jern uten vakt, men om nettene var han lenket sammen med en bondesønn for at han ikke skulle løpe fra ham. Men denne stakkars mannen fikk aldri søvn eller ro for harm og sorger. Han tenkte etter på mange måter hva som kunne være til hjelp for ham, og han grudde svært for den tvang han skulle være i. Han var redd både for sult og for pinsler, og ventet ikke at frendene hans skulle løskjøpe ham, for de hadde to ganger før løs-kjøpt ham fra hedenske land, og han syntes han kunne vite at de ville finne det både brysomt og dyrt å ta dette på seg tredje gangen. Godt har den mann det som ikke får friste så mye vondt her i verden som han synes å ha fristet.

Nå så han ingen annen råd enn å løpe bort og komme seg unna, om det skulle kunne lykkes. Så tok han midt på natta og drepte bondesønnen, hogg av ham foten og la så av sted til skogen med lenka om foten. Men da det ble lyst morgenen etter, ble de var det som hadde hendt, og satte etter ham med to hunder som var vante til å spore opp dem som rømte. De fant ham i skogen der han lå og gjemte seg for dem. Nå fanget de ham og slo og dengte ham og fór ille med ham på allslags vis. Så slepte de ham hjem, og det var med nød og neppe de lot ham ha livet, men de viste ham ingen annen miskunn. De pinte ham og satte ham straks i mørkestua der som det i forvegen satt seksten mann inne, alle kristne; der bandt de ham med jern og andre band så fast de kunne.

Nå syntes han den elendighet og de pinsler som han før hadde lidd bare var en skygge mot alt det vonde som han nå fikk friste. Ingen mann som ville be om miskunn for ham, fikk se ham i dette fengslet. Ingen mann syntes synd i den vesalmannen, så nær som de kristne som lå der bundet som han. De sørget og gråt over hans elendighet og over sin egen nød og ulykke. En dag gav de ham et råd og bad ham at han skulle love seg til den hellige kong Olav og bli tjener i hans hellige hus, dersom han ved Guds miskunn og Olavs forbønn kunne komme ut av dette fengslet. Nå lovte han med glede dette og lovte seg straks til den kirken som de hadde bedt ham om.

Garden *Lia* i Bratsberg sokn på Strinda, Sør-Trøndelag.
Den seinere olavsmesse var 3. august.

*Natta etter syntes han
at han så i søvne en mann
stå nær ved ham.*

Natta etter syntes han at han så i søvne at en mann som ikke var høy, stod nær ved ham og talte til ham slik: «Hør du, stakkars mann,» sa han, «hvorfor står du ikke opp?» Han svarte: «Herre min, hva er du for en mann?» «Jeg er kong Olav,» sa han, «som du kalte på.» «Å, gode herre min,» svarte han, «jeg ville med glede stå opp om jeg kunne, men jeg ligger bundet i jern og dessuten i lenker sammen med de menn som her sitter bundet.» Da kaller han på ham og taler slik til ham: «Stå opp fort, og vær ikke redd; visst er du nå løs.» Dernest våknet han og fortalte da til sine kamerater det han hadde drømt. Da bad de ham stå opp og prøve om det var sant. Han stod opp og kjente at han var løs. Nå sa kameratene hans til ham at dette ikke ville være til noen nytte for ham, for døra var låst både utentil og innentil.

Da la en gammel mann som satt der i hardt fengsel, sitt ord med i laget. Han bad ham ikke mistvile om den manns miskunn som hadde løst ham. Og så sa han: «Derfor har han gjort jærtegn med deg, forat du skal ha hans miskunn og komme løs herfra, men ikke forat det skal bli til større vesaldom og pinsel for deg. Vær nå snar, og gå til døra, og dersom du greier å komme ut, da er du hjulpet.» Så gjorde han, og han fant straks døra åpen, smatt ut så fort han kunne og bort i skogen. Så snart de ble var dette, slapp de løs hundene sine og satte etter så fort de kunne. Men han lå og gjemte seg, den stakkars mannen, og så nøye hvor de fór etter ham. Nå mistet hundene straks sporet da de kom nær innpå ham, og synet ble vendt på dem alle, så ingen mann kunne finne ham, enda han lå like for føttene på dem. Da vendte de hjem igjen og bar seg og harmet seg mye over at de ikke kunne få tak i ham. Kong Olav lot ham ikke gå til grunne da han var kommet til skogen og gav ham hørsel og full helse; for i forvegen hadde de slått og dunket ham i hodet til han ble døvhørt. Siden kom han seg om bord på et skip med to kristne menn, som de lenge hadde pint der, og de skyndte seg nå alle sammen med denne farkosten så fort de kunne, og fikk på den måten rømt bort.

Siden søkte han til den hellige manns hus, og da var han blitt helbredet og dugelig til hærferd. Da angret han det han hadde lovt, gikk tilbake på sine ord til den milde kongen og løp bort en dag og kom om kvelden til en bonde som gav ham husly for Guds skyld. Men om natta da han lå og sov, så han tre møyer som kom inn til ham, vakre og fagert kledd. De talte straks til ham og skjente på ham med harde ord fordi han var så djerv å løpe bort fra den gode kongen som hadde vist ham så stor miskunn at han løste ham først fra jern og så fra fengsel, og at han slik hadde skilt seg fra den kjære herre som han hadde gått i tjeneste hos. Da våknet han forferdet og stod straks opp tidlig om morgenen og sa det til husbonden. Men den gode bonden gav seg ikke før han hadde fått ham til å vende tilbake til det hellige stedet. Den mannen som først skrev opp dette jærtegnet, så sjøl mannen og merkene etter jernene på ham.

32. Kong Sigurd lot hjelpe opp kjøpstaden i Konghelle så mye at ingen kjøpstad ble mektigere den gang i Norge, og han satt der lenge for å verne landet. Han lot bygge kongsgård i kastellet. Han påla alle herreder som var nær kjøpstaden, og likeså bymennene, at hvert år skulle hver mann, som var ni år gammel eller eldre, bære til kastellet fem våpensteiner eller fem staurer, som de skulle gjøre kvasse i den ene enden, og fem alen høye.

Der i kastellet lot kong Sigurd bygge en kirke, som var innvigd til det hellige kors; det var en trekirke og omsorgsfullt utført både når det gjaldt byggefang og arbeid. Da kong Sigurd hadde vært konge i 24 år, ble korskirken innvigd. Da lot kongen det hellige korset og mange andre helligdommer få plass der. Den ble kalt Kastellkirken. Foran alteret der satte han ei tavle som han hadde latt gjøre i Grekenland; den var gjort av kobber og sølv, vakkert forgylt og innsatt med emalje og edelsteiner. Der var det skrinet som danekongen Eirik Eimune* hadde sendt kong Sigurd, og en plenarius* skrevet med gullbokstaver, som patriarken gav kong Sigurd.

33. Tre år etter at Korskirken var innvigd, fikk kong Sigurd sott. Da var han i Oslo. Han døde der ei natt etter mariamessen i fasten*. Han ble jordet ved Hallvardskirken, lagt i steinveggen utenfor koret på sørsida. Magnus, sønn til kong Sigurd, var der i byen da. Han tok straks alle kongens inntekter da kong Sigurd døde. Sigurd var konge over Norge i 27 år; han ble førti år gammel, og hans tid var god for folket; da var det både fred og gode åringer.

Eirik Eimune (Erik Emune), sønn av Erik Egod, dansk konge 1134–1137.
Plenarius (plenarium) var ei bok med fullstendig samling av liturgiske tekster.
Fasten. Sigurd døde 26. mars 1130.

Magnus Blindes
og Harald Gilles saga

AGNUS, sønn til kong Sigurd, ble tatt til konge i Oslo over hele landet, slik som allmuen hadde svoret kong Sigurd. Da gikk mange menn i hans tjeneste, og mange ble lendmenn. Magnus var vakrere enn alle andre menn som den gang var i Norge. Han var storaktig og grusom, en stor idrettsmann; men det var den vennesælhet hans far hadde hatt, som mest vant vennskap for ham hos allmuen. Magnus var svær til å drikke, han var pengekjær, lite hyggelig og omgjengelig. Harald Gille var vennlig og lystig, han ville gjerne holde moro, han var ikke stor på det, gavmild så han ikke sparte noe for sine venner; han tok gjerne mot råd, så han lot andre styre med seg så mye de ville. Alt dette gjorde at han ble vennesæl og fikk gode lovord. Mange stormenn sluttet seg til ham, slett ikke færre enn til kong Magnus.

Harald var i Tønsberg da han fikk vite om sin bror, kong Sigurds død. Da holdt han straks møter med vennene sine, og de avtalte at de skulle holde Haugating* der i byen. På dette tinget ble Harald tatt til konge over halve landet. Det ble reknet for avtvungen ed at han hadde svoret fra seg farsarven sin. Harald tok seg hird og utnevnte lendmenn, og snart samlet det seg ikke mindre mannskap om ham enn om kong Magnus. Så gikk det menn imellom dem, og slik stod det i sju dager. Men da Magnus fikk mye mindre folk, så han ingen annen utveg for seg enn å dele landet med Harald. Det ble da delt slik at hver av dem skulle ha halvparten av det riket som kong Sigurd hadde hatt. Skip og bordtøy og kostbarheter og alt løsøre som kong Sigurd hadde hatt, fikk kong Magnus; og han var enda minst fornøyd med sin del. Likevel styrte de landet ei tid i fred, men var svært uenige. Kong Harald fikk en sønn, som het Sigurd, med Tora, datter til Guttorm Gråbarde. Kong Harald var gift med Ingerid, datter til Ragnvald; han var sønn til kong Inge Steinkjellsson. Kong Magnus var gift med Kristin, datter til Knut Lavard*, søster til Valdemar danekonge. Kong Magnus kom ikke til å elske henne og sendte henne tilbake sør til Danmark, og siden gikk alt tyngre for ham. Hennes frender viste ham stor uvilje.

2. Da Magnus og Harald hadde vært konger i tre år, satt de den

---

Haugating på Haugar, nå Møllebakken.
Knut Lavard var sønn av Erik Egod og var hertug i Sønderjylland; jfr. s. 580.

fjerde vinteren begge nord i kaupangen; de gjorde gjestebud for hverandre, men likevel hadde det nær kommet til kamp mellom folkene deres. Om våren seilte kong Magnus med flåten søretter langs land og drog til seg alt det mannskapet han kunne få. Han spurte vennene sine om de ville hjelpe ham til å ta fra Harald kongedømmet og gi ham bare så mye av riket som Magnus syntes. Han minte om at Harald hadde frasvoret seg riket. Kong Magnus fikk samtykke til dette av mange stormenn.

Harald tok til Opplanda og fór landvegen øst til Viken; han samlet også folk da han fikk høre om kong Magnus. Hvor de fór, hogg de begge to ned buskap og drepte folk for hverandre. Kong Magnus var mye mannsterkere fordi han hadde storparten av landet å samle folk ifra. Harald var i Viken øst for fjorden og samlet folk, og begge tok fra hverandre både folk og gods. Sammen med Harald var den gang Kristrød, hans bror på morsida, og mange lendmenn var med ham, men likevel var det mange flere med kong Magnus. Kong Harald var med mannskapet sitt et sted som heter Fors* på Ranrike, og derifra tok han ut til sjøen.

Lavrantsokaften* åt de kveldsmat på en gard som heter Fyrileiv*; vaktmenn holdt vakt til hest på alle veger fra garden. Da ble vaktmennene var at kong Magnus' hær drog fram imot garden. Kong Magnus hadde seksti hundre mann, og Harald hadde femten hundre. Da kom vaktmennene og fortalte kong Harald at hæren til kong Magnus hadde kommet nær inn til garden. Harald svarte: «Hva mon kong Magnus, min frende, vil? Det kan vel ikke være så at han vil kjempe mot oss.» Da sier Tjostolv Ålesson: «Herre, De må gå ut ifra det når De legger råd for Dem og hæren, at kong Magnus har samlet hær i hele sommer for å kjempe så snart han finner Dem.» Da stod kongen opp og talte til mennene sine og bad dem ta sine våpen, «dersom Magnus vil kjempe, så skal vi også kjempe.» Og så ble det blåst til slag, og hele kong Haralds hær gikk ut ifra garden til en åker med gjerde om og satte opp merkene der. Kong Harald hadde to ringbrynjer, men Kristrød, hans bror, hadde ingen; han ble reknet for en mann modig som få. Da kong Magnus og hans menn så hæren til kong Harald, fylkte de hæren sin, og gjorde fylkingen så lang at de kunne kringsette hele hæren til kong Harald. Så sier Halldor Skvaldre:

Fylkingarmer lengre   for mange mann ham fulgte.
fikk der kong Magnus,   Folk falt der i mengde.

3. Kong Magnus lot bære det hellige kors framfor seg i slaget, og det ble et stort og hardt slag. Kristrød kongsbror hadde gått med sin flokk midt inn i kong Magnus' fylking, og han hogg til begge sider, så mennene veik unna for ham til to kanter. En mektig bonde som

Fors, nå Foss i Tunge herred i Bohuslän.
Lavrantsokaften, 9. august 1134.
Fyrileiv, nå Färlev i Stångenäs herred.

Vaktmenn holdt vakt til hest på alle veger fra garden.

hadde vært i hæren til kong Harald, hadde plass bakom Kristrød; han løftet opp spydet med begge hender og stakk det mellom akslene på ham, så det kom fram i brystet, og der falt Kristrød. Da spurte mange som stod der, hvorfor han gjorde dette uverket. Han sa: «Nå kan han ha det så godt, fordi de hogg ned buskapen min i sommer og tok alt det som var hjemme, og tvang meg til å være med seg i hæren. Dette hadde jeg i forvegen tenkt ut for ham om jeg skulle komme til.»

Etter det kom kong Haralds hær på flukt, og han flyktet sjøl og hele hæren. Da hadde mange av kong Haralds menn falt. Av Haralds hær fikk lendmannen Ingemar Sveinsson fra Ask* banesår der, likeså nesten seksti hirdmenn. Da flyktet kong Harald øst i Viken til skipene sine, og etterpå fór han til Danmark til kong Eirik Eimune og søkte hjelp hos ham. De møttes sør på Sjælland. Kong Eirik tok godt imot ham, mest fordi de hadde svoret brødrelag med hverandre. Han gav Harald Halland til len og styring, og gav ham åtte langskip uten rigg. Så drog kong Harald nord gjennom Halland, og da kom det hærfolk til ham.

Kong Magnus la alt land under seg etter dette slaget; han gav grid til alle dem som var såret, og han lot dem lege som sine egne menn. Han reknet nå hele landet for sitt og hadde alle de beste menn som var i landet. Men da de holdt råd, ville Sigurd Sigurdsson og Tore Ingeridsson og alle de klokeste mennene, at de skulle holde flokken i Viken og bie der, om Harald skulle komme sørfra. Men kong

Ask i Norderhov på Ringerike.

Magnus avgjorde i egenrådighet å fare nord til Bergen og slå seg ned der for vinteren. Han lot hæren gå fra seg, og lendmennene fikk ta hjem til gardene sine.

4. Kong Harald kom til Konghelle med den hæren som hadde fulgt ham fra Danmark. Da hadde lendmenn og bymenn der samlet seg imot ham og satte en fylking opp fra byen. Men kong Harald gikk i land fra skipene sine og sendte bud til bondehæren, og bad dem at de ikke skulle verge hans eget land med våpenmakt imot ham. Han sa at han ikke ville kreve mer enn han med rette skulle ha. Det gikk sendemenn imellom dem, og til slutt løste bøndene opp sin hærsamling og gav seg under kong Harald. Så gav Harald len og veitsler til lendmennene mot å få hjelp av dem, og han gav de bønder som sluttet seg til ham, bedre kår enn de før hadde.

Etter det sluttet mange folk seg til kong Harald; han fór vest gjennom Viken og gav god fred til alle så nær som til kong Magnus' menn; de ble plyndret og drept hvor han kom over dem. Da han kom vest til Sarpsborg, tok han der to av lendmennene til kong Magnus, Asbjørn og Nereid, hans bror; og han gav dem valget slik at den ene skulle de henge, og den andre skulle de kaste ut i Sarps-fossen, og han bad dem å velge sjøl. Asbjørn valgte å gå i Sarpsfos-sen, fordi han var den eldste, og den død syntes å være hardest; og så ble gjort. Det taler Halldor Skvaldre om:

Asbjørn som så ille   *Kongen lot Nereid henge*
ordet holdt mot kongen,   *høyt i grusom galge;*
i Sarpen stupe måtte;   *for taler holdt på husting*
mat fikk ravnen vidt om.   *han lot mannen bøte.*

Etter dette tok kong Harald nord til Tønsberg, og der ble han godt mottatt. Det samlet seg også en stor hær til ham.

5. Kong Magnus satt i Bergen og fikk høre om dette. Da lot han kalle de høvdinger som var i byen, til samtale med seg, og han spurte dem til råds om hvordan de nå skulle gå fram. Da sa Sigurd Sigurds-son: «Her kan jeg gi et godt råd. Sett godt mannskap på ei skute, og meg eller en annen lendmann til å styre den, så den kan fare til kong Harald, din frende, for å by ham forlik slik som rettvise menn her i landet vil gjøre mellom dere, og det er at han skal ha halve riket med Dem. Jeg finner det rimelig at kong Harald tar imot dette tilbudet når gode menn rår til det, og da kunne det bli forlik imellom dere.»

Da sa kong Magnus: «Dette vil jeg ikke, for hva nytte var det da at vi vant hele riket i høst, om vi nå skal gi bort halve riket; gi derfor et annet råd!» Da sa Sigurd Sigurdsson: «Det ser så ut for meg, herre, som de av dine lendmenn som i høst bad deg om hjemlov, nå blir sittende hjemme og ikke vil komme til deg. Den gang var det mye mot mitt råd at du spredde så sterkt den folkemengde vi da hadde; for jeg mente å vite det at Harald og hans folk nok ville

Da stod Sigurd Sigurdsson opp og laget seg til å gå bort.

komme tilbake til Viken så snart de fikk høre at det var høvdingløst der. Nå fins et annet råd, og det er leit; likevel kan det hende at det vil være til nytte for oss. La gjestene* dine og andre menn med dem fare hjem til de lendmenn som nå ikke vil hjelpe deg når det trengs, og drepe dem, og gi eiendommene deres til noen av dem som er trofaste mot deg, men før ikke har vært i så stor vørnad. La dem drive sammen folk og ta med liksåvel dårlige som dugelige menn, og så skal du fare øst imot Harald med det mannskap som du får tak i, og kjempe.»

Kongen sa: «Uvennesæl ville jeg bli om jeg lot drepe så mange stormenn og løfte opp småfolk. De har ofte vært likså upålitelige, og så har de styrt landet verre. Jeg vil høre flere råd fra deg.» Sigurd svarte: «Nå blir det vanskelig å finne på råd, når du ikke vil forlikes og ikke vil slåss. La oss da fare nord til Trondheimen der vi har landsens største styrke å holde oss til, og la oss ta med på vegen alt det folk vi kan få tak i. Da kan det hende at elvegrimene* blir leie av å reke etter oss.» Kongen svarte: «Ikke vil jeg rømme for dem som vi jagde i sommer; gi meg bedre råd.» Da stod Sigurd opp og laget seg til å gå bort og sa: «Jeg skal gi deg det råd som jeg ser du vil ha, og som nok blir fulgt. Sitt her i Bergen til Harald kommer med en stor hærstyrke, og da blir du nødt til å finne deg i død eller skam.» Og Sigurd var ikke lenger med i denne samtalen.

6. Kong Harald fór vestover langs landet med en svært stor hær. Denne vinteren ble kalt muge-vinteren*.

Gjester, se merkn. s. 550.
Elvegrimene kaltes de som bodde ved Elv (Göta älv).
Muge-vinteren, dvs. folkemengde-vinteren, etter all folkemugen som samlet seg om Harald; vinteren 1134–1135.

Harald kom til Bergen julaften og la seg med flåten i Florvåg*. Han ville ikke kjempe i jula for helgas skyld. Men kong Magnus rustet seg mot ham i byen. Han lot sette opp ei valslynge* ute på Holmen*, og han lot legge et stengsel av jernlenker og stokker tvers over Vågen fra kongsgården. Han lot smi fotangler og kaste ut over Jonsvollene*, og det ble ikke holdt helg mer enn tre dager i jula, de dagene ble det ikke arbeidet.

Men avfaredagen* lot kong Harald blåse til utferd for flåten; ni hundre mann hadde samlet seg til kong Harald i jula.

7. Kong Harald gjorde det løfte til den hellige Olav for å få seier at han skulle la bygge en Olavskirke der i byen på sin egen kostnad. Kong Magnus satte sin fylking ut på Kristkirkegård, men Harald rodde først bort imot Nordnes. Da kong Magnus fikk se det, snudde han inn til byen og inn i Vågsbotnen. Da de gikk inn gjennom Stretet*, sprang mange bymenn inn i gårdene og til heimene sine, men de som gikk over vollene, kom på fotanglene. Da fikk kong Magnus og hans menn se at Harald med hele hæren hadde rodd over til Hegravik* og gikk opp der på bakken ovenfor byen. Da vendte kong Magnus om ut etter stretet; da rømte mannskapet fra ham, noen opp i fjellet*, noen opp om Nonneseter, og noen inn i kirkene eller gjemte seg andre steder. Magnus gikk ut på skipet sitt, men det var ingen råd for dem å komme bort, fordi jernlenkene stengte utenfor. Det var bare få menn som fulgte kongen, så de kunne ikke makte noen ting. Så sier Einar Skulason i Haraldsdråpa:

Vågen i Bergen *Bort kunne hærskip*
ei uke var stengt. *fra byen ei fare.*

Litt seinere kom kong Haralds menn ut på skipene, og da ble kong Magnus tatt til fange. Han satt akter i forrommet på høgseteskista og med ham Håkon Fauk, hans morbror, som var vakker som få, men han ble ikke reknet for å være særlig klok. Også Ivar Ossursson og mange andre av vennene hans ble tatt til fange, og noen ble drept med en gang.

8. Så holdt kong Harald møte med rådgiverne sine og bad dem om råd, og da dette møtet sluttet, ble det avgjort at de skulle avsette Magnus, så han ikke kunne reknes for konge fra da av. Så ble han overgitt til kongens treller, og de lemlestet ham, stakk ut øynene på ham og hogg av den ene foten, og til sist ble han gjeldet. Ivar Ossursson ble blindet, og Håkon Fauk ble drept. Etter dette gav hele landet seg under kong Harald. Nå lette de mye etter hvem som

Florvåg på Askøy vest for Bergen.
Valslynge var enslags kastemaskin.
Holmen, nå Bergenhus.
Jonsvollene, nå Engen.
Avfaredagen, 7. januar 1135.
Stretet, nå Øvregate.
Hegravik, nå Sandviken.
Fjellet, dvs. Fløyfjellet.

Kong Magnus lemlestes.

hadde vært de beste vennene til kong Magnus, eller hvem som hadde best greie på hans skattkammer og hans kostbarheter. Det hellige kors hadde Magnus hatt med seg siden slaget på Fyrileiv, og han ville ikke si hvor det nå var blitt av det. Reinald biskop i Stavanger var engelsk; han ble reknet for å være svært pengekjær. Han var en kjær venn til kong Magnus, og folk mente det var rimelig at han hadde fått store skatter og kostbarheter til forvaring. De sendte bud til ham, og han kom til Bergen. Så ble han gjort kjent med denne mistanken, men han nektet og bød gudsdom for seg. Harald ville ikke det; han påla biskopen å betale ham femten merker gull. Biskopen sa at han ville ikke arme ut bispesetet sitt slik, og han ville heller våge livet. Så hengte de biskop Reinald* utpå Holmen ved valslynga. Da han gikk til galgen, ristet han støvelen av foten sin og sa med en ed: «Ikke vet jeg om mer av kong Magnus' gods enn det som er der i støvelen.» Det var en gullring i den. Biskopen ble jordet på Nordnes ved Mikaelskirken, og dette verk ble sterkt lastet. Siden var Harald enekonge over Norge så lenge han levde.

9. Fem år etter kong Sigurds død hendte det store ting i Konghelle. Det var Guttorm, sønn til Harald Flette, og Sæmund Husfrøya som var sysselmenn der på den tida. Han var gift med Ingebjørg, datter til presten Andreas Brunsson. Deres sønner var Pål Flip og Gunne Fis. Åsmund het en uekte sønn til Sæmund. Andreas Brunsson var en stor og merkelig mann; han var prest ved Korskirken, Solveig het hans kone. Den gang hadde de til oppfostring Jon Lopts-

Biskop Reinald henges på Holmen ved valslynga.

son, som var elleve år gammel. Presten Lopt Sæmundsson, Jons far, var også der. Datter til Andreas prest og Solveig het Helga, hun var gift med Einar.

Det hendte i Konghelle natta til første søndag etter påskeuka* at det ble et stort gny ute på gatene over hele byen, likesom når kongen fór med hele hirden. Hundene bar seg så ille at de ikke var til å holde inne, de brøt seg ut. Men alle de som kom ut, ble galne og beit alt det som kom i deres veg, både folk og fe. Og alle som ble bitt, og som blodet kom ut på, ble galne; og alt det som bar på foster, mistet fostret og gikk fra vettet. Dette varsel hendte nesten hver natt fra påske til himmelfartsdagen. Folk var svært redde for disse undrene, og mange fant det best å flytte bort, de solgte gardene sine, reiste opp på landet eller til andre kjøpsteder; og det var alle de klokeste, som la størst vekt på dette, og ble redde for at dette varslet store hendinger som ennå ikke hadde hendt, og slik var det også. Men Andreas prest talte lenge og vel på pinsedag*, og til slutt gikk han i sin tale over til å tale om den fare bymennene var i, og han bad folk ta mot til seg og ikke legge øde den herlige byen, men heller holde god vakt og verge seg mot alt det som kunne komme på, mot ild og ufred, og be til Gud om miskunn for seg.

10. Tretten lasteskip seilte fra byen og skulle til Bergen, og elleve ble borte med mannskap og gods og alt det som var om bord, det tolvte forliste, mannskapet ble berget, men godset sank. Da reiste

Første søndag etter påskeuka , 14. april.
Pinsedag, 26. mai.

Mange fant det best å flytte bort fra Konghelle.

Lopt prest til Bergen, og han kom uskadd fram. Det var lavrantsok-
dagen at lasteskipene forliste. Eirik danekonge og erkebisp Ossur*
sendte begge bud til Konghelle og bad folkene der holde vakt om
byen sin. De sa at venderne hadde ute en stor hær og herjet vidt og
bredt på kristne menn og støtt hadde seier. Bymennene la altfor liten
vekt på det som var deres egen sak, og de ble mer sorgløse og tenkte
mindre på saken dess lenger det lei etter den redsel som hadde
kommet over dem. Men lavrantsokdagen da det ble talt til høy-
messe, kom venderkongen Rettibur* til Konghelle med halv sjette
hundre vendiske skuter; på hver skute var det 44 mann og to hester.
  Dunimits het kongens søstersønn, og Unibur het en høvding som
rådde for en stor hær. Disse to høvdingene rodde med en del av
hæren opp det østre elveløpet omkring Hisingen og kom så ovenfra
ned imot byen, og med en annen del av hæren la de opp det vestre
elveløpet til byen. De la til land ute ved pålene og satte hestfolket
opp der og rei om Brattåsen og så opp om byen. Einar, måg til
Andreas, kom og meldte dette i Kastellkirken, for der var byfolket,
som hadde gått dit til høymesse. Einar kom da Andreas prest talte.
Einar fortalte at det kom en hær mot byen med en mengde skip, og
at en del av hæren rei ned om Brattåsen. Da sa mange at det nok var
Eirik danekonge, og av ham ventet folk å få grid.

Ossur (Asser), erkebiskop i Lund (1104, død 1137).
Rettibur (Ratibor), hertug i Pommern.

Bymennene på bryggene skyter på venderne.

Så sprang alt folket ned til byen til eiendommene sine og væpnet seg og gikk ned på bryggene. De så straks at det var ufred, og en hær som det var umulig å stå seg imot. Det lå ni østersjøfarere som noen kjøpmenn eide, i elva utenfor bryggene. Venderne la først til der og kjempet med kjøpmennene. Kjøpmennene væpnet seg og verget seg lenge godt og tappert. Kampen ble hard før kjøpmennene ble overvunnet. I denne striden mistet venderne halvannet hundre skip med hele mannskapet. Da striden var som hardest, stod bymennene på bryggene og skjøt på hedningene. Men da striden stilnet, flyktet bymennene opp i byen og så hele folket til kastellet, og de tok med seg kostbarheter og alt det gods som de kunne få med. Da venderne hadde vunnet kjøpskipene, gikk de på land og mønstret hæren, og da fikk de se hvor stor skade de hadde lidd. Noen av dem sprang inn i byen, noen ut på kjøpskipene, og de tok alt det gods som de ville ha med seg. Deretter satte de ild på byen og brente den helt opp og likeså skipene. Så søkte de med hele hæren mot kastellet og ordnet seg til å angripe det.

11. Kong Rettibur lot tilby dem som var i kastellet, at de kunne gå ut og få grid for liv med våpen, klær og gull. Men alle i hop ropte imot og gikk ut på borgen, noen skjøt, noen kastet stein, noen skjøt med staurer, og det ble da en hard strid. Det falt mange på begge sider, men flest av venderne.

Solveig kom opp til Solbjarger* og fortalte der om det som hendte. Da ble det skåret hærpil og sendt til Skurbågar*. Der var det

Solbjarger og *Skurbågar,* to garder nordøst for Konghelle.

et sammenskuddsgilde og mange folk. Det var en bonde der som het Olve Miklamunn. Han sprang straks opp og tok skjold og hjelm og ei stor øks i handa og sa: «La oss stå opp, gjæve karer, ta våpen, og la oss fare og hjelpe bymennene; for hver mann som får vite det, vil synes det er en skam at vi sitter her og heller i oss øl, og gjæve karer våger livet i byen for vår skyld.» Mange svarte og talte imot, og sa at de ville bare komme til å miste livet sjøl, men ikke være til noen hjelp for bymennene.

Da sprang Olve opp og sa: «Om så alle de andre blir igjen her, så vil jeg likevel fare alene, og én eller to av hedningene skal late livet for meg før jeg faller sjøl.» Og så sprang han ned til byen. Noen menn sprang etter ham, og ville se hvordan det gikk ham, og om de kanskje kunne hjelpe ham i noe. Da han kom så nær kastellet at hedningene fikk se ham, sprang åtte fullvæpnede menn imot ham. Da de møttes, kringsatte hedningene ham. Olve løftet opp øksa over hodet, og med framhjørnet slo han til den som stod bak ham, under haka, så han skar sund kjaken og strupen på ham, og mannen falt baklengs. Så løftet han øksa fram for seg og hogg en annen i hodet og kløvde ham ned til akslene. Så kjempet de mot hverandre, og han drepte to til, og han ble sjøl hardt såret; men da rømte de unna, de fire som var igjen. Olve sprang etter dem, det var et dike foran dem, og to av hedningene sprang uti der, og Olve drepte dem begge, men da stod han fast i diket han også. To av de åtte hedningene kom seg unna. De menn som hadde fulgt etter Olve, tok ham og førte ham med seg til Skurbågar, og sårene ble helt leget på ham. Det blir sagt mellom folk at ingen har fart en djervere ferd.

To lendmenn, Sigurd Gyrdsson, bror til Filippus, og Sigard kom med seks hundre mann til Skurbågar, men der snudde Sigurd med fire hundre mann, og siden var han i liten vørnad, og han levde bare kort tid. Men Sigard fór med to hundre mann til byen og kjempet mot hedningene og falt der med hele flokken sin.

Venderne gikk på mot kastellet, men kongen og styresmennene på skipene stod utenfor striden. Et sted venderne stod, var det en mann som skjøt med bue og drepte en mann med hver pil. To mann stod og dekket ham med skjold. Da sa Sæmund til Åsmund, sønnen sin, at de skulle skyte begge to på skytteren på en gang, «men jeg vil skyte på ham som bærer skjoldet.» Han gjorde så, men han skjøt da skjoldet foran seg sjøl. Da skjøt Åsmund mellom skjoldene, og pila kom i panna på skytteren, så den kom ut gjennom nakken, og han falt død på ryggen. Da venderne så det, ulte de alle som hunder eller varger. Da lot kong Rettibur rope til dem og by dem grid; men de sa nei. Så gikk hedningene hardt på. Da var det en av hedningene som gikk så nær at han gikk helt til kastellporten og stakk til en mann som stod innenfor porten. De skjøt og kastet stein på ham, og han var uten skjold, men han var slik trollmann at våpen ikke beit på ham. Da tok Andreas prest vigd ild og signet og skar opp tønder*

Tønder, brennbart stoff.

og tente på det og satte det på en pilodd og gav Åsmund, som skjøt denne pila på trollmannen, og dette skuddet råkte så godt at han fikk nok, og han falt død til jorda.

Da tok hedningene til igjen med samme stygge låten som før, de ulte og kvinte. Så gikk alt folket til kongen; de kristne tenkte seg at de nå ville rådslå om å fare bort. Da hørte en tolk, som skjønte vendisk, at høvdingen Unibur talte så: «Dette folket er atalt og leit å kjempe mot; om vi så tok alt det gods som er i denne byen, så kunne vi gi likeså mye til for at vi ikke hadde kommet her; så mange folk og så mange høvdinger har vi mistet. I førstningen i dag da vi tok til å kjempe mot kastellet, da hadde de piler og spyd til vern; dernest kjempet de mot oss med stein, og nå slår de løs på oss som på hunder med kjepper. Av det kan jeg skjønne at det minker med forsvarsvåpen for dem, og vi skal gå hardt på dem en gang til og friste på.» Og slik var det som han sa, nå skjøt de med staurer, men i den første kampen hadde de ødslet med skuddvåpen og stein.

Da de kristne så at det minket med staurer, hogg de hver staur i to. Hedningene gikk løs på dem og kjempet hardt, men hvilte seg imellom. På begge sider var de trøtte og såret. I en hvil lot kongen tilby dem grid på det vilkår at de skulle få med seg våpen og klær og det som de sjøl kunne bære med seg ut av kastellet. Da hadde Sæmund Husfrøya falt, og de menn som da var igjen, tok nå det råd å overgi kastellet og seg sjøl til hedningene. Men det var det dummeste de kunne gjøre, for hedningene holdt ikke ord, de tok alle til fange, menn, kvinner og barn, og de drepte mange, alle de som var såret og unge, som de syntes det var tungvint å føre med seg. De tok alt det gods som var der i kastellet. De gikk inn i Korskirken og rante den for alt det skrud den hadde.

Andreas prest gav kong Rettibur ei sølvslått stavøks, og Dunimits, kongens søstersønn, gav han en fingerring av gull. Derav mente de å kunne skjønne at han var en som hadde noe å si i byen, og de viste ham vørnad framfor de andre. De tok det hellige kors og førte det bort. De tok tavla som stod foran alteret, og som kong Sigurd hadde latt gjøre i Grekenland og ført med seg til landet; de la den ned på avsatsen framfor alteret. Så gikk de ut av kirken. Da sa kongen: «Dette huset har vært prydet i stor kjærlighet til den gud som eier dette huset; men jeg synes at det ser ut til at både stedet og huset har vært dårlig stelt, for jeg skjønner at guden er harm på dem som skulle ta vare på det.» Kong Rettibur gav Andreas prest kirken og skrinet, det hellige kors, plenarius-boka og fire klerker. Men hedningene brente kirken og alle husene som var i kastellet. Men den ild som de hadde tent i kirken, sloknet to ganger. Så hogg de ned kirken, og da tok den til å lue opp overalt innenfra, og den brant som andre hus.

Så gikk hedningene til skipene sine med hærfanget og mønstret hæren sin. Da de fikk se hvor stor skade de hadde lidd, tok de alt folket til hærfang og delte mellom skipene. Så fór Andreas prest og klerkene ut på kongsskipet med det hellige kors. Da kom det redsel

Kongen lot prestene sette i skipsbåten.

over hedningene på grunn av det under som hendte. Over kongsski-
pet kom det så stor hete at de alle syntes de var nær på å brenne opp.
Kongen bad tolken spørre presten hva det kom av. Han sa at den
allmektige Gud som de kristne trodde på, sendte dem dette til merke
på sin vrede, fordi de var så djerve at de tok med hendene på hans
pinselsmerke, de som ikke ville tro på sin skaper. «Og så stor makt
følger korset, at ofte hadde slike jærtegn – og noen enda tydeligere
– hendt før med hedninger som hadde hatt det i hendene.» Kongen
lot prestene sette i skipsbåten, og Andreas bar korset i fanget. De
drog båten fram langs med skipet og fram foran stavnen og akter-
over langs den andre skipssida til løftingen; så skjøt de båten ifra
med båtshaker og fikk den inn til bryggene. Siden tok Andreas prest
av sted med korset om natta til Solbjarger, og da var det både storm
og regn. Andreas førte korset til et trygt sted.

12. Kong Rettibur og det av hans hær som var igjen, reiste bort
og tilbake til Vendland, og mange av de mennesker som de hadde
tatt til fange i Konghelle, var i Vendland i trelldom lenge etterpå.
Men de som ble løskjøpt og kom tilbake til Norge til eiendommene
sine, kom alle til å ha mindre velstand enn før. Kjøpstaden i Kong-
helle har aldri kommet seg opp igjen som den var før.

Da Magnus var blitt blindet, reiste han til Nidaros og gav seg i
kloster og tok munkeklær. Da ble Store-Hernes på Frosta tilskjøtet
klosteret for hans underhold. Men Harald rådde for landet alene
vinteren etterpå, og han gav alle de menn forlik som ville ha det; han

tok opp i hirden mange menn som hadde vært hos Magnus. Einar Skulason sier at kong Harald hadde to slag i Danmark, det ene ved Ven, og det andre ved Læsø:

Kampdjerve krigerhøvding!   *på troløse fiender i blodet*
Ved høye Ven du modig   *farget sverdene røde.*

Og dessuten dette:

Harde krigsmann, du hadde   *Alle merker i vinden*
en kamp ved Læsø-stranda.   *over mennene blafret veldig.*

13. Sigurd het en mann som vokste opp i Norge. De sa han var sønn til Adalbrikt prest. Sigurds mor var Tora, datter til Sakse i Vik, og søster til Sigrid, som var mor til kong Olav Magnusson og til Kåre kongsbror, som var gift med Borghild, datter til Dag Eilivsson. Sønnene deres var Sigurd på Austrått og Dag. Sigurds sønner var Jon på Austrått og Torstein og Andreas Dauve. Jon var gift med Sigrid, søster til kong Inge og hertug Skule. I barndommen ble Sigurd satt til boka, og han ble klerk og vigd til diakon. Da han ble fullvoksen i alder og styrke, var han en framifrå djerv og sterk kar og stor. I alle idretter var han framom alle dem som var jamgamle med ham og nesten alle andre i Norge også. Sigurd var tidlig en vill og uvøren mann; han ble kalt Slembedjakn. Han var en fager mann, han hadde tynt, men vakkert hår.

Sigurd fikk høre at hans mor sa at kong Magnus Berrføtt var hans far; og straks han var sin egen herre, lot han klerkeseder fare og tok bort fra landet. Da han hadde vært ute på ferder lenge, gjorde han en ferd ut til Jorsal og kom til Jordan og gikk til de hellige steder som pilegrimene bruker å gå til. Da han kom tilbake, dreiv han på med kjøpferder. En vinter holdt han ei tid til på Orknøyene og var med Harald jarl* da Torkjell Fostre Sumarlidason falt. Sigurd var også oppe i Skottland hos skottekongen David*; der var han i stor ære. Siden reiste Sigurd til Danmark, og det sa han og hans menn at der hadde han fått gudsdom for hvem far hans var, og at det hadde vist seg at han var sønn til kong Magnus, og at det var fem biskoper til stede. Så sier Ivar Ingemundsson i Sigurdsbolken:

Fem biskoper   *Så det seg viste*
de fremste av alle   *at veldige kongen*
gudsdom felte   *var sønn til Magnus,*
om fyrstens byrd.   *mild på gaver.*

Haralds venner sa at dette hadde vært svik og løgn av danene.
14. Da Harald hadde vært konge over Norge i seks år*, kom

Harald jarl var sønn til Håkon jarl og rådde på Orknøyene fra omkring 1122 til 1128.
David var konge i Skottland 1124–1153.
Harald konge i seks år, dvs. i år 1136.

Sigurd til Norge, og han reiste til kong Harald sin bror; han fant ham i Bergen, gikk straks til ham og åpenbarte for ham hvem hans far var, og han bad kongen godkjenne frendskapen. Kongen avgjorde ikke noe i denne saken, men bar den fram for mennene sine, som han hadde samtale og møter med. Men av samtalen mellom dem ble utfallet at kongen la klage mot Sigurd for at han hadde vært med og drept Torkjell Fostre vest for havet. Torkjell hadde fulgt Harald til Norge den gang han kom til landet første gang. Torkjell hadde vært den beste venn til kong Harald. Denne saken ble fremmet så hardt at det ble reist dødssak mot Sigurd for den.

Etter råd av lendmennene hendte det så at en kveld gikk noen gjester dit Sigurd var, og kalte ham til seg og tok ei skute og rodde bort fra byen med Sigurd og sør til Nordnes. Sigurd satt akter på kista og tenkte på sin sak, og han hadde en mistanke om at dette nok var svik. Han var kledd slik at han hadde blå brok og skjorte og til overplagg ei kappe med band. Han satt og så nedfor seg og hadde hendene på kappebandene; han drog dem stundom opp over hodet og stundom ned igjen. Da de var kommet rett utenfor et nes, var de lystige og drukne, rodde hardt og tenkte ikke på noe. Da stod Sigurd opp og gikk til relinga, men de to mennene som var satt til å holde vakt over ham, stod opp og gikk også bort til relinga. Begge tok i kappa og holdt den ut fra ham, slik som det er skikk å gjøre med stormenn.

Da han fikk mistanke om at de holdt i flere av klærne hans, greip han dem i hver hand og kastet seg over bord med dem begge to, men skipet rente langt fram, og det gikk seint med å få snudd, og det tok lang tid før de fikk tatt opp mennene. Men Sigurd dukket og svømte så lenge under vannet at han var oppe på land før de fikk vendt skipet etter ham. Sigurd var så fotrapp som noen, og han tok vegen opp i land, kongsmennene fór og lette etter ham hele natta, men fant ham ikke. Han la seg i ei bergskorte og frøs svært. Han tok av broka og skar hull i bakstykket og drog den på seg slik at han stakk armene gjennom brokbeina. Slik berget han livet denne gangen. Kongsmennene rodde tilbake, og de kunne ikke holde ferden sin skjult.

15. Sigurd syntes nå han kunne skjønne at det ikke ville være til noen nytte for ham å gå til kong Harald. Han holdt seg da skjult hele høsten og førstningen av vinteren. Han var i byen Bergen hos en prest og prøvde å få høve til å drepe kong Harald, og det var svært mange menn med i disse planene med ham, og noen av dem var kong Haralds hirdmenn og bodde i hans herberge; de hadde før vært hirdmenn hos kong Magnus. Nå var de i stort vennskap med kong Harald, så det var alltid en av dem som satt ved bordet til kongen.

Luciamessedagen* om kvelden satt det to menn og talte sammen der. Den ene sa til kongen: «Herre, nå vil vi la din dom avgjøre tretten mellom oss. Vi har veddet en ask* honning med hverandre.

Luciamessedagen, 13. desember.
En ask, mål for flytende varer, ca. 16 liter.

Jeg sier at du vil ligge hos dronning Ingerid, din kone, i natt, men han sier at du vil ligge hos Tora Guttormsdotter.» Da sa kongen leende, og han hadde ingen tanke om at dette spørsmålet var laget med så stor list: «Du vinner nok ikke veddemålet.» Av det mente de å vite hvor han var å finne den natta. Men hovedvakta ble da holdt for det herberget, som de fleste tenkte kongen var i, og som dronninga sov i.

16. Sigurd Slembedjakn og noen menn med ham kom til det herberget kongen sov i, og de brøt opp døra og gikk inn dit med dragne våpen. Ivar Kolbeinsson gav kongen det første hogget, men kongen hadde lagt seg drukken, og han sov fast, men våknet ved det at folk begynte å hogge ham, og han sa i ørske: «Du farer vondt med meg nå, Tora.» Hun sprang opp og sa: «De farer vondt med deg, de som vil deg verre enn jeg.» Der lot kong Harald livet. Sigurd gikk bort med sine menn. Så lot han kalle til seg de menn som hadde lovt å slutte seg til ham, om han fikk tatt livet av kong Harald.

Nå gikk Sigurd og hans menn om bord på ei skute, og mennene satte seg til årene og rodde ut på Vågen under kongsgården. Da tok det til å lysne av dag. Så stod Sigurd opp og talte til dem som stod på kongsbrygga, og han lyste drapet på kong Harald på seg, og bad at de skulle ta imot ham og ta ham til konge, slik som hans byrd gav ham rett til. Da samlet det seg mange menn fra kongsgården der på bryggene, og alle svarte som med én munn at det skulle aldri hende at de gav seg under den mann som hadde myrdet sin bror. «Men om han ikke var din bror, da har du ingen rett til å være konge.» Dermed slo de sammen våpnene og dømte dem alle utlege og fredløse. Så ble det blåst i kongsluren, og alle lendmenn og hirdmenn ble kalt sammen. Men Sigurd og hans menn fant det da rådeligst å komme seg bort. Han seilte til Nordhordland og holdt ting med bøndene der. De gikk under ham og gav ham kongsnavn. Så tok han inn i Sogn og holdt ting med bøndene der. Der ble han også tatt til konge. Så reiste han nord i Fjordane. Der ble han vel mottatt. Så sier Ivar Ingemundsson:

> Ved Haralds fall
> horder og sygner
> tok mot den milde
> sønn til Magnus.

> Da svor seg mange
> menn på tinget
> i broders sted
> for kongesønnen.

Kong Harald ble jordet i den gamle Kristkirken.

Haraldssønnenes saga

DRONNING INGERID og lendmennene og den hirden som kong Harald hadde hatt, ble enige om å få gjort i stand et snarseilende skip og sende det nord til Trondheimen for å gi melding om kong Haralds fall, og at trønderne skulle ta til konge Sigurd, sønn til kong Harald; han var da der nord og ble fostret hos Såda-Gyrd Bårds-son. Men dronning Ingerid reiste straks øst i Viken. Inge het en sønn til henne og kong Harald; han var til oppfostring der i Viken hos Åmunde, sønn til Gyrd Logbersesson. Da de kom til Viken, ble det stevnet Borgarting, og der ble Inge tatt til konge, da var han på det andre året. Åmunde og Tjostolv Ålesson og mange andre store høvdinger ble med på dette vedtaket.

Da disse tidender kom nord til Trondheimen at kong Harald var tatt av dage, ble Sigurd, sønn til kong Harald, tatt til konge der, og med på dette vedtaket var Ottar Birting, Peter Sauda-Ulvsson og brødrene Guttorm Åsolvsson fra Rein og Ottar Balle og mange andre høvdinger. Nesten hele folket gav seg under de to brødrene, og aller mest fordi deres far ble reknet for hellig. Landet ble tilsvoret dem på den måten at ingen skulle gi seg under noen annen mann så lenge noen av sønnene til kong Harald var i live.

2. Sigurd Slembedjakn drog nord forbi Stad; men da han kom til Nordmøre, hadde det alt før ham kommet brev og kjenningstegn fra dem som hadde vært med på vedtaket om å gi seg under sønnene til kong Harald, så der ble han ikke mottatt, og han fikk ingen hjelp. Men siden han sjøl hadde få folk, bestemte de seg til å stevne inn i Trondheimen; for han hadde i forvegen sendt bud inn dit til dem som var venner med ham og kong Magnus, som var blitt blindet. Da han kom til kaupangen, rodde han opp i Nidelva og fikk båtfestene i land ved kongsgården, men de måtte dra seg unna igjen, for hele folket stod imot. Så la de til ved Holmen*, og der tok de Magnus Sigurdsson ut av klosteret mot munkenes vilje; han hadde da alt latt seg vie til munk. Det er flere som sier at Magnus gikk med godvillig; men det ble sagt for å pynte på saken. Sigurd ventet at han skulle få flere folk med seg nå på grunn av dette, og det fikk han også; dette var straks etter jul.

Sigurd og mennene hans tok ut etter fjorden. Siden kom det flere

---

Holmen, dvs. Nidarholm.

etter dem: Bjørn Egilsson, Gunnar fra Gimsan, Halldor Sigurdsson, Aslak Håkonsson og brødrene Benedikt og Eirik og den hird som før hadde vært hos kong Magnus, og mange andre menn. De seilte med flokken sør forbi Møre og helt til Romsdalsfjorden. Der delte de hæren sin, og Sigurd Slembedjakn tok straks vest over havet om vinteren, men Magnus reiste til Opplanda da han ventet seg stor hjelp der, som han også fikk. Han var der på Opplanda om vinteren og hele sommeren og hadde da en stor hær. Men kong Inge fór med hæren sin imot, og de møttes der som heter Minne*. Det ble et hardt slag, og kong Magnus hadde størst hær. Det er fortalt at Tjostolv Ålesson bar kong Inge i kjortelposen mens slaget stod på, og at han gikk under merket med ham, og at han kom i stor nød ved strevet og den strid han måtte stå i. Folk sier at da fikk kong Inge den vanhelse som han alltid hadde siden; ryggen fikk en krok, og den ene foten var kortere enn den andre og så veik at han var dårlig til å gå så lenge han levde. Etter hvert ble mannefallet størst blant kong Magnus' menn, og fremst i fylkingen falt disse: Halldor Sigurdsson og Bjørn Egilsson, Gunnar fra Gimsan og en stor mengde av hæren til Magnus, før han ville ta til flukt eller rømme unna. Så sier Kolle:

I kamp du øst for Minne	*herre, mat til ravnen*
kom, og kort tid etter,	*hæren gav med sverdhogg.*

Og dessuten dette:

Før ringmilde fyrste
flykte ville, lå fallen
hele hirden på vollen.
Den kampraske
kongen himmelen*.

Derifra flyktet Magnus øst til Götaland og derifra til Danmark. På den tida var jarlen Karl Sonesson i Götaland; han var mektig og maktgrisk. Magnus Blinde og hans menn sa da når de kom i tale med høvdinger, at Norge ville være lett å vinne om noen store høvdinger ville gå mot det, fordi det ikke var noen konge over landet, og lendmennene hadde styringen der i riket. Og de lendmenn som først var tatt til å styre, de var nå uforlikte på grunn av avundsjuke. Men siden Karl jarl var maktgrisk og lett å overtale, samlet han en hær og rei vest til Viken, og mange folk ble skremt til å gi seg under ham.

Da Tjostolv Ålesson og Åmunde fikk greie på dette, fór de imot ham med det mannskap de fikk samlet, og de hadde med seg kong Inge. De møtte Karl jarl og gøtehæren øst i Krokaskogen* og hadde der det andre slaget, og kong Inge fikk seier. Der falt Munån Ogmundsson, morbror til Karl jarl. Ogmund, Munåns far, var sønn til

Minne ved sørenden av Mjøsa.
Den kampraske osv.; denne linja har hørt til omkvedet som ellers er gått tapt.
Krokaskogen, i Sörbygden i Bohuslän.

Slaget ved Minne.

jarlen Orm Eilivsson og Sigrid, som var datter til jarlen Finn Arnesson. Astrid Ogmundsdotter var mor til Karl jarl. Mange falt på Kroka- skogen, men jarlen flyktet østpå fra skogen. Kong Inge tok etter dem østover ut av sitt rike; gøtene hadde stor skam av ferden. Så sier Kolle:

Fortelle jeg vil hvordan ravner   *Hærmenn som ufred voldte*
reiv i sår til gøter;   *velfortjent lønn for sin gjerning*
ørnen seg fylte med føde,   *på Krokaskog måtte hente.*
farget i blod ble sverdet.   *Din makt de lærte å kjenne.*

3. Magnus Blinde fór så til Danmark til Eirik Eimune, og der ble han godt mottatt. Han tilbød Eirik å følge ham til Norge om Eirik ville legge under seg landet og fare med en dansk hær til Norge. Og han sa at dersom han kom med en hærstyrke, torde ingen mann i Norge skyte et spyd imot ham. Kongen lot seg overtale og bød ut leidang; han fór med seks hundre skip nord til Norge, og Magnus Blinde og hans menn var med danekongen på denne ferden. Da de kom til Viken, fór de noenlunde rimelig og fredelig fram på østsida av fjorden; men da de kom med flåten til Tønsberg, var det en stor samling av lendmennene til kong Inge der. Vatnorm Dagsson, bror til Gregorius, var fører for dem. Da kunne danene ikke komme i land, og ikke fikk de ta seg vann; mange av dem ble drept. Da holdt de inn etter fjorden til Oslo, og der var Tjostolv Ålesson. Det er fortalt at de ville bære skrinet til Hallvard den hellige ut av byen om kvelden, og det gikk så mange menn under skrinet som kunne

komme til, men de fikk ikke båret det lenger enn ut på kirkegolvet. Men om morgenen da de fikk se at en hær kom seilende inn mot Hovedøya, bar fire mann skrinet opp fra byen, og Tjostolv og alt byfolket fulgte med skrinet.

4. Kong Eirik og hans menn gikk opp i byen, og noen satte etter Tjostolv og hans følge. Tjostolv skjøt ei pil på en mann som het Åskjell – han var kong Eiriks stavnbu – og traff ham i halsen, så odden stakk ut gjennom nakken. Tjostolv syntes han aldri hadde skutt et bedre skudd, for det var ikke noe bart sted på ham uten der. Skrinet til den hellige Hallvard ble flyttet opp på Romerike og var der tre måneder. Tjostolv reiste omkring på Romerike, og der samlet han folk om natta og kom ned til byen om morgenen. Kong Eirik lot sette ild på Hallvardskirken og mange steder i byen, og han brente opp alt rundt omkring. Så kom Tjostolv ned med en stor hær, men kong Eirik seilte da bort med flåten, og de kunne ikke komme i land noe sted på nordsida av fjorden for det mannskap som lendmennene hadde samlet. Overalt hvor de prøvde å gjøre landgang, ble det liggende igjen fem eller seks eller flere.

Kong Inge lå i Hornborusundene* med en stor hær. Da kong Eirik fikk vite det, snudde han sør til Danmark. Kong Inge satte etter dem, og folkene hans tok fra dem alt det de kunne. Det sier folk at verre ferd har ingen gjort i annen konges rike med så stor hær. Kong Eirik var harm på Magnus og hans menn, og han syntes de hadde dradd spott over ham når de hadde fått ham til denne ferd. Han lovte nå at han aldri mer skulle være en slik venn mot dem som før.

5. Den sommeren kom Sigurd Slembedjakn vestfra over havet til Norge. Da han fikk vite hvordan det hadde gått Magnus, hans frende, kunne han skjønne at da ville han få liten hjelp i Norge. Han seilte da utaskjærs hele vegen sør langsmed landet og kom til Danmark. Han seilte inn i Øresund; men sør for Ærø møtte han noen vendersnekker og la til kamp mot dem og fikk seier. Han ryddet åtte snekker der og drepte mange menn og hengte noen. Han hadde også et slag mot venderne ved Møn og fikk seier. Så seilte han mot nord og la opp i Göta älv i det østre elveløpet og vant der tre skip fra Tore Kvinantorde og Olav, sønn til Harald Kesja, sin søstersønn. Olavs mor var Ragnhild, datter til kong Magnus Berrføtt. Han jagde Olav opp på land.

Tore var i Konghelle og hadde en hærstyrke der. Sigurd styrte dit, og de skjøt på hverandre, og det falt folk på begge sider, og mange ble såret. Sigurd og hans folk fikk ikke komme i land. Der falt Ulvhedin Saksolvsson, en nordlending*, stavnbu til Sigurd. Så la Sigurd fra og seilte nord i Viken og rante mange steder. Han lå i Portør på Limgardsida* og lå på lur der etter skip som fór til eller fra Viken, og rante dem. Tønsbergmennene sendte folk imot ham,

---

Hornborusundene, nå Hamburgsund i Kville i Bohuslän.
Nordlending, dvs. fra Nordlandet på Island.
Limgardsida, kysten mellom Portør og Lyngør.

og de kom uventet over Sigurd og hans folk mens de var på land og delte hærfanget. Noen kom på dem oppe fra land, og noen la seg med skipene tvers over havna utenfor. Sigurd sprang om bord på skipet sitt og rodde ut imot dem. Skipet til Vatnorm lå nærmest, og han lot ro akterover. Men Sigurd rodde ut ved sida av dem og kom seg unna med ett skip, men mange av mennene hans falt. Derfor ble dette diktet:

Vel verget seg ikke
Vatnorm i Portør.

6. Sigurd Slembedjakn seilte siden sør til Danmark, og da druknet en mann av mannskapet, han som het Kolbein Torljotsson fra Batalden*. Han var i etterbåten som var bundet til skipet, og de seilte i stor fart. Sigurd forliste da de kom sørpå, og om vinteren var han i Ålborg. Sommeren etterpå reiste han og Magnus nordover med sju skip, og de kom uventet til Lista om natta og la i land med skipene. Der var da Bentein Kolbeinsson, kong Inges hirdmann og en djerv og modig mann. Sigurd og hans folk gikk opp der i daglysingen og kom uventet over folkene på garden og ville sette ild på den. Bentein kom seg ut i et bur hærkledd og vel rustet med våpen, og stod innenfor døra med draget sverd og hadde skjoldet foran seg og hjelm på hodet, fullt ferdig til å verge seg. Døra var temmelig lav. Sigurd spurte hvorfor de ikke gikk inn; de svarte at ingen av dem hadde lyst til det. Mens de talte som best om dette, sprang Sigurd inn i huset forbi Bentein, som hogg etter ham, men ikke traff. Så vendte Sigurd seg mot ham, og de skiftet bare få hogg med hverandre før Sigurd drepte ham og bar hodet hans ut i handa. De tok alt det gods som var der på garden, og så gikk de ned til skipene.

Da kong Inge og hans venner og de to brødrene til Bentein, Sigurd og Gyrd Kolbeinsson, fikk høre at Bentein var drept, sendte kongen folk imot Sigurd og følget hans. Sjøl reiste han av sted og tok et skip fra Håkon Pålsson Pungelta, som var dattersønn til Aslak Erlingsson fra Sola og søskenbarn til Håkon Mage. Inge jagde Håkon opp på land og tok all ladningen. Men Sigurd Stork, sønn til Eindride i Gautdal*, og Eirik Hæl, bror hans, og Andres Kjeldeskit, sønn til Grim fra Viste*, kom seg unna inn i fjorden. Men Sigurd og Magnus og Torleiv Skjappe seilte nordover utaskjærs med fem skip til Hålogaland. Magnus var på Bjarkøy om vinteren hos Vidkunn Jonsson, men Sigurd hogg stavnene av skipet sitt, hogg hull i det og senket det innerst i Øksfjorden*.

Om vinteren satt Sigurd i Tjeldsund på Hinnøy, et sted som heter Gljuvrafjord*. Innerst i fjorden er det en heller i berget. Der satt

---

Batalden i Kinn i Sunnfjord.
Gautdal, trolig Gutdal i Stryn (el. Guddal i Kvinnherad?).
Viste i Randaberg nord for Stavanger.
Øksfjorden på Hinnøya.
Gljuvrafjord, kanskje Fiskefjorden på Hinnøya.

Sigurd om vinteren med sine menn, i alt tjue mann, og de satte noe for helleråpningen, så ingen kunne se inngangen fra fjæra. Mat fikk Sigurd den vinteren fra Torleiv Skjappe og Einar, sønn til Ogmund fra Sand* og Gudrun, som var datter til Einar Arason fra Reyk-holar*. Det blir fortalt at Sigurd den vinteren lot noen finner inne i fjorden bygge skuter for seg, og de skutene var bundet sammen med sener uten søm og de hadde vidjer istedenfor kne, og tolv mann rodde på hver side. Sigurd var hos finnene da de gjorde skutene. Finnene hadde øl der og gjorde gjestebud for ham. Siden kvad Sigurd dette:

Godt var det i gammen   *Det skortet ikke gammen*
da glade vi drakk,   *ved gammensdrikken.*
og kongssønnen glad   *Menn gledet hverandre*
fikk gå mellom benker.   *som hvor som helst ellers.*

Disse skutene var så snare at ikke noe skip tok dem på vannet, som det er kvedet:

Få kan følge   *som bundet med sener*
furubåt håløygsk,   *for seilet flyger.*

Men om våren* tok Sigurd og Magnus sørover med de to skutene som finnene hadde gjort. Da de kom til Vågan, drepte de der Svein prest og de to sønnene hans.

7. Sigurd styrte så sør til Vikar* og tok der til fange Vilhjalm Skinnare, som var lendmann til kong Sigurd, og dessuten Toralde Kjeft, og han drepte dem begge to. Så fór Sigurd sør langsmed landet og møtte så sør ved Bøle* Styrkår Glæsirove, som kom fra kaupangen, og drepte ham. Men da Sigurd kom sør til Valsnes*, møtte han Svina-Grim og lot hogge den høyre handa av ham. Der-ifra fór han sør til Møre utenfor Trondheimsfjorden og tok til fange der Hedin Hardmage og Kalv Kringleauge; han lot Hedin få gå, men de drepte Kalv. Kong Sigurd og Såda-Gyrd, hans fosterfar, fikk høre om hvordan Sigurd fór fram, og hva han tok seg til. Da sendte de folk ut for å leite etter ham; til førere satte de Jon Kada, sønn til Kalv den vrange, bror til Ivar biskop, og presten Jon Smyril.

De drog av sted på Reinen, som hadde 22 rom og seilte snarere enn andre skip. De fór ut for å leite etter Sigurd, men de fant ham ikke, og de kom tilbake med liten ære, for folk sier at de hadde nok sett ham, men torde ikke legge til. Sigurd fór sør til Hordaland og kom til Herdla. Der hadde Einar, sønn til Lakse-Pål, en gard, og han

---

Sand på Tjeldøy (eller Nordsand på Sandsøya?).
Reykholar (norr. *Reykjahólar*) ved Breiðafjörður på Island.
Om våren, år 1139.
Vikar, nå Vik på Sømna i Brønnøy.
Bøle, se merkn. s. 140.
Valsnes i Jøssund i Fosen.

Sigurd og følget hans i helleren i Gljuvrafjord.

hadde nettopp reist inn i Hamarsfjorden* til gangdageting*. De tok alt det gods som var på garden, og et langskip på 25 rom, som Einar eide, og hans sønn, som var fire år gammel, og som lå hos en av arbeidsmennene hans. Somme ville drepe gutten, og somme ville ta ham med bort. Arbeidsmannen sa til dem: «Det blir ingen lykke for dere å drepe denne gutten, og ingen vinning om dere fører ham bort. Dette er min sønn og ikke Einars.» På grunn av hans ord lot de gutten bli igjen, og så fór de bort. Da Einar kom hjem, gav han arbeidsmannen gods som var to øre gull verd, og takket ham for det han hadde gjort, og sa at han for alltid skulle være hans venn. Eirik Oddsson, som først skreiv ned denne hendingen, sier at han hadde hørt Einar Pålsson sjøl fortelle om den i Bergen.

Sigurd tok så sørover langsmed landet helt øst i Viken, og øst i Kville* møtte han Finn Sauda-Ulvsson, som reiste rundt og krevde landskyld til kong Inge; de lot ham henge. Siden fór de sør til Danmark.

8. Vikværinger og Bergens-menn sa at det var en skam at Sigurd og vennene hans satt rolige nord i kaupangen, enda hans fars bane-menn seilte allfarvegen utenfor Trondheimsfjorden; men kong Inge og hans menn satt øst i Viken med all vågnaden og verget landet og hadde holdt mange slag. Da sendte kong Inge brev til kaup-

Hamarsfjorden, Osterfjorden utenfor Hamre.
Gangdageting ble holdt i gangdagene, de tre dagene før Himmelfartsdagen.
Kville nord i Bohuslän.

angen; disse ordene stod i det: «Kong Inge, sønn til kong Harald, sender Guds og sin hilsen til kong Sigurd sin bror, og til Såda-Gyrd, Ogmund Svifte, Ottar Birting og alle lendmennene, hirdmenn og huskarer og hele allmuen, rike og fattige, unge og gamle. Alle kjenner de vansker vi har, og likeså vår ungdom, at du er fem år gammel og jeg tre. Vi kan ikke komme noen veg dersom vi ikke får hjelp fra våre venner og gode menn. Nå synes jeg og mine venner at vi har de vanskeligheter og den nød som gjelder oss begge, nærmere på livet enn du og dine venner. Gjør nå du så vel at du farer til meg så snart og så mannsterk som du kan, og la oss to være sammen, hva det så hender. Nå er han vår beste venn, som rår til at vi er så godt forlikte som mulig og alltid holder sammen i alle måter. Men dersom du drar deg unna, og enda jeg ber deg inntrengende, lar være å komme som du før har gjort, da kan du vente deg at jeg vil fare imot deg med en hær, og så får Gud skifte mellom oss. For ikke kan vi lenger ha det så at vi sitter med stor kostnad og mye mannskap som trengs for ufreden, men du tar halvparten av all landskyld og andre inntekter i Norge. Lev i Guds fred.» Da svarte Ottar Birting; han stod opp på tinget og talte:

9. «Kong Sigurd svarer sin bror, kong Inge, så, at Gud må lønne ham for hans gode hilsen og for det strev og den møye som du og dine venner i dette riket har hatt i den vanskelige stilling som vi har begge to. Men enda noe kan synes å være nokså stritt i kong Inges ord til kong Sigurd, hans bror, kan han likevel ha god grunn til det i mange måter. Nå vil jeg åpent si det jeg mener, og høre om kong Sigurd og de andre stormennene vil at du, kong Sigurd, skal ruste deg og den hær som vil følge deg, for å verge ditt land. Og far så mannsterk du kan, og så snart du kan, til kong Inge, din bror; og så får den ene hjelpe den andre i alt som det er nytte i, og den allmektige Gud hjelpe dere begge to. Nå vil vi høre dine ord, konge.» Peter, sønn til Sauda-Ulv, bar kong Sigurd på tinget, han som siden ble kalt for Peter Byrdesvein. Da sa kong Sigurd: «Det skal alle vite at om jeg skal rå, vil jeg fare til min bror kong Inge så snart jeg kan.» Så talte den ene etter den andre, og hver tok til på sin måte, men alle endte sin tale på samme vis som Ottar Birting hadde svart. Det ble da avgjort at de skulle samle en hær og fare øst i landet. Så reiste kong Sigurd øst i Viken og møtte der kong Inge, sin bror.

10. Samme høst kom Sigurd Slembedjakn og Magnus Blinde sørfra Danmark med tretti skip, både daner og nordmenn; det var nær vinternatt. Da kongene og deres folk fikk greie på det, reiste de østover mot dem. De møttes i Hvaler ved Holmengrå dagen etter martinsmesse* på en søndag. Kong Inge og kong Sigurd hadde tjue skip, og alle var store. Der ble det et stort slag, men etter den første striden flyktet danene med atten skip sørover og hjem. Da ble skipene til Sigurd og Magnus ryddet. Da skipet til Magnus var nesten ryddet – han lå i køya si – tok Reidar Grjotgardsson, som hadde fulgt

---

Dagen etter martinsmesse, 12. november 1139.

Reidar
Grjotgardsson
tar kong
Magnus i
fanget.

ham lenge og var hans hirdmann, kong Magnus i fanget og ville springe om bord på et annet skip. Da ble Reidar skutt med et spyd mellom herdene, tvers igjennom. Så blir det sagt at der fikk kong Magnus sin bane av det samme spydkastet, og Reidar falt baklengs på tiljene, og Magnus oppå ham. Det sier hver mann at de syntes han hadde fulgt sin herre vel og gjævt. Godt er det for hver den som får slik omtale!

Der falt Lodin Saupprud fra Linnestad* på skipet til kong Magnus, og Berse Tormodsson, stavnbu til Sigurd Slembedjakn, og Ivar Kolbeinsson og Hallvard Fæge, som var forromsmann hos Sigurd Slembedjakn. Det var denne Ivar som gikk inn til kong Harald og gav ham det første såret. Da falt det en stor del av hæren til Magnus

Linnestad i Ramnes i Vestfold.

og Sigurd, fordi Inges menn ikke lot noen komme unna som de kunne nå; men jeg nevner bare få ved navn. På en holme drepte de mer enn seksti mann. Der ble to islandske menn drept, Sigurd prest, sønn til Bergtor Måsson, og Klemet, sønn til Are Einarsson. Ivar Skrauthanke, sønn til Kalv den vrange, han som siden ble biskop nord i Trondheimen og var far til Eirik erkebiskop, hadde alltid fulgt kong Magnus. Han kom seg om bord på skipet til Jon Kada, sin bror. Jon var gift med Cecilia, datter til Gyrd Bårdsson, og de var begge i hæren til kong Inge og kong Sigurd; Ivar kom seg med to andre menn opp på skipet til Jon; den ene var Arnbjørn Ambe, som siden ble gift med datter til Torstein i Audsholt*, den andre var Ivar Staresson Dynta; han var bror til Helge Staresson og trøndsk på morssida, en særdeles vakker mann.

Da hærmennene fikk vite dette at de var der, tok de våpnene og gikk mot Jon og hans menn, og de laget seg til motstand, så det var nær på at hele hæren hadde kommet til å slåss. Men de ble forlikt slik at Jon skulle løskjøpe sin bror Ivar og Arnbjørn og bandt seg til å betale løsepenger for dem, men siden fikk han disse pengene etter-gitt. Men Ivar Dynta ble ført på land og hogd ned, for Kolbeinssøn-nene Sigurd og Gyrd ville ikke ta imot penger for ham, fordi de holdt ham for å være medskyldig i drapet på Bentein, bror deres. Det sa Ivar biskop at han syntes var det verste som noen gang hadde hendt ham, da Ivar ble ført på land under øksa, og først vendte seg til dem og ønsket dem et gledelig gjensyn. Dette fortalte Gudrid Birgers-dotter, søster til Jon erkebiskop*, til Eirik Oddsson, og hun sa at hun hadde hørt Ivar biskop si det.

11. Trond gjaldkere* het en mann som førte et skip i flåten til Inge. Nå var det kommet til det at Inges menn rodde i småbåter etter dem som lå og svømte, og de drepte alle de fikk tak i. Sigurd Slembe-djakn sprang over bord da skipet hans var ryddet, og han kastet av seg brynja under vannet, så svømte han med skjoldet over seg. Noen menn fra Tronds skip tok en mann som lå og svømte og ville drepe ham. Men han bad for seg og sa at han kunne si dem hvor Sigurd Slembe var, og det gikk de med på. Men skjold og spyd og døde menn og klær fløt vidt og bredt rundt om skipene. «Der kan dere se,» sa han, «at det flyter et rødt skjold; under det er han.» Så rodde de dit og greip ham og førte ham til Tronds skip, og Trond sendte bud til Tjostolv og Ottar og Åmunde.

Sigurd Slembe hadde hatt ildtøy på seg, og knusken var inne i et valnøttskall, som det var støpt voks utenpå. Dette blir nevnt fordi folk syntes det viste slik omtanke at han stelte med det slik at det aldri kunne bli vått. Skjoldet hadde han over seg da han svømte, for da kunne ingen vite om det var hans skjold eller et annet, da det fløt så mange skjold på sjøen. De sa at de aldri ville ha funnet ham om det ikke var blitt sagt til dem hvor han var.

Audsholt ved Skålholt på Sør-Island.
Jon var erkebiskop 1152/53–1157.
En gjaldkere svarer omtrent til en byfogd.

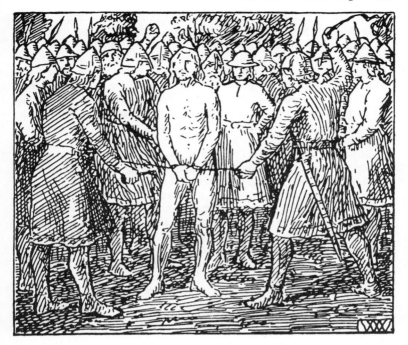

Sigurd Slembe hudflettes.

Da Trond kom til lands med ham, ble det sagt til hærmennene at han var fanget, og hele hæren satte i gledesrop. Da Sigurd hørte det, sa han: «Mang en vond mann blir glad her ved mitt hode i dag.» Så gikk Tjostolv Ålesson bort dit han satt og strøk av hodet på ham ei silkelue som var prydet med gullband, og sa: «Hvorfor var du så djerv, du trellesønn, at du torde kalle deg sønn til kong Magnus?» Han svarte: «Ikke trenger du å likne min far med en trell, for din far var lite verdt mot min far.»

Hall, som var sønn til legen Torgeir Steinsson, og var hirdmann hos kong Inge, var til stede da dette gikk for seg. Han fortalte det til Eirik Oddsson, som skreiv ned det som ble fortalt; Eirik skreiv den boka som blir kalt Ryggjarstykke; i den boka blir det fortalt om Harald Gille og hans to sønner og om Magnus Blinde og om Sigurd Slembe helt til deres død. Eirik var en kyndig mann, og han var lenge i Norge den tida. Noe av det som ble fortalt, skreiv han ned slik som det ble sagt ham av Håkon Mage, lendmann til Haraldssønnene. Håkon og sønnene hans var med i alle disse stridigheter og tiltak. Eirik nevner flere som fortalte ham om disse hendingene, kyndige og pålitelige menn, som var til stede, så de hørte og så det som gikk for seg. Og noe skreiv han etter det som han sjøl hadde sett eller hørt på.

12. Hall forteller det slik at høvdingene ville la ham drepe med én gang. Men de som var hardest, og syntes de hadde grunn til å hevne på ham den skade de hadde lidd, fikk satt igjennom at han skulle pines; blant dem ble nevnt Benteins brødre, Sigurd og Gyrd Kolbeinssønner, og Peter Byrdesvein, som ville hevne sin bror Finn. Men høvdingene og de fleste andre gikk bort. De knuste legger og armer på ham med øksehamrer, og så sleit de av ham klærne og ville flå ham levende; de kløvde huden på hodet hans, men kunne ikke gjøre mer fordi han blødde så. Da tok de skinnsveper og slo ham så lenge at huden var helt av som han skulle være flådd. Og så tok de en stokk og dunket ham i ryggen så ryggraden ble knekt. Deretter slepte de ham til et tre og hengte ham og hogg siden av ham hodet og drog bort kroppen og grov den ned i ei steinrøys.

Det sa alle, både venner og uvenner, at ingen i manns minne hadde vært hævere i alle deler enn Sigurd, men han hadde ulykke med seg i noen ting. Så sa Hall at han talte lite da han ble pint, og at han bare svarte med få ord om noen talte til ham. Hall fortalte også at han gav seg ikke mer enn om de hadde slått på stokk og stein. Og det la han til at en fullgod og hardfør kar kunne en kalle den mann som tålte pinsler så godt at han ikke åpnet munnen eller bare gav seg lite. Om Sigurd sa han at han aldri skiftet mæle under pinselen, og at han talte likså lett som når han satt inne på ølbenken; han talte verken høyere eller lavere eller mer skjelvende enn hans vane var. Han talte helt til han døde, og han sang tredjeparten av Psalterium*, og til det, syntes Hall, skulle det større utholdenhet og styrke enn andre menn har.

Den presten som hadde kirke nær ved, lot Sigurds lik føre dit til kirken. Denne presten var en venn av Haraldssønnene. Da dette spurtes, ble de harme på ham og førte liket tilbake dit det hadde ligget før, og presten måtte betale bot for det. Men Sigurds venner kom siden sørfra Danmark og hentet liket med skip og førte det til Ålborg og gravla det ved Mariakirken* der i byen. Dette fikk Eirik Oddsson fortalt av Kjetil prost, som hadde under seg Mariakirken, at Sigurd var gravlagt der. Tjostolv Ålesson lot føre kong Magnus' lik til Oslo, og han ble gravlagt ved Hallvardskirken ved sida av sin far, kong Sigurd. Lodin Saupprud førte de til Tønsberg, men alle de andre ble gravlagt der på stedet.

13. Da Sigurd og Inge hadde styrt Norge i seks år, kom Øystein vestfra Skottland om våren. Han var sønn til Harald Gille. Arne Sturla og Torleiv Brynjolvsson og Kolbein Ruga hadde reist vest over havet etter Øystein, og de fulgte ham til landet og seilte straks nord til Trondheimen. Trønderne tok imot ham, og han ble tatt til konge på Øreting i gangdagene*, slik at han skulle ha tredjeparten av Norge med brødrene sine. Da var Sigurd og Inge øst i landet. Nå gikk det bud mellom kongene, og de ble forlikt så at Øystein skulle

---

Psalterium, dvs. Davids salmer på latin.
Mariakirken, nå Frue kirke.
Gangdagene, 25.–27. mai 1142.

ha tredjeparten av riket. Øystein tok ingen gudsdom for å vise hvem far hans var, men folk trodde det som kong Harald hadde sagt om det. Mor til Øystein het Bjadok, og hun fulgte med ham til Norge.

14. Magnus het den fjerde sønnen til kong Harald; han ble fostret hos Kyrpinge-Orm. Han ble også tatt til konge og hadde sin del av landet. Magnus var skrøpelig i føttene; han levde bare kort tid og døde sottedød. Einar Skulason taler om ham:

Gull til menn gir Øystein,
egge til kamp gjør Sigurd.
Inge lar våpen synge,
skape fred gjør Magnus.

Aldri har fire brødre
bedre enn de levd på jorda.
Den herlige konges sønner
i blod skjoldene farger.

Etter kong Harald Gilles fall ble dronning Ingerid gift med Ottar Birting. Han var lendmann og en stor høvding, trøndsk av ætt. Han var en sterk støtte for kong Inge så lenge han var barn. Kong Sigurd var ikke noe større venn med ham, for han syntes han alltid holdt med Inge, sin stesønn. Ottar Birting ble drept nord i kaupangen av en drapsmann en kveld han skulle gå til aftensang. Da han hørte kvinet av hogget, løftet han handa og kappa imot fordi han trodde det ble kastet en snøball på ham, slik som unge gutter har moro av å gjøre. Han falt for hogget. I det samme kom Alv Rode, sønn hans, gående inn på kirkegården; han så at faren falt, og likeså at den mann som hadde drept ham, sprang øst om kirken. Alv sprang etter ham og drepte ham ved sanghushjørnet*. Folk sa at han hadde hevnet seg godt, og han ble reknet for mye gjævere mann enn før.

15. Kong Øystein Haraldsson var inne i Trondheimen da han fikk høre om Ottars fall. Han stevnte til seg en bondehær, og så tok han ut til byen og hadde mange folk. Men Ottars frender og andre venner la mest skylden på kong Sigurd for drapet. Han var i kaupangen da, og bøndene var sterkt oppøst imot ham. Kongen bød gudsdom for seg og bandt seg til jernbyrd, som skulle sanne at han var uskyldig, og på det vilkåret ble det forlik. Kong Sigurd reiste så sør i landet, men det ble aldri til noe med denne gudsdommen.

16. Dronning Ingerid fikk en sønn med Ivar Sneis; han het Orm og ble siden kalt kongsbror. Han var en vakker mann og ble en stor høvding, slik som det vil bli omtalt siden. Dronning Ingerid ble gift med Arne på Stårheim*, som siden ble kalt kongsmåg. Deres barn var Inge, Nikolas*, Filippus i Herdla, og Margret, som først var gift med Bjørn Bukk og siden med Simon Kåresson.

17. Erling het sønn til Kyrpinge-Orm og Ragnhild, som var datter til Sveinke Steinarsson. Kyrpinge-Orm var sønn til Svein, som var

---

Sanghuset, dvs. koret i kirken.
Stårheim i Eid i Nordfjord.
Nikolas er den kjente baglerhøvdingen, biskop i Oslo 1190–1225.

Alv Rode hevner sin fars død.

sønn til Svein Erlendsson fra Gjerde*. Orms mor var Ragna, datter
til jarlen Orm Eilivsson og Sigrid, som var datter til jarlen Finn
Arnesson. Orm jarls mor var Ragnhild, datter til Håkon jarl den
mektige. Erling var en klok mann, og han var en god venn til kong
Inge. Med hans samtykke fikk Erling Kristin, datter til kong Sigurd
og dronning Malmfrid. Erling hadde gard på Støle* i Sunnhordland.
Erling fór fra landet og med ham Eindride Unge og flere lendmenn,
og de hadde vakkert mannskap. De hadde rustet seg til jorsalferd og
fór vestover havet til Orknøyene. Derfra fikk de følge med Ragnvald
jarl, som ble kalt Kale, og med Vilhjalm biskop. I alt hadde de
femten langskip da de seilte fra Orknøyene, og så seilte de til Suder-
øyene og derfra vest til Valland, og siden den veg som kong Sigurd
Jorsalfare hadde tatt, ut til Norvasund, og de herjet vidt og bredt i
det hedenske Spania. Kort etter at de hadde seilt gjennom sundet,
skilte Eindride Unge og de som fulgte ham, seg fra dem med seks
skip, og nå fór de hver for seg.
    Ragnvald og Erling Skakke støtte på en dromund* i sjøen, og de

Gjerde i Etne i Sunnhordland.
Støle, i Etne.
En dromund var et stort middelhavsskip.

Kong Sigurd lytter til kvinnesang utenfor huset.

la til med ni skip og sloss med dem. Til slutt la de snekkene under dromunden; da kastet hedningene ned på dem både våpen og stein og gryter fulle med kokende bek og olje. Erling lå nærmest dem med sitt skip, og de våpnene som hedningene kastet, kom utenfor hans skip. Da hogg Erling og hans folk huller i dromunden, noen nede i vannet og noen oppe på sidene, så de kunne gå inn gjennom dem. Så sier Torbjørn Skakkeskald* i Erlingsdråpa:

Med økse-egger hogde *Krigerne på skipet*
uredd djerve nordmenn *så det lure påfunn.*
hull på nye skipet *Løs ble slått med våpen*
i sida dypt under vannet. *skansene på skipet.*

Audun Raude het den mann som først gikk opp på dromunden; han var stavnbu hos Erling. De vant dromunden og drepte mange menn, tok så en mengde gods der og vant en herlig seier. Ragnvald jarl og Erling Skakke kom på denne ferden til Jorsalaland og ut til Jordanelva. Så vendte de først tilbake til Miklagard, der lot de skipene bli igjen, fór så landvegen hjem og hadde en heldig reise helt til de kom til Norge; det gikk stort ord av denne ferden. Erling gjaldt nå for å være mye gjævere mann enn før, både på grunn av denne reisa og på grunn av sitt giftermål. Han var dessuten en klok mann, rik, ættstor og veltalende. Nå holdt han seg mest til venns i alle ting med kong Inge av de brødrene.

18. Kong Sigurd rei på veitsle øst i Viken med hirden sin; da rei han forbi garden til en mektig mann som het Simon. Da kongen rei

Skakkeskald; tilnavnet kommer av at han kvad om Erling Skakke.

gjennom garden, hørte han inne i et hus en som sang så fagert at han syntes det var et under å høre. Han rei bort til huset og fikk se at der inne stod ei kvinne ved ei kvern, og hun sang så vakkert mens hun malte. Kongen steig av hesten og gikk inn til kvinna og la seg med henne. Da kongen fór bort, fikk Simon bonde greie på det ærend kongen hadde vært der i. Hun het Tora og var i tjeneste hos Simon bonde. Nå lot Simon gi akt på hennes tilstand, og ei tid etterpå fødte hun et barn. Det var en gutt, og han fikk navnet Håkon og ble reknet for å være sønn til kong Sigurd. Håkon vokste opp der hos Simon Torbergsson og Gunnhild, kona hans. Der vokste også Ånund og Andres opp, sønnene til Simon; de og Håkon holdt så mye av hverandre, at ikke noe annet enn døden kunne skille dem.

19. Kong Øystein Haraldsson var en gang øst i Viken nær landegrensa; han ble uenig med bøndene i Ranrike og på Hisingen. De samlet seg imot ham, og han holdt slag med dem og vant seier. De kjempet et sted som heter Leikberg. Han brente vidt og bredt på Hisingen. Siden gav bøndene seg under ham og betalte store bøter, og kongen tok gisler av dem. Så sier Einar Skulason:

For vikverjers verk　　　　*Kongen og hans hær*
gav kongen sterk　　　　　*ved Leikberg nær*
en lønn som de　　　　　　*til kamp gikk fram,*
måtte finne seg i.　　　　　*folk roser ham.*
De i redsel gikk　　　　　　*Rener* fort*
før fred de fikk.　　　　　　*rømte bort.*
Han bot la på,　　　　　　　*De gav i sin nød*
tok gisler så.　　　　　　　*det kongen bød.*

20. Kort etter gav kong Øystein seg på ferd vest over havet og seilte til Katanes. Han fikk vite at jarlen Harald Maddadsson lå i Torså*. Han la til med tre småskuter og kom uventet over ham. Jarlen hadde et skip på tretti rom og åtti mann på det; men da de ikke hadde ventet kamp, kom kong Øystein og hans menn straks opp på skipet, de fanget jarlen og tok ham med seg på sitt skip. Han løste seg ut med tre mark gull, og med det skiltes de. Så sier Einar Skulason:

Åtti menn var samlet　　　　*Med skuter tre tok jarlen*
med Maddads sønn den djerve　*sjøkongen til fange.*
da mektig ørnemetter　　　　*Den djerve hærfører siden*
la ut til kamp med hærskip.　*gav hodet til kjekke fyrste.*

Kong Øystein seilte derifra søretter øst for Skottland og la til i en kjøpstad i Skottland som heter Apardjon* og drepte mange menn der og herjet byen. Så sier Einar Skulason:

Rener, dvs. folk fra Ranrike (Bohuslän).
Torså, nå Thurso på nordkysten av Caithness (Katanes).
Apardjon, Aberdeen.

I Apardjon falt
folket, hørte jeg, alt.

Freden tok slutt,
sverdene ble brutt.

Det andre slaget holdt han sør ved Hjartapoll* mot en hær av hestfolk, som han dreiv på flukt; der ryddet de noen skip. Så sier Einar:

Kongssverdet beit,
så blodstrøm rant heit.
Hird stred i samhold
sør ved Hjartapoll.

Blodet hett
gjorde ravnen mett.
Da anglerskip han vant,
blodstrøm større rant.

Deretter seilte han videre sør i England og holdt det tredje slaget ved Hvitaby* og fikk seier, men brente byen. Så sier Einar:

Kongen gikk på ny
i kamp ved Hvitaby.
Sverdsangen klang,
skjoldene sprang.

Ulven drakk blod;
høyt ilden stod
om hus og borg,
så fienden fikk sorg.

Etter dette herjet han vidt og bredt omkring i England; den gang var Stevne* konge i England. Dernest holdt kong Øystein slag med noen ryttere ved Skarpeskjær*. Så sier Einar:

I pileregn lei
kongen fant vei

gjennom skjoldkyndig hær
ved Skarpeskjær.

Dernest kjempet han i Pilavik* og fikk seier. Så sier Einar:

Kongen rødfarget sverd;
så sleit ulveferd
bymenns lik
i Pilavik.

Ved Vestersalt
voldte han at alt
Langetun brant;*
sverd pannen fant.

Der brente de Langetun, en stor by, og folk sier at den byen ikke har kunnet komme seg opp igjen siden. Etter dette fór kong Øystein bort fra England og om høsten tilbake til Norge; folk dømte svært ulikt om denne ferden.

21. Det var god fred i Norge i førstningen av Haraldssønnenes dager, og de holdt sammen så noenlunde så lenge de gamle rådgiverne levde. Så lenge Inge og Sigurd var barn, hadde de én hird sammen; men Øystein én alene, for han var fullvoksen mann. Men da de var døde, de som hadde vært rådgivere for Inge og Sigurd

Hjartapoll, Hartlepool i Northumberland.
Hvitaby, Whitby i Yorkshire.
Stevne, dvs. Stefan av Blois, konge 1135–1154.
Skarpeskjær og *Pilavik* er ukjente steder nå.
Langetun er kanskje Langton, et vanlig bynavn i England.

under oppveksten – Såda-Gyrd Bårdsson, Åmunde Gyrdsson, Tjostolv Ålesson, Ottar Birting, Ogmund Svifte og Ogmund Denge, bror til Erling Skakke – Erling sjøl hadde folk bare liten vørnad for så lenge Ogmund levde – da hadde Inge og Sigurd ikke lenger hird i lag. Da fikk kong Inge sin beste støtte i Gregorius, sønn til Dag Eilivsson og Ragnhild, som var datter til Skofte Ogmundsson. Gregorius var rik på gods, og han var en framifrå dugelig mann. Han ble formann for landsstyringen sammen med kong Inge, og av kongen fikk han lov til å ta av hans eiendom så mye han ville.

Kong Sigurd ble en villstyring og uvøren i alle deler, så snart han vokste opp. Slik var Øystein også, likevel var han da noe rimeligere, men svært pengekjær og egennyttig var han. Kong Sigurd ble en stor og sterk mann og hadde et kjekt utseende; han hadde brunt hår og stygg munn, men ellers vakkert ansikt. Han stod over andre i å tale godt og dugelig. Det nevner Einar Skulason:

Sigurd, han som farger	*Når raumekongen* myndig*
sverd i blod, står over	*røsten løfter til tale,*
andre i å tale.	*andre menn må tie,*
Unt har Gud ham seier.	*ære får gladmælt konge.*

22. Kong Øystein var svarthåret og mørklett, litt over middelshøy, en klok og skjønnsom mann. Men det drog mest makten bort fra ham at han var egennyttig og pengekjær. Han var gift med Ragna, datter til Nikolas Måse.

Kong Inge hadde det vakreste ansikt, han hadde gult hår; det var temmelig tynt og svært krøllet. Han var liten av vekst og kunne snaut gå alene, så vissen var den ene foten hans, og han hadde en pukkel både på ryggen og på brystet. Han var blid og vennlig mot sine venner, gavmild på gods, og lot høvdingene rå mye med i landsstyringen; han var vel likt blant allmuen, og alt dette drog makt og mye folk til ham.

Brigida het ei datter til kong Harald Gille; hun var først gift med sveakongen Inge Hallsteinsson, og siden med jarlen Karl Sonesson* og så med sveakongen Magnus*. Hun og kong Inge Haraldsson hadde samme mor. Til sist ble hun gift med jarlen Birger Brosa. De hadde fire sønner, Filippus jarl*, Knut jarl, Folke og Magnus. Døtrene deres var Ingegjerd, som ble gift med sveakongen Sørkve*, deres sønn var Jon konge*, og Kristin og Margret. Maria het ei anna datter til Harald Gille; hun var gift med Simon Skalp, sønn til Hall-

---

Raumekongen, kongen over romerikingene.
Inge Hallsteinsson, Karl Sonesson; disse to giftermålene er uhistoriske. Kong Inge, brorsønn til kong Inge Stenkilsson, døde ca. 1124; Karl jarl nevnes ikke etter 1137, mens Brigida ble født kort før 1136.
Magnus var konge i Sverige 1160–1161.
Filippus var jarl i Norge hos kong Sverre og falt 1200.
Sørkve, dvs. Sverker Karlsson, var konge i Sverige 1196–1210.
Jon (Johan Sverkersson), svensk konge 1216–1222.

kjell Huk; deres sønn het Nikolas. Margret het den tredje dattera til Harald Gille; hun var gift med Jon Hallkjellsson, bror til Simon. Imellom disse brødrene hendte det mangt som det kom uenighet av; men jeg vil bare tale om det som jeg synes førte til de største hendinger.

23. Kardinalen Nikolas* fra Roma kom til Norge i Haraldssønnenes dager, og paven hadde sendt ham til Norge. Kardinalen var harm på Sigurd og Øystein, og de ble nødt til å forlike seg med ham. Men han var overmåte vennlig mot Inge og kalte ham sin sønn. Da de alle var forlikte med ham, gav han samtykke til at Jon Birgersson ble satt til erkebisp i Trondheimen, og han gav ham det klede som heter pallium*, og han sa at erkebispstolen skulle være i Nidaros ved Kristkirken, der kong Olav den hellige hviler; men før hadde det bare vært lydbisper i Norge.

Kardinalen fikk vedtatt at ingen mann skulle ha lov til å gå med våpen i kjøpstedene så nær som de tolv mann som skulle følge kongen. På mange måter fikk han bedret sedene blant folket i Norge mens han var der i landet. Ikke har det kommet noen utlending til Norge, som alle mennesker satte så høyt, eller som har hatt så mye å si hos folk, som han. Han reiste sørover med store vennegaver, og han sa at han alltid ville være nordmennenes beste venn. Da han kom sør til Roma, døde brått han som var pave før*, og hele folket i Roma ville ta Nikolas til pave; så han ble vigd til pave med navnet Adrianus*. Så sier de som i hans tid kom til Roma, at aldri hadde han så viktige saker å tale med andre menn om at han ikke alltid først talte med nordmennene når de ville tale med ham. Han var ikke lenge pave; nå blir han reknet for hellig.

24. I Harald Gilles sønners dager hendte det at en mann som het Halldor, kom ut for venderne, og de tok ham og lemlestet ham. De skar hull på strupen og drog ut tunga og skar av tungerota. Siden drog han til den hellige kong Olav, vendte hugen sin fast til den hellige mann og gråt mye og bad kong Olav gi ham mål og helse. Da fikk han mål og miskunn av denne gode kongen og ble straks hans tjenestemann for alle sine livsdager, og han ble en ypperlig og trofast mann. Dette jærtegn hendte en halv måned før den seinere olavsmesse på den dag da kardinal Nikolas steig i land i Norge*.

25. Det var to brødre på Opplanda, ættstore og rike menn, Einar og Andres, sønner til Guttorm Gråbarde og morbrødre til kong Sigurd Haraldsson; der hadde de sin odel og all sin eiendom. De hadde ei søster som var svært vakker, men hun var ikke varsom nok for vondt folks snakk, som det viste seg siden. Hun var hyggelig og vennlig mot en engelsk prest, som het Rikard, og som oppholdt seg der hos brødrene hennes. Hun gjorde ham mangt til vilje og gjorde

Nikolas, dvs. Nicolaus Brekespear, var engelskmann.
Pallium var tegnet på erkebiskopverdigheten.
Han som var pave før, dvs. pave Anastasius IV, død 1154.
Hadrian IV, pave 1154–1159.
Kardinal Nikolas . . . i Norge, 20. juli 1152 (el. 1153?).

ofte godt imot ham av godvilje. Da gikk det ikke bedre enn at det kom ut stygge ord om denne kvinna. Siden da saken var kommet på folkemunne, gav alle presten skylden, og det gjorde også brødrene hennes. Så snart de ble var dette, sa de det til folk at det var rimeligst å legge skyld på ham på grunn av det store vennskap som hadde rådd mellom ham og deres søster. Dette ble nå til stor ulykke for dem, som ventelig var, da brødrene tidde still om sin lønnlige list og ikke lot seg merke med noe.

Men en dag kalte de presten til seg; han ventet seg ikke annet enn godt av dem. De lokket ham hjemmefra med seg og sa at de skulle til en annen bygd og greie med noe som var nødvendig for dem, og de bad ham følge med. De hadde med seg en av tjenerne sine, som kjente til deres planer. De fór i båt langsmed stranda opp etter en innsjø som heter Rond*, og de gikk i land ved et nes som heter Skiftesand. Der gikk de opp på land og holdt leik en stund. Så gikk de til et sted der ingen så dem, og så bad de tjenestekaren å gi presten et slag med øksehammeren. Han slo til ham så han lå i svime. Da han kom til seg sjøl igjen, sa han: «Hvorfor skal dere fare så hardt med meg i leiken?» Da svarte de: «Om så ingen sier deg det, så skal du nå få kjenne hva du har gjort,» og så kom de med beskyldningene mot ham. Han nektet og bad Gud og den hellige kong Olav dømme dem imellom.

Nå knuste de den ene leggen på ham, og så slepte de ham mellom seg til skogen og bandt hendene hans bak på ryggen. Deretter la de et reip om hodet på ham og et bord under akslene og hodet og satte i en pinne, som de strammet reipet med. Så tok Einar en treplugg og satte på øyet til presten, og tjeneren hans stod ved sida av og slo på den med øksa, og sprengte øyet så det straks falt ned i skjegget. Og så satte han trepluggen på det andre øyet og sa til tjeneren: «Slå ikke fullt så hardt!» Han gjorde så; da glapp pluggen av øyesteinen og sleit øyelokket fra. Så tok Einar øyelokket med handa og holdt det opp, og så at øyesteinen ennå var på plass. Da satte han pluggen ute ved kinnet, og tjeneren slo så; da sprang øyesteinen ned på kinnbeinet der det var høyest. Siden åpnet de munnen på ham og tok tunga og drog den ut og skar den av, og så løste de hendene hans og hodet.

Så snart han kom til seg sjøl igjen, da kom det for ham at han skulle legge øyesteinene på plass oppe ved brynene, og han holdt på dem med begge hender så godt som han kunne. Så bar de ham til båten og fór til en gard som heter Sæheimrud* og gikk i land der. De sendte en mann opp til garden for å si at det lå en prest der i båten ved stranda. Mens mannen som de hadde sendt av sted, var borte, spurte de om presten kunne tale, og han bladret med tunga og ville prøve å tale. Da sa Einar til broren: «Om han kommer seg, og tungestubben gror til, er jeg redd han vil komme til å tale.» Så klipte de tungestubben av ham med ei tang, og så drog de i den og skar to

---

Rond, nå Randsfjorden.
Sæheimrud, nå visstnok garden Askjum i Brandbu.

ganger ned i den og tredje gangen ned i tungerota, og så lot de ham ligge der halvdød.

Kona der på garden var fattig, men likevel gikk hun straks ut sammen med dattera, og de bar ham hjem til hus i kappene sine. Så gikk de og hentet en prest; da han kom dit, bandt han om alle sårene på ham, og de prøvde å hjelpe ham så godt de kunne. Slik lå han der nå, den sårede presten, ynkelig tilredt, men han satte sin lit til Guds miskunn og mistvilte aldri; enda han var målløs, bad han til Gud i tankene og med et sorgfullt hjerte, og mer og mer tillitsfullt dess sjukere han ble. Han vendte også hugen til den milde kongen, Olav den hellige, Guds herlige venn; han hadde før hørt mangt fortelle om hans mektige gjerninger, og han trodde derfor så mye fastere av hele sitt hjerte på hjelp fra ham i sin nød. Da han lå der lam og helt maktløs, gråt han sårt og ynket seg og bad med sårt hjerte den herlige kong Olav om hjelp.

Etter midnatt sovnet presten så såret han var; da syntes han å se at en gjæv og gild mann kom til ham og sa: «Ille er du nå medfart, Rikard lagsfelle; jeg ser at nå makter du ikke mye.» Han syntes at han sa ja til det. Da sa han til ham: «Du trenger miskunn.» Presten svarte: «Jeg kunne trenge miskunn fra Gud den allmektige og fra kong Olav den hellige.» Han svarte: «Det skal du få også.» Så tok han i tungestubben til presten og halte så hardt i den at det gjorde vondt, etterpå strøk han med handa si over øynene på ham og over foten og andre lemmer som var såret. Da spurte presten hvem det var. Mannen så på ham og sa: «Olav er her, nord fra Trondheimen» – og så forsvant han, men presten våknet helt frisk og tok straks til å tale. «Sæl er jeg nå,» sa han, «Gud være takk og den hellige kong Olav; han har gitt meg helsa igjen.» Og så ille han før var medfaren, likså brått fikk han hjelp for sin ulykke; og han kjente det som han verken hadde vært såret eller sjuk, tunga var hel, begge øynene var kommet i lag, beinbruddene hadde grodd sammen, og alle andre sår hadde grodd eller var frie for verk, og han hadde fått den beste helse. Men til tegn på at øynene hadde vært utstukket, grodde det et hvitt arr på hvert øyelokk, for at en kunne se den gjæve konges herlighet på denne mannen som hadde vært så ynkelig tilredt.

26. Øystein og Sigurd var blitt uforlikte fordi kong Sigurd hadde drept en hirdmann for kong Øystein, Harald den vikværske som hadde hus i Bergen, og en til, presten Jon Tapard, sønn til Bjarne Sigurdsson. Derfor avtalte de forliksstevne med hverandre om vinteren på Opplanda. De to satt lenge i samtale, og det ble til slutt avtalt at alle brødrene skulle møtes i Bergen sommeren etter. Det var med i deres avtale at de skulle være enige om at kong Inge skulle ha bare to eller tre garder og så stor eiendom ellers at han kunne ha tretti mann omkring seg, og de syntes at han ikke så ut til å ha god nok helse til å være konge.

Inge og Gregorius fikk høre om dette, og de reiste til Bergen med mange menn. Sigurd kom litt etterpå, og han hadde mye mindre folk. Da hadde Inge og Sigurd vært konger over Norge i nitten år.

Gjester kommer inn i en skytning.

Øystein kom siden østfra Viken, men de andre to kom nordfra. Da lot kong Inge blåse til tings på Holmen*, og der kom Sigurd og Inge med mye folk. Gregorius hadde to skip og godt og vel nitti mann, som han holdt på egen kostnad. Han holdt huskarene sine bedre enn andre lendmenn gjorde, for han drakk aldri i skytninger* uten at alle huskarene drakk med ham. Han gikk med forgylt hjelm til tinget, og alle hans menn var hjelmkledde. Kong Inge stod opp og sa til mennene hva han hadde hørt om hvordan brødrene ville ordne det med ham, og han bad om hjelp. Hele mengden gav gode tilrop til talen hans, og de sa de ville følge ham.

27. Da stod kong Sigurd opp og talte; han sa det var usant det som Inge beskyldte dem for, og at det var Gregorius som fant på slikt. Han sa at det skulle ikke vare lenge før de fikk et slikt møte – dersom han fikk rå – at han skulle få støtt ned den forgylte hjelmen; han sluttet talen sin med å si at ikke skulle de leve lenge begge to. Gregorius svarte og sa at han tenkte at han ikke skulle trenge å lengte så etter et møte, for han var ferdig. Få dager etterpå ble en av huskarene til Gregorius drept ute på stretet, og drapsmannen var en av huskarene til kong Sigurd. Da ville Gregorius gå på kong Sigurd og mennene hans, men kong Inge og mange andre menn rådde fra.

Da Ingerid, mor til kong Inge, gikk fra aftensang, fant hun et sted Sigurd Skrudhyrna liggende drept. Han var hirdmann hos kong Inge og så gammel at han hadde tjent mange konger. Drapsmennene var kong Sigurds menn, Hallvard Gunnarsson og Sigurd, sønn til Øystein Travale, og folk beskyldte Sigurd for å stå bak. Da gikk Ingerid med en gang til kong Inge og sa til ham at han kom til å være en liten konge lenge når han ikke ville gjøre noe ved det at hirdmennene hans ble drept, den ene etter den andre, liksom svin. Kongen ble harm over hennes klander, og mens de trettet om det, kom Gregorius gående inn i hjelm og brynje og bad kongen ikke bli harm, og han sa at det var sant det hun sa. «Her er jeg kommet og vil hjelpe deg, dersom du vil gå imot kong Sigurd, og her er mer enn hundre mann ute i gården, huskarene mine, hjelmkledde og brynjekledde, og vi skal gå imot fra den kanten som andre synes er farligst.»

De fleste rådde fra, og sa at Sigurd nok ville gi bot for ugjerningen. Da Gregorius skjønte at planen holdt på å gå over styr, sa han til kong Inge: «Slik plukker de deg; for kort tid siden drepte de en huskar for meg og nå en hirdmann for deg; og de vil nok felle meg eller en annen lendmann som de mener du vil lide mye ved å miste, når de ser at du ikke gjør noe ved det; og så tar de fra deg konge-

Dronning Ingerid og Gregorius egger kong Inge.

dømmet når vennene dine er tatt. Hva så de andre lendmennene dine vil gjøre, så vil jeg ikke vente på å bli hogd ned som et naut, og nå i natt skal Sigurd og jeg gjøre en handel som får gå som den kan. For det første er det låkt med deg for din vanhelse, og dessuten tror jeg du har liten vilje til å holde oppe vennene dine. Men nå er jeg fullt ferdig til å gå mot Sigurd herfra, for her ute er merket mitt.» Kong Inge stod opp og bad om å få hærklærne sine, og han bad hver mann som ville følge ham, å gjøre seg i stand; og han sa at det nyttet ikke å rå ham fra; han hadde veket unna lenge, men nå fikk stålet avgjøre saken mellom ham og Sigurd.

28. Kong Sigurd satt og drakk i gården til Sigrid Sæta. Han rustet seg, men tenkte at det ikke ville bli noe av med angrepet. Da kom de mot gården, kong Inge ovenfra Smedbuene, Arne kongsmåg ute fra Sandbru, Aslak Erlendsson fra gården sin, men Gregorius fra stretet, og derfra mente de det var farligst å gå fram. Sigurd og hans folk skjøt mye fra loftsgluggene, og de brøt ned ovnene og kastet steinene på dem. Gregorius og mennene hans brøt opp gårdsporten, og der i porten falt en av kong Sigurds menn, Einar, sønn til Lakse-Pål; Hallvard Gunnarsson falt også, men han ble skutt inne på loftet, og ingen mann sørget over ham. De hogg ned husene, og kong Sigurds menn gikk fra ham og bad om grid.

Så gikk Sigurd opp på et loft og ville be om å få lyd; han hadde gull-lagt skjold. Folk kjente ham og ville ikke høre på ham; de skjøt på ham, og pilene fløy så tett at det var som å se i snøføyke, og der kunne han ikke være. Men da folkene hans hadde gått fra ham, og huset nesten var hogd ned, da gikk han ut og med ham hans hird-mann Tord Husfrøya, en vikværsk mann; de ville dit som kong Inge var, og Sigurd ropte på Inge sin bror at han skulle gi ham grid. Men de ble straks hogd ned, begge to, og Tord Husfrøya falt med stor ære. Der falt mange mann av Sigurds folk, enda jeg nevner bare få, og likeså av Inges folk; av Gregorius' folk falt fire mann, og så falt det en del som ikke var med noen av dem, men som kom ut for skudd nede på bryggene eller ute på skipene.

Slaget stod fjorten dager før jonsok*, og det var en fredag. Kong Sigurd ble jordet ved den gamle Kristkirken ute på Holmen. Kong Inge gav Gregorius det skipet kong Sigurd hadde eid. To eller tre dager etterpå kom kong Øystein østfra med tretti skip, og han hadde med seg Håkon, sin brorsønn. Han styrte ikke inn til Bergen, men ble liggende i Florvåg. Det gikk bud mellom ham og kong Inge for å forlike dem. Men Gregorius ville at de skulle legge ut imot dem, for det ble ikke bedre siden; han sa at han sjøl ville være høvding på ferden, «men du, konge, skal ikke være med; nå har vi folk nok.» Men mange rådde fra, og derfor ble det ikke noe av ferden. Kong Øystein fór øst i Viken, men kong Inge nord til Trondheimen, og da var de å rekne for forlikte, men de møttes ikke sjøl.

29. Gregorius Dagsson reiste østover kort etter kong Øystein og

var oppe på Hovund* på garden sin Bratsberg. Kong Øystein var inne i Oslo og lot dra skipene sine mer enn to sjømil på isen, for det lå mye is inne i Viken. Han tok opp til Hovund og ville ta Gregorius til fange; men Gregorius hadde fått greie på det og drog seg unna opp i Telemark med nitti mann, og så nordover fjellet, og han kom ned til Hardanger og fór så til Støle i Etne. Der bodde Erling Skakke; men han hadde reist nord til Bergen. Kristin, kona hans, datter til kong Sigurd Jorsalfare, var hjemme, og hun bød Gregorius den hjelp han ville ha derfra. Gregorius fikk god mottakelse der; han fikk med seg et langskip derfra som Erling eide, og alt det han trengte. Gregorius takket henne vel, og sa at hun hadde opptrådt på stormannsvis, slik som det var å vente. Så reiste de til Bergen og fant Erling, og han syntes at hun hadde gjort rett.

30. En stund etterpå reiste Gregorius Dagsson nord til kaupangen og kom dit før jul. Kong Inge ble svært glad da han kom, og bad ham ta så mye av hans eiendom som han ville. Kong Øystein brente garden til Gregorius og hogg ned buskapen. De nausta som kong Øystein den eldre hadde latt gjøre nord i kaupangen, og som var kostbare bygninger, ble brent om vinteren; noen gode skip til kong Inge strøk også med. Dette verk vakte stor harme blant folk, og det ble sagt at kong Øystein stod bak, og likeså Filippus Gyrdsson, fosterbror til kong Sigurd.

Sommeren etter fór Inge sørover så mannsterk som mulig; men kong Øystein kom østfra, og han samlet folk til seg. De møttes ved Seløyene, nord for Lindesnes, og kong Inge hadde mange flere folk. Det var nær på at de hadde kommet i slag. De ble forlikt på det vilkår at Øystein skulle betale 45 mark gull; kong Inge skulle ha tretti mark fordi Øystein hadde stått bak planen om å brenne skipene og nausta; Filippus og alle de som hadde vært med på brannen, da skipene ble brent, skulle være utlege. De menn skulle også være utlege, som var skyldige i drapet på kong Sigurd; for kong Øystein lastet kong Inge for at han hadde hos seg de mennene. Gregorius skulle ha femten mark fordi kong Øystein hadde brent for ham.

Kong Øystein likte dette ille, og han syntes det var et tvangsforlik. Kong Inge tok øst til Viken fra stevnet, og Øystein nord til Trondheimen. Siden var kong Inge i Viken, og Øystein nordpå, og de møttes ikke. Mellom dem fór bare slike ord som ikke førte til forlik. Hver av dem lot også drepe vennene til den andre, og det ble ingenting av med betalingen fra Øystein. Hver av dem beskyldte også den andre for at han ikke holdt avtalen. Kong Inge og Gregorius lokket mange menn fra kong Øystein, Bård Standale Brynjolvsson og Simon Skalp, sønn til Hallkjell Huk og mange andre lendmenn, Halldor Brynjolvsson og Jon Hallkjellsson.

31. Da det var gått to år etter kong Sigurds fall*, drog kongene hær sammen, Inge østfra landet, og han fikk åtti skip, men kong

Øystein nordfra, og han fikk 45 skip. Da hadde han den store draken, som kong Øystein Magnusson hadde latt bygge, og de hadde et stort og svært godt mannskap. Kong Inge lå med skipene sør ved Moster, og Øystein lå litt lenger nord i Grøningsund*. Kong Øystein sendte Aslak Jonsson Unge og Arne Sæbjørnsson Sturla sør til Inge; de hadde ett skip. Da Inges menn kjente dem, la de mot dem og drepte mange av dem, tok skipet og alt som hørte til det, og hele ladningen. Men Aslak og Arne og noen mann med dem kom seg opp på land og tok vegen til kong Øystein, og fortalte ham hvordan kong Inge hadde tatt imot dem.

Da holdt kong Øystein husting, og sa til sine menn hvilken ufred Inge og hans menn ville få i stand, og han bad mannskapet at de skulle følge ham. «Vi har så stor og god hær at jeg ikke vil rømme unna noensteds dersom dere vil følge meg.» Men det kom ingen tilrop til talen hans. Hallkjell Huk var der, men begge sønnene hans, Simon og Jon, var hos Inge. Hallkjell svarte så mange hørte det: «La nå gullkistene dine følge deg og verge landet ditt.»

32. Natta etter rodde de lønnlig bort med mange skip, noen ville gi seg i lag med kong Inge, og noen ville til Bergen og noen inn i Fjordane. Om morgenen da det var lyst, lå kongen igjen med bare ti skip. Da lot han den store draken ligge etter der, fordi den var tung under årene, og likeså flere skip. De skamhogg draken, og så slo de i stykker øltønnene sine, og alt det som de ikke kunne ta med seg, spilte de. Kong Øystein gikk om bord på skipet til Eindride Jonsson Mornev, og de seilte nordover og inn i Sogn; derfra tok de landvegen øst til Viken.

Kong Inge tok skipene og fór sjøvegen øst til Viken. Da var kong Øystein øst for Folden* og hadde nær tolv hundre mann. Da de så kong Inges flåte, syntes de at de ikke hadde folk nok og sprang unna til skogs. De rømte hver og en til sin kant, så kongen bare hadde én mann med seg. Kong Inge og hans folk ble var hvor Øystein hadde tatt vegen, og likeså at han hadde få folk med seg. De gikk for å leite etter ham. Simon Skalp fant ham i det samme han kom imot dem ut fra et riskratt. Simon hilste på ham: «Vel møtt, herre!» sa han. Kongen sa: «Jeg vet ikke bedre enn at du nå synes å være min herre.» «Det er nå som det lager seg,» sa Simon. Kongen bad at han skulle la ham slippe bort, og sa at det sømmet seg for ham, «for lenge har det vært godt mellom oss to, om det så er annerledes nå.» Simon sa da at det skulle det ikke bli noe av. Kongen bad om at han først måtte få høre messe, og det fikk han. Så la han seg med ansiktet ned, rettet hendene ut fra seg, og bad dem hogge ham i kors mellom akslene, og han sa at da skulle de få vite om han tålte jern eller ikke, slik som lagsmennene til kong Inge hadde sagt.

Simon sa til ham som skulle hogge, at han skulle gå til verket; kongen hadde krøpet helst litt for lenge omkring i lynget der, sa han.

Grøningsund, sundet mellom Fana og sørlige del av Sotra.
Folden, dvs. Oslofjorden.

Simon Skalp og mennene hans finner kong Øystein.

Så fikk kongen hogget, og de syntes han tok det med ære. Liket hans ble flyttet til Fors*, og det ble satt for natta under bakken sør for kirken. Kong Øystein ble jordet i Forskirken, og grava hans er midt på kirkegolvet, og et teppe er lagt over; folk rekner ham for hellig. Der han ble hogd, og blodet hans kom på jorda, spratt det opp ei kjelde, og en annen under bakken der hvor liket hans var satt for natta. Av vannet fra begge disse brønnene synes mange menn å ha fått helsebot. Det forteller vikværingene at det hendte mange jærtegn ved grava til kong Øystein, helt til uvennene hans helte suppe kokt på hundekjøtt på grava.

Simon Skalp ble sterkt klandret for denne gjerning. At det gikk for seg som her er fortalt, blir vanlig sagt mellom folk. Men noen sier at da kong Øystein var tatt til fange, sendte Simon en mann til kong Inge, men kongen bad at Øystein ikke skulle komme for øynene på ham. Så har kong Sverre latt skrive, men det sier Einar Skulason:

> *Han som til mord har seg vennet*
> *og med mye ondskap sveik kongen,*
> *han vil seint få sin frelse,*
> *Simon Skalp, for slik udåd.*

Fors, se merkn. s. 594.

Håkon Herdebreis saga

 ÅKON, sønn til kong Sigurd, ble tatt til høvding over den flokken som hadde fulgt kong Øystein, og mennene i flokken gav ham kongsnavn. Da var han ti år gammel. Med ham den gang var Sigurd, sønn til Hallvard, storbonde på Rør* og Simonssønnene Andres og Ånund, fosterbrødrene til Håkon, og mange andre høvdinger og venner til kong Øystein og kong Sigurd. De tok først opp i Götaland. Kong Inge la under seg alt det som de eide i Norge og gjorde dem utlege. Kong Inge reiste nord i Viken og var der, men stundom var han nord i landet. Gregorius var i Konghelle, hvor fare var nærmest, og der verget han landet.

2. Sommeren etter* kom Håkon og hans menn ned fra Götaland, og de kom til Konghelle med en stor og vakker styrke. Gregorius var der i byen, og han holdt et ting som det kom mange både bønder og bymenn til, og han krevde hjelp; men han syntes folk var lite villige, og han sa at han trodde dem ille. Han reiste bort med to skip og inn i Viken, og han var lite glad. Han ville fare til kong Inge; han hadde fått vite at kong Inge kom med en stor hær sørover gjennom Viken. Da Gregorius hadde kommet et kort stykke nordover, møtte han Simon Skalp og Halldor Brynjolvsson og Gyrd Åmundesson, kong Inges fosterbror. Gregorius ble svært glad da han møtte dem; han vendte om, og alle fulgte med ham, og de hadde elleve skip.

Da de rodde opp til Konghelle, holdt Håkon og hans menn ting utenfor byen, og så at de kom. Da sa Sigurd fra Rør: «Nå er Gregorius feig* når han farer i hendene på oss med så lite folk.» Gregorius la til land rett imot byen og ville bie på kong Inge, som var ventende, men han kom ikke. Kong Håkon rustet seg i byen, og satte Torljot Skauveskalle til høvding over mannskapet på de kjøpskipene som lå ved byen; han var viking og ransmann. Håkon og Sigurd og hele hæren var i byen og stilte seg opp i fylking på bryggene. Alle menn der i byen hadde gitt seg under Håkon.

3. Gregorius og hans folk rodde opp etter elva og lot skipene drive for strømmen ned mot Torljot og hans folk. De skjøt på hverandre ei tid, til Torljot og kameratene hans måtte hoppe over bord. Noen ble drept, og noen kom seg opp på land. Så rodde Gregorius og hans

Rør på Ringsaker i Hedmark.
Sommeren etter, år 1158.
Feig, dvs. kommer snart til å dø; er bestemt til å dø innen kort tid.

menn inn til bryggene, og Gregorius lot straks sette opp landganger fra skipet sitt under føttene på Håkons menn. Da falt den mannen som bar merket hans med det samme han ville gå på land. Da bød Gregorius Hall, sønn til Audun Hallsson, å ta opp merket, og Gregorius gikk like etter ham og holdt skjoldet fram over hodet på ham. Men straks Gregorius kom opp på bryggene, og Håkons menn kjente ham, drog de seg tilbake, og det ble plass på begge sider. Da flere folk kom opp fra skipene, gikk Gregorius og hans menn fram, men Håkons menn drog seg tilbake, og så sprang de opp i byen. Men Gregorius og hans folk fulgte etter dem og dreiv dem to ganger ut av byen og drepte mange.

Det sier folk at aldri har noen fart djervere ferd enn den Gregorius fór, for kong Håkon hadde mer enn førti hundre mann, men Gregorius ikke fullt fire hundre. Da sa Gregorius til Hall Audunsson etter slaget: «Jeg synes at mange er mer lettvinte når de går på enn dere islendinger, for dere er mindre oppøvd enn vi Norges-menn, men ingen synes jeg er mer våpendjerv enn dere er.» Da kom Inge kort etter og lot drepe mange menn som hadde gitt seg under Håkon, men somme lot han betale bøter, for somme brente han gardene, og somme dreiv han ut av landet og gjorde mye vondt mot dem. Om vinteren reiste Håkon landvegen nord til Trondheimen, og han kom dit før påske*. Trønderne tok ham til konge slik at han skulle ha farsarven sin, tredjeparten av Norge, med kong Inge. Inge og Gregorius var i Viken, og Gregorius ville fare nord imot dem, men mange rådde fra, og det ble det ikke noe av den vinteren.

4. Håkon reiste sørover om våren med nesten tretti skip. Vikværingene i Håkons hær fór først med åtte skip og herjet på Nordmøre og Sunnmøre. Ingen mann kunne minnes at det før hadde vært herjet mellom kjøpstedene. Jon, sønn til Hallkjell Huk, samlet en bondehær og gikk mot dem og tok Kolbein Ode og drepte hver sjel på skipet hans. Så lette han etter de andre, og han fant dem med sju skip og kjempet med dem. Men Hallkjell, far hans, kom ikke og møtte ham som de hadde avtalt. Der falt mange gode bønder, og Jon sjøl ble såret.

Håkon fór sør til Bergen med flåten sin, og da de kom til Stjornvelta*, fikk de høre at kong Inge og Gregorius få dager i forvegen var kommet østfra til Bergen, og da torde de ikke styre dit. De seilte utaskjærs sør forbi Bergen og møtte der noen av Inges tilhengere på tre skip, som var blitt sinket på reisen østfra. Der var Gyrd Åmundesson, fosterbror til kong Inge, han var gift med Gyrid, søster til Gregorius, den andre var lagmannen Gyrd Gunnhildsson, og den tredje var Håvard Klining. Håkon lot drepe Gyrd Åmundesson og Håvard Klining, men han tok Gyrd lagmann med seg og reiste øst til Viken.

5. Da kong Inge fikk vite det, reiste han østover etter dem. De

---

1. påskedag i 1159 var 12. april.
Stjornvelta, ukjent sted nå.

Kong Håkons hær binder bakstavnene til pålene.

møttes øst i Göta älv. Kong Inge la oppover den nordre armen og sendte speidere foran seg for å få greie på Håkon og hans folk. Kong Inge la til land ute ved Hisingen og ventet på speiderne der. Da speiderne kom igjen, gikk de til kongen og sa at de hadde sett kong Håkons flåte og hele den stilling den hadde. De sa at de lå oppe ved pålene og hadde bundet bakstavnene fast i dem; «de har to Østersjø-knarrer, som de har lagt ytterst av alle skipene.» På begge knarrene var det kastell i mastetoppen, og kastell var det også i framstavnene. Da kongen hadde fått vite hvordan de var rustet, lot han blåse hele hæren sammen til husting. Da tinget var sammenkalt og satt, spør kongen mennene sine til råds og vendte seg til Gregorius Dagsson og til sin måg Erling Skakke og til andre lendmenn og skipsførere og forteller dem om hele utrustningen til Håkon og mennene hans.

Gregorius svarte først og la fram sin mening; han talte så: «Vi og Håkon har møtt hverandre noen ganger før, og de har oftest hatt flere folk, og likevel har de fått den minste delen når vi har noe å strides om. Men nå har vi en mye større hær, og nå vil de som nylig har mistet gjæve frender for dem, finne det rimelig at her kunne det lage seg godt til å få hevn, for de har rømt unna for oss lenge nå i sommer. Vi har ofte sagt at om de bier på oss slik som det er sagt at de gjør nå, skulle vi våge oss til å møte dem. Jeg må si at min mening er at jeg vil legge til slag mot dem dersom det ikke er mot kongens vilje; for jeg tenker at de, slik som det før har hendt, vil dra seg tilbake om vi går modig på; jeg skal legge til der andre synes det er vanskeligst.»

Til Gregorius' tale ble det stort tilrop, og alle sa seg villige til å legge til slag mot Håkon og mennene hans. Så rodde de med alle skipene oppetter elva, til begge parter kunne se hverandre. Da svingte kong Inge og hans folk ut av strømmen og ut under Hisingen. Kongen hadde da en samtale med alle skipsførerne og bad dem ordne seg til strid. Så vendte han seg til Erling Skakke og sa, som sant var, at ingen mann i hæren var klokere eller skjønte seg bedre på slag, enda andre kunne være ivrigere til å drive på. Kongen vendte seg så til flere lendmenn i talen sin, nevnte somme ved navn, men sluttet talen slik at han bad hver legge fram det rådet som han mente var mest gagn i, og at siden skulle alle være enige om én ting.

6. Erling Skakke svarte på kongens tale: «Jeg er skyldig, konge, til ikke å tie til Deres tale. Men om De vil vite hva jeg vil rå til, da skal jeg la Dem høre det. Den plan som nå er lagt, er tvert imot min mening; for jeg mener det er uråd å kjempe mot dem slik som det nå er stelt, enda om vi har en stor og vakker hær. Om vi skal legge imot dem og ro imot strømmen med tre mann i hvert halvrom, da må én ro, den andre må holde skjoldet over ham; hva er så det, annet enn at bare en tredjedel av mannskapet kan være med å kjempe. Jeg mener at de som sitter ved årene og vender ryggen til fienden, ikke vil gjøre stort gagn i slaget. Gi meg tid til å legge råd, så lover jeg at innen tre dager skal jeg ha funnet en utveg, så vi lettere kan komme til å legge imot dem.»

Og det kunne en godt merke på Erlings tale at han rådde fra å legge til kamp, men mange andre egget ikke mindre til. De sa at Håkon og hans menn nok ville springe opp på land nå som før; «og da får vi ikke tak på dem,» sa de, «men nå har de en liten hær, og nå har vi dem helt i vår makt.» Gregorius talte bare få ord om det, og han slo på det at grunnen til at Erling rådde fra at de skulle legge mot dem, var mest den at han ville velte de råd som Gregorius kom med, heller enn at han skulle ha så mye bedre skjønn på dette enn alle andre.

7. Da sa kong Inge til Erling: «Måg, nå vil vi følge dine råd, om hvordan vi skal ordne oss når vi legger imot dem. Men vi vil legge mot dem i dag, siden våre rådgivere helst vil det.» Da sa Erling: «Alle småskuter og lette skip skal ro ut om øya og opp den østre armen og så ned mot dem; og de skal prøve om de kan få løst dem fra pålene. Så skal vi ro med storskipene mot dem, og ingen vet før vi har fått prøve det, om de andre er likså mye bedre til å legge imot fienden som de er hissigere, enn jeg.» Dette rådet likte alle godt.

Det gikk et nes fram mellom dem og Håkon, så ingen av partene kunne se skipene til motparten. Da nå alle småskutene tok til å ro nedover elva, fikk Håkon og hans menn se det; like i forvegen hadde de vært til samtale og holdt råd. Der hadde somme sagt at kong Inges hær nok ville legge mot dem, men mange hadde ment at de ikke ville våge seg til det, da de syntes at det drog ut med angrepet; og de hadde satt sin lit til sin forsvarsstilling og sin folkestyrke. I flokken deres var det mange stormenn; der var Sigurd fra Rør og de to Simonssønnene, der var også Nikolas Skjaldvorsson og Eindride, sønn til Jon Mornev, som da var den gjæveste og vennesæleste mannen i Trøndelag, og der var mange andre lendmenn og høvdinger.

Da de nå fikk se at Inges menn rodde med mange skip utetter elva, da trodde Håkons hær at nå ville Inges hær flykte, og de kappet tauene som bandt skipene, greip årene og rodde etter dem og ville forfølge dem. Skipene dreiv fort for strømmen, og da det bar nedover elva med dem, forbi neset, som før hadde vært imellom dem, fikk de se at hovedstyrken til Inge lå ute ved Hisingen. Da Inges menn nå fikk se at skipene til Håkon kom nedover, tenkte de at de ville legge mot dem. Da ble det stort oppstyr og våpenbrak og oppegging, og de satte i hærrop. Håkon og hans menn vendte da skipene inn mot nordlandet, der er ei lita vik, så de kom ut av strømmen. Der laget de seg til; de festet bakstavnene i land og vendte ut framstavnene, så bandt de sammen alle skipene, de lot Østersjøknarrene ligge utenfor de andre skipene, den ene ovenfor og den andre nedenfor, og bandt dem fast til langskipene. Midt i flåten lå kongsskipet og nærmest det Sigurds skip. På den andre sida av kongsskipet lå Nikolas, og så Eindride Jonsson. Alle de mindre skipene lå lenger ut. De hadde nesten fylt alle skipene med stein og våpen.

8. Sigurd fra Rør holdt en tale og sa: «Det ser nå ut til at det blir noe av det som lenge har vært lovt oss, at vi og Inge skal møtes. Nå har vi også rustet rettelig lenge imot dem, og mange av våre menn har talt stort om at de ikke ville flykte eller skjelve for kong Inge eller Gregorius, og nå er det godt å minnes deres ord. Men vi som før er blitt noe tannsåre i våre nappetak med dem, kan tale med mindre trygghet om dette. Og det er så som hver mann har hørt, at de ferder vi har gjort mot dem, ofte har vært til lite hell for oss. Men ikke dess mindre er det nå nødvendig at vi gjør så mandig motstand og står så fast som vi kan, for det er den utveg vi har til å få seier. Om vi så har litt færre folk, så må lykken likevel rå for hvem som skal vinne. Det er det beste håp vi har for vår sak, at Gud vet at vi har retten på vår side. Inge har før hogd ned de to brødrene sine; men det kan hver mann se hvilke farsbøter han har tiltenkt kong Håkon: å hogge ham ned som sine andre frender; det vil vise seg på denne dag. Fra først av krevde Håkon ikke mer av Norge enn den tredjepart som far hans hadde hatt, og det ble nektet ham. Etter min mening har Håkon større rett til å ta arv etter Øystein, sin farbror, enn Inge eller Simon Skalp eller de andre som tok kong Øystein av dage. Mange som kunne ha gjort slike store synder som Inge, og som ville frelse sin sjel, kunne nok synes at de ikke for Gud torde våge å kalle seg med kongsnavn, og det undres jeg på at Gud tåler slik frekkhet av ham, og det er sikkert Guds vilje at vi skal slå ham ned. La oss kjempe djervt, for Gud vil gi oss seier; men om vi faller, vil Gud lønne oss for det med mangfoldig glede, dersom han gir onde menn makt til å overvinne oss. Far nå sindig fram, og vær ikke redde om det kommer til slag. Ta nå hver og en vare på seg sjøl og sine sidemenn, og Gud være med oss alle!»

Det ble gjort gode tilrop til Sigurds tale, og alle lovte dyrt at de skulle stå godt imot. Kong Håkon gikk opp på Østersjø-knarren, og der ble satt skjoldborg om ham; men merket hans var på det langskipet som han før hadde vært på.

9. Om Inges menn skal vi nå fortelle, at da de fikk se at Håkons menn laget seg til slag, og bare elva var mellom dem, sendte de ei lettrodd skute ut etter den del av flåten som hadde rodd bort, med bud om at de skulle snu; men kongen og resten av hæren ventet på dem, og de ordnet flåten til å legge ut i slag. Da talte høvdingene og satte mannskapet inn i slagplanen, og de sa først fra om hvilke skip skulle ligge nærmest. Gregorius sa: «Vi har stort og vakkert mannskap; nå er det mitt råd, at De, konge, ikke er med i striden, for har vi Dem, er alt berget; og ingen vet hvor pila til en låk skytter kan slumpe til å råke. De har rustet seg slik at de kommer til å kaste stein og våpen fra toppkastellene på kjøpskipene; da er det litt mindre farlig for dem som ligger lenger borte. De har ikke større hær enn at det høver for oss lendmenn å holde slag med dem. Jeg skal legge mitt skip mot det største skipet hos dem; jeg tenker enda det blir en kort prøve å slåss med dem. Så har det oftest gått når vi har møtt hverandre, om så overmakten har vært på en annen side enn den nå er.»

Dette som Gregorius sa, at kongen sjøl ikke skulle være med i slaget, likte alle godt. Da sa Erling Skakke: «Det råd vil jeg slutte meg til, at De, konge, ikke går med i slaget. Jeg synes at deres utrustning er slik at vi blir nødt til å se oss vel for om vi ikke skal miste altfor mange menn for dem; jeg finner det best å binde om hele lemmer. I den rådlegging vi hadde før i dag, var det mange som talte imot det som jeg rådde til, og de sa at jeg ikke ville kjempe; men jeg synes at det nå har vendt seg, så det ser mye bedre ut for oss, siden de er kommet bort fra pålene. Nå er det kommet til det at jeg ikke vil rå fra å legge til slag, for jeg ser det som alle kan skjønne, hvor rent nødvendig det er å jage bort denne ufredsflokken, som har fart landet rundt med ran og røving, så folk deretter kan bygge landet i fred og tjene én konge som er så god og rettvis som kong Inge er. Nå har han lenge hatt det strevsomt og vanskelig på grunn av overmot og urett fra sine fiender; han har vært et vern for hele folket, og han har kastet seg ut i mangfoldige farer for å frede landet.»

Mangt og godt talte Erling, og likeså flere høvdinger, og enden på alle talene var at de egget til å legge fram til strid. De ventet til hele flåten var samlet. Da hadde kong Inge Bøkesuden, og han gjorde som hans venner bad om, at han ikke la ut til slaget, og han lå igjen ved øya.

10. Da hæren var ferdig, rodde de fram, og de satte i hærrop på begge sider. Inges hær bandt ikke sammen skipene og fór ikke samlet, for de rodde på tvers av strømmen, og storskipene dreiv sterkt. Erling Skakke la til kong Håkons skip og stakk stavnen mellom det og Sigurds skip. Så tok slaget til. Skipet til Gregorius dreiv på grunn og lå og helte sterkt til den ene sida, så det i førstningen ikke kom med i slaget. Da Håkons menn fikk se det, la de borttil og angrep det; men Gregorius' skip ble liggende fast. Da la Ivar, sønn til Håkon Mage, mot Gregorius, og løftingene tørnet mot hverandre. Ivar

krøkte en stavnljå om Gregorius der han var smalest og rykte til seg, så Gregorius ble dradd ut imot esinga; men ljåen glei opp etter sida på ham, og det var nær ved at Ivar fikk krøkt ham over bord. Gregorius ble bare litt såret, for han hadde platebrynje på. Ivar ropte til ham og sa han hadde tjukke hærklær på. Gregorius svarte at slik som Ivar fór fram, kunne han trenge det, og det var ikke noe for mye. Da var det nær ved at Gregorius og hans folk måtte hoppe over bord, men så kastet Aslak Unge et anker opp i skipet deres og drog det av grunnen. Da la Gregorius imot Ivars skip, og de kjempet en lang stund. Skipet til Gregorius var større og hadde flere folk, og da falt det mye folk på Ivars skip; og somme sprang over bord. Ivar ble hardt såret så han ikke kunne kjempe; men da skipet hans var ryddet, lot Gregorius ham føre i land og fikk ham unna, og siden var de venner.

11. Da kong Inge og de som var hos ham, fikk se at Gregorius stod på grunn, sa kongen til mannskapet sitt at de skulle ro bort til ham. Han sa: «Det var et fælt uklokt råd at vi skulle ligge igjen her når vennene våre fór til kamp. Vi har det skipet som er størst og har best mannskap i hele hæren; nå ser jeg at Gregorius trenger hjelp, den mann som jeg har mest å takke for, og la oss ro til slaget så hardt vi kan. Det er rettest også at vi er med i slaget, for jeg vil få æren for seieren om vi vinner den. Men om jeg så visste i forvegen at våre menn ville få useier, var det likevel det eneste vi kunne gjøre, å være der som våre andre menn er. For jeg kan ikke ta meg til noe om jeg mister de menn som er mitt vern, og som er de tapreste menn, og som lenge har vært styrere for meg og mitt rike,» og så bad han dem sette opp merkene, og så ble gjort, og de rodde over elva.

Da var kampen på det villeste, og kongen fikk ikke rom til å legge til, så trangt lå skipene der. Da rodde de inn under Østersjø-knarrene; der ble det sendt over dem spyd og pålstaver og steiner så store at ingenting kunne stå seg imot det, og de kunne ikke være der.

Da hærmennene så at kongen var kommet, gav de rom for ham, og han la seg mot skipet til Eindride Jonsson. Nå gav Håkons menn opp småskipene, og de gikk opp på knarrene, og somme gikk på land. Erling Skakke og hans menn hadde en hard strid; han var i forrommet; han ropte på stavnbuene sine og bad dem gå opp på kongsskipet. De svarte at det var ikke lett, og at det var jern foran på relinga. Erling gikk foran i stavnen, og han hadde ikke vært der lenge før de greide å gå opp på kongsskipet, som de så ryddet. Da tok hele hæren til å flykte, og så sprang mange på sjøen, og mange kom seg unna; og hele mengden kom seg på land, som Einar Skulason sier:

Fra blodig skipsstavn mang en
mann falt ned i dypet;
lik rak bort med elva,
så ulv fikk nok å ete.

Iskald elv ble farget
av det heite blodet;
med vannet ut til havet
det varme blodet strømte.

I elva, uten mannskap,
mangt blodstenkt skip fikk flyte.
Hæren spente buen
og skjøt på våte hjelmer,

før høvdingfølget flyktet
fra hærskip opp i landet.
Sterkt i striden Håkons
flokk av hærmenn minket.

Einar diktet om Gregorius Dagsson en flokk som er kalt Elveviser.

Kong Inge gav Nikolas Skjaldvorsson grid, da skipet hans var ryddet, og han gikk så over til kong Inge og var med ham siden så lenge han levde. Eindride Jonsson sprang om bord på kong Inges skip da hans eget skip var ryddet, og bad om grid; det ville kongen gi ham, men Håvard Klinings sønn sprang til og hogg ham banehogg. Dette verk ble sterkt lastet, men han sa at Eindride var skyld i drapet på Håvard, far hans. Over Eindride ble det sørget mye, men mest i Trøndelag. Der falt det mange av Håkons hær, men ikke flere høvdinger. Av Inges hær falt det få, men mange var såret.

Håkon flyktet opp på land, men Inge tok nord i Viken med hæren; han og Gregorius ble der i Viken om vinteren. Noen av kong Inges menn kom til Bergen fra slaget, det var sønnene til Ivar fra Elda*, Bergljot og brødrene hans; der drepte de Nikolas Skjegg, som hadde vært gjaldkere, og så reiste de hjem nord til Trondheimen. Kong Håkon kom nordpå før jul, men Sigurd var stundom hjemme på Rør. Gregorius hadde fått grid for ham av Inge, så han skulle få ha alle eiendommene sine, for Gregorius og Sigurd var nære frender.

Kong Håkon var i kaupangen i jula. En aften i jula sloss mennene hans i hirdstua; sju mann ble drept, og mange ble såret. Men etter åttende dag jul reiste noen av Håkons tilhengere inn til Elda: Alv Rode, sønn til Ottar Birting, og nesten åtti mann, og de kom dit tidlig på natta da folkene der var drukne, og de satte ild på huset. Mennene gikk ut og verget seg, der falt Bergljot, Ivars sønn, og Ogmund, bror hans, og mange andre menn. De hadde vært nesten tretti mann inne.

Om vinteren døde Andres Simonsson nord i kaupangen, fosterbror til kong Håkon, og det ble sørget sterkt over hans død. Erling Skakke og de av kong Inges menn som var i Bergen, talte om å fare nordover da om vinteren og ta Håkon, men det ble ingenting av. Gregorius sendte bud østfra Konghelle at, om han hadde sittet likså nær som Erling og hans folk, ville han ikke sittet stille i Bergen når Håkon lot drepe vennene til kong Inge og hirdkameratene deres i Trondheimen.

12. Om våren* tok kong Inge og Gregorius vest til Bergen. Men så snart Håkon og Sigurd og hans folk fikk høre det at Inge hadde reist fra Viken, tok de over land øst til Viken. Da kong Inge og hans menn kom til Bergen, kom det opp uvennskap mellom Halldor Brynjolvsson og Bjørn Nikolasson; en av Bjørns huskarer spurte en

Elda i Namdalseid i Nord-Trøndelag.
Om våren, år 1160.

av Halldors, da de møttes nede på bryggene, hvorfor han var så bleik. Han svarte at han hadde årelatt seg. «Ikke ville jeg ha blitt så fisbleik som du er, for en årelating.» «Men jeg tenker,» sa den andre, «at du ville båret deg verre og vært mindre kjekk.» Det var ikke større opphav til tretten enn som så; men ord vokste av ord, til de kom i slagsmål og så i våpenkamp.

Det ble fortalt Halldor Brynjolvsson at en av huskarene hans var blitt såret nede på bryggene. Halldor satt da og drakk i en av gårdene tett ved; han gikk straks dit; men da hadde alt huskarene til Bjørn kommet til, og nå syntes Halldor at de hadde lagt seg opp i striden med urette, og hans menn tok nå til å puffe og slå Bjørns huskarer. Nå ble det sagt til Bjørn Bukk at vikværingene banket opp huskarene hans nede på bryggene. Da tok Bjørn og hans menn våpnene sine og sprang til og ville ta hevn for sine folk. Og nå vanket det mange hogg.

Da ble det meldt til Gregorius at Halldor, mågen hans, trengte hjelp, og at huskarene hans ble hogd ned ute på stretet. Da tok Gregorius og hans menn fort brynjene på seg og sprang til. Nå fikk Erling Skakke vite at Bjørn, hans søstersønn, kjempet mot Halldor og Gregorius inne på bryggene, og at han trengte til hjelp; da fór han dit svært mannsterk, og bad folk hjelpe seg. «Det ville være en skam for folk,» sa han, «om en vikværing skal bli vår overmann her hvor vi har frender på alle kanter, og det vil alle tider bli sittende på oss.» Der falt fjorten mann: ni fikk sin bane med en gang, og fem døde seinere av sårene, og mange ble såret.

Da kom det bud til kong Inge at Gregorius og Erling kjempet mot hverandre inne på bryggene; han skyndte seg til og ville skille dem, men kunne ikke makte noe, fordi de var så ville på begge sider. Da ropte Gregorius på kong Inge og bad ham gå bort, for han kunne så likevel ikke få utrettet noe slik som det nå var. Han sa at det ville være den største ulykke om han kom noe til; «for ingen kan vite om det ikke er noen her, som ikke ville holde seg ifra en udåd, om han syntes han fikk høve til det.»

Da tok kongen bort. Men da den verste kamp holdt opp, gikk Gregorius og hans menn opp til Nikolaskirken, og Erling og hans menn fulgte etter, og de ropte til hverandre. Så kom kong Inge for andre gangen og ville forlike dem; da ville begge parter at han alene skulle dømme dem imellom. Så fikk de vite at Håkon var i Viken, og kong Inge og Gregorius reiste østover, og de hadde en mengde skip. Da de kom østover, drog Håkon og hans flokk seg unna, og det ble ikke noe slag. Så tok kong Inge inn til Oslo, og Gregorius ble i Konghelle.

13. Kort etterpå fikk Gregorius vite at Håkon og mennene hans holdt til på et sted som heter Saurbø* nær Marker. Han kom dit og kom om natta og tenkte at Håkon og Sigurd måtte være på den største garden, og de satte ild på husene der. Men Håkon og Sigurd

---

Saurbø, nå Sörbo i Krokstad sokn, Sörbygdens herred, Bohuslän.

Kong Inge forliker Erling Skakke og Gregorius.

var på den minste garden; de sprang til så snart de fikk se ilden, og ville hjelpe sine menn. Der falt Munån, sønn til Åle Uskøynd og bror til kong Sigurd, Håkons far. Gregorius og hans folk fikk drept ham da han ville hjelpe dem som ble innebrent. De gikk ut, og mange menn ble drept der. Asbjørn Jalda, som var en svær viking, kom seg bort fra garden, men han var blitt såret. Så møtte en bonde ham, Asbjørn bad bonden om at han skulle få slippe unna, så ville han gi ham penger for det. Bonden sa at han ville gjøre det som han hadde større lyst til; han sa at han ofte hadde gått i redsel for ham – og så gav han ham banehogg. Håkon og Sigurd kom seg unna, men mange av deres menn ble drept. Så tok Gregorius øst til Konghelle. Kort etterpå gikk Håkon og Sigurd til Halldor Brynjolvssons gard på Vettaland* og satte ild på husene og brente dem opp. Halldor gikk ut og ble straks hogd ned, og huskarene hans med ham; der ble det drept nesten tjue mann i alt. Sigrid, kona hans, var søster til Gregorius; henne lot de gå til skogs i bare nattserken. Der tok de til fange Åmunde, sønn til Gyrd Åmundesson og Gyrid Dagsdotter og søstersønn til Gregorius; ham tok de med seg; han var fem år gammel da.

14. Da Gregorius fikk høre om dette, ble han fælt harm; så prøvde han å få nøye greie på hvor de var. I de siste juledagene fór Gregorius fra Konghelle med en stor hær; de kom til Fors* trettendedag jul og ble der om natta. Avfaredagen* hadde han ottesang der, og

Vettaland, nå Vättland i Skee sokn i Bohuslän.
Fors, kanskje Fossum ved Uddevalla.
Avfaredagen (etter jul), 7. januar 1161.

etterpå ble evangeliet lest for ham; det var lørdag. Da Gregorius og hans menn fikk se Håkons hær, syntes de at Håkon hadde mye mindre folk enn de sjøl hadde. Det var ei elv imellom dem der de møttes; den heter Bevja*; det var dårlig is på elva fordi flo fra sjøen gikk under isen. Håkons folk hadde hogd våker på elva og måkt snø over etterpå, så det ikke var noe å se.

Da Gregorius kom til elva, sa han at han syntes isen så dårlig ut, og at det var best å fare til brua som gikk over elva litt lenger oppe. Bondeflokken svarte og sa at de ikke kunne skjønne hva det var i vegen siden han ikke torde gå over isen mot Håkon, så lite folk som han hadde. De mente at isen var sikker nok, og sa at nå hadde nok lykken vendt seg. Gregorius svarte at sjelden hadde folk trengt å klandre ham fordi han var for redd av seg, og det skulle de ikke trenge til å gjøre nå heller; han bad dem følge godt etter, og ikke bli stående på land når han gikk ut på isen. Det var på deres eget råd, sa han, at de gikk ut på dårlig is, men han sjøl hadde ikke lyst til det. «Men likevel vil jeg ikke høre på klander fra dere,» sa han, og så bød han at merket hans skulle bli ført fram.

Så gikk han ut på isen; men så snart bøndene merket at isen var dårlig, snudde de om. Gregorius falt i, men ikke dypt; men han bad mennene å ta seg i vare. Ikke mer enn nær tjue mann fulgte ham, de andre snudde om. En mann i flokken til Håkon skjøt ei pil mot ham, og den råkte i strupen. Der falt Gregorius og tjue mann med ham, og der sluttet hans levetid. Det sier alle at han var den største høvding av alle lendmenn i Norge, så langt de menn som da levde, kunne minnes, og han har vært best mot oss islendinger siden kong Øystein den eldre døde. Liket av Gregorius ble ført opp til Hovund og gravsatt i Gimsøy* ved det nonneklosteret som er der. Da var Baugeid, søster til Gregorius, abbedisse der.

15. To årmenn reiste inn til Oslo og skulle fortelle kong Inge det som hadde hendt. Da de kom dit, bad de om å få tale med kongen. Han spurte hva nytt de kom med. «Gregorius Dagssons fall,» sa de. «Hvordan kunne det gå så ille?» sa kongen. De fortalte ham da om det. Kongen sa til det: «Der fikk de rå som hadde minst vett.» Det er sagt at det gikk så inn på ham at han gråt som et barn. Men da gråten hadde stilnet, sa han: «Jeg ville fare til Gregorius straks jeg hadde fått vite at Halldor var drept, for jeg syntes nok jeg kunne vite at Gregorius ikke lenge ville holde seg i ro og la være å prøve på hevn. Men folk her mente at ingenting var så viktig som denne juledrikkingen, og at den ikke kunne avbrytes. Det vet jeg visst at om jeg hadde vært der, skulle det enten gått for seg med større omtanke, eller så skulle Gregorius og jeg ha fart til samme gjestebud. Men nå er den mann borte som har vært best for meg, og som mest har holdt landet i mi hand. Jeg har tenkt til nå at det ikke skulle

Bevja, nå Bäveån.
Gimsøy, ved Skien.

Da lot kong Inge blåse hæren opp fra byen og lot fylke.

bli langt mellom oss. Nå skal jeg love det ene at jeg vil fare mot Håkon, og da skal ett av to hende: enten skal jeg få min bane, eller jeg skal felle Håkon og hans menn. Ikke blir en slik mann som Gregorius godt nok hevnet om de så alle må bøte med livet.»

En mann svarte at han trengte ikke å leite mye etter dem, for nå tenkte de å komme til ham. Kristin, datter til kong Sigurd og søskenbarn til kong Inge, var der i Oslo. Kongen hørte at hun tenkte seg ut av byen. Hun mente det var farlig å bli, og hun sa det ikke var rådelig for kvinner å være der. Kongen bad at hun ikke skulle fare bort. «Om vi får seier, som jeg tror, da vil du være velberget; men om jeg faller, vil sikkert ikke vennene mine få lov til å stelle om mitt lik; da skal du be om å få stelle om det. Slik kan du best lønne meg for det at jeg har vært god imot deg.»

16. Blasiusmesse* om kvelden fikk kong Inge bud om at Håkon var ventende til byen. Da lot kong Inge blåse hæren opp og ut av byen; der ble da mønstret nesten førti hundre mann. Kongen lot fylkingen være lang og ikke mer enn fem mann dyp. Da sa folk til kongen at han skulle ikke være med i slaget; de sa at det var stort ansvar om han skulle komme noe til; «la Orm, din bror, være høvding for hæren!» Kongen sier: «Det tenker jeg at om Gregorius var i live, og han var her, men jeg hadde falt, og de skulle hevne meg, så ville ikke han gjemme seg bort, og han ville nok ha vært med i slaget sjøl. Om så jeg ikke er så rask som han på grunn av min vanhelse, så skal jeg ikke vise mindre vilje enn han; derfor er det ikke ventende at jeg ikke skulle være med i slaget.»

Folk forteller at Gunnhild, som hadde vært gift med Simon og var

Blasiusmesse, 3. februar 1161.

fostermor til Håkon, hadde latt ei kjerring sitte ute og mane for å få seier for Håkon. Hun fikk det svaret at de skulle kjempe mot Inge om natta, og aldri om dagen, og da skulle det gå godt. Tordis Skjegga het den kjerringa, som de sier satt ute, men ikke vet jeg om det er sant. Simon Skalp hadde gått til byen og lagt seg til å sove, og han våknet ved hærropet. Da det lei utpå natta, kom det speidere til kong Inge og fortalte at Håkon og hans hær nå kom innover isen; for isen lå helt fra byen og ut til Hovedøya.

17. Da gikk kong Inge med hæren sin ut på isen og fylkte hæren utenfor byen. Simon Skalp var i den fylkingarmen som vendte ut mot Trælaborg*, og i den armen som var inne ved Nonneseter, var Gudrød, konge på Suderøyene, sønn til Olav Klining, og Jon, sønn til Svein, som var sønn til Bergtor Bukk. Da Håkon og hans folk kom imot kong Inges fylking, ropte de hærrop på begge sider. Gudrød og Jon gjorde tegn til Håkons hær og lot dem vite hvor de stod. Så vendte Håkons menn seg dit, men Gudrød og hans menn flyktet med én gang, og det kunne være oppimot femten hundre mann. Men Jon og en stor flokk med ham sprang over i Håkons hær og kjempet sammen med dem. Dette ble fortalt til kong Inge. Han svarte så: «Det har vært stor skilnad på vennene mine; aldri ville Gregorius ha gjort så mens han levde.»

Da bad folk kongen at han skulle sette seg på en hest og ri fra slaget opp på Romerike. «Der vil du få folk nok med én gang.» «Det har jeg ingen lyst på,» sa kongen; «ofte har jeg hørt dere si det, og jeg synes det er sant også, at min bror kong Øystein lite hadde lykken med seg fra den tid han gav seg på flukt, og han var likevel godt utrustet i alle de ting som pryder en konge. Nå kan jeg godt skjønne at det var lite som ville lage seg for meg med min vanhelse, dersom jeg tar til med det som skulle gjøre det så floket for ham, så stor skilnad som det var på oss i tiltak, helse og kraft. Jeg gikk i det andre året da jeg ble tatt til konge i Norge, og nå er jeg godt og vel tjuefem. Jeg synes jeg har hatt mer av vanskeligheter og vågnad i mitt kongedømme enn av glede og hygge. Jeg har holdt mange slag, stundom med størst hær og stundom med minst. Det har vært min største lykke at jeg aldri har kommet på flukt. Gud får rå for mitt liv, hvor langt det skal bli, men på flukt kommer jeg aldri.»

18. Da Jon og mennene hans hadde brutt kong Inges fylking, flyktet også mange av dem som hadde stått nær ved. Da ble fylkingen sprengt og oppløst i små flokker. Men Håkons hær gikk hardt på, da var det nesten blitt dagning, de gikk fram mot kong Inges merke. I denne striden falt kong Inge*, men Orm, hans bror, holdt da fram med slaget. Nå rømte mye folk opp i byen. Orm gikk opp i byen to ganger etter at kongen hadde falt, og egget opp mannskapet, og begge gangene gikk han ut igjen på isen og holdt fram med slaget. Da søkte Håkons hær inn mot den fylkingarmen som Simon

---

Trælaborg var under Ekeberg; nå Grønlia.
Kong Inge falt 4. februar 1161.

Skalp førte, og i denne striden falt av Inges hær Gudbrand Skavhoggsson, mågen til kongen. Men Simon Skalp og Hallvard Hikre gikk mot hverandre og kjempet med flokkene sine, og de ble etter hvert trengt ut under Trælaborg. I denne striden falt både Simon og Hallvard.

Orm kongsbror vant stort ry her i slaget, men til slutt måtte han likevel flykte. Om vinteren hadde Orm festet Ragna, datter til Nikolas Måse; hun hadde vært gift med kong Øystein Haraldsson, og bryllupet skulle stå søndagen etter. Blasiusmesse var på en fredag. Orm flyktet til Svitjod til sin bror Magnus*, som da var konge der, og Ragnvald, deres bror, var jarl der; de var sønner til Ingerid og Heinrek Halte*. Han var sønn til Svein, som var sønn til Svein danekonge*.

Kristin kongsdatter stelte med liket av kong Inge, og han ble lagt i steinveggen i Hallvardskirken, på sørsida utenfor koret. Da hadde han vært konge tjuefem år. I dette slaget falt det mange på begge sider, men likevel flest av Inges menn. Arne Frireksson falt i Inges hær. Håkons menn tok all bryllupskosten og en mengde annet hærfang.

19. Nå la Håkon hele landet under seg og satte sine menn i alle sysler og likeså i kjøpstedene. Kong Håkon og hans menn holdt møter i Hallvardskirken når de rådslo om landsstyringen. Kristin kongsdatter gav penger til den presten som tok vare på kirkenøklene, for at han skulle gjemme en av hennes menn i kirken, så han kunne høre hva Håkon og hans folk talte om. Da hun fikk greie på det de avtalte, sendte hun bud til Bergen, til Erling Skakke, sin mann, at han aldri skulle tro dem.

20. Det hendte i slaget på Stiklestad, slik som før er skrevet, at kong Olav kastet fra seg sverdet Neite da han ble såret. Men en svensk mann, som hadde knekt sitt eget sverd, tok opp sverdet Neite og kjempet med det. Denne mannen kom seg bort fra slaget og drog av sted med andre flyktninger. Han kom til Svitjod og drog hjem til garden sin. Det sverdet hadde han så lenge han levde, og etter ham sønnene, og så fikk den ene etter den andre av ætta det i arv. Det fulgte støtt med det å eie sverdet at den ene eieren sa til den neste navnet på sverdet, og likeså hvor det var kommet fra. Men en gang lenge etterpå i de dager da Kirjalaks* var keiser i Miklagard, og det var store flokker av væringer der hos keiseren, hendte det en sommer at keiseren var på hærferd, og de lå i leir. Væringene holdt vakt og våkte over kongen; de lå på vollene utenfor leiren. De skiftet natta imellom seg til å våke, og de som hadde våket, la seg ned og sov; alle var de fullt væpnet. Det var skikken, når de la seg ned for

Magnus Heinreksson var konge i Sverige 1160–1161.
Heinrek Sveinsson Halte hadde vært Ingerids ektemann før hun giftet seg med Harald Gille.
Svein danekonge, dvs. Svein Estridsson (Ulvsson).
Kirjalaks; her er det vel tenkt på Alexios I Komnenos (keiser 1081–1118), men jfr. merkn. s. 651.

å sove, at hver mann hadde hjelm på hodet og skjold over seg og sverd under hodet, og de skulle legge høyre hand på handtaket. En av disse karene som hadde fått vakt seint på natta, våknet i dagningen. Da var sverdet hans borte. Da han lette etter sverdet, fikk han se at det lå på vollen langt fra ham. Han stod opp og tok sverdet, og tenkte at kameratene hans som hadde våket, hadde lurt ifra ham sverdet for å drive gjøn med ham. Men de nektet for det. Nå hendte dette i tre netter. Da undret han seg mye sjøl og like ens alle de som så det eller hørte om det, og folk spurte ham hvordan dette kunne henge sammen. Da fortalte han at sverdet ble kalt Neite, og Olav den hellige hadde eid det og sjøl båret det ved Stiklestad. Han fortalte hvordan det siden hadde gått med sverdet. Siden ble dette fortalt til kong Kirjalaks; han lot da kalle til seg den mann som hadde dette sverdet, gav ham gull, tre ganger så mye som sverdet var verdt. Kongen lot sverdet bære til Olavskirken som væringene har, og siden var det over alteret der. Eindride Unge* var i Miklagard nettopp da dette hendte. Han fortalte det i Norge slik som Einar Skulason vitner i den dråpa* som han diktet om kong Olav den hellige; der har han diktet om denne hendingen.

21. Det hendte i Grekenland da Kirjalaks var konge der, at kongen fór i hærferd til Blokumannaland*. Da han kom til Petsinavollene*, kom det mot ham en hedensk konge med en uovervinnelig hær, som hadde med seg hestfolk og store vogner med skyteglugger oventil. Når de gjorde i stand nattested for seg, satte de vognene, den ene ved sida av den andre, utenfor leiren, men utenfor der grov de et stort dike; da var alt dette et likså sterkt vern, som om det hadde vært en borg. Den hedenske kongen var blind. Men da grekerkongen kom, stilte hedningene seg opp i fylking på vollene foran vognborgen. Da stilte grekerne seg i fylking rett imot dem, og de rei begge imot hverandre og kjempet. Det gikk da ille og uheldig; grekerne flyktet og hadde stort manntap, men hedningene fikk seier.

Så stilte kongen opp en fylking av frankere og flæminger*, og så rei de fram mot hedningene og kjempet mot dem. Men det gikk med dem som med de første, at mange ble drept, og alle de som kom seg unna, flyktet. Da ble grekerkongen harm på hærmennene sine; men de svarte ham at nå skulle han sende i veg væringene, disse vinbelgene sine. Kongen sa da at han ikke ville gjøre ende på sine gjæveste menn på den måten at han førte disse få menn imot en så stor hær, om de så var djerve karer. Da svarte Tore Helsing, som da førte væringene, slik på kongens ord: «Om det så var brennende ild i vegen, ville likevel jeg og mine folk straks springe i den, om jeg

Eindride Unge kom til Miklagard først i 1150-åra, lenge etter at Alexios I var død.
Einars dråpa, dvs. Geisli eller Olavsdråpaen.
Blokumannaland, dvs. Valakia i Romania.
Petsinavollene. Til grunn for denne fortellingen ligger trolig et slag i Bulgaria året 1122 mellom grekere og pezinakker, et tyrkisk folk som holdt til i Sør-Russland og Romania. Væringene hadde hovedæren for at grekerne vant.
Flæminger, dvs. folk fra Flandern.

visste at vi derved kunne oppnå at De, konge, så fikk fred etterpå.» Kongen svarte: «Be da Olav, den hellige kongen deres, om hjelp og seier.» Væringene hadde halvfemte hundre mann. De gav så løfte med handslag om at de på egen kostnad og med hjelp av gode menn ville reise en kirke i Miklagard og la den kirken vie til ære og pris for den hellige kong Olav.

Så sprang væringene fram på vollen. Da hedningene fikk se det, sa de til kongen sin, at nå kom det enda en flokk av grekerkongens hær, «og dette er,» sa de, «bare en handfull menn.» Da svarte kongen: «Hvem er den staselige mannen som rir på den hvite hesten foran flokken?» «Ham kan vi ikke se,» sa de. Det var ikke mindre skilnad på hærene enn at seksti hedninger kunne stå imot én kristen mann, men likevel gikk væringene djervt til slaget. Så snart hærene møtte hverandre, falt det frykt og redsel på hedninghæren, så de straks tok til å flykte, og væringene fulgte dem og drepte på en kort stund en stor mengde av dem. Da grekerne og frankerne, som før hadde flyktet for hedningene, fikk se det, gikk de fram på ny og var med og forfulgte dem som flyktet. Da hadde væringene trengt inn i vognborgen; der ble det et veldig mannefall. Men da hedningene flyktet, ble den hedenske kongen tatt til fange, og væringene tok ham med seg. Da tok de kristne både leiren og vognborgen til hedningene.

Magnus Erlingssons saga

RLING hadde fått greie på hvilke planer Håkon og hans menn hadde; derfor sendte han bud til alle de høvdinger som han visste hadde vært trofaste venner mot kong Inge, og likeså til kongens hirdmenn og handgangne menn som hadde kommet seg unna, og til Gregorius' huskarer og stevnte dem til møte. Da de møttes og hadde talt med hverandre, ble de straks enige om at de skulle holde flokken sammen, og de bandt det ved faste avtaler seg imellom. Siden talte de om hvem de skulle ta til konge. Da talte Erling Skakke og spurte om høvdingene og andre lendmenn ville at de skulle ta til konge sønn til Simon Skalp og dattersønn til Harald Gille, og at Jon Hallkjellsson skulle binde seg til å være fører for flokken. Men Jon drog seg unna. Så spurte de Nikolas Skjaldvorsson, søstersønn til kong Magnus Berrføtt, om han ville bli høvding for flokken. Han svarte slik at det var hans råd at de skulle ta den til konge som var av kongsætt, og den til å føre flokken som en kunne vente skjønte seg på det. Da ville de ha lettest for å få hjelp.

Arne kongsmåg ble spurt om han ville la en av sønnene sine, brødrene til kong Inge, ta til konge. Han svarte det at sønn til Kristin, og dattersønn til kong Sigurd, var best ættbåren til kongedømmet i Norge. «Og der,» sa han, «har vi en mann til å hjelpe ham med styringen, som er skyldig til å dra omsorg for både ham og riket, det er Erling, far hans, en klok og fast mann, godt prøvd i strid og en god landsstyrer. Det vil ikke skorte ham på framgang i dette tiltaket om høvdingene følger ham.» Mange gav dette forslaget støtte. Erling svarte: «Så høres det for meg som de fleste vi spør, helst drar seg unna for å ta opp denne vanskelige saken. Nå synes det meg uvisst, dersom vi setter dette i verk, om den som påtar seg å styre flokken, også får kongeverdigheten, eller om det går slik som det før har gått mange som har tatt opp så store planer, at de på grunn av det har mistet all sin eiendom og dertil livet. Men får nå dette framgang, kan det nok være at det var noen som helst ville ha tatt imot dette tilbudet. Den som påtar seg denne vanskelige saken, vil nok trenge til at det blir satt sterk hindring imot at han skulle få motgang eller fiendskap av dem som nå er med i denne avtalen.»

Alle lovte å gjøre denne sambandsavtalen med full troskap. Erling sa: «Om meg kan jeg si at jeg mener det nesten ville være visse døden for meg å tjene Håkon. Og enda jeg synes at dette vi nå har avtalt, er farlig nok, så vil jeg heller våge meg til å la dere rå slik at jeg påtar meg å styre flokken, dersom dere alle sammen mener det og ønsker det, og dere alle vil binde det med ed.» Alle sa ja til det, og på dette møtet ble det vedtatt at de skulle ta Magnus Erlingsson til konge.

En stund etter holdt de ting i byen, og på det tinget ble Magnus tatt til konge over hele landet; da var han fem år gammel. Så gikk alle de menn som var der, og som hadde vært kong Inges tjenere, i hans tjeneste, og hver av dem fikk slik tittel og verdighet som han før hadde hatt under kong Inge.

2. Erling Skakke gjorde seg i stand til å reise bort, han fikk tak i noen skip og hadde med seg Magnus og alle handgangne menn som var der. De som var med på ferden, var Arne kongsmåg og Ingerid, mor til kong Inge, og de to sønnene hennes, og Jon Kutissa, sønn til Sigurd Stork, og Erlings huskarer og likeså de som hadde vært huskarer hos Gregorius; de hadde i alt ti skip. De seilte sør til Danmark til kong Valdemar og til Burits Heinreksson*, kong Inges bror. Kong Valdemar var nær frende til kong Magnus. Ingelborg, kong Valdemars mor, og Malmfrid, mor til Kristin, som var Magnus' mor, var søstre og døtre til kong Harald øst i Gardarike, som var sønn til Valdemar Jarisleivsson*.

Kong Valdemar tok godt imot dem, og han og Erling hadde ofte møter og rådlegning. Samtalene deres førte til den avtale at kong Valdemar skulle fra sitt rike gi kong Magnus all den hjelp som han kunne trenge til å legge under seg Norge og holde landet siden; men Valdemar skulle ha det riket i Norge som hans forfedre, Harald Gormsson og Svein Tjugeskjegg hadde hatt, hele Viken nord til Rygjarbit*. Denne avtalen ble fastslått ved eder. Siden laget Erling og mennene hans seg til å fare bort fra Danmark, de seilte ut fra Vendelskage.

3. Straks om våren etter påske*, seilte kong Håkon nord til Trondheimen; da hadde han alle de skipene som kong Inge hadde eid. Håkon holdt ting i kaupangen, og der ble han tatt til konge over hele landet. Så gav han Sigurd fra Rør jarlsnavn, og han ble tatt til jarl der. Så tok Håkon og hans folk sørover igjen og helt øst til Viken. Kongen reiste til Tønsberg, han sendte Sigurd jarl øst til Konghelle for at han skulle verge landet med en del av hæren, om Erling skulle komme sørfra. Erling og hans følge kom til Agder og styrte straks nord til Bergen. Der drepte de Arne Brigdarskalle, som var kong Håkons sysselmann, og så fór de østover igjen derfra for å møte kong Håkon.

Sigurd jarl hadde ikke fått greie på at Erling var kommet sørfra,

---

Burits Heinreksson, sønn til Heinrek Sveinsson Halte og Ingerid Ragnvaldsdotter.
Valdemar Jarisleivsson. Harald var sønn til Valdemar (Vladimir Monomach), som var sønnesønn til Valdemar Jarisleivsson.
Rygjarbit, nå Gjærnestangen på grensa mellom Agder og Telemark.
1. påskedag 1161 var 16. april.

Erling Skakke foran Tønsberg.

da var han ennå øst ved Elv, men kong Håkon var i Tønsberg. Erling la til ved Rossanes* og lå der noen netter. Kong Håkon rustet seg i byen. Erling la inn til byen; hans folk tok et lasteskip og lastet med ved og halm, og så satte de fyr på. Vinden stod på mot byen og dreiv skipet innover mot den. Erling lot bære to trosser om bord på lasteskipet, festet to skuter i dem, og så lot han dem ro med etter hvert som lasteskipet dreiv innover. Da ilden hadde kommet like inn på byen, holdt de som var på skutene, fast i trossene, så byen ikke skulle brenne. Men røyken la seg så tjukt over byen, at det ikke var råd å se noen ting fra bryggene, der kongens fylking stod. Så førte Erling hele flåten innetter, slik at vinden stod fra den på ilden, og så skjøt hans folk opp på dem som stod på bryggene.

Da bymennene fikk se ilden nærme seg husene deres, og mange ble såret av skuddene, holdt de råd og sendte presten Roald Langtale ut til Erling, for å få grid av Erling for seg og byen, og de gikk ut av kongens fylking da Roald sa til dem at de hadde fått grid. Da nå flokken av bymenn hadde gått bort, ble det tynt med hæren på bryggene; da var det noen av Håkons menn som egget til å stå fast, men Ånund Simonsson som da var øverste fører for hæren, sa: «Ikke vil jeg kjempe for at Sigurd jarl skal få makt når han ikke er her sjøl.» Så flyktet Ånund og hele hæren med kongen, og de tok opp i landet. Der falt det en mengde av Håkons hær. Så ble da kvedet:

Ånund sa han ville
ikke prøve slaget
før Sigurd jarl kom med
fra sør med huskarflokken.

Fort fór gjæve menn
til Magnus opp i stretet,
men haukene til Håkon
hardt seg skyndte unna.

Rossanes, nordodden på Nøtterøy.

Torbjørn Skakkeskald sier så:

Jeg hørte, mennenes herre,
at hell du hadde i Tønsberg.
Ivrig du er til å farge
ulvetennene røde.

For regn av blanke piler
bymenn ble så redde.
Hærmenn ble skremt av ilden
og av de spente buer.

Kong Håkon tok landvegen nord til Trondheimen. Da Sigurd jarl fikk høre om dette, seilte han med alle de skip han kunne få tak i, sjøvegen nordover til møte med kong Håkon.

4. Erling Skakke tok alle de skip som kong Håkon eide i Tønsberg. Der fikk han Bøkesuden som kong Inge hadde eid. Erling reiste etterpå omkring og la hele Viken under Magnus og likeså nordover så langt han kom, og om vinteren satt han i Bergen. Da lot Erling drepe Ingebjørn Sipil, kong Håkons lendmann nord i Fjordane. Kong Håkon satt i Trondheimen om vinteren, men våren etter* bød han ut leidang og rustet seg til å fare sørover mot Erling. Med ham der var da Sigurd jarl, Jon Sveinsson, Eindride Unge og Ånund Simonsson, Filippus Petersson, Filippus Gyrdsson, Ragnvald Kunta, Sigurd Kåpa, Sigurd Hjupa, Frirek Køna, Askjell på Folland, Torbjørn sønn til Gunnar gjaldkere, og Strad-Bjarne.

5. Erling var i Bergen og hadde en stor hær. Der bestemte han seg til å legge forbud mot å seile for alle kjøpskip som ville fare nord til kaupangen, for han var redd for at Håkon altfor snart skulle få opplysninger dersom skip fikk lov til å fare imellom dem. Han gav til grunn at det var bedre at Bergensmennene fikk de gode varene som var på skipene, om så kjøpmennene ble nødt til å selge dem billigere enn de syntes var rimelig, enn å føre dem «like i hendene på våre fiender og uvenner, så de fikk nytte av dem.» Nå samlet det seg mange skip i byen, for det kom mange hver dag, men ingen fór bort.

Da lot Erling sette de letteste skipene sine på land, og han lot det ryktet komme ut at han ville bie der og gjøre motstand med hjelp fra sine venner og frender. Men en dag lot Erling blåse til møte av skipsførerne, og han gav da alle førere for kjøpskip lov til å fare hvor de ville. Da de hadde fått lov av Erling Skakke, de som førte lasteskip og alt i forvegen lå helt ferdige til å fare med lasten sin, noen for å drive handel, andre i andre ærender, og det var god vind til å seile nordover langs land, hadde alle de som var rede, seilt av sted før non. Dess raskere skip de hadde, dess mer dreiv de på, og alle kappet med hverandre.

Da hele denne flåten kom nord til Møre, møtte de flåten til kong Håkon. Sjøl holdt han på å samle folk der og ruste seg; han stevnte til seg lendmenn og leidangsmenn. Da hadde han en stund ikke hørt nytt fra Bergen; men nå fikk de én og samme nyhet av alle skipene som kom sørfra, at Erling Skakke hadde satt opp båtene sine i

Våren etter, år 1162.

Bergen, og at de nok fikk fare dit og finne ham; de sa også at han hadde en stor hær. Derfra seilte Håkon til Veøy*, men han sendte fra seg innover Romsdalen Sigurd jarl og Ånund Simonsson, for at de skulle samle folk og skip; like ens sendte han folk både til Sunnmøre og til Nordmøre. Da kong Håkon hadde vært noen dager i kjøpstaden, seilte han bort og litt lenger sørover, og tenkte at da kunne de komme av sted så mye fortere, og folk ville komme hurtigere til ham. Erling Skakke hadde gitt lasteskipene lov til å fare fra Bergen en søndag, men tirsdag da morgenmessene var endt, ble det blåst i kongsluren, og Erling lot kalle sammen hærmenn og bymenn og fikk satt ut de båtene som før var satt på land. Erling holdt husting med hæren sin og med leidangsmennene, han sa dem sin plan, nevnte opp menn til skipsførere, lot lese opp liste over dem som skulle være på kongsskipet. Dette tinget endte så at Erling bad hver mann lage seg til i sitt rom, der han skulle være. Han sa at den skulle miste liv eller lemmer som ble igjen i byen, når han drog av sted med Bøkesuden. Orm kongsbror la straks bort med skipet sitt om kvelden; da lå de fleste skipene alt på vannet.

6. Onsdag før messene ble sunget i byen, la Erling ut av byen med hele flåten; de hadde 21 skip. Det var blåsende bør nordover langs land. Erling hadde med seg kong Magnus, sønn sin; der var mange lendmenn, og de hadde mannskap av beste slag. Da Erling hadde seilt nord forbi Fjordane, sendte han ei skute inn fra skipsleia til Jon Hallkjellssons gard og lot ta Nikolas, sønn til Simon Skalp og Maria, Harald Gilles datter, og de førte ham med seg ut til flåten, og han kom om bord på kongsskipet. Tidlig om morgenen fredag seilte de inn på Steinvågen. Kong Håkon lå da i ei havn som heter . . . .*, og han hadde fjorten skip. Han og hans menn hadde gått opp på øya og holdt leik, men lendmennene hans satt på en haug.

Da fikk de se at en båt kom roende sørfra mot øya; det var to mann om bord, og de rodde slik at de bøyde seg baklengs nesten ned til bunnen av båten, og de tok ikke mindre kraftig i årene framover. Da de kom til lands, festet de ikke båten, men sprang av sted. Da stormennene så det, talte de seg imellom om at disse mennene nok ville kunne fortelle nytt; de stod opp og gikk imot dem. Så snart de møttes, spurte Ånund Simonsson: «Kan dere fortelle noe nytt om Erling Skakke, siden dere kommer i slik fart?» Da svarte han som først kunne få målet for trøtthet: «Her seiler Erling sørfra mot dere med tjue skip eller så bortimot, og mange svært store, og nå vil dere snart få se seilene deres.» Da sa Eindride Unge: «Det var sannelig nær nesa, sa karen, han ble skutt i øyet.» De gikk straks dit hvor leiken gikk for seg, og så fikk luren låte, og det ble blåst til slag, og hele hæren ble kalt til skipene så fort som mulig; det var på den tid av dagen da maten var nesten ferdig. Alle sammen sprang til skipene,

---

Veøy, øy og kjøpstad i Romsdalen, østafor Sekken.
. . . *(Utelatelsestegn).* I alle handskrifter er det åpen plass for navnet.

Da fikk de se at en båt kom roende.

hver sprang ut på det skip som lå nærmest til, så skipene fikk det ujamt med mannskap. De tok til årene, og noen reiste mastene og vendte skipene nordover og satte kursen for Veøy, fordi de der ventet seg stor hjelp fra bymennene.

7. Snart fikk de se seilene på skipene til Erling, og begge parter fikk øye på hverandre. Eindride Unge hadde et skip som het Draglaun, ei stor langskips-busse; nå hadde den for lite mannskap, for de som hadde vært om bord før, hadde sprunget opp på andre skip. Det var det bakerste av skipene til Håkon. Da Eindride kom rett ut for øya Sekken, kom Bøkesuden, som Erling Skakke styrte, etter dem, og de to båtene ble festet sammen. Men Håkon var nesten kommet inn til Veøy, da de hørte lurene gikk. For de skipene som var nærmest, vendte om og ville hjelpe Eindride, og begge parter la til slag som de best kunne komme til. Mange seil fór ned tvers over skipene; ingen ble bundet sammen, men de la seg side om side.

Dette slaget hadde ikke vart lenge før ordningen var brutt på skipet til kong Håkon; noen falt, og noen sprang over bord. Håkon slengte over seg ei grå kappe og sprang over på et annet skip. Men han hadde ikke vært der lenge før han syntes skjønne at han var kommet blant uvenner. Da han tenkte seg om, så han ikke noen av mennene sine eller skipene sine i nærheten; da gikk han over på Bøkesuden og fram til mennene i framstavnen og bad om grid; stavnbuene tok ham til seg og gav ham grid. I denne striden var det blitt stort mannefall, men mest blant Håkons menn. På Bøkesuden hadde Nikolas, sønn til Simon Skalp, falt, og Erlings egne menn fikk skyld for det drapet.

Så ble det en stans i slaget, og skipene skiltes fra hverandre. Da ble det sagt til Erling at Håkon var der på skipet, og at stavnbuene hans hadde tatt Håkon til seg og truet med å verge ham. Erling sendte en mann fram på skipet og lot ham si til stavnbuene at de måtte ta vare på Håkon slik at han ikke kom bort; han sa at han ikke ville si noe imot at kongen fikk grid, dersom stormennene rådde til det, og dersom det fra hans side ble søkt forlik. Alle stavnbuene sa at han talte som en god høvding og skulle ha takk til. Så lot Erling blåse sterkt i luren, og han bad mennene om at de skulle legge mot de skipene som ikke var ryddet ennå; han sa at de aldri ville få bedre høve til å hevne kong Inge. Da ropte alle hærrop, og de egget hverandre og gikk på.

I dette ståket fikk kong Håkon banesår*; da mennene hans fikk greie på at han hadde falt, rodde de hardt fram, kastet skjoldene og hogg med begge hender og vørte ikke livet. Denne uvørenheten ble snart til stor skade for dem, for Erlings menn kunne da se hvor de var bare for hogg. En stor del av kong Håkons hær falt. Grunnen til det var mest at overmakten var stor, og Håkons menn verget seg lite med skjoldene. Det nyttet ikke for Håkons menn å nevne grid, så nær som for dem som stormennene tok seg av og lovte penger for. Disse menn falt av Håkons hær: Sigurd Kåpa, Sigurd Hjupa, Ragnvald Kunta. Noen skip kom seg unna og rodde inn i fjordene, og på den måten berget folkene livet. Kong Håkons lik ble ført inn i Romsdalen og jordet der. Kong Sverre, hans bror, lot kong Håkons lik flytte nord til kaupangen og lot det legge i steinveggen i Kristkirken på sørsida i koret.

8. Sigurd og Eindride Unge, Ånund Simonsson, Frirek Køna, og enda flere høvdinger holdt flokken sammen, lot skipene bli igjen i Romsdalen og fór så til Opplanda. Erling Skakke og kong Magnus seilte med flåten sin nord til kaupangen og la alt land under seg hvor de kom. Seinere lot Erling stevne Øreting. Der ble Magnus tatt til konge over hele landet. Erling ble der bare en kort stund, for han var ikke trygg på at trønderne var å lite på for ham og sønnen hans. Magnus ble nå reknet for konge over hele landet.

Kong Håkon var en vakker mann, velvokst, høy og smal; han var svært herdebrei. Derfor kalte folket ham Håkon Herdebrei. Fordi han var så ung av alder, styrte andre høvdinger riket med ham. Han var glad og omgjengelig i tale, han ville gjerne være med på leik og hadde lynne som annen ungdom; han var vennesæl blant folket.

9. Markus på Skog* het en opplending som var frende til Sigurd jarl. Markus fostret en sønn til kong Sigurd, som også het Sigurd. Nå tok opplendingene Sigurd til konge etter råd av Sigurd jarl og andre høvdinger, som hadde fulgt Håkon; på ny fikk de en stor hærstyrke. Flokken fór ofte delt i to; kongen og Markus var mindre med i striden, men Sigurd jarl og andre høvdinger utsatte seg for større

Håkon fikk banesår 7. juli 1162.
Skog i Brøttum på Ringsaker.

vågnad med sine menn. De holdt seg mest omkring på Opplanda med flokken, men stundom kom de ned til Viken. Erling Skakke hadde støtt med seg Magnus, sin sønn. Han hadde også hele skipsflåten og landvernet. Han var i Bergen en stund om høsten og reiste derfra øst i Viken og slo seg ned i Tønsberg. Der tenkte han å ha vintersete, og han krevde inn i Viken alle skatter og avgifter som kongen skulle ha. Han hadde også en stor, vakker hær. Men fordi Sigurd jarl hadde lite land og stort mannskap om seg, fikk han snart for lite penger, og der det ikke var høvdinger til stede, der prøvde de å få tak i gods på ulovlig måte, dels ved harde klagemål, dels åpent ved ran.

10. På den tid stod Norgesvelde i stor blomstring. Bondefolket var rikt og mektig og ikke vant til ufrihet eller til ufred fra flokkene. Det ble straks mye omtalt blant folk når ran gikk for seg. Vikværingene var helt ut venner med kong Magnus og med Erling; det var mest den vennesælhet kong Inge Haraldsson hadde hatt, som voldte det; for vikværingene hadde støtt med sin styrke stått i hans tjeneste. Erling lot holde vakt i byen, og tolv mann våkte hver natt. Erling hadde jamt ting med bøndene, og da ble det ofte talt om ugjerninger som Sigurds menn hadde gjort. Ved det som Erling og andre menn i hæren sa, ble det et stort rop blant bøndene om at det ville være en god gjerning om folk sørget for at den flokken aldri kom til å trives.

Arne kongsmåg talte lenge om dette og til slutt med harde ord. Han bad alle som var på tinget, både hærmenn, bønder og bymenn, om at de med våpentak etter loven skulle dømme Sigurd jarl og hele flokken deres til fanden både levende og døde. Fordi hele mengden var så oppøst at den ikke kunne styre seg, sa alle ja til det. Dette forferdelige tiltaket ble godtatt og fastslått slik som loven sa en skulle dømme på tinget. Presten Roald Langtale, som var en veltalende mann, talte også om denne saken. Hans tale gikk mest ut på det samme som før var blitt sagt. Erling gav gjestebud i jula i Tønsberg, og kongen gav lønn til hæren ved kyndelsmess*.

11. Sigurd jarl fór omkring i Viken med det beste mannskapet han hadde, og mange folk gav seg under ham fordi de ble tvunget til det, og mange betalte penger. Slik fór han omkring oppe i landet og stanset ymse steder. Det var noen i flokken hans som lønnlig bad Erling om grid; og de fikk til svar at alle de menn som bad om det, skulle få grid for livet, men bare de som ikke hadde forbrutt seg mot ham i større ting, skulle få landsvist*. Men da mennene i flokken fikk høre det at de ikke skulle få landsvist, gjorde det mye til å holde sammen flokken, for det var mange av dem som visste med seg sjøl at Erling med god grunn ville synes han hadde stor sak imot dem. Filippus Gyrdsson forlikte seg med Erling og fikk tilbake eiendommene sine og gikk tilbake til gardene sine. Kort etter kom Sigurds

Kyndelsmess, 2. februar 1163.
Landsvist, rett til å være i fred i landet.

menn dit og drepte ham. Stor skade gjorde de for hverandre ved at de overfalt og drepte menn for hverandre; men det er ikke oppskrevet det som ikke høvdingene var med i.

12. I førstningen av fasten kom det melding til Erling om at Sigurd jarl ville gå imot ham. Både her og der ble det sagt han hadde vært, stundom nær ved, stundom lenger borte. Erling sendte da ut speidere så han skulle få greie på det, hvor de så kom fram. Hver kveld lot han også blåse hele hæren opp fra byen, og de lå samlet om nettene, og hele hæren var inndelt i fylkinger.

Det kom melding til Erling at Sigurd jarl og hans folk var kort derfra oppe på Re*. Erling gav seg på veg fra byen og hadde med seg alle de bymenn som kunne kjempe og hadde våpen, og likeså kjøpmennene så nær som tolv mann, som var igjen og skulle holde vakt i byen. Han tok fra byen etter non tirsdag i den andre uka i langfasten, og hver mann hadde med seg mat for to dager. De tok av sted om natta, og det gikk smått med å få folk ut av byen. Det var to mann om hver hest og hvert skjold. Da hæren ble mønstret, var det nær tretten hundre mann. Men da speiderne kom imot dem, fikk de vite at Sigurd jarl var på Re på en gard som heter Ramnes, med fem hundre mann. Da lot Erling kalle sammen hæren, og så fortalte han det han hadde fått vite; men alle rådde ivrig til at de skulle skynde på og kringsette dem i huset og kjempe med én gang om natta. Erling greip ordet og talte så: «Nå ser det mest ut til at vi og Sigurd jarl kommer til å møtes snart; i flokken deres er det mange andre menn og, som har gjort et verk så vi nok kommer til å minnes dem, da de hogg ned kong Inge og mange andre av vennene våre, som det varer lenge å rekne opp. Slike gjerninger gjorde de med fandens hjelp og ved trolldom og nidingskap, for det står her i vår lov og landsrett at ingen mann kan ha forbrutt seg slik at det ikke blir kalt nidingsverk eller mord når folk dreper hverandre om natta. Men denne flokken har fulgt råd fra trollkyndige mennesker og prøvd å få lykken med seg på den måten at de kjemper om natta, men ikke under sola. Med slik framferd har de vunnet seier, så de har kunnet stige over hodet på en slik høvding som ham de har lagt til jorda. Nå har vi ofte sagt og vist hvor skammelig vi synes den skikken deres er, at de har gitt seg i slag om natta. Vi vil derfor heller følge eksemplet fra de høvdinger som vi kjenner bedre, og som det er bedre å likne, og kjempe på lyse dagen og i fylking, heller enn å stjele seg inn på sovende menn om natta. Vi har folk nok imot dem, når det ikke er større hær enn de har. Vi skal bie på dagen og lysningen, men holde sammen i fylking, om de vil overfalle oss.» Etter denne talen satte hele hæren seg ned. Somme reiv opp noen høystakker og gjorde seg et leie av dem, somme satt på skjoldene sine og ventet slik på lysning av dag. Det var kaldt vær, og sludd og drev.

13. Sigurd jarl hadde så vidt fått nyss om hæren da den var kommet

---

Re, eldre navn på hovedsoknet i Ramnes herred nordvest for Tønsberg.

helt nær. Hans menn stod opp og væpnet seg, men de visste ikke nøye hvor stor hær Erling hadde. Somme ville rømme unna, men de fleste ville bie. Sigurd jarl var en klok mann og god til å tale, men han ble ikke reknet for å være særlig modig. Han ville helst rømme nå også, men for det fikk han høre sterk klander av sine folk.

Da det tok til å lysne, gav begge parter seg til å stille opp fylking. Sigurd jarl fylkte hæren oppå en bakke ovenfor brua mellom den og garden. Der renner ei lita å. Men Erling gjorde fylking på den andre sida av åa. Bak fylkingen stod menn til hest, godt væpnet, og de hadde kongen hos seg. Jarlsmennene skjønte da at det ble stor overmakt, og de talte om at det var rådeligst å sette til skogs. Jarlen svarte: «Dere sier det at jeg ikke har mot, men nå skal det stå sin prøve. Og nå får hver akte seg at han ikke rømmer eller blir vettskremt før jeg. Vi har godt vern her, la så dem gå over brua; men når merket kommer over brua, skal vi velte oss over dem utfor bakken; og nå må ingen rømme fra de andre.» Sigurd jarl hadde brun kjortel og rød kappe med oppbundne skjøteflak og hudsko* på føttene. Han hadde skjold, og et sverd som het Bastard. Jarlen sa: «Det vet Gud at jeg heller ville nå Erling Skakke med et eneste hogg av Bastard, enn få mye gull.»

14. Erling Skakkes hær ville gå fram til brua, men han sa de skulle snu og gå opp etter åa. «Denne åa er lita,» sa han, «og det er ikke vanskelig å komme over, for det er slett mark på sidene.» Så ble gjort. Jarlsfylkingen gikk etter langs bakken, rett imot dem. Men da det var slutt med bakken, og det var slett og godt å komme over, sa Erling at hans menn skulle synge Pater noster*, og be at de måtte seire som hadde retten på si side. Da sang alle høyt Kyrial*, og alle slo med våpnene på skjoldene. Ved dette ståket stakk tre hundre mann av Erlings hær av og rømte. Erling og hans folk gikk over åa, og jarlsmennene ropte hærrop; men det ble ikke noe av at de veltet seg ned over Erlings fylking, og slaget kom til å stå fremst i bakken. Først var det spydkasting, og så ble det snart hoggkamp. Jarlsmerket veik bakover, så Erling og hans menn kom seg opp på bakken. Da ble det bare en kort kamp før jarlsmennene rømte til skogen, som lå bak dem. Noen fortalte dette til Sigurd jarl, og de bad ham flykte. Han svarte: «Fram nå så lenge vi kan!» Så gikk de djervt på og hogg til begge sider. I denne striden falt Sigurd jarl og Jon Sveinsson og nesten førti mann. Erling mistet få folk, og hans hær forfulgte bort til skogen dem som rømte. Så mønstret han hæren og snudde. Han kom til et sted hvor kongens treller holdt på å dra klærne av Sigurd jarl; han var ikke helt død ennå, men han visste ikke til seg. Han hadde stukket sverdet i slira, og det lå ved sida av ham. Erling tok det opp og slo trellene med det, og sa de skulle pakke seg bort. Nå vendte Erling tilbake med hæren og slo seg ned i Tønsberg. Sju

Hudsko (fetesko), laget av leggen på et skinn.
Pater noster, dvs. Fadervår.
Kyrial, dvs. salmen Kyrie eleison.

Erling og hans folk gikk over åa.

dager etter at jarlen var falt, tok Erlings menn til fange Eindride
Unge, og han ble drept*.

15. Markus fra Skog og Sigurd, hans fostersønn, reiste ned til
Viken da det ble vår, og de fikk seg noen skip der. Da Erling fikk
vite det, tok han østover etter dem, og de møttes i Konghelle. Mar-
kus og Sigurd rømte ut på øya Hisingen, og der kom Hising-buene
ned og gikk i fylking med Markus-mennene. Erling og hans folk
rodde til lands, men mennene til Markus skjøt på dem. Da sa Erling
til sine menn: «La oss ta skipene deres og ikke gå opp og kjempe
med landsfolket. Hising-buene er det ille å gå mot, de er harde og
urimelige menn; de vil ikke ha denne flokken hos seg lenge, for
Hisingen er et lite land.» Så tok de skipene og førte dem over til
Konghelle. Markus og hans flokk fór opp til Marker og ville gjøre
innfall derfra. Begge parter hadde kjenning med hverandre. Erling
hadde en mannsterk hær, og han bød ut folk fra bygdene, og nå
gjorde de overfall på hverandre.

16. Øystein, sønn til Erlend Himalde, ble valgt til erkebisp etter
erkebiskop Jons død*. Øystein fikk vigsel samme år som kong Inge
falt. Da erkebiskop Øystein kom til erkebispstolen, ble han godt
omtykt av hele folket. Han var en dugelig mann og av stor ætt.
Trønderne tok vel imot ham, for de fleste stormennene i Trøndelag
var bundet i frendskap eller i svogerskap til erkebispen, og alle var
helt ut hans venner. Erkebispen tok nå til å tinge med bøndene, han
talte først om at bispesetet trengte penger, og så om hvor stor hjelp
bispesetet trengte, når det skulle bli holdt så mye sømmeligere enn

Eindride ble drept 27. februar 1163.
Jons død. Erkebiskop Jon døde 24. februar 1157, og Øystein ble valgt til ny erkebiskop
av kong Inge 21. august s.å. Han ble vigslet av pave Alexander III i 1161.

før som det nå var gjævere i rang enn før, siden det var reist en erkebispstol der. Han krevde det av bøndene at de skulle betale pengebøter til ham med sølvvurdert øre, men før hadde han fått sakøre-penger, slik som når de betalte sakøre* til kongen; forskjellen på disse pengeverdiene var slik at den sølvvurderte øren som han ville ha, var dobbelt så mye verd som den andre. Dette fikk erkebispen satt igjennom med hjelp fra frender og venner, og ved at han sjøl dreiv sterkt på med saken; det ble dømt å være lov i hele Trøndelag, og det ble vedtatt i de fylker som hørte med til hans erkebispedømme.

17. Da Sigurd og Markus hadde mistet skipene sine i Göta älv, og skjønte at de ikke fikk tak på Erling, vendte de tilbake til Opplanda og tok landvegen nord til Trondheimen. Der ble de vel mottatt; Sigurd ble tatt til konge der på Øreting. Sønnene til mange gode menn sluttet seg til flokken; der fikk de tak i skip og rustet seg skyndsomt, og så seilte de sør til Møre da det ble sommer. De tok alle kongelige inntekter hvor de kom. Til landvern i Bergen var lendmennene Nikolas Sigurdsson, Nokkve Pålsson, og enda flere sveit-høvdinger, Torolv Dryll, Torbjørn gjaldkere og mange andre. Markus og hans folk seilte sørover og fikk vite at Erlings menn var mannsterke i Bergen. De seilte da utaskjærs og sør om byen. Det talte folk om at den sommeren fikk Markus-mennene bør hvor de så ville fare.

18. Så snart Erling Skakke fikk vite at Markus og Sigurd hadde tatt vegen nordover, seilte han nord til Viken; der samlet han folk og ble snart mannsterk, og han hadde mange store skip. Da han seilte utover i Viken, fikk han motvind og lå lenge her og der i havnene hele den sommeren. Da Markus og Sigurd kom øst til Lista, fikk de vite at Erling hadde en veldig hær i Viken, og så snudde de nordover igjen. Da de var kommet til Hordaland, tenkte de seg inn til Bergen; da de kom utenfor byen, rodde Nikolas og de andre ut imot dem, og de hadde mange flere folk og større skip. Da så Markus og Sigurd ingen annen utveg for seg enn å ro sørover; somme satte ut til havs, somme sør i sundene, og somme inn i fjordene. Markus og noen til sprang opp på den øya som heter Skorpa*. Nikolas og de andre tok skipet deres og gav grid til Jon Hallkjellsson og noen andre, men de drepte de fleste de fikk tak i. Noen dager etter fant Eindride Heidafylja Sigurd og Markus og tok dem med til Bergen. Sigurd ble halshogd utenfor Gravdal, og Markus ble hengt sammen med en annen mann på Kvarvsnes*. Dette hendte ved mikkelsmess*. Den flokken som hadde fulgt dem, ble så oppløst.

19. Frirek Køna og Bjarne Ille, Ånund Simonsson og Ørnolv Skorpa hadde rodd ut til havs med noen skip, og de seilte utaskjærs

---

Sakøre var bøter til kongen for drap og andre overtredelser.
Skorpa, nå Skorpo på sørsida av Krossfjorden utenfor Bergen.
Kvarvsnes, Kvarven vest for Bergen.
Mikkelsmess, 29. september 1163.

østover langsmed land. Hvor de kom til land, rante de og drepte Erlings tilhengere. Da Erling fikk høre at Markus og Sigurd var drept, gav han lendmennene og leidangsmennene hjemlov, og sjøl seilte han med mannskapet sitt østover Folden, for han fikk høre at Markus-mennene var der. Erling seilte til Konghelle og holdt seg der om høsten. Den første uka av vinteren* tok Erling ut til øya Hisingen med en stor styrke og krevde å få holde ting der. Hisingbuene kom ned og holdt ting. Erling bar klagemål mot dem fordi de hadde gått i opprørsflokk sammen med Markus-mennene, og de hadde stilt opp fylking mot ham.

Ossur het han som var den mektigste av bøndene, og som førte ordet for dem. Tinget varte lenge, men til sist gikk bøndene med på at Erling skulle dømme i saken. Han fastsatte et møte med dem i byen ei uke etterpå, og han nevnte opp femten mann av bøndene til å komme dit. Da de kom, dømte Erling dem til å bøte tre hundre naut. Bøndene vendte hjem og var ikke fornøyd med det utfall saken hadde fått. Kort etter la det seg is på elva, og Erlings skip frøs inne. Da holdt bøndene tilbake bøtene, og de lå i flokk en stund. Erling laget til julegjestebud der, men Hising-buene hadde sammenskudds-øl og holdt flokken samlet i jula. Natta etter femte juledag satte Erling ut til øya og kringsatte huset til Ossur og brente ham inne, og i alt drepte han hundre mann og brente tre garder; så tok han tilbake til Konghelle. Etter det kom bøndene til ham og betalte boten.

20. Erling Skakke gjorde seg i stand om våren* så snart han kunne få skipene flott for isen, og reiste fra Konghelle. Han fikk vite at noen som før hadde fulgt Markus, nå dreiv på og herjet nord i Viken. Erling hadde speidere ute etter dem og drog av sted og lette etter dem; han kom over dem da de lå i ei havn. Ånund Simonsson og Ørnolv Skorpa kom seg unna, men Frirek Køna og Bjarne Ille ble tatt til fange, og mange av flokken deres ble drept. Erling lot binde Frirek til et anker og kaste over bord. For denne gjerning ble Erling svært forhatt i Trøndelag, fordi Frirek hadde sin beste ætt der. Erling lot Bjarne henge, men før han ble hengt, kom han med de verste skjellsord slik som han brukte å gjøre. Så sier Torbjørn Skakkeskald:

Ulykke øst for fjorden
Erling til ransmenn førte,
da han dit bort seilte.
Skadd hadde Køna mange.

Nå mellom Frireks herder
ført ble ankerfleinen.
Bjarne Ille fikk henge
høyt oppi treet og dingle.

Ånund og Ørnolv og de flokkene som hadde kommet seg unna, rømte til Danmark, og stundom var de i Götaland eller Viken.

21. Erling Skakke reiste siden til Tønsberg og holdt seg lenge der om våren. Da det ble sommer, styrte han nord til Bergen. Der var det svært mye folk den gangen. Da var legaten Stefanus fra Roma

---

Dvs. uka etter *vinterdagen*, 14. oktober.
Om våren, år 1164.

Erling kringsatte huset til Ossur og brente ham inne.

der og Øystein erkebiskop og andre innenlandske biskoper. Der var også Brand biskop, som da var vigd til biskop på Island. Der var også Jon Loptsson, dattersønn til kong Magnus Berrføtt; da hadde kong Magnus og de andre frendene til Jon godkjent frendskapen med ham.

Øystein erkebiskop og Erling Skakke hadde ofte samtaler med hverandre alene. En gang hendte det under samtalen at Erling spurte: «Er det sant, herre, det folk sier at De har økt pengeverdien i de bøtene De skal ha av bøndene nord i landet?» Erkebiskopen svarte: «Det er visst og sant at bøndene har gått med på å øke pengeverdien i bøtene til meg. De har gjort det etter sin egen vilje og uten noen tvang, og derved har de økt Guds ære og inntektene ved vårt bispesete.» Erling svarte: «Er det den hellige kong Olavs lov, eller har De tatt denne saken noe striere enn det er skrevet i lovboka?» Erkebiskopen svarer: «Den hellige kong Olav har nok satt loven slik som han fikk allmuens jaord og samtykke til. Men ikke fins det i hans lov at det er forbudt å øke Guds rett.» Erling sa: «Vil De øke Deres egen rett, så vil De vel hjelpe også oss til å øke kongens rett like mye.» Erkebiskopen svarte: «Du har alt før økt din sønns navn og makt nok; og dersom jeg ulovlig har tatt høyere pengeverdi av trønderne, så tenker jeg at det lovbrudd er større at den er konge over landet som ikke er kongssønn. Det er verken lov for eller døme på det her i landet.»

Erling sa: «Da Magnus ble tatt til konge over Norges rike, ble det gjort med Deres vitende og samtykke og likeså med de andre biskopers i landet.» Erkebiskopen svarte: «Det lovte du, Erling, at dersom vi ville gi vårt samtykke med deg i at Magnus skulle bli tatt til konge, ville du styrke Guds rett alle steder med all din kraft.» «Jeg medgir det,» sa Erling, «at jeg har lovt å holde Guds lov og landsrett med all min og kongens makt. Men nå vet jeg noe som er bedre enn at den ene skylder den andre for brudd på avtale. La oss heller holde alle avtalene våre. Støtt kong Magnus i hans makt som De har lovt, så skal jeg støtte Deres makt i alt som er godt og nyttig.» Siden gikk hele samtalen vennlig mellom dem. Da sa Erling: «Om så er at Magnus ikke er tatt til konge slik som gammel skikk krever her i landet, kan De av Deres makt gi ham kronen, slik som Guds lov er at en skal salve kongen til kongedømmet. Men enda jeg ikke er konge eller kommet av kongsætt, så har de fleste konger som har vært i vår tid, ikke kjent til lov eller landsrett så godt som jeg. Og mor til kong Magnus er ektefødt datter til en konge og en dronning, og Magnus er også sønn til en kongebåret kvinne og til en ektehustru. Om De vil gi ham kongsvigsel, kan ingen siden med rette ta fra ham kongedømmet. Ikke var Vilhjalm Bastard kongssønn, og han ble vigd og kronet til konge over England, og siden har hans ætt hatt kongedømmet i England, og alle er blitt kronet. Ikke var Svein Ulvsson i Danmark kongssønn, og han ble likevel kronet til konge der, og siden ble sønnene hans og den ene etter den andre av etterkommerne hans kronet til konge. Nå er det en erkestol her i landet; det er til stor ære og pryd for landet vårt. La oss nå øke den med enda flere gode ting; la oss ha en kronet konge, likså godt som engelskmennene og danene.»

Siden talte erkebiskopen og Erling ofte om dette, og alt gikk forlikelig og fredelig. Seinere bar erkebispen fram saken for legaten, og han fikk lett vendt legaten til samtykke med seg. Så holdt erkebispen møte med lydbispene og andre kirkemenn og bar denne saken fram for dem. Alle svarte på én og samme måte og sa at de ville ha det som erkebispen ville, og alle ville gjerne at vigselen skulle komme i stand så snart de merket at erkebispen ville ha det så. Det ble da alles dom.

22. Erling Skakke lot gjøre i stand i kongsgården et stort gjestebud, og den store hallen ble kledd med pell og veggtepper og prydet med stor kostnad. Så ble det holdt gjestebud for hirden og for alle handgangne menn; der var det en mengde gjester og blant dem mange høvdinger. Magnus fikk da kongsvigsel av erkebiskop Øystein; med ved vigselen var fem andre biskoper og legaten og en mengde prester. Erling Skakke og tolv lendmenn med ham svor eden etter loven sammen med kongen. Den dag da vigselen foregikk, hadde kongen og Erling i gjestebud hos seg erkebiskopen og legaten og alle bispene, og det var et staselig gjestebud. Kongen og Erling gav mange og store gaver. Da var kong Magnus åtte år, og da hadde han vært konge i tre år.

23. Valdemar danekonge hadde nå fått høre fra Norge at Magnus alene var konge der, og at alle de andre flokkene der i landet var ødelagt. Da sendte kongen menn med brev til kong Magnus og til Erling og minte dem om de avtaler som Erling hadde gjort med kong

Lendmennene hyller den kronede konge.

Valdemar, så som her før ble skrevet, at kong Valdemar skulle få Viken fra øst og til Rygjarbit dersom Magnus ble enekonge i Norge. Da sendemennene kom fram og viste Erling brevet fra danekongen, og da Erling skjønte hvilket krav danekongen gjorde på Norge, bar Erling dette fram for de andre menn som han brukte å rådføre seg med. Men de sa alle som én at aldri skulle en gi danene noe av Norge, for folk sa at aldri hadde det vært verre tid i landet enn da danene hadde makt over Norge. Sendemennene til danekongen talte om saken for Erling og bad ham om avgjørelse. Erling bad dem fare med øst til Viken om høsten, og sa at han ville gi dem avgjørelsen da når han hadde fått talt med de klokeste mennene i Viken.

24. Om høsten reiste Erling Skakke øst til Viken og gav seg til i Tønsberg. Han sendte menn over til Borg og lot stevne fire-fylkersting i Borg; siden tok Erling dit med sine menn. Da tinget var satt, tok Erling til orde og fortalte om den avtalen som var gjort mellom ham og danekongen, da Erling og Magnus for første gang hadde reist flokk. «Jeg vil,» sa han, «holde alle de avtaler som vi gjorde da, om det er så at dere bønder vil og samtykker i heller å tjene danekongen enn denne kongen, som er vigd og kronet til landet her.»

Bøndene svarte Erling og sa: «På ingen måte vil vi bli danekongens menn så lenge en eneste av oss vikværinger er i live.» Nå fór hele allmuen opp med rop og skrik og bad Erling holde den ed som han hadde svoret til hele landsfolket å verge «din sønns land, og vi skal alle følge deg.» Slik sluttet det tinget. Siden reiste sendemennene fra danekongen hjem sør til Danmark, og de sa fra om utfallet av ærendet sitt, slik som det var. Danene kom med sterk klander mot Erling og mot alle nordmenn, og de sa at hos dem var det aldri annet enn vondt å røyne. Det ordet gikk at danekongen neste vår ville ha ute hæren sin og herje i Norge. Om høsten reiste Erling nord til Bergen og satt der om vinteren og gav sine menn lønn der.

25. Den vinteren kom det noen danske menn landvegen gjennom Norge, og de sa, som titt hender, at de skulle til den hellige Olav for å be. Da de kom til Trondheimen, kom de sammen med mange stormenn der. De sa da ærendet sitt, at danekongen hadde sendt dem for å be trønderne om vennskap, og om at de ville ta imot ham om han kom til landet, og at han lovte å gi dem både makt og penger. Med denne ordsendingen fulgte brev og segl fra danekongen, og det bud at trønderne til gjengjeld skulle sende brev med sitt segl på. De gjorde så, og de fleste tok godt imot ordsendingen fra danekongen. Sendemennene reiste østover igjen da det lei ut i langfasten*.

Erling satt i Bergen. Da det ble vår, fortalte Erlings venner ham det rykte som de hadde hørt av noen menn på lasteskip, som var kommet nord fra Trondheimen, at trønderne viste ham åpent fiendskap, og at de lyste det på tingene sine at om Erling kom til Trondheimen, skulle han aldri komme ut om Agdenes med livet. Erling svarte at dette bare var dikt og tøv. Erling lot kunngjøre at han ville fare sør til Onarheim* til gangdagetinget, og han lot ruste ut ei snekke med tjue tofter og ei skute med femten tofter og dessuten et proviantskip. Da skipene var ferdige, satte det inn med kvass sønnavind. Tirsdag i gangdagene* lot Erling blåse sine menn til skipene, men mennene hadde ikke stor lyst til å fare fra byen, og de syntes det var ille at de skulle ro imot vinden. Erling la inn nord i Biskopshamn*. Da sa han: «Dere klager ille over å ro mot vinden; ta nå og reis mastene, heis seilene, og la skipene gå nordover.» De gjorde så og seilte nordover dag og natt. Onsdag om kvelden seilte de inn om Agdenes; der møtte de en stor flåte av skip som seilte sammen: lasteskip, robåter og småskuter. Det var folk som skulle inn til byen til helga*, somme var før dem og somme etter. Derfor la bymennene ikke merke til at det kom langskip seilende.

26. Erling Skakke kom til byen på den tid da det ble sunget ottesang oppe i Kristkirken. Erlings menn sprang opp i byen, og de fikk vite at lendmannen Alv Rode, sønn til Ottar Birting, ennå satt og drakk med sine menn. Erling gikk imot dem, og Alv ble drept med

---

Langfaste varte i 1165 fra 14. februar til 4. april.
Onarheim på Tysnesøy i Sunnhordland.
Tirsdag i gangdagene, 11. mai 1165.
Biskopshamn ved Byfjorden nord for Bergen.
Helga, dvs. Kristi himmelfartsdag, som i 1165 var 13. mai.

de fleste av sine menn. Det falt bare få andre, for de fleste hadde gått til kirken. Dette var om natta før himmelfartsdagen.

Straks om morgenen lot Erling blåse hele hæren ut til Ørene til ting. På tinget reiste Erling klager mot trønderne og beskyldte dem for landssvik mot kongen og seg sjøl; han nevnte særskilt Bård Standale og Pål Andreasson og Rasse-Bård, som den gang hadde syssel i byen, og enda mange flere. De svarte og sa seg fri for skyld. Da stod Erlings kapellan opp og holdt opp mange brev og segl, og spurte om de kjente igjen seglene sine der på de brevene som de hadde sendt til danekongen om våren. Brevene ble også lest opp.

Der var også med Erling de danske menn, som hadde reist med brev om vinteren. Det var Erling som hadde fått dem til det; de sa da for hele allmuen alle de ord som hver enkelt av dem hadde sagt. «Så talte du, Rasse-Bård!» sa de, «og du slo deg for brystet; ut av dette brystet kom fra først av alle disse råd.» Bård svarte: «Ør var jeg da, herre min, da jeg talte så.» Det ble da ingen annen utveg enn å gå med på å la Erling dømme i hele denne saken. Han tok da straks en mengde gods av mange menn, men lot alle dem som var drept, ligge uten å betale bøter for dem. Og så reiste han sør igjen til Bergen.

27. Den våren hadde kong Valdemar ute en stor hær i Danmark og styrte nord i Viken med den. Straks han kom i riket til Norges konge, samlet bøndene seg, og det ble en stor flokk. Kongen fór fredelig og rolig fram; men der de seilte langs fastland, skjøt folk på dem, om det så bare var én eller to der, og danene syntes at folk i landet fullt ut viste dem uvilje. Da de kom til Tønsberg, stevnte kong Valdemar sammen ting på Haugar*, men ingen kom ute fra herredene. Da tok kong Valdemar til orde og talte slik: «Lett er det å skjønne på folkene her i landet at alle står imot oss. Nå har vi to ting å velge mellom; enten kan vi fare med hærskjold over landet og ikke skåne noen, verken folk eller fe, eller vi kan fare sørover igjen med fåfengt sak. Og det har jeg større lyst til å fare i austerveg til hedenske land, som det er nok av, enn å drepe kristne folk her, om de så hadde fortjent det godt nok.» Alle de andre ville gjerne herje, men kongen satte igjennom at de tok sørover igjen. Men det ble røvet vidt og bredt på utøyene og overalt der kongen ikke var med sjøl. De tok sør til Danmark.

28. Erling Skakke fikk vite at danehæren hadde kommet til Viken. Da bød han ut full leidang av folk og skip, og det ble en veldig hærsamling, og Erling seilte så østover langs landet med hæren. Da han kom til Lindesnes, fikk han vite at danehæren hadde reist sørover igjen til Danmark, men hadde ranet vidt og bredt i Viken. Da gav Erling hele leidangshæren hjemlov, men han sjøl og noen lendmenn seilte med mange skip sørover til Jylland etter danene. Da de kom dit som heter Djurså*, lå det noen daner der som var kommet

---

Haugar, se merkn. s. 593.
Djurså (Dýrsá), det gamle navnet på elva Grenå, østafor Randers.

fra leidangen, med mange skip. Erling la imot dem og kjempet med dem. Danene flyktet fort og mistet mange menn, og Erling og mennene hans rante skipene og likså kjøpstaden* og fikk en mengde hærfang der, og så tok de tilbake til Norge. Nå var det ufred en stund mellom Norge og Danmark.

29. Kristin kongsdatter reiste sør til Danmark om høsten til kong Valdemar, sin frende. De var barn til to søstre. Kongen tok særlig godt mot henne og gav henne inntekter der hos seg, så hun kunne holde sine menn godt. Hun var ofte i samtale med kongen, og han var svært blid mot henne. Og våren etter sendte Kristin menn til Erling og bad ham komme til danekongen og forlike seg med ham. Sommeren etter var Erling i Viken; han gjorde i stand et langskip og satte det beste mannskap han hadde, på det, og så seilte han over til Jylland. Han fikk vite at kong Valdemar var i Randers. Erling seilte dit og kom til byen den tid da de fleste satt ved maten. Da de hadde tjeldet og gjort fast skipet, gikk Erling i land sjøl tolvte; alle hadde brynjer, og hatter over hjelmene og sverd under kappene; så gikk de til kongens herberge. Retter ble båret inn, og dørene var åpne.

Erling og hans menn gikk straks inn for høgsetet. Erling sa: «Grid vil vi ha, konge, både her og til hjemferd.» Kongen så på ham og sa: «Er du der, Erling?» Han svarte: «Erling er her, men si oss nå fort om vi skal få grid.» Der inne var åtti kongsmenn, alle uten våpen. Kongen sa: «Grid skal du ha, Erling, som du ber om. Jeg gjør ikke nidingsverk mot noen som kommer til meg.» Da kysste Erling kongen på handa og gikk siden ut til skipet. Han ble der en stund hos kongen; de talte om forlik mellom seg og landene, og de ble forlikt om at Erling skulle bli som gissel hos danekongen, men Asbjørn Snara*, erkebiskop Absalons bror, reiste som gissel til Norge til gjengjeld.

30. Det hendte en gang at kong Valdemar og Erling taltes ved. Da sa Erling: «Herre, jeg synes det er rimeligst at vi forlikes slik at De får alt det av Norge som ble lovt Dem i våre avtaler. Men om så blir, hvilken høvding vil De så sette over det landet? Mon en dansk?» «Nei,» svarte han, «ingen danehøvding bryr seg om å fare til Norge for å dras med et hardt og ulydig folk, når de før har det godt nok her.» Erling sa: «Jeg kom hit fordi jeg ikke for noen pris ville miste Deres vennskap; hit til Danmark har før menn fra Norge fart, Håkon Ivarsson og Finn Arnesson. Og kong Svein, Deres frende, gjorde begge til sine jarler. Jeg har nå ikke mindre makt i Norge enn de hadde da, og kongen gav dem Halland å styre, et rike som han sjøl hadde i forvegen. Nå synes jeg, herre, at De godt kan unne meg Viken, om jeg blir Deres handgangne mann, så jeg styrer dette riket for Dem. Det vil nok heller ikke kong Magnus, min sønn, nekte meg, og da vil jeg bli forpliktet og skyldig til all den tjeneste som følger med jarlsnavnet.» Slikt og annet av samme slag talte Erling,

---

Kjøpstaden, dvs. Grenå.
Asbjørn Snara (Esbern Snare), den berømte danske krigeren (ca. 1127–1204).

Erling og hans menn gikk straks inn for høgsetet.

og til slutt ble det til det at Erling ble kong Valdemars handgangne mann, og kongen leide Erling til sete og gav ham jarlsnavn og Viken til len og styring. Så reiste Erling hjem til Norge, og siden var han jarl så lenge han levde, og han holdt seg støtt siden i forlik med danekongen*.

Erling hadde fire frillesønner, en het Reidar, den andre Ogmund, og de hadde hver si mor; den tredje het Finn og den fjerde Sigurd, og deres mor var Åsa den lyse; de var yngre. Kristin kongsdatter og Erling hadde ei datter som het Ragnhild; hun ble gift med Jon Torbergsson fra Randaberg*. Kristin reiste fra landet med en mann som ble kalt Grim Rusle. De tok til Miklagard og var der en stund, og de hadde noen barn sammen.

31. Olav, sønn til Gudbrand Skavhoggsson og Maria, som var datter til kong Øystein Magnusson, var til oppfostring hos Sigurd Agnhatt på Opplanda. Da Erling var i Danmark, reiste Olav og Sigurd flokk, og mange opplendinger sluttet seg til dem. Olav ble tatt til konge der. De reiste med flokken omkring på Opplanda, og stundom i Viken, stundom øst i Marker; men de var aldri til skips. Da Erling jarl fikk høre om denne flokken, tok han med sine menn til Viken, og han var på skipene om sommeren, men om høsten var han i Oslo, og der holdt han gjestebud i jula. Han sendte folk opp i landet som skulle speide etter flokken, og han tok sjøl opp i landet

---

Danekongen. Den danske historieskriver Saxo forteller i sin Danmarks-historie *(Gesta Danorum)* noe annerledes om kampene og forliket mellom Erling og Valdemar (her fra kap. 27). Bl.a. må Erlings første ferd til Jylland (kap. 28) ha funnet sted i 1167, to år seinere enn det Snorre forteller. Forliket mellom Erling og Valdemar ble inngått i 1170.

Randaberg nord for Stavanger.

sammen med Orm kongsbror og lette etter dem. Men da de kom til ei elv som heter . . . .*, tok de alle de skip som var ved elva.

32. Den presten som holdt messe ved Rydjokul*, som ligger ved den elva, innbød jarlen og hans folk til gjestebud, og bad at de skulle komme dit ved kyndelsmess*. Jarlen lovte å komme; han syntes det kunne være godt å høre messe der. De rodde dit over vannet kvelden før messedagen. Men denne presten hadde en annen plan i tankene. Han sendte menn som skulle si fra til Olav og Sigurd at Erling kom. Om kvelden gav han Erling og følget hans sterk drikk, og han lot dem drikke dugelig. Da jarlen gikk for å sove, var seng redd for dem i gjestebudstua. Da de hadde sovet en liten stund, våknet jarlen og spurte om det var ottesangstid. Presten sa at det bare var gått litt av natta, og han bad dem sove i ro. Jarlen svarte: «Jeg drømmer så mye i natt, og ille sover jeg.» Han sovnet så; men for annen gang våknet han og bad presten stå opp og synge messen. Presten bad jarlen sove; det var midt på natta, sa han. Jarlen la seg ned og sov en liten stund, men sprang så opp og bad sine menn kle på seg. De gjorde så og tok våpnene sine; så gikk de til kirken, og lot våpnene ligge ute mens presten sang ottesang.

33. Olav fikk budet om kvelden, og de gikk seks rasters veg* om natta, og det syntes folk var fælt mye. De kom til Rydjokul da ottesang ble sunget; det var helt belgmørkt. Olav og hans folk gikk til stua og satte i hærrop; der inne drepte de noen menn som ikke hadde gått til ottesang. Da Erling og hans menn hørte ropet, sprang de til våpnene, og så tok de vegen ned til skipene. Olav og hans menn møtte dem ved et gjerde, og der ble det kamp. Erling og hans menn drog seg unna nedetter langs gjerdet, og de fikk vern av det. De hadde mye mindre folk, og mange av dem falt, og mange ble såret. Det som hjalp dem mest, var at Olav og mennene hans ikke kunne skjelne dem, så mørkt det var. Men Erlings menn prøvde bare å finne ned til skipene. Der falt Are Torgeirsson, far til Gudmund biskop*, og mange andre av Erlings menn.

Erling ble såret på venstre side, og noen sier at han sjøl kjørte sverdet mot seg da han ville dra det. Orm ble også hardt såret. Det var med nød og neppe de kom seg ut på skipene, og de la straks fra land. Det ble sagt at Olav og hans menn hadde vært særlig uheldige ved møtet; for Erling og hans folk hadde vært helt solgt dersom Olav hadde gått fram med større klokskap. Siden kalte folk ham Olav Ugjæva, og noen kalte flokken for hettesveiner. De fór nå som før med denne flokken oppe i landet. Erling jarl tok ut til Viken til skipene sine, og sommeren etter ble han i Viken. Olav og hans menn

. . . *(Utelatelsestegn)*. Navnet mangler i alle handskriftene, men det må være Glåma som er ment.
Rydjokul (eller Rjodokul), forsvunnet gard i Sørum på Romerike.
Kyndelsmess, 2. februar 1167.
Seks raster, dvs. ca. 36 km.
Gudmund den hellige (el. gode) var biskop i Hólar på Nord-Island (1203–1237).

var på Opplanda og stundom øst i Marker. De holdt denne flokken samlet vinteren etter.

34. Om våren* reiste så Olav og hans folk ut til Viken og tok kongens inntekter der. De holdt seg der en lang stund om sommeren. Erling jarl fikk høre det og styrte med sine menn østover for å gå imot dem. De møttes øst for fjorden på et sted som heter Stanger*. Det ble et hardt slag, og Erling fikk seier. Der falt Sigurd Agnhatt og mange av Olavs menn, men Olav kom på flukt. Siden tok han sør til Danmark, og vinteren etter var han i Jylland i Ålborg. Men om våren etterpå ble Olav sjuk og døde; han ble jordet ved Mariakirken, og danene rekner ham for hellig.

35. Nikolas Kuvung, sønn av Pål Skoftesson, var lendmann hos kong Magnus. Han tok til fange Harald, som de sa var sønn til kong Sigurd Haraldsson og Kristin kongsdatter, sammødre bror til kong Magnus. Nikolas førte Harald til Bergen og gav ham i hendene på Erling jarl. Erling hadde den skikken når noen av uvennene hans kom til ham, at han sa lite eller ingenting til dem som han tenkte å drepe, og da talte han helt rolig til dem det han sa. Men så hardt han kunne, skjelte han ut dem som han ville gi livet. Erling talte lite med Harald, og folk hadde en mistanke om hva han tenkte å gjøre. Da bad de kong Magnus at han skulle be jarlen om nåde for Harald. Kongen gjorde det. Jarlen svarte: «Slik rår dine venner deg til; men du får ikke rå lenge for riket i fred, om du vil fare fram bare med mildhet.» Siden lot Erling Harald føre over til Nordnes, og der ble han drept.

36. Øystein het en mann som ble reknet for å være sønn til kong Øystein Haraldsson. Han var en ung mann da, ikke helt fullvoksen. Det blir sagt om ham at han en sommer* kom øst til Sveavelde og gikk til Birger Brosa, som da var gift med Brigida, datter til Harald Gille og Øysteins faster. Øystein kom fram med ærendet sitt for dem og bad dem om hjelp. Jarlen og Brigida tok vel ved saken hans og lovte ham sin hjelp. Han ble en stund. Birger jarl gav Øystein noen menn og mange penger til underhold, og han gav ham gode gaver da han reiste bort. Begge to lovte ham vennskap.

Så reiste Øystein nord til Norge og kom ned i Viken; straks samlet det seg folk om ham, og flokken vokste. De tok Øystein til konge og reiste med flokken omkring i Viken om vinteren. Men fordi de hadde lite penger, rante de vidt og bredt; men mange steder samlet lendmennene og bøndene folk mot dem. Når de ikke kunne greie seg mot overmakten, rømte de bort til skogene og lå lange stunder i ødemarkene. Da gikk klærne av dem, så de spente never om leggene, og da kalte bøndene dem for birkebeiner.

De sprang ofte ned i bygdene og kom fram her og der, og var snare til overfall når det ikke var mange folk der de kom. De holdt

Om våren, år 1168.
Stanger i Våler, Østfold.
En sommer, år 1174.

Olavs menn gikk seks rasters veg om natta.

noen slag, slik at det ble oppstilt fylking, og de fikk seier i alle. På Krokaskogen* hadde det nær gått dem ille; det kom en bondesamling, en stor hær, mot dem. Birkebeinene felte bråter for dem og sprang siden opp i grenseskogen. I to år var birkebeinene i Viken og kom ikke lenger nord i landet.

37. Kong Magnus hadde vært konge i tretten år, da birkebeinene reiste seg. Den tredje sommeren* fikk de tak i skip, så seilte de langs landet og fikk tak i gods og folk. De var først i Viken, men da det lei på sommeren, stevnte de nord i landet, og skyndte seg, så det ikke kom nyss om dem før de kom til Trondheimen. I flokken sin hadde birkebeinene mest markmenn* og elvegrimer, og mange hadde de fra Telemark, og de var da vel væpnet. Øystein, kongen deres, var vakker og hadde et pent lite ansikt; han var ikke noen stor mann; av mange ble han kalt Øystein Møyla*.

Kong Magnus og Erling jarl satt i Bergen da birkebeinene seilte nordover, men de merket det ikke. Erling var en mektig og klok mann; en stor hærmann når det var ufred, en god og virksom styrer for landet. Han ble reknet for å være grusom og hard. Men dette kom mest av det at han bare lot få av sine uvenner få landsvist om de så bad om det, og derfor var det mange som gikk inn i flokkene, så snart de ble reist imot ham. Erling var en høy og kraftig bygd mann, noe høyakslet; han hadde et langt og skarpt ansikt, var lys og

---

Krokaskogen, i Sörbygden i Bohuslän.
Den tredje sommeren, år 1176.
Markmenn var folk fra Marker, dvs. de sørlige grensestrøkene mellom Norge og Sverige.
Møyla betyr veslemøy.

ble svært gråhåret; han bar hodet noe skakt. Han var rolig og verdig; han hadde gammeldags klesdrakt, lange overstykker og lange ermer på kjortler og skjorter, velske kapper og høye sko. Slik drakt lot han kongen ha så lenge han var ung. Men da Magnus fikk rå sjøl, kledde han seg staselig. Kong Magnus var lettlivet og leiken, han var glad i moro og ikke lite kvinnekjær.

38. Nikolas, sønn til Sigurd Ranesson, var sønn til Skjaldvor, som var datter til Brynjolv Ulvalde og søster til Halldor Brynjolvsson og sammødre søster til kong Magnus Berrføtt. Nikolas var en stor høvding, han hadde gard på Hålogaland på Ongul*, et sted som heter Steigen. Nikolas hadde gård i Nidaros nedenfor Jonskirken, den som Torgeir kapellan hadde siden. Nikolas var ofte i kaupangen, og han styrte med alt for bymennene. Skjaldvor, datter til Nikolas, var gift med Eirik Arnesson; han var også lendmann.

39. Det hendte ved Mariamesse om høsten* da folk kom fra otte-sang i byen, at Eirik gikk til Nikolas og sa: «Måg, noen fiskere som er kommet utenfra sier at det kom seilende et langskip innover fjorden, og folk tror det kan være birkebeinene. Det er vel best, måg, å la blåse alle bymennene sammen under våpen ute på Ørene.» Nikolas svarte: «Ikke går jeg, måg, etter løst snakk av fiskere. Jeg skal sende speidere ut på fjorden, men la oss holde ting i dag.»

Eirik gikk hjem, og da det ringte til høymesse, gikk Nikolas til kirken. Eirik kom da til ham og sa: «Jeg tror det, måg, at det var sann melding vi fikk. Nå er det menn her som sier at de har sett seilene. Nå synes jeg det er rådeligst at vi rir fra byen og samler oss folk.» Nikolas svarte: «Det er svært som du maser, måg, la oss først lye messe, så kan vi greie med denne saken etterpå,» og Nikolas gikk til kirken. Men da messen var sunget, gikk Eirik til Nikolas og sa: «Måg, nå er hestene mine ferdige, jeg vil ri bort.» Nikolas svarte: «Far vel da. Vi vil holde ting på Ørene og få greie på hva hærstyrke det er i byen.» Så rei Eirik bort, og Nikolas gikk til gården sin og satte seg til bords.

40. Nettopp da maten ble satt fram, kom en mann inn og sa til Nikolas, at nå rodde birkebeinene i elva. Da ropte Nikolas, at hans menn skulle væpne seg. Da de var væpnet, bød Nikolas dem å gå inn på loftet. Det var det uklokeste de kunne gjøre; for om de hadde verget gården, ville byfolket ha kommet og hjulpet dem. Birkebei-nene fylte hele gården og gikk så mot loftet fra alle sider. De ropte til hverandre, og birkebeinene bød Nikolas grid, men han sa nei. Så kjempet de. Nikolas og mennene hans verget seg med bueskudd og spyd og ovnsteiner, men birkebeinene hogg ned husene og skjøt i ett kjør. Nikolas hadde et rødt skjold med forgylte nagler i og ei rand av stjerner omkring, av Vilhjalmstype. Birkebeinene skjøt så hardt at pilene stod i like til surrebandet. Da sa Nikolas: «Nå lyger skjoldet for meg.» Der falt Nikolas og en stor del av mannskapet hans, og

Ongul, nå Engeløy.
Mariamesse om høsten, 8. september 1176.

«Måg, nå er hestene mine ferdige.»

folk sørget svært over ham. Birkebeinene gav alle bymennene grid.

41. Siden ble Øystein tatt til konge der, og alt folket gav seg under ham. Han ble ei tid i byen og reiste så inn i Trondheimen; der kom mange folk til ham. Torfinn Svarte fra Snåsa kom til ham med en flokk menn. I førstningen av vinteren tok de ut til byen; da kom til dem Jon Kjetling, Sigurd og Vilhjalm, sønnene til Gudrun fra Saltnes*. De tok opp fra Nidaros til Orkdal; da mønstret de nær tjue hundre mann. Så reiste de til Opplanda og derfra utigjennom Toten og Hadeland, og så til Ringerike.

42. Kong Magnus reiste øst til Viken om høsten med en del av hæren, og Orm kongsbror var med ham. Erling jarl ble igjen i Bergen og hadde mye folk der og skulle møte birkebeinene, om de fór sjøvegen. Kong Magnus og Orm slo seg ned i Tønsberg; kongen gav gjestebud der i jula. Kong Magnus fikk vite at birkebeinene var oppe på Re. Da tok kongen og Orm fra byen med hæren og kom til Re. Det var høy snø og fælt kaldt. Da de kom til garden*, gikk de ut av tunet til vegen, og ute ved gjerdet stilte de opp fylking og tråkket snøen hard. De hadde ikke fullt femten hundre mann. Birkebeinene var på en annen gard, men noen av dem var her og der omkring i husene.

Da de ble var kong Magnus' hær, samlet de seg og stilte opp en fylking. Da de fikk se hæren til kong Magnus, syntes de, som sant var, at deres egen hær var størst, og de gikk straks til kamp*. Da de trengte fram på vegen, kunne bare få komme fram på en gang, men de som sprang fra vegen, kom ut i så dyp snø at de neppe kunne

Saltnes i Buvik i Sør-Trøndelag.
Garden, dvs. Ramnes.
Til kamp; slaget stod i januar 1177.

Birkebeinene fylte hele gården og gikk så mot loftet.

komme seg fram; da gikk fylkingen deres i stykker, og de falt som
først gikk framover vegen. Så ble merket hogd ned, og de som stod
nærmest, drog seg tilbake, og noen tok til å flykte. Kong Magnus'
menn fulgte etter dem og drepte den ene etter den andre som de fikk
tak i. Birkebeinene kunne ikke få fylkingen i orden igjen, og kom
da til å stå udekket for våpnene, mange falt og mange flyktet.

Da gikk det som det ofte kan hende, om mennene er aldri så
modige og våpendjerve, at når de får sterk påkjenning og kommer
på flukt, er det vanskelig for de fleste å vende om. Da tok hoved-
styrken av birkebeinene til å flykte, men en mengde falt, for kong
Magnus' menn drepte alle dem de kunne, og gav ingen mann grid av
dem de fikk tak i. De som flyktet, spredde seg til alle kanter. Kong
Øystein kom på flukt; han sprang inn i et hus og bad om grid, og om
bonden ville gjemme ham. Men bonden drepte ham og gikk siden
til kong Magnus, som han fant på Ramnes. Kongen var inne i stua
og varmet seg ved ilden, og der var det mange menn.

Så gikk folk av sted og hentet liket dit; de bar det inn i stua.
Kongen bad folk gå fram og se om de kunne kjenne liket. Det satt
en mann på pallen i kroken, og det var en birkebein, men ingen
hadde gitt akt på ham. Da han fikk se liket av sin høvding og kjente

ham, stod han opp fort og hardt. Han hadde øks i handa; han sprang fort inn på golvet og hogg til kong Magnus på halsen ved herdene. En mann fikk se at han svingte øksa og skjøv ham bort, dermed glei øksa ned mot herdene, og det ble et stort sår. Så svingte birkebeinen øksa for annen gang og hogg til Orm kongsbror, som lå på pallen. Hogget siktet på begge leggene. Men da Orm fikk se at mannen ville drepe ham, gjorde han brått en sleng på seg, kastet føttene fram over hodet på seg, så øksa kom i pallstokken og stod fast der. Men da stod våpen så tjukt i birkebeinen at han snaut kunne falle. Da fikk de se at han hadde slept innvollene etter seg over golvet, og den mannen ble mye rost for sitt mot. Kong Magnus' menn forfulgte lenge dem som flyktet, og drepte så mange de kunne. Der falt Torfinn fra Snåsa, og der falt også mange andre trøndere.

43. Denne flokken, som ble kalt birkebeiner, hadde etter hvert økt til en mannsterk flokk. De var harde og våpendjerve menn, ikke lite villstyrige; de fór voldsomt og rasende fram når de mente de hadde stor styrke. I flokken hadde de bare få slike menn som kunne legge planer, eller som var vant til å styre landet og til å bruke loven eller til å føre en hær. Og enda om noen skjønte seg bedre på det, ville likevel hele flokken ha det slik som de sjøl syntes. De kjente seg trygge på grunn av sin folkestyrke og sitt mot. Av de menn som kom seg unna, var mange såret og hadde mistet våpen og klær; alle var uten penger. Somme søkte øst til Marker, og mange til Telemark; det gjorde de fleste av dem som hadde ætt der. Somme reiste helt øst til Sveavelde. Alle prøvde å komme bort, fordi de hadde lite håp om å få grid av kong Magnus eller av Erling jarl.

Slaget på Re.

44. Kong Magnus tok så tilbake til Tønsberg, og han ble vidt omtalt for denne seieren. For det sa alle folk at Erling jarl var bryst og vern for seg og sin sønn. Men etter at kong Magnus hadde fått seier på en så sterk og mangment flokk, enda han sjøl hadde færre folk, syntes alle det at han nå gikk over alle, og at han kom til å bli så mye større hærmann enn jarlen, som han var yngre.

Etterord

OM SNORRES KONGESAGAER
Av Finn Hødnebø

Konunga sǫgur eru hér ritaðar.

1. «Heimskringla», Snorres kongesagaer, er fortellingen om Ynglinge-kongene fra stamfaren Odin til Halvdan Svarte og Harald Hårfagre, og siden om alle de norske kongene av hårfagreætta inntil kong Sverre. Tittelen *Heimskringla* er laget etter de to første ord i Ynglingesagaen i det gamle Kringla-handskriftet (Kringla heimsins).

På et av hovedhandskriftene, Jöfraskinna, som nå er tapt, men som det fins gode avskrifter av, stod det skrevet: *Konunga sǫgur eru hér ritaðar;* andre gamle skinnbøker som utvilsomt henviser til Snorres historiske skrift, omtaler verket som *Ævi(sǫgur)* eller *Sǫgur Noregskonunga, Konungsbók* o.l.

I siste del av middelalderen var Snorres navn som forfatter av kongesagaer falt i glemsel, ihvertfall på Island. To norske oversettere på 1500-tallet, *Laurents Hanssøn* (1551) og *Peder Claussøn* (1599) har likevel hatt kunnskap om hvem opphavsmannen var. Laurents Hanssøns oversettelse ble liggende utrykt. Professor *Ole Worm* i København fikk omkring 1630 tak i en avskrift av Peder Claussøns sagaoversettelse og sendte den i trykken under tittelen: «Snorre Sturlesøns Norske Kongers Chronica. Udsat paa Danske, aff H. Peder Claussøn, fordum Sogneprest i Undal» (1633).

På Island var det vel kjent at Snorre hadde skrevet den berømte (Yngre) Edda, men først nå kom det for en dag at han også var en glimrende forfatter av historiske verk. Den lærde islendingen *Arngrímur Jónsson* skreiv til Worm at Snorre hermed var «udgraved af glemselens sorte nat».

Sagn og saga om de norske konger
Snorres kilder

2. Snorres verk er summen av hans samtids historiske viten fra skriftlig og muntlig overlevering. De eldste tilforlatelige utsagn har røtter langt tilbake i førskriftlig tid og må søkes hos skaldene, Nordens første «historikere». Mange av dem oppholdt seg i følget til konger og høvdinger, de hadde til oppgave å skildre viktige og minneverdige episoder i fyrstenes liv. Skaldekvadene ble ansett for

å være særlig pålitelige. De ble sagt fram for kongen og hans menn, det vil si at folk i samtida har kunnet kontrollere troverdigheten. Ingen skald ville driste seg til å fare med løgn, aller minst overfor kongen. For ettertida har den strenge metrikk og strofiske form vært med på å sikre en betryggende overlevering.

Skaldene diktet lovkvad og arvekvad om kongenes dådrike liv, men også om hele fyrsteslekter ble det laget genealogiske dikt, sannsynligvis på grunnlag av historiske tradisjoner i høvdingættene. En anselig mengde skaldekvad har overlevd den skriftløse tid. Et av de viktigste er *Ynglinga tal*, som forteller om hver enkelt av ynglingekongene i 27 ledd før Halvdan Svarte. Det tilskrives en av Harald Hårfagres skalder, *Þjóðólfr ór Hvini*, og kan være blitt til før år 900.

Med kristendommen kom det latinske alfabetet og skrivekunsten til Norden. Fortellinger og skaldediktning løper nå parallelt med skriftlige nedtegnelser. De første spor fører til Island der interessen for kronologi og dynastisk historie slo ut ganske tidlig. Flere kilder er enige om at *Sæmundr fróði Sigfússon* (1056–1133) var den første som skreiv om de norske konger, sannsynligvis fra Halvdan Svarte til Magnus den gode (død 1047). Det kan ha vært et kronologisk arbeid med korte riss av viktige episoder i kongenes liv. Sæmundr studerte i Frankrike i 1070-åra og har vel skrevet på latin. Hans noe yngre samtidige *Ari fróði Þorgilsson* (1068–1148) var den første som tok morsmålet i bruk til historisk forfatterskap, det sier Snorre i Fortalen til Heimskringla, og videre at Ari skreiv om kongene i Norge. Det er ikke utenkelig at han i sin sikkert knappe krønike har ført kongenes regjeringsår og historie fram til og med Sigurd Jorsalfare, omkring 1130.

Med *Eiríkr Oddsson*'s skrift *Hryggjarstykki* føres kongenes historie videre framover i noen ledd. Også denne boka er tapt, men innholdet har vært godt utnyttet i en annen bok som vi ennå har, *Morkinskinna*, og av Snorre. Sagaen har begynt med Harald Gille og Magnus Blinde (1130), dvs. der hvor Ari's arbeid sannsynligvis har sluttet, og har sikkert fortalt om Sigurd Slembe (1139); mange mener den også har inkludert historien om Harald Gilles sønner. Den siste av dem, Inge Krokrygg, døde 1161. Om forfatteren ellers vet vi lite utover det som Morkinskinna og Snorre kan bevitne, at han var «en vettig og skjønnsom mann».

Eiriks skrift er bemerkelsesverdig på mange måter. Det er den første kjente samtidssaga, stoffet kommer fra folk som var med da hendingene fant sted. Eirik sjøl hadde oppholdt seg i Norge «i lang tid», heter det. Enda viktigere er det at berettertreknikken er lagt om, fortellingene har fått videre rammer. Den tørre og nøkterne krønikeform er byttet ut med fortellerglede, underholdning og kunstnerisk skaperevne.

Hryggjarstykki varsler en ny og frodigere fase i sagakunsten, i de nærmeste 60–70 år skapes og skriftfestes det aller meste av det kongesagastoff som kjennes i vår tid. Flere av de regjerende konger fra og med Sverre Sigurdsson (konge 1177–1202) sørget for å få nedtegnet sine egne *ævisǫgur* – men enda sterkere vendte interessen seg mot fortida. Det er naturlig at Olav den hellige, nasjonalhelgenen, kom til å stå i forgrunnen, han ble dyrket i store deler av Nord-Europa. Om Olav ble det skrevet en saga, etter de flestes mening en gang mellom 1160 og 1185, til vanlig kalt *Eldste saga*. Kanskje er den forfattet i Þingeyrar kloster på Island. Bare 6 bruddstykker er bevart av denne eldste versjonen, men innholdet har overlevd i *Styrmir Kárasons* sterkt forøkte bearbeidelse (omkr. 1220), og i et bevart norsk handskrift som kalles *Legendariske saga*. Snorre har kjent og brukt Styrmir's verk.

Olav Tryggvason har også fått et stort rom i islandsk sagaskrivning, trass i sin korte regjeringstid. Det skyldes kanskje en tradisjon som visste å fortelle at han kristnet 5 land, deriblant Island; han var nordmennenes apostel, forløperen for Olav den hellige. To munker i Þingeyrar kloster, *Oddr Snorrason* og *Gunnlaugr Leifsson*, skreiv hver sin saga om Olav på latin, begge sterkt merket av kongens gjerning i misjonens tjeneste. Oddr skreiv sin saga omkring 1190, den ble oversatt til norrønt omkring 1200 og er ennå bevart i avskrifter. Han har visstnok kunnet støtte seg til bøkene til Sæmundr og Ari og den eldste saga om Olav den hellige foruten europeisk krønikestoff. Men han går langt ut over grensene for tilforlatelig historieskrivning, hans saga er blitt et diktverk med ingredienser både fra Den hellige skrift og kjente legender. Ved sitt eventyrlige liv og underfulle gjerninger står Olav fram som en av Herrens utvalgte.

Gunnlaugs versjon av Olav Tryggvasons saga et tapt, men mange stykker er tatt opp i seinere sagaversjoner.

Ennå mens kong Sverre levde, ble den islandske abbed *Karl Jónsson* utsett til å skrive kongens historie. Sammen med kongen har abbed Karl ansvaret for den første delen av Sverres saga. Seinere ble sagaen ført fram til kongens død 1202, formodentlig av den samme abbed Karl. – Sverres saga betegner et absolutt høydepunkt i kongesagalitteraturen før Snorre, den utmerker seg ved en sammenhengende komposisjon med livfulle, dramatiske opptrinn, stilistisk mesterlig, ikke minst i de mange taler som er forfattet med stor psykologisk sans. Kunstnerisk må den ganske snart ha satt spor etter seg i det litterære miljø på Sagaøya.

Tradisjonen har vært sparsom med å utlevere forfatternavn fra eldre tid, stort flere enn dem som er nevnt ovenfor kjenner vi ikke til. Men seinere samleverker gir beskjed om at det omkring 1200 har eksistert mange skrifter om de enkelte konger og ætter. Det er sannsynlig at både Harald Hårfagre, Håkon den gode og Ladejarlene har hatt egne sagaer. Noen gjetter på at det også har vært skrevet særskilte sagaer om kongene mellom Olav den hellige og Sverre Sigurdsson (1030–1177). Ingen slike er direkte påvislige, men tidsrommet har fått en forholdsvis bra dekning dels ved Eiríkr Oddsson's Hryggjarstykki, dels i samlede lengre framstillinger som *Ágrip af Noregs konunga sǫgum*, *Morkinskinna*, *Fagrskinna* o.fl.

I forhold til Island er den litterære utfoldelse i Norge på denne tida heller beskjeden, men slett ikke uten betydning. Etter europeiske forbilder ble det utover på 1100-tallet forfattet akter på latin om norske helgener. Vår egen helgenkonge Olav Haraldsson fikk sitt *Acta et vita Sancti Olavi.* Legenden ble oversatt til norsk kanskje alt omkring 1150 og er nedtegnet i *Gammelnorsk Homiliebok* (fra ca. 1200). Enda et verk om Olav er bevart, erkebiskop Øysteins *Passio et miracula beati Olavi.* Det er skrevet en gang i 1180-åra og er en omarbeidelse av den eldre latinske Olavs-legende.

En munk i Nidarholm kloster, *Theodricus,* skreiv kort før 1180 kongenes historie fra Harald Hårfagre til Sigurd Jorsalfare (1130), den er bevart og bærer navnet *Historia de antiquitate regum Norwagiensium.* Omtrent 10 år seinere forfattet en annen trøndsk klerk et samleverk på norsk, som litt misvisende kalles *Ágrip* (utdrag) *af Noregs konunga sǫgum.* Det er for størsteparten bevart i en litt yngre islandsk avskrift og har omtalt kongene fra Halvdan Svarte inntil kong Sverre (1177). Endelig bør nevnes to historiske framstillinger som er blitt til antakelig omkring 1220. Den ene er skrevet på latin, *Historia Norvegiae,* den tar til med en opprekning av ynglingekongene og bryter av et stykke ute i Olav den helliges saga. Den andre, *Fagrskinna,* ser ut til å være satt sammen av en islending i Norge og dekker samme tidsrom som Ágrip, men har et langt fyldigere innhold.

Bortsett fra Historia Norvegiae har de norske historiske arbeidene ganske hurtig funnet vegen til Island, det gjelder sikkert Theodricus' verk og Ágrip, vel også Fagrskinna. På den måten har islendingene kjent til og samlet hos seg det aller meste av det legendariske og historiske materiale om de norske konger som var kjent inntil begynnelsen av 1200-tallet, før Snorre trer fram som forfatter og historiker.

Snorre Sturluson

3. Snorre Sturluson ble født på garden Hvammr i Dalir på Vest-Island 1178 eller kanskje helst 1179. Faren, Sturla Þórðarson, var godordsmann, dvs. han fungerte som høvding over bøndene i distriktet omkring; han var en etterkommer av Snorri goði (død 1031). Snorres mor, Guðný Boðvarsdóttir, kunne føre ætta si tilbake til den kjente sagahelten Egill Skallagrímsson på Borg. Ikke fullt 3 år gammel kom Snorre til fostring hos høvdingen Jón Loptsson på Oddi, og her var han i omtrent 20 år, inntil 1201. Oppholdet hos Jón og hans nære slekt ble avgjørende for Snorres seinere forfattervirksomhet og kan vanskelig vurderes høyt nok. Oddi hadde lenge vært et sentrum for lærdom og mange slags kunnskaper, helt fra Sæmundr fróði's tid. Her ble det holdt skole og utdannet flere prester. Jón sjøl beskrives som en svært lærd mann, og sønnen Páll var «vel lærðr» alt i unge år.

Han ble seinere biskop i Skálholt. På Oddi har Snorre lært å lese og skrive og etter hvert tilegnet seg en del kunnskaper i latin, teologi og geografi. Vi kan trygt gå ut fra at han også har studert de islandske lovene og fattet interesse for skaldskap og myter. Studier av eldre islandsk og norsk historie har sikkert hørt med til fostringen; det er naturlig å tenke seg at nettopp på Oddi har det vært tilgang til skrifter av Sæmundr, Ari og Eiríkr Oddson. Odda-væringene hadde dessuten sterk tilknytning til Norge. Jón Loptsson hadde kongelig blod i årene, hans mor var datter av kong Magnus Berrføtt. Jón var født og ble fostret i Norge og hadde oppholdt seg i landet lange stunder. I 1135 var han og far hans vitne til vendernes overfall på Konghelle, og han var til stede da Magnus Erlingsson ble vigslet av erkebiskop Øystein i Bergen 1163 (eller 1164).

Jóns kongelige avstamning har stimulert interessen for historie og de norske kongers genealogi. Ennå mens Snorre var på Oddi ble det forfattet et dikt til ære for Jón og hans fyrstelige forfedre, kalt *Noregs konunga tal*. Jón Loptsson døde 1197. Kort etter ble Snorre hjulpet til et fordelaktig gifte med Herdis, datter til den rike Bersi prest på Borg, Egill Skallagrímssons gamle høvdingsete, og dit flyttet Snorre 1201. I løpet av få år greidde han å øke sitt gods og sin innflytelse ganske betraktelig. Han ble straks herre over et par godord, det tredje fikk han da han i 1206 overtok og flyttet til garden Reykjaholt noen mil nordøst for Borg. Herdis ble igjen på farsgarden, hun døde 1233. Forholdet mellom ektefellene var ikke det beste, Snorre var kjent for å være kvinnekjær og hadde flere forbindelser. Og han var glad i rikdom og makt. Kort etter at han hadde bosatt seg i Reykjaholt blir det fortalt at han nå var «en stor høvding, for det skortet ikke på gods».

Ikke én strofe er bevart av de dikt som Snorre skal ha laget i ung alder, men det later til at de aller fleste har vært rettet til norske fyrster, kong Sverre og Inge Bårdsson. Det gir et lite vink om tida framover. I *Sturla Þórðarsons* Íslendingasaga er det fortalt at Snorre også gjorde et kvede om jarlen Håkon Galen, det sendte han til Norge. Som takk ble det sendt gaver tilbake, sverd, skjold og brynje og en innbydelse til et opphold hos jarlen. Håkon døde straks etterpå (1214), så Norges-ferden måtte utsettes. Dessuten ble Snorre lovsigemann akkurat da (1215–18), det la også hindringer i vegen de første åra. Men da embetsperioden var utløpt, gjorde han seg i stand og fór til Norge. Da var den unge Håkon Håkonsson nettopp tatt til konge, og sammen med ham styrte Skule jarl. Snorre ble godt mottatt og var hos høvdingene i Tønsberg den første vinteren. Sommeren etter (1219) drog Snorre over til Götaland til fru Kristin, Håkon Galens enke, hun var da gift med lagmannen Askell. Snorre hadde gjort et kvede til fru Kristin og ble lønnet vel for det. Om høsten drog han tilbake til Norge, sannsynligvis sjøvegen fra Konghelle til Nidaros og var der følgende vinter. Mest holdt han seg til Skule jarl. Om våren seilte hele kongefølget til Bergen og ble der om sommeren.

Mens Snorre oppholdt seg i Norge, var det brutt ut stridigheter på Island mellom norske kjøpmenn og islendinger. Skule hadde i sinne å sende hærfolk dit ut for å bringe ro og orden, men vel også med en baktanke om å få Island inn under norsk styring. Det er Snorres fortjeneste at planen ble oppgitt. Han lovte å få Island til å vise lydighet uten våpenbruk, han mente seg mektig nok til det. På seinsommeren forlot han Norge, rikt utstyrt med gaver fra jarlen og med lendmanns rang.

Snorre glemte snart det løftet han hadde gitt jarlen, heller la han vinn på å øke sin egen makt. I de nærmeste åra søkte han å knytte andre høvdingætter til seg gjennom sine barns giftermål. Sjøl gikk han i formuesfellesskap med den rike Hallveig Ormsdóttir, hun flyttet inn i Reykjaholt 1224. Snorre fungerte igjen som lovsigemann (1222–31), han var nå Islands mektigste mann – men så begynte det å rakne.

De siste 16–17 år av Snorres liv er en ulykkelig tid for Island og for Sturlungene, Snorres egen ætt. Mye av elendigheten kan føres tilbake til Snorre, hans maktbegjær syntes grenseløst. Snart kom han i konflikt både med sine egne brødre, brorsønner og andre høvdingætter i landet, ikke minst med sine svigersønner. Det førte til en ødeleggende ættestrid med skiftende allianser, stadige overfall og drap. År for år forringes Snorres makt, han hadde ikke lenger evnen til å påvirke og styre utviklingen i den retning han ønsket.

I Norge hadde også stemningen snudd seg mot Snorre, som ingen ting hadde utrettet for å bringe Island under den norske kongen. Det vervet ble nå (1233) overlatt en av Snorres nevøer, Sturla Sighvatsson, og ble en ekstra belastning i et allerede tynnslitt forhold. Det kom enda så langt at Sturla sammen med sin far gikk til angrep mot Snorre på garden Reykjaholt. Han kom seg imidlertid unna, og Sturla tok Reykjaholt i besittelse. Snorre hadde samlet hærstyrker mot Sighvat og Sturla, men da det kom til stykket, gav Snorre opp å kjempe, og sommeren 1237, året etter flukten fra Reykjaholt, drog Snorre igjen til Norge. Også denne gangen holdt han seg til Skule, som nå var blitt hertug, og til sønnen hans, Peter. Fiendskapet mellom hertugen og kong Håkon var nå åpenbart, og kongen var neppe i tvil om på hvilken side Snorre befant seg.

Et par år seinere, da både Sturla Sighvatsson og faren hans var drept, ville Snorre reise hjem igjen til Island. Som kongens hirdmann måtte han likevel ha kongens tillatelse til det, og kongen forbød ham å forlate landet. Snorre, som hadde støtte fra hertug Skule, valgte å overse kongens farbann og drog av sted våren 1239.

Seinere samme år gjorde hertug Skule opprør og tok kongsnavn, men ble drept året etter. Også for Snorre skulle ulydigheten snart vise seg å bli skjebnesvanger. Kongen sendte bud til Island til en av Snorres tidligere svigersønner, Gissurr Þorvaldsson, med ordre om å ta Snorre til fange og sende ham til Norge, eller i annet fall å drepe ham; anklagen lød på landsforræderi. Gissurr hadde flere uoppgjorte saker med Snorre, så han var mest oppsatt på å etterkomme den andre delen av kongens bud. Om høsten 1241 samlet Gissurr en stor flokk rundt seg og overrumplet Snorre i Reykjaholt, der ble han hogd ned av en av Gissurs menn. Det var natta mellom 22. og 23. september.

Snorres litterære virksomhet

4. Snorres brorsønn, Sturla Þórðarson, som seinere forfattet sagaene om Håkon Håkonsson og Magnus Lagabøte, har fortalt utførlig i sin Íslendinga saga om de hendingene som er skissert ovenfor. Snorre deler skjebne med så mange andre navngjetne islendinger i sin samtid. Hans livssaga hadde neppe fortjent å trekkes fram særskilt, hvis ikke andre egenskaper hadde gjort hans navn udødelig. Det merkelige er at nettopp i den mest kampfylte tid, da motgangen hadde meldt seg og ting begynte å gå på tverke, utløses som best hans åndelige skaperevner. Et par-tre år etter den første Norgesferden hadde han skrevet et stort dikt tilegnet Skule jarl og kong Håkon, *Háttatal*. Det figurerer nå som kjernen i tredje hoveddel i den berømte boka Snorre-Edda eller Den yngre Edda, der Nordens gudelære og den gamle skaldskapsteknikken blir lagt fram på en høyst underholdende og anskuelig måte. Her får Snorre demonstrert sin innsikt i mytologi, sitt kjennskap til de gamle Edda-dikt og ikke minst til skaldene og deres dikt helt fra tida før Harald Hårfagre. Særlig første del, Gylfaginning, som beretter om Skapelsen, gudenes gleder og fortredeligheter og verdens undergang, er i all sin naivisme så ypperlig fortalt, så stilistisk fullbåren at bare den ville være nok til å sikre forfatteren et varig ettermæle.

Snorre hadde neppe noen tanker om at han en gang skulle skrive selve hovedverket om de norske konger da han besøkte Norge 1218–20. Da ville han sikkert ha satt litt inn på å oppsøke noen av åstedene for de mest dramatiske storhendinger i Norges historie. Første vinteren satt han i Tønsberg, den neste i Nidaros. Ingen ting tyder på at han har begitt seg opp til Re (Ramnes), der sluttscenen i Heimskringla utspilles. Beskrivelsene hos Snorre er riktignok mer detaljerte enn vanlig, men i realiteten ikke avvikende fra det som Fagrskinna forteller. Heller ikke har han bemøyet seg inn til Stiklestad, som kanskje var den mest berømte historiske skueplass. Trolig har det tatt flere år etter hans utenlandsreise før han begynte å sysle med historie for alvor. Mange mener nå at Snorre først har skrevet Egils saga. Den har flere likheter med hans hovedverk, Heimskringla, men visse uoverensstemmelser plasserer den så avgjort som et tidligere arbeid, med ringere adgang til skriftlige kilder enn det Heimskringla hadde.

Etter Egils saga, om nå Snorre er ansvarlig for den, har han tatt fatt på å skrive en særskilt saga om Olav den hellige. Den kan ha vært fullført noe før 1230, og eksisterer ennå i flere avskrifter (de fleste mer eller mindre interpolerte) og som egen del av Heimskringla. Snorres motiver for å gi seg i kast med emnet er lite kjent, mange impulser kan ha virket forløsende. Olav var så ubetinget den mest populære og fengslende helgen i Norden, og kulten nådde vidt ut i Europa, Olavs-kirker fantes i rikt antall, ikke minst på Island. I Nidaros har Snorre iakttatt de storslåtte byggearbeider ved Kristkirken (Domkirken), *it mikla musteri, er nú stendr.* Nødvendigvis må han ha hørt meget om helgenkongen der i byen. Olavs personlighet må ha vakt en spesiell interesse hos Snorre og skapt behov for en klarere oppfatning av denne mannen, som starter livet som en villstyring på tradisjonelt vikingvis og ender som helgen og *Rex perpetuus Norvegiae.* Hjemme på Reykjaholt har han sannsynligvis sanket sammen nær på alt tilgjengelig stoff om helgenkongen, fra skaldekvad, legender og sagastoff opp til den nylig skrevne, omfangsrike saga, forfattet av Styrmir Kárason, som akkurat da bodde hos Snorre. Sammenlagt har det vært et stort og høyst uensartet materiale, til dels selvmotsigende, ofte direkte urimelig og lite i pakt med Snorres ryddige tankeverden.

Ut av denne uformelige masse skaper Snorre et kunstverk som uten forbehold kan betegnes som høydepunktet i islandsk sagalitteratur. Systematisk og målbevisst reises byggverket, tuftet på historiske «fakta», kronologisk orden og en vel gjennomtenkt handlingsgang. Snorre sikter sine kilder. Etter prinsipper som virker rent moderne, velger han ut de påliteligste heimelsmenn og det tryggeste materiale som underlag for sin egen framstilling. Hans evne til rasjonell tenkning og syn for historisk sammenheng er suveren. Han velger med omhu det stoff som tjener fortellingens formål og progresjon, sorterer materialet med sikker kritisk sans, renser ut slagg og forkaster det irrasjonelle uten å være plaget av noen form for samlermani. Med like sikker psykologisk innforlivelse stiger personene fram som helstøpte, levende vesener, hver med sin individuelle egenart, i handling og tale. Det beste eksempel er nettopp Olavsskikkelsen, som under Snorres hender gjennomløper en metamorfose. Fra å være et forutbestemt Guds redskap som omgis av undre fra første til siste stund, slik de eldre skrifter og sagn framstiller ham, skaper Snorre en alminnelig, frisk gutt, riktignok høvdingemne, kampglad og maktglad, som med åra kjemper seg fram på tradisjonelt vis til kongesetet. Den motstand og overmakt som han etter hvert får erfare, er politisk betinget. Først henimot slutten av sitt liv når Olav fram til en dypere religiøs erkjennelse og lar egen makt og attrå vike for Guds sanne rike. Da først begynner undrene å skje, med en fin, avbalansert stigning inntil dødskampen, da det åpenbares for oss at Norge har fått en helgenkonge.

Snorres Olavssaga har hurtig funnet lesere og avskrivere. Vinteren 1230–31 var hans brorsønn Sturla Sighvatsson hos ham og arbeidde med å skrive av sagabøker «etter de bøker som Snorre satte sammen». Om Snorre alt da var i gang med sin store saga om de norske konger, Heimskringla, er uvisst, men ihvertfall har det neppe vært særlig opphold i virksomheten etterat Olavssagaen var fullført. Den fikk da også sin plass i det større arbeid, en smule omredigert og tilpasset helheten. Enkelte forskere har tenkt seg at Snorre har fått en oppfordring fra kongelig hold, eller kanskje helst fra hertug Skule, om å komponere en fullstendig kongehistorie for å fylle tidsrommet opp til Sverres saga (1177). Det synes likevel å være vel så naturlig å legge hele ansvaret på Snorre. Selve sluttresultatet taler for at forfatteren nå har hatt adgang til så å si alle den gang eksisterende sagaer om konger og jarler, enkeltsagaer og samleverker, dessuten flere islendingesagaer og *þættir* (mindre fortellinger om islendinger og nordmenn), genealogiske og legendariske opptegnelser og en mengde skaldekvad. Han har også kunnet føle seg trygg på mye av den muntlige overlevering, særlig fra siste halvparten av 1100-tallet. Det er nok å nevne hans gamle fosterfar Jón Loptsson, som hadde opplevd atskillig dramatikk i Norge. Snorre sjøl kan heller ikke ha kommet aldeles tomhendt tilbake fra besøket 1218–20. Når en så kommer i hug Snorres lidenskapelige henfallenhet til å samle, ordne og utnytte sitt stoff til et totalbilde, slik han tidligere hadde gjort i sin Edda, der gudenes tidsalder skildres fra kaos til Ragnarok, da er det nesten innlysende at han ikke kunne la være å skape et verk som Heimskringla av egen drift.

Helt enkelt har det likevel ikke vært å samstemme det rikholdige, men høyst uensartede tilfang. Med Olavssagaen som utgangspunkt og midtfelt ble oppgaven å bygge ut på begge sider av den. For den aller eldste delen har han måttet holde seg bare til skaldekvad, et noe tynt, men etter Snorres oppfatning pålitelig materiale «når det er rett kvedet og forstandig tolket». Fra og med Halvdan Svarte og Harald Hårfagre har han kunnet øse av skriftlige kilder i økende grad, men skaldekvadene er fremdeles viktige råemner her som i Heimskringla for øvrig. Den sterkt legendariske Olav Tryggvasons saga har trengt en grundig opprydding og sanering. Atskillig overspent og tildiktet stoff er kuttet ut og erstattet med lødigere, historisk materiale, fra kvad og sagaer om Ladejarlene og Jomsvikingene o.fl.

Tidsrommet etter Olav den helliges saga kan ha falt litt lettere å fylle ut. Foruten Ágrip har Snorre hatt fyldigere framstillinger å støtte seg til, bl.a. Hryggjarstykki og framfor alt Morkinskinna, kanskje også den helt ferske Fagrskinna. Store partier av foreleggene går nesten uredigert over i Heimskringla, men Snorres regi hersker gjennom det hele. De Olavsjærtegn som hadde funnet sted i tida etter Olav den helliges død, og som tidligere hørte med til Olavs saga, blir nå flettet inn i de seinere kongers sagaer, på riktig kronologisk plass. Snorre kan ikke holde seg for å gjøre leseren spesielt oppmerksom på det, han bryter inn med en forfatterbemerkning om flyttingen i slutten av Olavssagaens kap. 246. – En merker også at fortellingene blir noe fyldigere og opplysningene mer presise ved de episoder der trygge vitner, som f.eks. Jón Loptsson, har vært til stede eller Snorre sjøl har førstehands informasjon. Ellers har han stilt seg kritisk til og avvist skaldekvad som ikke har samtidsverdi, og til verserende historier med tvilsom gehalt. F.eks. er det, ifølge forfatteren, sløyfet mye om Harald Hardråde, for «vi vil ikke sette inn i bøker fortellinger som ikke er vitnefaste». Snorre har også vist stor tilbakeholdenhet overfor de ofte underholdende þættir om islendinger og nordmenn og vraket med sikkert skjønn. Han har vel kjent historien om den dramatiske tingtrette mellom kongebrødrene Sigurd Jorsalfare og Øystein (*þingasaga,* kjent fra flere handskrifter), men bedømt den som et epigonprodukt, kalkert over den berømte mannjevningen mellom de to brødrene.

Visst kan det etter våre litterære krav pekes på skjønnhetspletter og ujevnheter. Verket som helhet har fått en smule ufasong ved det store areal som Olav den helliges saga opptar, en tredjedel av boka. Olav er sant nok verkets viktigste person, men hans regjeringstid var kort. Olav Tryggvasons saga krenger også en del, som konge regjerte han bare i 5 år. Olav Kyrre derimot, som satt på kongsstolen i ca. 25 år, er omtrent anonym. Nettopp han, den fredelige og landsbyggende konge skulle vi gjerne visst mer om. Snorre skal likevel ikke lastes for denne mangelen. Samtida var opptatt av det som var *søguligt,* dvs. krig og storhendinger på det ytre plan. I Olav Kyrres tid har det vært lite av slikt å feste seg ved.

En sjelden gang kan det glippe for Snorre, trass i hans årvåkenhet og bevisste holdning til kronologi og konsekvens. Harald Hårfagres kjempeløfte til den unge Gyda ved det første mislykte frierforsøk står som meislet i Norges historie: «Jeg gjør det løfte, og jeg tar Gud til vitne, han som skapte meg og rår for alt, at aldri skal jeg skjære håret eller kjemme det før jeg har vunnet hele Norge –». Det er en historisk paraderplikk, som liksom mister litt av futten ved det ulykksalige innskudd om den kristne Guds rolle lenge før trosskiftet. Det må være berettiget å spørre om det er noe galt med overleveringen her.

Ikke alt i Heimskringla er fortalt med samme entusiasme. Ynglingesagaen virker av og til noe tørr, men det må vel bli slik når kildene tryter. Som kritisk arbeidende historiker har Snorre begrenset seg til kvadene og har måttet avstå fra mer raffinerte virkemidler som dialoger og replikker. – Somme tider bryter forfatter-jeget inn, litt unødig, «dette venter jeg det skal bli fortalt mer om siden –» (Olav den helliges saga kap. 136). I den del av boka som bygger på Hryggjarstykki, er forfatteren ofte til stede og gir oss et vink: «Eirik skreiv –», «Eirik nevner –». Dette stykket har også mange jeginnslag, som visst må henføres til Snorres forelegg. Det virker litt uflidd når leseren belastes med flere jeg-er som ikke er identiske.

Men likevel, dette er bare flortynne sommerskyer som ikke skygger for Snorres genialitet og mangesidige begavelse, som redaktør, historiker og kunstner. Av alle episk-historiske framstillinger på nasjonalspråkene i europeisk middelalder er Heimskringla det verk som ruver mest. Med sin sterke trang til kontinuitet har forfatteren flikket sammen de mange løse lapper til et sammenhengende hele uten synlige skjøter. Handlingsgangen flyter ubrutt fra Odins oppbrudd fra Åsaland til avslutningen ved slaget på Re i 1177. Også de enkelte scener blir bygd opp logisk og konsekvent. Intet skjer tilfeldig, alle mindre episoder er som brikker i et puslespill som før eller siden faller på plass i riktig orden.

Som stilkunstner savner Snorre sin likemann. Han har lært av sine forgjengere og tatt vare på det beste, men han er også i stand til å forbedre og videreutvikle de stilistiske finesser og effekter. Naturen og lokale forhold er utnyttet sterkere hos Snorre enn noen gang tidligere. Solskinn og gråvær, bakker og myrer er med som uunnværlige komponenter til forberedelse av det som skal skje. I det hele er de kommende opptrinn og dramatiske topper omhyggelig regissert. Forfatteren buser ikke ut med noe på forhånd som kan ødelegge spenningen i fortellingen. Av og til får vi ikke vite mer enn det som registreres med den agerendes øyne og ører. Et klassisk eksempel er Asbjørn Selsbanes fordekte ferd innover Karmøya til Avaldsnes, som ender med at Tore Sels avhogde hode ruller ned på bordet foran selveste kongen. Alle scener fram til klimaks er opplevd og formidlet bare gjennom Asbjørns sanser.

Hyppig bruk av dialoger, halvreplikker og taler er kanskje noe av det mest iøynefallende i Snorres framstillingsform. For å unngå prosaiske forklaringer og beskrivelser brukes samtalene til å avsløre personenes psyke og intensjoner. Snorres innsikt i sine personers sjelsliv demonstreres ganske treffende i replikkskiftet mellom kong Olav og Kalv Arnesson før Stiklestad-slaget, da Finn Arnesson, som vel skulle kjenne sin bror, bryter inn og advarer kongen: «Det skal en merke seg med Kalv, at hvis han taler vel, da har han i sinne å gjøre vondt.» Dialogene bringer handlingen framover og oppover, og skaper en naturlig stigning og økende spenning. Ofte utspilles dramaet nettopp i dialogen. Et godt eksempel er tretten eller mannjevningen mellom kongene Sigurd og Øystein, ypperlig utnyttet av Snorre både til karaktertegning og til framdrift av handlingsgangen. – Karakteristisk er også den oppfinnsomme veksling mellom direkte og indirekte tale, en slags halvreplikker, der hovedaktøren i handlingen først refereres, men et stykke ute i handlingen sjøl griper ordet, et kunstgrep som aktiviserer personene og fører dem nærmere mot leseren.

Talene i Heimskringla er viktige innslag både ved de mange funksjoner som de har og ved det innblikk en får i Snorres egen tankeverden. *Hallvard Lie* (Studier i Heimskringlas stil) har poengtert at talene «utgjør det personligste og selvstendigste i Snorres historiske forfatterskap», her arbeider han som «frittstående kunstner – uhemmet av skriftlige forelegg». Snorres slagtaler er kanskje ikke de mest vellykte, de savner den lidenskapelige egging, humor og sarkasme som kjennetegner Sverres saga. Snorres kamptaler er mer preget av forfatterens rolige og kontemplative gemytt. Vel var hans liv fylt med konflikter, men han var aldri kampglad, heller unnfallende i de kritiske øyeblikk. Da står det større glans av de mange taler som

Snorre former for å utdype sitt persongalleri og gi individene et særpreg. De er sprunget ut av den samme psykologiske innsikt som preger dialogteknikken.

Nærmest Snorres hjerte står nok bondehøvdingene, den klassen han sjøl kunne identifisere seg med. Deres politiske taler er oratoriske mesterverk hvor dysten utkjempes med intellektuelle våpen. Noen mener å finne gjenklang av Snorres politiske holdning til sin egen samtid i storbøndenes taler, kanskje gjelder det sterkest den stillfarende, men framsynte og advarende talen Einarr Eyjolfsson holdt på Alltinget, som svar på kong Olav Haraldssons ønske om å få overta Grímsey i Eyjafjorden på Island.

Det har vært sagt før og kan godt gjentas, sagastilen er kunst og ikke identisk med hverdagsspråket. Det har Snorre hatt for øyet, helt ned til de minste elementer. Hans ordforråd er mektig og variert, han viker heller ikke tilbake for nylaginger når behovet melder seg. Ordspill og gloser med dobbeltbunn kan forekomme, men ikke i overdreven grad. Sterkest effekt har de mange fyndord som forfatteren legger i munnen på sine sagaskikkelser, av Hallvard Lie (op. cit.) betegnet som «monumentale replikker». Ikke alt er originalt arbeid fra Snorres verksted, en del er arvet og lånt, men Snorre har tatt det under behandling, renset og pusset opp før han leverer det videre. Det er fristende å trekke fram noen løsrevne eksempler på fyndige formuleringer, selv om de må leses i sin rette sammenheng for at de skal gi fullt utbytte: «Hold fram som du stevner, om du vil møte nordmannakongen!»; «Hva brast så høyt?», «Norge av di hand, konge»; «For veik, for veik er kongens bue»; «I morgen er det mandag, herre»; «Fram, fram, kristmenn, korsmenn, kongsmenn!» Mange av de mest naglefaste uttrykk kommer som dødsreplikker eller når sagahelten ser døden kaldblodig i øynene. Slik uttrykker Erling Skjalgsson seg før han blir hogd ned: «Ansikt til ansikt skal ørner klores»; den unge jomsvikingen Sigurd, sønn til Bue Digre: «Ennå er ikke alle jomsvikinger døde»; Tormod Kolbrunarskald da han reiv ut pila med kjøtt-trevler på: «Godt har kongen født oss, jeg er ennå feit om hjerterøttene»; Magnus Berrføtt i kampens hete: «Konge skal en ha til ære og ikke til langt liv.» Av og til tar replikkene ordspråks form: «Mange er kongens ører»; «Nå tok du på byllen»; «Det var sannelig nær nesa, sa karen, han ble skutt i øyet.»

Historie – litteratur

5. Den tilforlatelighet som preger Heimskringla har skaffet verket en historisk autoritet som har stått urokket i mange hundre år. Enkelte røster i forrige hundreår kunne nok melde sin tvil, men først i vårt århundre er kritikken og mistilliten til historisiteten blitt alminnelig. Den moderne litteraturkritikk har også lært oss å se med skepsis på de trauste sagaskikkelser, deres tanker, ord og gjerninger.

Men om vi luker ut replikker og talestykker, hemmelige samtaler, tanker og drømmer og alt som påvislig er historisk uriktig, så blir det likevel atskillig tilbake som må høre til en historisk beingrind. Ingen har betvilt at Snorre handterer sitt kresent utvalgte grunnmateriale i pakt med kritiske regler for sann historieskrivning, heller ingen har frakjent ham æren som den norrøne middelalders fremste historiker. Hans episke utfyllinger må ses i lys av hans egen tid. Det er Snorres og sikkert hans samtids oppfatning, at ut fra den historisk givne situasjon, så *kunne* et replikkskifte, en tale eller en episode ha forløpt slik han beskriver det. Den dikteriske frihet er fullt akseptabel for å blåse liv i aktørene. Og tross alt, Heimskringla tar ikke skade av historikernes skepsis. Som et litterært mesterstykke vil verket leve videre i all framtid.

Heimskringla som inspirasjonskilde

6. De gamle kongesagaers betydning for det norske folk kan knapt nok overvurderes. Ingen verdslig bok har satt så dype merker i folkesjelen og øvd så vedvarende innflytelse på vår historie, litteratur og kunst som Heimskringla, intet politisk skrift har appellert så sterkt til den nasjonale frihetstrang og selvhevdelse som den. Med de første oversettelser begynner den nyere norske litteratur, påvirkning fra sagaene kan følges fra 1500-talls-humanistene og opp til dags dato; med den spredning oversettelsene etter hvert fikk, særlig Peder Claussøns «Norske Kongers Chronica», innledes og forsterkes den nasjonale bevisstgjøring som var en forutsetning for Eidsvollsverket i 1814.

I de par første hundreår etter reformasjonen var den gamle «Nordens» historie hovedsakelig til glede for de lærde og den opplyste del av folket. Da allmenn leseplikt be innført 1739, lå vilkårene også til rette for en videre utbredelse, og det kan ikke ha gått så mange tiår før Snorre ble «populær» lesning. I 1785 ble det planlagt at kronprins Frederik skulle gjøre en Norges-reise, og i den anledning fikk hoffet et råd av tidligere rektor i Trondhjem, dr. Laurids Smith, om prinsens åndelige forberedelse. Han skriver: «Det er temmelig almindelig blandt de norske Bønder, fornemmelig de velhavende, at vide noget og det endda en Deel af den gamle norske Historie, som de have af Snorro Sturlesens Læsning. Jeg troer, det skulde og høre til H.K.H. Kr.Pr.s. Præparatorier til den norske Reise, at han løb Snorro igjennem efter den Kvartudgave vi har – –. Læsningen er i sig selv morsom, og ved Samtale vilde det blive meget bemærket.»

Ordene «temmelig almindelig blandt de norske Bønder» har møtt skepsis hos noen historikere, men uttalelsen bekreftes av de mange vitnemål om bokbestanden på landsbygda, særlig i siste halvdel av 1700-tallet. Fra nær sagt alle kanter av landet, Østlandet, breibygdene og dalene, Telemark, Agder, Vestlandet og Trøndelag, kan det

stadfestes at Snorre var å finne i bokhylla hos de bedrestilte. Jacob
Aall «fandt Snorre – – i flere af de vildeste Klippeegnes Fjældstuer» og
taler om at Peder Claussøns oversettelse var de anseligste bønders
mest yndede lesning «indtil den efterhaanden ved Slid og Brug er saa
godt som forsvunden». Av det siste kan en slutte at boka nok ofte
har vært ute på lånestien også. – For mange av Eidsvolls-mennene
har kongesagaene vært kjent stoff, og både Jacob Aall, Chr. M.
Falsen og Georg Sverdrup har uttalt seg om Snorres betydning for
den unge nasjon.

Kongesagaenes rolle i det 19. århundres kulturliv ligger så pass
nær at den er kjent for de fleste. Det er nok å nevne navn som
Henrik Wergeland, Henrik Ibsen og Bjørnstjerne Bjørnson og den
begeistring som fikk sin utløsning i den nasjonalromantiske epoke.
Likesom 1814 står 1905 som et lysende merkeår i norsk historie.
Atter en gang skulle Snorres kongesagaer bli et kraftsentrum i den
nasjonale opprustingsfase. Det er neppe noen tilfeldighet at de nye
oversettelsene omkring 1900 ble solgt i over 100.000 eksemplarer. –
Både direkte, ved oversettelser og forskning i grunntekst og indi-
rekte gjennom diktning, bilde- og tonekunst har Heimskringla gjort
sin gjerning. Et raskt øyekast på den nyere tids romanlitteratur for-
teller oss at kongesagaene fremdeles er et kraftig oppkomme som
visst aldri tørres ut.

Oversettelser

7. *Peder Claussøn Friis* hadde ferdig sin oversettelse av Heims-
kringla 1599 (Snorre Sturlesøns Norske Kongers Chronica – –), men
den ble først trykt i København 1633, utgitt på ny 1757. Det var
særlig den siste utgaven som fikk stor spredning i Norge. Seinere har
Snorres kongesagaer vært oversatt gang på gang, i Sverige, Danmark
og flere europeiske land. Av norske oversettere skal nevnes: *Jacob
Aall* (Kra. 1838–39), *P.A. Munch* (Kra. 1859), *Steinar Schjøtt* (Kra.
1874–79, nynorsk utg.) og *Gustav Storm* (Kra. 1896–99 og 1900).
Storm var en fremragende middelalderforsker med eminente kunn-
skaper om de gamle handskrifter. Hans forskning har bidratt sterkt
til å bringe orden i det forvirrende slektskapsforhold mellom alle de
overleverte tekstene. Storms oversettelse er blitt et standardverk
som har opplevd flere nyutgivelser. Utgaven er bemerkelsesverdig
ved de fyldige opplysninger og kommentarer som gis i forord og
noter. Hans tekst og merknader har i seinere utgaver kunnet nøye
seg med detalj-justeringer.

En rekke av Norges fremste kunstnere har bidratt med tegninger
hele verket igjennom, og med sikker teft valgt ut og levendegjort
sentrale episoder i fortellingene. Tegningenes spesielle teknikk har
skapt en egen «sagastil» i tegnekunsten, og illustrasjonene har for
lengst inntatt sin berettigede plass blant våre nasjonalskatter. De

kunstnere som utførte illustrasjonene var fra først av *Christian Krohg, Gerhard Munthe, Eilif Peterssen* og *Erik Werenskiold,* seinere trådte også *Halfdan Egedius* og *Wilhelm Wetlesen* til.

I vårt århundre er Snorres Kongesagaer kommet i flere utgaver både på bokmål og nynorsk, ved *Alexander Bugge, Didrik Arup Seip, Anne Holtsmark, Rolv Thesen, Sigmund Moren* og *Olav Hr. Rue.* Til grunn for utgavene ligger hovedsakelig jubileumsutgaven av 1900, ved Gustav Storm og Steinar Schjøtt, og med det samme utstyr og illustrasjoner som den.

Endelig kom en ny, revidert utgave på markedet i anledning av 800-årsjubileet for Snorre Sturlusons fødsel, redigert av *Finn Hødnebø* (bokmål) og *Hallvard Magerøy* (nynorsk).

Kart

Ved Bjørn Eithun

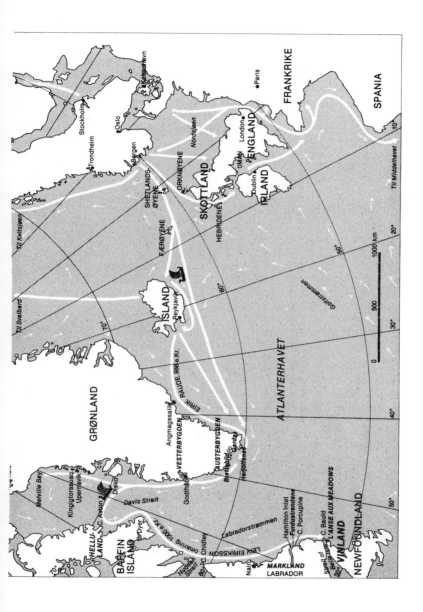

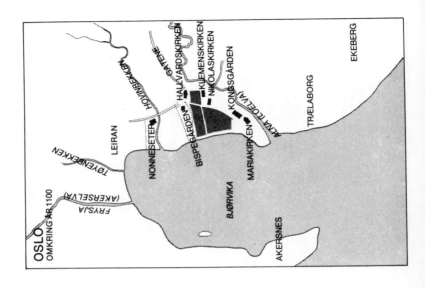

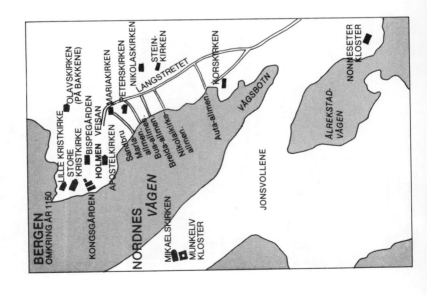

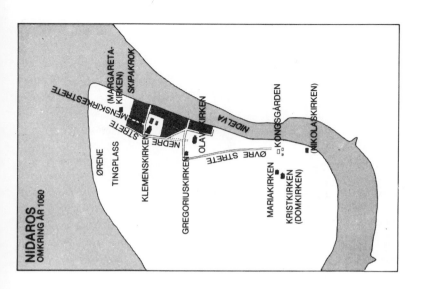

NIDAROS
OMKRING ÅR 1060

MENSKIRKESTRETE
(MARGARETA-KIRKEN)
SKIPAKROK
NEDRE STRETE
ØVRE STRETE
OLAVKIRKEN
NIDELVA
KONGSGÅRDEN
(NIKOLASKIRKEN)
ØRENE
TINGPLASS
KLEMENSKIRKEN
GREGORIUSKIRKEN
MARIAKIRKEN
KRISTKIRKEN
(DOMKIRKEN)

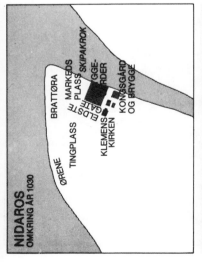

NIDAROS
OMKRING ÅR 1030

BRATTØRA
MARKEDS-PLASS
SKIPAKROK
ELDSTE GATE
GGE-RDER
ØRENE
TINGPLASS
KLEMENS-KIRKEN
KONGSGÅRD OG BRYGGE

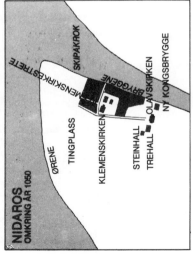

NIDAROS
OMKRING ÅR 1050

MENSKIRKESTRETE
SKIPAKROK
BRYGGENE
OLAVSKIRKEN
NY KONGSBRYGGE
ØRENE
TINGPLASS
KLEMENSKIRKEN
STEINHALL
TREHALL

FÆRØYENE

SHETLAND
(HJALTLAND)

ORKNØYENE

HEBRIDENE
(SUDERØYENE)
LEWIS
SUTHER-
LAND
Thurso
CAITHNESS (KATANES)

NORTHO
UIST
SKYE
Dykill
SKOTTLAND

Aberdeen

TIREE
MULL
IONA
ISLAY
KINTYRE
SANDA
NORTHUMBER-
LAND

ULSTER
Loch Larne
CUMBER-
LAND
Hartlepool
Whitby
Scarborough

Belfast

IRLAND
MAN
Cleveland
Stamford Bridge

Connacht
Dublin
York
Ravenseer

ANGLESEY
Ouse
Humber
Holderness

Menai Strait
Grimsby

LINCOLNSHIRE

Kinnlimasida

FRISLAND

BRETLAND
EAST
ANGLIA

LONDON
Canterbury

WALCHEREN

Winchester
Hastings
FLANDERN

SCILLY ISLES
(SYLLINGENE)

COTENTIN
NORMANDI
Rouen (Ruda)

Ringsflord
Seine (Signa)

BRETAGNE
Dol
VALLAND

Guerange
(Varrande)
TOURAINE
(TUSKALAND)

Loire (Leira)

POITOU
(PEITALAND)

Betanzos
Castropol (Grislepoller)

GALICIA

Guardia
(Seljepoller)

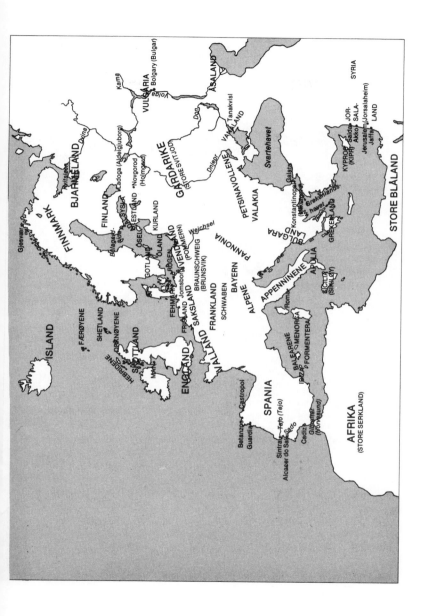

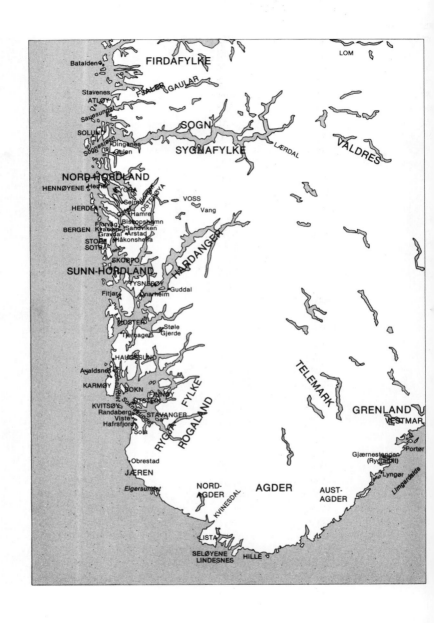

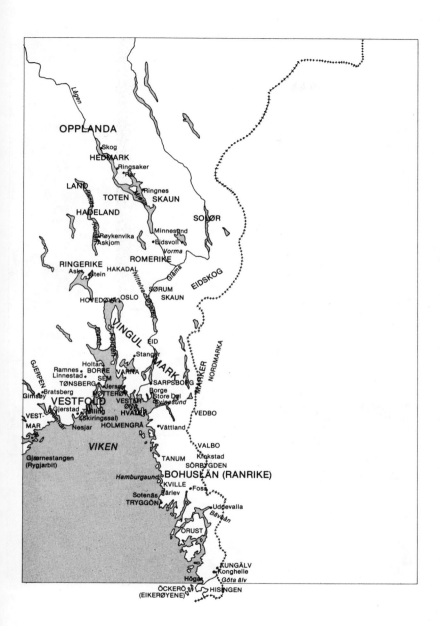

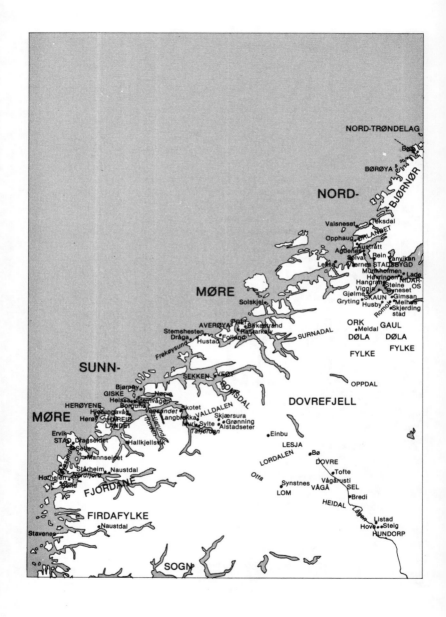

NORD-TRØNDELAG

Bø

BØRØYA BJØRNØR

NORD-

Valsneset Teksdal

Opphaug ØRLANDET

Agdenes Austrått
Selvåt Rein Fanvikan
Leksa Værnes STADSBYGD
Munkholmen
Høvringen BYDAHL
Hangran Steine OS
Viggja Gynesel
Gjølme SKAUN Gimsan
Gryting Husby Melhus
Romol Skjerding
stad

MØRE

Solskjel

ORK GAUL
Meldal
AVERØYA FREI Birkestrand
Stemshesten Hastarkeiv
Dråge vi Folland SURNADAL DØLA DØLA
Hustad FYLKE FYLKE
Frekøysund

SUNN-

SEKKEN VEØY OPPDAL

Bjørpøy
GISKE Nerve
Heisse Stamvågen
HERØYENE Bondhus Vågen
Hjørungavåg Vågsøndet Skotet
Herøy HAREID Langbrekka Skjærsura
LANDET Muri Sylte Grønning
Alstadseter

DOVREFJELL

VALLDALEN

Ervik
STAD Dragseidet
Selje
Mannseidet •Einbu

LESJA
Nordfjord LORDALEN Bø
Stårheim Naustdal DOVRE
Hornelen Otta Tofte
Berle Synstnes Vågåusti SEL
FJORDANE LOM VÅGÅ Bredi

HEIDAL
FIRDAFYLKE
Naustdal Listad
Hove Steig
Stavenes HUNDORP

SOGN

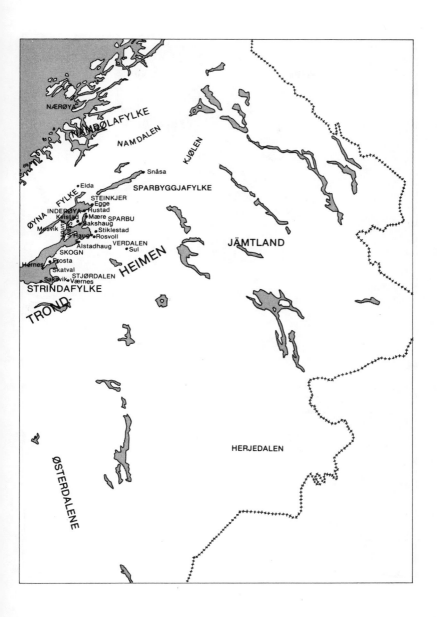

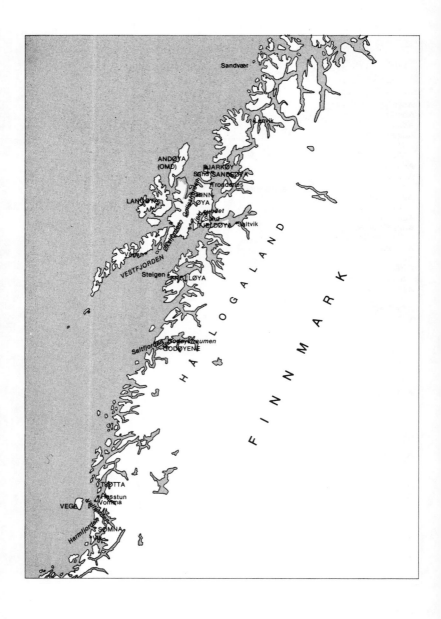

Navneregister
Ved Bjørn Eithun og Erik Simensen

Kursiverte tall viser til navn i bildetekster eller merknader

Zoe (gresk dronning) 482,
489, 490

Ægir 226
Æneas, se Aeneas
Ærø (Danm.) 612

Öckerö, se Eikerøyene
Øksfjorden (Nordl.) 613
Øland 254, 270
Ørene (i Nidaros) 517, 554,
670, 676
Øresund 33, 90, 147, 199,
382, 383, 385, 397, 526,
583, 612

Øreting 456, 553, 620, 659,
664
Ørlandet 58, 122, 159, 181,
183, 508
Ørnolv Skorpa 664, 665
Ösel (Øysysla) 37, 194, 214
Østerdalen 389
Östergötland, se Götaland
Østersaltet, se Østersjøen
Østersjøen 25, 26, 34, 43,
144, 212, 469, 639, 641,
643; Saltet 290?; Østersal-
tet 212
Østfold 130, 578, 674
Østlandet 130, 171, 311
Øst-Preussen, se Reidgota-
land
Östra Tommarp,
se Tumatorp
Østrike (ved Østersjøen)
43
Øst-Tyskland, se Tyskland
Øvregate (stretet, Bergen)
598
Øyeren 50
Øymark, se Marker
Øynafylke (Trl.) 58, 91, 235
Øyner 201, 313
Øystein Adilsson, konge i
Svitjod 36, 37
Øystein den eldre, se
Øystein Magnusson
Øystein Erlendsson erke-
biskop 447, 505, 662, 666,
667
Øystein Glumra 60, 298
Øystein Halvdansson, konge
på Romerike og i Vestfold
45, 46

Øystein Haraldsson 620, 621,
624–627, 629, 630,
632–635, 637, 641, 649,
650, 674
Øystein Hardråde den mek-
tige el. den vonde, konge
på Opplanda 45, 48, 49,
91, 92
Øystein Illråde konge 355
Øystein jarl 67
Øystein Magnusson 558, 563,
569, 577–583, 634, 672;
Øystein den eldre 633, 647
Øystein Olavsson 69
Øystein Orre 357, 358, 538,
542
Øystein Torbergsson, se
Øystein Orre
Øystein Travale 631
Øystein Øysteinsson, konge
på Hedmark 49, 50, 55
Øystein Øysteinsson Møyla
674, 675, 677, 678
Øysysla, se Ösel
Øyvind Finnsson (Skalde-
spille) 9, 18, 29, 62,
101–106, 111–113, 117,
125, 159, 309
Øyvind Kelda 177–179
Øyvind Kinnriva 176, 185,
186
Øyvind Olboge stallare 564,
566, 567
Øyvind Skaldespille, se
Øyvind Finnsson
Øyvind Skrøya 103–105
Øyvind Snåk 198
Øyvind Urarhorn 253, 254,
284, 302, 307

Åbenrå 498
Åbyfjorden (Bhl.) 98
Åfjorden (Trl.) 176, 556
Åke 155
Åke (i Värmland) 63, 64
Ålborg 613, 620, 674
Åle, se Olav Tryggvason
Åle Fridleivsson den frøkne
30
Åle den opplandske, konge
34–36
Åle Uskøynd 646
Ålesund 402, 403
Ålov Asbjørnsdotter 122
Ålov Bodvarsdotter 189, 257

Ålov Haraldsdotter, se Ålov
Årbot
Ålov den mektige, dronning
34, 35, 44
Ålov Olavsdotter, se Ålov
den mektige
Ålov Årbot 67, 74, 80
Ålrekstad (Årstad, Bergen)
80, 106, 122
Åmord (Borge, Østf.) 578
Åmunde (på Orkn.) 301
Åmunde Arnesson 315
Åmunde Gyrdsson 609, 610,
618, 626, 646
Ån skytte 197
Åne, se Aun Jørundsson
Ånesott 31
Ånund jarl 92
Ånund Simonsson 625, 637,
640, 655–657, 659, 664, 665
Århus 472, 476, 478, 501
Árnessýsla (Isl.) 237
Åros (nåv. Uppsala), se
Uppsala
Årstad, se Ålrekstad
Åsa Haraldsdotter 47, 49
Åsa Håkonsdotter 59, 65
Åsa Ingjaldsdotter Illråde
42, 43
Åsa den lyse 672
Åsa-Odin, se Odin
Åsa Øysteinsdotter 45
Åsaheim 13
Åsaland 13
Åsgard 13, 15, 18
Åshild Ringsdotter 68
Åskjell 612
Åslaug Sigurdsdotter 50
Åsmund (Bjørnsson) 511,
512
Åsmund Grankjellsson 311,
334, 335, 363, 364, 393,
394, 461
Åsmund Sæmundsson 599,
603, 604
Åsmundarvåg (Osmondwall,
Orkn.) 166, 302
Åsolv Skulesson på Rein
545, 560
Åsta Gudbrandsdotter 163,
164, 177, 211, 228–232,
268, 269, 288, 339, 545
Åttundaland (Sv.) 39, 41,
270

Qgvaldsnes, se Avaldsnes

HARALD HÅRFAGRE
FØDT CA. 850 (60)
KONGE CA. 860 (70) TIL CA 933 (40)
SØNN AV SMÅKONGEN
HALVDAN SVARTE AV YNGLINGE–ÆTTA

EIRIK BLODØKS
FØDT CA. 895 DØD 954
KONGE CA. 930 TIL 934

OLAV
TRYGGVE

BJØRN FARMANN
GUDRØD

HARALD GRÅFELL
FØDT CA. 935
KONGE CA. 960 TIL 970

OLAV TRYGGVASON
FØDT 968
KONGE 995 TIL 1000

HARALD GRENSKE

OLAV DEN HELLIGE
FØDT 995
KONGE 1015 TIL 1030

MAGNUS DEN GODE
FØDT 1024
KONGE 1035 TIL 1047

Norges Konger
av
Hårfagre ætta
inntil 1184

ØYSTEIN
FØDT 1088
KONGE 1103 TIL 1123

SIGURD JORSALFARE
FØDT 1090
KONGE 1103 TIL 1130

MAGNUS BLINDE
FØDT CA. 1115 DØD 1139
KONGE 1130 TIL 1135

KRISTIN
GIFT MED
ERLING SKAKKE

MAGNUS ERLINGSSON
FØDT 1156
KONGE 1161 TIL 1184

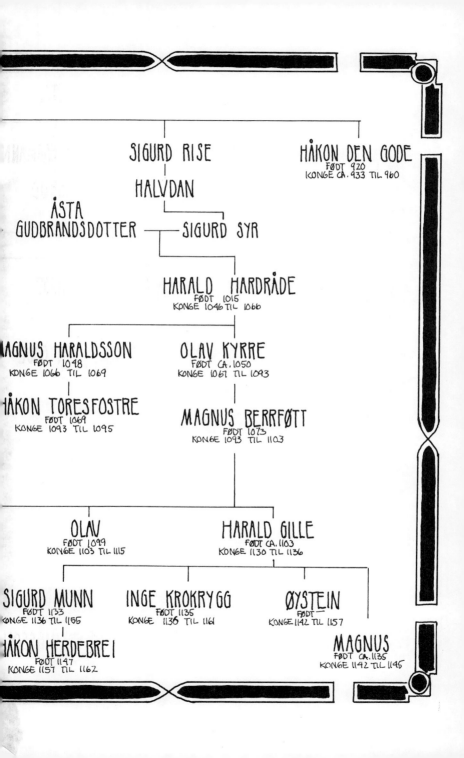

SIGURD RISE

HÅKON DEN GODE
FØDT 920
KONGE CA. 933 TIL 960

HALVDAN

ÅSTA
GUDBRANDSDOTTER —— SIGURD SYR

HARALD HARDRÅDE
FØDT 1015
KONGE 1046 TIL 1066

MAGNUS HARALDSSON
FØDT 1048
KONGE 1066 TIL 1069

OLAV KYRRE
FØDT CA. 1050
KONGE 1067 TIL 1093

HÅKON TORESFOSTRE
FØDT 1069
KONGE 1093 TIL 1095

MAGNUS BERRFØTT
FØDT 1073
KONGE 1093 TIL 1103

OLAV
FØDT 1099
KONGE 1103 TIL 1115

HARALD GILLE
FØDT CA. 1103
KONGE 1130 TIL 1136

SIGURD MUNN
FØDT 1133
KONGE 1136 TIL 1155

INGE KROKRYGG
FØDT 1135
KONGE 1136 TIL 1161

ØYSTEIN
FØDT
KONGE 1142 TIL 1157

HÅKON HERDEBREI
FØDT 1147
KONGE 1157 TIL 1162

MAGNUS
FØDT CA. 1135
KONGE 1142 TIL 1145

**Metropolitan Toronto
Reference Library
Languages &
Literature Department**
Audio/Circulation Desk
789 Yonge Street
5th Floor
Toronto, Ontario
Phone: (416) 393-7171

Due Date